आर॰ गुप्ता® कृत

पॉपुलर मास्टर गाइड

DDA

दिल्ली विकास प्राधिकरण

पटवारी

कंप्यूटर आधारित परीक्षा (CBT)

नवीनतम पाठ्यक्रम के आधार पर सभी विषय सम्मिलित

RPH संपादक मंडल
द्वारा संपादित

2026 EDITION

रमेश पब्लिशिंग हाउस, नई दिल्ली

प्रकाशक

ओ॰पी॰ गुप्ता, **रमेश पब्लिशिंग हाउस**

प्रशासनिक कार्यालय

12-H, न्यू दरियागंज रोड, ऑफिसर्स मेस के सामने,
नई दिल्ली-110002 ✆ 23275224, 23245124

E-mail: info@rameshpublishinghouse.com
For Online Shopping: www.rameshpublishinghouse.com

विक्रय केन्द्र

• बालाजी मार्किट, नई सड़क, दिल्ली-110006 ✆ 23282525 📱 9354373464
• 4457, नई सड़क, दिल्ली-110006

Book Code: R-2878

ISBN: 978-93-5477-604-5

मूल्य: ₹ 540

मुद्रक: दीपक ऑफसैट, दिल्ली

अनुक्रमणिका

SCHEME OF CBT WRITTEN EXAMINATION

Single Stage Computer Based Examination

Subject	No. of Questions	Maximum Marks	Time Allowed
General Awareness	30	30	02 Hours : 15 Minutes
General Intelligence & Reasoning Ability	35	35	
Arithmetical & Numerical Ability	30	30	
English Language & Comprehension	30	30	
Hindi or Urdu Language and Comprehension	30	30	
Knowledge of Relevant Acts	25	25	
Computer Knowledge (Mandatory but Qualifying in nature)	20	20	
Total	**200**	**200**	

Note:
- The standard and syllabus of the On-Line examination will be of the level of prescribed minimum qualification. The medium of the On-Line examination will be Hindi/English only for all categories of posts except for Hindi/English Comprehension.
- Candidates should note that in order to discourage the guess work, for each incorrect response in multiple type question-answer section one-third (1/3) of the marks allotted to the question will be deducted as penalty. No marks will be deducted for unanswered questions.

सैम्पल पेपर

दिल्ली विकास प्राधिकरण (DDA)

पटवारी, भर्ती परीक्षा

सामान्य सचेतता

1. 'सत्य शोधक समाज' का संस्थापक निम्नलिखित में से कौन है?
A. वी.आर. शिंदे B. ज्योतिबा फुले
C. मुकुंदराव पाटिल D. बी.आर. अम्बेडकर

2. 'गोल्डन बॉल अवार्ड' निम्नलिखित में से किस खेल के लिए प्रदान किया जाता है?
A. हॉकी B. फुटबॉल
C. बास्केटबॉल D. वॉलीबॉल

3. भारत में 'नील क्रांति' (ब्लू रेवोल्युशन) निम्नलिखित में किससे संबंधित है?
A. कपड़ा उत्पादन में वृद्धि
B. मछली उत्पादन में वृद्धि
C. तिलहन उत्पादन में वृद्धि
D. दुग्ध उत्पादन में वृद्धि

4. ब्लीचिंग पाउडर का उपयोग किस रूप में किया जाता है?
A. कीटाणुनाशक के रूप में
B. उर्वरकों के रूप में
C. अचार के परिरक्षक के रूप में
D. दाढ़ी बनाने के बाद एंटीसेप्टिक के रूप में

5. निम्नलिखित में से किस देश में ज्वालामुखी विस्फोट के कारण किलिमंजारो पर्वत बना है?
A. तंजानिया B. ईरान
C. रूस D. बलूचिस्तान

6. उद्योगों में डब्ल्यू.पी.आई. (WPI) निम्नलिखित में से किसका संकेताक्षर है?
A. वर्ल्ड प्रॉफिट इंडेक्स
B. होलसेल प्रॉफिट इंडेक्स
C. वर्ल्ड प्रोडक्ट्स आइडेंटिफिकेशन
D. होलसेल प्राइस इंडेक्स

7. भारत के किस राज्य में हाथियों की संख्या सर्वाधिक है?
A. कर्नाटक B. केरल
C. मध्य प्रदेश D. असम

8. निम्नलिखित में से कौन-सा दिन हर साल 5 दिसंबर को मनाया जाता है?
A. अन्तर्राष्ट्रीय स्वयं सेवक दिवस
B. विश्व मृदा दिवस
C. राष्ट्रीय शिक्षा दिवस
D. विश्व शिक्षा दिवस

9. सूची-I का सूची-II से मिलान कीजिए:

सूची-I (नृत्य)	सूची-II (कलाकार)
(*a*) भरतनाट्यम	I. वेदांतम लक्ष्मीनारायण
(*b*) कुचीपुड़ी	II. हेमा मालिनी
(*c*) ओडिसी	III. के. कल्याणकुट्टी अम्मा
(*d*) मोहिनीअट्टम	IV. केलुचरण महापात्र

निम्नलिखित विकल्पों में से सही उत्तर का चयन कीजिए:
A. (*a*)-II, (*b*)-I, (*c*)-IV, (*d*)-III
B. (*a*)-I, (*b*)-III, (*c*)-II, (*d*)-IV
C. (*a*)-I, (*b*)-II, (*c*)-IV, (*d*)-III
D. (*a*)-III, (*b*)-IV, (*c*)-I, (*d*)-II

10. ऊर्जा का आयामी सूत्र है:
A. $[ML^2T^{-2}]$ B. $[ML^2T^{-3}]$
C. $[MLT^{-2}]$ D. $[MLT^{-1}]$

1. B	2. B	3. B	4. A	5. A	6. D	7. A	8. B	9. A	10. A

11. कौन-सा केंद्रशासित प्रदेश (UT) पी.एम. विश्वकर्मा योजना को लागू करने वाला पहला UT बन गया है?

A. चंडीगढ़ B. लक्षद्वीप

C. जम्मू और कश्मीर D. लद्दाख

12. निम्नलिखित में कौन-सा राष्ट्रीय ग्रामीण रोजगार गारंटी अधिनियम सरकार ने राष्ट्रीय सलाहकार परिषद की सलाह पर पारित किया?

A. रोजगार गारंटी अधिनियम, 2005

B. रोजगार गारंटी अधिनियम, 2007

C. रोजगार गारंटी अधिनियम, 2003

D. रोजगार गारंटी अधिनियम, 2006

13. सूची-I का सूची-II से मिलान कीजिए:

सूची-I (योजना)	**सूची-II (घोषणा की तारीख)**
(*a*) स्वच्छ भारत मिशन	I. 12 अप्रैल, 2005
(*b*) बेटी बचाओ बेटी पढ़ाओ	II. 2 अक्टूबर, 2014
(*c*) अटल पेंशन योजना	III. 22 जनवरी, 2015
(*d*) जननी सुरक्षा योजना	IV. 9 मई, 2015

निम्नलिखित विकल्पों में से सही उत्तर का चयन कीजिए:

A. (*a*)-I, (*b*)-II, (*c*)-III, (*d*)-IV

B. (*a*)-I, (*b*)-III, (*c*)-II, (*d*)-IV

C. (*a*)-II, (*b*)-III, (*c*)-IV, (*d*)-I

D. (*a*)-II, (*b*)-III, (*c*)-I, (*d*)-IV

14. रणजी ट्रॉफी क्रिकेट शृंखला की शुरूआत किस वर्ष हुई थी?

A. 1930 में B. 1934 में

C. 1938 में D. 1955 में

15. निम्नलिखित में से कौन-सी वितलीय चट्टानें आमतौर पर काले या गहरे हरे रंग की होती हैं और मुख्य रूप से प्लाजियोक्लेज और ऑगाइट खनिजों से बनी होती हैं?

A. जिओलाइट B. क्वार्टजाइट

C. डोलोमाइट D. गैब्रो

16. शिगमो उत्सव के दौरान गोवा का कौन-सा पारंपरिक नृत्य किया जाता है?

A. कालबेलिया B. जगर

C. मोरुलेम D. लावणी

17. 'ग्रामीण गरीब युवाओं को आर्थिक रूप से स्वतंत्र और विश्व स्तर पर प्रासंगिक कार्यबल में बदलना' किस ग्रामीण आजीविका मिशन की परिकल्पना है?

A. रोजगार आश्वासन योजना

B. राष्ट्रीय ग्रामीण रोजगार कार्यक्रम

C. प्रधानमंत्री रोजगार योजना

D. दीनदयाल उपाध्याय ग्रामीण कौशल्य योजना

18. निम्नलिखित में से कौन-से पेड़ भारत के पर्णपाती वनों में पाए जाते हैं?

A. सागौन B. महोगनी

C. शीशम D. आबनूस

19. निम्नलिखित में से कौन-सा राज्य/केंद्रशासित प्रदेश केसर का अग्रणी उत्पादक है?

A. उत्तराखंड B. पंजाब

C. जम्मू और कश्मीर D. अरुणाचल प्रदेश

20. भूमि पर गिरने वाले जल का कितना प्रतिशत भाग महासागरों के साथ-साथ अन्य स्थानों से वाष्पीकरण द्वारा वायुमंडल में लौटता है?

A. 49% B. 29%

C. 39% D. 59%

21. भारत में लोगों के उस समूह के लिए किस शब्द का उपयोग किया जाता है, जो हमेशा या सामान्य तौर पर निर्धन होते हैं लेकिन जिनके पास कभी-कभी थोड़ा-बहुत धन आ जाता है?

A. अल्पकालिक निर्धन (Transient poor)

B. सापेक्ष निर्धन (Relative poor)

C. निरंतर निर्धन (Churning poor)

D. चिरकालिक निर्धन (Chronic poor)

22. निम्नलिखित में से कौन लक्ष्मण सेन के शासनकाल के दौरान रचित गीत गोविंद के लेखक थे?

A. वात्स्यायन B. जयदेव

C. सोमदेव D. विशाखदत्त

23. फाइलम एंजियोस्पर्म (Phylum Angiosperms) के बारे में दिए गए कथनों में से कौन-से सही हैं?

(*a*) एंजियोस्पर्म गैर-संवहनी पौधे हैं, जिनमें तने, जड़ें और पत्तियाँ होती हैं।

(*b*) एंजियोस्पर्म के बीज अनावृत्त होते हैं।

(*c*) पृथ्वी पर अधिकांश पौधे इससे संबंधित होते हैं।

(*d*) बीज पौधे के अंगों के अंदर विकसित होते हैं और फल बनाते हैं।

A. केवल (*a*) और (*c*)

B. केवल (*a*), (*b*) और (*c*)

C. केवल (*b*), (*c*) और (*d*)

D. केवल (*c*) और (*d*)

11. C	**12.** A	**13.** C	**14.** B	**15.** D	**16.** C	**17.** D
18. A	**19.** C	**20.** D	**21.** D	**22.** B	**23.** D	

24. किस संशोधन अधिनियम ने स्थापित किया कि भारतीय संविधान के अनुच्छेद 20 और 21 को आपातकाल में भी निलंबित नहीं किया जा सकता है?

A. 44वां संशोधन अधिनियम B. 42वां संशोधन अधिनियम
C. 41वां संशोधन अधिनियम D. 43वां संशोधन अधिनियम

25. उस परिघटना का नाम क्या है, जिसके द्वारा प्रकाश, प्रिज्म से गुजरने पर अपने घटक वर्णों (component colours) में विभाजित हो जाता है?

A. विक्षेपण B. विवर्तन
C. अपवर्तन D. परावर्तन

26. निम्नलिखित में से किस मौलिक कर्तव्य का उल्लंघन तब होता है, जब कोई व्यक्ति जानबूझकर किसी प्राचीन स्मारक को खराब करता है?

A. वैज्ञानिक दृष्टिकोण और मानवतावाद का विकास करना।
B. जरूरत पड़ने पर देश की रक्षा करना।
C. हमारी समृद्ध विरासत और समग्र संस्कृति को संरक्षित करना।
D. भारत की एकता और अखंडता की रक्षा करना।

27. 'करेज एंड कनविक्शन : ऐन ऑटोबायोग्राफी' निम्नलिखित में से किस भारतीय सेना के पूर्व जनरल एवं बाद में राजनेता बने, द्वारा लिखी गई है?

A. भुवन चंद्र खंडूरी B. जोगिंदर जसवंत सिंह
C. विजय कुमार सिंह D. राज्यवर्धन सिंह राठौड़

28. भारतीय संगीत निर्देशक ए.आर. रहमान ने किस वर्ष ऑस्कर जीता था?

A. 2008 में B. 2005 में
C. 2011 में D. 2009 में

29. IOA (आईओए) का पूर्ण रूप क्या है?

A. International Olympic Association (इंटरनेशनल ओलंपिक एसोसिएशन)
B. Indian Olympic Association (इंडियन ओलंपिक एसोसिएशन)
C. India Olympic Association (इंडिया ओलंपिक एसोसिएशन)
D. Indian Olympic Amateur (इंडियन ओलंपिक अमेचर)

30. निम्नलिखित में से कौन-सा भारत में सार्वजनिक क्षेत्र के उद्योग का उदाहरण नहीं है?

A. नेशनल थर्मल पॉवर कॉर्पोरेशन
B. स्टील अथॉरिटी ऑफ इंडिया लिमिटेड
C. भारत हेवी इलेक्ट्रिकल लिमिटेड
D. टाटा आयरन एंड स्टील कंपनी

सामान्य बुद्धिमत्ता एवं तार्किक योग्यता

31. अंग्रेजी वर्णानुक्रम के आधार पर दी गई शृंखला में प्रश्न चिह्न (?) के स्थान पर क्या आना चाहिए?

GGB, HHD, IKH, JPN, ?

A. KWV B. OUV
C. OWV D. PUV

32. विकल्पों में दी गई उन आकृति की पहचान कीजिए, जिसे (?) के स्थान पर रखने पर शृंखला तार्किक रूप से पूर्ण हो जाएगी।

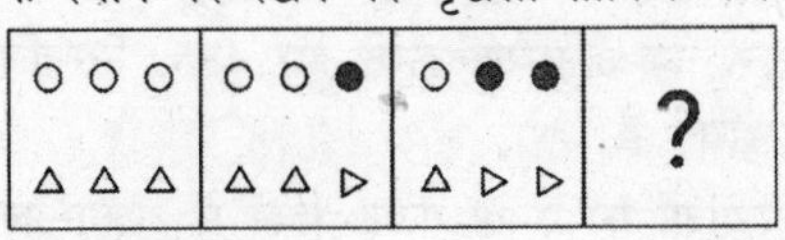

A. 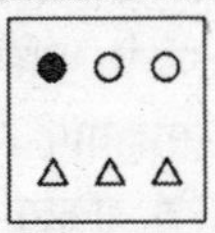
B. 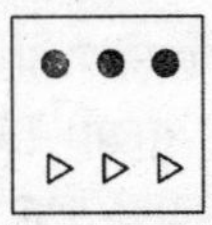
C. 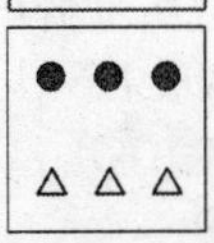
D. 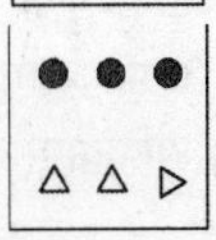

33. एक निश्चित कूट भाषा में, 'FLOAT' को '14238' के रूप में कूटबद्ध किया जाता है और 'BLOAT' को '23849' के रूप में कूटबद्ध किया जाता है। इसी कूट भाषा में 'F' के लिए कूट क्या होगा?

A. 4 B. 1
C. 9 D. 2

34. यदि दर्पण को नीचे दर्शाए गए अनुसार MN पर रखा जाए, तो दी गई आकृति के सही दर्पण प्रतिबिंब का चयन कीजिए।

A. 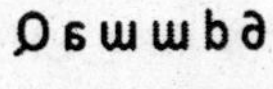
B. 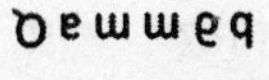
C. 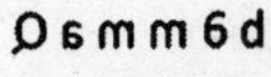
D. 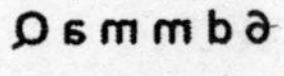

24. A	25. A	26. C	27. C	28. D	29. B
30. D	31. A	32. B	33. B	34. D	

35. निम्नलिखित शृंखला में प्रश्न चिह्न (?) के स्थान पर क्या आना चाहिए?

1, 17, 33, 49, 65, ?

A. 77　　B. 80

C. 81　　D. 79

36. यदि '+' और '–' को आपस में बदल दिया जाए तथा '×' और '÷' को आपस में बदल दिया जाए, तो निम्नलिखित समीकरण में '?' के स्थान पर क्या आएगा?

$8 + 2 - 1 \times 1 \div 1 = ?$

A. 10　　B. 5

C. 3　　D. 7

37. सात सहेलियाँ, कमला, रवीना, अमृता, निशा, गौतमी, भावना और त्रिवेणी, एक वृत्ताकार खाने की मेज के चारों ओर केंद्र की ओर मुख करके बैठी हैं (परंतु जरूरी नहीं कि वे इसी क्रम में बैठी हों)। रवीना, निशा के दाएं से दूसरे स्थान पर बैठी है। गौतमी की निकटतम पड़ोसी कमला और त्रिवेणी हैं। त्रिवेणी, निशा के बाएँ से तीसरे स्थान पर बैठी है। अमृता, निशा की निकटतम पड़ोसी नहीं है। भावना के बाएँ से चौथे स्थान पर कौन बैठा है?

A. कमला　　B. रवीना

C. निशा　　D. त्रिवेणी

38. निम्नलिखित संख्या-युग्मों में, प्रथम संख्या पर कुछ गणितीय संक्रियाएं करके दूसरी संख्या प्राप्त की जाती है। उस समुच्चय का चयन कीजिए; जिसमें संख्याएँ ठीक उसी प्रकार संबंधित हैं जिस प्रकार निम्नलिखित समुच्चयों की संख्याएँ संबंधित हैं।

(**ध्यान दें:** संख्याओं को उनके घटक अंकों में अलग-अलग किए बिना पूर्ण संख्याओं पर संक्रियाएँ की जानी चाहिए। उदाहरण के लिए संख्या 13 - संख्या 13 पर संक्रियाएं जैसे 13 को जोड़ना/घटाना/गुणा करना आदि किया जा सकता है। 13 को 1 और 3 में अलग-अलग करने की और फिर 1 और 3 पर गणितीय संक्रियाएं करने की अनुमति नहीं हैं।)

24, 73

27, 82

A. 33, 101　　B. 32, 100

C. 32, 101　　D. 33, 100

39. अंग्रेजी वर्णानुक्रम के आधार पर PLRN एक निश्चित प्रकार से QMSO से संबंधित है। ठीक उसी प्रकार LHNJ, MIOK से संबंधित है। समान तर्क का अनुसरण करते हुए HDJF निम्नलिखित में से किससे संबंधित हैं?

A. IEKG　　B. IEGK

C. EIGK　　D. EIKG

40. उस विकल्प आकृति का चयन कीजिए, जो पैटर्न को पूरा करने के लिए नीचे दी गई आकृति में प्रश्न चिह्न (?) के स्थान पर आएगी।

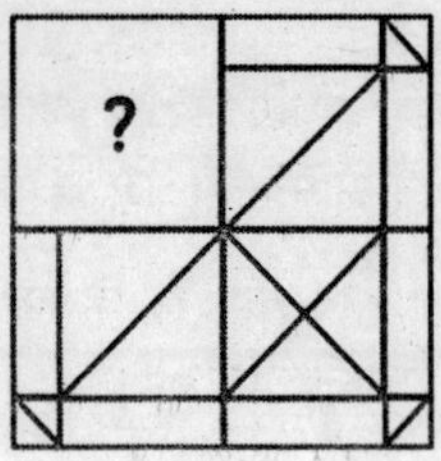

A. 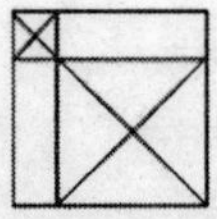　　B. 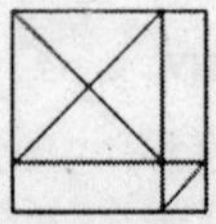

C. 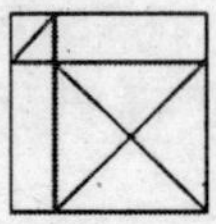　　D. 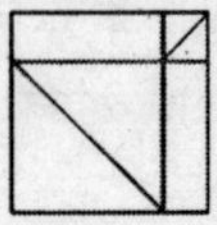

41. विकल्पों में दी गई उस आकृति की पहचान कीजिए, जिसे प्रश्न चिह्न (?) के स्थान पर रखने पर शृंखला तार्किक रूप से पूर्ण हो जाएगी।

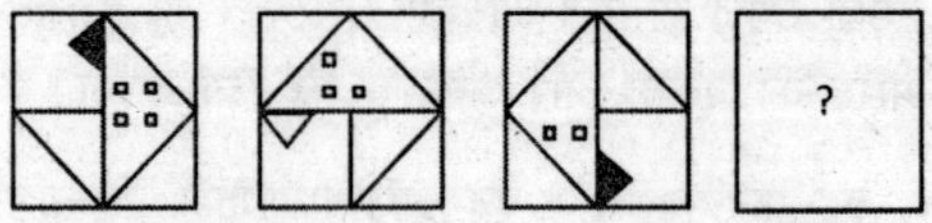

A. 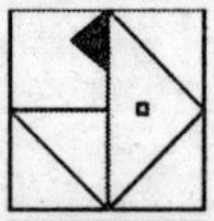　　B. 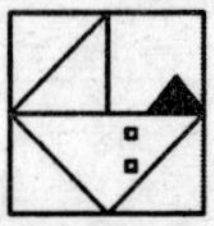

C. 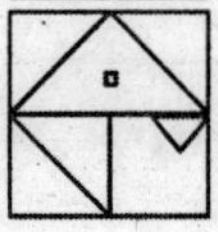　　D. 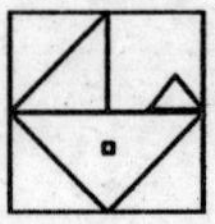

42. एक निश्चित कूट भाषा में, 'father makes tea' को 'ib fx ey' के रूप में कूटबद्ध किया जाता है और 'tea and coffee' को 'kr ey wn' के रूप में कूटबद्ध किया जाता है। दी गई भाषा में 'tea' को किस प्रकार कूटबद्ध किया गया है?

A. fx　　B. ey

C. kr　　D. wn

43. 519, एक निश्चित तर्क का अनुसरण करते हुए 781 से संबंधित है। 642, उसी तर्क का अनुसरण करते हुए 904 से संबंधित है। समान तर्क का अनुसरण करते हुए 485, निम्नलिखित में से किससे संबंधित हैं?

(**ध्यान दें:** संख्याओं को उनके घटक अंकों में अलग-अलग किए बिना पूर्ण संख्याओं पर संक्रियाएँ की जानी चाहिए। उदाहरण के लिए संख्या 13 - संख्या 13 पर संक्रियाएं जैसे 13 को जोड़ना/घटाना/गुणा करना आदि किया जा सकता है। 13 को 1 और 3 में अलग-अलग करने की और फिर 1 और 3 पर गणितीय संक्रियाएं करने की अनुमति नहीं हैं।)

A. 721　　B. 756

C. 794　　D. 747

35. C	36. D	37. D	38. D	39. A	40. C	41. D	42. B	43. D

44. FI29 एक निश्चित प्रकार से TW49 से संबंधित है। ठीक उसी प्रकार LO38, ZC58 से संबंधित है। समान तर्क का अनुसरण करते हुए, RU65 निम्नलिखित में से किससे संबंधित है?

A. FI85 B. FE85
C. EF58 D. IF58

45. दिए गए कथनों और निष्कर्षों को ध्यानपूर्वक पढ़िए। यह मानते हुए कि कथनों में दी गई जानकारी सत्य है, चाहे वह सामान्यतः ज्ञात तथ्यों से भिन्न प्रतीत होती हो और निर्णय लीजिए कि दिए गए निष्कर्षों में से कौन-सा/कौन-से निष्कर्ष कथनों का तार्किक रूप से अनुसरण करता है/करते हैं?

कथन :

सभी ग्रह, चट्टानें हैं।

सभी चट्टानें, झीलें हैं।

निष्कर्ष :

(*i*) सभी ग्रह, झीलें हैं।

(*ii*) सभी चट्टानें, ग्रह हैं।

A. निष्कर्ष (*i*) और निष्कर्ष (*ii*), दोनों अनुसरण करते हैं
B. केवल निष्कर्ष (*ii*) अनुसरण करता है
C. न तो निष्कर्ष (*i*) और न ही निष्कर्ष (*ii*) अनुसरण करता है
D. केवल निष्कर्ष (*i*) अनुसरण करता है

46. एक निश्चित कूट भाषा में, 'GIFT' को '5197' के रूप में कूटबद्ध किया जाता है और 'FIST' को '4157' के रूप में कूटबद्ध किया जाता है। इसी भाषा में 'S' के लिए कूट क्या होगा?

A. 1 B. 4
C. 9 D. 5

47. दिए गए कथनों और निष्कर्षों को ध्यानपूर्वक पढ़ें। यह मानते हुए कि कथनों में दी गई जानकारी सत्य है, भले ही यह सामान्यतः ज्ञात तथ्यों से भिन्न प्रतीत होती हो, तय कीजिए कि दिए गए निष्कर्षों में से कौन-सा/कौन-से निष्कर्ष इन कथनों का तार्किक रूप से अनुसरण करता है/ करते हैं?

कथन :

कुछ पतंगे, चट्टानें हैं।

सभी चट्टानें, पत्थर हैं।

निष्कर्ष :

(*i*) कम से कम कुछ पतंगें, पत्थर हैं।

(*ii*) सभी पत्थर, चट्टानें हैं।

A. निष्कर्ष (*i*) और (*ii*) दोनों अनुसरण करते हैं।
B. न तो निष्कर्ष (*i*) और न ही (*ii*) अनुसरण करता है।
C. केवल निष्कर्ष (*i*) अनुसरण करता है।
D. केवल निष्कर्ष (*ii*) अनुसरण करता है।

48. यदि '+' और '×' को आपस में बदल दिया जाए तथा '÷' और '−' को आपस में बदल दिया जाए, तो निम्नलिखित समीकरण में प्रश्न-चिह्न '?' के स्थान पर क्या आएगा?

$15 \div 5 + 8 - 4 \times 7 = ?$

A. 18 B. 22
C. 12 D. 25

49. M, N, O, P, Q और R एक वृत्ताकार मेज के चारों ओर केंद्रों की ओर मुख करके बैठे हैं (परंतु जरूरी नहीं कि वे इसी क्रम में बैठे हों)। N, R के ठीक दाएँ बैठा है। M, N के दाएँ से दूसरे स्थान पर बैठा है। P, M के दाएँ से दूसरे स्थान पर बैठा है। O, P के दाएँ से तीसरे स्थान पर बैठा है। Q के ठीक दाएँ कौन बैठा है?

A. M B. P
C. R D. O

50. एक निश्चित कूट भाषा में, 'MOVE' को '3917' के रूप में कूटबद्ध किया जाता है और 'EAST' को '4692' के रूप में कूटबद्ध किया जाता है। दी गई कूट भाषा में 'E' के लिए कूट क्या है?

A. 2 B. 4
C. 9 D. 7

51. नीचे दिए गए कथन/कथनों और निष्कर्षों को ध्यानपूर्वक पढ़िए। आपको मानना है कि दिए गए कथन सत्य हैं चाहे वे समान्यतः ज्ञात तथ्यों से अलग प्रतीत होते हों। आपको निश्चय करना है कि कौन-सा/कौन-से निष्कर्ष तार्किक रूप से दिए गए कथन/कथनों के अनुसार है/हैं?

कथनः सभी इमारतें, चॉक हैं। कोई चॉक, टॉफी नहीं है।

निष्कर्षः

(*i*) कोई इमारत, टॉफी नहीं है।

(*ii*) सभी चॉक, इमारतें हैं।

A. दोनों निष्कर्ष (*i*) और (*ii*) कथनों के अनुसार हैं।
B. न तो निष्कर्ष (*i*) और न ही (*ii*) कथनों के अनुसार है।
C. केवल निष्कर्ष (*i*) कथनों के अनुसार है।
D. केवल निष्कर्ष (*ii*) कथनों के अनुसार है।

52. यदि 4 नबंबर 2021 को गुरुवार है, तो 13 मई 2023 को सप्ताह का कौन-सा दिन होगा?

A. सोमवार B. शनिवार
C. शुक्रवार D. रविवार

44. A **45.** D **46.** B **47.** C **48.** C **49.** B **50.** C **51.** C **52.** B

53. दी गई श्रृंखला में प्रश्न चिह्न '?' के स्थान पर क्या आना चाहिए?
24 103 498 2473 12348 ?
A. 61723 B. 60983
C. 63487 D. 62457

54. एक निश्चित तर्क के अनुसार 8, 40 से संबंधित है। समान तर्क के अनुसार 3, 15 से संबंधित है। समान तर्क का अनुसरण करते हुए 52 निम्नलिखित में से किससे संबंधित है?
A. 262 B. 261
C. 263 D. 260

55. E, F, G, H, I और J एक वृत्ताकार मेज के चारो ओर केंद्र की ओर मुख करके बैठे हैं। J, I के ठीक बाईं ओर बैठा है। G, I के दाईं ओर से दूसरे स्थान पर बैठा है। E, G के दाईं ओर से दूसरे स्थान पर बैठा है। H, F के बाईं ओर से दूसरे स्थान पर बैठा है। E के दाईं ओर से तीसरे स्थान पर कौन बैठा है?
A. F B. I
C. H D. J

56. दी गई श्रृंखला में प्रश्न चिह्न '?' के स्थान पर क्या आना चाहिए?
77 754 ? 75224 752224 7522224 75222224
A. 7544 B. 7524
C. 7425 D. 7254

57. दी गई श्रृंखला में प्रश्न चिह्न '?' के स्थान पर क्या आना चाहिए?
64 61 55 46 34 ?
A. 24 B. 19
C. 21 D. 15

58. अंग्रेजी वर्णमाला क्रम के आधार पर दी गई श्रृंखला में प्रश्न चिह्न (?) के स्थान पर क्या आना चाहिए?
TOY, UQB, VSE, WUH, ?
A. YUI B. ZWI
C. XWK D. YVJ

59. दी गई आकृति के उस सही दर्पण प्रतिबिंब को चुनिए, जो नीचे दर्शाए गए अनुसार दर्पण को MN पर रखने पर बनेगा।

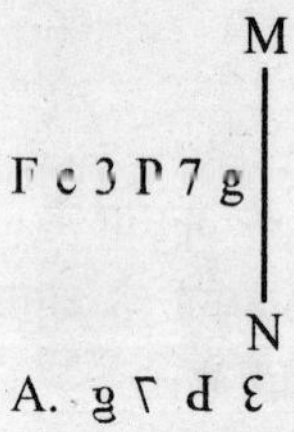

A. 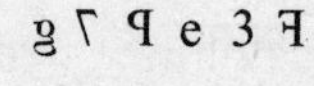 B. 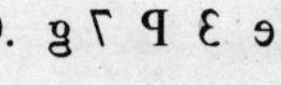
C. 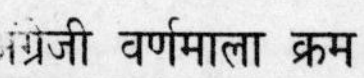 D. 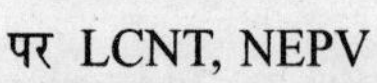

60. अंग्रेजी वर्णमाला क्रम के आधार पर LCNT, NEPV से एक निश्चित प्रकार से संबंधित है। उसी प्रकार HBER, JDGT से संबंधित है। समान तर्क का अनुसरण करते हुए, OSCF निम्नलिखित में से किससे संबंधित है?
A. QVEI B. PUDJ
C. RVEH D. QUEH

61. यदि निम्नलिखित आकृति श्रृंखला को जारी रखना हो तो कौन-सी आकृति प्रश्न चिह्न (?) के स्थान पर आनी चाहिए?

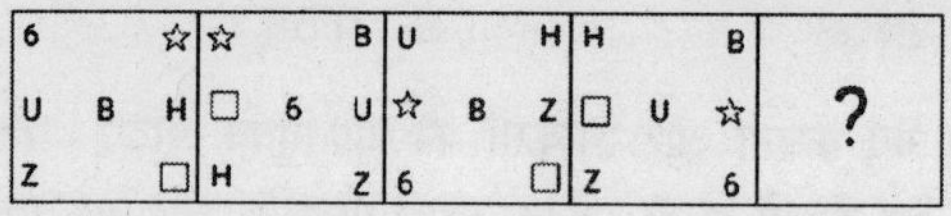

A. 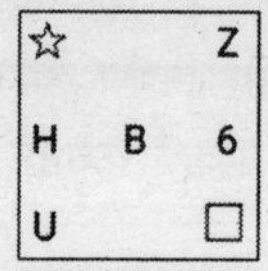 B. 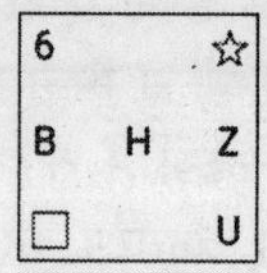
C. 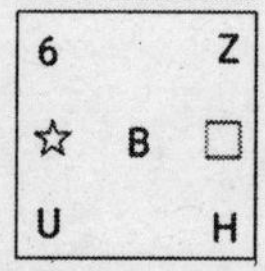 D. 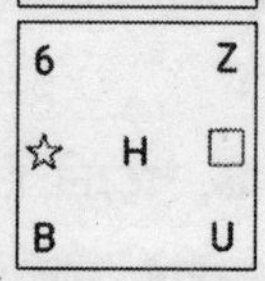

62. पैटर्न को पूरा करने वाली आकृति को पहचानिए (घूर्णन की अनुमति नहीं है)।

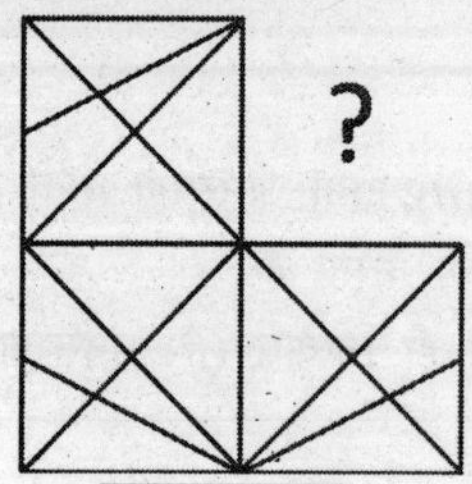

A. 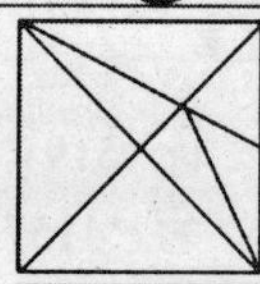 B. 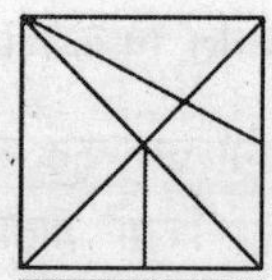
C. 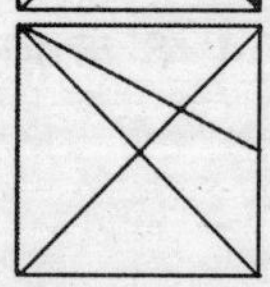 D. 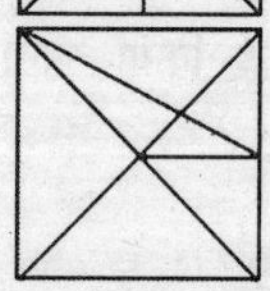

63. नीचे दिए गए कथनों और निष्कर्षों को ध्यानपूर्वक पढ़िए। आपको मानना है कि दिए गए कथन सत्य हैं चाहे वे समान्यतः ज्ञात तथ्यों से अलग प्रतीत होते हों। आपको निश्चय करना है कि कौन-सा/कौन-से निष्कर्ष तार्किक रूप से दिए गए कथनों के अनुसार है/हैं?

कथनः सभी केक, बिस्किट हैं। कुछ बिस्किट, टार्ट हैं। सभी टार्ट, पुडिंग हैं।

निष्कर्षः I: कुछ बिस्किट, केक हैं।

निष्कर्षः II: कुछ पुडिंग, बिस्किट हैं।

A. केवल निष्कर्ष (I) कथनों के अनुसार है।
B. दोनों निष्कर्ष (I) और (II) कथनों के अनुसार हैं।
C. न तो निष्कर्ष (I) और न ही (II) कथनों के अनुसार है।
D. केवल निष्कर्ष (II) कथनों के अनुसार है।

53. A	**54.** D	**55.** C	**56.** B	**57.** B	**58.** C
59. D	**60.** D	**61.** A	**62.** C	**63.** B	

64. अंग्रेजी वर्णमाला क्रम के आधार पर दी गई श्रृंखला में प्रश्न चिह्न (?) के स्थान पर क्या आना चाहिए?
LPA, PSY, TVW, XYU, ?
A. CDS B. DCR
C. BBS D. CBR

65. उस समुच्चय को चुनिए जिसमें संख्याएँ ठीक उसी प्रकार संबंधित हैं जिस प्रकार निम्नलिखित समुच्चयों की संख्याएँ संबंधित हैं।
(ध्यान दें: संख्याओं को उनके घटक अंकों में अलग-अलग किए बिना, पूर्ण संख्याओं पर संक्रियाएँ की जानी चाहिए। उदा. 13 – संख्या 13 पर संक्रियाएँ जैसे 13 को जोड़ना/घटाना/गुणा करना आदि किया जा सकता है। 13 को 1 और 3 में अलग-अलग करने की और फिर 1 और 3 पर गणितीय संक्रियाएँ करने की अनुमति नहीं है।)
(8, 720, 9)
(16, 800, 5)
A. 18, 1260, 7
B. 13, 169, 5
C. 18, 238, 5
D. 7, 125, 8

अंकगणितीय एवं संख्यात्मक योग्यता

66. निम्नलिखित तालिका में वर्ष 2007 से 2011 तक तीन कंपनियाँ A, B और C द्वारा निर्मित मोबाइल फोन की संख्या (हजार में) दर्शाई गई है।

वर्ष/कंपनी का नाम	A	B	C
2007	450	650	540
2008	310	820	950
2009	1090	1080	1150
2010	1675	1700	1500
2011	2532	2120	2420

किस कंपनी ने और किस वर्ष में अन्य सभी कंपनियों की तुलना में सबसे अधिक मोबाइल फोन का निर्माण किया?
A. कंपनी C ने, 2011 में
B. कंपनी A ने, 2010 में
C. कंपनी A ने, 2011 में
D. कंपनी B ने, 2009 में

67. एक फोल्डिंग बेड का अंकित मूल्य ₹ 18,000 है। अमन ने इसे 15% और 10% की दो क्रमिक छूट के बाद खरीदा। उसने परिवहन पर ₹ 830 व्यय किए और इसे ₹ 18,440 में बेच दिया। उसका लाभ ज्ञात कीजिए।
A. ₹ 3,148 B. ₹ 3,840
C. ₹ 2,869 D. ₹ 3,539

68. ₹ 2,380 की राशि को दो भागों में उधार दिया जाता है एक 25% वार्षिक पर और दूसरी 20% वार्षिक पर। यदि कुल वार्षिक आय ₹ 500 है, तो 25% की दर पर उधार दी गई राशि (₹ में) ज्ञात कीजिए।
A. 240 B. 480
C. 560 D. 320

69. सुरेंद्र ने ₹ 2,500 में एक पुरानी साइकिल खरीदी और उसकी मरम्मत पर ₹ 300 खर्च किए। उसने इसे ₹ 3,000 में बेच दिया। उसका लाभ प्रतिशत ज्ञात कीजिए।
A. $11\frac{2}{3}\%$ B. $7\frac{1}{7}\%$
C. $7\frac{5}{9}\%$ D. $13\frac{4}{11}\%$

70. यदि 3% और 6% के लाभ पर किसी वस्तु के विक्रय मूल्य के बीच नकद अंतर ₹ 9 है, तो निम्नलिखित में से कौन-सा विकल्प विक्रय मूल्यों के बीच सही अनुपात है?
A. 101 : 105 B. 103 : 100
C. 103 : 106 D. 101 : 103

71. निम्नलिखित ग्राफ एक उद्योग की पांच अलग-अलग शाखाओं में वास्तविक और लक्षित आय (करोड़ में) को दर्शाता है। ग्राफ का अध्ययन कीजिए और प्रश्न का उत्तर दीजिए:

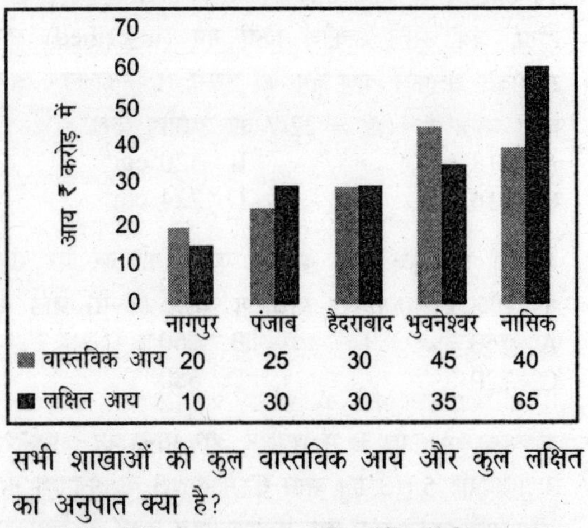

सभी शाखाओं की कुल वास्तविक आय और कुल लक्षित आय का अनुपात क्या है?
A. 13 : 14 B. 17 : 16
C. 14 : 13 D. 16 : 17

64. C **65.** A **66.** C **67.** B **68.** B **69.** B **70.** C **71.** D

72. एक विक्रेता दूध में पानी मिलाकर और इस मिश्रण को क्रय मूल्य पर बेचकर 25% लाभ प्राप्त करना चाहता है। मिश्रण में पानी और दूध का अनुपात ज्ञात करें।
A. 2 : 7 B. 2 : 5
C. 1 : 4 D. 1 : 5

73. स्थिर जल में एक नाव की चाल 15km/h है और धारा की चाल 3 km/h है। धारा के अनुकूल 12 मिनट में कितनी दूरी (km में) तय की जा सकती है?
A. 3.6 B. 3.5
C. 3.7 D. 3.4

74. एक व्यक्ति क्रमशः 3 km/h, 4 km/h और 8 km/h की चाल से समान दूरियाँ तय करता है और कुल मिलाकर 425 मिनट लेता है। उसके द्वारा तय की गई कुल दूरी (km में) कितनी है?
A. 32 B. 27
C. 30 D. 28

75. राजू ने कुल 4 लैपटॉप को मिलाकर ₹ 1,54,005 में बेचा और उसे 25% की हानि हुई। 25% का लाभ अर्जित करने के लिए उसे लैपटॉप को कितने में बेचना चाहिए?
A. ₹ 2,31,007.5 B. ₹ 2,56,675
C. ₹ 2,05,340 D. ₹ 2,25,820

76. यदि एक गोले का आयतन और पृष्ठीय क्षेत्रफल संख्यात्मक रूप से समान हैं, तो इसके अर्ध-गोले का आयतन (cm^3 में) ज्ञात कीजिए। (दशमलव के दो स्थानों तक सही, $\pi = 3.14$ का उपयोग कीजिए)
A. 65.52 B. 56.52
C. 56.25 D. 65.25

77. 14 cm त्रिज्या वाले उस वृत्त के शेष भाग का क्षेत्रफल क्या होगा, जब उसमें उत्कीर्ण किए गए (inscribed) अधिकतम संभावित क्षेत्रफल वाले वर्ग को उसमें से निकालकर अलग कर दिया जाता है? ($\pi = 22/7$ का उपयोग करें)
A. 518 cm^2 B. 520 cm^2
C. 616 cm^2 D. 224 cm^2

78. 4 वर्षों के लिए 6% वार्षिक ब्याज की दर पर उधार ली गई राशि ₹ 3000 पर साधारण ब्याज (₹ में) ज्ञात कीजिए।
A. 760 B. 660
C. 720 D. 680

79. दो बर्तन, A और B में स्पिरिट और पानी का अनुपात क्रमशः 3 : 4 और 5 : 3 है। बर्तन C में 4 : 3 के अनुपात में स्पिरिट और पानी युक्त एक नया मिश्रण प्राप्त करने के लिए इन दोनों मिश्रणों को किस अनुपात में मिलाया जाना चाहिए?
A. 3 : 7 B. 3 : 8
C. 5 : 8 D. 4 : 7

80. 12 पुरुषों की औसत आयु में 6 वर्ष की वृद्धि तब हो जाती है, जब उनमें से 36, 40 और 44 वर्ष आयु वाले तीन पुरुषों के स्थान पर 3 अन्य व्यक्ति आ जाते हैं। 3 व्यक्तियों की औसत आयु कितनी है?
A. 50 वर्ष B. 58 वर्ष
C. 64 वर्ष D. 67 वर्ष

81. विद्यार्थी परिषद के चुनाव में तीन प्रत्याशी थे। सभी मतदाताओं ने मतदान में भाग लिया और 10% मत अवैध घोषित कर दिए गए। प्रत्याशियों को 8 : 7 : 5 के अनुपात में मत मिले। यदि सूची में दूसरे उम्मीदवार को 4725 मत मिले, तो वैध मतों की कुल संख्या क्या है?
A. 11,500 B. 10,000
C. 9,000 D. 13,500

82. एक अर्धगोलाकार कटोरा किनारे पर 264 cm गोल है। मान लीजिए कि यह कटोरा पेय पदार्थ से आधा भरा हुआ है। यदि पेय पदार्थ शीर्ष पर 6 cm व्यास वाले अर्धगोलाकार गिलास में परोसा जाता है, तो यह कितने व्यक्तियों को परोसा जाएगा?
A. 1372 B. 1170
C. 1270 D. 1470

83. 84 और 108 का महत्तम समापवर्तक ________ है।
A. 16 B. 12
C. 6 D. 8

84. 32 महिलाओं के एक समूह की औसत आयु 60 वर्ष है और 40 पुरुषों के एक दूसरे समूह की औसत आयु 33 वर्ष है। दोनों समूहों को मिलाकर औसत आयु ज्ञात कीजिए।
A. 46.5 वर्ष B. 48 वर्ष
C. 45 वर्ष D. 42 वर्ष

85. 6 वर्षों के लिए 9% वार्षिक ब्याज की दर पर उधार ली गई राशि ₹ 2500 पर साधारण ब्याज (₹ में) ज्ञात कीजिए।
A. 1310 B. 1290
C. 1390 D. 1350

86. एक विक्रेता द्वारा अपने माल को ₹ 3,200 में बेचने पर प्राप्त होने वाला लाभ, उसी माल को ₹ 3,000 में बचेने पर प्राप्त होने वाले लाभ के 7/5वें भाग के बराबर है। माल का क्रय मूल्य (₹ में) क्या है?
A. 2,500 B. 2,400
C. 2,700 D. 2,900

72. C	**73.** A	**74.** C	**75.** B	**76.** B	**77.** D	**78.** C	**79.** B
80. C	**81.** D	**82.** A	**83.** B	**84.** C	**85.** D	**86.** A	

87. A अपनी दैनिक आय का 20% खर्च करता है। यदि व्यय ₹ 250 है, तो उसकी दैनिक आय कितनी है?
A. ₹ 800 B. ₹ 1,250
C. ₹ 2,500 D. ₹ 1,500

88. ₹ 5,400 पर 7 वर्ष के लिए 4% वार्षिक की दर से साधारण ब्याज (₹ में) ज्ञात कीजिए।
A. 1,380 B. 1,230
C. 1,172 D. 1,512

89. X, 3 मिनट में 8 पेज टाइप कर सकता है। Y, 5 मिनट में 3 पेज टाइप कर सकता है। साथ मिलकर काम करते हुए वे 15 मिनट में कितने पेज टाइप कर सकते हैं?
A. 46 B. 40
C. 49 D. 42

90. दो संख्याओं का अनुपात 2 : 5 है। उनका लघुत्तम समापवर्त्य 80 है। संख्याएं ज्ञात कीजिए।
A. 18, 38 B. 14, 36
C. 16, 40 D. 16, 38

91. एक बल्लेबाज 13वीं पारी में 96 रन बनाता है और इस प्रकार उसके औसत में 3 की वृद्धि हो जाती है। 13 पारियों के बाद उसका औसत ज्ञात कीजिए।
A. 70 B. 60
C. 65 D. 50

92. सुरजीत अकेले एक काम को 8 दिनों में पूरा कर सकता है और मनजीत अकेले उसी काम को 6 दिनों में पूरा कर सकता है। सुरजीत और मनजीत ने बारी-बारी से एक दिन छोड़कर काम करते हुए इस काम को करने का फैसला किया और पहले दिन सुरजीत काम शुरू करता है। काम कितने दिनों में पूरा होगा?
A. 7 दिन B. 8.5 दिन
C. 8 दिन D. 7.5 दिन

93. 1.5, 4.8 और 8 का चतुर्थ समानुपाती .... है।
A. 25.6 B. 22.6
C. 26.5 D. 24.5

94. चार किताबें और आठ कलमें ₹ 260 में खरीदी गईं। यदि एक किताब का औसत मूल्य ₹ 35 है, तो एक कलम का औसत मूल्य कितना होगा?
A. ₹ 10 B. ₹ 15
C. ₹ 31 D. ₹ 5

95. निम्नलिखित व्यंजक को सरल कीजिए।
$45 - 22 \div 2 + 12 + 70 \div 35 + 0.4 \div 0.8 + 1.5 \div 3 + 1$
A. 54.5 B. 48.5
C. 50.5 D. 50

English Language and Comprehension

96. Identify the ODD word from the given options.
A. Golf B. Billiards
C. Carom D. Table tennis

97. Select the most appropriate meaning of the given idiom.
Run errands
A. To participate in a race through unfair means
B. To do something incorrectly or erroneous in haste
C. To go out to buy or do something
D. To finish running before the end point

98. Select the option that rectifies the spelling of the underlined word in the given sentence.
The concert was <u>canceeled</u> due to rain.
A. Cancaeled
B. Cancelled
C. Cencelled
D. Cancealed

99. Select the most appropriate degree of comparison to fill in the blank.
Many ornithologists believe that the northern mocking birds are ______ wild birds in the jungle.
A. the noisiest B. noisy
C. noisier D. the noisy

100. Select the most appropriate ANTONYM of the given word.
Entice
A. Tangle B. Allure
C. Invite D. Repulse

101. Select the most appropriate option to fill in the blank.
Leisure activities can improve an individual's physical and mental health by ______ stress, and offering a pleasurable experience.
A. relieving B. irritating
C. upsetting D. reconstructing

87. B	**88.** D	**89.** C	**90.** C	**91.** B	**92.** A	**93.** A	**94.** B
95. D	**96.** A	**97.** C	**98.** B	**99.** A	**100.** D	**101.** A	

102. Select the most appropriate ANTONYM of the given word.

Conscious

A. Secure B. Unaware
C. Sentimental D. Sensible

103. Select the most appropriate synonym of the word given in brackets to fill in the blank.

The rivals in the institution _____ (fabricated) evidence and manipulated the whole dataset.

A. fluctuated B. forged
C. destroyed D. wrecked

104. Select the most appropriate ANTONYM to substitute the underlined word in the given sentence.

In what ways do you find technological advancements <u>beneficial</u> to your daily life?

A. unfathomable B. unapproachable
C. unfavourable D. unwarranted

105. The following sentence has been divided into parts. One of them may contain an error. Select the part that contains the error from the given options. If you don't find any error, mark 'No error' as your answer.

My friend, / Priya looks more cheerful today/ as she celebrates her birthday.

A. No error
B. My friend,
C. as she celebrates her birthday.
D. Priya looks more cheerful today

106. Select the most appropriate meaning of the underlined idiom.

He <u>gnashed his teeth</u> at his son's actions.

A. expressed rage
B. expressed disappointment
C. expressed sadness
D. expressed joy

107. Select the INCORRECTLY spelt word.

A. Unambiguous B. Endengered
C. Intransigence D. Spouse

108. Select the most appropriate option to fill in the blank.

School classrooms have ________ very little over the last century.

A. unconcerned B. freed
C. changed D. startled

109. The following sentence has been split into four segments. Identify the segment that contains a grammatical error.

He is waiting/ at airport to receive/ Mr. Smith, who is/ coming from South Africa.

A. Mr. Smith, who is
B. at airport to receive
C. He is waiting
D. coming from South Africa.

110. Select the option that will improve the underlined part of the given sentence.

Arun asks Smita to copy the contents of the document <u>word by word.</u>

A. word for word B. word par word
C. word to word D. word with word

111. The following sentence has been split into four segments. Identify the segment that contains an error in phrasal verb.

Tina dropped behind of/ college and/ went straight/ into a good job.

A. Tina dropped behind of
B. went straight
C. into a good job
D. college and

112. The following sentence has been split into four segments. Identify the segment that contains a grammatical error.

He cheated in the [A]/ examination, making his [B]/ already-falling academic [C]/ credentials worst. [D]

A. B B. C
C. A D. D

113. Select the most appropriate option to fill in the blanks.

Our _______ conducted a _______ to get everyone's opinion.

A. principal; poll
B. principal; pole
C. principle; poll
D. principle; pole

114. Select the correctly spelt word to fill in the blank.

We are entering a point where technology will change at _______ speeds.

A. extreme B. suprime
C. modarate D. inferier

102. B	**103.** B	**104.** C	**105.** A	**106.** A	**107.** B	**108.** C
109. B	**110.** A	**111.** A	**112.** D	**113.** A	**114.** A	

115. In the following sentence the underlined part contains an error. Alternatives to the underlined part are given as options.

Select the correct alternative.

The new almirah is big than this one.

A. biggest
B. more big
C. bigger
D. more bigger

Instructions (Qs. No. 116-120): *In the following passage, some words have been deleted. Read the passage carefully and select the most appropriate option to fill in each blank.*

Dolphins ___1___ regarded as the friendliest creatures in the sea, and stories of them helping drowning sailors have been common since Roman times. The more we ___2___ about dolphins, the more we realise that their society is more complex ___3___ people previously imagined. They look ___4___ other dolphins when they are ill, care for pregnant ___5___ and protect the weakest in the community, as we do.

116. Select the most appropriate option to fill in blank number 1.

A. has
B. are
C. was
D. is

117. Select the most appropriate option to fill in blank number 2.

A. learn
B. learning
C. learns
D. learned

118. Select the most appropriate option to fill in blank number 3.

A. the
B. for
C. to
D. than

119. Select the most appropriate option to fill in blank number 4.

A. on
B. up
C. into
D. after

120. Select the most appropriate option to fill in blank number 5.

A. uncles
B. fathers
C. mothers
D. brothers

Directions (Qs. No. 121 to 125): *On the basis of the given passage, answer the questions that follow:*

Studies on growth and development of infants emphasize the importance of good nutrition: a healthy environment and parent education. The development of the child has been found to be positively related to stimulation at home. High and low stimulation homes were characterized on the basis of leisure-time activities of parents, availability of toys, space and books. Children were rated on activity level and social, emotional, intellectual, motor and language development. Children from homes high on stimulation scored higher on four of the six aspects studied: activity level, social, language and intellectual development. Significant differences between adequately and non-adequately nourished children were observed on height, weight and intelligence, all measures favouring the well-nourished group. On most measures, the inadequately nourished group also showed greater variation than the adequately nourished group.

121. Which of the following is not a feature of a high stimulation home?

A. Parents have more free time.
B. Toys are made available to the child.
C. The child has access to books.
D. There is less space inside the home.

122. Which of the following statements are true?

A. A child's development is not related to the stimulation at home.
B. Scientists identified six aspects of studying the growth and development of infants.
C. Intellectual and motor development are not essential aspects of studying a child's growth.
D. There are negligible differences among students from adequately and non-adequately nourished groups of children.

123. Which of the following features are not included in the various aspects of studying the growth and development of infants?

A. Availability of Toys
B. Emotional Growth
C. Language Skills
D. Activity Level

124. Choose the appropriate word from the passage to fill in the blank meaningfully.

Well _____ children show better motor skills as compared to the less nourished.

A. Nourished
B. Engaged
C. Associated
D. Favoured

125. Choose the most appropriate title for the passage:

A. Importance of Child Welfare Schemes
B. Child Management - A Myth
C. Factors Influencing Stimulation in Adolescence
D. The Case of Variation in Differing Nourished Groups of Children

115. C	**116.** B	**117.** A	**118.** D	**119.** D	**120.** C
121. D	**122.** B	**123.** A	**124.** A	**125.** D	

हिन्दी भाषा एवं बोध

निर्देश (प्र. सं. 126 से 130): *निम्नलिखित गद्यांश को पढ़िये और उससे संबंधित प्रश्नों के उत्तर दीजिए।*

कवि के रूप में गोस्वामी जी की बहुमुखी कवि-प्रतिभा की ओर हम संकेत कर चुके हैं। शिक्षित-अशिक्षित, पण्डित-साधारण जन उनकी कविता के दायरे में हैं, उनकी कवि-संवेदना में अपने ढंग से शामिल हैं। उनकी कविता लोक जीवन से उनके गहन एकात्म का प्रतिफल है। शास्त्रज्ञ और पण्डित होते हुए भी वे मूलतः किसान संवेदना के कवि हैं, साधारण जन के सुख-दुःख से उनका गहरा नाता है। कोमल, पुरुष, सुन्दर, रौद्र प्रकृति के नाना रूप उनकी रचनाओं में हैं।

126. गद्यांश में प्रयुक्त निम्नलिखित शब्द-युग्मों में से कौन-सा अन्य से भिन्न है?

A. शिक्षित-अशिक्षित B. पण्डित-साधारण
C. एकात्म-एकनिष्ठ D. सुख-दुःख

127. गद्यांश में प्रयुक्त सुख-दुःख में कौन-सा समास है?

A. द्विगु B. द्वंद्व
C. अव्ययीभाव D. कर्मधारय

128. गद्यांश में उल्लिखित 'पुरुष' शब्द का आशय क्या है?

A. सुन्दर B. पुरुष
C. संवेदी D. कठोर

129. गद्यांश के अनुसार गोस्वामी जी की कविता के दायरे में कौन शामिल हैं?

(*a*) शिक्षित (*b*) अशिक्षित
(*c*) पण्डित (*d*) साधारण

निम्नलिखित में से सही विकल्प चुनिये:

A. केवल (*a*) और (*b*)
B. केवल (*c*) और (*d*)
C. केवल (*a*) और (*c*)
D. (*a*), (*b*), (*c*) और (*d*)

130. गद्यांश के अनुसार गोस्वामी जी किसके कवि नहीं हैं?

A. पराधीनता B. साधारण जन
C. किसान संवेदना D. लोक जीवन

131. निम्नांकित में से तद्भव-तत्सम का कौन-सा युग्म सही नहीं है?

A. जमाई- जामातृ B. टिटिहरी-टिट्टिभी
C. फटकारी-फिटकरी D. घरनी-गृहणी

132. 'दध्योदान' का सही संधि विच्छेद है:

A. दही + ओदन B. दधि + ओदन
C. दधु + ओदन D. दधी + ओदन

133. निम्नांकित में से शुद्ध वाक्य को चिहित कीजिए:

A. कवियों को काव्य के करते समय सानंद मिलता है
B. कवियों को काव्य सर्जना के करते समय आनंद मिलता है
C. कवियों को कविता सर्जना के करते समय आनंद मिलता है
D. कवियों को कविता करते समय आनंद मिलता है

134. सूची-I का सूची-II से मिलान कीजिए:

सूची-I (शब्द)	**सूची-II (विपरीतार्थक)**
(*a*) अनुग्रह	I. विराग
(*b*) अनुराग	II. आग्रह
(*c*) सहयोग	III. प्रतियोगी
(*d*) दुराग्रह	IV. विग्रह

निम्नलिखित विकल्पों में से सही उत्तर का चयन कीजिए:

A. (*a*)-I, (*b*)-IV, (*c*)-III, (*d*)-II
B. (*a*)-IV, (*b*)-I, (*c*)-III, (*d*)-II
C. (*a*)-II, (*b*)-I, (*c*)-III, (*d*)-IV
D. (*a*)-II, (*b*)-III, (*c*)-I, (*d*)-IV

135. सूची-I का सूची-II से मिलान कीजिए:

सूची-I (शब्द)	**सूची-II (पर्यायवाची)**
(*a*) कुंभ	I. कछुआ
(*b*) महीधर	II. घड़ा
(*c*) अधर	III. शेषनाग
(*d*) कूर्म	IV. होंठ/ओष्ट

निम्नलिखित विकल्पों में से सही उत्तर का चयन कीजिए:

A. (*a*) I, (*b*) III, (*c*)-II, (*d*)-IV
B. (*a*)-II, (*b*)-I, (*c*)-IV, (*d*)-III
C. (*a*)-II, (*b*)-III, (*c*)-IV, (*d*)-I
D. (*a*)-III, (*b*)-I, (*c*)-II, (*d*)-IV

136. 'अपनी पगड़ी अपने हाथ' कहावत का अभिप्राय क्या है?

A. अपनी प्रतिष्ठा अपने हाथ
B. अपना साज-शृंगार स्वयं करना
C. अपनी तारीफ स्वयं करना
D. अपने सामान की सुरक्षा स्वयं करना

126. C	**127.** B	**128.** B, D	**129.** D	**130.** A	**131.** A
132. B	**133.** D	**134.** B	**135.** C	**136.** A	

137. निम्नांकित को सुव्यवस्थित कीजिए:

(*a*) आखिर गधे (*b*) लेकिन वहाँ भी
(*c*) काबुल (*d*) घोड़ों के लिए प्रसिद्ध है
(*e*) तो होते ही हैं

निम्नलिखित विकल्पों में से सही उत्तर का चयन कीजिए:
A. (*a*), (*c*), (*d*), (*b*), (*e*)
B. (*a*), (*e*), (*b*), (*c*), (*d*)
C. (*c*), (*a*), (*d*), (*b*), (*e*)
D. (*c*), (*d*), (*b*), (*a*), (*e*)

138. निम्नांकित में से कौन-सा द्विगु समास का उदाहरण नहीं है?
A. पंचवटी B. चतुर्वेद
C. नराधम D. दोपहर

139. सूची-I का सूची-II से मिलान कीजिए:

सूची-I	सूची-II
(*a*) द्विगुण व्यंजन	I. ल
(*b*) संयुक्त व्यंजन	II. ड़
(*c*) अंतःस्थ	III. ह
(*d*) उष्म	IV. त्र

निम्नलिखित विकल्पों में से सही उत्तर का चयन कीजिए:
A. (*a*)-II, (*b*)-IV, (*c*)-I, (*d*)-III
B. (*a*)-I, (*b*)-II, (*c*)-III, (*d*)-IV
C. (*a*)-II, (*b*)-III, (*c*)-I, (*d*)-IV
D. (*a*)-IV, (*b*)-I, (*c*)-II, (*d*)-III

140. सूची-I का सूची-II से मिलान कीजिए:

सूची-I (शब्द)	सूची-II (समास)
(*a*) यथाशक्ति	I. तत्पुरुष
(*b*) गृह प्रवेश	II. कर्मधारय
(*c*) लाल-पीला	III. द्विगु
(*d*) द्वैमातुर	IV. अव्ययीभाव

निम्नलिखित विकल्पों में से सही उत्तर का चयन कीजिए:
A. (*a*)-IV, (*b*)-I, (*c*)-II, (*d*)-III
B. (*a*)-I, (*b*)-II, (*c*)-III, (*d*)-IV
C. (*a*)-II, (*b*)-I, (*c*)-IV, (*d*)-III
D. (*a*)-III, (*b*)-IV, (*c*)-II, (*d*)-I

141. "सेस महेस गनेस सुरेसहु जाहि निरंतर गावैं" उपर्युक्त पंक्ति में कौन-सा अलंकार है?
A. यमक B. अनुप्रास
C. रूपक D. श्लेष

142. (*a*) शीत का भयंकर (*b*) आगमन से ही
(*c*) ऋतुराज बसंत के (*d*) प्रकोप भाग गया

निम्नलिखित किस विकल्प में वाक्यांशों का क्रम उपयुक्त है:
A. (*c*), (*b*), (*d*), (*a*) B. (*c*), (*b*), (*a*), (*d*)
C. (*a*), (*d*), (*b*), (*c*) D. (*c*), (*a*), (*d*), (*b*)

143. 'पशुओं का झुंड पानी की _____ में चारों ओर घूम रहा था।' वाक्य के रिक्त स्थान के लिए सर्वाधिक उपयुक्त शब्द चुनिए:
A. दौड़ B. प्यास
C. चाहत D. खोज

144. दंगल, मंगल और _____ तीनों ध्वनि और तुक का साम्य रखने वाले शब्द हैं। रिक्त स्थान के लिए सर्वाधिक उपयुक्त विकल्प का चयन करें:
A. कमंडल B. संबल
C. कंबल D. जंगल

145. 'वे दोनों बहुत _____ दोस्त हैं।' रिक्त स्थान के लिए सर्वाधिक उपयुक्त शब्द का चयन करें:
A. समीप B. नजदीक
C. गहरी D. करीबी

146. 'चिड़िया' शब्द का सर्वाधिक उपयुक्त बहुवचन रूप है:
A. चिड़ीं B. चिड़ियाँ
C. चिड़ियाएँ D. चिड़िए

147. 'सुमित सेब खरीदता है।' वाक्य क्रिया की दृष्टि से भेद है:
A. द्विकर्मक क्रिया का B. अकर्मक क्रिया का
C. सकर्मक क्रिया का D. प्रेरणार्थक क्रिया का

148. 'कवयित्री' शब्द का पुल्लिंग शब्द रूप पहचानें:
A. कविता B. कवित्री
C. कवि D. कवी

149. 'अंकुर शानदार बोलता है।' वाक्य में प्रयुक्त 'शानदार' शब्द किसकी विशेषता बतला रहा है?
A. क्रिया-विशेषण की B. संज्ञा की
C. सर्वनाम की D. क्रिया की

150. 'भाववाचक संज्ञा' की पहचान करें:
A. रामायण B. हिमालय
C. प्रार्थना D. किताब

151. 'मनुष्य की _____ करती है।' रिक्त स्थान के लिए उपयुक्त शब्द-क्रम का चयन करें:
(*a*) संसार की (*b*) रचना
(*c*) आंतरिक सुंदरता (*d*) ही सुंदर
A. (*c*), (*d*), (*a*), (*b*) B. (*a*), (*b*), (*c*), (*d*)
C. (*b*), (*c*), (*a*), (*d*) D. (*b*), (*a*), (*c*), (*d*)

137. D	138. C	139. A	140. A	141. B	142. B	143. D	144. D
145. D	146. B	147. C	148. C	149. D	150. C	151. A	

152. 'विकर्षण' के सर्वाधिक उपयुक्त विलोमार्थी शब्द की पहचान करें:

A. अपकर्षण B. अनाकर्षण

C. आकर्षण D. आसक्ति

153. 'राहुल पढ़ रहा है।' वाक्य में काल के भेद की पहचान करें :

A. अपूर्ण वर्तमानकाल B. सामान्य वर्तमानकाल

C. सामान्य भूतकाल D. अपूर्ण भूतकाल

154. 'नेताजी मंच से भाषण दे रहे होंगे।' वाक्य अर्थ की दृष्टि से भेद है:

A. इच्छार्थक वाक्य B. विधानार्थक वाक्य

C. संकेतवाचक वाक्य D. संदेहार्थक वाक्य

155. वर्तनी की दृष्टि से शुद्ध शब्द रूप है:

A. संम्मान B. सम्मान

C. सन्मान D. संन्मान

पटवारी पद हेतु संबंधित अधिनियमों का ज्ञान

156. दिल्ली डेवलपमेंट एक्ट का मुख्य उद्देश्य क्या है?

A. कर संग्रहण

B. पर्यावरण संरक्षण

C. दिल्ली का नियोजित विकास

D. जल प्रबंधन

157. DDA के सदस्यों की नियुक्ति कौन करता है?

A. भारत के राष्ट्रपति B. केंद्रीय सरकार

C. दिल्ली सरकार D. संसद

158. निम्नलिखित में से कौन DDA का कार्य नहीं है?

A. शहरी नियोजन B. भूमि विकास

C. अपराध जांच D. आवास विकास

159. दिल्ली भूमि राजस्व अधिनियम किस वर्ष लागू हुआ?

A. 1947 B. 1954

C. 1960 D. 1975

160. भूमि का रिकॉर्ड रखने का कार्य किसका होता है?

A. पटवारी B. थाना प्रभारी

C. तहसीलदार D. पंचायत सदस्य

161. पटवारी की नियुक्ति कौन करता है?

A. केंद्रीय सरकार

B. राज्य सरकार

C. स्थानीय पंचायत

D. उपायुक्त

162. भूमि सुधार का मुख्य उद्देश्य क्या है?

A. भूमि का औद्योगीकरण

B. भूमि का न्यायसंगत वितरण

C. भूमि का विलुप्तिकरण

D. भूमि का विनियमन

163. भारतीय संविधान के किस अनुच्छेद में भूमि सुधार के लिए प्रावधान है?

A. अनुच्छेद 19 B. अनुच्छेद 31A

C. अनुच्छेद 45 D. अनुच्छेद 300A

164. भारत में सबसे प्रभावी भूमि सुधार योजना कौन-सी मानी जाती है?

A. जमींदारी प्रथा का अंत

B. भू-अधिग्रहण

C. भूमिहीनों को भूमि वितरण

D. भूमि का परिसीमन

165. भारत में भूमि सुधार से सबसे अधिक लाभ किस वर्ग को मिला?

A. जमींदार B. भूमिहीन किसान

C. उद्योगपति D. मजदूर

166. दिल्ली राष्ट्रीय राजधानी क्षेत्र कानून (विशेष प्रावधान) अधिनियम किस वर्ष लागू हुआ?

A. 2005 B. 2011

C. 2015 D. 2000

167. राष्ट्रीय राजधानी क्षेत्र नियोजन बोर्ड के सदस्य कौन होते हैं?

A. केवल केंद्र सरकार के अधिकारी

B. केवल राज्य सरकार के अधिकारी

C. केंद्र और संबंधित राज्य सरकारों के प्रतिनिधि

D. स्थानीय जनता के प्रतिनिधि

168. राष्ट्रीय राजधानी क्षेत्र नियोजन बोर्ड के फैसलों का उल्लंघन करने पर क्या कार्रवाई होती है?

A. केवल चेतावनी

B. जुर्माना और दंडात्मक कार्रवाई

C. कोई कार्रवाई नहीं

D. भूमि जब्ती

152. C	**153.** A	**154.** D	**155.** B	**156.** C	**157.** B	**158.** C	**159.** B	**160.** A
161. B	**162.** B	**163.** B	**164.** C	**165.** B	**166.** B	**167.** C	**168.** B	

169. राष्ट्रीय राजधानी क्षेत्र नियोजन बोर्ड की रिपोर्ट किसे प्रस्तुत की जाती है?
A. केवल राज्य सरकारों को
B. केंद्र सरकार को
C. स्थानीय निकायों को
D. संसद को

170. भूमि अधिग्रहण अधिनियम किस वर्ष लागू हुआ था?
A. 1857 B. 1894
C. 1901 D. 1947

171. भूमि अधिग्रहण अधिनियम के तहत भूमि अधिग्रहण की घोषणा किसके द्वारा की जाती है?
A. केंद्र सरकार B. राज्य सरकार
C. अधिग्रहण अधिकारी D. भूमि मालिक

172. सार्वजनिक हित के परियोजनाओं हेतु भूमि अधिग्रहण के लिए मालिक की सहमति आवश्यक है?
A. हाँ
B. नहीं
C. केवल विशेष मामलों में
D. केवल कृषि भूमि के लिए

173. अधिग्रहण से पहले कौन-सी रिपोर्ट बनाना अनिवार्य है?
A. पुनर्वास रिपोर्ट
B. विकास रिपोर्ट
C. सामाजिक प्रभाव मूल्यांकन (SIA)
D. पर्यावरणीय रिपोर्ट

174. पुनर्वास योजना में क्या शामिल है?
A. आवास B. नकद सहायता
C. वैकल्पिक रोजगार D. उपरोक्त सभी

175. पंजाब भूमि राजस्व अधिनियम, 1887 का अधिवचन (enactment) कब हुआ था?
A. 1 जनवरी 1887 B. 23 सितंबर 1887
C. 10 मई 1887 D. 1 नवंबर 1887

176. यदि कोई व्यक्ति अभिलेख में प्रविष्टि से आपत्ति करता है, तो वह किस प्रकार की कार्यवाही कर सकता है?
A. प्रत्यक्ष वसूली
B. आपत्तिकरण
C. घोषणात्मक डिक्री के लिए मुकदमा (धारा 45)
D. अपील

177. राजस्व अधिकारी को किन घटनाओं में मामलों को दूसरे अधिकारी को भेजने (refer) की शक्ति है?
A. यदि मामला जटिल हो
B. यदि पक्षकार समय से उपस्थित न हो
C. यदि कानून अस्पष्ट हो
D. यदि आदेश पहले जारी हो

178. दिल्ली विधानसभा द्वारा कानून नहीं बनाया जा सकता किन विषयों पर?
A. शिक्षा
B. स्वास्थ्य
C. पुलिस, सार्वजनिक व्यवस्था और भूमि
D. परिवहन

179. दिल्ली सरकार में मंत्रिपरिषद् का आकार क्या हो सकता है?
A. विधानसभा के कुल सदस्यों का 10%
B. विधानसभा के कुल सदस्यों का 20%
C. कोई सीमित नहीं
D. 5 सदस्यों तक

180. दिल्ली प्रशासन की तीन स्तर व्यवस्था में नीचे दिए गए किस स्तर को शामिल नहीं किया जाता?
A. केंद्र B. दिल्ली सरकार
C. स्थानीय निकाय D. न्यायालय

कम्प्यूटर ज्ञान

181. निम्नलिखित में से कौन-सा 'इंटरनेट खोज इंजन' का उदाहरण है?
A. लिनक्स B. याहू
C. एमएस वर्ड D. एमएस विंडोज

182. इनमें से कौन-सा वेब ब्राउजर नहीं है?
A. जीमेल B. क्रोम
C. ओपेरा D. नेटसर्फ

183. एच.टी.एम.एल. का क्या अर्थ है?
A. हाईपर टेक्स्ट मार्कअप लैंग्वेज
B. हाई टेक्स्ट मार्कअप लैंग्वेज
C. हाइपर TABULAR मार्कअप लैंग्वेज
D. हाइप टेक्स्ट मार्कअप लैंग्वेज

184. निम्नलिखित में से कौन-सी वेब होस्टिंग कंपनी नहीं है?
A. होस्टगेटर B. ब्लू होस्ट
C. मेटा D. डब्ल्यू.पी.एक्स. होस्टिंग

169. B	**170.** B	**171.** C	**172.** B	**173.** C	**174.** D	**175.** B	**176.** C
177. A	**178.** C	**179.** A	**180.** D	**181.** B	**182.** A	**183.** A	**184.** C

185. दस्तावेज दृश्य टूलबार के लिए शॉर्टकट ______ bar में स्थित है।
A. स्थिति पट्टी (स्टेटस बार)
B. औजार पट्टी (टूल बार)
C. शीर्षक पट्टी (टाइटल बार)
D. कार्य पट्टी (टास्क बार)

186. कुंजी (key) स्ट्रोक Ctrl+I का उपयोग इसके लिए किया जाता है।
A. लाइन ब्रेक सम्मिलित करता है
B. इंगित करें कि पाठ (टेक्स्ट) बोल्ड होना चाहिए
C. चयनित पाठ (टेक्स्ट) पर इटैलिक प्रारूप लागू करें
D. फॉन्ट का आकार बढ़ाने में

187. एमएस वर्ड में कॉपीराइट प्रतीक बनाने के लिए आप कौन-सी शॉर्टकट कुंजी (key) दबा सकते हैं?
A. Ctrl+Shift+F4 B. Ctrl+Alt+V
C. Ctrl+Shift+C D. Alt+Ctrl+C

188. एमएस वर्ड किस फाइल से शुरू होता है?
A. Word.exe B. Winword.exe
C. Word2003.exe D. Msword.exe

189. एक कार्यपत्रक की सीमा है:
A. कोशिकाओं का एक समूह
B. डेटा मॉडलिंग के लिए उपयोग किया जाने वाला कमांड
C. मानों की एक श्रृंखला जैसे 1 से 100 तक
D. कार्यपत्रकों का एक समूह

190. हाइपरलिंक हो सकते हैं:
(*a*) पाठ (*b*) खिंची हुई वस्तुएँ
(*c*) कोशिकाओं का एक समूह (*d*) चित्र

निम्नलिखित में से सही विकल्प चुनिये:
A. केवल (*a*), (*b*) और (*d*)
B. केवल (*a*), (*b*) और (*c*)
C. (*a*), (*b*), (*c*), (*d*)
D. केवल (*b*), (*c*) और (*d*)

191. एक वायरस प्रोग्राम आमतौर पर ______ में छिपा होता है।
A. केवल डिस्क ड्राइव
B. केवल ऑपरेटिंग सिस्टम
C. केवल एक अनुप्रयोग कार्यक्रम
D. ऑपरेटिंग सिस्टम या एप्लिकेशन प्रोग्राम

192. ______ वायरस डिस्क के पहले क्षेत्र को संक्रमित करता है।
A. चेरनोबल सेक्टर B. लॉजिक बम
C. बूट सेक्टर D. हॉर्स ट्रोजन

193. निम्नलिखित में से कौन-सा एंटीवायरस प्रोग्राम नहीं है?
A. मैकेफी B. रेडलोफ
C. नॉर्टन D. डॉ. सोलोमन

194. जब आप बाईं माउस कुंजी (key) को दबाते और पकड़ते हैं और स्लाइड के चारों ओर माउस को चलाते हैं तो किस शब्द का उपयोग किया जाता है?
A. खींचना B. चलाना
C. हाइलाइटिंग D. चुनना

195. एस.क्यू.एल. का अर्थ है:
A. श्रेष्ठ प्रश्न लॉट B. सांख्यिकीय प्रश्न भाषा
C. मानक पूछताछ लॉट D. संरचित पूछताछ (क्वेरी) भाषा

196. LAN का पूर्ण रूप क्या है?
A. लोकल अराउंड नेटवर्क (Local Around Network)
B. लोकल एरिया नेटवर्क (Local Area Network)
C. लाइव एरिया नेटवर्क (Live Area Network)
D. लास्ट एक्टिव नेटवर्क (Last Active Network)

197. यदि आप अपने डॉक्यूमेंट को समान या भिन्न नाम से किसी अन्य स्थान पर सेवा करना चाहते हैं तो एमएस वर्ड 365 (MS Word 365) के निम्नलिखित में से किस ऑप्शन का उपयोग किया जा सकता है?
A. ओपन (Open) B. प्रिंट (Print)
C. सेव एज (Save As) D. न्यू (New)

198. माइक्रोसॉफ्ट वर्ड 365 में 'Help' फीचर का उद्देश्य क्या होता है?
A. यह आपको वर्तमान डॉक्यूमेंट को प्रिंट करने देता है।
B. यह माइक्रोसॉफ्ट वर्ड का उपयोग करने के बारे में सहायता और जानकारी प्रदान करता है।
C. यह एक नया ब्लैंक डॉक्यूमेंट खोलता है।
D. यह डॉक्यूमेंट की एक बैकअप कॉपी बनाता है।

199. एमएस एक्सेल 365 (MS Excel 365) में, तीसरी पंक्ति और पाँचवें कॉलम में स्थित सेल का सही पता (address) निम्नलिखित में से कौन-सा है?
A. 3A B. 35
C. E3 D. 5A

200. निम्नलिखित में से किसका उपयोग तब किया जाता है, जब प्रेषक नहीं चाहता कि एक या अधिक प्राप्तकर्ताओं को पता चले कि संदेश किसी और को कॉपी किया गया था?
A. From B. To
C. CC D. BCC

185. A	**186.** C	**187.** D	**188.** B	**189.** A	**190.** C	**191.** D	**192.** C
193. B	**194.** A	**195.** D	**196.** B	**197.** C	**198.** B	**199.** C	**200.** D

व्याख्यात्मक उत्तर

1. 'सत्य शोधक समाज' की स्थापना 1873 में महात्मा ज्योतिबा फुले ने की थी। उनका उद्देश्य समाज में व्याप्त जाति-आधारित असमानता तथा कुरीतियों को समाप्त करना था।

2. 'गोल्डन बॉल अवार्ड' फुटबॉल के सर्वोत्तम खिलाड़ी को दिया जाता है, विशेष रूप से फीफा विश्व कप में सर्वश्रेष्ठ प्रदर्शन करने वाले खिलाड़ी को यह सम्मान मिलता है।

3. भारत में 'नील क्रांति' (ब्लू रेवोल्यूशन) मछली उत्पादन में वृद्धि तथा मत्स्य पालन के विस्तार से संबंधित है। इसके द्वारा मछली उद्योग को संगठित रूप से आगे बढ़ाने की कोशिश की गई।

4. ब्लीचिंग पाउडर को प्रायः कीटाणुनाशक (Disinfectant) के रूप में उपयोग किया जाता है, विशेषकर पेयजल शुद्धीकरण तथा अन्य सफाई संबंधी कार्यों में।

5. किलिमंजारो पर्वत तंजानिया में स्थित है। यह तीन ज्वालामुखीय शिखरों (किबो, मावेन्जी, शिरा) से बना हुआ ज्वालामुखी पर्वत है, जिसकी विशेषता इसके ज्वालामुखीय उद्‌गारों से बना होना है।

6. 'WPI' का विस्तृत रूप 'Wholesale Price Index' है, जो थोक मूल्य स्तर पर वस्तुओं और सेवाओं की कीमतों में परिवर्तन को मापने के लिए उपयोग किया जाता है। यह किसी अर्थव्यवस्था में मुद्रास्फीति के आँकलन का एक महत्वपूर्ण सूचक माना जाता है।

7. भारत में हाथियों की सर्वाधिक संख्या कर्नाटक राज्य में है। इस राज्य में हाथियों के संरक्षण हेतु अनेक संरक्षित क्षेत्र (एलीफेन्ट कॉरिडोर) बनाए गए हैं, जिससे यहाँ हाथियों की आबादी सबसे अधिक दर्ज की गई है।

8. प्रतिवर्ष 5 दिसंबर को 'विश्व मृदा दिवस' (World Soil Day) मनाया जाता है। इसका उद्देश्य मृदा के संरक्षण, गुणवत्ता एवं सतत् उपयोग के प्रति जागरूकता फैलाना है।

9. (*a*) भरतनाट्‌यम → II. हेमा मालिनी

(*b*) कुचिपुड़ी → I. वेदांतम लक्ष्मीनारायण

(*c*) ओडिसी → IV. केलुचरण महापात्र

(*d*) मोहिनीअट्टम → III. के. कल्याणकुट्टी अम्मा

हेमा मालिनी मुख्य रूप से भरतनाट्‌यम नृत्यांगना है। वेदांतम लक्ष्मीनारायण कुचिपुड़ी नृत्य के प्रसिद्ध गुरु हैं। केलुचरण महापात्र ओडिसी के शीर्षस्थ गुरु रहे हैं जबकि के. कल्याणकुट्टी अम्मा मोहिनीअट्टम की प्रख्यात नृत्यांगना हैं।

10. ऊर्जा का आयामी सूत्र $[ML^2T^{-2}]$ है। यह सूत्र काइनेटिक ऊर्जा ($\frac{1}{2}mv^2$) से निकाला जाता है, जहाँ m का आयाम द्रव्यमान (M) होता है और v (गति) का आयाम L/T होता है। अतः v^2 का आयाम L^2/T^2 हो जाता है, जिससे ऊर्जा का आयाम $M \times (L^2/T^2) = [ML^2T^{-2}]$ प्राप्त होता है।

11. पी.एम. विश्वकर्मा योजना को लागू करने वाला पहला केंद्रशासित प्रदेश जम्मू और कश्मीर बन गया है। यह योजना हस्तशिल्प, निर्माण और अन्य पारंपरिक क्षेत्रों में कौशल विकास तथा रोजगार सृजन के उद्देश्य से लागू की गई है, और जम्मू और कश्मीर की सांस्कृतिक विरासत तथा आर्थिक संभावनाओं को ध्यान में रखते हुए इसे सबसे पहले चुनिंदा UT के रूप में अपनाया गया।

12. राष्ट्रीय ग्रामीण रोजगार गारंटी अधिनियम, 2005 को राष्ट्रीय सलाहकार परिषद की सलाह पर सरकार द्वारा पारित किया गया। यह अधिनियम, जिसे बाद में मनरेगा के नाम से भी जाना गया, ग्रामीण क्षेत्रों में रोजगार सृजन, आर्थिक सशक्तिकरण और सामाजिक न्याय के उद्देश्य से 2005 में लागू किया गया था।

13. (*a*) स्वच्छ भारत मिशनः (II) यह योजना प्रधानमंत्री नरेंद्र मोदी द्वारा 2 अक्टूबर, 2014 को महात्मा गांधी के जन्मदिवस पर शुरू की गई थी। इसका मुख्य उद्देश्य भारत को 2019 तक स्वच्छ और खुले में शौच से मुक्त बनाना था।

(*b*) बेटी बचाओ बेटी पढ़ाओः (III) यह योजना 22 जनवरी, 2015 को हरियाणा के पानीपत जिले से शुरू की गई थी। इसका मुख्य उद्देश्य बाल लिंग अनुपात में सुधार लाना और बेटियों की शिक्षा को प्रोत्साहित करना है।

(*c*) अटल पेंशन योजनाः (IV) यह योजना 9 मई, 2015 को शुरू की गई थी। इसका मुख्य उद्देश्य असंगठित क्षेत्र में कामगारों को पेंशन सुविधा प्रदान करना है।

(*d*) जननी सुरक्षा योजनाः (I) यह योजना 12 अप्रैल, 2005 को शुरू की गई थी। इसका मुख्य उद्देश्य गर्भवती महिलाओं को सुरक्षित और नवजात शिशुओं की स्वास्थ्य देखभाल सुनिश्चित करना है।

14. रणजी ट्रॉफी क्रिकेट शृंखला की शुरुआत 1934 में हुई थी। इस ट्रॉफी का नाम भारतीय क्रिकेट खिलाड़ी रणजीत सिंह जी के नाम पर रखा गया था, और यह भारतीय घरेलू क्रिकेट में सबसे प्रतिष्ठित प्रतियोगिताओं में से एक है।

15. गैब्रो वह चट्टान है जो आमतौर पर काले या गहरे हरे रंग की होती है और मुख्य रूप से प्लाजियोक्लेज और आगाइट खनिजों से बनी होती है। यह एक माफिक चट्टान है, जिसमें सिलिका की मात्रा कम होती है और इसमें उच्च घनत्व और गहरे रंग के खनिज होते हैं। गैब्रो आमतौर पर धीमी गति से ठंडी होने वाली मैग्मा से निर्मित होती है, जो इसे इसकी विशिष्ट खनिज संरचना और रंग प्रदान करती है।

16. गोवा का पारंपरिक नृत्य मोरुलेम शिगमो उत्सव के दौरान किया जाता है। यह नृत्य मुख्य रूप से गोवा के ग्रामीण इलाकों में लोकप्रिय है, जहां यह वसंत ऋतु के आगमन का जश्न मनाने के लिए किया जाता है। मोरुलेम में नर्तक और नर्तकियाँ पारंपरिक गोवन पोशाक पहन कर तेज और उत्साहित संगीत पर नृत्य करते हैं, जिससे यह उत्सव और भी रंगीन हो जाता है।

17. ग्रामीण गरीब युवाओं को आर्थिक रूप से स्वतंत्र और विश्व स्तर पर प्रासंगिक कार्यबल में बदलने की परिकल्पना दीनदयाल उपाध्याय ग्रामीण कौशल्य योजना के अंतर्गत आती है। इस योजना का उद्देश्य ग्रामीण युवाओं को विशिष्ट कौशल प्रशिक्षण प्रदान करना है, जिससे वे आधुनिक नौकरी की मांगों को पूरा कर सकें और अपने जीवन स्तर में सुधार ला सकें।

18. भारत के पर्णपाती वनों में सागौन के पेड़ पाए जाते हैं। सागौन की लकड़ी का उपयोग व्यापक रूप से फर्नीचर, निर्माण, और अन्य लकड़ी के कामों में किया जाता है क्योंकि यह मजबूत और टिकाऊ होती है। इसकी उच्च मांग के कारण सागौन को भारतीय वनों में व्यापक रूप से लगाया भी जाता है।

19. जम्मू और कश्मीर भारत में केसर का अग्रणी उत्पादक है। यह राज्य केसर की खेती के लिए विश्वव्यापी रूप से प्रसिद्ध है, खासकर पंपोर इलाके में, जहां उत्कृष्ट गुणवत्ता का केसर उत्पादित होता है। केसर की खेती वहाँ की ठंडी जलवायु और उपजाऊ मिट्टी के कारण संभव हो पाती है।

20. भूमि पर गिरने वाले जल का लगभग 59% भाग वाष्पीकरण द्वारा वायुमंडल में लौटता है। यह प्रक्रिया भूमि और महासागरों की सतह से होती है और यह जल चक्र का एक महत्वपूर्ण हिस्सा है। वाष्पीकरण से जल वायुमंडल में वाष्प के रूप में चला जाता है, जो बाद में कंडेन्स होकर वर्षा और अन्य रूपों में धरती पर वापस आता है।

21. भारत में चिरकालिक निर्धन उस समूह के लोगों के लिए उपयोग किया जाता है जो सामान्य तौर पर निरंतर निर्धनता की स्थिति में रहते हैं, लेकिन जिनके पास कभी-कभार थोड़ी धनराशि आ जाती है। यह शब्द उन व्यक्तियों की स्थिति का वर्णन करता है जो लंबे समय तक गरीबी की स्थिति में रहते हैं, और यहाँ तक कि जब उन्हें आर्थिक रूप से थोड़ा सुधार होता है, तो भी वे गरीबी की रेखा के निकट या नीचे ही रहते हैं। इस परिभाषा में, यह माना जाता है कि ये व्यक्ति अपनी जीवन शैली में स्थायी सुधार नहीं कर पाते हैं, जिससे वे चिरकालिक निर्धन की श्रेणी में आते हैं।

22. लक्ष्मण सेन के शासनकाल के दौरान 'गीत गोविंद' के लेखक जयदेव थे। जयदेव एक प्रसिद्ध संस्कृत कवि थे और उनकी रचना गीत गोविंद भक्ति आंदोलन में एक महत्वपूर्ण कृति मानी जाती है। यह कृति कृष्ण और राधा के दिव्य प्रेम की कहानी को दर्शाती है और भारतीय संगीत और नृत्य पर गहरा प्रभाव डालती है।

23. एंजियोस्पर्म संवहनी पौधे हैं जिनमें तने, जड़ें और पत्तियाँ होती हैं, इसलिए (*a*) गलत है। उनके बीज आवृत्त होते हैं, इसलिए (*b*) भी गलत है। (*c*) सही है क्योंकि पृथ्वी पर अधिकांश पौधे एंजियोस्पर्म से संबंधित हैं और (*d*) भी सही है क्योंकि बीज पौधे के अंगों के अंदर विकसित होते हैं और फल बनाते हैं।

24. 44वां संशोधन अधिनियम ने स्थापित किया कि भारतीय संविधान के अनुच्छेद 20 और 21 को आपातकाल के दौरान भी निलंबित नहीं किया जा सकता। यह संशोधन 1978 में लागू हुआ था और इसने आपातकाल के दौरान मौलिक अधिकारों की रक्षा के लिए महत्वपूर्ण बदलाव किए थे।

25. प्रकाश का प्रिज्म से गुजरने पर उसके घटक वर्णों में विभाजित होने की परिघटना को विक्षेपण कहते हैं। जब प्रकाश प्रिज्म से गुजरता है, तो विभिन्न तरंगदैर्ध्य के प्रकाश के किरणें विभिन्न कोणों पर मुड़ती हैं, जिससे रंगों का एक स्पेक्ट्रम बनता है। इस प्रक्रिया के कारण हमें इंद्रधनुष जैसी घटनाएँ देखने को मिलती हैं।

26. भारतीय संविधान के मौलिक कर्तव्यों में से एक यह है कि प्रत्येक नागरिक को हमारी समृद्ध विरासत और समग्र संस्कृति की संरक्षण करनी चाहिए। जब कोई व्यक्ति जानबूझकर किसी प्राचीन स्मारक को खराब करता है, तो वह इस कर्तव्य का उल्लंघन करता है। ऐसी हरकतें हमारी सांस्कृतिक धरोहर को नुकसान पहुंचाती हैं।

27. "Courage and Conviction: An Autobiography" किताब जनरल विजय कुमार सिंह द्वारा लिखी गई है, जो भारतीय सेना के पूर्व जनरल और बाद में राजनेता बने। इस आत्मकथा में उन्होंने अपने सैन्य करियर के दौरान के अनुभवों और चुनौतियों का वर्णन किया है, साथ ही उन्होंने अपने विचार और दृष्टिकोण भी प्रस्तुत किए हैं।

28. ए.आर. रहमान ने वर्ष 2009 में ऑस्कर जीता था। उन्हें यह सम्मान फिल्म 'स्लमडॉग मिलिनियर' के लिए बेस्ट ओरिजिनल स्कोर और बेस्ट ओरिजिनल सॉन्ग कैटेगरी में दिया गया था। उनके गाने 'जय हो' ने विश्वभर में प्रसिद्धि पाई और इसने उन्हें अंतर्राष्ट्रीय संगीत उद्योग में एक विशिष्ट पहचान दिलाई।

29. IOA का पूर्ण रूप "Indian Olympic Association" है। यह भारत में ओलंपिक खेलों से संबंधित गतिविधियों को नियंत्रित और प्रबंधित करने वाला मुख्य संगठन है। IOA ओलंपिक चार्टर के अनुरूप कार्य करता है और भारतीय खेलों के विकास और प्रोत्साहन में एक केंद्रीय भूमिका निभाता है।

30. टाटा आयरन एंड स्टील कंपनी (TISCO) भारत में सार्वजनिक क्षेत्र के उद्योग का उदाहरण नहीं है। यह एक निजी क्षेत्र की कंपनी है, जिसे टाटा समूह द्वारा संचालित किया जाता है। TISCO भारत के सबसे पुराने और सबसे बड़े इस्पात उत्पादन करने वाले उद्योगों में से एक है, जो विश्व स्तर पर भी अपनी पहचान रखती है।

31. 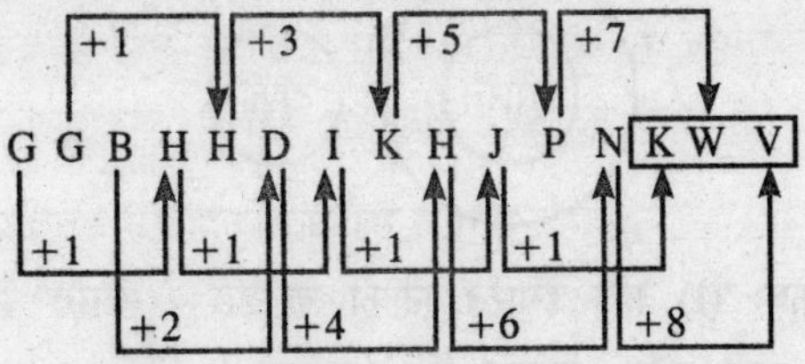

यहाँ, दी गई श्रृंखला में, ? = लुप्त पद = KWV.

33. दिया है, 'FLOAT' = '14238'

और 'BLOAT' = '23849'

∴ LOAT = 4238

F = 1, B = 9

∴ इसी कूट भाषा में 'F' के लिए '1' कूट होगा।

35. 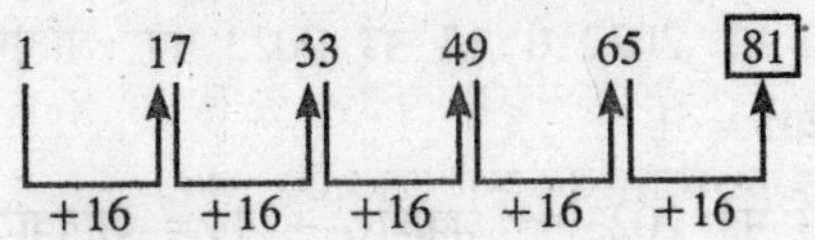

यहाँ, ? = अगली संख्या = 81.

36. दिया है, + = –, × = ÷

$\therefore 8 + 2 - 1 \times 1 \div 1 = ?$

$= 8 - 2 + 1 \div 1 \times 1$

$= 8 - 2 + 1 \times 1$

$= 8 - 2 + 1$

$= 9 - 2 = 7$

$\Rightarrow ? = 7.$

37. दिया है, सात सहेलियाँ, एक वृत्ताकार खाने की मेज के चारों ओर केंद्र की ओर मुख करके बैठी है।

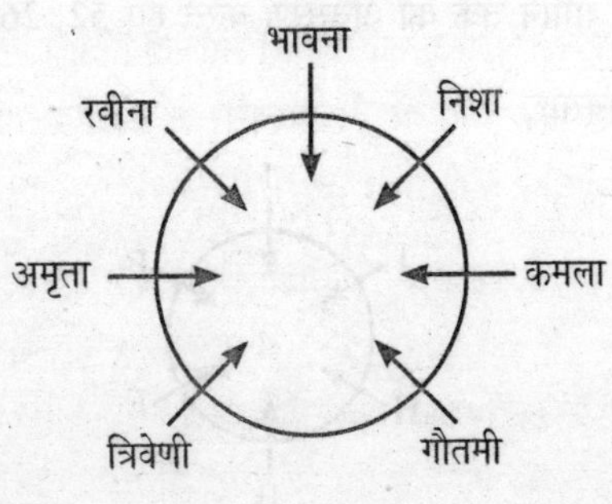

यहाँ, भावना के बाएँ से चौथे स्थान पर त्रिवेणी बैठी है।

38. दिया है, संख्या युग्म (समुच्चय)

$24, 73 \Rightarrow 24 \times 3 + 1 = 72 + 1 = 73$

$27, 82 \Rightarrow 27 \times 3 + 1 = 81 + 1 = 82$

उसी प्रकार,

(D) $33, 100 \Rightarrow 33 \times 3 + 1 = 99 + 1 = 100.$

∴ विकल्प (D) ठीक उसी प्रकार संबंधित है, जिस प्रकार दिए गए समुच्चयों की संख्याएँ संबंधित हैं।

39. दिया है,

P L R N
+1↓ +1↓ +1↓ +1↓
Q M S O

और

L H N J
+1↓ +1↓ +1↓ +1↓
M I O K

उसी प्रकार,

H D J F
+1↓ +1↓ +1↓ +1↓
I E K G

∴ HDJF, IEKG से संबंधित है।

42. दिया है,

'father makes tea' = 'ib fx ey' ...(*i*)

और 'tea and coffee' = 'kr ey wn' ...(*ii*)

(*i*) और (*ii*) से, tea = ey

∴ 'tea' को 'ey' से कूटबद्ध किया जाएगा।

43. दिया है, 519, 781 से संबंधित है।

$\Rightarrow 781 - 519 = 262$

642, 904 से संबंधित है।

$\Rightarrow 904 - 642 = 262$

उसी प्रकार, 485, *x* से संबंधित है।

$\Rightarrow x - 485 = 262$

$\Rightarrow x = 485 + 262$

$\Rightarrow x = 747$

∴ 485, 747 से संबंधित है।

44. दिया है,

F I 29
+14↓ +14↓ +20↓
T W 49

और

L O 38
+14↓ +14↓ +20↓
Z C 58

उसी प्रकार, R U 65
+14↓ +14↓ +20↓
F I 85

∴ RU65, FI85 से संबंधित है।

45. दिए गए कथन से :

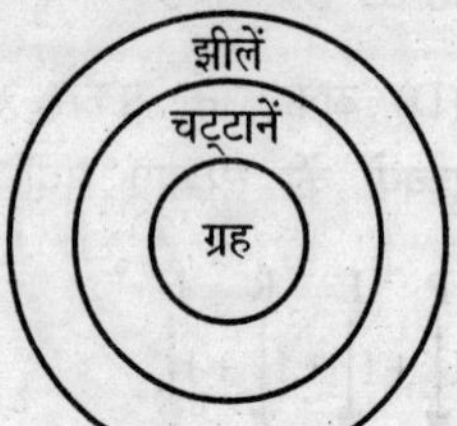

निष्कर्ष : (*i*) सभी ग्रह झीले हैं। (सत्य)
(*ii*) सभी चट्टानें ग्रह हैं। (असत्य)
यहाँ केवल निष्कर्ष (*i*) अनुसरण करता है।

46. दिया है, 'GIFT' = '5197' ...(*i*)
और 'FIST' = '4157' ...(*ii*)
(*i*) और (*ii*) से, 'S' = '4'
∴ इसी भाषा में S के लिए कूट 4 होगा।

47. दिए गए कथन से :

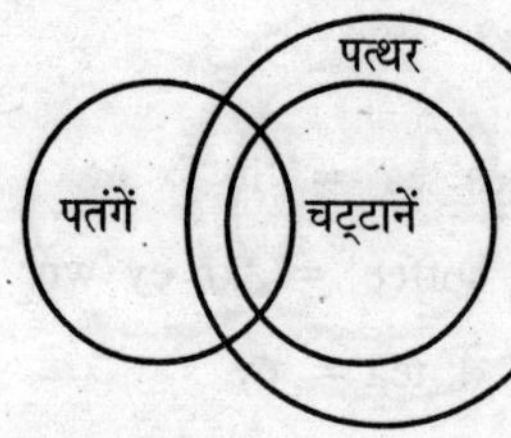

निष्कर्ष : (*i*) कम-से-कम कुछ पतंगें, पत्थर है। (सत्य)
(*ii*) सभी पत्थर चट्टानें हैं। (असत्य)
यहाँ केवल निष्कर्ष (*i*) अनुसरण करता है।

48. दिया है, + = ×, ÷ = –
$\therefore 15 \div 5 + 8 - 4 \times 7 = ?$
$\Rightarrow 15 - 5 \times 8 \div 4 + 7 = ?$
$\Rightarrow 15 - 5 \times 2 + 7 = ?$
$\Rightarrow 15 - 10 + 7 = ?$
$\Rightarrow 22 - 10 = ?$
$\Rightarrow ? = 12.$

49. दिया है : M, N, O, P, Q और R एक वृत्ताकार मेज के चारों ओर केंद्रों की ओर मुख करके बैठे हैं।

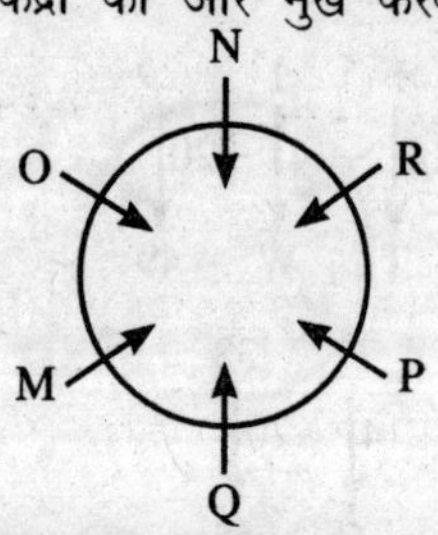

यहाँ, Q के ठीक दाएँ P बैठा है।

50. दिया है, 'MOVE' = '3917' ...(*i*)
और 'EAST' = '4692' ...(*ii*)
(*i*) और (*ii*) से, 'E' = '9'
∴ दी गई कूट भाषा में E के लिए कूट 9 है।

51. दिए गए कथन सेः

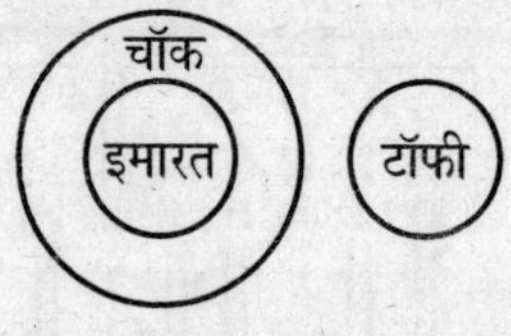

निष्कर्षः (I) कोई इमारत, टॉफी नहीं है। (सत्य)
(II) सभी चॉक, इमारतें हैं। (असत्य)
अतः यहाँ केवल निष्कर्ष (I) कथनों के अनुसार है।

52. दिया है, 4 नवंबर 2021 = गुरुवार
5 नवंबर 2021 से 13 मई 2022 तक दिनों की संख्या
= 26 + 31 + 31 + 28 + 31 + 30 + 13 = 190
= 7 × 27 + 1 = गुरुवार + 1
⇒13 मई 2022 = शुक्रवार
अब, 13 मई 2022 से 13 मई 2023 तक अतिरिक्त दिनों की संख्या = 1
अतः 13 मई 2023 = शुक्रवार + 1 = शनिवार

53. 24 103 498 2473 12348 [61723]
+79 +395 +1975 +9875 +49375
×5 ×5 ×5 ×5
अतः ? = 61723

54. दिए गए तर्क के अनुसार
8 × 5 = 40
3 × 5 = 15
उसी प्रकार,
52 × 5 = 260
अतः समान तर्क का अनुसरण करते हुए 52, 260 से संबंधित है।

55. प्रश्नानुसार,

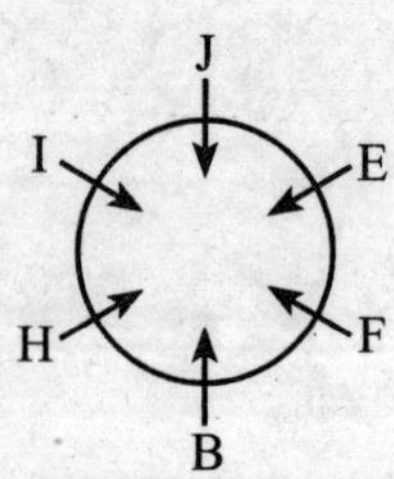

अतः E के दाईं ओर से तीसरे स्थान पर H बैठा है।

56.

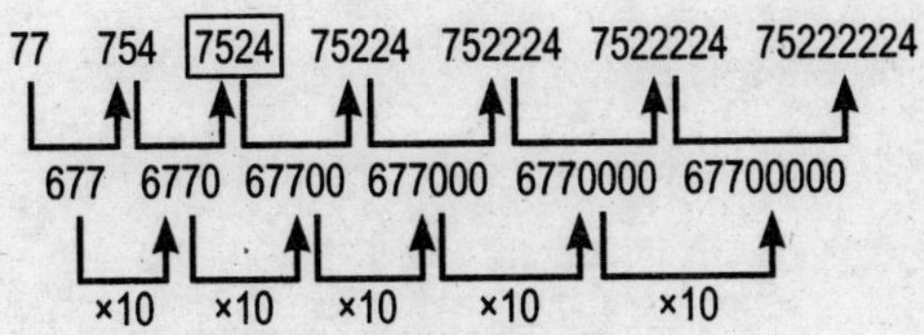

अतः ? = लुप्त संख्या = 7524

57.

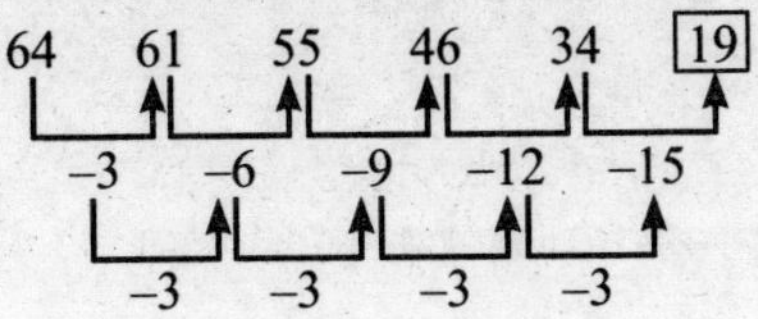

अतः ? = 19

58.

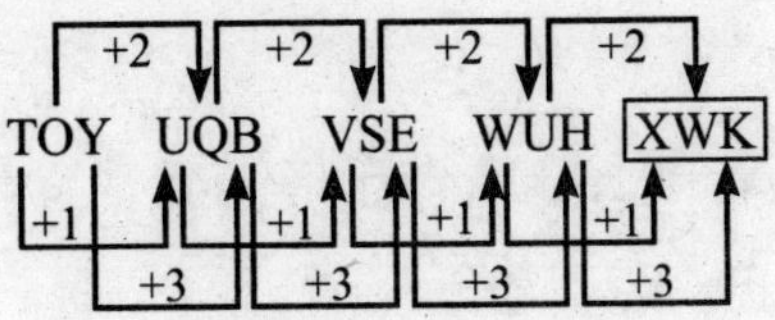

अतः ? = XWK

60. दिया है, अंग्रजी वर्णमाला क्रम के आधार पर संबंधित है।

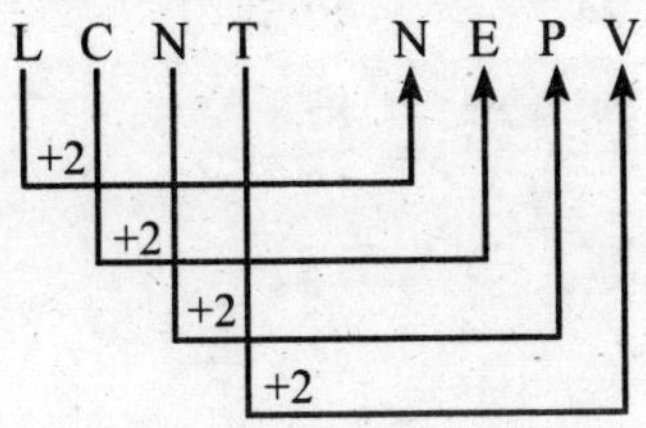

और

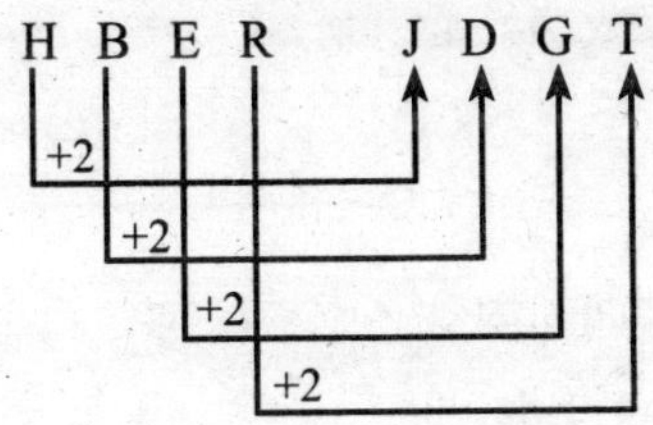

उसी प्रकार

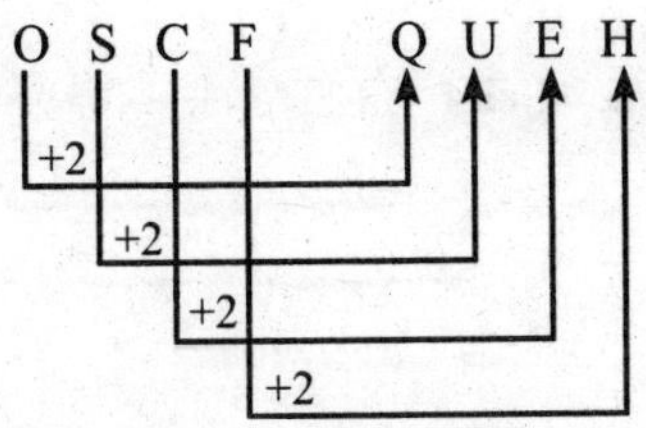

अतः OSCF, QUEH से संबंधित है।

63. दिए गए कथनों सेः

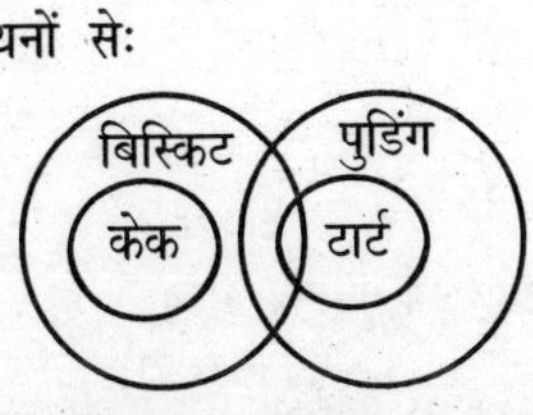

निष्कर्ष I: कुछ बिस्किट, केक हैं। (सत्य)

निष्कर्ष II: कुछ पुडिंग, बिस्किट हैं। (सत्य)

यहाँ दोनों निष्कर्ष (I) और (II) कथनों के अनुसार हैं।

64.

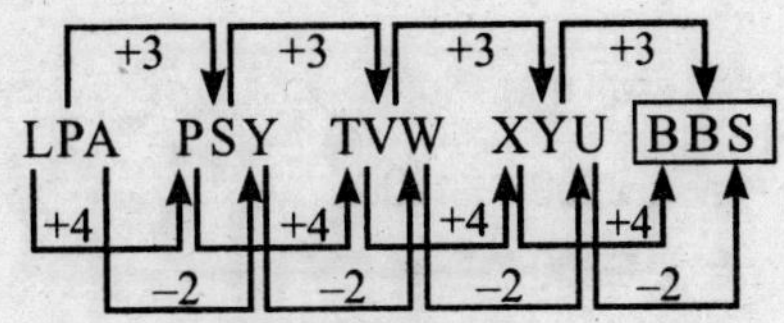

अतः ? = BBS

65. दिया गया है समुच्चय हैः

$(8,\ 720,\ 9) \Rightarrow \dfrac{720}{8 \times 9} = 10$

$(16,\ 800,\ 5) \Rightarrow \dfrac{800}{16 \times 5} = 10$

उसी प्रकार,

(1) $(18,\ 1260,\ 7) \Rightarrow \dfrac{1260}{18 \times 7} = 10$

अतः विकल्प (A) उसी प्रकार संबंधित है जिस प्रकार दिए गए समुच्चय की संख्याएँ संबंधित हैं।

66. दी गई तालिका से :
कंपनी A ने 2011 में अन्य सभी कंपनियों की तुलना में सबसे अधिक मोबाइल फोन का निर्माण किया है।

67. एक फोल्डिंग बेड का क्रय मूल्य

$= ₹\ 18000 \times \dfrac{100-15}{100} \times \dfrac{100-10}{100}$

$= 18000 \times \dfrac{85}{100} \times \dfrac{90}{100}$

$= 18 \times 85 \times 9 = ₹\ 13770$

∵ परिवहन पर ₹ 830 व्यय किए

∴ फोल्डिंग बेड का क्रय मूल्य

$= 13770 + 830 = ₹\ 14600$

और फोल्डिंग बेड का विक्रय मूल्य = ₹ 18,440

∵ लाभ = विक्रय मूल्य - क्रय मूल्य

$= 18440 - 14600$

$= ₹\ 3,840.$

68. माना राशि ₹ 2,380 का दो भाग ₹ P और ₹ (2380 – P)

तब, $\dfrac{P \times 25 \times 1}{100} + \dfrac{(2380-P) \times 20 \times 1}{100} = 500$

$\Rightarrow 5P + 4(2380 - P) = 100 \times 100$

$\Rightarrow 5P + 9520 - 4P = 100 \times 100$

$\Rightarrow \quad P = 10000 - 9520$

$\Rightarrow \quad P = ₹\ 480$

∴ 25% की दर पर उधार दी गई राशि = ₹ 480.

69. यहाँ, साइकिल का क्रय मूल्य

$= ₹\ 2500 + 300$

$= ₹\ 2800$

और साइकिल का विक्रय मूल्य = ₹ 3000

$\because$ लाभ = विक्रय मूल्य − क्रय मूल्य

$= 3000 - 2800$

$= ₹\ 200$

$\therefore$ लाभ % $= \dfrac{\text{लाभ} \times 100}{\text{क्रय मूल्य}} = \dfrac{200 \times 100}{2800}$

$= \dfrac{100}{14} = \dfrac{50}{7} = 7\dfrac{1}{7}\%.$

70. माना वस्तु का क्रय मूल्य ₹ x है।

तब, $x \times \dfrac{106}{100} - x \times \dfrac{103}{100} = 9$

$\Rightarrow \quad x\left(\dfrac{106-103}{100}\right) = 9$

$\Rightarrow \quad x \times \dfrac{3}{100} = 9$

$\Rightarrow \quad x = ₹\ 300$

$\therefore$ विक्रय मूल्य के बीच का अनुपात

$= 300 \times \dfrac{103}{100} : 300 \times \dfrac{106}{100}$

$= 103 : 106.$

71. दिए गए ग्राफ से,

सभी शाखाओं की कुल वास्तविक आय और कुल लक्षित आय का अनुपात

$= (20+25+30+45+40) : (10+30+30+35+65)$

$= 160 : 170$

$= 16 : 17.$

72. माना 100 ग्राम दूध का क्रय मूल्य = ₹ 100

तब, 25% लाभ पर,

विक्रय मूल्य = ₹ 125

$\because$ दूध में पानी मिलाकर और मिश्रण को क्रय मूल्य पर बेचता है

$\therefore$ (100 ग्राम दूध + x ग्राम पानी)

= ₹ 125

= 125 ग्राम

$\therefore$ x ग्राम पानी = 25 ग्राम

अतः मिश्रण में पानी और दूध का अनुपात

$= 25 : 100$

$= 1 : 4.$

73. धारा के अनुकूल चाल

= स्थिर जल में नाव की चाल + धारा की चाल

$= 15 + 3$

$= 18$ km/h

समय = 12 मिनट

$= \dfrac{12}{60} = \dfrac{1}{5}$ घंटे

$\therefore$ धारा के अनुकूल तय की गई दूरी = चाल × समय

$= 18 \times \dfrac{1}{5}$

$= 3.6$ km.

74. प्रश्नानुसार, माना कि समान तय की गई दूरियाँ x किमी. है।

$\dfrac{x}{3} + \dfrac{x}{4} + \dfrac{x}{8} = \dfrac{425}{60}$

$\Rightarrow \quad \dfrac{8x+6x+3x}{24} = \dfrac{85}{12}$

$\Rightarrow \quad \dfrac{17x}{24} = \dfrac{85}{12}$

$\Rightarrow \quad x = \dfrac{24 \times 85}{17 \times 12} = 10$

अतः व्यक्ति द्वारा तय की गई कुल दूरी

$= (10 + 10 + 10)$ km

$= 30$ km.

75. दिया है, 4 लैपटॉप का कुल विक्रय मूल्य

= ₹ 1,54,005

हानि = 25%

$\therefore$ 4 लैपटॉप का कुल क्रय मूल्य $= 1,54,005 \times \dfrac{100}{100-25}$

$= 1,54,005 \times \dfrac{100}{75}$

$= 1,54,005 \times \dfrac{4}{3}$

$= 51,335 \times 4$

= ₹ 2,05,340

लाभ = 25%

$\therefore$ चारों लैपटॉप का विक्रय मूल्य

$= 2,05,340 \times \dfrac{125}{100} = 2,05,340 \times \dfrac{5}{4}$

$= 51,335 \times 5$

= ₹ 2,56,675.

76. दिया है,

$\because$ एक गोले का आयतन = पृष्ठीय क्षेत्रफल

$\therefore$ $\frac{4}{3}\pi r^3 = 4\pi r^2$

$\Rightarrow$ $\frac{r}{3} = 1, \Rightarrow r = 3$

$\therefore$ इसके अर्ध-गोले का आयतन $= \frac{2}{3}\pi r^3$

$= \frac{2}{3} \times \frac{22}{7} \times (3)^3$

$= 2 \times 3.14 \times 9$

$= 18 \times 3.14$

$= 56.52.$

77. दिए गए वृत्त का क्षेत्रफल $= \pi r^2 = \frac{22}{7} \times (14)^2$

$= \frac{22}{7} \times 14 \times 14$

$= 22 \times 2 \times 14$

$= 44 \times 14$

$= 616 \text{ cm}^2$

और वृत्त में उत्तीर्ण किए गए अधिकतम संभावित क्षेत्रफल वाले वर्ग का विकर्ण = वृत्त का व्यास

$= 2r = 2 \times 14$

$= 28 \text{ cm}$

$\therefore$ भुजा $\times \sqrt{2} = 28$

$\Rightarrow$ भुजा $= 14\sqrt{2}$ cm

$\therefore$ वर्ग का क्षेत्रफल = (भुजा)^2 $= \left(14\sqrt{2}\right)^2$

$= 196 \times 2 = 392 \text{ cm}^2$

अब वृत्त में से वर्ग को अलग कर देने के बाद, वृत्त का शेष क्षेत्रफल $= 616 - 392 = 224 \text{ cm}^2$.

78. साधारण ब्याज $= \frac{\text{मूलधन} \times \text{समय} \times \text{दर}}{100}$

$= \frac{3000 \times 4 \times 6}{100}$

$= 120 \times 6$

$=$ ₹ 720.

79. $\frac{\text{A में स्पिरिट + B में स्पिरिट}}{\text{A में पानी + B में पानी}} = \frac{\text{C में स्पिरिट}}{\text{C में पानी}} = \frac{4}{3}$

$\Rightarrow \frac{A \times \frac{3}{7} + B \times \frac{5}{8}}{A \times \frac{4}{7} + B \times \frac{3}{8}} = \frac{4}{3}$

$\Rightarrow \frac{24A + 35B}{32A + 21B} = \frac{4}{3}$

$\Rightarrow 72A + 105B = 128A + 84B$

$\Rightarrow 56A = 21B$

$\Rightarrow 8A = 3B$

$\Rightarrow A : B = 3 : 8$

अतः इन दोनों मिश्रणों को 3 : 8′ के अनुपात में मिलाया जाना चाहिए।

80. माना 12 पुरुषों की औसत आयु x वर्ष हें तथा 3 अन्य व्यक्तियों की औसत आयु y वर्ष है।

तब, $12x - (36 + 40 + 44) + 3y$

$= 12(x + 6)$

$\Rightarrow 12x - 120 + 3y = 12x + 72$

$\Rightarrow -120 + 3y = 72$

$\Rightarrow 3y = 120 + 72$

$\Rightarrow 3y = 192$

$\Rightarrow y = 64$ वर्ष

$\therefore$ 3 व्यक्तियों की औसत आयु = 64 वर्ष।

81. माना मतों की संख्या x है।

तब, वैध मतों की संख्या $= x \times \frac{100 - 10}{100} = \frac{9}{10}x$

$\because$ प्रत्याशियों को मिलाने वाले मत का अनुपात

$= 8 : 7 : 5$

दिया है, सूची में दूसरे उम्मीदवार को मिले मत की संख्या = 4725

$\Rightarrow \frac{9}{10}x \times \frac{7}{8+7+5} = 4725$

$\Rightarrow \frac{9}{10}x \times \frac{7}{20} = 4725$

$\Rightarrow x = \frac{4725 \times 10 \times 20}{9 \times 7}$

$= 75 \times 200$

$= 15000$

$\Rightarrow x = 15000$

$\therefore$ वैध मतों की कुल संख्या $= \frac{9x}{10} = \frac{9}{10} \times 15000$

$= 13,500.$

82. $\because$ एक अर्धगोलाकार कटोरे के किनारे की लंबाई

$= 264$ cm

$\therefore$ $2\pi r = 264$

$\Rightarrow 2 \times \frac{22}{7} r = 264$

$\Rightarrow r = 264 \times \frac{7}{2 \times 22}$

$\Rightarrow r = 42$ cm.

∵ यह कटोरा पेय पदार्थ से आधा भरा हुआ है

∴ पेय पदार्थ का आयतन $= \frac{1}{2}\times\frac{2}{3}\pi r^3$

$$= \frac{1}{2}\times\frac{2}{3}\pi(42)^3 \text{ cm}^3$$

पुनः एक अर्द्धगोलाकार गिलास का आयतन

$$= \frac{2}{3}\pi\left(\frac{6}{2}\right)^3$$

$$= \frac{2}{3}\pi(3)^3 \text{ cm}^3$$

∴ परोसे जाने वाले व्यक्तियों की संख्या

$$= \frac{\frac{1}{2}\times\frac{2}{3}\pi(42)^3}{\frac{2}{3}\pi(3)^3}$$

$$= \frac{1}{2}\times(14)^3 \text{ cm}^3$$

$$= \frac{1}{2}\times 2744 = 1372.$$

83. $84 = 12 \times 7$

$108 = 12 \times 9$

∴ 84 और 108 का म.स. = 12.

84. 32 महिलाओं के एक समूह की कुल आयु = 32 × 60 वर्ष

और 40 पुरुषों के एक-दूसरे समूह की कुल आयु = 40 × 33 वर्ष

दोनों समूहों की कुल आयु

= (33 × 60 + 40 × 33) वर्ष

∴ दोनों समूहों को मिलाकर औसत आयु

$$= \frac{32\times 60+40\times 33}{32+40}$$

$$= \frac{4\times 3(8\times 20+10\times 11)}{72}$$

$$= \frac{1}{6}\times(160+110) = \frac{270}{6}$$

= 45 वर्ष।

85. साधारण ब्याज $= \frac{\text{मूलधन} \times \text{समय} \times \text{दर}}{100}$

$$= \frac{2500\times 6\times 9}{100}$$

= 150 × 9

= ₹ 1350.

86. माना क्रय मूल्य ₹ x है।

तब, $3200 - x = \frac{7}{5}(3000 - x)$

⇒ $5(3200 - x) = 7(3000 - x)$

⇒ $16000 - 5x = 21000 - 7x$

⇒ $7x - 5x = 21000 - 16000$

⇒ $2x = 5000$

⇒ $x =$ ₹ 2500

अतः माल का क्रय मूल्य = ₹ 2500

87. माना A की दैनिक आय ₹ x है।

तब, A का व्यय $= x\times\frac{20}{100}$

$$250 = \frac{1}{5}x$$

$$x = 1250$$

अतः A की दैनिक आय ₹ 1250 है।

88. साधारण ब्याज $= \frac{\text{मूलधन}\times\text{समय}\times\text{दर}}{100}$

$$= \frac{5400\times 7\times 4}{100}$$

= 54 × 28

= ₹ 1512

89. X का 1 मिनट का कार्य $= \frac{8}{3}$ पेज,

Y का 1 मिनट का कार्य $= \frac{3}{5}$ पेज

(X + Y) का 1 मिनट का कार्य $= \frac{8}{3}+\frac{3}{5}$

$$= \frac{40+9}{15} = \frac{49}{15}$$

∴ (X + Y) का 15 मिनट का कार्य $= 15\times\frac{49}{15}$ = 49 पेज

अतः X और Y साथ मिलकर काम करते हुए 15 मिनट में 49 पेज टाइप कर सकते हैं।

90. माना दो संख्याएँ $2x$ और $5x$ हैं।

तब, इनका ल.स. $= 10x$

⇒ $80 = 10x$

⇒ $x = 8$

अतः संख्याएँ $2x = 2 \times 8 = 16$, $5x = 5 \times 8 = 40$ हैं।

91. माना बल्लेबाज की 12वीं पारी तक औसत x है।

तब, 13वीं पारी में औसत $= (x + 3)$

$\therefore\ 12x + 96 = 13(x + 3)$

$\Rightarrow\ 12x + 96 = 13x + 39$

$\Rightarrow\ 13x - 12x = 96 - 39$

$\Rightarrow\ x = 57$

अतः 13 पारियों के बाद उसका औसत $= x + 3$

$= 57 + 3 = 60.$

92. सुरजीत तथा मनजीत का 2 दिन का काम

$$= \frac{1}{8}+\frac{1}{6}=\frac{3+4}{24}=\frac{7}{24}$$

$\therefore$ सुरजीत तथा मनजीत का 6 दिन का काम

$$= 3\times\frac{7}{24}=\frac{21}{24}$$

शेष कार्य $= 1-\frac{21}{24}=\frac{3}{24}=\frac{1}{8}$

सुरजीत का 1 दिन का काम $= \frac{1}{8}$

अतः कार्य समाप्त होने में लगा समय

$= 6 + 1 = 7$ दिन

93. माना चतुर्थ समानुपाती x है।

तब, $1.5 : 4.8 :: 8 : x$

$\Rightarrow\ 1.5x = 4.8 \times 8$

$$\Rightarrow\ x = \frac{4.8\times 8}{1.5}=\frac{48\times 8}{15}$$

$= 3.2 \times 8$

$= 25.6$

अतः चतुर्थ समानुपाती $= 25.6$

94. दिया है, 1 किताब का औसत मूल्य = ₹ 35

$\therefore$ 4 किताबों का कुल मूल्य = 4 × 35 = ₹ 140

माना 1 कलम का औसत मूल्य ₹ x है।

तब, 8 कलमों का कुल मूल्य = ₹ $8x$

प्रश्नानुसार,

4 किताबों + 8 कलमों का क्रय मूल्य = ₹ 260

$\Rightarrow\ 140 + 8x = 260$

$\Rightarrow\ 8x = 260 - 140$

$\Rightarrow\ 8x = 120$

$\Rightarrow\ x = 15$

अतः 1 कलम का औसत मूल्य = ₹ 15

95. $45 - 22 \div 2 + 12 + 70 \div 35 + 0.4 \div 0.8 + 1.5 \div 3 + 1$

$$= 45-22\times\frac{1}{2}+12+70\times\frac{1}{35}+0.4\times\frac{1}{0.8}+1.5\times\frac{1}{3}+1$$

$$= 45 - 11 + 12 + 2 + \frac{1}{2} + 0.5 + 1$$

$= 45 + 12 + 2 + 0.5 + 0.5 + 1 - 11$

$= 59 + 1 + 1 - 11$

$= 61 - 11$

$= 50.$

96. Golf is the odd word out because it is an outdoor sport, while the other three – Billiards, Carom, and Table Tennis – are indoor games typically played on a table. Golf involves a large outdoor course, clubs, and balls, whereas the others involve a confined playing surface with entirely different equipment and setup.

97. The idiom "run errands" refers to performing small tasks, typically involving going out to do routine work like buying groceries, posting letters, or delivering items. It does not relate to racing, haste, or incorrect acts. It is a commonly used phrase in daily life, indicating short, purposeful trips to complete specific duties.

98. The underlined word "canceeled" is misspelled. The correct spelling is "cancelled" (especially in British English), where the final consonant 'l' is doubled before adding -ed. "Cancelled" is the proper past tense of "cancel". Options like "Cancaeled" or "Cancealed" are incorrect due to spelling errors unrelated to the verb "cancel".

99. The blank refers to a superlative degree, comparing mocking birds with all other wild birds in the jungle. Hence, "the noisiest" is correct, as it identifies the highest degree of a quality among a group. "Noisy" is positive, "noisier" is comparative (between two), and "the noisiest" is superlative (among many).

100. The word "entice" means to attract or tempt someone by offering pleasure or advantage. Its antonym is "repulse", which means to drive away, reject, or cause aversion. The other options like "Allure" and "Invite" are synonyms, not antonyms. "Tangle" is unrelated in context.

101. Leisure activities help reduce stress and promote well-being. The verb "relieving" fits semantically as it means easing or reducing stress. The other options — "irritating", "upsetting", and "reconstructing" — do not fit the positive context of the sentence which talks about health improvement.

102. "Conscious" means being aware of and responsive to one's surroundings or internal thoughts. Its antonym is "unaware", which means lacking awareness or consciousness. Other options such as "sentimental" and "sensible" are not direct opposites, and "secure" relates to safety, not awareness.

103. The word in brackets "fabricated" means to make up or create falsely. The appropriate synonym is "forged", which also implies producing something deceitfully or falsely, particularly documents, evidence, or signatures. The other options do not convey the same sense of falsification.

104. The underlined word "beneficial" means providing benefit or advantage. Its most appropriate antonym is "unfavourable", meaning not helpful, disadvantageous, or negative. Other options like "unfathomable" (difficult to understand), "unapproachable" (distant), or "unwarranted" (unjustified) don't provide direct antonymy.

105. The sentence "My friend, Priya looks more cheerful today as she celebrates her birthday" is grammatically and structurally correct. The subject and verb agree, punctuation is appropriate, and the modifiers are in correct sequence. Therefore, there is no grammatical error in any part of the sentence.

106. The idiom "gnashed his teeth" means to show extreme anger or frustration. It is a physical expression of intense rage, often used when someone is very upset or furious about a situation or someone's actions. In the sentence, the father's response to his son's actions indicates a strong emotional reaction — rage fits appropriately.

107. The incorrectly spelt word is "Endengered"; the correct spelling is "Endangered", which refers to species at risk of extinction. The other options — Unambiguous (clear), Intransigence (stubbornness), and Spouse (life partner) — are correctly spelled.

108. The sentence discusses the state of school classrooms over a long period — "the last century". The correct word that fits is "changed", which means to have undergone transformation or alteration. The other options like "unconcerned", "freed", and "startled" are contextually inappropriate.

109. The phrase should be "at the airport" because 'airport' is a specific place that requires a definite article "the". Hence, the error lies in the omission of "the". The corrected segment should read: "at the airport to receive".

110. The correct idiomatic expression is "word for word", which means to copy something exactly as it is, without any change. The other options like "word par word", "word to word", and "word with word" are grammatically or idiomatically incorrect.

111. The phrasal verb used here is incorrect. It should be "dropped out of" if referring to leaving college, or "fell behind in" if referring to performance. "Dropped behind of" is not a valid phrasal verb. Therefore, the phrase is grammatically and idiomatically incorrect.

112. The word "worst" is incorrectly used in the sentence. The correct form should be "worse", which is the comparative degree. "Worst" is the superlative degree, used when comparing more than two. The sentence compares existing bad academic performance, so "worse" is appropriate.

113. "Principal" refers to the head of an institution, while "poll" refers to a survey or vote to gather opinions. This combination correctly fits the sentence context. "Principle" refers to moral rules and is not applicable here. "Pole" refers to a long rod or a geographic point, and is incorrect in this usage.

114. The correct spelling and word is "extreme", which means very great in degree. It matches the sentence context of rapidly changing technology. The other options — "suprime" (should be supreme), "modarate" (should be moderate), and "inferier" (should be inferior) — are all misspelled.

115. The word "bigger" is the correct comparative degree of "big". The sentence compares two items — the new almirah and another one. "More bigger" is grammatically incorrect because "more" is not used with single-syllable comparatives like "big". "Biggest" is superlative, used for comparing more than two items.

116. The correct form is "are" because the subject "Dolphins" is plural, and the verb must agree in number. "Are regarded" is the appropriate passive voice construction in the present tense for a plural noun. Hence, "Dolphins are regarded as the friendliest creatures..." is grammatically correct.

117. The clause "The more we ___ about dolphins..." requires the simple present tense for a general truth or habitual action. "Learn" fits naturally with the structure "The more we learn, the more we realise...". It maintains parallel structure and tense consistency.

118. The comparison here is between the complexity of dolphin society and what people previously imagined. The conjunction "than" is used to show this comparative relationship. Hence, "more complex than people previously imagined" is the grammatically and semantically correct choice.

119. The correct phrase is "look after", which means to care for someone. It's a common phrasal verb used for caregiving or tending to someone's needs, which fits the context of dolphins taking care of ill members of their group.

120. In the context of caregiving and nurturing, "pregnant mothers" is the most appropriate choice. It aligns with biological reality and the sentence's theme of communal care. The other options (uncles, fathers, brothers) do not conventionally relate to pregnancy.

121. High stimulation homes are characterized by factors that promote active engagement and development, such as the availability of toys, space, and books. The correct option here, D, states that there is less space inside the home, which contradicts the passage's description of high stimulation homes as having sufficient space for activities and engagement, thus making it the correct answer as it is not a feature of a high stimulation home.

122. The passage specifically mentions six aspects used to rate children's development: activity level, social, emotional, intellectual, motor, and language development. This option directly references the information provided in the passage, confirming its accuracy.

123. The passage directly lists the availability of toys as a positive aspect of high stimulation homes that contribute to children's development. The question asks for features not included in the study of growth and development, making this option incorrect because the availability of toys is indeed a considered factor in the studies mentioned.

124. The passage discusses the differences in development between adequately and inadequately nourished children, including intellectual capabilities and physical growth measures such as height and weight. "Well Nourished" fits into the blank appropriately as it directly aligns with the context given in the passage about the benefits of good nutrition.

125. This title captures the essence of the passage, which discusses the impact of nutritional status and environmental stimulation on various developmental aspects of children. The focus on how different nourishment levels affect developmental outcomes makes this title the most fitting.

126. "शिक्षित-अशिक्षित", "पण्डित-साधारण" और "सुख-दुःख" – ये सभी विपरीतार्थक (विलोम) शब्दों के जोड़े हैं, जिनमें एक शब्द दूसरे का उल्टा या नकारात्मक अर्थ बताता है। जबकि "एकात्म-एकनिष्ठ" दोनों लगभग समान अर्थ रखते हैं (पर्यायवाची शब्द-युग्म)। अतः "एकात्म-एकनिष्ठ" अन्य से भिन्न है।

127. "सुख-दुःख" शब्द-युग्म में द्वंद्व समास है, जिसमें सामान्यतः "और" का भाव रहता है (अर्थात् सुख और दुःख दोनों) द्वंद्व समास में जुड़े शब्द आपस में विकल्प या संगति के भाग में होते हैं, जैसे "भाई-बहन" (भाई और बहन) इत्यादि।

128. गद्यांश में उल्लेखित 'पुरुष' शब्द का आशय पुरुष और कठोर है। इस प्रकार पंक्ति में 'पुरुष' शब्द एक साथ दृढ़ता, कठोरता और मरदाना विशेषताओं को सूचित करता है।

129. गद्यांश के अनुसार कवि का लेखन शिक्षित और अशिक्षित, पण्डित और साधारण जन– सभी तक पहुँचता है। उनके रचना-संसार में कोई भी वर्ग उपेक्षित नहीं है। इसलिए (*a*), (*b*), (*c*) और (*d*) चारों शामिल होते हैं।

130. गद्यांश में यह प्रत्यक्ष रूप से बताया गया है कि गोस्वामी जी साधारण जन के सुख-दुःख, किसान-संवेदना और लोक जीवन के कवि हैं; उन्हें "पराधीनता" का कवि नहीं कहा गया है। अतः वे "पराधीनता" के कवि नहीं है।

131. "जमाई" हिन्दी का तद्भव शब्द (अर्थ– दामाद) है, जिसका प्रचलित तत्सम रूप संस्कृत में "जामाता" माना जाता है। "जामातृ" प्रचलित या स्वीकृत तत्सम रूप नहीं है। अतः "जमाई-जामातृ" युग्म सही तद्भव-तत्सम समन्वय नहीं माना जाता।

132. "दध्योदान" का सही संधि-विच्छेद "दधि + ओदन" है। संस्कृत में "दधि" (दही) और "ओदन" (भात/चावल) के मेल से यह शब्द बनता है।

133. "कवियों को कविता करते समय आनंद मिला है" वाक्य व्याकरण की दृष्टि से शुद्ध एवं सरल है। शेष वाक्यों में अनावश्यक या गलत शब्द-प्रयोग तथा संरचना देखी जाती है।

134. (*a*) अनुग्रह–(IV) विग्रह (विपरीतार्थक): अनुग्रह का अर्थ है, कृपा या दया। विग्रह का अर्थ है, झगड़ा या विवाद। इसलिए अनुग्रह और विग्रह एक-दूसरे के विपरीत हैं।

(*b*) अनुराग–(I) विराग (विपरीतार्थक): अनुराग का अर्थ है, प्रेम या स्नेह। विराग का अर्थ है, उदासीनता या अलिप्तता। इसलिए अनुराग और विराग एक-दूसरे के विपरीत हैं।

(*c*) सहयोग–(III) प्रतियोगी (विपरीतार्थक): सहयोग का अर्थ है, सहायता या साथ देना। प्रतियोगी का अर्थ है, प्रतिस्पर्धी या विरोधी। इसलिए सहयोग और प्रतियोगी एक-दूसरे के विपरीत हैं।

(*d*) दुराग्रह– (II) आग्रह (विपरीतार्थक): दुराग्रह का अर्थ है, गलत आग्रह या जिद। आग्रह का अर्थ है, उचित या सही आग्रह। इसलिए दुराग्रह और आग्रह एक-दूसरे के विपरीत हैं।

135. (*a*) कुंभ– (II) घड़ा (पर्यायवाची): कुंभ का अर्थ है, घड़ा या मटकी। यह विशेष रूप से मिट्टी या धातु से बना पात्र होता है, जिसमें पानी या अन्य तरल पदार्थ रखे जाते हैं।

(*b*) महीधर– (III) शेषनाग (पर्यायवाची): महीधर का अर्थ है, शेषनाग। यह हिन्दू पौराणिक में एक विशाल नाग है, जो पृथ्वी को अपने फनों पर उठाए हुए हैं।

(*c*) अधर– (IV) होंठ/ओष्ट (पर्यायवाची): अधर का अर्थ है, होंठ या ओष्ट। ये चेहरे का वह हिस्सा हैं जो मुंह के बाहर होते हैं और बोलने, खाने आदि में महत्वपूर्ण भूमिका निभाते हैं।

(*d*) कूर्म– (I) कछुआ (पर्यायवाची): कूर्म का अर्थ है, कछुआ। यह एक प्राचीन पौराणिक जीव है, जिसे हिन्दू धर्म में भगवान विष्णु के अवतार के रूप में भी जाना जाता है।

136. ''अपनी पगड़ी अपने हाथ'' कहावत का अर्थ है कि अपनी प्रतिष्ठा या सम्मान की रक्षा व्यक्ति को स्वयं करनी चाहिए।

137. क्रमशः (*c*), (*d*), (*b*), (*a*), (*e*) मिलाने पर वाक्य बनता है: ''काबुल घोड़ों के लिए प्रसिद्ध है, लेकिन वहाँ भी आखिर गधे तो होते ही हैं।''

138. 'नराधम' द्विगु समास का उदाहरण नहीं है। द्विगु समास ऐसे समास होते हैं जिनमें पहले पद संख्या को बोध कराता है और दूसरा पद किसी वस्तु या व्यक्ति का नाम होता है। उदाहरण के लिए:

A. पंचवटी: यहाँ ''पंच'' का अर्थ है– ''पाँच'' और ''वटी'' का अर्थ है– ''वृक्षों का समूह'', यानी पाँच वृक्षों का समूह।

B. चतुर्वेद: यहाँ ''चतु'' का अर्थ है– ''चार'' और वेद का अर्थ है– ''वेद'', यानी चार वेद।

D. दोपहर: यहाँ ''दोपहर'' का अर्थ है– ''दो'' और ''पहिर'' का अर्थ है– ''प्रहर'', यानी दो प्रहर।

139. (*a*) द्विगुण व्यंजन → (II) ड़

(*b*) संयुक्त व्यंजन → (IV) त्र

(*c*) अंतःस्थ → (I) ल

(*d*) उष्म → (III) ह

140. (*a*) यथाशक्ति (अव्ययीभाव): (IV) यह शब्द अव्ययीभाव समास का उदाहरण है क्योंकि इसमें 'यथा' (जैसे) और ''शक्ति'' (सामर्थ्य) का मेल होता है।

(*b*) गृहप्रवेश (तत्पुरुष): (I) यह तत्पुरुष समास का उदाहरण है क्योंकि इसमें 'गृह' (घर) और 'प्रवेश' (प्रविष्ट होना) का मेल होता है।

(*c*) लाल-पीला (कर्मधारय): (II) यह कर्मधारय समास का उदाहरण है क्योंकि इसमें दो विशेषण शब्दों का मेल होता है जैसे 'लाल' और 'पीला'।

(*d*) द्वैमातुर (द्विगु): (III) यह द्विगु समास का उदाहरण है क्योंकि इसमें ''द्वै'' (दो) और ''मातुर'' (माताएँ) का मेल होता है।

141. पंक्ति ''सेस महेस गनेस सुरेसहु जाहि निरंतर गावैं'' में ''सेस'', ''महेस'', ''गनेस'', ''सुरेस'' में ध्वनि की आवृत्ति (स, एस) बार-बार आती है। यह वर्ण/ध्वनि की पुनरावृत्ति अनुप्रास अलंकार को दर्शाती है।

142. इस क्रम में वसंत के आने की सूचना दी गई है, जिससे सर्दी का प्रकोप समाप्त हो गया। पहले ऋतुराज बसंत (*c*), फिर आगमन, (*b*), फिर शीत का भयंकर (*a*) और अंत में प्रकोप भाग गया (*d*) स्वाभाविक क्रम है।

143. यहाँ ''खोज'' शब्द सबसे उपयुक्त है क्योंकि जानवर प्यास के कारण पानी को खोज रहे होते हैं, दौड़ या चाहत शब्द उपयुक्त नहीं है।

144. दंगल, मंगल और जंगल तुकांत शब्द हैं जिनका ध्वनि साम्य है। सभी शब्दों का अंत ''अंगल'' पर होता है, जिससे छंदात्मकता बनी रहती है।

145. यहाँ ''करीबी'' शब्द मित्रता की निकटता और आत्मीयता को ठीक से दर्शाता है। ''समीप'' और ''नजदीक'' स्थान के लिए अधिक उपयुक्त होते हैं, ''गहरी'' भावनाओं के लिए होता है, पर ''करीबी दोस्त'' स्थिर प्रयोग है।

146. यह सामान्य और प्रचलित बहुवचन रूप है जो भाषा में सर्वाधिक उपयोग में आता है। ''चिड़ियाएँ'' भी सही है पर ''चिड़ियाँ'' अधिक स्वाभाविक और वांछित रूप है।

147. 'सुमित सेब खरीदता है।' वाक्य में ''सेब'' क्रिया ''खरीदता है'' कर्म है, इसलिए यह सकर्मक क्रिया का उदाहरण है क्योंकि क्रिया किसी वस्तु पर कार्य कर रही है।

148. 'कवयित्री' स्त्रीलिंग शब्द है, जिसका पुल्लिंग रूप होता है 'कवि'। यह पुरुष के लिए प्रयुक्त होता है जो कविता लिखता हो।

149. 'अंकुर शानदार बोलता है।' में ''शानदार'' क्रिया ''बोलता है'' की विशेषता बताता है, इस कारण यह क्रिया-विशेषण है जो क्रिया की विशेषता बताता है।

150. 'प्रार्थना' एक भाववाचक संज्ञा है क्योंकि यह किसी कार्य या भावना (प्रार्थना करने की क्रिया) को दर्शाता है, न कि किसी भौतिक वस्तु को। अन्य विकल्प वस्तुवाचक या व्यक्तिवाचक हैं।

151. यह क्रम सबसे सार्थक है जहाँ आंतरिक सुंदरता (*c*) ही सुंदर, (*d*) संसार की, (*a*) रचना, (*b*) करने वाला बताया गया है।

152. 'विकर्षण' का अर्थ होता है दूर करना या हटाना, जबकि 'आकर्षण' का अर्थ होता है खींचना या पास लाना। इसलिए दोनों एक-दूसरे के विलोमार्थी हैं।

153. 'राहुल पढ़ रहा है।'' में ''रहा है'' से यह स्पष्ट होता है कि कार्य अभी चल रहा है और समाप्त नहीं हुआ, अतः यह अपूर्ण वर्तमानकाल (Present Continuous Tense) का उदाहरण है।

154. 'नेताजी मंच से भाषण दे रहे होंगे।' में वक्ता को पूरी जानकारी नहीं है, वह केवल अनुमान लगा रहा है।
अतः यह संदेहार्थक वाक्य है जिसमें संदेह या अनुमान का बोध होता है।

155. वर्तनी की दृष्टि से केवल 'सम्मान' ही शुद्ध शब्द है। अन्य सभी अशुद्ध या अप्रयुक्त हैं।

156. दिल्ली डेवलपमेंट एक्ट 1957 का मुख्य उद्देश्य राजधानी दिल्ली का योजनाबद्ध और संगठित विकास सुनिश्चित करना है। इस अधिनियम के तहत दिल्ली में जमीन का प्रबंधन, कॉलोनियों की योजना, सड़कें, आवासीय क्षेत्र, औद्योगिक क्षेत्र और सार्वजनिक सुविधाओं का संतुलित विकास किया जाता है। DDA (Delhi Development Authority) इसी अधिनियम के तहत बनाई गई थी ताकि दिल्ली का अनियोजित फैलाव रोका जा सके और शहर में सुविधाजनक जीवन सुनिश्चित किया जा सके। इसका मकसद कर वसूली या जल प्रबंधन नहीं बल्कि समग्र शहरी योजना है।

157. दिल्ली विकास प्राधिकरण (DDA) के सदस्यों की नियुक्ति केंद्रीय सरकार करती है। इसका कारण यह है कि DDA एक केंद्रीय निकाय है जो दिल्ली के विकास कार्यों को नियंत्रित करता है। इसमें केंद्र सरकार के अधिकारी, दिल्ली सरकार के प्रतिनिधि और विशेषज्ञ शामिल होते हैं। केंद्रीय सरकार अध्यक्ष सहित मुख्य पदों पर नियुक्तियाँ करती है ताकि नीतियों और विकास कार्यों का समन्वय राष्ट्रीय स्तर पर हो सके। इससे विकास योजनाओं को उचित दिशा और वित्तीय सहायता मिलती है।

158. DDA का कार्य शहरी नियोजन, भूमि विकास और आवास निर्माण से जुड़ा होता है। यह संस्था दिल्ली में नई कॉलोनियों की योजना, मकान निर्माण, पार्कों, सड़कों और अन्य सार्वजनिक ढांचे के विकास के लिए जिम्मेदार है। अपराध जांच इसका कार्यक्षेत्र नहीं हैं क्योंकि यह कार्य पुलिस विभाग और संबंधित सुरक्षा एजेंसियों का होता है। DDA केवल भूमि और शहरी विकास से जुड़े कार्यों को अंजाम देती है।

159. दिल्ली भूमि राजस्व अधिनियम 1954 में लागू किया गया था। इसका उद्देश्य दिल्ली क्षेत्र में भूमि राजस्व से जुड़े सभी मामलों को एक संगठित कानूनी ढांचे में लाना था। इसने पहले लागू पंजाब भूमि राजस्व अधिनियम, 1887 (जो दिल्ली पर भी लागू होता था) को प्रतिस्थापित किया। इस कानून के तहत खतौनी, खसरा, सीमांकन, भूमि स्वामित्व के रिकॉर्ड और राजस्व अधिकारियों के अधिकार व दायित्व तय किए गए। यह आज भी दिल्ली में भूमि प्रशासन की बुनियाद है।

160. भूमि का रिकॉर्ड रखने की जिम्मेदारी पटवारी की होती है। पटवारी गाँव या क्षेत्र की प्रत्येक भूमि का लेखा-जोखा रखता है — जैसे खेत की सीमा, मालिक का नाम, फसल का विवरण और भूमि पर होने वाले परिवर्तन। यह जानकारी भूमि राजस्व प्रणाली में बहुत महत्वपूर्ण होती है। पटवारी ही जमीन से जुड़े सभी दस्तावेज अपडेट करता है और उच्च अधिकारियों को रिपोर्ट भेजता है। इससे भूमि स्वामित्व में पारदर्शिता बनी रहती है और विवादों को हल करना आसान होता है।

161. पटवारी की नियुक्ति संबंधित राज्य सरकार द्वारा की जाती है। पटवारी एक स्थानीय स्तर का भूमि राजस्व अधिकारी होता है जो गांव या क्षेत्र में भूमि का रिकॉर्ड संभालता है। क्योंकि भूमि और राजस्व राज्य सूची के विषय हैं, इसलिए इसकी भर्ती और प्रशासनिक नियंत्रण राज्य सरकार के अधीन होते हैं। राज्य सरकारें पटवारी के पद के लिए परीक्षा या चयन प्रक्रिया आयोजित करती हैं। नियुक्ति के बाद पटवारी को तहसीलदार या राजस्व अधिकारी के अधीन कार्य करना होता है।

162. भूमि सुधार का मुख्य उद्देश्य भूमि का समान और न्यायपूर्ण वितरण सुनिश्चित करना होता है। स्वतंत्रता के बाद भारत में भूमि का अधिकांश हिस्सा कुछ जमींदारों के पास केंद्रित था, जिससे असमानता बढ़ रही थी। भूमि सुधार योजनाओं के माध्यम से गरीब किसानों और भूमिहीनों को भूमि उपलब्ध कराई गई। इससे ग्रामीण अर्थव्यवस्था मजबूत हुई और किसानों को आत्मनिर्भर बनने का अवसर मिला। न्यायसंगत वितरण से ग्रामीण विकास और सामाजिक समानता को बढ़ावा मिला।

163. भारतीय संविधान में अनुच्छेद 31A भूमि सुधार के लिए विशेष प्रावधान करता है। इस अनुच्छेद के तहत सरकार को भूमि से संबंधित कानून बनाने और जमींदारी जैसी व्यवस्थाओं को समाप्त करने का अधिकार दिया गया। यह अनुच्छेद भूमि सुधार कानूनों को संविधानिक संरक्षण भी प्रदान करता है ताकि न्यायालयों में इन सुधारों को आसानी से चुनौती न दी जा सके। इसके माध्यम से भूमि का पुनर्वितरण, अधिग्रहण और सामाजिक न्याय को मजबूती मिली।

164. भारत में भूमि सुधार की सबसे महत्वपूर्ण और व्यापक योजना 1950 के दशक में जमींदारी प्रथा का अंत थी। इससे किसानों को जमीन पर मालिकाना हक मिला और जमींदारों की मध्यस्थता खत्म हुई। इसका प्रभाव सबसे अधिक उत्तर प्रदेश, बिहार और मध्य प्रदेश जैसे राज्यों में पड़ा। इससे भूमिहीन किसानों को स्थायित्व और सामाजिक समानता मिली, और ग्रामीण अर्थव्यवस्था को नई दिशा मिली।

165. भूमि सुधार योजनाओं का सबसे अधिक लाभ भूमिहीन किसानों को मिला। पहले वे जमींदारों पर निर्भर रहते थे, पर सुधारों के बाद उन्हें अपनी भूमि मिली जिससे उनकी आर्थिक और सामाजिक स्थिति में सुधार हुआ। उन्हें खेती करने के लिए कानूनी अधिकार मिले और उनकी आजीविका सुरक्षित हुई। इससे ग्रामीण इलाकों में गरीबी कम करने और किसानों को आत्मनिर्भर बनाने में मदद मिली। यह सुधार सामाजिक न्याय के दृष्टिकोण से भी बहुत महत्वपूर्ण था।

166. दिल्ली राष्ट्रीय राजधानी क्षेत्र (विशेष प्रावधान) अधिनियम 2011 में लागू किया गया था। इसका उद्देश्य दिल्ली में अनधिकृत कॉलोनियों, झुग्गी-झोपड़ियों और निर्माणों के नियमितीकरण से जुड़े मामलों को सुलझाना था। इस अधिनियम के तहत सरकार ने अस्थायी संरक्षण दिया ताकि लोगों को तुरंत बेदखल न किया जाए और नियोजन के अनुसार समाधान निकाला जा सके। यह कानून दिल्ली में शहरी नियोजन को सुव्यवस्थित करने और आवासीय क्षेत्रों में स्थिरता लाने के लिए एक महत्वपूर्ण कदम था।

167. राष्ट्रीय राजधानी क्षेत्र नियोजन बोर्ड में केंद्र सरकार और एनसीआर में शामिल राज्यों — जैसे हरियाणा, उत्तर प्रदेश, राजस्थान और दिल्ली सरकार — के प्रतिनिधि सदस्य होते हैं। इस संरचना से यह सुनिश्चित किया जाता है कि सभी राज्यों की भागीदारी से क्षेत्र का योजनाबद्ध विकास हो सके। बोर्ड में तकनीकी विशेषज्ञ, शहरी योजनाकार और उच्च अधिकारी भी शामिल होते हैं, जिससे फैसले व्यावहारिक और क्षेत्रीय जरूरतों के अनुरूप लिए जा सकें।

168. यदि कोई व्यक्ति या संस्था राष्ट्रीय राजधानी क्षेत्र नियोजन बोर्ड के नियमों और फैसलों का उल्लंघन करती है, तो उसके खिलाफ जुर्माना और दंडात्मक कार्रवाई की जा सकती है। यह प्रावधान इसलिए रखा गया है ताकि क्षेत्रीय विकास योजनाओं का पालन अनिवार्य हो और अवैध निर्माण या योजना में बाधा न उत्पन्न हो। ऐसी कार्रवाई से नियमों की गंभीरता बनी रहती है और क्षेत्रीय संतुलन को बनाए रखा जा सकता है।

169. एनसीआर योजना बोर्ड अपनी तिमाही प्रगति रिपोर्टों को भाग लेने वाले राज्यों के एनसीआर योजना प्रकोष्ठों के माध्यम से केंद्र सरकार को प्रस्तुत करता है। इसके अतिरिक्त, बोर्ड द्वारा किए गए आवधिक निरीक्षण और प्रगति समीक्षाओं की जानकारी भी केंद्र सरकार को दी जाती है।

170. भूमि अधिग्रहण अधिनियम वर्ष 1894 में लागू किया गया था। इसे ब्रिटिश शासन के दौरान बनाया गया था ताकि सरकार सार्वजनिक हित के कार्यों जैसे सड़क, रेलवे, और सरकारी भवनों के लिए निजी भूमि का अधिग्रहण कर सके। हालांकि यह अधिनियम बहुत पुराना था, लेकिन लंबे समय तक भारत में भूमि अधिग्रहण की प्रक्रिया इसी के तहत होती रही। बाद में इसे संशोधित कर 2013 में नया कानून बनाया गया ताकि भूमि मालिकों के अधिकारों की रक्षा हो सके।

171. भूमि अधिग्रहण अधिनियम के तहत भूमि अधिग्रहण की घोषणा राज्य सरकार द्वारा की जाती है। भूमि अधिग्रहण मुख्य रूप से राज्य स्तर पर किया जाता है क्योंकि भूमि राज्य सूची का विषय है। राज्य सरकार किसी परियोजना को ''सार्वजनिक हित'' की श्रेणी में घोषित कर सकती है और उसके लिए भूमि अधिग्रहण की प्रक्रिया शुरू करती है। केंद्र सरकार केवल कुछ विशेष राष्ट्रीय परियोजनाओं में प्रत्यक्ष रूप से शामिल होती है, अन्यथा प्रक्रिया राज्य सरकार के स्तर पर पूरी की जाती है।

172. भूमि अधिग्रहण कानून, 2013 के अनुसार सार्वजनिक हित की परियोजनाओं में भूमि मालिक की सहमति आवश्यक नहीं होती। सरकार को यदि किसी सार्वजनिक उद्देश्य के लिए भूमि चाहिए, तो वह कानूनी प्रक्रिया का पालन करते हुए भूमि का अधिग्रहण कर सकती है। इस प्रक्रिया में सरकार अधिग्रहण से पहले अधिसूचना जारी करती है और उचित मुआवजा तथा पुनर्वास की व्यवस्था करती है। केवल निजी कंपनियों और PPP परियोजनाओं में 70% से 80% भूमि मालिकों की सहमति अनिवार्य होती है। लेकिन सरकारी परियोजनाओं में यह सहमति नहीं मांगी जाती। यह प्रावधान सरकार को सार्वजनिक कार्यों में तेजी से भूमि उपलब्ध कराने के लिए बनाया गया है।

173. किसी भी भूमि अधिग्रहण से पहले सामाजिक प्रभाव मूल्यांकन रिपोर्ट बनाना अनिवार्य होता है। इस रिपोर्ट में यह आकलन किया जाता है कि परियोजना से कितने लोग प्रभावित होंगे, उनकी आजीविका, पर्यावरण और सामाजिक ढांचे पर क्या असर पड़ेगा। इसके बाद ही अधिग्रहण की मंजूरी दी जाती है। इस प्रक्रिया से पारदर्शिता बढ़ती है और प्रभावित परिवारों को न्यायसंगत पुनर्वास की योजना बनाई जा सकती है।

174. पुनर्वास योजना में केवल नकद मुआवजा ही नहीं, बल्कि वैकल्पिक आवास, आजीविका और रोजगार की व्यवस्था भी शामिल होती है। इसका उद्देश्य प्रभावित लोगों को केवल आर्थिक रूप से नहीं बल्कि सामाजिक और मानसिक रूप से भी स्थिर करना होता है। इसमें परिवारों को नए स्थान पर बसाना, स्कूल, अस्पताल और रोजगार के अवसर उपलब्ध कराना शामिल होता है। यह भूमि अधिग्रहण के बाद पुनर्स्थापन की सबसे महत्वपूर्ण प्रक्रिया मानी जाती है।

175. पंजाब भूमि राजस्व अधिनियम का अधिवचन 23 सितंबर 1887 को हुआ था। इस अधिनियम का मुख्य उद्देश्य भूमि राजस्व प्रणाली को नियमित और कानूनी ढांचे में लाना था। इसमें भूमि रिकॉर्ड रखने, सर्वेक्षण, राजस्व वसूली, सीमांकन और भूमि स्वामित्व से जुड़े नियम निर्धारित किए गए। बाद में इस अधिनियम को दिल्ली और अन्य राज्यों में भी अपनाया गया। यह आज भी राजस्व प्रशासन की एक महत्वपूर्ण नींव है।

176. यदि कोई व्यक्ति भूमि अभिलेख में दर्ज प्रविष्टि से असहमत होता है, तो वह सीधा घोषणात्मक डिक्री के लिए धारा 45 के तहत मुकदमा दायर कर सकता है। इस प्रक्रिया में व्यक्ति न्यायालय से यह घोषणा करवाता है कि अभिलेख में की गई प्रविष्टि गलत है और उसे संशोधित किया जाना चाहिए। यह कदम तब उठाया जाता है जब आपत्तिकरण से मामला हल न हो पाए या कानूनी विवाद हो। यह भूमि स्वामित्व को लेकर उत्पन्न विवादों के निपटारे का एक सशक्त उपाय है।

177. राजस्व अधिकारी को यह अधिकार होता है कि यदि कोई मामला क़ानूनी या तथ्यात्मक रूप से बहुत जटिल हो, तो वह उसे किसी उच्च अधिकारी या सक्षम अधिकारी को भेज (refer) सकता है। ऐसां इसलिए किया जाता है ताकि निर्णय अधिक सटीक और न्यायसंगत हो सके। इस प्रक्रिया से विवादों का समाधान सही कानूनी व्याख्या और अनुभवी अधिकारियों द्वारा किया जाता है। यह प्रशासनिक पारदर्शिता और न्यायिक निष्पक्षता को बढ़ाता है।

178. दिल्ली एक केंद्र शासित प्रदेश है और यहाँ की विधान सभा को कुछ सीमित विषयों पर ही कानून बनाने का अधिकार है। पुलिस, सार्वजनिक व्यवस्था और भूमि जैसे विषय केंद्र सरकार के नियंत्रण में रहते हैं। इन विषयों पर दिल्ली विधानसभा कानून नहीं बना सकती। इस व्यवस्था का उद्देश्य राष्ट्रीय राजधानी में सुरक्षा और शहरी नियोजन पर केंद्र का सीधा नियंत्रण बनाए रखना है ताकि प्रशासनिक तालमेल बना रहे।

179. दिल्ली सरकार में मंत्रिपरिषद का आकार विधानसभा के कुल सदस्यों की संख्या का 10% से अधिक नहीं हो सकता। यह सीमा 91वें संविधान संशोधन अधिनियम के तहत लागू की गई थी। इसका उद्देश्य मंत्रिपरिषद के आकार को नियंत्रित करना और गैर-जरूरी राजनीतिक नियुक्तियों को रोकना है। दिल्ली विधानसभा में कुल 70 सदस्य हैं, इसलिए अधिकतम 7 मंत्री बनाए जा सकते हैं। इससे प्रशासनिक दक्षता और उत्तरदायित्व सुनिश्चित होता है।

180. दिल्ली प्रशासन की तीन स्तरीय व्यवस्था में केंद्र सरकार, दिल्ली सरकार और स्थानीय निकाय (नगर निगम/नगर पालिका) शामिल होते हैं। न्यायालय प्रशासनिक ढांचे का हिस्सा नहीं माने जाते क्योंकि उनका कार्य शासन चलाना नहीं बल्कि न्याय देना होता है। तीनों स्तर मिलकर राजधानी के विकास, प्रशासनिक सेवाओं और स्थानीय जरूरतों को पूरा करते हैं, जबकि न्यायालय स्वतंत्र रूप से न्यायिक कार्य करते हैं। इसलिए इसे प्रशासनिक ढांचे में नहीं गिना जाता।

181. याहू एक प्रसिद्ध इंटरनेट खोज इंजन है, जिसे यूजर्स वेबसाइटों, चित्रों, वीडियो आदि की खोज के लिए उपयोग करते हैं। अन्य विकल्पों में लिनक्स एक ऑपरेटिंग सिस्टम कर्नेल है, एमएस वर्ड एक वर्ड प्रोसेसर है, और एमएस विंडोज़ एक ऑपरेटिंग सिस्टम है।

182. जी-मेल एक ई-मेल सेवा है, जिसे इंटरनेट उपयोगकर्ता ई-मेल भेजने और प्राप्त करने के लिए उपयोग करते हैं। जबकि क्रोम, ओपेरा और नेटसर्फ सभी वेब ब्राउजर हैं, जो इंटरनेट पर वेबसाइटों को एक्सेस करने के लिए बनाए गए हैं।

183. एच.टी.एम.एल. का पूरा अर्थ है ''हाईपर टेक्स्ट मार्कअप लैंग्वेज'', जो वेब पृष्ठों की संरचना निर्धारित करने के लिए प्रयोग होती है। अन्य विकल्पों में शब्दों का क्रम या चयन सही नहीं है।

184. मेटा एक प्रमुख तकनीकी कंपनी है, जो फेसबुक जैसी सेवाओं के लिए जानी जाती है, परंतु यह वेब होस्टिंग सेवा प्रदान नहीं करती। अन्य विकल्प– होस्टगेटर; ब्लू होस्ट तथा डब्ल्यू.पी.एक्स. होस्टिंग– सभी वेब होस्टिंग कंपनियाँ हैं।

185. दस्तावेज दृश्य टूलबार के शॉर्टकट आइकन आमतौर पर विंडो के निचले-दाएँ कोने में स्थित स्थिति पट्टी (स्टेटस बार) पर उपलब्ध होते हैं। इस पट्टी से उपयोगकर्ता विभिन्न दस्तावेज दृश्य विकल्प (जैसे प्रिंट लेआउट, वेब लेआउट आदि) चुन सकते हैं।

186. Ctrl+I कुंजी संयोजन का प्रयोग चयनित पाठ पर इटैलिक (Italic) फॉर्मेट लागू करने के लिए किया जाता है। यह शॉर्टकट टेक्स्ट को झुका हुआ दिखाता है, जिससे उसे अन्य पाठ से अलग या विशेष रूप से दर्शाया जा सकता है।

188. एमएस वर्ड का निष्पादन (Executable) फाइल नाम "Winword. exe" है। यह फाइल प्रोग्राम के लॉन्च होने पर मुख्य इंटरफेस प्रदान करती है और एमएस वर्ड के संचालन की शुरूआत करती है।

189. एक कार्यपत्रक (worksheet) की सीमा कोशिकाओं (cells) के एक समूह से होती है, जो पंक्तियों और स्तंभों के संयोजन से बनती है। प्रत्येक कोशिका में डेटा दर्ज किया जा सकता है, और ये कोशिकाएँ मिलकर कार्यपत्रक की समग्र संरचना तैयार करती हैं।

190. हाइपरलिंक किसी भी क्लिक करने योग्य तत्व से जुड़ा हो सकता है। इसमें *(a)* पाठ शामिल है, *(b)* खिंची हुई वस्तुएँ (जैसे ड्रॉइंग या किसी वस्तु को क्लिक करने पर लिंक सक्रिय हो) भी हो सकती हैं, *(c)* कोशिकाओं का एक समूह (जैसे एक्सेल शीट में एक समूह कोशिकाओं पर हाइपरलिंक लगाया जा सकता है) और *(d)* चित्र भी। अतः सभी विकल्प लागू होते हैं।

191. एक वायरस प्रोग्राम अक्सर अपने आप को छिपाने के लिए वैध प्रोग्राम के अंदर समाहित हो जाता है। यह या तो ऑपरेटिंग सिस्टम का हिस्सा बन जाता है या किसी एप्लिकेशन प्रोग्राम में छिपा होता है, जिससे उसे ढूँढ़ना और हटाना मुश्किल हो जाता है।

192. वह वायरस जो डिस्क के पहले क्षेत्र (बूट सेक्टर) को संक्रमित करता है, उसे बूट सेक्टर वायरस कहा जाता है। यह वायरस कंप्यूटर के स्टार्टअप के समय सक्रिय होकर पूरे सिस्टम को प्रभावित कर सकता है।

193. मैकेफी, नॉर्टन और डॉ. सोलोमन सभी प्रचलित और मान्यता प्राप्त एंटीवायरस प्रोग्राम हैं। जबकि ''रेडलोफ'' नाम का कोई प्रसिद्ध एंटीवायरस प्रोग्राम उपलब्ध नहीं है, अतः यह विकल्प गलत है।

194. जब आप बाई माउस कुंजी को दबाकर रखते हैं और माउस को स्लाइड के चारों ओर घुमाते हैं, तो उस क्रिया को ''खींचना'' (Dragging) कहा जाता है। यह प्रक्रिया किसी ऑब्जेक्ट को एक स्थान से दूसरे स्थान पर ले जाने के लिए उपयोग की जाती है।

195. एस.क्यू.एल. का पूरा अर्थ ''संरचित पूछताछ (क्वेरी) भाषा'' है। यह एक मानक प्रोग्रामिंग भाषा है जिसका उपयोग रिलेशनल डेटाबेस प्रबंधन प्रणालियों में डेटा को प्राप्त करने, संशोधित करने और प्रबंधित करने के लिए किया जाता है। SQL के माध्यम से उपयोगकर्ता डेटाबेस से विशिष्ट जानकारी निकालने के लिए प्रश्न (queries) बन सकते हैं, जिससे डेटा विश्लेषण और रिपोर्टिंग में सुविधा होती है।

196. LAN का पूर्ण रूप "Local Area Network" होता है। यह एक कंप्यूटर नेटवर्क का प्रकार है जो छोटे भौगोलिक क्षेत्र जैसे कि एक इमारत, कार्यालय, या कैंपस में स्थित डिवाइसेज को आपस में जोड़ता है। LAN उपयोगकर्ताओं को फाइलें साझा करने, प्रिंटर्स और अन्य नेटवर्क संसाधनों तक पहुँचने की सुविधा देता है।

197. MS Word 365 में, यदि आप अपने डॉक्यूमेंट को समान या भिन्न नाम से किसी अन्य स्थान पर सेव करना चाहते हैं, तो 'सेव एज' (Save As) ऑप्शन का उपयोग किया जा सकता है। यह विकल्प आपको डॉक्यूमेंट को नए नाम से या अलग फॉर्मेट में सेव करने की अनुमति देता है, और यह उसे विभिन्न स्थानों पर स्टोर करने की सुविधा प्रदान करता है। इसका उपयोग करके आप विशेषतः डॉक्यूमेंट का एक बैकअप भी बना सकते हैं।

198. यह माइक्रोसॉफ्ट वर्ड का उपयोग करने के बारे में सहायता और जानकारी प्रदान करता है। 'Help' फीचर MS Word 365 में उपयोगकर्ताओं को सॉफ्टवेयर का उपयोग कैसे करना है इसकी जानकारी और सहायता प्रदान करता है। इसमें टूल्स के उपयोग, फीचर्स के कार्य, और विभिन्न कमांड्स की व्याख्या शामिल होती है, जिससे उपयोगकर्ता किसी भी समस्या का समाधान खोज सकते हैं या नई विशेषताएँ सीख सकते हैं।

199. MS Excel 365 में, तीसरी पंक्ति और पाँचवें कॉलम में स्थित सेल का सही पता 'E3' है। Excel में कॉलम को अक्षरों से और पंक्तियों को संख्याओं से दर्शाया जाता है। इसलिए, पाँचवाँ कॉलम 'E' होता है और तीसरी पंक्ति को '3' से प्रदर्शित किया जाता है, इस प्रकार सेल का एड्रेस 'E3' होता है।

200. ईमेल में, 'BCC' (Blind Carbon Copy) का उपयोग तब किया जाता है जब प्रेषक नहीं चाहता कि एक या अधिक प्राप्तकर्ताओं को पता चले कि संदेश किसी और को कॉपी किया गया था। BCC में जोड़े गए प्राप्तकर्ता को ईमेल मिलता है, लेकिन उनके नाम ईमेल के अन्य प्राप्तकर्ताओं को दिखाई नहीं देते हैं। यह विकल्प गोपनीयता बनाए रखते हुए संवेदनशील जानकारी को साझा करने के लिए उपयोगी है।

★★★

पिछले प्रश्न-पत्र

दिल्ली विकास प्राधिकरण (DDA)

पटवारी भर्ती परीक्षा, 2023

(Exam held on 19-08-2023)

सामान्य ज्ञान

1. स्क्वैश विश्व कप 2023 ______ में आयोजित किया गया था।

A. बेंगलुरु B. अहमदाबाद
C. हैदराबाद D. चेन्नई

2. 2011 की जनगणना के अनुसार, निम्नलिखित में से किस राज्य में स्त्री साक्षरता दर 80 प्रतिशत से अधिक है?

I. मिजोरम II. त्रिपुरा

A. ना ही I न ही II B. I तथा II दोनों
C. केवल I D. केवल II

3. रामकृष्ण मिशन की स्थापना ______ में हुई थी।

A. 1877 B. 1897
C. 1907 D. 1887

4. भारतीय संविधान के अनुसार, राष्ट्रीय ध्वज और राष्ट्रगान का आदर करना एक ______ है।

A. संवैधानिक नैतिकता
B. मूल अधिकार
C. राज्य नीति के निदेशक तत्व
D. मूल कर्तव्य

5. चिल्का झील निम्नलिखित में से किस नदी डेल्टा के दक्षिण में स्थित है?

A. महानदी डेल्टा B. गोदावरी डेल्टा
C. कृष्णा डेल्टा D. कावेरी डेल्टा

6. 2022 के लिए राष्ट्रीय प्रतिरक्षीकरण कवरेज के लिए WHO और यूनिसेफ के आकलन के अनुसार, भारत में डिप्थीरिया, पर्टुसिस और टेटनस टीकों की तीसरी खुराक DPT3 की कवरेज दर ______ थीं।

A. 95 प्रतिशत B. 91 प्रतिशत
C. 85 प्रतिशत D. 93 प्रतिशत

7. निम्नलिखित में से कौन-सा/से त्योहार भारत में क्षेत्रीय नव वर्ष दिवस के उत्सव से संबंधित है/हैं?

I. गुड़ी पड़वा
II. पोइला बैशाख

A. केवल II B. केवल I
C. I तथा II दोनों D. ना ही I न ही II

8. प्रधानमंत्री फसल बीमा योजना के संदर्भ में निम्नलिखित में से कौन-सा कथन सही है?

I. यह योजना अक्टूबर 2018 में शुरू की गई थी।
II. इस योजना में सभी खाद्य और तिलहन फसलें तथा वार्षिक वाणिज्यिक/बागवानी फसलें शामिल हैं।

A. I तथा II दोनों B. ना ही I ना ही II
C. केवल II D. केवल I

9. हिमतरंगिनी पुस्तक के लेखक कौन है?

A. मदन मोहन मालवीय
B. रवीन्द्रनाथ टैगोर
C. माखन लाल चतुवेर्दी
D. अटल बिहारी वाजपेयी

10. वह प्रक्रिया जिसके द्वारा कार्बन डाइऑक्साइड या ऑक्सीजन जैसे पदार्थ कोशिका झिल्ली के पार जा सकते हैं, ______ कहलाती है।

A. बिंदुस्राव B. स्वेद
C. परासरण D. प्रसार

11. निम्नलिखित में से 'खिलाड़ी–खेल' का कौन-सा युग्म सही सुमेलित है?

I. भक्ति प्रदीप कुलकर्णी – शतरंज
II. सागर कैलास ओव्हालकर – निशानेबाजी

A. ना ही I न ही II B. केवल I
C. I तथा II दोनों D. केवल II

1. D **2.** B **3.** B **4.** D **5.** A **6.** D **7.** C **8.** C **9.** C **10.** D **11.** B

12. माँग वक्र के ऋणात्मक ढाल को निम्नलिखित में से किस आधार पर समझाया जा सकता है?

I. प्रतिस्थापन प्रभाव
II. आय प्रभाव

A. केवल II B. ना ही I ना ही II
C. केवल I D. I तथा II दोनों

13. रश्मी चौधरी ने किस भाषा के लिए साहित्य अकादमी पुरस्कार 2022 जीता?

A. डोगरी B. बोडो
C. गुजराती D. उड़िया

14. किस राज्य सरकार ने स्कूल में बड़े पैमाने पर परिवर्तन के लिए जुलाई 2022 में नीति आयोग के साथ त्रिपक्षीय समझौता ज्ञापन (MoU) पर हस्ताक्षर किए?

A. हिमाचल प्रदेश B. उत्तर प्रदेश
C. मध्य प्रदेश D. अरुणाचल प्रदेश

15. अतिरिक्त उपभोग और अतिरिक्त आय के अनुपात को ______ कहा जाता है।

A. सीमांत बचत प्रवृत्ति
B. प्रत्याशित उपभोग
C. औसत बचत प्रवृत्ति
D. सीमांत उपभोग प्रवृत्ति

16. भारत के राष्ट्रपति के रूप में निर्वाचन के लिए निम्नलिखित में से कौन-सी योग्यता आवश्यक है?

I. उसका जन्म भारत से बाहर होना चाहिए।
II. वह लोक सभा का सदस्य बनने के योग्य होना चाहिए।

A. I तथा II दोनों B. केवल I
C. केवल II D. ना ही I ना ही II

17. निम्नलिखित में से कौन-सी भाषा द्रविड़ भाषा परिवार से संबंधित है?

I. कोरवा
II. तुलू

A. केवल II
B. केवल I
C. I तथा II दोनों
D. ना ही I न ही II

18. निम्नलिखित में से कौन-से वृक्ष मैंग्रोव वनों में पाए जाते हैं?

A. सुंदरी B. नागफनी
C. देवदार D. अर्जुन

19. निम्नलिखित में से कौन-सां भारत के उच्चतम न्यायालय द्वारा जारी रिट नहीं है?

A. प्रतिषेध B. प्रथम दृष्टया
C. अधिकार पृच्छा D. उत्प्रेषण

20. बंगाल के निम्नलिखित नवाबों को सही कालानुक्रमिक क्रम में व्यवस्थित करें।

I. अली वर्दी खान
II. मुर्शिद कुली खान
III. सिराजुद्दौला

A. II, I, III B. I, II, III
C. I, III, II D. II, III, I

सामान्य बुद्धिमत्ता एवं तार्किक क्षमता

21. नीचे दिए गए प्रश्न में, कथनों में विभिन्न अवयवों के बीच संबंध दर्शाए गए हैं। इन कथनों के बाद दो निष्कर्ष दिए गए हैं। उत्तर दीजिये:

कथन : $G \leq J < T; N \geq K = P; N = E > G$

निष्कर्ष :

I. $G < T$
II. $K < G$

A. यदि निष्कर्ष I और II दोनों सत्य हैं
B. यदि केवल निष्कर्ष II सत्य है
C. यदि न तो निष्कर्ष I और न ही निष्कर्ष II सत्य है
D. यदि केवल निष्कर्ष I सत्य है

22. नीचे दिए गए प्रश्न में कथनों में विभिन्न अवयवों के बीच संबंध दर्शाए गए हैं। इन कथनों के बाद दो निष्कर्ष दिए गए हैं। उत्तर दीजिये:

कथन : $P > Q \geq R; T = N > E > R$

निष्कर्ष :

I. $P > R$
II. $T > Q$

A. यदि न तो निष्कर्ष I और न ही निष्कर्ष II सत्य है
B. यदि निष्कर्ष I और II दोनों सत्य हैं
C. यदि केवल निष्कर्ष I सत्य है
D. यदि केवल निष्कर्ष II सत्य है

12. D **13.** B **14.** D **15.** D **16.** C **17.** A **18.** A **19.** B **20.** A **21.** D **22.** C

23. सात महिलाएँ A, B, C, D, E, F तथा G केंद्र के विपरीत मुख करके एक वृत्ताकार मेज के इर्द-गिर्द बैठी हुई हैं (जरूरी नहीं की इसी क्रम में हो)। G, C के दायीं ओर दूसरे स्थान पर है। F, C के तुरंत दायीं ओर है। A, E के दायीं ओर तीसरे स्थान पर है। B, D तथा E की निकटतम पड़ोसी है। निम्नलिखित में से कौन-सा/से कथन सही है/हैं?

I. B, E के तुरंत दायी ओर है।

II. G, A के दायीं ओर तीसरे स्थान पर है।

A. ना ही I ना ही II B. केवल II
C. I तथा II दोनों D. केवल I

24. नीचे दिए गए प्रश्न में, चार अक्षर युग्म दिए गए हैं। (-) के बायीं ओर दिये गये अक्षर (-) के दायीं ओर दिये गये अक्षर से किसी तर्क/नियम/संबंध से संबंधित है। तीन उसी एक तर्क/नियम/संबंध के आधार पर समान हैं। दिए गए विकल्पों में से विषम को चुनिए।

A. PDTV–TFVY B. TFAL–VHCN
C. DPKV–FRMK D. JYQB–LASD

25. किन दो संख्याओं को आपस में परस्पर बदलने के पश्चात्, दिये गए समीकरण का मान '71' होगा?

$9 \times 7 - 8 \div 1 + 6$

A. 8 तथा 6 B. 8 तथा 9
C. 7 तथा 8 D. 7 तथा 6

26. 'P $ Q' का अर्थ 'P, Q का पिता है', 'P # Q' का अर्थ 'P, Q की माता है', 'P * Q' का अर्थ 'P, Q की बहन है', यदि 'N # L $ X * Q' है, तो Q, N से किस प्रकार संबंधित है?

A. आंकड़े अपर्याप्त B. भांजा
C. पोती D. पोता

27. नीचे दिए गए प्रश्न में, चार अक्षर युग्म दिए गए हैं। (-) के बायीं ओर दिये गये अक्षर (-) के दायीं ओर दिये गये अक्षर से किसी तर्क/नियम/संबंध से संबंधित है। तीन उसी एक तर्क/नियम/संबंध के आधार पर समान हैं। दिए गए विकल्पों में से विषम को चुनिए।

A. LRTJ–OUWN B. MBXG–PEAJ
C. WLHQ–ZOKT D. CRNW–FUQZ

28. A, B का भाई है। B, C की बहन है। C, D का पिता है। D, E की पत्नी है। E, F का पिता है। F, G का पति है। परिवार में कितनी महिलाएँ हैं?

A. 1 B. 2
C. 3 D. 4

29. निम्नलिखित प्रश्न में, दिए गए विकल्पों में से प्रश्न चिह्न (?) के स्थान पर आने वाली आकृति को चुनिए।

A. 
B. 
C. 
D. 

30. 6 लड़के A, B, C, D, E और F एक छह मंजिला इमारत में रहते हैं। सबसे निचली मंजिल की संख्या 1 है उसके ऊपर की मंजिल की संख्या 2 है और इसी प्रकार सबसे ऊपरी मंजिल तक की संख्या 6 है। कोई भी दो व्यक्ति एक ही मंजिल पर नहीं रहते हैं। F विषम संख्या वाली मंजिल पर रहता है। A और B के बीच तीन व्यक्ति रहते है। केवल A और F, D के ऊपर रहते हैं। C अभाज्य संख्या वाली मंजिल पर रहता है। C के ठीक ऊपर कौन रहता है?

A. F B. D
C. B D. A

31. किन दो संख्याओं को आपस में परस्पर बदलने के पश्चात, दिये गए समीकरण का मान '14' होगा?

$3 \times 5 + 4 - 6 \div 2$

A. 4 तथा 2 B. 2 तथा 3
C. 5 तथा 4 D. 4 तथा 3

32. कौन-सी आकृति दी गई आकृतियों के समान है?

A. 
B. 
C. 
D. 

33. सात मजदूर P, Q, R, S, T, U तथा V केंद्र की ओर मुख करके एक वृत्ताकार मेज के इर्द-गिर्द बैठे हुए हैं (जरूरी नहीं की इसी क्रम में हो)। Q, T के दायीं ओर दूसरे स्थान पर है। U, Q तथा V दोनों का निकटतम पड़ोसी है। P, T तथा S दोनों का निकटतम पड़ोसी है। P के बायीं ओर दूसरे स्थान पर कौन है?

A. R B. Q
C. U D. V

23. C **24.** A **25.** C **26.** A **27.** A **28.** C **29.** B **30.** B **31.** C **32.** C **33.** D

34. निम्नलिखित प्रश्न में दिए गए विकल्पों में से संबंधित अक्षरों को चुनिए।

MY : HT :: KW : ?

A. NO B. FR
C. OS D. RP

35. निम्नलिखित प्रश्न में दी गई शृंखला में से लुप्त अंक ज्ञात कीजिए।

2, 2, 3, 5.5, 12, ?

A. 28 B. 27
C. 25 D. 31

36. निम्नलिखित प्रश्न में दी गई शृंखला में से लुप्त अंक ज्ञात कीजिए।

1, 2, 8, 25, 66, ?

A. 168 B. 157
C. 160 D. 161

37. नीचे दी गई अक्षर-प्रतीक से बनी स्ट्रिंग पर विचार करें। दाएं से छठे तत्व के बायीं ओर 12वां तत्व कौन-सा अक्षर/प्रतीक होगा?

%*RR*SSS*RSR*S*R*%**%SS%*

A. S B. R
C. % D. *

38. निम्नलिखित प्रश्न में दिए गए विकल्पों में से संबंधित अक्षर-युग्म को चुनिए।

TCE : PYA :: ?

A. APO : POZ B. ABC : DKM
C. OXB : KTX D. ZOL : HUC

39. नीचे दिए गए प्रश्न में कुछ कथन और उनके बाद उन कथनों पर आधारित कुछ निष्कर्ष दिए गए हैं। दिए गए कथनों को सही माने, चाहे उनमें सामान्य ज्ञात तथ्यों से भिन्नता हो। सभी निष्कर्ष पढ़ें और फिर निर्धारित करें कि दिए गए कौन-से निष्कर्ष, दिए गए कथनों के आधार पर युक्तिसंगत हैं।

कथनः

I. सभी Q, Y हैं।
II. कुछ Y, A हैं।

निष्कर्षः

I. कुछ A, Q नहीं है।
II. कुछ Y, Q नहीं हैं।
III. कुछ Q, Y हैं।

A. दोनों निष्कर्ष II तथा III अनुसरण करते हैं
B. केवल निष्कर्ष III अनुसरण करता है
C. दोनों निष्कर्ष I तथा III अनुसरण करते हैं
D. सभी निष्कर्ष अनुसरण करते हैं

40. एक अनुक्रम दिया गया है, जिसमें से एक पद लुप्त है। दिए गए विकल्पों में से वह सही विकल्प चुनिए, जो अनुक्रम को पूरा करे।

AM, WV, SE, ON, ?

A. KW B. TD
C. LW D. LM

अंकगणित एवं संख्यात्मक योग्यता

41. 23478y को 3 से विभाज्य बनाने के लिए "y" के स्थान पर किस संख्या का उपयोग किया जा सकता है?

A. 1 B. 0
C. 2 D. 3

42. एक परीक्षा में, नूपुर ने 98 अंक प्राप्त किये जो कि अधिकतम अंक का 56% है। अधिकतम अंक क्या होंगे?

A. 225 B. 175
C. 150 D. 265

43. एक बेलन के आधार की त्रिज्या और ऊँचाई का योग 37 मीटर है। यदि पिन का कुल सतह क्षेत्रफल 1628 वर्ग मीटर है तो रोलिंग के आयतन और पिन के घुमावदार सतह क्षेत्रफल का अनुपात होगा।

A. 7 : 2 B. 5 : 2
C. 2 : 7 D. 3 : 7

44. लकड़ियों के 1225 लट्ठे हैं जिन्हें इस प्रकार रखना है कि प्रत्येक पंक्ति में समान संख्या में लट्ठे बनें। प्रत्येक पंक्ति में कितने लट्ठे रखे जा सकते हैं?

A. 39
B. 36
C. 38
D. 35

45. मान लीजिए कि आवृत्ति वितरण में B किसी वर्ग की निचली श्रेणी की सीमा है और x वर्ग का मध्यबिंदु है तो वर्ग की उच्च श्रेणी की सीमा होगी:

A. $x - \frac{(x+B)}{2}$ B. $2x - B$

C. $B + \frac{(x+B)}{2}$ D. $x - 2B$

34. B **35.** D **36.** B **37.** A **38.** C **39.** B **40.** A **41.** * **42.** B **43.** A **44.** D **45.** B

46. आभा और बिलाल, एक साथ काम करते हुए एक काम को 6 दिनों में पूरा कर सकते हैं, जबकि आभा अकेले इसे 9 दिनों में पूरा कर सकती है। बिलाल को उसी काम को अकेले पूरा करने में कितना समय लगेगा?

A. 15 दिन B. 18 दिन
C. 20 दिन D. 14 दिन

47. अंकित ने अपने दोस्त से 12% प्रति वर्ष साधारण ब्याज पर ₹ 20,000 उधार लिए। उसने इसे शाहजेब को उसी दर पर उधार दिया लेकिन वार्षिक चक्रवृद्धि ब्याज दिया। 2 वर्ष बाद उसे क्या लाभ होगा?

A. ₹ 398 B. ₹ 278
C. ₹ 288 D. ₹ 290

48. एक गोलाकार गेंद और समान त्रिज्या के एलपीजी सिलेंडर का आयतन समान है। बेलन का व्यास उसकी ऊंचाई से कितने प्रतिशत अधिक है?

A. 50% B. 30%
C. 40% D. 20%

49. छवि ने अपने घर के लिए ढक्कन वाली एक घनाकार पानी की टंकी बनाई, जिसका प्रत्येक बाहरी किनारा 1.5 मीटर लंबा है। वह आधार को छोड़कर टैंक की बाहरी सतह को 25 सेमी. भुजा वाली वर्गाकार टाइलों से ढकवाती है। यदि टाइल्स की लागत ₹ 520 प्रति दर्जन है तो वह टाइल्स पर कितना खर्च करेंगी।

A. ₹ 7,800 B. ₹ 7,810
C. ₹ 7,200 D. ₹ 7,799

50. साक्षी पूरे वर्ष में 204 दिन अपने स्कूल में उपस्थित हुई। यदि उसकी उपस्थिति 85% है तो विद्यालय के कार्य दिवसों की संख्या होगी:

A. 300 B. 230
C. 260 D. 240

51. 44 सेमी. × 20 सेमी. आयाम वाले एक आयताकार चार्ट पेपर को उसकी लंबाई के साथ बेलनाकार आकार बनाने के लिए घुमाया जाता है, तो नए बने आकार का आयतन होगा:

A. 3030 सेमी.^{3} B. 3080 सेमी.^{3}
C. 2080 सेमी.^{3} D. 3050 सेमी.^{3}

52. कक्षा 120 – 200 का वर्ग चिह्न है:

A. 160 B. 120
C. 110 D. 200

53. 10% जीएसटी सहित एक ग्लास कंटेनर की कीमत ₹ 825 है। इसकी मूल कीमत क्या है?

A. ₹ 650 B. ₹ 754.35
C. ₹ 843.67 D. ₹ 750

54. एक पार्क 70 मी. लंबा और 40 मीटर चौड़ा है। पार्क के एक कोने में एक पानी की टंकी खोदी गई है जो 10 मीटर लंबी, 8 मीटर चौड़ी और 5 मीटर गहरी है। इससे निकाली गई मिट्टी को पार्क के शेष भाग पर समान रूप से फैलाया जाए तो पार्क के स्तर में वृद्धि होगी:

A. 14.70 सेमी. B. 14.70 मी.
C. 15 मी. D. 14.724 सेमी.

55. a और b विपरीत रूप से भिन्न होते हैं। जब $a = 15$, तो $b = 6$, जब $a = 9$, तो b का मान क्या होगा?

A. 152 B. 10
C. 78 D. 15

56. सरल करें: $7\frac{1}{2}-\left[1\frac{1}{4}\div\left\{1\frac{1}{4}-\frac{1}{2}\right\}\right]$

A. $\frac{2}{5}$ B. $\frac{4}{5}$
C. $\frac{2}{15}$ D. $\frac{5}{2}$

57. यदि P, बैंक B से R दर पर T वर्षों के लिए साधारण ब्याज पर ऋण के रूप में ली गई राशि है तो SI होगी:

A. $\frac{P\times R\times 100}{T}$ B. $\frac{P\times R\times T}{100}$
C. $\frac{B\times P\times T}{R}$ D. $\frac{B\times P\times T}{100+R}$

58. एक दुकानदार अपने ग्राहकों को 16% की छूट देता है और फिर भी 20% का लाभ प्राप्त करता है। चावल के एक बैग का अंकित मूल्य ज्ञात कीजिए जिसकी कीमत दुकानदार को ₹ 1190 है।

A. ₹ 1800 B. ₹ 1723
C. ₹ 1870 D. ₹ 1700

59. a^{-1} का मान क्या होगा?

A. A B. $1/a$
C. $a/1$ D. 0

60. एक शंक्वाकार जन्मदिन टोपी की त्रिज्या और ऊँचाई का अनुपात 5 : 12 है और इसका आयतन 2512 सेमी.^{3} है तो बंद टोपी का घुमावदार सतह क्षेत्र क्या होगा?

A. 820π सेमी.^{2} B. 26π सेमी.^{2}
C. 260π सेमी.^{2} D. 816π सेमी.^{2}

46. B	**47.** C	**48.** A	**49.** A	**50.** D	**51.** B	**52.** A	**53.** D
54. A	**55.** B	**56.** A	**57.** B	**58.** D	**59.** B	**60.** C	

हिन्दी

61. दिए गए वाक्यांश के लिए सार्थक शब्द ज्ञात कीजिए।
जो कानून के विरुद्ध हो।

A. वैध B. सवैधानिक
C. निरीक्षक D. अवैध

62. रिक्त स्थानों की पूर्ति करें।
जीवन के हर कदम पर सीखना और उसको सुधारने की ______ रखना, सफलता की दिशा में महत्वपूर्ण कदम है।

A. विफलता B. क्षमता
C. नाम D. सामान

63. निम्नलिखित प्रश्न में, दिए गए चार विकल्पों में से, उस विकल्प का चयन करें जो दिए गए लोकोक्तियाँ के अर्थ को सर्वश्रेष्ठ रूप से व्यक्त करता है।
जहाँ जाए भूखा, वहाँ पड़े सूखा।

A. धोखेबाज होना
B. पूरी तरह बाध्य कर देना
C. मन से दुखी व्यक्ति को कहीं आराम नहीं मिलता है
D. खाना नसीब नहीं होना

64. निम्नलिखित प्रश्न में, दिए गए चार विकल्पों में से, उस विकल्प का चयन करें जो दिए गए मुहावरे के अर्थ को सर्वश्रेष्ठ रूप से व्यक्त करता है।
पका पकाया मिलना।

A. बहुत बड़ा लाभ होना
B. बहुत अच्छा लगना
C. बिना मेहनत किए मिलना
D. कुछ नहीं मिलना

65. दिए गए शब्द का विलोम ज्ञात कीजिए।
दीर्घ

A. लघु B. विशाल
C. प्राचीन D. उदय

66. दिये गये वाक्य में रेखांकित शब्द को सही कीजिए।
पारस सूरज का <u>छोटी</u> भाई है।

A. छूटा B. छोटि
C. छोटे D. छोटा

67. दिए गए शब्द का विलोम ज्ञात कीजिए।
उपचार

A. अनादर B. अपचार
C. प्रकाश D. अनुचित

68. रिक्त स्थानों की पूर्ति करें।
छोटे-छोटे जानवर भी बुढ़े शेर को चकमा देकर ______ जाते थे।

A. टूट B. भाग
C. घिस D. थक

69. रिक्त स्थानों की पूर्ति करें।
समाज में चारों ओर जो कुछ नया सामयिक घटित हो रहा है, उसका विवरण या उसकी ______ को समाचार कहते हैं।

A. प्रावधानों B. सूचनाओं
C. घटनाओं D. विधानों

70. दिये गये वाक्य में रेखांकित शब्द को सही कीजिए।
राहुल को शतरंज <u>खेलनी</u> नहीं आता हैं।

A. खेलनि B. खुलना
C. खेलना D. खोलनी

71. दिए गए चार विकल्पों में से, एक सुसंगत अनुच्छेद बनाने के लिए वाक्यों के सबसे तार्किक क्रम का चयन करें।
(क) इसी कारण उसके माता-पिता उससे परेशान रहते हैं।
(ख) उसका ध्यान खेलकूद में ज्यादा रहता है।
(ग) अभिषेक नाम का एक लड़का है।
(घ) वह पढ़ाई में कम रूची रखता है।

A. ग, क, घ, ख B. क, ग, घ, ख
C. ग, घ, ख, क D. घ, ग, ख, क

72. रिक्त स्थानों की पूर्ति करें।
प्राकृति हमारे जीवन का एक महत्वपूर्ण भाग है और हमें अपने पर्यावरण के ______ का ध्यान रखना चाहिए।

A. नाम B. परिश्रम
C. संरक्षण D. संकोच

73. निम्नलिखित प्रश्न में, दिए गए चार विकल्पों में से, उस विकल्प का चयन करें जो दिए गए मुहावरे के अर्थ को सर्वश्रेष्ठ रूप से व्यक्त करता है।
जबान का कच्चा होना

A. झूठा व्यक्ति B. सच्चा व्यक्ति
C. गूंगा व्यक्ति D. मितभाषी

61. D	**62.** B	**63.** C	**64.** C	**65.** A	**66.** D	**67.** B
68. B	**69.** B	**70.** C	**71.** C	**72.** C	**73.** A	

74. दिए गए चार विकल्पों में से, एक सुसंगत अनुच्छेद बनाने के लिए वाक्यों के सबसे तार्किक क्रम का चयन करें।

(क) सभी पुत्र ईमानदार और मेहनती थे।
(ख) सभी एक-दूसरे से छोटी-मोटी बातों पर लड़ते रहते थे।
(ग) बस एक समस्या यह थी कि उनकी आपस में बनती नहीं थी।
(घ) एक गांव में एक किसान रहता था और उसके चार पुत्र थे।

A. घ, ख, क, ग B. घ, क, ग, ख
C. क, ख, घ, ग D. ग, ख, घ, क

75. दिए गए शब्द का पर्यायवाची ज्ञात कीजिए।

आलोक

A. गगन B. प्रकाश
C. अंधकार D. प्रजा

76. दिए गए वाक्यांश के लिए सार्थक शब्द ज्ञात कीजिए।

किसी बात को बढ़ा-चढ़ा कर कहना।

A. आक्रांत B. लोकप्रिय
C. आद्योपात D. अतिश्योक्ति

निर्देशः (प्र.सं. 77 से 80 तक): *एक गद्यांश दिया गया है। गद्यांश के आधार पर चार प्रश्न दिए गए हैं। गद्यांश को ध्यानपूर्वक पढ़ें तथा प्रत्येक प्रश्न के चार विकल्पों में से सही विकल्प चुने।*

उल्टा पिरामिड सिद्धांत समाचार लेखन का बुनियादी सिद्धांत है। यह समाचार लेखन का सबसे सरल, उपयोगी और व्यावहारिक सिद्धांत है। समाचार लेखन का यह सिद्धांत कथा या कहानी लेखन की प्रक्रिया के ठीक उल्टा है। इसमें किसी घटना, विचार या समस्या के सबसे महत्वपूर्ण तथ्यों या जानकारियों को सबसे पहले बताया जाता है, जबकि कहानी या उपन्यास में क्लाइमेंक्स सबसे अंत में आता है। इसे उल्टा पिरामिड इसलिए कहा जाता है, क्योंकि इसमें सबसे महत्वपूर्ण तथ्य या सूचनाएँ आती है, जबकि पिरामिड के निचले हिस्से में अन्य तथ्य या सूचनाएँ होती है। इस शैली में पिरामिड को उल्टा कर दिया जाता है।

इसमें सबसे महत्वपूर्ण सूचना पिरामिड के सबसे ऊपरी हिस्से में होती है और घटते हुए क्रम में सबसे कम महत्व की सूचनाएँ सबसे निचले हिस्से में होती है।

समाचार लेखन की उल्टा पिरामिड शैली के तहत लिखे गये समाचारों को सुविधा की दृष्टि से मुख्यतः तीन हिस्सों में विभाजित किया जाता है– मुखड़ा या इंट्रो या लीड, बॉडी और निष्कर्ष या समापन। इसमें मुखड़ा या इंट्रो समाचार के पहले और कभी-कभी पहले और दूसरे दोनों अनुच्छेदों को कहा जाता है। मुखड़ा किसी भी समाचार का सबसे महत्वपूर्ण हिस्सा होता है, क्योंकि इसमें सबसे महत्वपूर्ण तथ्यों और सूचनाओं को लिखा जाता है। इसके बाद समाचार की बॉडी आती है, जिसमें महत्व के अनुसार घटते हुए क्रम में सूचनाओं का ब्यौरा देने के अलावा उसकी पृष्ठभूमि का भी जिक्र किया जाता है। सबसे अंत में निष्कर्ष या समापन आता है।

समाचार लेखन में निष्कर्ष जैसी कोई चीज नहीं होती है और न ही समाचार के अंत में यह बताया जाता है कि यहां समाचार का समापन हो गया है।

77. समाचार लेखन विधि किसके विपरीत है?

A. निबंध B. परीक्षा
C. कहानी D. डायरी

78. दिए गए अपठित गद्यांश का उपयुक्त शीर्षक क्या होगा?

A. समाचार के स्रोत B. समाचार का इंट्रो
C. कहानी और समाचार D. समाचार लेखन सिद्धांत

79. समाचार लेखन को उल्टा पिरामिड शैली के चरणों का सही क्रम क्या हैं?

A. बॉडी, इंट्रो, निष्कर्ष B. निष्कर्ष, बॉडी, इंट्रो
C. बॉडी, निष्कर्ष, इंट्रो D. इंट्रो, बॉडी, निष्कर्ष

80. उल्टा पिरामिड सिद्धांत समाचार लेखन का कैसा सिद्धांत है?

A. कठिन B. अव्यावहारिक
C. गलत D. व्यावहारिक

ENGLISH LANGUAGE & COMPREHENSION

81. Choose the most appropriate opposite meaning of the below mentioned word from the below options:

Invasion

A. Raid B. Protect
C. Aid D. Assault

82. Choose the most appropriate one-word substitution for the bracketed word from the below sentence.

(Heavy rains had lashed) various parts of the country on July 6, prompting the weather department to issue a red alert.

A. Lashed
B. Heavy rains lash
C. Heavy rains have lashed
D. Heavy rains lashed

83. Choose the most suitable word to complete the below sentences:

The ideas of ______ and public good in journalism are more than two centuries old.

A. accountability B. machinery
C. accessibility D. instrument

74. B	75. B	76. D	77. C	78. D	79. D	80. D	81. B	82. D	83. A

84. Choose the most appropriate opposite meaning of the below mentioned word from the below options: Lament

A. Delight B. Wail
C. Regret D. Mourn

85. Choose the most appropriate one-word substitution for "One who offers his services without charging for it":

A. Missionary B. Philanderer
C. Payee D. Volunteer

86. Choose the most suitable word to complete the below sentences:

I tried to go out on Sunday, but it was raining ______.

A. Heavily B. amazingly
C. little D. awful

87. Choose the most appropriate meaning of the below mentioned word from the below options:

Accomodate

A. Block B. Turn out
C. Limit D. Take in

88. Choose the most appropriate meaning of the below mentioned word from the below options:

Endurance

A. Weakness B. Inability
C. Apathy D. Stamina

89. Choose the most logical order of the sentences from among the four given choices to construct a coherent paragraph.

Modern consumers are seeking more than just food preservation.

(*a*) Processes are becoming more and more sophisticated to meet the demands of modern consumers.
(*b*) Quality, economy, and convenience are important factors.
(*c*) Overall, food preservation techniques have come a long way from nature's methods to high-tech processes.
(*d*) In Western or "Westernized" communities, goods do not sell easily if they lack color, natural flavor, the right texture and are free from defects.

A. (*a*), (*d*), (*c*), (*b*) B. (*b*), (*a*), (*c*), (*d*)
C. (*b*), (*a*), (*d*), (*c*) D. (*d*), (*a*), (*b*), (*c*)

90. Fill in the missing word to complete the sentences below:

______ it rained a lot, we enjoyed our holiday.

A. Because of B. Although
C. Because D. Inspite of

91. Choose the most suitable word to complete the below sentences:

Just as Salina was about to go the cashier to pay for her purchases, she ______ the cookery section.

A. spotted B. To spot
C. Looking for D. spotting

92. Choose the most appropriate one-word substitution for "To surround a place with the intention of capturing it":

A. Besiege B. Intern
C. Bivouac D. Invade

93. Choose the most appropriate meaning of the below quoted idiom from the below options:

"In the fast lane"

A. A life filled with excitement.
B. A thrilled and fast paced lane on the road
C. A dull and boring life which needs excitement
D. A life filled with sorrowness

94. Choose the most appropriate meaning of the below quoted idiom from the below options:

"Sell Like hot cakes"

A. No sellout at all
B. No profit at all
C. Quick sellout
D. Unable to sellout anything

95. Fill in the missing word to complete the sentences below:

I haven't seen our neighbours for ages. They ______ away.

A. Had gone B. Had went
C. Must have gone D. Must have go

96. Choose the most suitable word to complete the below sentences: She loved going to the bookstore and spending hours browsing ______ the racks and shelves, looking for good bargains.

A. might B. through
C. By D. way

84. A	**85.** D	**86.** A	**87.** D	**88.** D	**89.** C	**90.** B
91. A	**92.** A	**93.** A	**94.** C	**95.** A	**96.** B	

Directions: (Qs. No. 97 to 100): *Read the passage below and answer the following questions.*

In the past, travel was seen as a means of colonization, exploration, and exploitation. Early travelers considered themselves as teachers, bringing a supposedly superior way of life to undeveloped countries. The motive behind travel was to make money abroad and then return home to live as a gentleman. However, with the passage of time, the theory of travel has undergone a radical change, and the attitude of older countries towards foreigners has transformed. The modern age regards travel as an intellectual venture and a means of gaining education.

Today, distance has become insignificant in terms of time, and travel for business, military or diplomatic reasons has become virtually immediate. The spread of international outlook and world peace is a result of people meeting overseas, and the admixture of populations has actual benefits from an educational point of view.

Although few travel primarily for education, it is an inevitable result. Travel teaches us about climatic conditions, languages, and social and political outlooks of other nationalities. However, education is incidental and inevitable only for those with receptive and open minds. For the dull and narrow-minded, who gain no benefit from their travels, it would be better to stay at home.

In conclusion, the changing face of travel has transformed it into an intellectual venture that offers educational benefits. The spread of international outlook and the admixture of populations have actual benefits from an educational point of view. Therefore, travel has become a function that is accessible to people of all levels of society and is essential for developing a well-rounded personality.

97. Identify the central theme of the passage:

A. Travel has evolved over years and has lot educational benefits as well

B. Travel promotes exchange of ideas and good

C. Early travelers had a superior way of life due to travelling

D. There are no benefits of travelling and one must avoid it

98. What is the meaning of "Radical"?

A. Revolutionary

B. Orthodox

C. Moderate

D. Conventional

99. Identify the suitable title for the passage:

A. Travel & modern age problems

B. The challenges of travel in old times

C. Travel & its teachings

D. The Changing Face of Travel and its Educational Benefits

100. Identify the inferences drawn from the passage:

A. The changing face of travel has transformed it into an intellectual venture that offers educational benefits.

B. The dull and narrow-minded people should be travelling more to explore.

C. Travel teaches about climatic conditions, racial customs, religions, languages, and social and political outlooks of other nationalities.

D. The modern age does not regard travel as an intellectual venture and a means of gaining education.

कम्प्यूटर ज्ञान

101. निम्नलिखित में से किसे कंप्यूटर का जनक कहा जाता है?

A. चार्ल्स बैबेज B. लेडी ऑगस्टा

C. जेम्स बैबेज D. वार्ल्स ऑगस्टा

102. विंडोज XP के स्टार्ट मेनू के संबंध में निम्नलिखित में से कौन-सा सही ढंग से मेल खाता है?

A. माई डॉक्यूमेंट्स – स्थापित प्रोग्राम की एक सूची प्रदर्शित करता है, जिसे उपयोगकर्ता प्रारंभ या उपयोग कर सकता है

B. कंट्रोल पैनल – कंप्यूटर सिस्टम को कॉन्फिगर करने और स्थापित करने वाली उपयोगिताओं की एक सूची प्रदर्शित करता है सॉफ्टवेयर और हार्डवेयर

C. कंट्रोल पैनल – कंप्यूटर सिस्टम सिस्टम को कॉन्फिगर करने और स्थापित करने वाली उपयोगिता की एक सूची प्रदर्शित करता है केवल सॉफ्टवेयर

D. ऑल प्रोग्राम – अनइंस्टॉल किए गए प्रोग्राम की एक सूची प्रदर्शित करता है, जिसे उपयोगकर्ता प्रारंभ या उपयोग कर सकता है

103. डिजिलॉकर सुविधा निम्नलिखित में से किस वर्ष शुरू की गई थी?

A. 2020 B. 2019

C. 2015 D. 2018

97. A	**98.** A	**99.** D	**100.** A	**101.** A	**102.** B	**103.** C

104. ______ वर्कशीट के बाएँ और दाएँ नेविगेट करने में मदद करता है।

A. स्टेटस बार B. क्षैतिज स्क्रॉल बार
C. डॉकिंग टूलबार D. लंबवत स्क्रॉल बार

105. वर्तमान कॉलम को पूरी तरह से चुनने के लिए निम्नलिखित में से किस शॉर्टकट कुंजी(की) का उपयोग किया जाता है?

A. Shift + Spacebar
B. Ctrl + A
C. Shift + Spacebar + Tab
D. Ctrl + Shift + Spacebar

106. MS Word 2010 में फ्रॉन्ट साइज ड्रॉप डाउन सूची का उपयोग करके दूसरा सबसे बड़ा फ्रॉन्ट आकार क्या चुना जा सकता है?

A. 48 B. 50
C. 55 D. 52

107. पावर पॉइंट में मौजूदा प्रेजेंटेशन को खोलने के लिए निम्नलिखित में से कौन-सी शॉर्टकट कुंजी(की) है?

A. Ctrl + M B. Ctrl + K
C. Ctrl + O D. Ctrl + N

108. क्या पावरपॉइंट में पावरपॉइंट प्रेजेंटशन की पीडीएफ बनाने की सुविधा होती है?

A. सत्य
B. कहा नहीं जा सकता है।
C. शायद
D. असत्य

109. "उमंग ऐप" का प्रबंधन और सेवा निम्नलिखित में से किस मंत्रालय के अंतर्गत आती है?

A. इलेक्ट्रॉनिक्स और सूचना प्रौद्योगिकी मंत्रालय
B. शिक्षा मंत्रालय
C. कॉर्पोरेट मामलों का मंत्रालय
D. वाणिज्य एवं उद्योग मंत्रालय

110. आईटी अधिनियम 2000 की कौन-सी धारा पहचान की चोरी के लिए सजा से संबंधित है?

A. 62 B. 66C
C. 65A D. 64

111. निम्नलिखित में से किस शॉर्टकट कुंजी(की) का उपयोग वर्ड में प्रिंट पूर्वावलोकन दस्तावेज को देखने के लिए किया जाता है?

A. Ctrl + G B. Ctrl + *
C. Ctrl + F2 D. Ctrl + F1

112. निम्नलिखित में से कौन-सा एक ऑपरेटिंग सिस्टम है?

A. माइक्रोसॉफ्ट विंडोज B. डीबगर
C. गूगल क्रोम D. मोजिला

113. यह एक ऐसा स्थान है जहां कोई सूत्र या पाठ दर्ज कर सकता है या देख सकता है। यहां किसकी चर्चा हो रही है?

A. फॉर्मूला बार B. सेल
C. वर्कबुक D. रिबन

114. निम्नलिखित में से किसे कंप्यूटर का मस्तिष्क भी कहा जाता है?

A. मदर बोर्ड B. सी.पी.यू.
C. कंट्रोल यूनिट D. वी.डी.यू.

115. ______ एक प्रेजेंटेशन प्रोग्राम है।

A. एमएस-पावरप्वाइंट
B. मोजिला फायरफॉक्स
C. स्लाइड पैनल
D. यू-टोरेंट

116. MS Word 2010 में फॉन्ट साइज ड्रॉप डाउन सूची का उपयोग करके सबसे छोटा फॉन्ट आकार क्या चुना जा सकता है?

A. 8 B. 6
C. 9 D. 7

117. C.U. का फुल फॉर्म क्या है?

A. कंट्रोल यूनिट B. कम्प्यूटर यूनिट
C. सेंट्रल यूनिट D. कमांड यूनिट

118. निम्नलिखित ऑपरेटिंग सिस्टम को पहले से बाद तक उचित क्रम में व्यवस्थित करें:

1. विंडोज 95 2. विंडोज 98
3. विंडोज एक्सपी 4. विंडोज 2000

A. 1, 3, 2, 4 B. 1, 4, 3, 2
C. 1, 2, 4, 3 D. 1, 2, 3, 4

119. MS-2010 के निम्नलिखित में से किस मेनू में वॉटरमार्क कमांड शामिल होता है?

A. इन्सर्ट B. व्यू
C. पेज लेआउट D. होम

120. आईटी अधिनियम-2000 की किस धारा में इलेक्ट्रॉनिक रूप से अश्लील सामग्री प्रकाशित या प्रसारित करने पर दंड की चर्चा की गई है?

A. 67 B. 68
C. 56 D. 66

104. B	**105.** D	**106.** A	**107.** C	**108.** D	**109.** A	**110.** B	**111.** C	**112.** A
113. A	**114.** B	**115.** A	**116.** A	**117.** A	**118.** C	**119.** C	**120.** A	

व्याख्यात्मक उत्तर

1. (D): विश्व कप स्क्वैश 2023 का आयोजन चेन्नई में हुआ था। यह शहर भारतीय स्क्वैश में एक महत्वपूर्ण स्थान रखता है और इसने इस खेल के विकास और प्रचार का योगदान दिया है।

2. (B): 2011 की जनगणना के अनुचार, मिजोरम और त्रिपुरा दोनों राज्यों में स्त्री साक्षरता दर 80 प्रतिशत से अधिक है। मिजोरम में यह दर लगभग 89.40% है जबकि त्रिपुरा में यह लगभग 83.15% है; जो दिखाता है कि इन राज्यों में महिला शिक्षा की स्थिति काफी बेहतर है।

3. (B): रामकृष्ण मिशन की स्थापना स्वामी विवेकानंद द्वारा 1897 में की गई थी। इस संगठन का मुख्य उद्देश्य शिक्षा, स्वास्थ्य सेवा, ग्रामीण विकास और धार्मिक प्रचार के माध्यम से समाज सेवा करना है।

4. (D): भारतीय संविधान के अनुसार, राष्ट्रीय ध्वज और राष्ट्रगान का आदर करना एक मूल कर्तव्य है, जिसे संविधान के अनुच्छेद 51A के तहत परिभाषित किया गया है। यह प्रावधान नागरिकों को देश के प्रति उनकी जिम्मेदारीयों की याद दिलाता है।

5. (A): चिल्का झील भारत के ओडिशा राज्य में स्थित है और यह महानदी डेल्टा के दक्षिण में पाई जाती है। यह झील भारत की सबसे बड़ी लवणीय पानी की झील है और इसका भौगोलिक स्थान महानदी डेल्टा के करीब होने के कारण यहाँ की जैव विविधता बहुत समृद्ध है।

6. (D): 2022 के लिए WHO और यूनिसेफ के आकलन के अनुसार, भारत में डिप्थीरिया, पर्टुसिस (काली खांसी) और टेटनस (DPT) की तीसरी खुराक की कवरेज दर 93 प्रतिशत थी। यह आकलन राष्ट्रीय प्रतिरक्षीकरण कार्यक्रम की सफलता को दर्शाता है जिससे बच्चों को इन गंभीर बीमारियों से बचाने में मदद मिलती है।

7. (C): गुड़ी पड़वा और पोइला बैशाख दोनों ही भारत में क्षेत्रीय नव वर्ष के उत्सव से संबंधित हैं। गुड़ी पड़वा महाराष्ट्र में मनाया जाता है जबकि पोइला बैशाख पश्चिम बंगाल में नव वर्ष के रूप में मनाया जाता है। ये दोनों त्योहार स्थानीय संस्कृति और परंपराओं को प्रतिबिंबित करते हैं।

8. (C): प्रधानमंत्री फसल बीमा योजना के अंतर्गत सभी खाद्य और तिलहन फसलें तथा वार्षिक वाणिज्यिक/बागवानी फसलें शामिल हैं। यह योजना वास्तव में जनवरी, 2016 में शुरू की गई थी, न कि अक्टूबर, 2018 में। इसलिए केवल दूसरा कथन सही है।

9. (C): ''हिमतरंगिनी'' पुस्तक के लेखक माखन लाल चतुवेर्दी हैं। इस पुस्तक में लेखक ने अपनी कविताओं के माध्यम से पहाड़ों की सुंदरता और उनके प्रति अपनी भावनाओं को व्यक्त किया है।

10. (D): कोशिका झिलली के पार कार्बन डाइऑक्साइड या ऑक्सीजन जैसे पदार्थों का जाना 'प्रसार' कहलाता है। प्रसार एक ऐसी प्रक्रिया है जिसमें अणुओं का स्थानांतरण उनकी उच्च सांद्रता से निम्न सांद्रता की ओर होता है, जिससे अणु समान रूप से फैल जाते हैं।

11. (B): भक्ति प्रदीप कुलकर्णी शतरंज के खिलाड़ी हैं। शतरंज में उनकी उपलब्धियाँ और योगदान उन्हें इस खेल के महत्वपूर्ण खिलाड़ियों में से एक बनाते हैं।

12. (D): माँग वक्र का ऋणात्मक ढाल प्रतिस्थापन प्रभाव और आय प्रभाव दोनों पर आधारित हो सकता है। प्रतिस्थापन प्रभाव में, मूल्य वृद्धि के कारण उपभोक्ता एक उत्पाद से दूसरे उत्पाद में स्थानांतरित हो जाते हैं, जबकि आय प्रभाव में, मूल्य वृद्धि के कारण उपभोक्ताओं की क्रय शक्ति प्रभावित होती है, जिससे उनकी माँग में कमी आती है।

13. (B): रश्मी चौधरी ने साहित्य अकादमी पुरस्कार 2022 बोडो भाषा में अपने योगदान के लिए जीता। उनकी रचनाएँ बोडो समाज और संस्कृति के विभिन्न पहलुओं को उजागर करती हैं।

14. (D): अरुणाचल प्रदेश सरकार ने जुलाई 2022 में नीति आयोग के साथ त्रिपक्षीय समझौता ज्ञापन पर हस्ताक्षर किए। यह समझौता स्कूली शिक्षा में बड़े पैमाने पर परिवर्तन के लिए किया गया था, जिसमें शिक्षा की गुणवत्ता और स्कूलों की संरचनात्मक सुधार पर ध्यान केंद्रित था।

15. (D): अतिरिक्त उपभोग और अतिरिक्त आय के अनुपात को 'सीमांत उपभोग प्रवृत्ति' कहा जाता है। यह दर्शाता है कि आय में हुई वृद्धि का कितना प्रतिशत उपभोग में जाता है, जो आर्थिक विकास और माँग संबंधी नीतियों के निर्धारण में महत्वपूर्ण होता है।

16. (C): भारत के राष्ट्रपति के रूप में निर्वाचन के लिए यह आवश्यक है कि व्यक्ति लोक सभा का सदस्य बनने के योग्य हो। इसका अर्थ है कि उम्मीदवार को भारत का नागरिक होना चाहिए, उसे 35 वर्ष की उम्र होनी चाहिए और वह मानसिक रूप से स्थिर होना चाहिए। पहली योग्यता कि ''उसका जन्म भारत से बाहर होना चाहिए'' गलत है।

17. (A): तुलू भाषा प्रविड़ भाषा परिवार से संबंधित है और यह मुख्य रूप से दक्षिणी भारत के कर्नाटक और केरल राज्यों में बोली जाती है। कोरवा भाषा द्रविड़ परिवार से नहीं है; यह ऑस्ट्रो-एशियाटिक भाषा परिवार का हिस्सा है।

18. (A): मैंग्रोव वनों में पाए जाने वाले वृक्षों में 'सुंदरी' वृक्ष प्रमुख हैं, खासकर सुंदरबन डेल्टा क्षेत्र में। यह नमकीन पानी के संपर्क

में आने वाले क्षेत्रों में बढ़ने के लिए अनुकूलित होते हैं। नागफनी, देवदार और अर्जुन मैंग्रोव वातावरण में नहीं पाए जाते।

19. (B): 'प्रथम दृष्ट्या' भारतीय उच्चतम न्यायालय द्वारा जारी की जाने वाली एक रिट नहीं है। यह एक कानूनी शब्द है जिसका उपयोग प्रारंभिक सबूत के सदंर्भ में किया जाता है। प्रतिषेध, अधिकार पृच्छा और उत्प्रेषण वे रिट हैं जो भारतीय न्यायिक प्रणाली में उपयोग की जाती हैं।

20. (A): बंगाल के नवाबों का सही कालानुक्रमिक क्रम है: मुर्शिद कुली खान, अली वर्दी खान और सिराजुद्दौला। मुर्शिद कुली खान ने 1717 में नवाब का पद संभाला, उसके बाद अली वर्दी खान 1740 में और अंत में सिराजुद्दौला 1756 में नवाब बने।

21. (D): दिया है,

कथनः

$G \le J < T, N \ge K = P, N = E > G$

$\Rightarrow P = K \le N = E > G \le J < T.$

$\Rightarrow G < T$

निष्कर्षः I. $G < T$ (सत्य)

II. $K < G$ (असत्य)

$\therefore$ केवल निष्कर्ष I सत्य है।

22. (C): दिया है,

कथनः

$P > Q \ge R, T = N > E > R$

$\Rightarrow P > Q \ge R < E < N = T$

$\therefore P > R$

निष्कर्षः I. $P > R$ (सत्य)

II. $T > Q$ (असत्य)

यहाँ केवल निष्कर्ष I सत्य है।

23. (C): दिया है, 7 महिलायें केंद्र के विपरीत मुख करके एक वृत्ताकार मेज के इर्द-गिर्द बैठी हुई है।

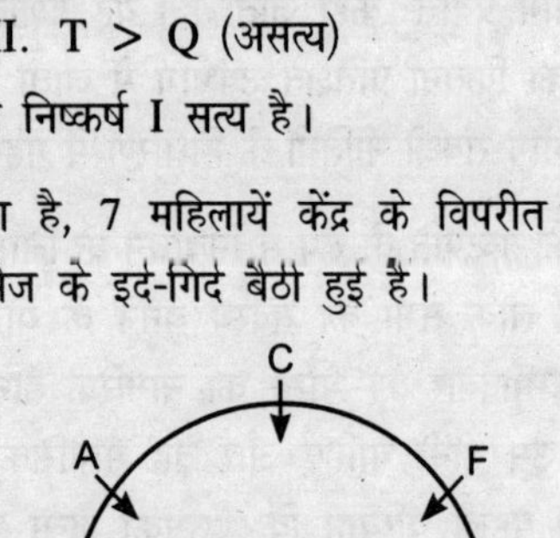

कथनः I. B, E के तुरंत दायीं और है। (सही)

II. G, A के दायीं ओर तीसरे स्थान पर है। (सही)

यहाँ I और II दोनों सही है।

24. (A): A. PDTV–TFVY

$\Rightarrow$ P D T V (+4 +2 +2 +3) → T F V Y

B. TFAL–VHCN

$\Rightarrow$ T F A L (+2 +2 +2 +2) → V H C N

C. DPKV–FRMX

$\Rightarrow$ D P K V (+2 +2 +2 +2) → F R M X

D. JYQB–LASD

$\Rightarrow$ J Y Q B (+2 +2 +2 +2) → L A S D

यहाँ विकल्प (A) में विषम अक्षर-युग्म है।

25. (C): 7 तथा 8

$\therefore 9 \times 7 - 8 \div 1 + 6$

$= 9 \times 8 - 7 \div 1 + 6$

$= 9 \times 8 - 7 + 6$

$= 72 - 7 + 6 = 78 - 7 = 71.$

26. (A): N # L $ X * Q

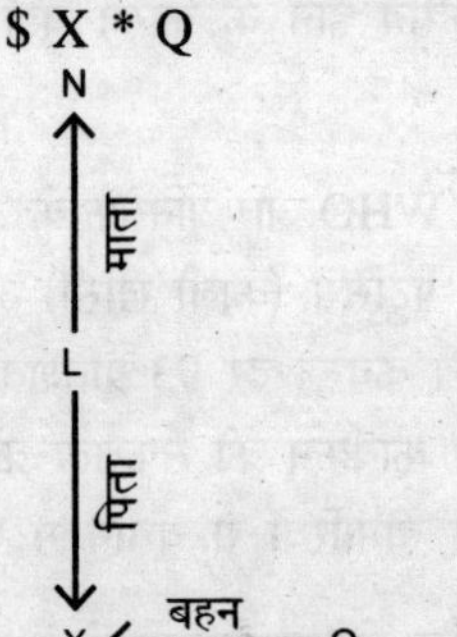

यहाँ Q, X की भाई है या बहन, जानकारी अपर्याप्त है।

$\therefore$ आँकड़े अपर्याप्त है।

27. (A): A. LRTJ—OUWN

$\Rightarrow$ L R T J (+3 +3 +3 +4) → O U W N

B. MBXG—PEAJ

$\Rightarrow$ M B X G (+3 +3 +3 +3) → P E A J

C. WLHQ—ZOKT

⇒ W L H Q

+3 +3 +3 +3

↓ ↓ ↓ ↓

Z O K T

D. CRNW—FUQZ

⇒ C R N W

+3 +3 +3 +3

↓ ↓ ↓ ↓

F U Q Z

यहाँ विकल्प (A) का अक्षर युग्म विषम है।

28. (C):

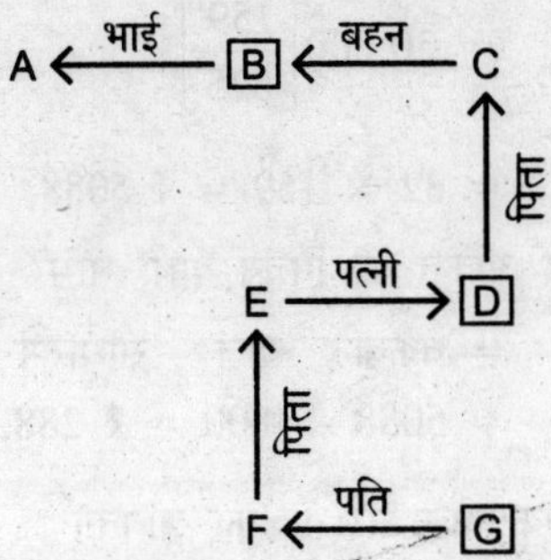

यहाँ परिवार में 3 (B, D, G) महिला हैं।

30. (B):

मंजिल		लड़के
6	—	A
5	—	F
4	—	D
3	—	C
2	—	B
1	—	E

यहाँ, C के ठीक ऊपर D रहता है।

31. (C): 5 तथा 4

$\therefore 3 \times 5 + 4 - 6 \div 2$

$= 3 \times 4 + 5 - 6 \div 2$

$= 3 \times 4 + 5 - 3$

$= 12 + 5 - 3$

$= 17 - 3 = 14.$

33. (D): दिया है, 7 मजदूर केंद्र की ओर मुख करके एक वृत्ताकार मेज के इर्द-गिर्द बैठे हुए हैं।

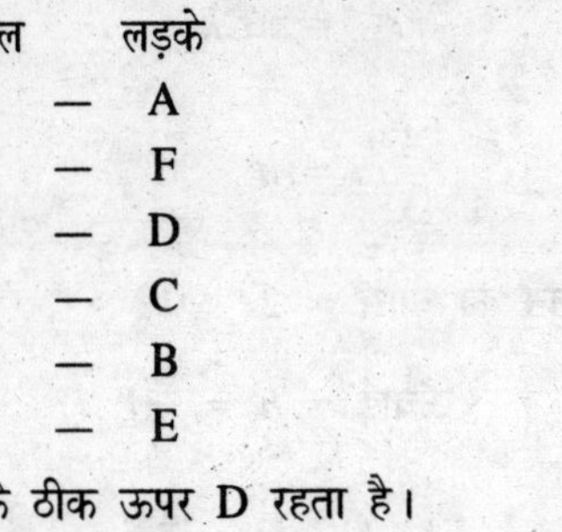

यहाँ, P के बायीं ओर दूसरे स्थान पर V बैठा है।

34. (B): M Y : H T :: K W : [F R]

(–5, –5)

? = FR.

37. (A): दिए गए अक्षर-प्रतीक से:

दाएं से छठे तत्व = *

इसके बायीं ओर 12वाँ = S

⇒ दाएं से 18वां = S.

38. (C): दिया है,

T C E : P Y A

(–4, –4, –4)

इसी प्रकार,

O X B : K T X

(–4, –4, –4)

∴ TCE : PYA :: OXB : KTX

∴ ? = OXB: KTX.

40. (A): A M, W V, S E, O N, [K W]

(+9, +9, +9, +9; –4, –4, –4, –4)

∴ यहाँ, ? = लुप्त पद = KW.

41. (*): संख्या 23478*y*, 3 से विभाज्य है।

∴ $2 + 3 + 4 + 7 + 8 + y$, 3 से विभाज्य होगा

$\Rightarrow \quad \frac{24 + y}{3} = 8$ जब, $y = 0$

और $\frac{24 + y}{3} = 9$ जब, $y = 3$.

42. (B): माना अधिकतम अंक = x

तब, x का 56% = 98

$\Rightarrow \quad x \times \frac{56}{100} = 98$

$\Rightarrow \quad x = \frac{98 \times 100}{56}$

$= \frac{7 \times 100}{4} = 7 \times 25$

$\Rightarrow \quad x = 175.$

43. (A): माना एक बेलन के आधार की त्रिज्या और ऊँचाई r और h है।

तब, $r + h = 37$ मीटर ...(*i*)

अब, पिन का कुल सतह क्षेत्रफल $= 2\pi rh + 2\pi r^2$

$\therefore \quad 1628 = 2\pi r(h + r)$

$\Rightarrow \quad 1628 = 2\pi r(37)$

$\therefore \quad r = \frac{1628}{37} \times \frac{1}{2\pi} = \frac{1628}{37} \times \frac{7}{44}$

$= \frac{44 \times 7}{44} = 7$

$\Rightarrow \quad r = 7$ मीटर

$\therefore$ (i) से $h = 37 - r = 37 - 7 = 30$ मीटर

अब, रेलिंग का आयतन $= \pi r^2 h$ मीटर^3

$= \frac{22}{7} \times 7^2 \times 30$ मीटर^3

और पिन के घुमावदार सतह का क्षेत्रफल $= 2\pi rh$

$= 2 \times \frac{22}{7} \times 7^2 \times 30$ मीटर^2

अतः अभीष्ट अनुपात $= \frac{22}{7} \times 7^2 \times 30 : 2 \times \frac{2}{77} \times 7 \times 30$

$= 7^2 \times 30 : 2 \times 7 \times 30$

$= 7 \times 1 : 2 \times 1 \times 1$

$= 7 : 2.$

44. (D): प्रत्येक पंक्ति में रखे लट्ठों की संख्या

$= \sqrt{1225} = 35.$

45. (B): वर्ग का मध्य बिंदु $= \frac{\text{निचली सीमा + उच्च सीमा}}{2}$

$\Rightarrow \quad x = \frac{\text{B + उच्च सीमा}}{2}$

$\Rightarrow$ उच्च सीमा $= 2x - \text{B}.$

46. (B): (आभा + बिलाल) का 1 दिन का काम $= \frac{1}{6}$

और आभा का 1 दिन का काम $= \frac{1}{9}$

$\therefore$ बिलाल का 1 दिन का काम $= \frac{1}{6} - \frac{1}{9}$

$= \frac{6-4}{36} = \frac{2}{36}$

$= \frac{1}{18}$

अतः बिलाल को उसी काम को अकेले पूरा करने में 18 दिन लगेगा।

47. (C): साधारण ब्याज $= \frac{\text{P} \times r \times t}{100}$

$= \frac{20,000 \times 12 \times 2}{100}$

$= ₹\ 4800$

और चक्रवृद्धि ब्याज $= \text{P}\left[\left(1 + \frac{r}{100}\right)^n - 1\right]$

$= 20,000\left[\left(1 + \frac{12}{100}\right)^2 - 1\right] = 20,000\left[\left(1 + \frac{3}{25}\right)^2 - 1\right]$

$= 20,000\left[\left(\frac{28}{25}\right)^2 - 1\right]$

$= 20,000\left[\frac{784}{625} - 1\right]$

$= 20,000\left[\frac{159}{625}\right]$

$= 32 \times 159 = ₹\ 5088$

अतः 2 वर्ष बाद अंकित को मिलने वाला लाभ

= चक्रवृद्धि ब्याज – साधारण ब्याज

$= 5088 - 4800 = ₹\ 288.$

48. (A): दिया है, एक गोलाकार गेंद का आयतन

= समान त्रिज्या के सिलेंडर का आयतन

$\Rightarrow \quad \frac{4}{3}\pi r^3 = \pi r^2 h$

$\Rightarrow \quad \frac{4}{3}r = h$

$\therefore$ बेलन का व्यास $= 2r$

और ऊँचाई $= h = \frac{4}{3}r$

अब, व्यास – ऊँचाई $= 2r - \frac{4}{3}r = \frac{2}{3}r$

अतः बेलन का व्यास उसकी ऊँचाई से $\frac{\frac{2}{3}r}{\frac{4}{3}r} \times 100\%$ अधिक है।

$= \frac{1}{2} \times 100 = 50\%.$

49. (A): प्रश्नानुसार,

टंकी की बाहरी सतह का क्षेत्रफल (आधार को छोड़कर)

$= 5$ (किनारा)^2

$= 5\ (1.5)^2 = 5 \times 2.25$

$= 11.25\ \text{m}^2$

$= 11.25 \times 100 \times 100\ \text{cm}^2$

$= 1125 \times 100\ \text{cm}^2$

अब, 25 सेमी. भुजा वाली वर्गाकार टाइल का क्षेत्रफल

$= 25 \times 25$ सेमी.^{2}

∴ टंकी की सतह को ढकने के लिए टाइलों की संख्या

$$= \frac{1125 \times 100}{25 \times 25}$$

$$= 45 \times 4 = 180$$

दिया है, टाइल्स की लागत ₹ 520 प्रति दर्जन

∴ टंकी की सतह को ढकने के लिए टाइल्स पर की गई खर्च

$$= 180 \times \frac{520}{12} = 15 \times 520$$

$$= ₹\ 7800.$$

50. (D): माना विद्यालय में कार्य दिवसों की संख्या $= x$

तब, $x \times \frac{85}{100} = 204$

$$\Rightarrow \quad x = \frac{204 \times 100}{85} = \frac{12 \times 100}{5}$$

$$= 12 \times 20 = 240.$$

51. (B): दिया है, 44 सेमी. × 20 सेमी. वाले एक आयताकार पेपर को उसकी लंबाई के साथ बेलनाकार आकार बनाने के लिए घुमाया जाता है।

∴ $2\pi r = 44$ सेमी. और $h = 20$ सेमी.

$$\Rightarrow \quad 2 \times \frac{22}{7} r = 44$$

⇒ $r = 7$ सेमी.

अब नए बने आकार का आयतन $= \pi r^2 h$

$$= \frac{22}{7} \times 7^2 \times 20$$

$$= 22 \times 7 \times 20$$

$= 3080$ सेमी.^{3}

52. (A): कलास मार्क (वर्ग चिह्) $= \frac{120 + 200}{2}$

$$= \frac{320}{2} = 160.$$

53. (D): माना एक ग्लास कंटेनर की मूल कीमत ₹ x है।

तब, $x \times \frac{100 + 10}{100} = ₹\ 825$

$$\Rightarrow \quad x \times \frac{11}{10} = 825$$

$$\Rightarrow \quad x = 750.$$

54. (A): यहाँ, पार्क का क्षेत्रफल $= 70 \text{ m} \times 40 \text{ m}$

$$= 2800 \text{ m}^2$$

∵ पार्क के एक कोना में एक पानी की टंकी खोदा गया है

∴ टंकी का आयतन

$$= 10 \text{ m} \times 8 \text{ m} \times 5 \text{ m}$$

$$= 400 \text{ m}^3$$

अब टंकी को छोड़कर शेष पार्क का क्षेत्रफल

$$= 2800 - 10 \times 8$$

$$= 2720 \text{ m}^2$$

माना पार्क के शेष भाग के स्तर में ऊँचाई $= h$ m

तब, $2720 \times h = 400$

$$\therefore \quad h = \frac{400}{2720} \text{ m}$$

$$= \frac{5}{34} \text{ m} = \frac{5}{34} \times 100 \text{ cm}$$

$$= \frac{250}{17} \text{ cm} = 14.70 \text{ cm}.$$

58. (D): माना चावल के बैग का अंकित मूल्य ₹ x है।

तब, $x \times \frac{100 - 16}{100} = 1190 \times \frac{120}{100}$

$$\Rightarrow \quad x \times \frac{84}{100} = 1190 \times \frac{120}{100}$$

$$\Rightarrow \quad x \times 84 = 1190 \times 120$$

$$\Rightarrow \quad x = \frac{1190 \times 120}{84}$$

$$= \frac{170 \times 120}{12} = 1700$$

∴ अभीष्ट अंकित मूल्य $= x =$ ₹ 1700.

59. (B): $a^1 = \frac{1}{a} \quad \left[\because \frac{1}{a^n} = a^{-n}\right]$

61. (D): ''जो कानून के विरुद्ध हो'' का अर्थ होता है वह जो कानूनी रूप से अनुमति नहीं है, इसलिए 'अवैध' शब्द इस वाक्यांश का सही अर्थ व्यक्त करता है। वैध, संवैधानिक और निरीक्षक शब्द इस संदर्भ में अप्रासंगिक हैं।

62. (B): वाक्य ''जीवन के हर कदम पर सीखना और उसको सुधारने की ... रखना, सफलता की दिशा में महत्वपूर्ण कदम है'' में 'क्षमता' शब्द सर्वश्रेष्ठ फिट बैठता है क्योंकि यह जीवन में सीखने और सुधारने की क्षमता को दर्शाता है। विफलता, नाम और सामान इस संदर्भ में सही नहीं बैठते।

63. (C): लोकोक्ति ''जहाँ जाए भूखा, वहाँ पड़े सूखा'' का अर्थ है कि एक दुखी व्यक्ति को कहीं भी संतोष या आराम नहीं मिलता, चाहे वह जहाँ भी जाए। धोखेबाज होना, पूरी तरह बाध्य कर देना और खाना नसीब नहीं होना इस लोकोक्ति के अर्थ को सही ढंग से व्यक्त नहीं करते।

64. (C): मुहावरा ''पका पकाया मिलना'' का अर्थ है बिना मेहनत किए कुछ प्राप्त करना। यह व्यक्त करता है कि कोई व्यक्ति बिना किसी प्रयास के सफलता या लाभ प्राप्त कर लेता है। बहुत बड़ा लाभ होना, बहुत अच्छा लगना और कुछ नहीं मिलना इस मुहावरे के सही अर्थ को नहीं दर्शाते।

65. (A): 'दीर्घ' का विलोम 'लघु' होता है, जिसका अर्थ है छोटा या संक्षिप्त। विशाल, प्राचीन और उदय यहाँ उपयुक्त विलोम शब्द नहीं हैं।

66. (D): वाक्य ''पारस सूरज का छोटी भाई है।'' में रेखांकित शब्द 'छोटी' को लिंग के अनुसार सही करने की आवश्यकता है। 'भाई' शब्द पुल्लिंग है, इसलिए उसके अनुसार 'छोटा' शब्द का प्रयोग सही होगा।

67. (B): 'उपचार' का विलोम 'अपचार' होता है। 'उपचार' का अर्थ है उपाय या इलाज, जबकि 'अपचार' का अर्थ होता है गलत या अनुचित इलाज। अनादर, प्रकाश और अनुचित इस संदीर में सही विकल्प नहीं है।

68. (B): वाक्य ''छोटे-छोटे जानवर भी बूढ़े शेर को चकमा देकर ... जाते थे।'' में 'भाग' शब्द रिक्त स्थान के लिए सबसे उपयुक्त है क्योंकि यह जानवरों के बचने की क्रिया को व्यक्त करता है। टूट, घिस और थक इस संदर्भ में उपयुक्त नहीं है।

69. (B): वाक्य ''समाज में चारों ओर जो कुछ नया सामयिक घटित हो रहा है, उसका विवरण या उसकी ... को समाचार कहते हैं। में 'सूचनाओं' शब्द उपयुक्त है क्योंकि यह समाचार की परिभाषा में फिट बैठता है जो कि घटनाओं की जानकारी या विवरण को व्यक्त करता है। प्रावधानों, घटनाओं और विधानों इस संदर्भ में सटीक नहीं हैं।

70. (C): वाक्य ''राहुल को शतरंज खेलनी नहीं आता हैं।'' में रेखांकित शब्द 'खेलनी' को लिंग और वाक्य संरचना के अनुसार सही करने की आवश्यकता है। 'खेलना' यहाँ सही रूप है क्योंकि यह अनिर्दिष्ट रूप से गतिविधि को दर्शाता है और इसे सामान्य रूप से क्रिया के रूप में प्रयोग किया जाता है।

71. (C): सबसे तार्किक क्रम में वाक्य इस प्रकार होने चाहिए: (ग) पहले 'अभिषेक नाम का एक लड़का है', इसके बाद (घ) 'वह पढ़ाई में कम रुचि रखता है', फिर (ख) 'उसका ध्यान खेलकूद में ज्यादा रहता है' और अंत में (क) 'इसी कारण उसके माता-पिता उससे परेशान रहते हैं'। ये वाक्य मिलकर एक सुसंगत अनुच्छेद बनाते हैं।

72. (C): वाक्य ''प्राकृति हमारे जीवन का एक महत्वपूर्ण भाग है और हमें अपने पर्यावरण के ... का ध्यान रखना चाहिए।'' में 'संरक्षण' शब्द रिक्त स्थान को सबसे अच्छा पूरा करता है क्योंकि यह पर्यावरण के देखभाल और संरक्षण की बात करता है। नाम, परिश्रम और संकोच इस संदर्भ में सही विकल्प नहीं हैं।

73. (A): 'जबान का कच्चा होना' मुहावरे का अर्थ होता है कि व्यक्ति अपनी बात पर कायम नहीं रहता या उसकी बातों का भरोसा नहीं किया जा सकता, यानी वह झूठा होता है। सच्चा व्यक्ति, गूंगा व्यक्ति और मितभाषी इस मुहावरे के सही अर्थ नहीं व्यक्त करते।

74. (B): सबसे तार्किक क्रम यह है: पहले (घ) 'एक गांव में एक किसान रहता था और उसके चार पुत्र थे', फिर (क) 'सभी पुत्र ईमानदार और मेहनती थे', इसके बाद (ग) 'बस एक समस्या यह थी की उनकी आपस में बनती नहीं थी', और अंत में (ख) 'सभी एक-दूसरे से छोटी-मोटी बातों पर लड़ते रहते थे'।

75. (B): 'आलोक' का पर्यायवाची 'प्रकाश' होता है, जिसका अर्थ होता है रोशनी या उजाला। गगन, अंधकार और प्रजा इसके पर्यायवाची नहीं हैं।

76. (D): ''किसी बात को बढ़ा-चढ़ा कर कहना'' के लिए 'अतिश्योक्ति' शब्द सबसे उपयुक्त है। अतिश्योक्ति का अर्थ होता है वास्तविकता से अधिक या बढ़ा-चढ़ा कर प्रस्तुत करना। आक्रांत, लोकप्रिय और आद्योपात इस संदर्भ में उपयुक्त नहीं है।

77. (C): गद्यांश के अनुसार, समाचार लेखन का विधि कथा या कहानी लेखन की प्रक्रिया के विपरीत है। कहानी में क्लाइमेक्स आमतौर पर अंत में आता है, जबकि समाचार लेखन में महत्वपूर्ण जानकारियां सबसे पहले दी जाती हैं।

78. (D): दिए गए गद्यांश का उपयुक्त शीर्षक 'समाचार लेखन सिद्धांत' होगा क्योंकि इसमें समाचार लेखन के उल्टा पिरामिड सिद्धांत का वर्णन किया गया है, जो समाचार लेखन की एक प्रमुख विधि है।

79. (D): गद्यांश के अनुसार, समाचार लेखन में उल्टा पिरामिड शैली में समाचार को मुख्य रूप से तीन हिस्सों में विभाजित किया जाता है: पहले इंट्रो या मुखड़ा, उसके बाद बॉडी जिसमें महत्वपूर्ण सूचनाओं को घटते हुए क्रम में प्रस्तुत किया जाता है और अंत में निष्कर्ष या समापन आता है।

80. (D): गद्यांश में समाचार लेखन की उल्टा पिरामिड शैली को व्यावहारिक कहा गया है क्योंकि यह समाचार लेखन का सबसे सरल, उपयोगी और व्यावहारिक सिद्धांत है, जो पाठकों को तत्काल और सबसे महत्वपूर्ण जानकारी प्रदान करता है।

81. (B): "Invasion" refers to an act of entering somewhere to conquer. Therefore, the opposite of "invasion" would be "protect," which implies safeguarding a place against invasion or other harms.

82. (D): The phrase "Heavy rains had lashed" refers to a completed action that occurred in the past, specifically on a particular date. The correct tense to maintain this reference to the past event without implying continuation or repetition is the simple past tense, hence "Heavy rains lashed."

83. (A): The phrase refers to principles or ideals in journalism. "Accountability" fits well as it relates to the responsibility and ethical obligations in journalism, which are essential for public good and trust.

84. (A): "Lament" means to express sorrow or grief, typically in a vocal or demonstrative manner. The opposite of expressing sorrow would be expressing great pleasure or happiness, thus "delight" is the correct antonym.

85. (D): A volunteer is someone who offers his services without expecting payment or any form of compensation, fitting the description perfectly.

86. (A): The sentence structure suggests describing the intensity of the rain, which hindered the speaker's plans. "Heavily" directly describes the manner of raining that is intense and aligns with the context of being significant enough to affect plans.

87. (D): "Accommodate" generally means to make space for or to include. In various contexts, it could mean to adjust or provide accommodation, making "take in" a suitable meaning as it implies including or allowing space for.

88. (D): "Endurance" refers to the ability to withstand hardship or stress over a period of time, making "stamina," which is the capacity to sustain prolonged physical or mental effort, the correct synonym.

89. (C): This sequence starts with establishing the broader preferences of consumers today (*b*), followed by the sophistication in processes (*a*), the particular consumer demands in specific communities (*d*), and concludes with a summary of the evolution of food preservation techniques (*c*), making a coherent flow of information.

90. (B): The conjunction "Although" is used to introduce a statement that makes the main statement less absolute, fitting the contrast needed in the sentence: despite the rain, the holiday was enjoyable.

91. (A): In the sentence "Just as Salina was about to go the cashier to pay for her purchases, she ______ the cookery section," the most suitable word to complete it is "spotted," which means she suddenly saw or noticed the cookery section.

92. (A): The one-word substitution for "To surround a place with the intention of capturing it" is "Besiege." This term specifically refers to surrounding a place to conquer or force its surrender.

93. (A): The idiom "In the fast lane" refers to living a life filled with excitement and activity, typically at a fast pace, suggesting an adventurous and potentially risky lifestyle.

94. (C): The phrase "Sell Like hot cakes" means to sell very quickly and in large quantities, indicating high demand and rapid sales.

95. (A): The sentence "I haven't seen our neighbours for ages. They ______ away" correctly uses "Had gone" to indicate that the neighbours went away some time ago and have not been seen since. This usage fits the past perfect tense needed for the context of not having seen them for a long period.

96. (B): In the sentence "She loved going to the bookstore and spending hours browsing ______ the racks and shelves, looking for good bargains," the word "through" best fills the blank. It indicates moving among and examining the racks and shelves.

97. (A): The central theme of the passage is the evolution of travel from a means of exploitation to an intellectual and educational activity, highlighting its educational benefits today.

98. (A): The word "Radical" in this context means significant or revolutionary change, indicating a complete transformation in attitudes and methods.

99. (D): This title accurately encapsulates the main ideas and themes discussed in the passage, focusing on how travel has transformed and its current role as an educational tool.

100. (A): This is a direct inference from the passage, highlighting how travel has become more than just movement from one place to another but a means to gain education and broader perspectives.

101. (A): चार्ल्स बैबेज को कंप्यूटर का जनक कहा जाता है क्योंकि उन्होंने पहली बार मैकेनिकल कंप्यूटर की अवधारणा पेश की, जिसे एनालिटिकल इंजन कहा जाता है। यह डिजाइन आधुनिक कंप्यूटरों के विकास के लिए आधारशिला मानी जाती है।

102. (B): कंट्रोल पैनल विंडोज में एक फीचर है जो सिस्टम की सेटिंग्स को मैनेज करने के लिए उपयोगिताओं की एक सूची प्रदर्शित करता है, जिसमें सॉफ्टवेयर और हार्डवेयर दोनों को कॉन्फिगर करना शामिल है।

103. (C): डिजिलॉकर सुविधा की शुरुआत 2015 में की गई थी। यह एक ऑनलाइन सेवा है जो नागरिकों को उनके दस्तावेजों और प्रमाणपत्रों को डिजिटल रूप में सुरक्षित रूप से संग्रहित करने और साझा करने की सुविधा प्रदान करती है।

104. (B): वर्कशीट के बाएँ और दाएँ नेविगेट करने में मदद करने वाला उपकरण 'क्षैतिज स्क्रॉल बार' होता है। यह उपयोगकर्ताओं को वर्कशीट में बाएँ और दाएँ स्क्रॉल करने की अनुमति देता है।

105. (D): वर्तमान कॉलम में पूरी तरह से चुनने के लिए 'Ctrl + Shift + Spacebar' शॉर्टकट का उपयोग किया जाता है। यह शॉर्टकट उपयोगकर्ताओं को एक्सेल या अन्य स्प्रेडशीट प्रोग्रामों में वर्तमान कॉलम का त्वरित चयन करने की अनुमति देता है।

106. (A): MS Word 2010 में फॉन्ट साइज ड्रॉपडाउन सूची का उपयोग करके दूसरा सबसे बड़ा फॉन्ट आकार 48 चुना जा सकता है। यह आकार सामान्यतः उपलब्ध सबसे बड़े आकारों में से एक है।

107. (C): पावरपॉइंट में मौजूदा प्रेजेंटेशन को खोलने के लिए शॉर्टकट कुंजी Ctrl + O है। यह कुंजी सामान्यतः किसी भी फाइल को खोलने के लिए उपयोग की जाती है।

108. (D): पावरपॉइंट में पावरपॉइंट प्रेजेंटेशन को पीडीएफ बनाने की सुविधा नहीं होती है। यह विकल्प असत्य है क्योंकि पावरपॉइंट में सीधे पीडीएफ बनाने की सुविधा नहीं है।

109. (A): "उमंग ऐप" का प्रबंधन और सेवा इलेक्ट्रॉनिक्स और सूचना प्रौद्योगिकी मंत्रालय के अंतर्गत आती है। यह मंत्रालय डिजिटल सेवाओं के लिए जिम्मेदार है।

110. (B): आईटी अधिनियम 2000 की धारा 66C पहचान की चोरी के लिए सजा से संबंधित है। यह धारा विशेष रूप से पहचान की चोरी के मामले में कानूनी दंड का प्रावधान करती है।

111. (C): वर्ड में प्रिंट पूर्वावलोकन दस्तावेज को देखने के लिए शॉर्टकट कुंजी Ctrl + F2 है। यह उपयोगकर्ता को दस्तावेज का प्रिंट पूर्वावलोकन देखने की अनुमति देती है, ताकि वह दस्तावेज को प्रिंट करने से पहले उसकी जाँच कर सके।

112. (A): माइक्रोसॉफ्ट विंडोज एक ऑपरेटिंग सिस्टम है। यह एक सॉफ्टवेयर प्रणाली है जो कंप्यूटर हार्डवेयर और सॉफ्टवेयर के बीच संपर्क प्रदान करता है और उपयोगकर्ताओं को कंप्यूटर का उपयोग करने में सक्षम बनाता है।

113. (A): फॉर्मूला बार वह स्थान है जहाँ कोई सूत्र या पाठ दर्ज कर सकता है या देख सकता है। यह विशेष रूप से एक्सेल जैसे स्प्रेडशीट अनुप्रयोगों में उपयोगी है, जहाँ उपयोगकर्ता कक्षों में डेटा और गणनाएँ देख सकते हैं।

114. (B): कंप्यूटर का मस्तिष्क "सी.पी.यू." (Central Processing Unit) है। यह वह इकाई है जो कंप्यूटर के सभी कार्यों को नियंत्रित और संसाधित करती है, इसे कंप्यूटर के केंद्रीय प्रोसेसर के रूप में जाना जाता है।

115. (A): एमएस-पावरप्वाइंट एक प्रेजेंटेशन प्रोग्राम है। यह एक सॉफ्टवेयर है जिसका उपयोग स्लाइड-आधारित प्रस्तुतियाँ बनाने के लिए किया जाता है, जिसे खासतौर पर शिक्षा, व्यवसाय और अन्य पेशेवर उद्देश्यों के लिए उपयोग किया जाता है।

116. (A): MS Word 2010 में फॉन्ट साइज ड्रॉपडाउन सूची का उपयोग करके सबसे छोटा फॉन्ट आकार 8 चुना जा सकता है। यह एक सामान्य न्यूनतम फॉन्ट आकार होता है जिसे आसानी से पढ़ा जा सकता है।

117. (A): C.U. का फुल फॉर्म "कंट्रोल यूनिट" है। यह कंप्यूटर का एक महत्वपूर्ण हिस्सा है जो डेटा प्रोसेसिंग और निर्देशों के निष्पादन को नियंत्रित करता है।

118. (C): विंडोज 95, 98, 2000 और XP की क्रमबद्धता को सही रूप से 1, 2, 4, 3 के रूप में रखा जाता है। विंडोज 95 पहले आया था, फिर विंडोज 2000 और अंत में विंडोज XP।

119. (C): MS Word 2010 में 'वॉटरमार्क' कमांड "पेज लेआउट" मेनू में शामिल होता है। यह ऑप्शन पेज की पृष्ठभूमि में वॉटरमार्क डालने के लिए उपयोग किया जाता है।

120. (A): IT अधिनियम 2000 की धारा 67 में इलेक्ट्रॉनिक रूप से अश्लील सामग्री प्रकाशित या प्रसारित करने पर दंड की चर्चा की गई है। यह धारा उस स्थिति में सजा और दंड का प्रावधान करती है जब अश्लील सामग्री इंटरनेट या अन्य इलेक्ट्रॉनिक माध्यमों के माध्यम से प्रसारित की जाती है।

पिछले प्रश्न-पत्र

दिल्ली विकास प्राधिकरण (DDA)

पटवारी भर्ती परीक्षा, 2020

(Exam held on 11-11-2020)

सामान्य ज्ञान

1. निम्न में से किस शहर में संत आदिनाथ को समर्पित मध्यकालीन युग का जैन चौमुखा मंदिर (चार मुख वाला मंदिर) स्थित है?

A. रणकपुर B. कानपुर
C. उज्जैन D. कुरुक्षेत्र

2. स्वेज नहर भूमध्य सागर को किससे जोड़ती है?

A. एड्रियाटिक सागर B. लाल सागर
C. ईजियन सागर D. काला सागर

3. फोबोस और डीमोस किस ग्रह के प्राकृतिक उपग्रह हैं?

A. मंगल B. शनि
C. यूरेनस D. बृहस्पति

4. निम्न में से कौन-सा हड़प्पा सभ्यता भारत में नहीं है?

A. सुरकोटदा B. रोजड़ी
C. नागेश्वर D. कुल्ली

5. निम्न में से किस राज्य में वन्यजीव अभयारण्यों की संख्या सबसे अधिक है?

A. केरल B. मध्य प्रदेश
C. आंध्र प्रदेश D. महाराष्ट्र

6. सुरेन्द्रनाथ बनर्जी और आनन्द मोहन बोस ने बंगाल में एक राष्ट्रवादी राजनीतिक ग्रुप की स्थापना की थी। इस ग्रुप का नाम था:

A. लैंडहोल्डर्स सोसायटी
B. इंडियन लीग
C. इंडियन एसोसिएशन
D. ब्रिटिश इंडिया सोसायटी

7. मुबाडाला इंवेस्टमेंट कंपनी कहां स्थित है, जिसने एक भारतीय कंपनी में 1.85 प्रतिशत हिस्सेदारी खरीदने की घोषणा की?

A. सिंगापुर B. अबू धाबी
C. ताइवान D. न्यूयॉर्क

8. मई 2020 में, वाइस एडमिरल विनय बधवार ने भारतीय जलराशिकी (हाइड्रोग्राफी) और पूरे हिंद महासागर क्षेत्र में अपने उत्कृष्ट योगदान के लिए .... पुरस्कार प्राप्त किया।

A. वर्ष के हाइड्रोग्राफर (Hydrographer of the Year)
B. व्लादिमीर हर्जोग (Vladimir Herzog)
C. अलेक्जेंडर डेलरिम्पल (Alexander Dalrymple)
D. लेनका फ्रैनोलिक (Lenka Franulic)

9. भारतीय संविधान के अनुच्छेद 1 में भारत का वर्णन करने के लिए निम्न में से किस उक्ति का उपयोग किया गया है?

A. कॉन्फेडरेशन ऑफ स्टेट
B. यूनियन ऑफ स्टेट्स
C. कॉन्फेडरेशन ऑफ स्टेट्स एंड टेरीटीरियस
D. फेडरेशन ऑफ स्टेट्स

10. मई 2020 में, भारतीय रेलवे ने 12000 हॉर्सपॉवर के एक रेल के इंजन का परिचालन शुरू किया। इस इंजन का निर्माण किया गया था:

A. रेल विकास निगम लिमिटेड के द्वारा
B. पिपावाव रेलवे कॉरपोरेशन लिमिटेड के द्वारा
C. मधेपुरा इलेक्ट्रिक लोकोमोटिव प्राइवेट लिमिटेड के द्वारा
D. चित्तरंजन लोकोमोटिव वर्क्स के द्वारा

11. भारतीय बैंकिंग परिचालन के संदर्भ में, CIBIL स्कोर पद का उपयोग क्या मापने के लिए किया जाता है?

A. बैंक की ऋण-वसूली दर के संदर्भ में इसका प्रदर्शन।
B. एक व्यक्ति की ऋण प्राप्ति योग्यता।
C. बैंक की ऋण वृद्धि के मामले में उसके प्रदर्शन।
D. एक कंपनी की ऋण प्राप्ति योग्यता।

1. A **2.** B **3.** A **4.** D **5.** D **6.** C **7.** B **8.** C **9.** B **10.** C **11.** B

12. अंतरराष्ट्रीय स्तर पर, खिलाड़ी दीपा कर्माकर किस खेल में भारत का प्रतिनिधित्व करती हैं?

A. जिमनास्टिक्स
B. बैडमिंटन
C. क्रिकेट
D. निशानेबाजी

13. निम्न में से किस शहर की लोकप्रिय नृत्य का नाम अहिरी है, जो इसकी संस्कृति का एक महत्वपूर्ण हिस्सा है?

A. मुंबई B. पुणे
C. ग्वालियर D. लखनऊ

14. बौद्ध मान्यताओं के अनुसार, निम्न में से किस स्थान पर बुद्ध सोने की सीढ़ी से स्वर्ग से उतरे थे?

A. वैशाली B. राजगीर
C. संकिसा D. कुशीनगर

15. निम्न में से किस कंपनी ने भारत में ऑनलाइन शिक्षण और अध्यापन के प्रति अनुकूलन को बढ़ावा देने के लिए 'PC पाठशाला' नामक एक पहल प्रारंभ करने के लिए टाइम्स ऑफ इंडिया के साथ भागीदारी की है?

A. इंटेल (Intel)
B. माइक्रोसॉफ्ट (Microsoft)
C. गूगल (Google)
D. रिलायंस जियो (Reliance Jio)

16. केंद्र सरकार की PM स्वनिधि योजना का उद्देश्य किनको किफायती ऋण प्रदान करना है?

A. सीमांत किसानों
B. स्वयं-सहायता समूहों
C. बेरोजगार स्नातकों
D. स्ट्रीट वेंडरों (फेरीवालों)

17. बुंदेसलिगा नामक फुटबॉल टूर्नामेंट कौन-सा देश आयोजित करता है?

A. जर्मनी B. फ्रांस
C. स्पेन D. ऑस्ट्रिया

18. अशोक मेहता समिति ने 1978 में निम्न में से किस विषय पर अपनी रिपोर्ट प्रस्तुत की थी?

A. मौलिक कर्तव्य B. नागरिकता
C. केंद्र-राज्य संबंध D. पंचायती राज संस्था

19. निम्न में से किस पोषक तत्व की कमी से बच्चों में मानसिक विकलांगता उत्पन्न होती है?

A. आयोडीन B. आयरन (लौह तत्व)
C. विटामिन B-1 D. कैल्शियम

20. भारतीय संविधान का कौन-सा अनुच्छेद प्रेस की स्वतंत्रता की गारंटी देता है?

A. अनुच्छेद 19(1)(c) B. अनुच्छेद 19(1)(b)
C. अनुच्छेद 19(1)(a) D. अनुच्छेद 19(1)(d)

सामान्य बुद्धिमत्ता एवं तार्किक क्षमता

21. यदि '!' का अर्थ गुणा, $ का अर्थ जोड़, # का अर्थ घटाना और @ का अर्थ भाग है, तो निम्न का मान क्या होगा?

56@16!8$5#2

A. 40 B. 31
C. 35 D. 29

22. विषम युग्म की पहचान करें।

A. 7 : 64 B. 20 : 441
C. 18 : 400 D. 14 : 225

23. एक भाषा में, सोमवार को बुधवार लिखा जाता है, मंगलवार को गुरुवार लिखा जाता है, बुधवार को शुक्रवार लिखा जाता है और इसी तरह बाकी क्रम भी जारी रहता है। यदि कैलेंडर के अनुसार 20 मार्च को शनिवार है, तो इस भाषा में 15 अप्रैल को कौन-सा दिन होगा?

A. गुरुवार B. रविवार
C. शनिवार D. सोमवार

24. एक तस्वीर की ओर इशारा करते हुए, राकेश ने बताया कि मेरे इकलौते भाई राजेश के पिता हैं। राजेश कविता के ससुर है। कविता की बेटी सुधा के पिता राजेश के बेटे हैं। तस्वीर वाले व्यक्ति का सुधा से क्या संबंध है?

A. दादा/नाना B. पिता
C. परदादा/परनाना D. दादा ससुर

25. यदि 'GOLD' को 19 लिखा जाता है, 'DUST' को 32 लिखा जाता है, तो 'MONDAY' को क्या लिखा जाएगा?

A. 27 B. 72
C. 36 D. 64

12. A	**13.** C	**14.** C	**15.** A	**16.** D	**17.** A	**18.** D
19. A	**20.** C	**21.** B	**22.** C	**23.** C	**24.** C	**25.** C

26. दी गई श्रृंखला को पूरा करें।

omn, omnn, oomnn, ____, ooomnnn

A. oomnnn B. oomnn
C. oommnnn D. ooomnn

27. विषम ज्ञात कीजिए।

A. ग्रासनली (एसोफैगस)
B. ग्रसनी (फैरिंक्स)
C. मलाशय (रेक्टम)
D. नाड़ीग्रन्थि (गैग्लिऑन)

28. विषम ज्ञात कीजिए:

A. झील B. समुद्र
C. लैगून D. महासागर

29. निम्न में से कौन-सा विकल्प तीसरे पद से ठीक उसी तरह संबंधित है, जिस प्रकार दूसरा पद पहले पद से संबंधित है?

कठोर परिश्रम : सफलता :: अपराध : ?

A. प्रोत्साहन B. दंड
C. इनाम D. फिटनेस

30. सुरेखा के पास एक टोकरी में तीन कैंडी, कुछ जेली और कुछ सेब हैं। सेब की संख्या जेली की संख्या का 25 प्रतिशत है। यदि कुल चीजें 33 हैं, तो उसके पास कितनी जेलियां हैं?

A. 2 B. 18
C. 24 D. 8

31. व्यक्ति के एक समूह का औसत वजन 58 किग्रा. है। समूह के 67 किग्रा. और 56 किग्रा. वजन वाले दो व्यक्तियों को 69 किग्रा. और 54 किग्रा. वजन वाले दो व्यक्तियों से प्रतिस्थापित कर दिया गया। 21 व्यक्तियों वाले इस समूह का प्रतिस्थापन के बाद औसत वजन क्या होगा?

A. 58 B. 58.5
C. 62 D. 61

32. चार वर्ष पहले, मोहित की आयु राहुल की आयु की चार गुना थी। यदि दोनों की आयु का योग 58 है, तो राहुल की वर्तमान आयु क्या है?

A. 44 B. 14
C. 40 D. 10

33. विषम ज्ञात कीजिए।

A. VZ B. KN
C. XB D. ZD

34. एक भाषा में GRAPHIC को EKJRCTI के रूप में कोड किया जाता है, तो उसी भाषा में DROUGHT को कैसे कोड किया जाएगा?

A. VJIWQTF B. VJIPVSE
C. UJIWQTF D. VJIVQTF

35. विषम ज्ञात कीजिए।

A. ओटावा B. बेयरूत
C. सिडनी D. काहिरा

36. एक गोल मेज के चारों ओर पांच व्यक्तियों P, H, R, S, और J एक-दूसरे के सम्मुख बैठे हुए हैं। H और J एक साथ नहीं बैठे हैं। S, R के एकदम बाएं बैठा है, जो H के बाएं तीसरे स्थान पर बैठा है। R के दाएं चौथे स्थान पर कौन बैठा है?

A. S B. J
C. H D. R

37. एक घन की प्रत्येक भुजा की लंबाई 10 सेमी. है, जिसे 5 सेमी. भुजा वाले घनों में काटा जाता है, तो ऐसे कितने छोटे घन बनाए जा सकते हैं?

A. 25 B. 8
C. 4 D. 64

38. विषम ज्ञात कीजिए।

A. NRV B. HLP
C. SWA D. VZC

39. यदि निम्न अक्षरों को उन्हें निर्दिष्ट अंकों के अनुक्रम में व्यवस्थित किया जाता है, तो निम्न में से कौन-सा एक सार्थक शब्द के निर्माण हेतु सही विकल्प होगा?

T	H	R	I	S	E	S	G	N	B
0	1	2	3	4	5	6	7	8	9

A. 1023579846
B. 6345978210
C. 9237018564
D. 9237108564

40. दी गई आकृति में कुल कितने आयत हैं?

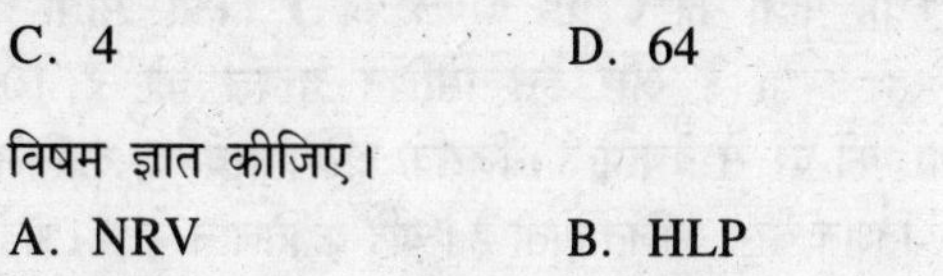

A. 12 B. 11
C. 10 D. 7

26. A	**27.** D	**28.** A	**29.** B	**30.** C	**31.** A	**32.** B	**33.** B
34. A	**35.** C	**36.** A	**37.** B	**38.** D	**39.** D	**40.** B	

अंकगणित एवं संख्यात्मक योग्यता

41. 15 इकाई भुजा वाले एक घन में उत्कीर्ण किए जा सकने वाले विकर्ण की अधिकतम लंबाई क्या होगी?

A. $15\sqrt{2}$ B. 15
C. $15\sqrt{3}$ D. $15\sqrt{5}$

42. एक मंदिर में रविवार को औसतन 520 आगंतुक और अन्य दिनों में 250 आगंतुक आते हैं। 5 रविवार वाले 30 दिनों के एक महीने में प्रतिदिन आगंतुकों की औसत संख्या कितनी है?

A. 320 B. 250
C. 295 D. 520

43. ₹ 12000 की धनराशि पर दो वर्ष के लिए 10 प्रतिशत वार्षिक ब्याज दर पर, वार्षिक तौर पर गणना किए गए चक्रवृद्धि ब्याज और साधारण ब्याज का योग कितना होगा?

A. ₹ 4940 B. ₹ 4290
C. ₹ 4920 D. ₹ 4220

44. कांतिलाल एक बेईमान दुकानदार है। वह A1 ग्रेड चावल की 8 किग्रा. मात्रा को C ग्रेड चावल की Y किग्रा. मात्रा के साथ मिश्रित करता है और इस मिश्रित चावल को ₹ 100 प्रति किग्रा. की दर से बेचता है। जिसके परिणामस्वरूप, कांतिलाल को 20 प्रतिशत लाभ अर्जित होता है। यदि कांतिलाल ने A1 ग्रेड चावल को ₹ 120 प्रति किग्रा. की दर से खरीदा है और C ग्रेड चावल को ₹ 80 प्रति किग्रा. की दर से खरीदा है, तो *y* का मूल्य निर्धारित करें।

A. 88 B. 90
C. 100 D. 8

45. यदि ₹ 20000 की एक वस्तु पर 20 प्रतिशत की छूट या 15 प्रतिशत और 5 प्रतिशत की दो क्रमिक छूट दी जाती हैं, तो दोनों छूटों के बीच कितने ₹ का अंतर होगा?

A. ₹ 150 B. ₹ 0
C. ₹ 100 D. ₹ 200

46. एक घर के निर्माण में किए गए है ₹ 20000 के व्यय से जुडी निम्न जानकारी पाई चार्ट में दी गई है:

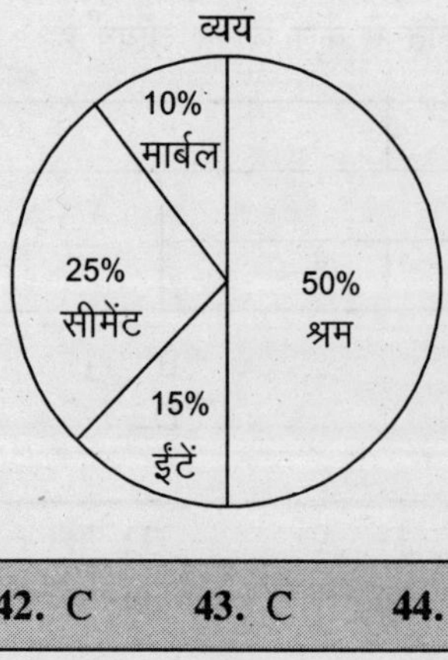

श्रम पर किये गए खर्चे का और ईंटों पर हुए खर्चे का अनुपात पता लगाए।

A. 2 : 1
B. 2 : 5
C. 10 : 3
D. 5 : 3

47. एक टैंक पानी से पूरा भरा हुआ है। पानी की पूरी मात्रा का उपयोग करके, 20 कैन या 4 बैरल भरे जा सकते हैं। लेकिन रिसाव के कारण 20 प्रतिशत पानी बाहर फैल गया है। शेष पानी का उपयोग करके, 5 कैन और कुछ बैरल भरे जाते हैं। कुल कितने बैरल भरे गए हैं।

A. 2 पूर्ण बैरल और एक बैरल 30 प्रतिशत भरा
B. 2 पूर्ण बैरल और एक बैरल 20 प्रतिशत खाली
C. 3 पूर्ण बैरल और एक बैरल 20 प्रतिशत भरा
D. 2 पूर्ण बैरल और एक बैरल 80 प्रतिशत खाली

48. एक दुकानदार एक वस्तु पर समान प्रतिशत की दो क्रमागत छूट प्रदान करता है। यदि उस वस्तु का अंतिम विक्रय मूल्य ₹ 1620 और अंकित मूल्य ₹ 2000 है, तो छूट का प्रतिशत क्या है?

A. 11 B. 12
C. 14 D. 10

49. 3 मूर्तिकार X, Y और Z हैं, जो एक साथ काम करते हुए 4 घंटे में 216 मूर्तियां बना सकते हैं। एक घंटे में Z, Y से उतनी ही अधिक मूर्तिया बना सकता है, जितनी एक घंटे में ही Y, X से अधिक बना सकता है। उनमें से प्रत्यक मूर्तिकार एक घंटे में कितनी मूर्तिया बनाता है?

A. X = 20, Y = 17, Z = 18
B. X – 16, Y – 17, Z = 20
C. X = 15, Y = 18, Z = 21
D. X = 15, Y = 21, Z = 18

50. X एक पलंग को ₹ 40000 में खरीदता है और इसे 5% के लाभ पर Y को बेच देता है। Y अब इसे Z को 10% लाभ पर बेच देता है और Z इसे W को 5% की हानि पर बेच देता है। W ने इस पलंग के लिए कितना भुगतान किया है?

A. ₹ 43800
B. ₹ 43400
C. ₹ 43980
D. ₹ 43890

41. C **42.** C **43.** C **44.** A **45.** A **46.** C **47.** D **48.** D **49.** C **50.** D

51. एक कार एक बाइक की तुलना में 25% तेजी से चल सकती है। दोनों एक ही समय पर बिंदु A से चलना शुरू करती हैं और A से 75 किमी. की दूरी पर स्थित बिंदु B तक एक ही समय पर पहुंचती है। हालांकि, रास्ते में ईंधन भरवाने के लिए कार को 7.5 मिनट ठहरना पड़ा था। बाइक की चाल कितनी है?

A. 100 किमी./घंटा
B. 90 किमी./घंटा
C. 120 किमी./घंटा
D. 130 किमी./घंटा

52. 6 के पहले 50 गुणनफलों का औसत ज्ञात कीजिए।

A. 80 B. 124
C. 153 D. 1036

53. एक कॉलेज में अध्यक्ष पद के लिए चुनाव आयोजित किया जाता है, जहां HOD द्वारा 2 उम्मीदवारों को चुना जाता है और चुनाव में 68 वोट अवैध घोषित किए गए हैं, जीतने वाले उम्मीदवार को 52 प्रतिशत वोट मिलते हैं और 86 वोटों से जीत हासिल करता है, अवैध घोषित मतों को हटाकर, डालें गए कुल मतों की संख्या कितनी है?

A. 2150 B. 3250
C. 2700 D. 1520

54. दो संख्याओं m और n का अनुपात 5 : 2 है। $\frac{10m+20n}{m-n}$ का मान ज्ञात करें।

A. 30 B. 28
C. 42 D. 36

55. 10 वर्ष पूर्व 4 सदस्यों वाले एक परिवार की औसत आयु 22 वर्ष थी। 2 वर्ष की आयु अंतराल पर दो बच्चे पैदा हुए है, लेकिन परिवार की वर्तमान औसत आयु में कई परिवर्तन नहीं हुआ है। सबसे छोटे बच्चे की वर्तमान आयु क्या होगी?

A. 1 वर्ष
B. 2 वर्ष
C. 4 वर्ष
D. 3 वर्ष

56. राजेश ने तीन स्थानों पर अपनी धनराशि को 2 : 3 : 5 के अनुपात में निवेश किया है। उसे पहले निवेश पर 5 प्रतिशत लाभ, दूसरे निवेश पर 8 प्रतिशत लाभ और तीसरे निवेश पर 12 प्रतिशत हानि होती है। पूरे निवेश पर उसका लाभ या हानि का प्रतिशत क्या है?

A. 3.6 B. 2.8
C. 1.6 D. 2.6

57. एक साइकिल चालक ने एक निश्चित दूरी एक निश्चित चाल से तय की है। यदि पैदल चलने वाला एक व्यक्ति दोगुने समय में इसकी आधी दूरी तय करता है, तो पैदल चलने वाले व्यक्ति की चाल का साइकिल चालक की चाल से अनुपात क्या होगा?

A. 4 : 1 B. 1 : 4
C. 2 : 1 D. 1 : 1

58. एक परिवार में पांच सदस्य A, B, C, D और E हैं। A और B की वर्तमान आयु का अनुपात 3 : 2, C और D की वर्तमान आयु का अनुपात 5 : 4 तथा A और E की वर्तमान आयु का अनुपात 1 : 2 है। यदि छह वर्ष के बाद, A और D की आयु का अनुपात 4 : 1 होगा, और C की आयु 11 वर्ष होगी, तो E की वर्तमान आयु क्या है?

A. 18 वर्ष
B. 100 वर्ष से अधिक
C. 68 वर्ष
D. 84 वर्ष

59. राज एक दुकानदार है। उसने एक कारखाने से ₹ 10 की दर से दवाई खरीदी। कुछ दिनों के बाद, जब दवा की माँग बढ़ गई, तो उसने अधिक आय के लालच में दवा के विक्रय मूल्य को सामान्य विक्रय मूल्य से दो गुना कर दिया। इसके कारण उसने जो लाभ अर्जित किया, वह विक्रय मूल्य को बदले बिना होने वाले अर्जित लाभ का चार गुना है। दवा की बिक्री के माध्यम से राज को होने वाले लाभ के प्रतिशत की गणना करें, यदि उसने विक्रय मूल्य में कोई परिवर्तन नहीं किया होता।

A. 50 प्रतिशत B. 60 प्रतिशत
C. 120 प्रतिशत D. 100 प्रतिशत

60. नीचे दिए गए पाई आरेख के केंद्र में कौन-सा व्यय 90 डिग्री का कोण बनाएगा?

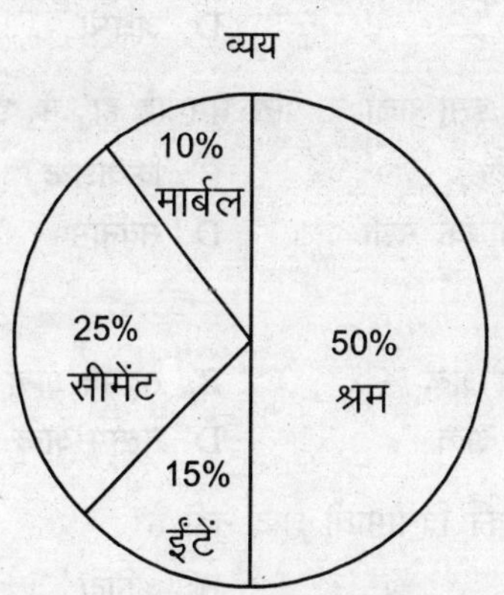

A. मार्बल B. ईंटें
C. सीमेंट D. श्रम

51. C **52.** C **53.** A **54.** A **55.** A **56.** D **57.** B **58.** C **59.** A **60.** C

हिन्दी

61. 'मिश्र वाक्य' के सन्दर्भ में कौन-सा कथन उचित है?
A. मिश्र वाक्य में सदैव एक ही आश्रित उपवाक्य होता है
B. मिश्र वाक्य में एकाधिक मुख्य वाक्य रहते हैं
C. मिश्र वाक्य में मुख्य उपवाक्य एक ही रहता है
D. मिश्र वाक्य में आश्रित उपवाक्य नहीं रहता

62. विषम स्रोतीय शब्दों से निर्मित शब्द नहीं है:
A. टिकटघर B. रेलगाड़ी
C. चीनांशुक D. सिनेमाघर

63. 'अनाज' का पर्यायवाची शब्द है:
A. हय B. धान्य
C. धन्य D. धन

64. 'अद्भुत' का पर्यायवाची नहीं है:
A. अनूठा B. विलक्षण
C. अनूप D. विचित्र

65. 'तारा' का पर्यायवाची शब्द है:
A. मिति B. भृत्य
C. खद्योत D. उपानह

66. जिन शब्दों के स्रोत का पता नहीं होता, उन्हें कहा जाता है:
A. समस्रोतीय शब्द
B. तत्सम शब्द
C. विषम स्रोतीय शब्द
D. देशज शब्द

67. 'क्षत' का विलोमार्थी है:
A. विक्षिप्त B. विक्षत
C. अक्षत D. अक्षम्य

68. 'तुम अभी इसी गली के पास घूम रहे हो' में 'इसी' है:
A. विशेषण B. क्रियाशब्द
C. कालबोधक संज्ञा D. सर्वनाम

69. 'तुरुप' है:
A. विदेशी शब्द B. तद्भव शब्द
C. देशज शब्द D. तत्सम शब्द

70. 'जागरण' का विलोमार्थी शब्द नहीं है:
A. नींद B. अनिद्रा
C. सुषुप्ति D. निद्रा

71. निम्नोक्त में अर्ध-तत्सम शब्द नहीं है:
A. मर्म B. किशन
C. धरम D. करम

72. निम्नोक्त में किस वाक्य में प्रविशेषण का उचित उपयोग हुआ है?
A. वह निहायत बुरा आदमी है
B. उसे अधिक दुःख है
C. उसमें बहुत खाना-पीना है
D. वह आदमी निपट है

73. 'वे अभी उसी जगह खड़े है' में 'अभी' है:
A. प्रविशेषण B. विशेषण
C. सार्वनामिक विशेषण D. क्रियाविशेषण

74. 'मूढ़' का विलोमार्थी है:
A. ज्ञानी B. मंडित
C. अचेत D. मृदु

75. 'नायक' का संधि-विच्छेद है:
A. नै + अक B. ना + यक
C. न + आक D. न + याक

निर्देश (प्रश्न सं. 76 से 80): *दिये गये गद्यांश के आधार पर प्रश्न के उत्तर दीजिए।*

भाषा और समाज आपस में एक-दूसरे के पूरक ही नहीं अपितु निर्माता और सृष्टा भी हैं। भाषा समाज के कारखाने में ही निर्मित होती है और समाज भाषा के ही आईने में दृश्यमान होता है। बगैर भाषा समाज की संज्ञा भी संभव नहीं है, सामाजिक संबंधों के आत्मसातीकरण को तो भूल ही जाईये। समाज का कण-कण भाषा पर निर्भर है। इसलिए जो लोग भाषा और समाज को दो अलग इकाईया मानकर चलने के आदि होते है वो ये बुनियादी भूल करते है कि देह और आत्म को भिन्न माना जाये। जिस तरह शरीर आत्मा के बगैर शव है उसी तरह आत्म बगैर शरीर के भूत। अतः कहने का अभिप्राय है कि भाषा और समाज के संबंधों को समझते समय इन्हें दो भिन्न इकाईयां मानकर चलने से बचना चाहिए।

76. 'जन्मदाता' का पर्यायवाची नहीं है:
A. सृजनकर्ता B. पूरक
C. निर्माता D. सृष्टा

61. C	**62.** C	**63.** B	**64.** C	**65.** C	**66.** D	**67.** C	**68.** A
69. A	**70.** B	**71.** A	**72.** A	**73.** D	**74.** A	**75.** A	**76.** B

77. भाषा के अभाव में समाज की संज्ञा भी संभव नहीं है। वाक्य अर्थ की दृष्टि है:

A. निषेधवाचक B. संकेतार्थक
C. आज्ञार्थक D. प्रश्नार्थक

78. बगैर शब्द है:

A. देशज B. तद्भव
C. विदेशी D. तत्सम

79. 'देह और आत्म को भिन्न माना जाये' वाक्य का विधानवाचक शब्द है:

A. भिन्न B. आत्म
C. जाये D. देह

80. निम्नोक्त में कौन तत्सम शब्दावली नहीं है?

A. भूल B. शव
C. आत्मा D. सृष्टा

ENGLISH LANGUAGE & COMPREHENSION

81. Select the most appropriate option to fill in the blank.

His reforms have no longer ____ support of the people.

A. an B. the
C. no article D. a

82. Select the most appropriate antonym of the given word.

MISERY

A. Pleasure B. Calmness
C. Spendthrift D. Relief

83. Select the most appropriate synonym of the given word.

RELY

A. depend B. admire
C. believe D. adore

84. Arrange parts of the sentence in meaningful order.

(*a*) more pollution (*b*) increase in traffic
(*c*) implies (*d*) more roads and

A. (*c*), (*b*), (*d*), (*a*) B. (*b*), (*c*), (*d*), (*a*)
C. (*b*), (*d*), (*a*), (*c*) D. (*d*), (*a*), (*c*), (*b*)

85. Arrange parts of the sentence in meaningful order.

(*a*) an immediate share issue
(*b*) circumstances have conspired
(*c*) to make
(*d*) an unattractive option

A. (*d*), (*a*), (*b*), (*c*) B. (*b*), (*d*), (*c*), (*a*)
C. (*b*), (*c*), (*a*), (*d*) D. (*a*), (*b*), (*c*), (*d*)

86. Select the most appropriate option to fill in the blank.

I tried to reason ____ her, but without success.

A. by B. for
C. with D. of

87. Select the most appropriate option to fill in the blank.

Geniuses tend to be rather ____.

A. Childlike B. Childish
C. Innocent D. Babyish

88. Select the most appropriate word for the given group of words.

Extend beyond or above a surface.

A. Promote B. Stretch
C. Protrude D. Poke

89. Arrange parts of the sentence in meaningful order.

(*a*) like this
(*b*) that someone would try
(*c*) to pull a stunt on me
(*d*) it seems absolutely ridiculous

A. (*a*), (*b*), (*c*), (*d*) B. (*a*), (*d*), (*c*), (*b*)
C. (*d*), (*b*), (*c*), (*a*) D. (*c*), (*b*), (*a*), (*d*)

90. Select the most appropriate synonym of the given word.

BACKFIRE

A. rebound B. recover
C. retreat D. restore

91. Select the most appropriate option to fill in the blank.

It is not difficult to see why Edward ____ her.

A. is enamoured by
B. enamours
C. could enamour
D. have been enamoured

92. Select the most appropriate option to fill in the blank.

He had the strong impression that someone ____ him.

A. was watched B. was watching
C. watched D. is watching

77. A	**78.** C	**79.** A	**80.** A	**81.** B	**82.** A	**83.** A	**84.** B
85. C	**86.** C	**87.** A	**88.** C	**89.** C	**90.** A	**91.** A	**92.** B

93. Select the most appropriate antonym of the given word.

REJOICE

A. Complain
B. Reject
C. Frighten
D. Lament

94. Select the most appropriate option to fill in the blank.

There were ____ large number of excellent performers in this year's competition.

A. an unconventionally
B. gleefully
C. a magnificently
D. an unusually

95. Select the most appropriate options to fill in the blank.

It was _____ of a telephone conversation with a mysterious person that I accidently heard.

A. odds and ends
B. bits and pieces
C. by and large
D. ins and outs

Directions (Qs. No. 96-100): *Read the passage below and answer the following questions.*

The word, "hacker", is usually used in relation to cyber criminals, but a hacker can actually be anyone, regardless of intentions, who utilizes his knowledge of computer software and hardware to break down and bypass security measures on a computer, device of network. Hacking itself is not an illegal activity unless the hacker is getting into the system without the owner's permission. Many companies and government agencies in fact employ hackers to help them secure their systems.

Hackers are generally categorized as "white hat" and "black hat". The terms come from old western movies, where the bad guy wears a black cowboy hat, and the good guy wears a white hat. Black hat hackers breaking into computer networks usually for personal or financial gain. The aim is to steal data, financial information, personal information and login credentials. Not only do black hat hackers steal data, they often modify or destroy data as well. White hat hackers choose to use their powers for good rather than evil. White hat hackers employ the same methods of hacking as black hats, with one exception-they do it with permission from the owner of the system. This makes it legal. The intention is to test the security systems and find out the weak and vulnerable sections in the system through data can be stolen by an outsider. They hack with the intention to test and strengthen computer security systems. Therefore this form is also called ethical hacking.

96. What are two things that differentiate a white hat from a black hat hacker?

A. Hacking expertise and legality issues
B. Hacking expertise and the intention behind hacking
C. Intention behind hacking and legality issues
D. Hacking expertise and permission to hack

97. Who is a 'white hat hacker'?

A. Who uses his skills to identify security loopholes
B. Who can bypass security to get into a system
C. Who wears a white hat
D. A person from old western movies

98. Which word in the text has the following meaning?

A document proving a person's identify or qualification.

A. Ethics
B. Credentials
C. Permissions
D. Login

99. Which of these is not true of ethical hacking?

A. Hack with the knowledge of the owner
B. Hack for personal gains
C. Test a computer security system
D. Identify weak and vulnerable sections

100. Who can be called a hacker?

A. Someone who legally breaks into a system
B. Someone who are employed to help in securing computer systems
C. Someone who writes financial and personal data from a computer
D. Someone who can break into a system bypassing security measures

कम्प्यूटर ज्ञान

101. निम्न में से कौन-सा फाइल सिस्टम, माइक्रोसॉफ्ट विंडोज ऑपरेटिंग सिस्टम (Microsoft Windows operating system) द्वारा समर्थित है?

A. फाइल एलोकेशल टेबल (FAT)
B. एप्पल फाइल सिस्टम (APFS)
C. ग्लोबल फाइल सिस्टम (GFS)
D. हाइरार्ककल फाइल सिस्टम (HFS)

102. प्रोग्राम निष्पादन के दौरान निम्न में से कौन-सा CPU द्वारा सीधे एक्सेस किया जाता है?

A. ROM
B. RAM
C. मैग्नेटिक डिस्क
D. मैग्नेटिक टेप

93. D	94. D	95. B	96. C	97. A	98. B	99. B	100. D	101. A	102. B

103. MS-पॉवरपॉइंट में इन्सर्ट टैब का निम्न में से कौन-सा विकल्प आयत, वृत्त आदि जैसी पहले से निर्मित आकृति ऑब्जेक्टों को इन्सर्ट करने के लिए उपयोग किया जाता है?

A. SmartArt (स्मार्टआर्ट) B. ClipArt (क्लिपआर्ट)
C. WordArt (वर्डआर्ट) D. Shapes (शेप्स)

104. MS-पॉवरपॉइंट में प्रिंट प्रिव्यू व्यू (Print Preview View) के लिए शॉर्टकट 'की' क्या है?

A. Ctrl+F2 B. Ctrl+Q
C. Ctrl+F1 D. Ctrl+Z

105. निम्न में से कौन-सा विकल्प कथनों की सच्चाई का सबसे अच्छा वर्णन करता है?

(*i*) ROM एक प्रकार की वोलेटाइल (परिवर्तनशील) मैमोरी है।
(*ii*) ROM को आकस्मिक रूप से बदला नहीं जा सकता है।

A. (*i*) गलत, (*ii*) सही
B. (*i*) गलत, (*ii*) गलत
C. (*i*) सही, (*ii*) सही
D. (*i*) सही, (*ii*) गलत

106. MS-एक्सेल में फॉर्मूले में सेल रेफरेंस A1 के संदर्भ में निम्न में से कौन-सा सही है?

A. कॉपी करने पर रो में कोई परिवर्तन नहीं होगा।
B. कॉपी किए जाने पर कॉलम और रो में कोई परिवर्तन नहीं होगा।
C. कॉपी करने पर कॉलम में कोई परिवर्तन नहीं होगा।
D. कॉपी करते ही कॉलम और रो बदल जाएगा।

107. निम्न में से कौन-सा, डेस्कटॉप कंप्यूटर सिस्टम के लिए उपयोग किए जाने वाले ऑपरेटिंग सिस्टम का एक उदाहरण है?

A. एप्पल iOS (Apple iOS)
B. मेकOS (MacOS)
C. ब्लक्कबेर्री (BlackberryOS)
D. गूगल एंड्रॉयड (Google Andriod)

108. MS-वर्ड डॉक्यूमेंट में वर्तनी की त्रुटियों को रेखांकित करने के लिए निम्न में से किसका उपयोग किया जाता है?

A. लाल रेखा B. हरी रेखा
C. पीली रेखा D. नीली रेखा

109. ऑपरेटिंग सिस्टम का निम्न में से कौन-सा फंक्शन आसान नेविगेशन और उपयोग के लिए निर्देशिकाओं में डेटा को व्यवस्थित कर देता है?

A. डिवाइस मैनेजमेंट
B. प्रोसेस मैनेजमेंट
C. फाइल मैनेजमेंट
D. मेमोरी मैनेजमेंट

110. MS-वर्ड डॉक्यूमेंट में किसी एक शब्द को सेलेक्ट करने के लिए निम्न में से किसका उपयोग किया जा सकता है?

A. उस शब्द पर कहीं भी डबल-क्लिक करें, जिसे आप सेलेक्ट करना चाहते हैं।
B. Ctrl को दबाए रखें और शब्द पर कहीं भी क्लिक करें।
C. शब्द की शुरुआत पर क्लिक करें।
D. Alt दबाए रखे, माउस बटन को क्लिक करें और दबाए रखें और शब्द पर ड्रैग करें।

111. निम्न में से कौन-सा कार्यालय और औद्योगिक सेटिंग्स (स्थापना) के लिए एक मल्टी-टास्क (बहु कार्य) सूचना कियोस्क है और इसका उपयोग प्रिंट, स्कैन, कॉपी और ईमेल के लिए किया जाता है?

A. एनवायरो आउटडोर कियोस्क (Enviro Outdoor Kiosk)
B. फ्रीस्टैंडिंग कियोस्क (Freestanding Kiosk)
C. डॉक्यूमेंट कियोस्क (The Document Kiosk)
D. पेडस्टल कियोस्क (The Pedestal Kiosk)

112. निम्न में से किस प्रकार का ROM पराबैंगनी प्रकाश में प्रकट होने से मिट (इरेज हो) जाता है?

A. PROM
B. EEPROM
C. आच्छादित (मॉस्क्ड) ROM
D. EPROM

113. भारतीय IT अधिनियम के निम्न में से किस भाग में 'SECURE ELECTRONIC RECORDS AND SECURE ELECTRONIC SIGNATURE' (सुरक्षित इलेक्ट्रॉनिक रिकॉर्ड और सुरक्षित इलेक्ट्रॉनिक हस्ताक्षर) शामिल है?

A. अध्याय III B. अध्याय I
C. अध्याय VII D. अध्याय V

114. MS-वर्ड में पेज ब्रेक का विकल्प निम्न में से किस टैब में पाया जाता है?

A. पेज लेआउट (Page Layout)
B. रेफरेंस (References)
C. इन्सर्ट (Insert)
D. रिव्यू (Review)

103. D	**104.** A	**105.** A	**106.** B	**107.** B	**108.** A
109. C	**110.** A	**111.** C	**112.** D	**113.** D	**114.** C

115. कंप्यूटर विशेषताओं के संदर्भ में निम्न का मिलान करें।

(*a*) बहुविज्ञता (वर्सटिलटी)	(*i*) डेटा के समान सेट के लिए सुसंगत परिणाम प्रदान करना
(*b*) सटीकता	(*ii*) विभिन्न प्रकार के कार्य निष्पादित करने की क्षमता
(*c*) परिश्रमशीलता/तत्परता (Diligence)	(*iii*) त्रुटि रहित गणना करना
(*d*) विश्वसनीयता	(*iv*) लाखों कार्यों या गणनाओं को निष्पादित करना

कूट :

	(*a*)	(*b*)	(*c*)	(*d*)
A.	(*ii*)	(*iii*)	(*iv*)	(*i*)
B.	(*ii*)	(*i*)	(*iv*)	(*iii*)
C.	(*ii*)	(*iii*)	(*i*)	(*iv*)
D.	(*i*)	(*iii*)	(*ii*)	(*iv*)

116. निम्न में से MS-एक्सेल का कौन-सा वैशिष्ट्य एक सेल के सारे कन्टेंट (सामग्री) को कई लाइनों पर प्रदर्शित करके दृश्य बनाता है?

A. एलाइनमेंट (Alignment)
B. फॉर्मेट एज टेबल (Format as table)
C. रैप टेक्स्ट (Wrap text)
D. मर्ज एंड सेंटर (Merge and Centre)

117. कंप्यूटर स्पीड और पावर की सामान्य माप के लिए निम्न में से किसका संक्षिप्त नाम MIPS (एमआईपीएस) है?

A. मिलियन इंस्ट्रक्शंस पर सेकंड (Million Instructions per Second)
B. मैक्सिमम इंस्ट्रक्शंस पर सर्वर (Maximum Instructions per Server)
C. मोर इंस्ट्रक्शंस पर सेकंड (More Instructions per Second)
D. मिलियन इंस्ट्रक्शंस पर सर्वर (Million Instructions per Server)

118. निम्न में से कौन-सा ओपन सोर्स सॉफ्टवेयर का एक उदाहरण है?

A. यूनिक्स (Unix)
B. विंडोज (Windows)
C. लिनक्स (Linux)
D. ऐडोब (Adobe)

119. निम्न में से कौन-सी एक छोटी और तेज (फास्टर) मेमोरी है, जो अक्सर उपयोग किए जाने वाले मेन मैमोरी स्थानों से डेटा की प्रतियां संग्रहीत करती है?

A. कैश
B. हार्ड डिस्क
C. मैग्नेटिक टेप
D. ROM

120. निम्न में से कौन-सा MS-एक्सेल में लॉजिकल फॉर्मूलों की श्रेणी में आता है?

A. CHAR
B. DATE
C. ABS
D. NOT

115. A **116.** C **117.** A **118.** C **119.** A **120.** D

पटवारी पद हेतु संबंधित अधिनियमों का ज्ञान

Knowledge of Relevant Acts for the Post of Patwari

1 दिल्ली विकास अधिनियम, 1957
(Delhi Development Act, 1957)

संक्षिप्त नाम, विस्तार और प्रारंभ

- इस अधिनियम का संक्षिप्त नाम दिल्ली विकास अधिनियम, 1957 है।
- इसका विस्तार संपूर्ण दिल्ली राष्ट्रीय राजधानी राज्यक्षेत्र पर है।
- यह उस तारीख को प्रवृत्त होगा जो केन्द्रीय सरकार, राजपत्र में अधिसूचना द्वारा, नियत करे।

परिभाषाएं

इस अधिनियम में, जब तक कि संदर्भ से अन्यथा अपेक्षित न हो :

- ''सुख सुविधा'' के अंतर्गत सड़क, जल प्रदाय, मार्ग प्रकाश व्यवस्था, जल निकास, मलवहन, लोक कार्य, और ऐसी अन्य सुविधा है जो केंद्रीय सरकार, राजपत्र में अधिसूचना द्वारा, इस अधिनियम के प्रयोजनों के लिऐ सुख-सुविधा विनिर्दिष्ट करे।
- ''भवन'' के अंतर्गत कोई ऐसी संरचना या निर्माण अथवा किसी संरचना या निर्माण का भाग है जिसका उपयोग आवासिक, औद्योगिक, वाणिज्यिक या अन्य प्रयोजनों के लिए आशयित है, चाहे वह वास्तविक उपयोग में हो या नहीं;
- ''भवन संक्रिया'' के अंतर्गत पुनः निर्माण संक्रियाएँ, भवनों में संरचनात्मक परिवर्तन या परिवर्धन और ऐसी अन्य संक्रियाएं आती हैं, जो सामान्यतः भवनों के सन्निर्माण के संबध में की जाती हैं।
- विभिन्न वैयाकरण रूप सहित ''विकास'' से भूमि में, पर या उसके ऊपर या अंदर निर्माण, इंजीनियरी, खनन या अन्य संक्रियाएं करना अथवा किसी भवन या भूमि में कोई तात्विक परिवर्तन करना अभिप्रेत है और उसके अन्तर्गत पुनःविकास भी है।
- ''विकास क्षेत्र'' से धारा 12 की उपधारा (1) के अधीन विकास क्षेत्र के रूप में घोषित कोई क्षेत्र अभिप्रेत है।
- ''इंजीनियरी संक्रिया'' के अंतर्गत किसी सड़क तक पहुंच मार्ग का बनाया जाना या बिछाया जाना अथवा जल प्रदाय के साधनों का बिछाया जाना है।
- ''पहुंच मार्ग'' के अंतर्गत यानों के लिए या पैदल चलने वाले यात्रियों के लिए प्राइवेट या सार्वजनिक कोई पहुंच मार्ग है और इसके अन्तर्गत सड़क भी है।
- ''विनियमन'' से धारा 3 के अधीन गठित दिल्ली विकास प्राधिकरण द्वारा इस अधिनियम के अधीन बनाया गया विनियम अभिप्रेत है।
- ''नियम'' से केंद्रीय सरकार द्वारा इस अधिनियम के अधीन बनाया गया नियम अभिप्रेत हैं;
- किसी भवन के संबध में, ''निर्माण करना'' के अंतर्गत निम्नलिखित हैं :
  - ❑ किसी भवन में कोई तात्विक परिवर्तन या विस्तार,
  - ❑ किसी ऐसे भवन में, जो मूलतः मानव निवास के लिए एक स्थान के रूप में सन्निर्मित है, एक स्थान में संरचनात्मक परिवर्तन द्वारा संपरिवर्तन,
  - ❑ किसी ऐसे भवन में, जो मूलतः मानव निवास के लिए एक स्थान के रूप में सन्निर्मित है, एक स्थान से अधिक स्थानों में संपरिवर्तन,
  - ❑ मानव निवास के दो या अधिक स्थानों का अधिक संख्या में ऐसे स्थानों में संपरिवर्तन,
  - ❑ किसी भवन में ऐसे परिवर्तन जो उसके जल निकास या सफाई व्यवस्थाओं के परिवर्तन को प्रभावित करते हैं, या उसकी सुरक्षा को तात्विक रूप से प्रभावित करते हैं;
  - ❑ किसी भवन में किन्हीं कक्षों, निर्माणों, गृहों या अन्य संरचनाओं में परिवर्तन, और
  - ❑ किसी ऐसी सड़क या भूमि के पार्श्वस्थ दीवाल में, जो दीवाल के स्वामी की नहीं है, ऐसी सड़क या भूमि की ओर खुलने वाले किसी दरवाजों का सन्निर्माण।
- ''जोन'' से उन प्रभागों में से कोई एक अभिप्रेत है जिसमें दिल्ली को इस अधिनियम के अधीन विकास के प्रयोजनों के लिए विभाजित किया जाए;
- ''भूमि'' शब्द का वही अर्थ है जो भूमि अर्जन अधिनियम, 1894 (1894 का 1) की धारा 3 में है।

दिल्ली विकास प्राधिकरण और उसके उद्देश्य

1. इस अधिनियम के प्रारम्भ के पश्चात् यथाशक्य शीघ्र, केन्द्रीय सरकार, राजपत्र में अधिसूचना द्वारा, इस अधिनियम के प्रयोजनों के लिए एक प्राधिकरण गठित करेगी जो दिल्ली विकास प्राधिकरण कहलाएगा (जिसे इसमें इसके पश्चात् प्राधिकरण कहा गया है)।

2. प्राधिकरण पूर्वोक्त नाम का शाश्वत उत्तराधिकार और सामान्य मुद्रा वाला एक निगमित निकाय होगा, जिसे जंगम और स्थावर दोनों संपत्तियों के अर्जन, धारण और व्ययन करने तथा संविदा करने की शक्ति होगी और वह उक्त नाम से वाद लाएगा और उस पर वाद लाया जाएगा।

3. प्राधिकरण में निम्नलिखित सदस्य होंगे, अर्थात :

(क) एक अध्यक्ष जो दिल्ली राष्ट्रीय राजधानी राज्यक्षेत्र का उपराज्यपाल होगा, पदेन ;

(ख) एक उपाध्यक्ष जो केन्द्रीय सरकार द्वारा नियुक्त किया जाएगा,

(ग) एक वित्त और लेखा सदस्य जो केन्द्रीय सरकार द्वारा नियुक्त किया जाएगा;

(घ) एक इंजीनियर सदस्य जो सरकार द्वारा नियुक्त किया जाएगा;

(ङ) जैसे ही दिल्ली नगर निगम स्थापित हो जाएगा, उस निगम के दो प्रतिनिधि, जिनका निर्वाचन पार्षदों और निगम के पौर-मुख्यों द्वारा अपने में से किया जाएगा।

(च) दिल्ली राष्ट्रीय राजधानी राज्यक्षेत्र की विधान सभा के तीन प्रतिनिधि, जिनका निर्वाचन विधान सभा के सदस्यों द्वारा अपने में से एकल संक्रमणीय मत द्वारा किया जाएगा, जिनमें से दो सत्तारूढ़ दल से होंगे और एक विपक्षी दल से होगा : परन्तु दिल्ली राष्ट्रीय राजधानी राज्यक्षेत्र की सरकार की मंत्रि-परिषद् का कोई भी सदस्य प्राधिकरण के लिए निर्वाचन किए जाने का पात्र नहीं होगा।

3(क) उपाध्यक्ष की नियुक्ति पूर्णकालिक या अंशकालिक, जैसा केंद्रीय सरकार ठीक समझे, हो सकेगी किंतु वित्त तथा लेखा सदस्य और इंजीनियर सदस्य की नियुक्ति पूर्णकालिक होगी।

4. उपाध्यक्ष, यदि वह पूर्णकालिक सदस्य है, वित्त और लेखा सदस्य तथा इंजीनियर सदस्य, प्राधिकरण की निधियों में से ऐसे वेतन और भत्ते, यदि कोई हों, प्राप्त करने के हकदार होंगे और वे सेवा की ऐसी शर्तों द्वारा शासित होंगे जो इस निमित्त बनाए गए नियमों द्वारा अवधारित हो जाएं।

5. उपाध्यक्ष, यदि वह अंशकालिक सदस्य है, और उपधारा (3) के खंड (ङ) और खंड (च) में विनिर्दिष्ट अन्य सदस्यों की, प्राधिकरण को निधियों में ऐसे भत्ते, यदि कोई हो, संदत्त किए जा सकेंगे जो केंद्रीय सरकार द्वारा इस नियम नियत किए जाएं।

6. उपाध्यक्ष, वित्त और लेखा सदस्य और इंजीनियर सदस्य केंद्रीय सरकार के प्रसाद पर्यंत पद धारण करेंगे।

7. निर्वाचित सदस्य प्राधिकरण में निर्वाचन की तारीख से पांच वर्ष की अवधि के लिए पद धारण करेगा और वह पुनः निर्वाचन के लिए पात्र होगा। परन्तु ऐसी अवधि उसी समय समाप्त हो जाएगी जैसे ही वह उस निकाय का जिसमें वह निर्वाचित हुआ था, सदस्य नहीं रह जाता है।

8. पदेन सदस्य से भिन्न कोई केंद्रीय सरकार को संबोधित अपने हस्ताक्षर सहित लेख द्वारा अपना पद त्याग सकेगा किंतु वह पद पर तब तक बना रहेगा जब तक कि उसका त्यागपत्र उस सरकार द्वारा स्वीकार नहीं कर लिया जाता है।

9. प्राधिकरण का कोई कार्य या कार्यवाही इस कारण से अविधिमान्य नहीं हो जाएगी कि प्राधिकरण में कोई रिक्ति या उसके गठन में त्रुटि है।

प्राधिकरण के कर्मचारीवृंद

- केंद्रीय सरकार, प्राधिकरण के क्रमशः सचिव और मुख्य लेखाधिकारी के रूप में दो उपयुक्त व्यक्तियों की नियुक्ति कर सकेगी जो ऐसी शक्तियों का प्रयोग और ऐसे कर्तव्यों का पालन करेंगे जो विनियमों द्वारा विहित किए जाएं या प्राधिकरण या अध्यक्ष द्वारा उनको प्रत्यायोजित किए जाएं।
- ऐसे नियंत्रण और निबंधनों के अधीन रहते हुए जो नियमों द्वारा विहित किए जाएं, प्राधिकरण उतनी संख्या में अन्य अधिकारी और कर्मचारी (जिसके अंतर्गत तकनीकी कार्य के लिए विशेषज्ञ भी है) नियुक्त कर सकेगा जितनी उसके कृत्यों के दक्षतापूर्ण पालन के लिए आवश्यक हों और उनके पद और श्रेणियों को अवधारित कर सकेगा।
- प्राधिकरण के सचिव, मुख्य लेखा अधिकारों और अन्य अधिकारी तथा कर्मचारी प्राधिकरण की निधियों में से ऐसे वेतन, और भत्ते, यदि कोई हों, प्राप्त करने के हकदार होंगे और सेवा की ऐसी शर्तों द्वारा शासित होंगे जो इस निमित्त बनाए गए नियमों द्वारा अवधारित की जाएं।

सलाहकार परिषद्

- प्राधिकरण, यथाशक्य शीघ्र एक सलाहकार परिषद् के मास्टर प्लान की तैयारी के संबंध में और विकास योजना से संबंधित, या इस अधिनियम के प्रशासन से उद्भूत विषयों या उसके संबंध में उद्भूत ऐसे अन्य विषयों के बाबत जो प्राधिकरण द्वारा उसे निर्देशित किए जाएं, प्राधिकरण की सलाह देने के प्रयोजन के लिए गठन कर सकेगा।
- सलाहकार परिषद् में निम्नलिखित सदस्य होंगे, अर्थात् :

  (क) प्राधिकरण का अध्यक्ष, पदेन, जो सभापति होगा;

(ख) शहरी योजना या वास्तुकला का ज्ञान रखने वाले दो ऐसे व्यक्ति जिनका नामनिर्देशन केंद्रीय सरकार द्वारा किया जाएगा;

(ग) दिल्ली प्रशासन की स्वास्थ्य सेवा का एक प्रतिनिधि जिसका नामनिर्देशन केंद्रीय सरकार द्वारा किया जाएगा;

(घ) दिल्ली नगर निगम के चार ऐसे प्रतिनिधि, जिनका निर्वाचन पार्षदों और पौर-मुख्यों द्वारा अपने में से किया जाएगा;

(ङ) उक्त निगम की दिल्ली विद्युत प्रदाय समिति तथा दिल्ली जल प्रदाय और मल व्ययन समिति का प्रतिनिधित्व करने के लिए दो व्यक्ति, जिनमें से :

(*i*) एक का निर्वाचन दिल्ली विद्युत प्रदाय समिति के सदस्यों द्वारा अपने में से किया जाएगा, और

(*i*) एक का निर्वाचन दिल्ली जल प्रदाय और मल व्ययन समिति के सदस्यों द्वारा अपने में से किया जाएगा;

(*iii*) दिल्ली परिवहन निगम का एक प्रतिनिधि जिसका नामनिर्देशन केंद्रीय सरकार द्वारा किया जाएगा;

(च) केंद्रीय सरकार द्वारा नामनिर्देशित किए जाने वाले तीन व्यक्ति, जिनमें से एक दिल्ली में वाणिज्य और उद्योग के हितों का प्रतिनिधित्व करेगा और एक श्रमिक के हितों का प्रतिनिधित्व करेगा;

(छ) केंद्रीय सरकार के तकनीकी विभागों से चार व्यक्ति जिनका नामनिर्देशन उस सरकार द्वारा किया जाएगा; और

(ज) संसद् के तीन सदस्य जिनमें से दो लोक सभा के सदस्य होंगे और एक राज्य सभा का सदस्य होगा, जिनका निर्वाचन क्रमशः लोक सभा के सदस्यों और राज्य सभा के सदस्यों द्वारा किया जाएगा।

- परिषद् जब भी आवश्यकता होगी, बैठक करेगी और उसको अपनी प्रक्रिया विनियमित करने की शक्ति होगी।
- निर्वाचित सदस्य परिषद् में अपने निर्वाचन की तारीख से चार वर्ष की अवधि के लिए पद धारण करेगा और वह पुनः निर्वाचन के लिए पात्र होगा : परंतु ऐसी अवधि उस समय समाप्त हो जाएगी जैसे ही वह सदस्य उस निकाय का जिससे वह निर्वाचित किया गया था, सदस्य नहीं रह जाएगा ।

समितियों का गठन

- प्राधिकरण, ऐसे प्रयोजन या प्रयोजनों के लिए पूर्णतः सदस्यों या पूर्णतः अन्य व्यक्तियों या भागतः सदस्यों या भागतः अन्य व्यक्तियों से मिलकर बनी उतनी समितियां गठित कर सकेगा जितनी वह ठीक समझे।
- इस धारा के अधीन गठित समिति ऐसे समय और स्थान पर बैठक करेगी और अपनी बैठकों में कारबार के संव्यवहार के संबंध में प्रक्रिया के ऐसे नियमों का पालन करेगी जो इस निमित्त बनाए गए विनियमों द्वारा अवधारित किए जाएं।
- किसी समिति के सदस्यों (जो प्राधिकरण के सदस्यों से भिन्न हैं) को उसकी बैठकों में उपस्थित होने के लिए और प्राधिकरण के किसी अन्य कार्य को करने के लिए ऐसी फीस और भत्ते संदत्त किए जाएंगे, जो इस निमित्त बनाए गए विनियमों द्वारा अवधारित किए जाएं।

प्राधिकरण के उद्देश्य

प्राधिकरण के उद्देश्य योजना के अनुसार दिल्ली के विकास का उन्नयन करना और उसको सुनिश्चित करना होगा तथा उस प्रयोजन के लिए प्राधिकरण को, भूमि और अन्य संपत्ति का अर्जन, धारण, प्रबंध और व्ययन करने, निर्माण, इंजीनियरी, खनन और अन्य संक्रियाएं करने, जल और विद्युत के प्रदाय, मल व्ययन और अन्य सेवाओं और सुख-सुविधाओं के संबंध में कार्य निष्पादित करने और साधारण, ऐसे विकास के प्रयोजनों के लिए तथा उसमें आनुषंगिक प्रयोजनों के लिए आवश्यक या समीचीन कोई भी बात करने की शक्ति होगी : परंतु इस अधिनियम में जैसा उपबंधित है उसके सिवाय, इस अधिनियम की किसी बात का अर्थ यह नहीं लगाया जाएगा कि वह प्राधिकरण द्वारा तत्समय प्रवृत्त किसी विधि की अवज्ञा करने की प्राधिकृत करती है।

वस्तुनिष्ठ प्रश्नोत्तर

1. दिल्ली डेवलपमेंट एक्ट किस वर्ष लागू हुआ था?
A. 1947 B. 1957
C. 1962 D. 1975

2. दिल्ली डेवलपमेंट अथॉरिटी (DDA) की स्थापना एक्ट के किस सेक्शन के तहत हुई?
A. सेक्शन 3 B. सेक्शन 4
C. सेक्शन 5 D. सेक्शन 2

3. दिल्ली डेवलपमेंट एक्ट का मुख्य उद्देश्य क्या है?
A. कर संग्रहण B. पर्यावरण संरक्षण
C. दिल्ली का नियोजित विकास D. जल प्रबंधन

4. दिल्ली के मास्टर प्लान को कौन बनाता है?
A. एनडीएमसी B. एमसीडी
C. DDA D. दिल्ली सरकार

5. एक्ट के तहत "मास्टर प्लान" का क्या अर्थ है?
A. पर्यटक गाइड
B. चुनाव रणनीति
C. दिल्ली के विकास की योजना
D. कानून प्रवर्तन योजना

6. एक्ट के तहत "डेवलपमेंट" में क्या शामिल है?
A. खनन B. निर्माण कार्य
C. कृषि D. मत्स्य पालन

7. अनधिकृत विकास पर क्या दंड है?
A. केवल जुर्माना B. केवल जेल
C. जुर्माना और/या जेल D. कोई दंड नहीं

8. DDA के सदस्यों की नियुक्ति कौन करता है?
A. भारत के राष्ट्रपति B. केंद्रीय सरकार
C. दिल्ली सरकार D. संसद

9. DDA भूमि कैसे अधिग्रहित कर सकता है?
A. केवल खरीद कर
B. केवल उपहार में
C. जबरन अधिग्रहण अधिनियम के तहत
D. केवल पट्टे पर लेकर

10. यह एक्ट किस क्षेत्र में लागू होता है?
A. पूरे भारत में
B. केवल नई दिल्ली नगरपालिका क्षेत्र में
C. राष्ट्रीय राजधानी क्षेत्र दिल्ली में
D. केवल दिल्ली छावनी क्षेत्र में

11. मास्टर प्लान की अवधि कितनी होती है?
A. 10 वर्ष B. 15 वर्ष
C. 20 वर्ष D. निर्धारित नहीं

12. मास्टर प्लान को अंतिम रूप से कौन मंजूरी देता है?
A. सुप्रीम कोर्ट B. राष्ट्रपति
C. केंद्रीय सरकार D. उपराज्यपाल

13. जोनल डैवलपमेंट प्लान किस सेक्शन के तहत बनता है?
A. सेक्शन 8 B. सेक्शन 9
C. सेक्शन 10 D. सेक्शन 11

14. जोनल डेवलपमेंट प्लान को किसका पालन करना होता है?
A. जनता की मांग B. केंद्रीय सरकार के निर्देश
C. मास्टर प्लान D. दिल्ली सरकार का नोटिफिकेशन

15. "जोनल प्लान" किस इकाई से संबंधित होता है?
A. देश B. राज्य
C. नगरपालिका वार्ड D. दिल्ली का एक निर्दिष्ट जोन

16. मास्टर प्लान में संशोधन के लिए क्या आवश्यक है?
A. न्यायिक समीक्षा
B. कोर्ट का आदेश
C. सार्वजनिक सूचना के बाद केंद्रीय सरकार की मंजूरी
D. कोई मंजूरी आवश्यक नहीं

17. किस सेक्शन के तहत DDA विकास कार्य करता है?
A. सेक्शन 9 B. सेक्शन 12
C. सेक्शन 15 D. सेक्शन 13

18. जोनल डेवलपमेंट प्लान किसके अधीन होते हैं?
A. बजट योजना B. क्षेत्रीय योजना
C. मास्टर प्लान D. राज्य योजना

19. मास्टर प्लान की समीक्षा कितने वर्ष में की जाती है?
A. 5 वर्ष B. 10 वर्ष
C. 15 वर्ष D. 20 वर्ष

20. मास्टर प्लान के प्रावधानों का उल्लंघन करने पर क्या होता है?
A. केवल नोटिस
B. कोई कार्रवाई नहीं
C. एक्ट के तहत दंडात्मक कार्रवाई
D. शहरी मंत्रालय को भेजा जाता है

21. अनधिकृत निर्माण को एक्ट के तहत कैसे माना जाता है?
A. जुर्माने योग्य
B. संगीन अपराध
C. दंडनीय अपराध
D. सेक्शन 15 के तहत अनुमति प्राप्त

22. अनधिकृत विकास को हटाने का अधिकार DDA को किस सेक्शन के तहत प्राप्त है?
A. सेक्शन 13 B. सेक्शन 14
C. सेक्शन 30 D. सेक्शन 31A

23. DDA के पास क्या शक्ति है?
A. ड्राइविंग लाइसेंस जारी करना
B. भूमि उपयोग नियंत्रित करना
C. न्यायाधीश नियुक्त करना
D. आयकर वसूलना

24. DDA की भूमि पर अनधिकृत कब्जे को कैसे हटाया जाता है?
A. केवल सिविल कोर्ट आदेश से
B. स्वयं सहायता द्वारा
C. DDA एक्ट की प्रक्रिया से
D. पुलिस कार्रवाई से

25. क्या DDA निजी डेवलपर्स को भूमि पट्टा दे सकता है?
A. हाँ, नियमों के अनुसार
B. नहीं
C. केवल विदेशी नागरिकों को
D. केवल सरकारी एजेंसियों को

26. इस एक्ट के तहत विवादों का निपटारा कौन करता है?
A. लोकसभा
B. DDA ट्रिब्यूनल
C. दिल्ली उच्च न्यायालय
D. किराया नियंत्रण बोर्ड

27. विकास कार्य के लिए क्या आवश्यक है?
A. केवल औद्योगिक विकास के लिए अनुमति
B. केवल सरकारी भवनों के लिए अनुमति
C. किसी भी विकास गतिविधि के लिए अनुमति
D. केवल कृषि गतिविधि के लिए अनुमति

28. एक्ट किस प्रकार के विकास को प्रोत्साहित करता है?
A. अनियमित निर्माण
B. बिना नियोजन के वृद्धि
C. संगठित विकास
D. मुफ्त भूमि कब्जा

29. निजी बिल्डरों द्वारा विकास कार्य के लिए क्या चाहिए?
A. पुलिस एनओसी
B. कोर्ट की मंजूरी
C. DDA की अनुमति
D. केंद्रीय सरकार का नोटिफिकेशन

30. मास्टर प्लान के खिलाफ बने भवनों का क्या होता है?
A. तुरंत नियमित किया जाता है
B. MCD द्वारा ध्वस्त किया जाता है
C. DDA एक्ट के तहत ध्वस्त किया जा सकता है
D. NDMC को सौंपा जाता है

31. निम्नलिखित में से कौन DDA का कार्य नहीं है?
A. शहरी नियोजन
B. भूमि विकास
C. अपराध जांच
D. आवास विकास

32. DDA किसको रिपोर्ट करता है?
A. भारत के राष्ट्रपति
B. दिल्ली विधानसभा
C. आवास और शहरी मामलों का मंत्रालय (MoHUA)
D. सीधे संसद

33. DDA क्या बना सकता है?
A. केवल सुझाव
B. नोटिफिकेशन
C. निर्माण नियम (Building bye-laws)
D. पुलिस सुधार

34. योजना के लिए दिल्ली को किसमें बांटा गया है?
A. क्षेत्र
B. जोन
C. राज्य
D. गांव

35. DDA कब स्थापित हुआ?
A. 1 जनवरी 1958
B. 1 अप्रैल 1962
C. 30 मार्च 1957
D. 9 सितंबर 1959

36. DDA किन संगठनों के साथ काम करता है?
A. भारतीय सेना
B. राज्य सरकारें
C. MCD, NDMC, और दिल्ली सरकार
D. भारतीय रिजर्व बैंक

37. मास्टर प्लान कितने वर्षों के लिए बनाया जाता है?
A. 10 वर्ष
B. 15 वर्ष
C. 20 वर्ष
D. 25 वर्ष

38. DDA भूमि कब कब्जा करता है?
A. मुआवजा देकर
B. बिना नोटिस के
C. केवल जब कब्जा हटाने की कार्रवाई हो
D. हमेशा पुलिस की मदद से

39. सेक्शन 14 में क्या प्रतिबंधित है?
A. सरकारी निर्माण
B. अनधिकृत भूमि उपयोग या विकास
C. बगीचा बनाना
D. आयात

40. मास्टर प्लान में बदलाव के लिए किसे सूचित किया जाता है?
A. केवल DDA सदस्यों को
B. जनता को सार्वजनिक सूचना के माध्यम से
C. केवल दिल्ली सरकार को
D. कोई सूचना आवश्यक नहीं

उत्तरमाला

1	2	3	4	5	6	7	8	9	10
B	A	C	C	C	B	C	B	C	C
11	**12**	**13**	**14**	**15**	**16**	**17**	**18**	**19**	**20**
C	C	A	C	D	C	B	C	A	C
21	**22**	**23**	**24**	**25**	**26**	**27**	**28**	**29**	**30**
C	D	B	C	A	C	C	C	C	C
31	**32**	**33**	**34**	**35**	**36**	**37**	**38**	**39**	**40**
C	C	C	B	A	C	C	A	B	B

2 दिल्ली भूमि सुधार अधिनियम, 1954
(Delhi Land Revenue Act, 1954)

संक्षिप्त नाम, विस्तार और प्रारंभ

1. इस अधिनियम को दिल्ली भूमि सुधार अधिनियम, 1954 कहा गया है।
2. इसका विस्तार सम्पूर्ण दिल्ली संघ राज्य क्षेत्र पर है, किन्तु यह निम्नलिखित पर लागू नहीं होगा :
   - A. वे क्षेत्र जो 1 नवम्बर 1956 से पहले सम्मिलित हैं या हो सकते हैं। जो पंजाब नगरपालिका अधिनियम, 1911 के उपबंधों के अधीन किसी नगर पालिका या अधिसूचित क्षेत्र में, या छावनी अधिनियम, 1924 के उपबंधों के अधीन किसी छावनी में सम्मिलित हैं।
   - B. वे क्षेत्र जो केन्द्रीय सरकार या किसी स्थानीय प्राधिकरण के स्वामित्व वाली किसी संपदा में सम्मिलित हैं, और
   - C. सार्वजनिक प्रयोजन या सार्वजनिक उपयोगिता के कार्य के लिए धारित और अधिभोगित क्षेत्र तथा मुख्य आयुक्त द्वारा ऐसा घोषित या भूमि अधिग्रहण अधिनियम, 1894 या इस अधिनियम से भिन्न किसी अन्य अधिनियम के अधीन अर्जित, जो सार्वजनिक प्रयोजन के लिए भूमि अधिग्रहण से संबंधित हो।
3. यह तुरन्त प्रभाव से लागू होगा।
4. उपधारा (2) के खंड (सी) के अधीन मुख्य आयुक्त की घोषणा इस बात पर निर्णायक साक्ष्य होगी कि भूमि सार्वजनिक प्रयोजन या सार्वजनिक उपयोगिता के कार्य के लिए धारित और अधिभोगित है।

निरसन

1. निम्नलिखित अधिनियम, जहां तक वे उन क्षेत्रों पर लागू होते हैं जिन पर यह अधिनियम लागू होता है, इसके द्वारा निरस्त किये जाते हैं :
   - पंजाब काश्तकारी अधिनियम, 1887, जैसा कि 1939 के पंजाब अधिनियम संख्या 9 द्वारा संशोधित किया गया,
   - आगरा काश्तकारी अधिनियम, 1901,
   - पंजाब काश्तकार (भूमि सुरक्षा) अधिनियम, 1950,
   - पंजाब भूमि राजस्व अधिनियम, 1887, जहां तक इसके प्रावधान इस अधिनियम के साथ असंगत हैं,
   - उत्तर प्रदेश भू-राजस्व अधिनियम, 1901, जहां तक इसके प्रावधान इस अधिनियम से असंगत हैं, तथा
   - किसी अन्य विधि या तत्समय प्रवृत्त किसी नियम का उतना भाग जो इस अधिनियम के उपबंधों से असंगत हो।
2. ऐसे निरसन के होते हुए भी, पूर्वोक्त अधिनियमों में से किसी के द्वारा या उसके अधीन प्रदत्त किसी शक्ति के प्रयोग में की गई कोई बात या कार्रवाई, इस अधिनियम के उपबंधों के संगत होने की सीमा तक, इस अधिनियम के द्वारा या उसके अधीन प्रदत्त शक्तियों के प्रयोग में की गई कोई बात या कार्रवाई समझी जाएगी मानो यह अधिनियम उस दिन प्रवृत्त था जिस दिन ऐसी बात की गई थी या ऐसी कार्रवाई की गई थी।

परिभाषाएँ

इस अधिनियम में, जब तक कि संदर्भ से अन्यथा अपेक्षित न हो,

1. "कृषि वर्ष" या फसल वर्ष का तात्पर्य 1 जुलाई को प्रारंभ होने वाला और 30 जून को समाप्त होने वाले वर्ष से है।
2. भूमि में किसी अधिकार, शीर्षक या हित के स्वामी को सूचित करने के लिए प्रयुक्त सभी शब्दों और अभिव्यक्तियों में, चाहे वह स्वामित्व संबंधी हो या अन्यथा, ऐसे स्वामी के अधिकार, शीर्षक या हित में पूर्ववर्ती और उत्तराधिकारी शामिल माने जाएंगे।
3. धर्मार्थ उद्देश्य में गरीबों की सहायता, शिक्षा, चिकित्सा सहायता या सामान्य सार्वजनिक उपयोगिता की किसी वस्तु की उन्नति शामिल है, लेकिन इसमें ऐसा उद्देश्य शामिल नहीं है जो विशेष रूप से धार्मिक शिक्षण या पूजा से संबंधित हो।
4. डिक्री का वही अर्थ होगा जो सिविल प्रक्रिया संहिता, 1908 में दिया गया है।
5. दिल्ली नगर से वे क्षेत्र अभिप्रेत हैं जो दिल्ली नगर निगम की स्थापना से ठीक पहले दिल्ली नगर पालिका, सिविल स्टेशन अधिसूचित क्षेत्र, पश्चिमी दिल्ली नगर पालिका और फोर्ट अधिसूचित क्षेत्र की सीमाओं में सम्मिलित थे।

6. उपायुक्त में शामिल हैं :
   - ❑ कलेक्टर
   - ❑ अपर कलेक्टर
   - ❑ इस अधिनियम के अधीन उपायुक्त के सभी या किन्हीं कृत्यों का निर्वहन करने के लिए मुख्य आयुक्त द्वारा राजपत्र में अधिसूचना द्वारा सशक्त किया गया राजस्व सहायक; और
   - ❑ प्रथम श्रेणी या वर्ग का सहायक कलेक्टर, जिसे पूर्वोक्त रूप में सशक्त किया गया हो।
7. आर्थिक होल्डिंग वह होल्डिंग है जो गैर-आर्थिक होल्डिंग नहीं है;
8. संपदा का अर्थ है पंजाब भूमि राजस्व अधिनियम, 1887 की धारा 31 के खंड (ए), (बी), (सी) या (डी) या यूपी भूमि राजस्व अधिनियम, 1901 की धारा 32 के तहत तैयार और बनाए गए किसी भी रजिस्टर में एक प्रविष्टि के तहत शामिल क्षेत्र, और इसमें संपत्ति या उसका हिस्सा शामिल है;
9. "ग्राम सभा क्षेत्र" निधि से इस अधिनियम की धारा 150 के अधीन गठित या स्थापित ग्राम सभा क्षेत्र की निधि अभिप्रेत है;
10. "ग्राम सभा" और "ग्राम पंचायत" से इस अधिनियम की धारा 150 और 151 के तहत स्थापित ग्राम सभा और ग्राम पंचायत अभिप्रेत है;
11. "ग्राम सभा क्षेत्र" से इस अधिनियम की धारा 150 के अधीन गठित ग्राम सभा क्षेत्र अभिप्रेत है;

11ए. "होल्डिंग" से अभिप्रेत है

A. दिल्ली अधिनियम 16, 1956 की धारा 3 द्वारा अंतःस्थापित, के संबंध में
   - ❑ भूमिदार या असामी; या
   - ❑ पंजाब काश्तकारी अधिनियम, 1887 या आगरा काश्तकारी अधिनियम, 1901 के अधीन किरायेदार या उप-किरायेदार; या
   - ❑ भूदान यज्ञ अधिनियम, 1955 के अधीन पट्टेदार, एक भू-स्वामित्व, पट्टा, अनुबंध या अनुदान के अधीन धारित भूमि का एक टुकड़ा या टुकड़े; और

B. स्वामियों के संबंध में, सिर या खुदकाश्त के रूप में धारित भूमि का एक टुकड़ा या टुकड़े।

12. "सुधार" का अर्थ है किसी होल्डिंग के संदर्भ में

(i) भूमिधर द्वारा अपने स्वयं के व्यवसाय के लिए भूमि पर निर्मित आवासीय गृह या कृषि, बागवानी या पशुपालन से संबंधित प्रयोजन के लिए भूमि पर उसके द्वारा निर्मित या स्थापित कोई अन्य निर्माण, जिसमें मत्स्यपालन और मुर्गीपालन शामिल है;

(ii) कोई भी कार्य जो होल्डिंग के मूल्य में भौतिक रूप से वृद्धि करता है और पूर्वोक्त उद्देश्य के अनुरूप है, जो यदि होल्डिंग पर निष्पादित नहीं किया जाता है, तो या तो सीधे उसके लाभ के लिए निष्पादित किया जाता है या निष्पादन के बाद, सीधे उसके लिए लाभकारी बना दिया जाता है; और इस खंड के पूर्वगामी प्रावधानों के अधीन, इसमें शामिल हैं :

A. उपर्युक्त प्रयोजनों के लिए जल की आपूर्ति या वितरण हेतु कुओं, जल चैनलों और अन्य कार्यों का निर्माण;

B. भूमि की जल निकासी के लिए या बाढ़ से या कटाव या पानी से अन्य क्षति से भूमि की सुरक्षा के लिए कार्यों का निर्माण;

C. भूमि का पुनः दावा करना, साफ करना, घेरना, समतल करना या सीढ़ीनुमा बनाना;

D. गांव की साइट के अलावा, होल्डिंग के तत्काल आसपास के क्षेत्र में, होल्डिंग के सुविधाजनक या लाभदायक उपयोग या कब्जे के लिए आवश्यक भवनों का निर्माण;

E. पूर्वोक्त प्रयोजनों के लिए जल भंडारण हेतु टैंकों का निर्माण या अन्य कार्य;

F. भूमि पर वृक्षों और उपवनों का रोपण;

G. उपर्युक्त कार्यों में से किसी का नवीकरण या पुनर्निर्माण या उनमें ऐसे परिवर्तन या परिवर्धन, जो केवल मरम्मत की प्रकृति के न हों :

यह प्रावधान है कि ऐसे जल चैनल, तटबंध, बाड़े, अस्थायी कुएं या अन्य कार्य जो किसी खातेदार द्वारा पूर्वोक्त प्रयोजनों के लिए अपनी आवश्यकताओं के सामान्य अनुक्रम में बनाए जाते हैं, सुधार नहीं माने जाएंगे;

12ए. "खुदकाश्त" से तात्पर्य ऐसी भूमि से है (सिर के अलावा) जिस पर स्वामी स्वयं या नौकरों द्वारा या भाड़े के मजदूरों द्वारा खेती करता हो

A. इस अधिनियम के प्रारंभ पर, या

B. इस अधिनियम के प्रारंभ से ठीक पहले पांच वर्ष की अवधि के दौरान किसी भी समय, चाहे वह ऐसे प्रारंभ पर खेती की गई हो या नहीं

परन्तु यह तब जबकि इस प्रकार खेती किए जाने के पश्चात् उसे किसी भी समय किसी काश्तकार को किराए पर न दिया गया हो,

13. धारा 23 और 24 को छोड़कर भूमि का अर्थ है कृषि, बागवानी या पशुपालन से संबंधित प्रयोजन के लिए धारित या अधिभोगित भूमि, जिसमें मत्स्यपालन और मुर्गीपालन भी शामिल है और इसमें शामिल हैं

A. उससे संबंधित इमारतें,

B. गाँव की आबादी,

C. ग्रोवलैंड्स,

D. गांव के चरागाह के लिए भूमि या पानी से ढकी हुई भूमि और सिंघाड़े और अन्य उपज उगाने के लिए उपयोग की जाती है या नदी के तल में भूमि और आकस्मिक या कभी-कभार खेती के लिए उपयोग की जाती है, लेकिन इसमें शामिल नहीं है - दिल्ली शहर से सटे बेल्ट या क्षेत्रों में भवन द्वारा अधिगृहीत भूमि, जिसे मुख्य आयुक्त आधिकारिक राजपत्र में अधिसूचना द्वारा अधिग्रहण के रूप में घोषित कर सकता है।

14. ''कानूनी प्रतिनिधि'' का वही अर्थ है जो सिविल प्रक्रिया संहिता 1908 में दिया गया है;

15. ''नई दिल्ली नगर'' से तात्पर्य नई दिल्ली नगर पालिका और छावनी की सीमाओं में शामिल क्षेत्रों से है।

16. ''निर्धारित'' से तात्पर्य इस अधिनियम के अंतर्गत बनाए गए नियमों द्वारा निर्धारित है।

17. ''स्वामी'' का तात्पर्य किसी संपत्ति के संबंध में ऐसा व्यक्ति है जो संपत्ति का स्वामी है, चाहे वह ट्रस्ट में हो या अपने स्वयं के लाभ के लिए हो और इसमें स्वामी के हित में वारिस और उत्तराधिकारी भी शामिल हैं।

18. ''स्वामी ग्रोव'' से तात्पर्य ग्रोव से है - स्वामी द्वारा धारित या अधिभोगित भूमि।

19. ''धार्मिक उद्देश्य'' में धार्मिक पूजा, शिक्षण या सेवा या धार्मिक अनुष्ठानों के प्रदर्शन से जुड़ा उद्देश्य शामिल है।

19ए ''राजस्व सहायक'' में प्रथम श्रेणी या वर्ग का कोई भी सहायक कलेक्टर शामिल है जिसे इस अधिनियम के तहत राजस्व सहायक के सभी या किसी भी कार्य को करने के लिए मुख्य आयुक्त द्वारा सशक्त किया गया है।

20. ''मानक एकड़'' से तात्पर्य किसी भी वर्ग की भूमि के उस क्षेत्र के माप से है जो उपज की मात्रा और मिट्टी की गुणवत्ता के संदर्भ में निर्धारित पैमाने के अनुसार साधारण एकड़ में परिवर्तित किया जा सकता है।

21. ''राज्य'' से तात्पर्य है दिल्ली संघ राज्य क्षेत्र।

22. ''अलाभकारी जोत'' का अर्थ आठ मानक एकड़ से कम की जोत है, जो स्थानीय परिस्थितियों के अनुसार, एक व्यक्ति, उसके नाबालिग बच्चों, उसकी पत्नी या उसके पति, जैसा भी मामला हो, और यदि व्यक्ति स्वयं नाबालिग है, तो उसके पिता और माता से मिलकर बने परिवार इकाई को बनाए रखने के लिए पर्याप्त नहीं है।

23. ''गांव'' से तात्पर्य किसी स्थानीय क्षेत्र से है, चाहे वह सघन हो या अन्यथा, जो दिल्ली राज्य के राजस्व अभिलेखों में गांव के रूप में दर्ज है और इसमें ऐसा कोई क्षेत्र शामिल है, जिसे मुख्य आयुक्त, राजपत्र में प्रकाशित सामान्य या विशेष आदेश द्वारा गांव घोषित करे।

24. शब्द और अभिव्यक्तियाँ, ग्रोव, ग्रोव-धारक, किराया, उपकर महोदय, किराया-मुक्त अनुदानकर्ता, भूमिधारक, पूर्व-स्वामित्व वाले किरायेदार, अधिभोगी किरायेदार, गैर-अधिभोगी किरायेदार, उप-किरायेदार, और फसलें या कोई अन्य अभिव्यक्तियाँ, जो इस अधिनियम में परिभाषित नहीं हैं और आगरा काश्तकारी अधिनियम, 1901 या पंजाब काश्तकारी अधिनियम, 1887 में प्रयुक्त हैं, उनका वही अर्थ होगा जो उन्हें आगरा काश्तकारी अधिनियम, 1901 या पंजाब काश्तकारी अधिनियम, 1887 में दिया गया है, जैसा कि संदर्भ शाहदरा या शेष हलकों को संदर्भित करता है।

25. शब्द और अभिव्यक्तियाँ, भू-राजस्व और तहसीलदार, जो इस अधिनियम में परिभाषित नहीं हैं और उत्तर प्रदेश भू-राजस्व अधिनियम, 1901 या पंजाब राजस्व अधिनियम, 1887 में प्रयुक्त हैं, का वही अर्थ होगा जो उन्हें उन अधिनियमों में दिया गया है, जैसा भी मामला हो।

वस्तुनिष्ठ प्रश्नोत्तर

1. दिल्ली भूमि राजस्व अधिनियम किस वर्ष लागू हुआ?

A. 1947 B. 1954
C. 1960 D. 1975

2. इस अधिनियम का मुख्य उद्देश्य क्या है?

A. भूमि का विनियमन और राजस्व वसूलना
B. पुलिस प्रशासन
C. स्वास्थ्य सेवाएं
D. परिवहन व्यवस्था

3. ''भूमि'' शब्द के अंतर्गत क्या आता है?

A. केवल खेती योग्य भूमि
B. जमीन, भवन और संसाधन
C. केवल जंगल
D. नदी और जल स्रोत

4. अधिनियम के तहत राजस्व अधिकारी का सबसे उच्च पद कौन-सा होता है?

A. पटवारी B. तहसीलदार
C. उपायुक्त D. मुखिया

5. दिल्ली में भूमि का राजस्व किसके द्वारा वसूला जाता है?
A. पुलिस अधिकारी B. राजस्व अधिकारी
C. नगर निगम D. राज्य सरकार

6. इस अधिनियम के अंतर्गत भूमि की मालिकाना हक की पहचान कौन करता है?
A. DDA B. राजस्व अधिकारी
C. पुलिस D. केंद्रीय सरकार

7. "पोट्टा" क्या होता है?
A. भूमि का नक्शा
B. भूमि का मालिकाना अधिकार पत्र
C. भूमि का उपयोग प्रमाणपत्र
D. भूमि के लिए कर रसीद

8. भूमि का रिकॉर्ड रखने का कार्य किसका होता है?
A. पटवारी B. थाना प्रभारी
C. तहसीलदार D. पंचायत सदस्य

9. राजस्व वसूली के लिए नोटिस जारी करना आवश्यक है?
A. हाँ B. कभी-कभी
C. नहीं D. जनता की मांग पर

10. यदि कोई व्यक्ति भूमि राजस्व नहीं देता है तो क्या हो सकता है?
A. कोई कार्रवाई नहीं B. जुर्माना और जब्ती
C. केवल जुर्माना D. केवल चेतावनी

11. तहसीलदार का मुख्य कर्तव्य क्या है?
A. भूमि का सर्वेक्षण और राजस्व वसूली
B. पुलिस निरीक्षण
C. सड़क निर्माण
D. विद्यालय प्रबंधन

12. भूमि की अवैध कब्जेदारी को कौन समाप्त करता है?
A. पुलिस B. राजस्व अधिकारी
C. नगर निगम D. न्यायालय

13. पटवारी का काम है :
A. भूमि का निरीक्षण और रिकॉर्ड रखना
B. कर वसूली
C. पुलिस जांच
D. सड़क निर्माण

14. भूमि के लिए पुनः निर्धारण (Reassessment) कब किया जाता है?
A. हर साल B. जब भी आवश्यक हो
C. कभी नहीं D. केवल चुनाव के समय

15. जमीन का अधिग्रहण किसके द्वारा किया जाता है?
A. राजस्व अधिकारी
B. केंद्रीय सरकार
C. राज्य सरकार या संबंधित प्राधिकारी
D. पुलिस

16. भूमि के स्वामित्व का प्रमाण पत्र क्या कहलाता है?
A. पट्टा B. खसरा
C. रसीद D. रजिस्ट्रेशन

17. भूमि विवादों का निपटारा कहां होता है?
A. राजस्व न्यायालय B. जिला कोर्ट
C. सुप्रीम कोर्ट D. लोक अदालत

18. पटवारी भूमि का क्या विवरण रखता है?
A. भूमि के मालिक, क्षेत्रफल और उपयोग
B. केवल मालिक का नाम
C. केवल क्षेत्रफल
D. केवल उपयोग

19. राजस्व वसूली की देय तारीख क्या कहलाती है?
A. फाइनल डेट B. वसूली अवधि
C. अंतिम तिथि D. राजस्व तिथि

20. राजस्व अधिनियम में "खसरा" का क्या मतलब है?
A. भूमि का नक्शा B. भूमि के खंडों का विवरण
C. भूमि कर का बिल D. सरकारी दस्तावेज

21. अवैध कब्जे को खत्म करने की प्रक्रिया कौन निर्धारित करता है?
A. पुलिस विभाग B. राजस्व अधिकारी
C. न्यायालय D. नगर निगम

22. भूमि के लिए नोटिस किसके द्वारा दिया जाता है?
A. तहसीलदार B. पटवारी
C. उपायुक्त D. जिला अधिकारी

23. राजस्व वसूली में असमर्थता पर क्या कार्रवाई होती है?
A. केवल नोटिस जारी B. जुर्माना और जब्ती
C. कोई कार्रवाई नहीं D. भूमि का पुनः वितरण

24. राजस्व अधिकारियों के निर्णय के खिलाफ अपील कहां की जाती है?
A. जिला न्यायालय
B. उच्च न्यायालय
C. उपराजस्व अधिकारी के पास
D. सुप्रीम कोर्ट

25. पटवारी की नियुक्ति कौन करता है?
A. केंद्रीय सरकार B. राज्य सरकार
C. स्थानीय पंचायत D. उपायुक्त

26. राजस्व रिकॉर्ड का अपडेशन कब किया जाता है?
A. समय-समय पर B. केवल साल के अंत में
C. कभी नहीं D. चुनाव के बाद

27. राजस्व अधिनियम के तहत भूमि के उपयोग में बदलाव करने के लिए क्या चाहिए?
A. तहसीलदार की अनुमति
B. पटवारी की मंजूरी
C. न्यायालय का आदेश
D. उपराजस्व अधिकारी की अनुमति

28. भूमि का सर्वेक्षण किसके द्वारा किया जाता है?
A. राजस्व विभाग B. पुलिस विभाग
C. नगर निगम D. स्थानीय पंचायत

29. भूमि अधिग्रहण के लिए मुआवजा किसके द्वारा दिया जाता है?
A. राज्य सरकार B. केंद्र सरकार
C. जिला अधिकारी D. तहसीलदार

30. दिल्ली भूमि सुधार अधिनियम, 1954 किस उद्देश्य से लागू किया गया था?
A. औद्योगिक विकास
B. किसानों के अधिकारों की सुरक्षा और भूमि का पुनर्वितरण
C. शहरीकरण को बढ़ावा देना
D. पर्यावरण संरक्षण

31. इस अधिनियम के अंतर्गत 'भूमिधर' किसे कहा गया है?
A. पटवारी
B. सरकारी अधिकारी
C. वह व्यक्ति जो किसी भूमि का वैध स्वामी हो
D. किरायेदार

32. धारा 33 किस विषय से संबंधित है?
A. भूमि के उत्तराधिकार B. भूमि पर कब्जा
C. भूमि का अवैध उपयोग D. भूमि का हस्तांतरण या बिक्री

33. धारा 81 क्या कहती है?
A. विवाह का अधिकार
B. कृषि भूमि का गैर-कृषि उपयोग करने पर भूमि जब्ती
C. सरकारी मुआवजा
D. वन अधिकार

34: निम्नलिखित में से कौन-सी धारा उत्तराधिकार से संबंधित है?
A. धारा 50 B. धारा 81
C. धारा 33 D. धारा 60

35. धारा 50(A) में किस प्रकार के उत्तराधिकार का उल्लेख है?
A. मुस्लिम पर्सनल लॉ B. पितृसत्तात्मक उत्तराधिकार
C. पुत्रवर्ती अधिकार D. मातृसत्तात्मक उत्तराधिकार

36. दिल्ली भूमि सुधार अधिनियम, 1954 को किस अनुसूची में शामिल किया गया है, जिससे इसे न्यायिक समीक्षा से सुरक्षा प्राप्त है?
A. प्रथम B. द्वितीय
C. नवमी (9वीं) D. बारहवीं

37. किस न्यायालय ने धारा 50(A) को संवैधानिक घोषित किया है?
A. दिल्ली हाई कोर्ट B. सुप्रीम कोर्ट
C. पटियाला हाउस कोर्ट D. लोक अदालत

38. भूमिधर को भूमि का क्या अधिकार होता है?
A. केवल उपयोग
B. किराए पर देना
C. पूर्ण स्वामित्व और उत्तराधिकार
D. कोई अधिकार नहीं

39. यदि कोई व्यक्ति कृषि भूमि का उपयोग आवासीय निर्माण के लिए करता है, तो कौन-सी धारा लागू होगी?
A. धारा 33 B. धारा 50
C. धारा 81 D. धारा 2

40. धारा 33 के अनुसार, कितनी न्यूनतम भूमि बची रहनी चाहिए ताकि विक्रेता बिक्री कर सके?
A. 2 एकड़ B. 5 एकड़
C. 8 एकड़ D. 10 एकड़

उत्तरमाला

1	2	3	4	5	6	7	8	9	10
B	A	B	C	B	B	B	A	A	B
11	**12**	**13**	**14**	**15**	**16**	**17**	**18**	**19**	**20**
A	B	A	B	C	A	A	A	C	B
21	**22**	**23**	**24**	**25**	**26**	**27**	**28**	**29**	**30**
B	C	B	C	B	A	D	A	A	B
31	**32**	**33**	**34**	**35**	**36**	**37**	**38**	**39**	**40**
C	D	B	A	B	C	B	C	C	C

3 भारत में भूमि सुधार (Land Reforms in India)

भारत में भूमि सुधार भूमि स्वामित्व में गहरी जड़ें जमाए बैठी असमानताओं को दूर करने और सामाजिक न्याय को बढ़ावा देने के लिए शुरू किए गए थे। आज़ादी के बाद, इन उपायों का ध्यान ज़मींदारी जैसी शोषण कारी व्यवस्थाओं को समाप्त करने, अतिरिक्त भूमि को भूमिहीनों में पुनर्वितरित करने और किसानों को सुरक्षित काश्तकारी अधिकार प्रदान करने पर केंद्रित था। हाशिए पर पड़े समुदायों को सशक्त बनाकर और कृषि संसाधनों तक समान पहुँच सुनिश्चित करके, इन सुधारों का उद्देश्य एक अधिक समावेशी कृषि अर्थव्यवस्था का निर्माण करना और ग्रामीण गरीबी को कम करना था।

हालाँकि, अप्रभावी कार्यान्वयन, ज़मींदारों के प्रतिरोध और अपर्याप्त भूमि अभिलेख प्रबंधन जैसी चुनौतियों के कारण भूमि सुधारों की सफलता असमान रही है। हालाँकि इन सुधारों ने कई ग्रामीण क्षेत्रों का कायाकल्प किया, लेकिन लगातार असमानताएँ और अक्षमताएँ समान भूमि वितरण सुनिश्चित करने के लिए निरंतर प्रयासों की आवश्यकता को उजागर करती हैं।

भारत में भूमि सुधार अवलोकन

भारत में भूमि सुधार, भूमि के असमान वितरण को दूर करने और भूमिहीनों को भूमि का पुनर्वितरण, स्वामित्व का विनियमन और काश्तकारी की स्थितियों में सुधार करके सामाजिक न्याय सुनिश्चित करने के उद्देश्य से किए गए उपायों की एक श्रृंखला है। ये भूमि सुधार, जमींदारी और रैयतवाड़ी व्यवस्था जैसी शोषणकारी औपनिवेशिक कृषि प्रणालियों के ऐतिहासिक संदर्भ से प्रभावित थे, जिन्होंने बिचौलियों का एक वर्ग बनाया था और किसानों को निर्वाह की स्थिति में छोड़ दिया था।

- **स्वतंत्रता के बाद भूमि सुधार :** भारत में भूमि सुधार मुख्य रूप से राज्य के नेतृत्व में थे और ऊपर से नीचे तक के दृष्टिकोण का पालन किया गया, जो पंचवर्षीय योजनाओं के तहत राष्ट्रीय नीतियों के साथ संरेखित था।
- **भूमि सुधार में राज्य और केंद्र की भूमिका :** भूमि सुधार राज्य का विषय है, राज्य विशिष्ट आवश्यकताओं के आधार पर नीतियां बनाते हैं, जो हरित क्रांति के दौरान शुरू की गई केंद्रीय रूपरेखाओं द्वारा निर्देशित होती हैं।
- **सरकारी एजेंडा :** हालांकि तेलंगाना और भूदान आंदोलनों जैसी पहलों ने कुछ स्थानीय योगदान दिया, लेकिन व्यापक एजेंडा ग्रामीण भारत में शोषण को कम करने और आर्थिक विकास और राजनीतिक स्थिरता को बढ़ावा देने के सरकारी प्रयासों से प्रेरित था।

भारत में भूमि सुधारों की पृष्ठभूमि

भारत में भूमि सुधारों की पृष्ठभूमि अंग्रेजों द्वारा स्थापित औपनिवेशिक कृषि प्रणालियों में देखी जा सकती है, जिसने ग्रामीण आबादी को हाशिए पर और शोषित छोड़ दिया। स्वतंत्रता के बाद, इन ऐतिहासिक मुद्दों ने भारत सरकार को सामाजिक-आर्थिक असमानताओं को दूर करने और सामाजिक न्याय को बढ़ावा देने के उद्देश्य से भूमि सुधार शुरू करने के लिए प्रेरित किया।

स्वतंत्रता-पूर्व काल

भारत में स्वतंत्रता-पूर्व भूमि सुधार ब्रिटिश औपनिवेशिक प्रशासन के आर्थिक और राजनीतिक लक्ष्यों से प्रभावित थे। ब्रिटिश भारत में भू-राजस्व प्रणालियाँ, जिनमें जमींदारी, रैयतवाड़ी और महालवारी प्रणालियाँ शामिल थीं, कृषि अर्थव्यवस्था से राजस्व प्राप्त करने के लिए बनाई गई थीं, जिससे अक्सर किसानों का शोषण और दरिद्रता बढ़ती थी।

- **जमींदारी प्रथा (1793):** भूमि का स्वामित्व स्थानीय कर संग्रहकर्ता को दे दिया गया और कृषक अपने खेतों में केवल किरायेदार बन गए।
- **रैयतवाड़ी व्यवस्था (1820):** किसी भी मध्यस्थ स्वामी को मान्यता नहीं दी गई थी और वास्तविक किसानों को अपनी भूमि पर संपत्ति का वंशानुगत और हस्तांतरणीय अधिकार दिया गया था।
- **महालवारी व्यवस्था (1822):** राज्य ग्राम समुदाय के साथ समझौते करता था। ऐसी प्रत्येक वित्तीय इकाई को 'महल' कहा जाता था और सामूहिक स्वामित्व अधिकारों को कुछ मान्यता दी जाती थी ।

स्वतंत्रता के बाद का काल

आजादी के बाद, भारतीय राष्ट्रीय कांग्रेस ने देश में प्रचलित कृषि संबंधों का अध्ययन करने के लिए जे.सी. कुमारप्पा की अध्यक्षता में कृषि सुधार समिति का गठन किया। समिति की सिफारिशों के आधार पर,

राज्यों ने 1950 के दशक में बिचौलिए काश्तकारों को समाप्त करने के लिए कानून बनाए।

- **भूदान और ग्रामदान आंदोलन (1951):** इसे आंध्र प्रदेश में आचार्य विनोबा भावे द्वारा शुरू किया गया था, और इसका उद्देश्य भूमि मालिक वर्गों से अपनी अतिरिक्त भूमि गरीबों को दान करने की अपील करना था। इसने भूमिहीनता के मुद्दे के बारे में जागरूकता पैदा की और इसे सार्वजनिक चर्चा में सबसे आगे लाया।
- **ग्रामदान का उदय (1955):** इसकी शुरुआत भी विनोबा भावे द्वारा स्वशासित और आत्मनिर्भर ग्राम समुदायों की स्थापना के लिए की गई थी, जहां भूमि सहित संसाधनों का सामूहिक स्वामित्व और प्रबंधन होगा।
- **पंचवर्षीय योजनाएं (एफवाईपी) :** एफवाईपी द्वारा निर्धारित भूमि नीति का मूल उद्देश्य आर्थिक विकास और राजनीतिक स्थिरता के लिए एक ढांचा प्रदान करना था।

  इसका उद्देश्य अतीत से विरासत में मिली कृषि संरचना से उत्पन्न कृषि उत्पादन में ऐसी बाधाओं को दूर करना और कृषि प्रणाली के भीतर शोषण और सामाजिक अन्याय के सभी तत्वों को समाप्त करना था।

भारत में भूमि सुधारों के उद्देश्य

भारत जैसी कृषि प्रधान अर्थव्यवस्था में, जहाँ भूमि की कमी और असमानता के साथ-साथ व्यापक ग्रामीण गरीबी भी थी, स्वतंत्रता प्राप्ति के बाद भूमि सुधार एक महत्वपूर्ण प्राथमिकता बन गए। भारत में भूमि सुधारों के मुख्य उद्देश्य निम्नलिखित हैं :

- **सामाजिक न्याय :** सामंतवाद का उन्मूलन, भूमिहीनों को भूमि हस्तांतरित करना तथा सामाजिक और आर्थिक समानता को बढ़ावा देना।
- **कृषि उत्पादकता में वृद्धि :** इसकी क्षमता को अधिकतम करने के लिए कुशल खेती के लिए भूमि आवंटित करना।
- **गरीबी उन्मूलन :** भूमिहीनों को भूमि वितरित करना ताकि उनकी सामाजिक-आर्थिक स्थिति में सुधार हो और ग्रामीण गरीबी कम हो।
- **किरायेदारी सुधार :** किरायेदारों के अधिकारों की रक्षा करना, किरायेदारी की सुरक्षा सुनिश्चित करना, उचित किराया निर्धारित करना और अन्यायपूर्ण बेदखली पर रोक लगाना।
- **भूमि जोत समेकन :** कृषि उत्पादन और खेती की दक्षता में सुधार करना तथा भूमि विखंडन से बचना।
- **उन्नत सामाजिक-आर्थिक स्थितियाँ :** इनका उद्देश्य ग्रामीण गरीबी को कम करना, किरायेदार सुरक्षा में सुधार करना, अधिक समतापूर्ण समाज का निर्माण करना और कृषि उत्पादकता को बढ़ाना भी था।

भारत में भूमि सुधार के घटक

भारत में भूमि सुधारों के घटकों में कृषि संरचना में बदलाव लाने के उद्देश्य से किए गए कई विधायी और प्रशासनिक उपाय शामिल हैं। इन सुधारों का उद्देश्य भूमि असमानता को दूर करना, कृषि उत्पादकता बढ़ाना और ग्रामीण आबादी की सामाजिक-आर्थिक स्थिति में सुधार लाना था। भारत में भूमि सुधारों के प्रमुख घटक इस प्रकार हैं :

- **बिचौलियों का उन्मूलन :** मध्यस्थ काश्तकारों को समाप्त करने के उद्देश्य से विधायी उपाय 1950 के जमींदारी उन्मूलन और भूमि सुधार अधिनियम के अधिनियमन के साथ शुरू हुए।
- **जमींदारी उन्मूलन अधिनियम के प्रमुख तत्व :** जमींदारी उन्मूलन अधिनियम भारत की भूमि सुधार प्रक्रिया में एक महत्वपूर्ण कदम था, जिसका उद्देश्य शोषणकारी मध्यस्थ प्रणाली को समाप्त करना और किसानों द्वारा भूमि पर प्रत्यक्ष स्वामित्व को बढ़ावा देना था। इसने जमींदारों और जाग़ीरदारों के सभी अधिकारों को समाप्त कर दिया और भूमि के आगे अधिग्रहण पर प्रतिबंध लगा दिया।
- **भूस्वामियों को मुआवजा :** मध्यस्थ पट्टेदारी के उन्मूलन से भूस्वामियों को मुआवजा भुगतान प्रभावित हुआ।
- **किसानों के लिए राहत :** किसानों के विशाल समूह को नकदी, वस्तु और सेवाओं के रूप में सभी अवैध वसूली से मुक्त कर दिया गया।
- **भूमि अभिलेखों का निर्माण :** इन क्षेत्रों में भूमि अभिलेख बनाए गए तथा सर्वेक्षण एवं बंदोबस्त किए गए।
- **जोतों का सीमांकन :** जोतों का सीमांकन व्यक्ति को एक इकाई मानकर किया गया।

चुनौतियाँ

बिचौलियों को हटाने से राज्य की वित्तीय स्थिति पर दबाव पड़ा और उन्हें भारी मुआवजा देना पड़ा। पूर्व जमींदारों ने नियंत्रण बनाए रखा, जिससे कई किरायेदारों को बेदखल होना पड़ा। अप्रत्यक्ष जमींदारों का दबदबा बढ़ा, जिससे जमीन के मालिकाना हक की समस्याएँ और बिगड़ गईं।

किरायेदारी सुधार

भारत में काश्तकारी सुधारों का उद्देश्य भूमि के पट्टे, उच्च किराए और काश्तकारी की असुरक्षा से संबंधित मुद्दों का समाधान करना था। ये सुधार तीन महत्वपूर्ण दिशानिर्देशों पर केंद्रित थे :

- **किराया :** किराया कुल उपज के पाँचवें से एक-चौथाई से अधिक नहीं होना चाहिए। इसका उद्देश्य किरायेदारों के लिए न्याययुक्त और उचित किराया सुनिश्चित करना था।
- **काश्तकारी की सुरक्षा :** कुछ विशिष्ट परिस्थितियों को छोड़कर, सभी काश्तकारों को गैर-पुनर्प्राप्ति योग्य और स्थायी घोषित

किया जाना चाहिए। इस दिशानिर्देश का उद्देश्य काश्तकारों को सुरक्षा प्रदान करना, उन्हें भूमि में सुधार करने और उपज का उचित हिस्सा प्राप्त करने की अनुमति देना था।

- **स्वामित्व अधिकार :** गैर-पुनर्ग्रहण योग्य भूमि के मामले में, किरायेदारों को स्वामित्व अधिकार प्रदान करके मकान मालिक-किरायेदार संबंध समाप्त किया जाना चाहिए। इस दिशानिर्देश का उद्देश्य अप्रत्यक्ष जमींदारी प्रथा को समाप्त करना और किरायेदारों को स्वामित्व अधिकार प्रदान करना था।

चुनौतियाँ

किरायेदारों के लिए पूर्ण सुरक्षा सुनिश्चित करने में विफलता के लिए अधिनियम में कमियों, उचित भूमि अभिलेखों की अनुपस्थिति, कमजोर प्रशासनिक तंत्र आदि को जिम्मेदार ठहराया गया है। जहां पर काश्तकारी समाप्त कर दी गई है, वहां पर निजी खेती की आड़ में गुप्त काश्तकारी की जा रही है।

हरित क्रांति रणनीति से लाभान्वित होने वाले क्षेत्रों में रिवर्स टेनेंसी बढ़ रही है, क्योंकि छोटे भू-स्वामियों के पास विकसित प्रौद्योगिकी के साथ कोई तालमेल नहीं है, जिसके कारण वे कृषि मजदूरों तक सीमित हो गए हैं।

भूमि जोत की अधिकतम सीमा

भूमि के स्वामित्व में असमानता की सीमा को कम करने के लिए भूमि हदबंदी कानून को दो चरणों में लागू किया गया।

- **चरण 1 : पूर्व-संशोधित सीलिंग कानून (1960-1972):** दूसरी पंचवर्षीय योजना के दौरान, परिवारों या व्यक्तियों पर सीलिंग कानून लागू करने को लेकर बहस छिड़ गई। परिवारों के भीतर भूमि हस्तांतरण अक्सर विधायी लक्ष्यों के विपरीत होता था। विभिन्न सीलिंग कानूनों से उत्पन्न असमानताओं को संतुलित करना एक चुनौती थी।
- **चरण II : राष्ट्रीय दिशानिर्देशों के बाद संशोधित सीलिंग कानून (1972) :** केंद्रीय भूमि सुधार समिति, 1971 ने इसकी अप्रभाविता, कृषक उपद्रव और कृषि उत्पादन की मांगों के कारण सीलिंग कानून की समीक्षा की। इसने भावी भूमि सीमा कानून के लिए राष्ट्रीय दिशानिर्देश निर्धारित किये।
- **कार्यान्वयन और प्रगति :** राज्यों में सीलिंग कानूनों का कार्यान्वयन अलग-अलग था, और अधिकांश कानूनों को भारतीय संविधान की नौवीं अनुसूची में शामिल किया गया, जिससे कानूनी चुनौतियों के खिलाफ प्रतिरक्षा प्रदान की गई।
- **छूट की निरंतर चुनौतियां :** संशोधनों के बावजूद, भूमि की कुछ श्रेणियां अधिकतम सीमा से मुक्त रहीं, जिससे इन छूट प्राप्त श्रेणियों को भूमि के हस्तांतरण के माध्यम से कर चोरी के अवसर पैदा हुए। भूमि सुधार मामलों के संबंध में सिविल न्यायालयों का क्षेत्राधिकार वर्जित कर दिया गया था क्योंकि 1990 में इन्हें संविधान की नौवीं अनुसूची में शामिल कर दिया गया था।

भारत में भूमि सुधारों का प्रभाव

भारत में भूमि सुधारों ने बिचौलियों की शक्ति को समाप्त करके और किसानों के बीच प्रत्यक्ष भूमि स्वामित्व को बढ़ावा देकर कृषि संरचना को बदलने में महत्वपूर्ण प्रभाव डाला। परिणामस्वरूप, इन सुधारों के निम्नलिखित परिणाम सामने आए, जिन्होंने ग्रामीण भारत के कृषि और सामाजिक परिदृश्य को आकार दिया।

- **उत्पादकता में वृद्धि :** भूमि के स्वामित्व और वितरण की सुरक्षा के परिणामस्वरूप भूमि के निवासी इसके विकास में रुचि ले रहे हैं और इसकी उत्पादकता में वृद्धि कर रहे हैं।
- **संरक्षित काश्तकारी दर्जा :** काश्तकारी की समाप्ति, हरित क्रांति के तहत काश्तकारों की बेदखली, काश्तकारों द्वारा भूमि समर्पण, तथा काश्तकारों द्वारा काश्तकारी भूमि की खरीद के संबंध में कानून में प्रावधान करके इसे मजबूत किया गया है।
- **भूमि पर कब्जा :** भूमि न केवल आर्थिक लाभ प्रदान करती है, बल्कि सामाजिक प्रतिष्ठा भी प्रदान करती है। भूमि सुधारों ने जोतों का रिकॉर्ड रखना अनिवार्य कर दिया, जो पहले वैकल्पिक था।
- **भूस्वामियों पर वित्तीय बोझ :** भूस्वामियों, विशेष रूप से अनुपस्थित भूस्वामियों को भारी व्यय करना पड़ा है तथा सीलिंग कानूनों से बचने के लिए कानूनी पेशेवरों और नौकरशाही की सहायता लेनी पड़ी है।

भारत में भूमि सुधारों की कमियाँ

भारत में भूमि सुधारों ने जहाँ महत्वपूर्ण बदलाव लाए हैं, वहीं कई कमियाँ भी सामने आई हैं जिनके कारण इनका पूर्ण कार्यान्वयन और प्रभावशीलता बाधित हुई है। कमज़ोर राजनीतिक इच्छाशक्ति से लेकर क़ानूनी खामियों तक, इन चुनौतियों ने कृषि ढाँचे पर भूमि सुधारों के अपेक्षित प्रभाव को बाधित किया है।

- **दृढ़ राजनीतिक इच्छाशक्ति का अभाव :** चूंकि भूमि सुधार राज्य का विषय है, इसलिए केंद्र सरकार की भूमिका व्यापक दिशानिर्देश विकसित करने और राज्य सरकारों को उन्हें क्रियान्वित करने के लिए राजी करने तक ही सीमित थी। अधिकांश राज्यों में कानून को लागू करने के लिए राज्य सरकार की राजनीतिक इच्छाशक्ति कमजोर थी, तथा नौकरशाही भी काफी हद तक उदासीन थी।

- **भूमि अभिलेख :** भूमि सुधारों का सफल कार्यान्वयन सटीक और अद्यतन भूमि अभिलेखों पर अत्यधिक निर्भर करता है। कई राज्यों में, भूमि अभिलेखों का पर्याप्त रखरखाव नहीं किया गया है।
- **भूमि वितरण में खामियां :** भूमि वितरण और लाभार्थियों द्वारा वास्तविक कब्जे के बीच अभी भी एक महत्वपूर्ण अंतर है; जो भौतिक रोकथाम और मुकदमेबाजी से बाधित है (भूमिहीन मजदूरों और गरीब किसानों जैसे लाभार्थी इसे वहन नहीं कर सकते हैं)।
- **जनजातीय भूमि का संरक्षण :** सभी अनुसूचित क्षेत्रों में जनजातीय लोगों से गैर-जनजातीय लोगों को भूमि हस्तांतरण कानून द्वारा निषिद्ध था। हालाँकि, कई कानूनी खामियों और प्रशासनिक त्रुटियों के कारण, आदिवासियों का अपनी भूमि से अलगाव बड़े पैमाने पर जारी रहा।
- **बेनामी भूमि की पहचान :** यह कानून से बचने के लिए किसी अन्य नाम से रखी गई भूमि है। यह केवल प्रशासन के प्रयासों से संभव नहीं है। इसके लिए लाभार्थियों के स्थानीय संगठनों या भूमि वितरण के लाभार्थियों के हितों का प्रतिनिधित्व करने वाले संगठनों का सहयोग आवश्यक है।
- **भूमि का दुर्भावनापूर्ण हस्तांतरण :** भूमि की अधिकतम सीमा को नियंत्रित करने वाले नियमों से बचने के लिए, जमींदारों ने परिवार के सदस्यों या रिश्तेदारों को बड़े पैमाने पर भूमि हस्तांतरित की है। इस तरह के दुर्भावनापूर्ण लेन-देन से कृषि के परिचालन पहलू में कोई बदलाव नहीं आता।

वस्तुनिष्ठ प्रश्नोत्तर

1. भूमि सुधार का मुख्य उद्देश्य क्या है?
A. भूमि का औद्योगीकरण
B. भूमि का न्यायसंगत वितरण
C. भूमि का विलुप्तिकरण
D. भूमि का विनियमन

2. भारत में भूमि सुधार की शुरुआत किस वर्ष से मानी जाती है?
A. 1947 B. 1950
C. 1951 D. 1960

3. भूमि सुधार का सबसे महत्वपूर्ण अंग कौन-सा है?
A. भूमि अधिग्रहण B. जमींदारी प्रथा का अंत
C. औद्योगिक विकास D. शिक्षा सुधार

4. भारत में भूमि सुधार की शुरुआत किसने की?
A. ब्रिटिश सरकार B. स्वतंत्र भारत सरकार
C. राज्य सरकारें D. स्थानीय निकाय

5. निम्न में से कौन-सा भूमि सुधार का घटक नहीं है?
A. जोतों की चकबंदी
B. भूमि सीमा अधिनियम
C. बिचौलियों का उन्मूलन
D. व्यापार करों का समायोजन

6. भारत में भूमि सुधार के अंतर्गत क्या शामिल है?
A. भूमि अधिग्रहण
B. जमींदारी उन्मूलन
C. भूमिहीन किसानों को भूमि देना
D. उपरोक्त सभी

7. भारतीय संविधान के किस अनुच्छेद में भूमि सुधार के लिए प्रावधान है?
A. अनुच्छेद 19 B. अनुच्छेद 31A
C. अनुच्छेद 45 D. अनुच्छेद 300A

8. जमींदारी प्रथा का अंत सबसे पहले किस राज्य में हुआ?
A. उत्तर प्रदेश B. बिहार
C. मद्रास (तमिलनाडु) D. पंजाब

9. भारत में भूमिहीन किसानों को भूमि देने की योजना को क्या कहा जाता है?
A. भूमि अधिग्रहण B. वितरण योजना
C. पुनर्वितरण योजना D. भू-राजस्व योजना

10. भूमि सुधार से किसे लाभ मिलता है?
A. जमींदार B. भूमिहीन किसान
C. उद्योगपति D. व्यापारी

11. जमींदारी प्रथा का अंत करने को क्या कहा जाता है?
A. भूमिसुधार B. जमींदारी उन्मूलन
C. भूमि पुनर्वितरण D. भूमि अधिग्रहण

12. भूमिहीन किसानों को भूमि देना किस श्रेणी में आता है?
A. भूमि अधिग्रहण B. भूमि पुनर्वितरण
C. भूमि संरक्षण D. भूमि सुधार नहीं

13. भारत में सबसे प्रभावी भूमि सुधार योजना कौन सी मानी जाती है?
A. जमींदारी प्रथा का अंत
B. भू-अधिग्रहण
C. भूमिहीनों को भूमि वितरण
D. भूमि का परिसीमन

14. कृषि भूमि के अधिग्रहण का उद्देश्य क्या होता है?
A. औद्योगिक विकास
B. भूमि पुनर्वितरण
C. जमींदार को फायदा देना
D. भूमिहीनों को भूमि देना

15. भूमि सीमा अधिनियम (Land Ceiling Act) का क्या उद्देश्य है?
A. कृषि भूमि को औद्योगिक भूमि में बदलना
B. किसी व्यक्ति के पास अधिकतम भूमि की सीमा तय करना
C. भूमि का निजीकरण बढ़ाना
D. भूमि करों को समाप्त करना

16. भूमि सुधार के दौरान अधिग्रहित भूमि किसे वितरित की जाती है?
A. उद्योगपतियों को   B. भूमिहीन और लघु किसानों को
C. जमींदारों को   D. सरकार को

17. भूमि सुधार के अंतर्गत "भूमि परिसीमन" का क्या अर्थ है?
A. भूमि का मापन और सीमांकन
B. भूमि का अधिग्रहण
C. भूमि का पुनर्वितरण
D. भूमि का वाजिब उपयोग

18. भूमि सुधार से संबंधित कानून बनाना किसका अधिकार है?
A. केंद्र सरकार   B. राज्य सरकारें
C. स्थानीय निकाय   D. संसद

19. भूमि सुधार के अंतर्गत भूमिहीनों को पट्टा देने की प्रक्रिया को क्या कहा जाता है?
A. पट्टादान   B. पट्टा संपत्ति
C. पट्टा नवीनीकरण   D. पट्टा हस्तांतरण

20. भूमि सुधार के अंतर्गत "स्मॉल फार्म" किसे कहा जाता है?
A. 5 हेक्टेयर से अधिक भूमि
B. 1 हेक्टेयर से कम भूमि
C. 2 से 5 हेक्टेयर भूमि
D. कोई सीमा नहीं

21. भारत में सबसे पहले जमींदारी प्रथा का अंत किस संविधान संशोधन द्वारा हुआ?
A. 1वां संशोधन   B. 4था संशोधन
C. 15वां संशोधन   D. 42वां संशोधन

22. भूमि सुधार अधिनियम के तहत जमींदारों का क्या अधिकार खत्म किया गया?
A. भूमि पर कब्जा
B. भूमि किराएदारों पर कर वसूली का अधिकार
C. भूमि का खरीद
D. भूमि का उपभोग

23. भारत में भूमि सुधार की योजना का क्रियान्वयन किसके द्वारा होता है?
A. केंद्र सरकार   B. राज्य सरकारें
C. स्थानीय निकाय   D. न्यायपालिका

24. भारत में भूमि सुधार अधिनियम किस स्तर पर लागू होता है?
A. राष्ट्रीय स्तर पर   B. राज्य स्तर पर
C. जिला स्तर पर   D. केवल पंचायत स्तर पर

25. भूमि सुधार के लिए किस प्रकार की भूमि को अधिग्रहित किया जाता है?
A. केवल कृषि भूमि   B. केवल औद्योगिक भूमि
C. अति आवश्यक भूमि   D. सरकारी भूमि

26. भूमि सुधार में जमींदारों को दिया गया मुआवजा किसके द्वारा तय होता है?
A. न्यायालय   B. केंद्र सरकार
C. राज्य सरकार   D. भूमि सुधार आयोग

27. भूमि सुधार के तहत भूमि का वितरण किस आधार पर किया जाता है?
A. आय के आधार पर
B. सामाजिक स्थिति के आधार पर
C. कृषि उत्पादन के आधार पर
D. जरूरत के आधार पर

28. भूमि सुधार के अंतर्गत जमींदारों की भूमिका क्या होती है?
A. भूमि का पुनर्वितरण करना
B. भूमिहीन किसानों को जमीन देना
C. उनका स्वामित्व समाप्त होना
D. न्यायाधीश बनना

29. भारत में भूमि सुधार की समीक्षा करने के लिए कौन-सी संस्था बनाई गई?
A. भूमि सुधार आयोग   B. न्यायालय
C. संसद   D. राज्य सरकार

30. भारत में भूमि सुधार से सबसे अधिक लाभ किस वर्ग को मिला?
A. जमींदार   B. भूमिहीन किसान
C. उद्योगपति   D. मजदूर

31. भूमि सुधार से किस क्षेत्र में सुधार होता है?
A. कृषि उत्पादन   B. औद्योगिक उत्पादन
C. सेवा क्षेत्र   D. वित्तीय क्षेत्र

32. भूमि सुधार की सबसे बड़ी चुनौती क्या है?
A. राजनीतिक असहमति
B. भूमि का सही मापन
C. जमींदारों का विरोध
D. सरकार का अनुत्तरदायित्व

33. भारत में भूमि सुधार का प्रभाव सबसे अधिक किस क्षेत्र में पड़ा?
A. उत्तर भारत B. दक्षिण भारत
C. पश्चिम भारत D. पूर्व भारत

34. भूमि सुधार के दौरान किस तकनीक का उपयोग भूमि के पुनर्वितरण में किया गया?
A. GPS B. भूमि परिसीमन
C. डिजिटल मैपिंग D. ड्रोन सर्वेक्षण

35. भूमि सुधार के बाद किसकी आर्थिक स्थिति सुधरी?
A. जमींदारों B. भूमिहीन किसानों
C. उद्योगपतियों D. सरकारी कर्मचारियों

36. भूमि सुधार के दौरान भूमि संबंधी किस अधिकार को खत्म किया गया?
A. पट्टेदारी
B. स्वामित्व
C. किराया वसूली का अधिकार
D. जमीन खरीदने का अधिकार

37. भूमि सुधार में क्या शामिल नहीं है?
A. भूमि अधिग्रहण
B. जमींदारी उन्मूलन
C. भूमि पुनर्वितरण
D. औद्योगिक नीतियाँ

38. भूमि सुधार के बाद किस समूह ने अपने अधिकार बनाए?
A. जमींदार B. भूमिहीन किसान
C. उद्योगपति D. व्यापारी

39. भूमि सुधार किस सरकार की जिम्मेदारी है?
A. केंद्र सरकार B. राज्य सरकार
C. पंचायत D. जिला प्रशासन

40. भारत में भूमि सुधार के कारण किस प्रकार की सामाजिक समस्या कम हुई?
A. बेरोजगारी B. भूखगरी
C. भूमि असमानता D. शिक्षा की कमी

उत्तरमाला

1	2	3	4	5	6	7	8	9	10
B	C	B	B	D	D	B	C	C	B
11	12	13	14	15	16	17	18	19	20
B	B	C	A	B	B	A	B	A	B
21	22	23	24	25	26	27	28	29	30
A	B	B	B	A	C	D	C	A	B
31	32	33	34	35	36	37	38	39	40
A	C	A	B	B	C	D	B	B	C

4 दिल्ली राष्ट्रीय राजधानी राज्यक्षेत्र विधि (विशेष उपबंध) अधिनियम, 2011

(National Capital Territory of Delhi Laws (Special Provision) Act, 2011)

संक्षिप्त नाम, विस्तार, प्रारंभ और अवधि

1. इस अधिनियम का संक्षिप्त नाम दिल्ली राष्ट्रीय राजधानी राज्यक्षेत्र विधि (विशेष उपबंध) अधिनियम, 2011 है।
2. इसका विस्तार दिल्ली राष्ट्रीय राजधानी राज्यक्षेत्र पर है।
3. यह 1 जनवरी, 2012 से प्रवृत्त है।

परिभाषाएं

1. इस अधिनियम में, जब तक कि संदर्भ से अन्यथा अपेक्षित न हो :

(क) "भवन निर्माण संबंधी उपविधियों से भवनों से संबंधित दिल्ली नगर निगम अधिनियम, 1957 की धारा (1957 का 66) 481 के अधीन बनाई गई उपविधियां या नई दिल्ली में यथाप्रवृत, पंजाब नगर निगम अधिनियम (अधिनियम 3), (1911 का पंजाव) 1911 की धारा 188, धारा 189 की उपधारा (3) और धारा 190 की उपधारा (1) के अधीन बनाई गई उपविधियां या दिल्ली विकास अधिनियम, 1957 (1957 का 61) की धारा 57 की उपधारा (1) के अधीन बनाए गए विनियम अभिप्रेत है;

(ख) "दिल्ली" से दिल्ली नगर निगम अधिनियम, 1957 (1957 का 66) की धारा 2 के खंड (11) में यथापरिभाषित, दिल्ली छावनी को छोड़कर, दिल्ली राष्ट्रीय राजधानी राज्यक्षेत्र का संपूर्ण क्षेत्र अभिप्रेत है;

(ग) "अतिक्रमण" से आवासीय उपयोग या वाणिज्यिक उपयोग या किसी अन्य उपयोग के लिए अस्थायी, अर्धस्थायी या स्थायी ढांचा तैयार करने के रूप में पथ, गलियां, पैदल पथ और पार्को से भिन्न, सरकारी भूमि या सार्वजनिक भूमि का अप्राधिकृत अधिभोग अभिप्रेत है;

(घ) "स्थानीय प्राधिकरण" से दिल्ली नगर निगम अधिनियम, 1957 (1957 का 66) के अधीन स्थापित दिल्ली नगर निगम या नई दिल्ली नगरपालिका परिषद् अधिनियम, 1994 (1994 का 44) के अधीन स्थापित नई दिल्ली नगर पालिका परिषद् या दिल्ली विकास अधिनियम, 1957 (1957 का 61) के अधीन स्थापित दिल्ली विकास प्राधिकरण अभिप्रेत है, जो अपनी-अपनी अधिकारिता के अधीन क्षेत्रों के संबंध में नियंत्रण का प्रयोग करने के लिए विधिक रूप से हकदार है;

(ङ) "मास्टर प्लान" से दिल्ली विकास अधिनियम, 1957 (1957 का 61) के अधीन यथा अधिसूचित दिल्ली मास्टर प्लान अभिप्रेत है;

(च) "अधिसूचना" से राजपत्र में प्रकाशित अधिसूचना अभिप्रेत है;

(छ) "दंडात्मक कार्रवाई से अप्राधिकृत विकास के विरूद्ध सुसंगत विधि के अधीन किसी स्थानीय प्राधिकरण द्वारा की गई कार्रवाई अभिप्रेत है और इसके अंतर्गत परिसर को ढहा देना, सील करना और व्यक्तियों या उनके कारोबारी स्थापन को, चाहे न्यायालय के आदेशों के अनुसरण में या अन्यथा, विद्यमान स्थान से विस्थापित करना भी होगा;

(ज) "सुसंगत विधि" से निम्नलिखित अभिप्रेत है :

(*i*) दिल्ली विकास प्राधिकरण की दशा में, दिल्ली विकास अधिनियम, 1957 (1957 का 61);

(*ii*) दिल्ली नगर निगम की दशा में, दिल्ली नगर निगम अधिनियम, 1957 (1957 का 66);

(*iii*) नई दिल्ली नगरपालिका परिषद् की दशा में, नई दिल्ली नगरपालिका परिषद् अधिनियम, 1994 (1994 का 44);

(झ) ''विशेष क्षेत्र'' का वही अर्थ होगा, जो भारत के राजपत्र में का.आ. 97 (अ), तारीख 17 जनवरी, 2011 द्वारा अधिसूचित विशेष क्षेत्र, अनधिकृत नियमित कॉलोनियों तथा गांव आबादियों के लिए भवन विनियम, 2010 के विनियम 2 के खंड (*vi*) में उसका है;

(ञ) ''अप्राधिकृत विकास'' से मंजूर की गई योजनाओं के उल्लंघन में या योजनाओं का मंजूरी अभिप्राप्त किए बिना या, यथास्थिति, मास्टर प्लान या जोनल प्लान या अभिविन्यास योजना के अधीन यथा अनुज्ञात भूमि उपयोग के उल्लंघन में किया गया भूमि का उपयोग या भवन का उपयोग या भवन का निर्माण या कॉलोनियों का विकास अभिप्रेत है और इसके अंतर्गत कोई अतिक्रमण भी है।

2. उन शब्दों और पदों के, जो इसमें प्रयुक्त हैं किन्तु परिभाषित नहीं किए गए हैं, वही अर्थ होंगे जो दिल्ली विकास अधिनियम, 1957 (1957 का 61), दिल्ली नगर निगम अधिनियम, 1957 (1957 का 66) और नई दिल्ली नगरपालिका परिषद् अधिनियम, 1994 में क्रमशः उनके हैं।

प्रवर्तन का प्रास्थगित रखा जाना

1. किसी सुसंगत विधि या उसके अधीन बनाए गए किन्हीं नियमों, विनियमों या उपविधियों में अंतर्विष्ट किसी बात के होते हुए भी, केन्द्रीय सरकार, इस अधिनियम की समाप्ति से पूर्व गंदी बस्ती के निवासियों और झुग्गी-झोपड़ी क्लस्टरों के निवासियों, अप्राधिकृत कॉलोनियों, ग्रामीण आबादी क्षेत्र (जिसके अन्तर्गत शहरी गांव भी हैं) और उसके विस्तार, विद्यमान फार्म हाउसों, जो भवन निर्माण की अनुज्ञेय सीमाओं से परे निर्माण में लगे हुए हैं और ग्रामीण क्षेत्रों में कृषि भूमि पर बने विद्यालयों, औषधालयों, धार्मिक संस्थाओं, सांस्कृतिक संस्थाओं, कृषि निवेशों या उत्पादों (डेयरी और कुक्कुट सहित) के लिए प्रयुक्त भंडारों, भंडारगारों और गोदामों द्वारा अतिक्रमण के रूप में अप्राधिकृत विकास की समस्या से निपटने के लिए मानकों, नीतिगत दिशानिर्देशों और साध्य रणनीतियों को, जो नीचे वर्णित है, अंतिम रूप देने के लिए सभी संभव उपाय करेगी :

(क) पोषणीय, योजनाबद्ध और मानवोचित रीति में दिल्ली का विकास सुनिश्चित करने के लिए दिल्ली शहरी आश्रयस्थल सुधार बोर्ड अधिनियम, 2010 (2010 का दिल्ली अधिनियम 7) और मास्टर प्लान के उपबंधों के अनुसार दिल्ली राष्ट्रीय राजधानी राज्यक्षेत्र की गंदी बस्तियों के निवासियों और झुग्गी-झोपड़ी क्लस्टरों के निवासियों के पुनःस्थापन और पुनर्वास के लिए क्रमबद्ध व्यवस्था;

(ग) निम्नलिखित अंतिम तारीखों के अनुसार :

(*i*) दिल्ली राष्ट्रीय राजधानी राज्यक्षेत्र (अप्राधिकृत कॉलोनी निवासी संपत्ति अधिकार मान्यता) विनियम, 2019 (2019 का 45) में यथा उपबंधित अप्राधिकृत कॉलोनियों के लिए;

(*ii*) 31 मार्च, 2002 को यथा विद्यमान ग्रामीण आबादी क्षेत्र (जिसके अन्तर्गत शहरी गांव भी हैं) और उनके विस्तार के लिए तथा जहां संनिर्माण कार्य उस तारीख से परे और 1 जून, 2014 तक किया गया है,

दिल्ली राष्ट्रीय राजधानी राज्यक्षेत्र (अप्राधिकृत कॉलोनी निवासी संपत्ति अधिकार मान्यता) अधिनियम, 2019 (2019 का 45) दिल्ली राष्ट्रीय राजधानी राज्यक्षेत्र (अप्राधिकृत कॉलोनी निवासी संपत्ति अधिकार मान्यता) विनियम, 2019 और ग्रामीण आबादी क्षेत्र (जिसके अन्तर्गत शहरी गांव भी हैं) और उनके विस्तारण के लिए विनियमों के उपबंधों के अनुसार क्रमबद्ध व्यवस्था;

(घ) विद्यमान ऐसे फार्म हाउसों से संबंधित नीति, जिसमें भवन निर्माण की अनुज्ञेय सीमाओं के परे निर्माण भी सम्मिलित हैं;

(ङ) ग्रामीण क्षेत्रों में कृषि भूमि पर निर्मित विद्यालयों, औषधालयों, धार्मिक संस्थाओं, सांस्कृतिक संस्थाओं, कृषि निवेशों या उत्पादों (डेयरी और कुक्कुट सहित) के लिए प्रयुक्त भंडारों, भंडारगारों और गोदामों के संबंध में क्रमबद्ध व्यवस्था के लिए नीति या योजना और दिल्ली राष्ट्रीय राजधानी राज्यक्षेत्र की जनता की आवश्यकताओं को पूरा करने के लिए विद्यमान गोदाम क्लस्टरों के (जिसके अंतर्गत गैर-कृषि माल के भंडारण के लिए गोदाम भी हैं) विकास के लिए अपेक्षित दिशानिर्देश;

(च) विशेष क्षेत्र, अनधिकृत नियमित कालोनियों तथा गांव आबादियों के लिए भवन विनियम, 2010 के संबंध में प्रवृत्त मास्टर प्लान की समग्र परिधि के भीतर क्रमबद्ध व्यवस्था; और

(छ) दिल्ली राष्ट्रीय राजधानी राज्यक्षेत्र के सभी अन्य क्षेत्रों में मास्टर प्लान के अनुरूप उसके पुनर्विलोकन की क्रमबद्ध व्यवस्था के लिए नीति या योजना।

2. उपधारा (1) में अंतर्विष्ट उपबंधों के अधीन रहते हुए और किसी न्यायालय के किसी निर्णय, डिक्री या आदेश के होते हुए :

(*i*) अतिक्रमण या अप्राधिकृत विकास की बाबत 1 जनवरी, 2006 को यथाविद्यमान;

(*ii*) दिल्ली राष्ट्रीय राजधानी राज्यक्षेत्र (अप्राधिकृत कॉलोनी निवासी संपत्ति अधिकार मान्यता) विनियम, 2019 के अधीन पहचानी गई अप्राधिकृत कॉलोनियों की बाबत, ग्रामीण आबादी क्षेत्र (जिसके अन्तर्गत शहरी गांव भी हैं) और उनके विस्तारण, जो 31 मार्च, 2002 को विद्यमान थे, और उपधारा (1) में यथा वर्णित पूर्वोक्त प्रवर्गों में जहां संनिर्माण कार्य 1 जून, 2014 तक हुआ है;

(*iii*) विशेष क्षेत्र, अनधिकृत नियमित कालोनियों तथा गांव आबादियों के लिए भवन विनियम, 2010 के अनुसार विशेष क्षेत्रों के संबंध में; और

(*iv*) 8 फरवरी, 2007 को दिल्ली राष्ट्रीय राजधानी राज्यक्षेत्र के भीतर अन्य सभी क्षेत्रों के संबंध में, यथापूर्व स्थिति बनाई रखी जाएगी।

स्पष्टीकरण–इस उपधारा के प्रयोजनों के लिए यह स्पष्ट किया जाता है कि सुसंगत विधियों और उनके अधीन बनाए गए नियमों या विनियमों के अधीन सक्षम प्राधिकारी या स्थानीय प्राधिकारी द्वारा अनुमोदित कोई विकास, जिसके अंतर्गत प्रवृत्त भवन संबंधी उपविधियों के अधीन अनुज्ञेय मरम्मत भी है, अनुज्ञात बना रहेगा ।

3. उपधारा (1) में निर्दिष्ट क्षेत्रों के संबंध में अतिक्रमण या अप्राधिकृत विकास के विरुद्ध कार्रवाई आरंभ करने के लिए किसी स्थानीय प्राधिकारी द्वारा जारी की गई सभी सूचनाएं निलंबित की गई समझी जाएंगी और 31 दिसंबर, 2023 तक कोई दंडात्मक कार्रवाई नहीं की जाएगी, यदि :

(क) उसका निर्माण उपधारा (2) में यथा प्रगणित विभिन्न क्षेत्रों के लिए विनिर्दिष्ट तारीखों से पूर्व किया जाता है;

(ख) वह प्रवृत्त सुरक्षा मानकों या ऐसी अन्य सुरक्षा अपेक्षाओं के अनुरूप है, जो केंद्रीय सरकार द्वारा अधिसूचित की जाएं; और

(ग) वह केंद्रीय सरकार द्वारा सुरक्षा के संबंध में जारी निदेशों, यदि कोई हों, का अनुपालन करता है;

परन्तु यह कि किसी स्थानीय प्राधिकारी द्वारा दंडात्मक कार्रवाई करना अपेक्षित होने की दशा में संबंधित प्राधिकारी या अधिकारी द्वारा दिल्ली राष्ट्रीय राजधानी राज्यक्षेत्र के प्रशासक या इस निमित्त उसके द्वारा प्राधिकृत अधिकारी का पूर्व अनुमोदन अभिप्राप्त किया जाएगा ।

4. इस अधिनियम में अंतर्विष्ट किसी अन्य उपबंध के होते हुए भी, केन्द्रीय सरकार 31 दिसंबर, 2023 के पूर्व किसी भी समय यथास्थिति, उपधारा (2) या उपधारा (3) में वर्णित अतिक्रमण या अप्राधिकृत विकास की बाबत छूट को, अधिसूचना द्वारा, वापस ले सकेगी ।

इस अधिनियम के उपबंधों का कतिपय मामलों में लागू न होना

इस अधिनियम के प्रवर्तन की अवधि के दौरान, धारा 3 के उपबंधों के अधीन निम्नलिखित अतिक्रमण या अप्राधिकृत विकास के संबंध में कोई राहत उपलब्ध नहीं होगी, अर्थात् -

(क) उन मामलों को छोड़कर जो धारा 3 की उपधारा (1) के खंड (क) और (ग), के अधीन आते हैं, सार्वजनिक भूमि पर अतिक्रमण के संबंध में;

(ख) विनिर्दिष्ट सार्वजनिक परियोजनाओं के लिए अपेक्षित भूमि को खाली कराने के लिए केन्द्रीय सरकार द्वारा अनुमोदित सुसंगत नीतियों के अनुसार गंदी बस्तियों और झुग्गी-झोपड़ी निवासियों अप्राधिकृत कॉलोनियों या उनके भाग, ग्रामीण आबादी क्षेत्र (जिसके अंतर्गत शहरी गांव भी हैं) और उनके विस्तारण को हटाए जाने के संबंध में।

केन्द्रीय सरकार की निदेश देने की शक्ति

केन्द्रीय सरकार समय-समय पर स्थानीय प्राधिकारियों को ऐसे निदेश जारी कर सकेगी, जो इस अधिनियम के उपबंधों को प्रभावी करने के लिए वह ठीक समझे और स्थानीय प्राधिकारियों का यह कर्तव्य होगा कि वे ऐसे निदेशों का अनुपालन करे ।

1 जनवरी, 2012 से इस अधिनियम के अधिनियमन के तारीख तक की अवधि के दौरान किए गए कार्यों या ऐसे कार्यों का जिनके करने का लोप किया गया है, आदि, विधिमान्यकरण

किसी न्यायालय के किसी निर्णय, डिक्री या आदेश के होते हुए भी, 1 जनवरी, 2012 को या उसके पश्चात् आरंभ होने वाली और इस अधिनियम के अधिनियमन की तारीख से ठीक पूर्व समाप्त होने वाली अवधि के दौरान किए गए सभी कार्यों या ऐसे कार्यों, जिनके करने का लोप किया गया है और की गई सभी कार्रवाइयों या ऐसी सभी कार्रवाइयों, जिन्हें नहीं किया गया, को जहां तक वे इस अधिनियम के उपबंधों के अनुरूप हैं, इन उपबंधों के अधीन इस प्रकार किया गया या करने से लोप किया गया या नहीं किया गया समझा जाएगा मानो ऐसे उपबंध उन समयों पर प्रवृत्त थे जब वे कार्य किए गए थे या उनके करने का लोप किया गया था और पूर्वोक्त अवधि के दौरान ऐसी कार्रवाइयां की गई थीं या नहीं की गई थीं।

वस्तुनिष्ठ प्रश्नोत्तर

1. दिल्ली राष्ट्रीय राजधानी क्षेत्र कानून (विशेष प्रावधान) अधिनियम किस वर्ष लागू हुआ?

A. 2005 B. 2011
C. 2015 D. 2000

2. इस अधिनियम का मुख्य उद्देश्य क्या है?

A. दिल्ली के विकास को नियंत्रित करना
B. राष्ट्रीय राजधानी क्षेत्र (NCR) के विकास का नियोजन
C. केवल दिल्ली में भूमि सुधार करना
D. दिल्ली की पुलिस व्यवस्था सुधारना

3. अधिनियम के तहत राष्ट्रीय राजधानी क्षेत्र में कितने राज्य/केंद्र शासित प्रदेश आते हैं?

A. 2 B. 3
C. 4 D. 5

4. अधिनियम के अनुसार राष्ट्रीय राजधानी क्षेत्र नियोजन बोर्ड का अध्यक्ष कौन होता है?

A. प्रधानमंत्री
B. केंद्र सरकार का प्रतिनिधि
C. संबंधित राज्य के मुख्यमंत्री
D. दिल्ली के मुख्यमंत्री

5. राष्ट्रीय राजधानी क्षेत्र नियोजन बोर्ड का मुख्यालय कहाँ स्थित है?

A. मुंबई B. दिल्ली
C. जयपुर D. लखनऊ

6. अधिनियम में 'विशेष प्रावधान' किस विषय से संबंधित हैं?

A. भूमि उपयोग नियंत्रण B. न्यायिक प्रावधान
C. पर्यावरण संरक्षण D. उपरोक्त सभी

7. अधिनियम का क्षेत्र कौन निर्धारित करता है?

A. राज्य सरकारें
B. केंद्र सरकार
C. राष्ट्रीय राजधानी क्षेत्र नियोजन बोर्ड
D. स्थानीय निकाय

8. राष्ट्रीय राजधानी क्षेत्र नियोजन बोर्ड के सदस्य कौन होते हैं?

A. केवल केंद्र सरकार के अधिकारी
B. केवल राज्य सरकार के अधिकारी
C. केंद्र और संबंधित राज्य सरकारों के प्रतिनिधि
D. स्थानीय जनता के प्रतिनिधि

9. अधिनियम के तहत NCR की योजना किसके अनुसार बनायी जाती है?

A. केंद्र सरकार
B. राज्य सरकार
C. राष्ट्रीय राजधानी क्षेत्र नियोजन बोर्ड
D. स्थानीय पंचायत

10. अधिनियम के तहत NCR में भूमि उपयोग का नियमन कौन करता है?

A. राज्य सरकार
B. स्थानीय प्रशासन
C. राष्ट्रीय राजधानी क्षेत्र नियोजन बोर्ड
D. केंद्र सरकार

11. अधिनियम के अंतर्गत राष्ट्रीय राजधानी क्षेत्र नियोजन बोर्ड की अवधि कितनी होती है?

A. 5 वर्ष B. 10 वर्ष
C. स्थायी D. 3 वर्ष

12. अधिनियम में किन-किन विषयों पर नियंत्रण का प्रावधान है?

A. भूमि उपयोग B. विकास गतिविधियाँ
C. पर्यावरण संरक्षण D. उपरोक्त सभी

13. राष्ट्रीय राजधानी क्षेत्र नियोजन बोर्ड के फैसलों का उल्लंघन करने पर क्या कार्रवाई होती है?

A. केवल चेतावनी
B. जुर्माना और दंडात्मक कार्रवाई
C. कोई कार्रवाई नहीं
D. भूमि जब्ती

14. अधिनियम के तहत NCR का विस्तार किसके आदेश पर हो सकता है?

A. केंद्र सरकार
B. राज्य सरकारें
C. राष्ट्रीय राजधानी क्षेत्र नियोजन बोर्ड
D. प्रधानमंत्री

15. राष्ट्रीय राजधानी क्षेत्र नियोजन बोर्ड में किसकी भागीदारी अनिवार्य है?

A. केवल दिल्ली सरकार
B. केंद्र सरकार और राज्यों की सरकारें
C. केवल राज्य सरकारें
D. केवल स्थानीय निकाय

16. इस अधिनियम के अंतर्गत दिल्ली में कौन-कौन से निर्माण कार्य अस्थाई रूप से संरक्षित किए गए थे?

A. सरकारी भवन

B. अनधिकृत कॉलोनियाँ, झुग्गियाँ

C. केवल व्यवसायिक भवन

D. केवल सरकारी आवास

17. अधिनियम के अनुसार, NCR में विकास गतिविधियों का नियमन किसके दिशा-निर्देशों के तहत होता है?

A. राज्य सरकार

B. स्थानीय प्रशासन

C. राष्ट्रीय राजधानी क्षेत्र नियोजन बोर्ड

D. केंद्रीय पर्यावरण मंत्रालय

18. अधिनियम के तहत, राष्ट्रीय राजधानी क्षेत्र नियोजन बोर्ड किसका पर्यवेक्षण करता है?

A. केवल दिल्ली

B. राष्ट्रीय राजधानी क्षेत्र का समग्र विकास

C. केवल हरियाणा

D. केवल उत्तर प्रदेश

19. अधिनियम के अंतर्गत NCR में किस प्रकार की योजना बनाई जाती है?

A. आवासीय योजना

B. औद्योगिक योजना

C. परिवहन और आधारभूत संरचना योजना

D. उपरोक्त सभी

20. अधिनियम में ''विशेष प्रावधान'' किसके लिए बनाए गए हैं?

A. NCR के लिए विशेष नियम और प्रावधान

B. केवल दिल्ली के लिए

C. केवल हरियाणा के लिए

D. केवल पर्यावरण संरक्षण के लिए

21. अधिनियम में संशोधन करने का अधिकार किसके पास है?

A. राज्य सरकार B. केंद्र सरकार

C. सुप्रीम कोर्ट D. लोकसभा

22. अधिनियम के तहत NCR का विस्तार किन राज्यों में हो सकता है?

A. केवल दिल्ली और हरियाणा

B. केवल दिल्ली, हरियाणा, उत्तर प्रदेश, राजस्थान

C. पूरे भारत में

D. केवल दिल्ली

23. अधिनियम के तहत राष्ट्रीय राजधानी क्षेत्र नियोजन बोर्ड के सदस्य कितने होते हैं?

A. 5

B. 10

C. 15

D. राज्य सरकारों और केंद्र सरकार के प्रतिनिधि मिलाकर

24. अधिनियम के अनुसार NCR में भूमि के उपयोग को किस कानून द्वारा नियंत्रित किया जाता है?

A. स्थानीय भूमि कानून

B. राष्ट्रीय राजधानी क्षेत्र नियोजन बोर्ड के नियम

C. केवल केंद्र सरकार के नियम

D. नगरपालिका अधिनियम

25. अधिनियम के तहत कौन NCR की योजना को मंजूरी देता है?

A. राज्य सरकार

B. केंद्र सरकार

C. राष्ट्रीय राजधानी क्षेत्र नियोजन बोर्ड

D. प्रधानमंत्री कार्यालय

26. अधिनियम के अनुसार, NCR के विकास के लिए कौन से संसाधन जुटाए जाते हैं?

A. केवल केंद्र सरकार के फंड

B. राज्य सरकारों और केंद्र सरकार दोनों के फंड

C. केवल राज्य सरकार के फंड

D. केवल विदेशी निवेश

27. अधिनियम में किस प्रकार के विकास को प्रोत्साहित किया जाता है?

A. सतत और समन्वित विकास

B. केवल औद्योगिक विकास

C. केवल आवासीय विकास

D. केवल वाणिज्यिक विकास

28. अधिनियम के अंतर्गत NCR में पर्यावरण संरक्षण की जिम्मेदारी किसकी है?

A. केवल स्थानीय निकाय

B. राष्ट्रीय राजधानी क्षेत्र नियोजन बोर्ड

C. केंद्र सरकार

D. राज्य सरकार

29. अधिनियम के अनुसार, NCR में नियोजित परियोजनाओं की निगरानी कौन करता है?

A. केंद्र सरकार

B. राज्य सरकारें

C. राष्ट्रीय राजधानी क्षेत्र नियोजन बोर्ड

D. लोकसभा समिति

30. अधिनियम के तहत कौन NCR में सड़क और परिवहन विकास का नियमन करता है?

A. स्थानीय प्रशासन

B. राज्य सरकार

C. राष्ट्रीय राजधानी क्षेत्र नियोजन बोर्ड

D. केंद्रीय सड़क और परिवहन मंत्रालय

31. अधिनियम के अनुसार NCR में किसके बीच समन्वय आवश्यक है?

A. केवल राज्य सरकारें

B. केंद्र सरकार और राज्य सरकारें

C. केवल स्थानीय निकाय

D. केवल उद्योगपति

32. अधिनियम के अंतर्गत NCR की योजना में किसका अधिक महत्व होता है?

A. आर्थिक विकास B. पर्यावरण संरक्षण

C. सामाजिक न्याय D. उपरोक्त सभी

33. अधिनियम के तहत NCR की योजना बनाते समय किसका विचार अनिवार्य है?

A. केवल केंद्र सरकार का

B. राज्य सरकारों का, केंद्र सरकार का, और स्थानीय निकायों का

C. केवल जनता का

D. केवल उद्योगपतियों का

34. अधिनियम के अंतर्गत NCR में परियोजनाओं के लिए पर्यावरण अनुमति कौन जारी करता है?

A. राज्य सरकार

B. केंद्र सरकार

C. राष्ट्रीय राजधानी क्षेत्र नियोजन बोर्ड

D. स्थानीय पंचायत

35. अधिनियम में क्या प्रावधान है यदि कोई NCR नियोजन बोर्ड के नियमों का उल्लंघन करता है?

A. केवल चेतावनी

B. जुर्माना और कानूनी कार्रवाई

C. कोई कार्रवाई नहीं

D. परियोजना रद्द करना

36. अधिनियम के तहत NCR नियोजन बोर्ड को कौन सा अधिकार प्राप्त है?

A. भूमि अधिग्रहण B. योजना बनाना और लागू करना

C. न्यायिक कार्य D. पुलिस कार्य

37. राष्ट्रीय राजधानी क्षेत्र नियोजन बोर्ड के तहत योजना तैयार करने का मुख्य उद्देश्य क्या है?

A. केवल औद्योगिक विकास को बढ़ावा देना

B. राष्ट्रीय राजधानी क्षेत्र में समन्वित और सतत विकास सुनिश्चित करना

C. केवल आवासीय योजनाओं का निर्माण

D. केंद्र सरकार के खर्चों को कम करना

38. अधिनियम के तहत, यदि कोई राज्य राष्ट्रीय राजधानी क्षेत्र नियोजन बोर्ड के दिशा-निर्देशों का पालन नहीं करता है, तो केंद्र सरकार क्या कर सकती है?

A. कोई कार्रवाई नहीं कर सकती

B. राज्य सरकार को निर्देश जारी कर सकती है और योजना लागू करने का आदेश दे सकती है

C. राज्य को जुर्माना नहीं लगा सकती

D. राज्य के मुख्यमंत्री को बर्खास्त कर सकती है

39. दिल्ली राष्ट्रीय राजधानी क्षेत्र योजना अधिनियम में संशोधन की प्रक्रिया कैसे होती है?

A. राज्य विधानसभा में प्रस्ताव के द्वारा

B. केंद्र सरकार संसद में विधेयक पारित कर के

C. राष्ट्रीय राजधानी क्षेत्र नियोजन बोर्ड की बैठक से

D. सुप्रीम कोर्ट के आदेश से

40. राष्ट्रीय राजधानी क्षेत्र नियोजन बोर्ड की रिपोर्ट किसे प्रस्तुत की जाती है?

A. केवल राज्य सरकारों को B. केंद्र सरकार को

C. स्थानीय निकायों को D. संसद को

उत्तरमाला

1	2	3	4	5	6	7	8	9	10
B	B	C	A	B	D	B	C	C	C
11	**12**	**13**	**14**	**15**	**16**	**17**	**18**	**19**	**20**
C	D	B	A	B	B	C	B	D	A
21	**22**	**23**	**24**	**25**	**26**	**27**	**28**	**29**	**30**
B	B	D	B	C	B	A	B	C	C
31	**32**	**33**	**34**	**35**	**36**	**37**	**38**	**39**	**40**
B	D	B	C	B	B	B	B	B	B

5 भूमि अधिग्रहण अधिनियम, 1894 तथा मुआवजा का अधिकार अधिनियम, 2013 (The Land Acquisition Act, 1894 and Right to Fair Compensation Act, 2013)

1894 का लैंड एक्विजिशन एक्ट भारत के कानूनी परिदृश्य का आधार है, जो सार्वजनिक और निजी उद्देश्यों हेतु भूमि प्राप्त करने के लिए देश के दृष्टिकोण को आकार देता है। ब्रिटिश उपनिवेशवादी युग के दौरान लागू इस कानून ने भूमि अधिग्रहण के लिए रूपरेखा निर्मित की, जिसमें सरकार और निजी कंपनियों को बुनियादी ढांचे, औद्योगिक और विकास परियोजनाओं के लिए भूमि खरीदने के लिए कानूनी अधिकार प्रदान किया गया है। अपनी सदी-दीर्घ मौजूदगी में, लैंड एक्विजिशन एक्ट 1894 दोनों को प्रगति की सुविधा देने और भारत की लैंड एक्विजिशन पॉलिसी में इसके प्रभाव, विचार-विमर्श और सुधारों के लिए बनाया गया है।

भूमि अधिग्रहण अधिनियम, 1894 क्या है?

भूमि अधिग्रहण अधिनियम, 1894, जिसे आमतौर पर एलएए, 1894 कहा जाता है, भारत में ब्रिटिश औपनिवेशिक सरकार द्वारा लागू एक कानून है। इसका प्राथमिक उद्देश्य बुनियादी ढांचा निर्माण, सड़कों का निर्माण, रेलवे और अन्य विकास परियोजनाओं जैसे सार्वजनिक उद्देश्यों के लिए आवश्यक भूमि के अधिग्रहण की सुविधा प्रदान करना था। इसमें विभिन्न औद्योगिक और वाणिज्यिक उद्यमों के लिए निजी कंपनियों द्वारा भूमि के अधिग्रहण के लिए एक कानूनी ढांचा भी प्रदान किया गया है।

भूमि अधिग्रहण अधिनियम 1894 की ऐतिहासिक पृष्ठभूमि

सार्वजनिक परियोजनाओं हेतु भूमि प्राप्त करने के लिए एक संरचित और व्यवस्थित प्रक्रिया बनाने के लिए ब्रिटिश औपनिवेशिक युग के दौरान 1894 का भूमि अधिग्रहण अधिनियम शुरू किया गया था। इस अधिनियम ने भारत में भूमि अधिग्रहण कानूनों की नींव रखी, सार्वजनिक हितों और भू-मालिक अधिकारों को संतुलित किया, हालांकि इसने मुख्य रूप से औपनिवेशिक प्रशासन को अनुकूल बनाया है।

प्रमुख ऐतिहासिक जानकारी :

- **कोलोनियल संदर्भ :** रेलवे, सड़कों और सिंचाई प्रणालियों जैसे बुनियादी ढांचे के लिए भूमि अधिग्रहण की सुविधा प्रदान करने हेतु ब्रिटिश सरकार द्वारा शुरू किया गया। औपनिवेशिक शासन के तहत आर्थिक और प्रशासनिक विस्तार का समर्थन करने का लक्ष्य था।
- **उद्देश्य :** भूमि अधिग्रहण को मानकीकृत करने और कानूनी प्रक्रियाओं का पालन सुनिश्चित करने के लिए, "सार्वजनिक उद्देश्यों" के लिए निजी भूमि प्राप्त करने पर केंद्रित, अक्सर औपनिवेशिक हितों के साथ संरेखित।
- **भू-मालिकों के लिए प्रावधान :** भूमि मालिकों के लिए क्षतिपूर्ति पेश की गई, लेकिन मूल्यांकन में अक्सर उनकी प्रॉपर्टी की कीमत में कमी की गई। इस प्रक्रिया में व्यक्तियों के अधिकारों पर सरकार और निजी उद्यमों को वरीयता दी गई।
- **भविष्य के कानूनों के लिए आधारशिला :** यह अधिनियम एक शताब्दी से अधिक समय से लागू रहा, जो स्वतंत्रता के बाद भारत में भूमि अधिग्रहण के लिए कानूनी रूपरेखा तैयार करता है। इसकी कमियों ने प्रगतिशील सुधारों की आवश्यकता को प्रोत्साहित किया, जिसके कारण भूमि अधिग्रहण, पुनर्वास और पुनर्वास अधिनियम, 2013 में उचित क्षतिपूर्ति और पारदर्शिता का अधिकार प्राप्त हुआ।

1894 के भूमि अधिग्रहण अधिनियम के प्रमुख प्रावधान

यह अधिनियम सरकार और निजी कम्पनियों द्वारा भूमि के अधिग्रहण की शक्तियों और प्रक्रियाओं को परिभाषित करता है। यह सरकार को उचित प्रक्रिया का पालन करने के बाद सार्वजनिक उद्देश्यों के लिए भूमि प्राप्त करने के लिए सशक्त बनाता है, जिसमें सर्वेक्षण करना, नोटिफिकेशन जारी करना और भूमि मालिकों को उचित क्षतिपूर्ति प्रदान करना शामिल है। यह अधिनियम भूमि अधिग्रहण से संबंधित विवादों को हल करने की प्रक्रिया की रूपरेखा भी प्रदान करता है।

अधिनियम के तहत भूमि अधिग्रहण की प्रक्रिया

एलएए 1894 के तहत अधिग्रहण प्रक्रिया में कई चरण शामिल हैं, जो किसी विशिष्ट सार्वजनिक उद्देश्य के लिए आवश्यक भूमि की पहचान से शुरू होते हैं। भूमि की पहचान होने के बाद, सरकार भूमि प्राप्त करने के अपने इरादे की घोषणा करने वाला एक नोटिफिकेशन जारी

करती है, इसके बाद भूमि मालिकों को देय क्षतिपूर्ति निर्धारित करने के लिए पूछताछ और सुनवाई की एक शृंखला जारी करती है। अगर भूमि मालिक मुआवजे के लिए सहमत हैं, तो भूमि अर्जित की जाती है, और क्षतिपूर्ति का भुगतान किया जाता है। लेकिन, अगर असहमति है, तो मामला न्यायनिर्णय के लिए न्यायालय को भेजा जा सकता है।

1894 के लैंड एक्विजिशन एक्ट के तहत क्षतिपूर्ति और पुनर्वास

इस अधिनियम में उन भू-मालिकों को क्षतिपूर्ति का भुगतान करना अनिवार्य है, जिनकी भूमि सरकार या निजी कंपनियों द्वारा अर्जित की जाती है। क्षतिपूर्ति विभिन्न कारकों के आधार पर निर्धारित की जाती है, जैसे भूमि की मार्केट वैल्यू, इसके संभावित उपयोग और भूमि में किए गए किसी भी सुधार। इसके अलावा, यह अधिनियम विस्थापित व्यक्तियों और समुदायों के पुनर्वास का प्रावधान करता है, हालांकि इन प्रावधानों की प्रभावशीलता के बारे में वर्षों के दौरान जाँच की गई है।

संशोधन और निरसन : एलएआरआर अधिनियम, 2013

समय के साथ, 1894 का लैंड एक्विजिशन एक्ट, विशेष रूप से प्रभावित समुदायों के उचित मुआवजे और पुनर्वास के संदर्भ में, अपनी अनुमानित कमियों के लिए जांच के तहत आया। बढ़ती समस्याओं के प्रत्युत्तर में, सरकार ने 2013 में भूमि अधिग्रहण, पुनर्वास और पुनर्वास अधिनियम (एलएआरआर अधिनियम) में उचित क्षतिपूर्ति और पारदर्शिता का अधिकार लागू किया। LARR अधिनियम का उद्देश्य उच्च क्षतिपूर्ति, बेहतर पुनर्वास और पुनर्वास उपाय और भूमि अधिग्रहण प्रक्रिया में अधिक पारदर्शिता प्रदान करके LAA, 1894 की कमी को दूर करना है।

भूमि अधिग्रहण अधिनियम 1894 बनाम एलएआरआर अधिनियम 2013

2013 के एलएआरआर अधिनियम ने कई प्रमुख पहलुओं में 1894 के लैंड एक्विजिशन एक्ट में महत्वपूर्ण परिवर्तन का प्रतिनिधित्व किया। जहां दोनों कानून सार्वजनिक उद्देश्यों के लिए भूमि अधिग्रहण को नियंत्रित करते हैं, वहीं एलएआरआर अधिनियम भूमि मालिकों और प्रभावित समुदायों के अधिकारों पर अधिक जोर देता है। यह कुछ मामलों में अधिग्रहण के लिए प्रभावित परिवारों के निर्दिष्ट प्रतिशत की सहमति को अनिवार्य करता है और भूमि के बड़े क्षेत्रों को प्रभावित करने वाले परियोजनाओं के लिए सामाजिक प्रभाव का आकलन की आवश्यकता पर जोर देता है। इसके अलावा, एलएआरआर अधिनियम प्रभावित व्यक्तियों के लिए उच्च क्षतिपूर्ति और पुनर्वास लाभ प्रदान करता है।

भूमि मालिकों और समुदायों पर भूमि अधिग्रहण अधिनियम 1894 का प्रभाव

1894 के लैंड एक्विजिशन एक्ट ने पूरे भारत में भू-मालिकों और समुदायों पर गहरा प्रभाव डाला है। हालांकि इस अधिनियम ने महत्वपूर्ण सार्वजनिक परियोजनाओं और बुनियादी ढांचे के विकास के लिए भूमि के अधिग्रहण की सुविधा दी है, लेकिन इसके परिणामस्वरूप अक्सर विस्थापन, आजीविका की हानि और प्रभावित व्यक्तियों के लिए अपर्याप्त क्षतिपूर्ति हो जाती है। पुनर्वास और क्षतिपूर्ति के लिए अधिनियम के प्रावधानों की अक्सर विस्थापित समुदायों की आवश्यकताओं को पूरा करने के लिए अपर्याप्त होने के लिए आलोचना की गई थी, जो देश के कई हिस्सों में सामाजिक अशांति और विरोध का कारण बन जाता था।

वस्तुनिष्ठ प्रश्नोत्तर

1. भूमि अधिग्रहण अधिनियम किस वर्ष लागू हुआ था?
A. 1857
B. 1894
C. 1901
D. 1947

2. भूमि अधिग्रहण अधिनियम का मुख्य उद्देश्य क्या है?
A. भूमि की बिक्री को नियंत्रित करना
B. सार्वजनिक उपयोग के लिए भूमि अधिग्रहण करना
C. भूमि करों को बढ़ाना
D. भूमि का पट्टा देना

3. अधिनियम के तहत भूमि अधिग्रहण के लिए किन कारणों से अधिग्रहण किया जा सकता है?
A. केवल आवासीय प्रयोजन
B. केवल औद्योगिक प्रयोजन
C. सार्वजनिक उपयोग जैसे सड़क, रेलवे, स्कूल आदि के लिए
D. केवल कृषि प्रयोजन

4. भूमि अधिग्रहण अधिनियम 1894 किस सरकार द्वारा बनाया गया था?
A. ब्रिटिश भारत सरकार
B. स्वतंत्र भारत सरकार
C. प्रांतीय सरकार
D. ब्रिटिश संसद

5. इस अधिनियम के तहत अधिग्रहण के लिए किस अधिकार का प्रयोग किया जाता है?
A. स्वामित्व अधिकार
B. अधिकार क्षेत्र
C. एमेनेंट डोमेन (Eminent Domain)
D. पट्टाधिकार

6. अधिनियम के अंतर्गत अधिग्रहण प्रक्रिया कौन शुरू करता है?
A. अदालत
B. सरकार या अधिकृत अधिकारी
C. भूमि मालिक
D. स्थानीय पंचायत

7. अधिग्रहण के समय भूमि मालिक को क्या दिया जाता है?
A. कोई मुआवजा नहीं
B. उचित मुआवजा
C. केवल नोटिस
D. भूमि वापसी का वादा

8. अधिनियम में मुआवजे का निर्धारण कौन करता है?
A. सरकार का अधिकारी
B. स्थानीय पंचायत
C. अधिग्रहण अधिकारी या न्यायालय
D. भूमि मालिक खुद

9. भूमि अधिग्रहण अधिनियम के तहत भूमि अधिग्रहण की घोषणा किसके द्वारा की जाती है?
A. केंद्र सरकार
B. राज्य सरकार
C. अधिग्रहण अधिकारी
D. भूमि मालिक

10. अधिनियम के अंतर्गत भूमि अधिग्रहण के लिए क्या प्रक्रिया अपनाई जाती है?
A. नोटिस देना, मुआवजा देना, भूमि अधिग्रहण करना
B. भूमि मालिक से सहमति लेना
C. भूमि को जब्त करना बिना सूचना के
D. भूमि का आदान-प्रदान करना

11. अधिनियम में 'नोटिस' किसके द्वारा जारी किया जाता है?
A. स्थानीय पंचायत
B. अधिग्रहण अधिकारी
C. केंद्र सरकार
D. न्यायालय

12. भूमि अधिग्रहण में किस अधिकार का उल्लंघन नहीं माना जाता?
A. स्वामित्व अधिकार
B. निजी संपत्ति का अधिकार
C. एमेनेंट डोमेन का अधिकार
D. मानवाधिकार

13. अधिग्रहण के खिलाफ भूमि मालिक किससे शिकायत कर सकता है?
A. राज्य सरकार
B. उच्च न्यायालय
C. अधिग्रहण अधिकारी या विशेष अधिकारी
D. प्रधानमंत्री

14. अधिग्रहण के बाद भूमि मालिक को मुआवजा कब दिया जाता है?
A. अधिग्रहण के तुरंत बाद
B. अधिग्रहण की घोषणा के बाद निर्धारित अवधि में
C. मालिक की मांग पर कभी भी
D. मुआवजा नहीं दिया जाता

15. अधिनियम के तहत अधिग्रहण की प्रक्रिया पूरी होने में अधिकतम कितना समय लग सकता है?
A. 6 महीने
B. कोई निर्धारित समय नहीं
C. 1 साल
D. 3 साल

16. अधिग्रहण अधिकारी द्वारा मुआवजे की राशि निर्धारित न होने पर किसे अपील की जा सकती है?
A. उच्च न्यायालय
B. सरकार
C. अधिनियम में निर्दिष्ट न्यायाधिकरण
D. जिला प्रशासन

17. सार्वजनिक हित के परियोजनाओं हेतु भूमि अधिग्रहण के लिए मालिक की सहमति आवश्यक है?
A. हाँ
B. नहीं
C. केवल विशेष मामलों में
D. केवल कृषि भूमि के लिए

18. अधिनियम के तहत अधिग्रहण के लिए जो मुआवजा दिया जाता है, वह किस आधार पर तय होता है?
A. भूमि का बाजार मूल्य
B. भूमि मालिक की आय
C. भूमि की स्थिति और उपयोगिता
D. स्थानीय पंचायत की सिफारिश

19. अधिनियम के अंतर्गत विवाद किस अदालत में सुलझाए जाते हैं?
A. जिला न्यायालय
B. उच्च न्यायालय
C. विशेष अधिग्रहण न्यायाधिकरण
D. सुप्रीम कोर्ट

20. अधिनियम के तहत अधिग्रहण के बाद भूमि मालिक को क्या अधिकार प्राप्त होता है?
A. पुनर्वास
B. पुनरुद्धार
C. मुआवजा प्राप्ति
D. कोई अधिकार नहीं

21. भूमि अधिग्रहण से संबंधित उचित मुआवजे का अधिकार अधिनियम कब से लागू हुआ?

A. 1 जनवरी 2013

B. 1 अप्रैल 2013

C. 1 जनवरी 2014

D. 1 अप्रैल 2014

22. भूमि अधिग्रहण से संबंधित उचित मुआवजे का अधिकार अधिनियम ने किस पुराने कानून को प्रतिस्थापित किया?

A. भूमि सुधार अधिनियम, 1955

B. भूमि अधिग्रहण अधिनियम, 1894

C. नगर विकास अधिनियम

D. पंचायत अधिनियम

23. भूमि अधिग्रहण से संबंधित उचित मुआवजे का अधिकार अधिनियम का मुख्य उद्देश्य क्या है?

A. भूमि का व्यावसायिक उपयोग

B. विकास कार्यों में तेजी

C. उचित मुआवजा और पारदर्शिता सुनिश्चित करना

D. भूमि का राष्ट्रीयकरण

24. किस परियोजना के लिए 80% जन-सहमति आवश्यक है?

A. सरकारी परियोजना

B. निजी परियोजना

C. PPP परियोजना

D. NGO परियोजना

25. PPP परियोजना के लिए कितने प्रतिशत लोगों की सहमति आवश्यक है?

A. 60% B. 70%

C. 80% D. 50%

26. अधिग्रहण से पहले कौन-सी रिपोर्ट बनाना अनिवार्य है?

A. पुनर्वास रिपोर्ट

B. विकास रिपोर्ट

C. सामाजिक प्रभाव मूल्यांकन (SIA)

D. पर्यावरणीय रिपोर्ट

27. SIA रिपोर्ट को किस संस्था द्वारा तैयार किया जाता है?

A. राज्य सरकार B. केंद्र सरकार

C. स्वतंत्र एजेंसी D. पंचायत

28. ग्रामीण क्षेत्र में मुआवजा कितना तक हो सकता है?

A. बाजार मूल्य × 1

B. बाजार मूल्य × 2

C. बाजार मूल्य × 3

D. बाजार मूल्य × 4

29. शहरी क्षेत्र में मुआवजा कितना तक हो सकता है?

A. बाजार मूल्य × 1

B. बाजार मूल्य × 2

C. बाजार मूल्य × 3

D. बाजार मूल्य × 4

30. अगर अधिग्रहीत भूमि 5 वर्षों में उपयोग नहीं होती है तो क्या होता है?

A. राज्य सरकार उसे रखती है

B. भूमि की नीलामी होती है

C. भूमि मूल मालिक को वापस दी जाती है

D. भूमि को दूसरी कंपनी को दी जाती है

31. अधिग्रहण से प्रभावित लोगों में कौन शामिल हैं?

A. केवल जमीन मालिक

B. किरायेदार और खेतिहर मजदूर भी

C. केवल सरकारी कर्मचारी

D. केवल महिला सदस्य

32. पुनर्वास योजना में क्या शामिल है?

A. आवास

B. नकद सहायता

C. वैकल्पिक रोजगार

D. उपरोक्त सभी

33. अधिनियम किस स्तर पर पारदर्शिता सुनिश्चित करता है?

A. अधिग्रहण प्रक्रिया में

B. मुआवजा वितरण में

C. जन-सुनवाई में

D. उपरोक्त सभी

34. मुआवजे से असंतुष्ट व्यक्ति किस न्यायिक संस्था में अपील कर सकता है?

A. लोक अदालत

B. ग्राम सभा

C. भूमि अधिग्रहण पुनर्वास न्यायाधिकरण

D. सुप्रीम कोर्ट

35. भूमि अधिग्रहण से कितने दिन पहले नोटिस देना आवश्यक है?

A. 15 दिन B. 30 दिन

C. 45 दिन D. 60 दिन

36. अधिनियम के तहत किसे विशेष संरक्षण प्रदान किया गया है?

A. किसान

B. व्यापारी

C. अनुसूचित जाति और जनजाति

D. नगरपालिका

37. अधिग्रहण के बाद मुआवजा कितने समय में दिया जाना चाहिए?
A. 60 दिन
B. 90 दिन
C. 6 महीने
D. 1 वर्ष

38. सामाजिक प्रभाव मूल्यांकन रिपोर्ट की अंतिम स्वीकृति कौन देता है?
A. ग्राम सभा
B. जिला कलेक्टर
C. राज्य सरकार
D. केंद्रीय समिति

39. क्या यह अधिनियम सभी राज्यों पर लागू होता है?
A. नहीं
B. केवल केंद्र शासित राज्यों पर
C. सभी राज्यों और केंद्र शासित प्रदेशों पर
D. केवल ग्रामीण क्षेत्रों पर

40. क्या परियोजना की शुरुआत के बाद भी भूमि मालिक अपील कर सकता है?
A. नहीं
B. केवल 1 महीने में
C. हाँ, जब तक मुआवजा नहीं मिला
D. केवल कोर्ट की अनुमति से

उत्तरमाला

1	2	3	4	5	6	7	8	9	10
B	B	C	A	C	B	B	C	C	A
11	**12**	**13**	**14**	**15**	**16**	**17**	**18**	**19**	**20**
B	C	C	B	B	C	B	C	C	C
21	**22**	**23**	**24**	**25**	**26**	**27**	**28**	**29**	**30**
C	B	C	B	B	C	C	D	B	C
31	**32**	**33**	**34**	**35**	**36**	**37**	**38**	**39**	**40**
B	D	D	C	B	C	B	C	C	C

6 पंजाब भूमि राजस्व अधिनियम, 1887
(The Punjab Land Revenue Act, 1887)

पंजाब के भूमि राजस्व कानून को संशोधित करने और घोषित करने के लिए एक अधिनियम। चूंकि भूमि के अधिकार अभिलेखों के निर्माण और रखरखाव, भूमि-राजस्व के मूल्यांकन और संग्रहण तथा भूमि से संबंधित अन्य मामलों और उससे संबंधित देयताओं के संबंध में पंजाब में लागू कानून को संशोधित और घोषित करना समीचीन है, इसलिए इसके द्वारा निम्नलिखित रूप में अधिनियमित किया जाता है।

शीर्षक, विस्तार और प्रारंभ

1. इस अधिनियम को पंजाब भूमि राजस्व अधिनियम, 1887 कहा जा सकता है।
2. यह उन क्षेत्रों तक विस्तारित है जो 1 नवंबर, 1956 से ठीक पहले, 1957 के पंजाब अधिनियम 23 द्वारा पटियाला और पूर्वी पंजाब राज्य संघ में शामिल थे।
3. अधिनियम 1 नवम्बर, 1887 को प्रवृत्त हुआ।

परिभाषाएँ

इस अधिनियम में, जब तक कि विषय या संदर्भ में कोई प्रतिकूल बात न हो,

1. ''संपदा'' का अर्थ है कोई भी क्षेत्र :
   - A. जिसके लिए अलग से अधिकार अभिलेख बनाया गया है; या
   - B. जिसका भू-राजस्व के लिए पृथक रूप से मूल्यांकन किया गया है, या यदि भू-राजस्व को मुक्त नहीं किया गया होता, उसके लिए समझौता नहीं किया गया होता या उसका मोचन नहीं किया गया होता तो उसका मूल्यांकन इस प्रकार किया जाता; या
   - C. जिसे राज्य सरकार, सामान्य नियम या विशेष आदेश द्वारा संपदा घोषित कर सकेगी;
2. ''भूमि-स्वामी'' में किरायेदार या भू-राजस्व का समनुदेशिती शामिल नहीं है, लेकिन इसमें ऐसा व्यक्ति शामिल है जिसे इस अधिनियम के तहत भू-राजस्व के बकाया या ऐसे बकाया के रूप में वसूली योग्य राशि की वसूली के लिए एक होल्डिंग स्थानांतरित की गई है या एक संपदा या होल्डिंग को खेत में किराए पर दिया गया है और इस खंड में इसके पहले उल्लिखित नहीं किया गया प्रत्येक अन्य व्यक्ति जो किसी संपदा या उसके किसी हिस्से या भाग पर कब्जा रखता है, या किसी संपदा के मुनाफे के किसी हिस्से का उपभोग करता है;
3. ''होल्डिंग'' का अर्थ है एक भूमि-स्वामी द्वारा या दो या अधिक भूमि-स्वामियों द्वारा संयुक्त रूप से धारित संपत्ति का हिस्सा या भाग;
4. ''किराया'', ''किराएदार'', ''जमींदार'' और ''किराएदारी'' के क्रमशः वही अर्थ हैं जो पंजाब काश्तकारी अधिनियम, 1887 (1887 का XVI) में उन शब्दों को दिए गए हैं;
5. ''भुगतान'', इसके व्याकरणिक रूपांतरों और सजातीय अभिव्यक्तियों के साथ, जब किराए के संदर्भ में उपयोग किया जाता है, तो इसमें ''वितरित करना'' और ''प्रस्तुत करना'' शामिल है, उनके व्याकरणिक रूपांतरों और सजातीय अभिव्यक्तियों के साथ;
6. ''भूमि-राजस्व'' में सम्मिलित है भूमि-राजस्व और भूमि के संबंध में देय कोई राशि, जो कि क्विट-रेंट या सेवा के लिए संराशीकरण के रूप में, सरकार, या किसी ऐसे व्यक्ति को दी जाए जिसे सरकार ने भुगतान प्राप्त करने का अधिकार सौंपा है;
7. ''भू-राजस्व का बकाया'' से अभिप्राय है भू-राजस्व जो उस तिथि के पश्चात् भी बकाया रहता है, जिस तिथि को वह देय हो जाता है;
8. ''बकायाकर्ता'' का अर्थ है भूमि-राजस्व के बकाया के लिए उत्तरदायी व्यक्ति, और इसमें वह व्यक्ति शामिल है जो बकाया के भुगतान के लिए जमानत के रूप में जिम्मेदार है और एक ग्राम अधिकारी जो भूमि-राजस्व या भूमि-राजस्व के रूप में वसूली योग्य कोई अन्य राशि एकत्र करता है और अधिनियम के तहत बनाए गए नियमों के अनुसार राज्य सरकार को इसका भुगतान नहीं करता है।
9. ''दरें और उपकर'' से तात्पर्य उन दरों और उपकरों से है जो मुख्य रूप से भूमि-स्वामी द्वारा देय है, और इसमें शामिल हैं-
   - (*i*) पंजाब जिला बोर्ड अधिनियम, 1883 के अधीन देय स्थानीय दर, यदि कोई हो, और उस अधिनियम की धारा 33 के अधीन भूमि स्वामियों से उस अधिनियम की धारा 20 के खंड (*i*) और (*i*) में निर्दिष्ट कार्यों के उपयोग या उनसे प्राप्त लाभों के लिए उद्ग्रहणीय कोई शुल्क;

(*ii*) उत्तरी भारत नहर और जल निकास अधिनियम, 1873 (1973 का VIII) की धारा 59 के अधीन भूमि के स्वामियों पर प्रभार्य वार्षिक दर।

(*iii*) ग्राम अधिकारी उपकर; और

(*iv*) गांव के खर्च के लिए देय राशि।

10. ''ग्राम-उपकर'' में कोई उपकर, अंशदान या बकाया शामिल है जो किसी संपदा के भीतर प्रथागत रूप से लगाया जाता है और न तो निजी संपत्ति के उपयोग के लिए या व्यक्तिगत सेवा के लिए भुगतान है और न ही किसी अधिनियम के तहत या उसके तहत लगाया जाता है;

11. ''ग्राम-अधिकारी'' का अर्थ है मुख्य-मुखिया, मुखिया या पटवारी;

12. इस अधिनियम के किसी भी प्रावधान में ''राजस्व अधिकारी'' से तात्पर्य ऐसे राजस्व अधिकारी से है, जिसे इस अधिनियम के तहत उस प्रावधान के तहत राजस्व अधिकारी के कृत्यों का निर्वहन करने का अधिकार है;

13. ''कानूनी व्यवसायी'' से विधि व्यवसायी अधिनियम, 1879 (1879 का XVIII) के अर्थ में कोई भी कानूनी व्यवसायी अभिप्रेत है; मुख्तार को छोड़कर;

14. ''कृषि वर्ष'' का तात्पर्य सोलह जून को प्रारम्भ होने वाले वर्ष से है, या ऐसी अन्य तारीख से है जिसे राज्य सरकार किसी स्थानीय क्षेत्र के लिए अधिसूचना द्वारा नियत करें;

15. ''अधिसूचना'' से राज्य सरकार के प्राधिकार द्वारा राजपत्र में प्रकाशित अधिसूचना अभिप्रेत है;

16. ''भार'' का अर्थ है निजी अनुदान या अनुबंध से उत्पन्न भूमि पर भार या दावा;

17. ''सर्वेक्षण-चिह्न'' में सीमा-चिह्न शामिल है; और

18. किसी संपदा या संपदाओं के समूह की ''शुद्ध परिसंपत्ति'' से ऐसी संपदा या संपदाओं के समूह की अनुमानित औसत वार्षिक अधिशेष उपज अभिप्रेत है, जो ज्ञात या अनुमानित खेती के सामान्य व्ययों की कटौती के बाद शेष रहती है।

स्पष्टीकरण : खेती के सामान्य व्यबों में वे भुगतान, यदि कोई हों, सम्मिलित हैं, जो भूमि-स्वामी प्रथागत रूप से, चाहे वस्तु के रूप में या नकद रूप में, पूर्णतः या अंशतः, निम्नलिखित के संबंध में वहन करता है :

1. पानी की दरें,
2. सिंचाई के साधनों का रखरखाव,
3. तटबंधों का रखरखाव,
4. बीज की आपूर्ति,
5. खाद की आपूर्ति,
6. पशुपालन के उन्नत उपकरण,
7. चारे के संबंध में रियायतें,
8. परती भूमि या खराब फसल के लिए किए गए विशेष उपशमन,
9. किराया वसूली की लागत,
10. किराये की वसूली में कमी के लिए भत्ता,
11. खेती के प्रयोजनों के लिए काश्तकारों को ब्याज मुक्त नकद अग्रिम के संबंध में देय ब्याज शुल्क।
12. कारीगरों या नौकरों को दी जाने वाली मजदूरी या प्रथागत बकाया राशि, जिनके उत्पाद या श्रम का उपयोग खेती और कटाई के प्रयोजनों के लिए किया जाता है, और वह हिस्सा जो किरायेदार द्वारा रखा जा सकेगा यदि भूमि किसी गैर-अधिभोगी किरायेदार को किराए पर दी गई हो, जो संपत्ति या संपत्ति समूह में वास्तव में प्रचलित सामान्य दर पर, चाहे नकद या वस्तु के रूप में, किराया दे रहा हो।

18A. गैर-कृषि उपयोग में लाए गए स्थल के ''शुद्ध किराया मूल्य'' से तात्पर्य उस स्थल के अनुमानित वार्षिक किराए से है, जो निम्नलिखित की कटौती के बाद शेष रह जाता है।

(*i*) भवन या मशीनरी या दोनों पर निवेश की गई पूंजी के लिए उनके मूल्य पर मूल्यह्रास घटाने के बाद उचित पारिश्रमिक;

(*ii*) गृह-कर, संपत्ति कर; और

(*iii*) रखरखाव शुल्क एक माह के सकल किराये से अधिक नहीं होगा, जैसा कि उचित तरीके से निर्धारित या अनुमानित किया गया हो।

स्पष्टीकरण : जहां किसी स्थल पर भवनों और मशीनरी की लागत के संबंध में कोई विश्वसनीय आंकड़े उपलब्ध नहीं हैं या अन्यथा उपलब्ध नहीं हैं, वहां मूल्यांकन और मूल्यह्रास पंजाब राज्य के लोक निर्माण विभाग के मानकों पर आधारित होगा।

19. ''कर निर्धारण सर्किल'' से सम्पदाओं का एक समूह अभिप्रेत है, जो वित्त आयुक्त की राय में; लिखित आदेश में दर्ज किए जाने के लिए, पर्याप्त रूप से समरूप हैं, ताकि उन पर निर्धारित किए जाने वाले भू-राजस्व की गणना करने में सामान्य मार्गदर्शक के रूप में दरों के एक सामान्य सेट का उपयोग किया जा सके।

अधिनियम के प्रभाव से कुछ भूमि का बहिष्करण

1. जहां तक ग्राम उपकरों के अभिलेख, वसूली और प्रशासन के लिए आवश्यक हो, के सिवाय, इस अधिनियम की कोई बात उस भूमि पर लागू नहीं होगी जो किसी ग्राम के स्थल के रूप में अधिभोग में है और जिसका मूल्यांकन भू-राजस्व के रूप में नहीं किया जाता है।
2. राजस्व अधिकारी इस अधिनियम के प्रयोजनों के लिए किसी गांव के स्थल की सीमाएं परिभाषित कर सकेगा।

स्पष्टीकरण : इस धारा के प्रयोजनों के लिए किसी नगरपालिका या अधिसूचित क्षेत्र की सीमाओं के भीतर किसी स्थल को किसी गांव का स्थल नहीं समझा जाएगा।

वस्तुनिष्ठ, प्रश्नोत्तर

1. पंजाब भूमि राजस्व अधिनियम, 1887 का अधिवचन (enactment) कब हुआ था?
A. 1 जनवरी 1887 B. 23 सितंबर 1887
C. 10 मई 1887 D. 1 नवंबर 1887

2. इस अधिनियम की शॉर्ट टाइटल (short title) क्या है?
A. The Punjab Land Act, 1887
B. The Punjab Revenue and Tenancy Act, 1887
C. The Punjab Land Revenue Act, 1887
D. The Punjab Revenue Act, 1887

3. अधिनियम 17, 1887 की "extent" किस क्षेत्र तक है?
A. पूरे भारत में
B. केवल पंजाब राज्य में
C. पंजाब व हरियाणा दोनों में
D. पंजाब एवं जम्मू कश्मीर

4. अधिनियम की धारा 4 क्या कहती है?
A. सभी भूमि अधिनियम के दायरे में आएंगी
B. कुछ भूमि को अधिनियम के दायरे से बाहर किया जाए
C. भूमि का हस्तांतरण बंद किया जाए
D. भूमि करों को माफ किया जाए

5. "Revenue-officer" की परिभाषा इस अधिनियम में किस धारा में मिलती है?
A. धारा 3 B. धारा 6
C. धारा 10 D. धारा 17

6. पंजाब भूमि राजस्व अधिनियम, 1887 में कितनी श्रेणियों के राजस्व अधिकारी बनाए गए हैं (प्रारंभिक व्यवस्था में)?
A. 3 B. 4
C. 5 D. 6

7. अधिनियम के अनुसार, Deputy Commissioner किस अन्य पद के रूप में कार्य करेगा?
A. कलेक्टर B. तहसीलदार
C. कानूनगो D. जैलदार

8. अधिनियम की धारा 13 किस कार्य से संबंधित है?
A. रिकॉर्ड ऑफ राइट्स B. अपील (Appeals)
C. राजस्व वसूली D. भूमि अधिग्रहण

9. अधिनियम में अपील की अवधि (limitation for appeals) किस धारा के अंतर्गत है?
A. धारा 14 B. धारा 13
C. धारा 12 D. धारा 15

10. अधिनियम की धारा 16 किस शक्ति को सक्षम बनाती है?
A. राजस्व अधिकारी द्वारा परखने की शक्ति
B. न्यायालय द्वारा समीक्षा की शक्ति
C. भूमि का अवैध उपयोग
D. अपील का अधिकार

11. किस धारा में "summon persons" (लेखन से पेश होने का आदेश) का प्रावधान है?
A. धारा 18 B. धारा 19
C. धारा 20 D. धारा 21

12. अधिनियम के अनुसार "place of sitting" (कार्यस्थल) किस धारा में निधारित है?
A. धारा 22 B. धारा 23
C. धारा 24 D. धारा 25

13. अधिनियम के अनुसार, किसी राजस्व अधिकारी के मरने या अक्षम होने पर उसका कार्य कौन करेगा?
A. उसके उत्तराधिकारी
B. राजस्व अधिकारी को नहीं बदला जाएगा
C. राज्य सरकार
D. कलेक्टर

14. अधिनियम की धारा 27 किस विषय से संबंधित है?
A. अपील
B. राजस्व वसूली
C. अधिकारों का हस्तांतरण
D. शक्तियों का हस्तांतरण/अधिकारों का आवंटन

15. अधिनियम की धारा 28, 29, 30 आदि किन अधिकारियों से संबंधित है?
A. राजस्व अधिकारी
B. ग्रामीण अधिकारी, कानूनगो, जैलदार, इनामदार
C. न्यायालय
D. कृषि विभाग

16. अधिनियम में "record-of-rights" (अधिकारों का अभिलेख) किस धारा में वर्णित है?
A. धारा 31 B. धारा 32
C. धारा 34 D. धारा 36

17. अधिनियम की धारा 36 क्या विषय तय करती है?
A. अधिकारों का अभिलेख B. विवादों का निपटारा
C. राजस्व वसूली D. अपील

18. अधिनियम की धारा 38 किससे संबंधित है?

A. सेवा

B. हस्तांतरण शुल्क (Mutation fees)

C. अपील

D. राजस्व

19. अधिनियम की धारा 40 क्या बाध्यता डालती है?

A. सूचना देने की

B. भूमि कर माफ करने की

C. गैरकानूनी कार्यों की अनुमति

D. अधिकारों की बिक्री

20. किस धारा में सरकार के खनिज, खदानें, और अवशिष्ट भूमि पर अधिकार का प्रावधान है?

A. धारा 41 B. धारा 42

C. धारा 43 D. धारा 44

21. अधिनियम किस धारा में अभिलेखों के प्रवेश (entries) में परिवर्तन (variation) पर प्रतिबंध लगाता है?

A. धारा 37 B. धारा 33

C. धारा 35 D. धारा 34

22. किस धारा में अभिलेखों (records) में प्रविष्टि के पक्ष में अनुमान (presumption) की व्यवस्था है?

A. धारा 44 B. धारा 45

C. धारा 46 D. धारा 43

23. यदि कोई व्यक्ति अभिलेख में प्रविष्टि से आपत्ति करता है, तो वह किस प्रकार की कार्यवाही कर सकता है?

A. प्रत्यक्ष वसूली

B. आपत्तिकरण

C. घोषणात्मक डिक्री के लिए मुकदमा (धारा 45)

D. अपील

24. किस धारा में राजस्व मूल्यांकन (assessment) का प्रावधान है?

A. धारा 48 B. धारा 50

C. धारा 52 D. धारा 55

25. अधिनियम की धारा 51 क्या करती है?

A. मूल्यांकन की घोषणा (announcement)

B. मूल्यांकन की समीक्षा

C. मूल्यांकन की अवधि

D. मूल्य में कटौती

26. अधिनियम में विशेष मूल्यांकन (special assessments) की व्यवस्था किस धारा में है?

A. धारा 59 B. धारा 58

C. धारा 57 D. धारा 56

27. राजस्व वसूली (Collection of land revenue) का प्रावधान किस अध्याय में है?

A. अध्याय V B. अध्याय VI

C. अध्याय IV D. अध्याय III

28. अधिनियम की धारा 67 क्या विषय निर्धारित करती है?

A. सुरक्षा (security)

B. और अधिक सुरक्षा (further security)

C. राजस्व वसूली प्रक्रिया (process for recovery of arrears)

D. वसूली की प्रक्रिया की समीक्षा

29. अधिनियम की अधिसूचना (writ of demand) किस धारा में आती है?

A. धारा 68 B. धारा 69

C. धारा 66 D. धारा 67

30. अधिनियम के अनुसार, राजस्व बकाया (arrear) में कितना खर्च शामिल किया जा सकता है?

A. केवल कर B. शुल्क और लागत (costs)

C. केवल दंड D. कोई नहीं

31. किस धारा में प्रमाणित खाता (certified account) राजस्व बकाया के रूप में प्रमाण के रूप में माना जाए, यह प्रावधान है?

A. धारा 66 B. धारा 65

C. धारा 67 D. धारा 68

32. अधिनियम की धारा 12 किस विषय से संबंधित है?

A. व्यवसाय विभाजन/केसों का आवंटन

B. अपील

C. मूल्यांकन

D. रिकॉर्ड

33. राजस्व अधिकारी को किन घटनाओं में मामलों को दूसरे अधिकारी को भेजने (refer) की शक्ति है?

A. यदि मामला जटिल हो

B. यदि पक्षकार समय से उपस्थित न हो

C. यदि कानून अस्पष्ट हो

D. यदि आदेश पहले जारी हो

34. अधिनियम द्वारा राज्य सरकार को किस अधिकार की अनुमति है (धारा 5)?

A. तहसीलों, जिलों की सीमाएँ बदलना

B. करों में वृद्धि करना

C. भूमि हस्तांतरण रोकना

D. जैलदार पद को समाप्त करना

35. अधिनियम में "village-cess" का क्या अर्थ है?
A. राज्य कर
B. व्यक्तिगत सेवा का धन
C. ग्राम स्तर की देय राशि
D. महालांकर शुल्क

36. "Agricultural year" का निर्धारण अधिनियम की किस धारा में किया गया है?
A. धारा 3 B. धारा 5
C. धारा 4 D. धारा 30

37. अधिनियम में "net-assets" की परिभाषा किस धारा में दी गई है?
A. धारा 10
B. धारा 15
C. धारा 18
D. धारा (e) भाग (18 परिभाषा में)

38. अधिनियम में "net letting value" विषय की परिभाषा किस प्रकार की भूमि उपयोग से संबंधित है?
A. कृषि उपयोग
B. गैर-कृषि उपयोग
C. आवासीय उपयोग
D. वाणिज्यिक उपयोग

39. अधिनियम की धारा 55 क्या कहती है?
A. मूल्यांकन से इनकार B. राजस्व वसूली
C. अपील सीमा D. रिकॉर्ड संशोधन

40. अधिनियम में "assessment circle" की संकल्पना किस धारा के अंतर्गत है?
A. धारा 48
B. धारा 59
C. धारा (18 A) परिभाषा
D. धारा 32

उत्तरमाला

1	2	3	4	5	6	7	8	9	10
B	C	B	B	A	C	A	B	A	A
11	**12**	**13**	**14**	**15**	**16**	**17**	**18**	**19**	**20**
B	B	A	D	B	A	B	B	A	A
21	**22**	**23**	**24**	**25**	**26**	**27**	**28**	**29**	**30**
A	A	C	A	A	A	B	C	A	B
31	**32**	**33**	**34**	**35**	**36**	**37**	**38**	**39**	**40**
A	A	A	A	C	A	D	B	A	C

7 प्रशासन एवं संवैधानिक व्यवस्था
(Administration and Constitutional Provisions)

दिल्ली में प्रशासन की वर्तमान व्यवस्था 1803 ई. से चली आ रही है जब दिल्ली नगर अंग्रेजों के संरक्षण में था और यह ब्रिटिश पंजाब का एक हिस्सा था। उस समय दिल्ली जिले में एक उप आयुक्त होता था जो मुख्य जिला पदाधिकारी था तथा जिसके पास राजस्व एवं निबंधन संबंधी अधिकार थे। वह नगर प्रशासन का भी प्रमुख होता था क्योंकि वह जिला बोर्ड और नगरपालिका का अध्यक्ष भी था।

स्वतंत्रता प्राप्ति तक दिल्ली में प्रशासनिक और कार्यपालक प्रमुख, मुख्य आयुक्त हुआ करता था। साथ ही उप आयुक्त भी होता था जो मुख्य आयुक्त को अपना प्रतिवेदन देता था। जिम्मेवारियों के वितरण के लिए तीन सहायक आयुक्त होते थे जो राजस्व कार्य और आपराधिक मामलों की सुनवाई, नगरीय तथा छोटे-मोटे आपराधिक मुकदमे, एवं नगरपालिका प्रशासन से संबंधित कार्यों का संपादन करते थे।

दिल्ली के लिए विशेष दर्जा

स्वतंत्रता प्राप्ति के बाद भारत सरकार को दिल्ली के लिए विशेष दर्जा की आवश्यकता और उससे जुड़ी समस्याओं का भान भी था इसलिए डॉ. पट्टाभि सीतारमैय्या की अध्यक्षता में इन विषयों पर विचार करने के लिए एक समिति का गठन हुआ। समिति ने यह अनुशंसा की कि दिल्ली प्रांत में राष्ट्रपति द्वारा नियुक्त एक लेफ्टिनेंट गवर्नर होना चाहिए और साथ ही इन्हें (लेफ्टिनेंट गवर्नर को) सलाह देने और कार्यों में सहयोग देने के लिए मुख्यमंत्री सहित मंत्रिपरिषद् भी होनी चाहिए जो चयनित प्रांतीय विधायिका के प्रति जिम्मेवार हों। लेफ्टिनेंट गवर्नर और मंत्रिमंडल के बीच विवाद उत्पन्न होने की स्थिति में मामला अंतिम निर्णय के लिए राष्ट्रपति के पास भेजे जाने का भी प्रस्ताव था। संविधान की प्रारूप समिति ने इन अनुशंसाओं को स्वीकार नहीं किया। संविधान सभा ने दिल्ली सहित पार्ट-सी राज्यों से संबंधित प्रशासनिक गठन के मामले को संसद के ऊपर छोड़ दिया।

दिल्ली की पहली एसेम्बली

राज्यों के कानून (पार्ट-सी) के अधीन दिल्ली को सन् 1952 से मुख्य आयुक्त की सहायता और सलाह के लिए एक विधान सभा और मंत्रिपरिषद् प्रदान किया गया। यह व्यवस्था सन् 1956 तक जारी रही। यद्यपि दिल्ली के पास जन आदेश, पुलिस (रेलवे पुलिस सहित), संविधान, नगर निगम और अन्य प्राधिकारों की शक्तियाँ, विकास निकाय, जल वितरण, बिजली, यातायात आदि से संबंधित कानूनों को बनाने का अधिकार नहीं था। इन सीमाओं के बावजूद दिल्ली विधान सभा के प्राधिकार न्याय प्रशासन, जेल, जन-स्वास्थ्य, कृषि, उद्योगों इत्यादि से संबंधित मामले देखती थी। संघ/केन्द्र सरकार को भी यह अधिकार था कि वह पार्ट-ए राज्यों में अपने अधिकार का प्रयोग बिना रूपांतरण या रूपांतरण सहित करे। यद्यपि द्वैध नियंत्रण पद्धति या द्वैधशासन दोनों में से किसी को भी संतुष्ट नहीं कर सका।

केन्द्र शासित राष्ट्रीय राजधानी

दिसम्बर 1953 में राज्यों के पुनर्गठन आयोग की स्थापना हुई। आयोग का यह मत था कि द्वैध शासन के कारण केन्द्र सरकार और राज्य सरकार के बीच उत्तरदायित्वों के बँटवारा से नगर में प्रशासन का स्तर गिरा। अतः आयोग के मत में केंद्र सरकार का पूर्ण नियंत्रण होना चाहिए। भारत सरकार ने आयोग की अनुशंसाओं को स्वीकार किया और दिल्ली एक स्थानीय विधायिका बन कर रह गई। नवम्बर 1956 में यह केन्द्र प्रशासित क्षेत्र बन गई। गृह मंत्रालय के पास नगर की लगभग सभी जिम्मेवारियां आ गईं और वह एक सहयोगी संस्था के रूप में कार्य करने लगी। जबकि कुछ विशिष्ट कार्य शीघ्र निष्पादन हेतु अन्य मंत्रालयों को सौंपी गईं। दिल्ली का बजट, केन्द्रीय बजट का हिस्सा बन गया और संसद द्वारा विधायिका संबंधी आवश्यकताएं पूरी की जाने लगीं।

दिल्ली प्रशासन अधिनियम

उपरोक्त व्यवस्था 1966 तक जारी रही लेकिन दिल्ली नगरवासियों की एक लोकप्रिय सरकार की स्थापना की निरंतर मांग के फलस्वरूप दिल्ली प्रशासन अधिनियम, 1966 अस्तित्व में आया जिसके परिणामस्वरूप महानगरीय परिषद् का गठन हुआ। इस नयी व्यवस्था के अधीन केन्द्र शासित क्षेत्र दिल्ली की जिम्मेवारियां केन्द्र के पास ही रही, जहाँ तक कानून-व्यवस्था और अन्य का प्रश्न है, राष्ट्रपति अपने अभिकर्त्ता लेफ्टिनेंट गवर्नर के माध्यम से कार्यपालक प्रमुख के रूप में कार्य करते रहे। दिल्ली के मामले से संबंधित कानून बनाने का एकमात्र अधिकार संसद को था। केन्द्र सरकार के गृह मंत्रालय के ऊपर सारी जिम्मेवारियां थी और वह एक सहयोगी निकाय के रूप में कार्य करती थी। अन्य मंत्रालयों को उनसे संबंधित क्रियाकलापों के संपादन का भार सौंपा गया। केन्द्रीय मंत्रालय

का कृषि विभाग सीधे तौर पर दिल्ली दुग्ध परियोजना, भूतल परिवहन विभाग; दिल्ली परिवहन निगम और शहरी विकास मंत्रालय; दिल्ली विकास प्राधिकार और इसी तरह अन्य भी संबंधित मामलों को देखने लगे।

महानगरीय परिषद्

दिल्ली प्रशासन अधिनियम (1966) के अनुसार, दिल्ली की एक प्रतिनिधि सभा थी जिसे महानगरीय परिषद् कहा जाता था। इसकी भूमिका परामर्श देने में और एक छोटी कार्यपालक परिषद् के रूप में राष्ट्रपति के अधीन लेफ्टिनेंट गवर्नर द्वारा कार्य करने हेतु थी। महानगरीय परिषद् में 56 सदस्य थे जो सीधे तौर पर पाँच वर्षों के लिए निर्वाचित होते थे। इनमें केन्द्र सरकार द्वारा पांच सदस्यों से अधिक मनोनीत नहीं किए जा सकते थे। महानगरीय परिषद् दिल्ली से संबंधित विधायकों के प्रस्ताव, बजट प्रस्ताव, विकास योजनाओं और प्रशासनिक मामलों से संबंधित सामान्य नीति तथा अन्य कोई भी मामला जो लेफ्टिनेंट गवर्नर द्वारा सौंपे गए हों पर अपना विचार रख सकती थी अथवा उसे पूर्व सहमति लेकर क्रियान्वित कर सकती थी। महानगरीय परिषद् के प्रस्तावों को मानना बाध्यकारी नहीं था। अतः यह कमोवेश एक वाद-विवाद वाली परिषद् थी।

कार्यपालक परिषद्

कार्यपालक परिषद् में चार सदस्य होते थे जिनमें से एक मुख्यकार्यपालक पार्षद् होता था। भारत के राष्ट्रपति द्वारा महानगरीय परिषद् के सदस्यों में से कुछ कार्यपालक पार्षद नियुक्त किए जाते थे। इनका कार्यकाल राष्ट्रपति की इच्छानुसार होता था। कार्यपालक परिषद् और उनके सदस्य दिल्ली की जनता के प्रति जिम्मेवार नहीं थे। प्रत्येक कार्यपालक पार्षद को कुछ विभागों का समूह आवंटित कर दिया जाता था और उन्हें उन विभागों के कार्यों के निष्पादन के प्रति जिम्मेवार माना जाता था। लेफ्टिनेंट गवर्नर के कार्यों, जैसे राज्य सूची या समवर्ती सूची के निष्पादन में सहायता और सलाह देना कार्यपालक परिषद् की जिम्मेवारी थी। कार्यपालक परिषद् की सलाह लेफ्टिनेंट गवर्नर को मानना बाध्यकारी नहीं होता था।

आरक्षित विषय

आरक्षित विषयों में दिल्ली में न्यायिक/अर्ध-न्यायिक तथा कानून व्यवस्था और पुलिस बल के संगठन व नियमावली से संबंधित विषय भी निहित थे। आरक्षित विषयों में विभिन्न सेवाएं, दिल्ली के गृह-भवन और भूमि विभाग, प्रशासनिक विभाग आदि भी शामिल थे जिन्हें मंत्रिमंडल की परिधि से बाहर रखा गया था। इसी प्रकार, दिल्ली सरकार के कार्मिकों जैसे-मुख्य सचिव, वित्त सचिव, विकास आयुक्त, पुलिस आयुक्त और अन्य वरिष्ठ पदों के लिए केन्द्र सरकार से स्वीकृति लेनी होती थी।

सामान्य प्रशासन

स्थानांतरण संबंधी विषय केन्द्र सरकार और दिल्ली प्रशासन के बीच के संबंधों की मार्गदर्शिका पर निर्धारित की गई। इस विषय में केन्द्र सरकार दिल्ली के साथ अन्य राज्यों के समकक्ष बर्ताव करेगा, खास तौर से आम दिनों के प्रशासन के मामले में। आरक्षित विषयों के संदर्भ में यद्यपि केन्द्र सरकार की सीधी जिम्मेवारी राष्ट्रीय राजधानी के प्रशासन में थी फिर भी दिल्ली प्रशासन को गहरी रूचि लेनी थी। कुछ आरक्षित विभाग थे, जैसे–गृह (पुलिस विभाग) जो कानून-व्यवस्था देखती थी और भूमि तथा भवन जो दिल्ली मास्टर प्लान देखती थी। स्थानांतरण विभागों में शामिल थे–गृह (सामान्य), कारागार, सतर्कता, स्थानीय स्वशासन, न्याय और कानून, यातायात (डी.टी.सी. सहित), कृषि एवं सिंचाई, पशुपालन, योजना इत्यादि।

दिल्ली एसेम्बली का वर्तमान स्वरूप

दिल्ली महानगरीय परिषद् की संरचना अंतर्निहित कमियों के कारण उपेक्षित रही। यह एक प्रदत्त संस्था थी जिसे कोई विधायन शक्ति नहीं थी। इसकी एकमात्र भूमिका दिल्ली प्रशासन में परामर्श प्रदान करना था। इस कारण लेफ्टिनेंट गवर्नर को सहायता एवम् सलाह देने के लिए एक पूर्ण राज्य विधायिका (मंत्रिमंडल सहित) की निरंतर मांग उठती रही। इसी परिप्रेक्ष्य में 1987 में भारत सरकार ने बालाकृष्णन समिति गठित की। इसका उद्देश्य केन्द्रशासित दिल्ली के प्रशासन से संबंधित विभिन्न मुद्दों का अध्ययन करना और संघ प्रशासन के गठन की संभावनाओं पर अपनी अनुशंसा करना था। समिति ने अपना प्रतिवेदन 14 दिसम्बर 1989 को सौंपा।

बालाकृष्णन समिति की अनुशंसाओं के आधार पर संसद ने 69वां संविधान संशोधन 1991 में पारित किया जिसके फलस्वरूप नए अनुच्छेद 239AA और 239AB अस्तित्व में आए। इसके अलावा संसद द्वारा राष्ट्रीय राजधानी क्षेत्र कानून, दिल्ली 1991 पारित हुआ। इस कानून की धारा 33 विधान सभा के गठन और प्रक्रिया के नियमों से संबंधित है।

विधान सभा में सदस्यों की संख्या 70 है जो सीधी निर्वाचन पद्धति से चुने जाते हैं। वर्तमान में 12 सीट अनुसूचित जाति के लिए आरक्षित हैं। संविधान के अनुसार, मंत्रिमंडल में मंत्रियों की संख्या विधान सभा के कुल सदस्यों की संख्या का 1/10 प्रतिशत से अधिक नहीं हो सकती है। इस प्रकार, दिल्ली मंत्रिमंडल में सात मंत्री हैं।

विधान सभा को राज्य सूची या समवर्ती सूची से संबंधित कुछ विषयों को छोड़कर शेष [प्रविष्टि 1 (जन आदेश), 2 (पुलिस) और 18 (भूमि) तथा प्रविष्टि 64, 65 और 66 जो राज्य सूची की प्रविष्टियों से संबंधित हैं।] सभी पर कानून बनाने का अधिकार है।

राष्ट्रपति मुख्यमंत्री की नियुक्ति करता है और मुख्यमंत्री के परामर्श पर अन्य मंत्रियों की नियुक्ति करता है तथा मंत्रियों का कार्य-भार राष्ट्रपति की इच्छा पर निर्भर है। मुख्यमंत्री और उसकी परिषद् लेफ्टिनेंट गवर्नर के कार्यों जिसमें विधान सभा में कानून बनाने का अधिकार है, में सहायता और सलाह प्रदान करता है।

लेफ्टिनेंट गवर्नर को सम्मन जारी करने, विधानसभा के सत्र शुरू करने तथा भंग करने का भी अधिकार है। वह विधानसभा के सत्र को संबोधित कर सकता है या फिर अपना संदेश भेज सकता है। प्रत्येक आम

चुनाव के बाद विधान सभा के प्रथम सत्र और प्रत्येक वर्ष के प्रथम सत्र को वह संबोधित कर सकता है।

विधान सभा एक विशेषाधिकार निकाय है और इसके सदस्य सत्र के दौरान भाषण की स्वतंत्रता का लाभ उठाते हैं। साथ ही उन्हें स्वतंत्र रूप से मतदान का भी अवसर मिलता है। संसद के सदस्यों के समकक्ष दिल्ली विधान सभा के सदस्यों को शक्तियाँ और विशेषाधिकार दिए गए हैं। विधानसभा की कार्यवाहियों को अदालत में नहीं ले जाया जा सकता है। साथ ही सदस्यों अथवा अध्यक्ष को सत्र के दौरान न्यायालय में नहीं ले जाया जा सकता है, न ही उन पर मुकदमा चलाया जा सकता है।

अन्य राज्यों की विधायिकाओं और संसद के अनुरूप दिल्ली विधान सभा के सदस्यों को भी भारत के राष्ट्रपति के निर्वाचन में मतदान का अधिकार है। वे लोग भी संविधान के दसवें अनुच्छेद से संबंधित हैं जिसमें दल-बदल के आधार पर अयोग्य करार देने का प्रावधान निहित है।

वर्तमान एसेम्बली के पास महानगरीय परिषद् की तुलना में निश्चित रूप से कुछ अधिक शक्तियां हैं। यही नहीं 1952 में दिल्ली के पास पार्ट-सी राज्य अधिनियम 1951 के अधीन जितनी शक्तियां थीं उनसे भी ज्यादा आज हैं। अब सिर्फ 3 विषय विधान सभा के क्षेत्राधिकार से बाहर हैं जबकि 1952 की विधानसभा के क्षेत्राधिकार से बाहर 9 विषय थे।

लेफ्टिनेंट गवर्नर

लेफ्टिनेंट गवर्नर सरकार का प्रमुख होता है। उनके कार्यों में मदद और सलाह देने के लिए एक मंत्रिपरिषद् होती है। सलाह और मदद उनके स्वनिर्णय में शामिल नहीं हैं। लेफ्टिनेंट गवर्नर अपने स्वनिर्णय का प्रयोग इन विषयों में करता है– *(i)* वह अधिकार जो प्रदत्त अधिकारों की परिसीमा से बाहर है लेकिन राष्ट्रपति द्वारा प्रदान किया गया है। *(ii)* न्यायिक अथवा अर्ध-न्यायिक कार्यों के संपादन में। यदि ऐसा कोई प्रश्न उठ खड़ा होता है कि प्रस्तुत विषय कथित विषय से संबंधित है अथवा नहीं तो लेफ्टिनेंट गवर्नर किसी भी कानून के तहत अपने विवेक से निर्णय लेकर समस्या का समाधान करता है। इस स्थिति में लेफ्टिनेंट गवर्नर का निर्णय अंतिम माना जाता है। यह मुख्यमंत्री का कर्त्तव्य है कि वह लेफ्टिनेंट गवर्नर को मंत्रिपरिषद् द्वारा लिए गए निर्णयों की जानकारी दे। ये निर्णय प्रशासन संबंधित क्रियाकलापों, विधायन के लिए प्रस्ताव आदि से संबंधित हो सकते हैं। लेफ्टिनेंट गवर्नर उन विषयों पर जानकारी मांग सकता है जिन पर एक मंत्री द्वारा तो निर्णय ले लिया गया है लेकिन परिषद् द्वारा पारित नहीं हुआ है।

लेफ्टिनेंट गवर्नर विधान सभा का अनिवार्य अंग है क्योंकि कोई भी विधेयक जो विधानसभा से पारित हो चुका है बिना लेफ्टिनेंट गवर्नर की स्वीकृति के कानून का रूप नहीं ले सकता है। लेफ्टिनेंट गवर्नर कोई भी विधेयक राष्ट्रपति के विचारार्थ सुरक्षित रख सकता है। इस परिस्थिति में राष्ट्रपति यह आदेश दे सकता है कि–

(i) विधेयक को विचारार्थ सुरक्षित रखा जाए

(ii) विधेयक को विधान सभा को पुनः विचारने हेतु भेज दिया जाए

(iii) विधेयक को अपनी स्वीकृति दे दी जाए।

विधान सभा

प्रत्यक्ष मतदान द्वारा विधान सभा में स्थानीय निर्वाचन क्षेत्रों से कुल 70 सीटें भरी जाती हैं। कुछ सीट अनुसूचित जाति के उम्मीदवारों के लिए भी आरक्षित रहती हैं। सीटों का आरक्षण विधानसभा में मौजूद कुल सीटों की संख्या एवं राजधानी की कुल जनसंख्या में अनुसूचित जातियों की जनसंख्या के अनुपात के आधार पर होता है। यदि विधान सभा भंग नहीं की जाती है तो यह पाँच वर्षों तक चलती है। अनुच्छेद 352 का उपयोग कर आपातकाल की घोषणा कर देने पर यह भंग हो जाती है। यह आपातकाल अधिकतम एक वर्ष के लिए होता है फिर राष्ट्रपति द्वारा अध्यादेश जारी कर 6 महीने तक बढ़ाया जा सकता है। विधान सभा दो सदस्यों को अध्यक्ष और उपाध्यक्ष चुनती है। अध्यक्ष सदन की बैठकों की अध्यक्षता करता है और इसकी कार्यवाही का संचालन करता है। वह सदन में व्यवस्था बनाए रखता है और सदस्यों को प्रश्न पूछने और बोलने की अनुमति देता है। वह बिल और अन्य विधेयकों को वोटिंग के लिए प्रस्तुत करता है और वोटिंग के परिणाम की घोषणा करता है। सामान्यतः वोटिंग के दौरान अध्यक्ष अपना मत नहीं डालता, परंतु दोनों पक्षों के मत समान होने की स्थिति में अपना निर्णायक मत दे सकता है। जब कभी विधान सभा भंग की जाती है तो अध्यक्ष उस समय तक अपना पद नहीं छोड़ता है जब तक कि भंग के बाद नई विधान सभा की पहली बैठक आयोजित न हो जाए। जब विधानसभा अध्यक्ष अथवा उपाध्यक्ष को पदच्युत करने का मामला विचाराधीन हो तो वह सभा की अध्यक्षता नहीं कर सकता है। इस स्थिति में लेफ्टिनेंट गवर्नर संबोधित करते हैं।

वित्तीय शक्तियाँ

दिल्ली सरकार अपना बजट स्वीकृति हेतु विधान सभा में प्रस्तुत करती है। विधान सभा में पारित किए बिना कोई भी खर्च नहीं किया जा सकता है उसी प्रकार इसकी स्वीकृति के बिना कोई कर नहीं लगाया जा सकता है। लेफ्टिनेंट गवर्नर की अनुशंसा पर ही किसी भी वित्त विधेयक को लाया जा सकता है, निरस्त किया जा सकता है तथा उसमें बदलाव किया जा सकता है।

स्वविवेक पर लिए जाने वाले अन्य मुद्दे

उपर्युक्त विषयों को छोड़कर कुछ अन्य विषय जो मंत्रिपरिषद् की परिसीमा से बाहर हैं, पर लेफ्टिनेंट गवर्नर अपने विवेक से निर्णय लेता है। इन विषयों पर मंत्रिपरिषद् की राय नहीं ली जाती है।

प्रशासन

राष्ट्रीय राजधानी क्षेत्र दिल्ली केन्द्र शासित प्रदेश है और इस कारण उसके अपने कैडर के आई.ए.एस. और आई.पी.एस. अधिकारी नहीं हैं। गृह मंत्रालय के पास इन कैडरों को नियंत्रित करने का अधिकार है। यह मंत्रालय ही स्थानांतरण और पद स्थापन करता है। राष्ट्रीय राजधानी क्षेत्र दिल्ली का प्रशासन जो सरकार के निर्णयों एवं नीतियों पर निर्णय लेता

है, के पास सचिवालय है। मुख्य सचिव इसका प्रधान होता है जिसके अंतर्गत कई सचिव होते हैं। जैसे-गृह, कानून, वित्त, योजना, खाद्य आपूर्ति, कृषि, वन, पशुपालन, पॉल्ट्री, मछली पालन, ग्रामीण विकास, सिंचाई, बाढ़ नियंत्रण, कृषि विपणन, ऊर्जा विकास, उद्योग, श्रम, शिक्षा, समाज कल्याण, पर्यटन, स्वास्थ्य और परिवार कल्याण। कुछ और भी कार्यालय हैं जो दिल्ली सरकार के अधीन कार्यरत् हैं। उदाहरणस्वरूप यातायात और पर्यटन निदेशालय, रोज़गार एवं प्रशिक्षण निदेशालय, सूचना एवं प्रसार निदेशालय, उद्योग निदेशालय, सामाजिक कल्याण निदेशालय इत्यादि। राष्ट्रीय राजधानी क्षेत्र दिल्ली का प्रशासन विभिन्न कैडरों जैसे—भारतीय प्रशासनिक सेवा (आई.ए.एस.), भारतीय पुलिस सेवा (आई.पी.एस.), दिल्ली और अंडमान निकोबार द्वीप लोक सेवा (डैनिक्स) और दिल्ली एवं अंडमान निकोबार द्वीप पुलिस सेवा (डैनिप्स) तथा अन्य के द्वारा संचालित होता है।

समन्वय

दिल्ली सरकार अपने क्रियाकलापों को स्थानीय निकायों जैसे—दिल्ली नगर निगम, नई दिल्ली नगर परिषद्, दिल्ली छावनी (कैन्टोनमेंट) बोर्ड इत्यादि के साथ मिलकर समन्वय स्थापित करती है। केन्द्र सरकार द्वारा स्थापित निकायों/निगमों जैसे दिल्ली विकास प्राधिकरण से भी दिल्ली सरकार समन्वय स्थापित करती है। समन्वय के वांछित स्तर को प्राप्त करने के लिए एक स्थाई समिति है जिसमें एमसीडी के आयुक्त, डीवीपी के अध्यक्ष और नई दिल्ली नगर परिषद् तथा स्थानीय स्वशासन के सचिव इसके सदस्य हैं।

स्थानीय निकाय

अधोलिखित स्थानीय निकाय केन्द्रशासित क्षेत्र दिल्ली का संचालन करती हैः दिल्ली नगर निगम, नई दिल्ली नगर परिषद् और दिल्ली छावनी (कैन्टोनमेंट) बोर्ड। राजधानी के कुल क्षेत्र 1483 वर्ग किलोमीटर में से दिल्ली नगर निगम 1397.29 वर्ग किलोमीटर के क्षेत्र (94.22 प्रतिशत) में कार्यरत् है जबकि नई दिल्ली नगर परिषद् और दिल्ली (कैन्टोनमेंट) क्रमशः 42.74 वर्ग किलोमीटर (2.88 प्रतिशत) और 42.97 वर्ग किलोमीटर (2.90 प्रतिशत) में क्रियाशील है। दिल्ली की 95.80% आबादी दिल्ली नगर निगम के क्षेत्राधिकार में रहती है जबकि 3.20% और 1% लोग क्रमशः नई दिल्ली नगर परिषद् और दिल्ली (कैन्टोनमेंट) क्षेत्रों में रहते हैं।

दिल्ली नगर निगम (एम.सी.डी.)

दिल्ली नगर निगम का इतिहास

दिल्ली में नगर प्रशासन की शुरूआत 1862 में हुई जब दिल्ली नगर निगम अस्तित्व में आया। उस समय शहर दो वर्ग मील में सीमित था जिसमें 1.21 लाख निवासी रहते थे। नगर सेवाओं की आधारभूत संरचना की स्थापना शाहजहाँ द्वारा 200 वर्ष पूर्व बनाई गई थी जो जर्जर हो गई थी। सन् 1863 में सफाई और मल व्यवस्था की शुरूआत हुई और लोगों के लिए शौचालय बनाए गए। सदर बाजार में एक यूनानी डिस्पेंसरी खोला गया और पहली बार जन्म एवं मृत्यु पंजीकरण लागू किया गया। इस नगर निगम ने सरकार से वित्तीय सहायता ली जिसका 50% पुलिस व्यवस्था पर खर्च किया गया। आय का मुख्य स्रोत चुंगी राजस्व था।

सन् 1866 में घंटाघर और टाउनहॉल बनाए गए। वर्तमान भवन 1947 में पुनःनिर्मित हुआ। कोतवाली में एक अग्निशामक की मदद से 1867 में अग्निशमन व्यवस्था लागू की गई। चूंकि उपयोग में लाने के लिए उचित जल का अभाव था इसलिए सन् 1871-72 में वाहनों पर जल रखकर वितरित किया जाने लगा। सन् 1869 में जल संयंत्र की स्थापना के लिए काम शुरू हुआ। सड़क में प्रकाश व्यवस्था पहली बार 1870 में लालटेन और लैम्प पोस्ट के जरिए शुरू हुई। बिजली का आगमन बहुत बाद लेकिन 1911 के दरबार दिल्ली के पहले हुआ। सन् 1857 में प्राथमिक शिक्षा तत्कालीन स्कूलों में शुरू हुई और कुछ नए स्कूल भी खोले गए। यद्यपि बगीचे और उद्यानों ने प्रशासन का ध्यान बहुत पहले ही खींचा था लेकिन बड़ी तादादं में वृक्षारोपण 1875 में शुरू हुआ। बाद में दिल्ली नगर समिति ने दिल्ली नगर आयोग का स्थान लिया जिसने दिल्ली नगर निकाय के रूप में 50 वर्षों के अंदर पूरे शहरी क्षेत्र में अपनी उपलब्धि दर्ज की। यह समिति जो 21 मनोनीत सदस्यों की थी सन् 1881 में वर्ग-I के रूप में चिह्नित हुई।

दिल्ली नगर निगम

1957 का दिल्ली नगर निगम अधिनियम LXVI संसद द्वारा 28 दिसम्बर, 1957 को लागू हुआ। भारत सरकार के गृह मंत्रालय द्वारा 15 फरवरी 1958 को अधिसूचना जारी कर निगम की स्थापना की गई। निगम का पहला आम चुनाव 1958 में हुआ जिसमें ग्यारह स्थानीय निकायों में से 9 निकायों का एकीकरण हुआ। साथ ही दिल्ली जिला बोर्ड का भी गठन हुआ जो उस समय के ग्रामीण क्षेत्रों की नागरिक आवश्यकताओं को देखता था। सिर्फ दिल्ली छावनी (कैन्टोनमेंट) बोर्ड और नई दिल्ली नगर समिति का स्वतंत्र अस्तित्व था। 1958 में निगम की स्थापना के समय कुल 80 पार्षद थे, 12 सीटें अनुसूचित जाति के सदस्यों के लिए आरक्षित थीं। आरंभ के तीनों वैधानिक निकाय जो जल, बिजली और परिवहन मुहैया कराते थे नगर उपक्रम के अधीन हो गए और निगम के नियंत्रण में आ गए। दिल्ली नगर निगम के अधीन आने पर इन्हें क्रमशः दिल्ली जल आपूर्ति एवं जल निकास उपक्रम (DWS SDU) दिल्ली विद्युत आपूर्ति उपक्रम (DESU) और दिल्ली परिवहन उपक्रम (DTU) कहा जाने लगा। बाद में, 1972 में केन्द्र सरकार द्वारा एक अलग निगम स्थापित किया गया जिसका उद्देश्य परिवहन संचालन में सुगमता लाना था। इसके उपरांत दिल्ली नगर निगम संशोधन कानून, 1993 लागू किया गया। दिल्ली सरकार के स्वतंत्र बोर्ड 1996 और 1997 में स्थापित किए गए और उनका नाम क्रमशः दिल्ली विद्युत बोर्ड और दिल्ली जल बोर्ड रखा गया।

सन् 1963 गवाह है निगम के विकेन्द्रीकरण का, जिसके तहत् कई अधिकार जो नगर निगम और आयुक्त के पास थे, को क्रमशः क्षेत्रीय समिति और उनके अधिकारियों को प्रदान किये गये। 1967 में पार्षदों की संख्या 80 से बढ़ाकर 100 कर दी गई। यद्यपि पौरमुख्य की संख्या जो 6 थी, में कोई बदलाव नहीं किया गया।

नगर सेवाओं के विकेन्द्रीकरण को ध्यान में रखते हुए दिल्ली नगर निगम कानून, 1957 को सन् 1993 में काफी बदला गया। यह परिवर्तन संसदीय कानून जिसका नाम दिल्ली नगर निगम (संशोधन) कानून, 1993 (कानून संख्या 1993 का 67) द्वारा संपादित हुआ। इस कानून के माध्यम से निगम के गठन, कार्य, शासन और प्रशासन जैसे मूलभूत विषयों में परिवर्तन लाए गए। निगम का मौलिक परिवर्तन सांगठनिक ढांचे के रूप में हुआ। जिसके तहत् सिर्फ पार्षदों द्वारा ही निगम का गठन होता है। इनका चुनाव प्रत्यक्ष निर्वाचन द्वारा किया जाता है। पार्षदों के सीटों की अधिकतम संख्या 134 तक बढ़ा दी गई। निगम में निम्नलिखित व्यक्तियों को भी शामिल किया गयाः (क) वैसे व्यक्ति जो 25 वर्ष से कम न हों और जिन्हें निगम प्रशासन का विशेष ज्ञान या अनुभव हो, ऐसे 10 लोग प्रशासक द्वारा मनोनीत किए जाते हैं लेकिन उन लोगों को इस उपबंध के तहत् निगम की बैठक में मतदान का अधिकार नहीं है। (ख) लोकसभा के सदस्य जो निर्वाचन क्षेत्र का प्रतिनिधित्व कर रहे हों तथा जो पूर्णतः अथवा अंशतः निगम के क्षेत्र में निवास करते हों एवं राज्य सभा के सदस्य जो उस निगम के क्षेत्र से आते हों। (ग) दिल्ली विधान सभा के निर्वाचन क्षेत्र के 1/5 सदस्य जो पूर्णतः अथवा अंशतः निगम के क्षेत्र में निवास करते हैं, उन्हें विधान सभा का अध्यक्ष मनोनीत करता है। यह मनोनयन बारी-बारी से प्रत्येक वर्ष के लिए होता है। जहाँ तक संभव हो सके विधान सभा अध्यक्ष यह प्रयास करता है कि प्रत्येक सदस्य को कम से कम एक बार निगम के प्रतिनिधित्व का अवसर मिल सके। (घ) समिति का अध्यक्ष, कोई भी, यदि वह पार्षद नहीं है।

इस प्रकार निगम का आकार बढ़ गया और सदस्यों की संख्या 272 तक पहुँच गई। अनुसूचित जाति के लिए आरक्षित सीटों की संख्या में भी वृद्धि हुई। एक नयी अवधारणा सीटों का चक्रानुक्रम जोड़ी गई।

इस नयी अवधारणा के अनुसार, "केन्द्र सरकार के निर्देशानुसार अनुसूचित जाति के आरक्षित सीट चक्रानुसार भिन्न-भिन्न वार्डो को प्रदान किए जाएंगे।" पहली बार महिलाओं की सीटों के आरक्षण को लागू किया गया। इसमें कुल सीटों के 1/3 सीट से कम नहीं होनी चाहिए। इस तरह की सीटें भी जो महिलाओं के लिए आरक्षित हैं चक्रानुसार विभिन्न वार्डो को प्रदान की जाती है। अनुसूचित जाति की महिला को विशेष दर्जा दिया गया है। पहली बैठक शुरू होने की तिथि से निगम का कार्यकाल पाँच वर्षों के लिए होता है यदि इसके पूर्व ही इसे भंग न कर दिया गया हो। पहले यह कार्यकाल चार वर्षों के लिए होता था। कानून संशोधन द्वारा यह प्रावधान दिया गया है कि नये निगम का चुनाव *(i)* वर्तमान निगम का कार्यकाल पूर्ण होने से पूर्व *(ii)* निगम भंग होने की तिथि से 6 माह के अंदर, हो जाना चाहिए। पार्षद् और उनकी विभिन्न समितियां मिलकर एक संकल्पित इकाई का गठन करती है जो नीति-निर्धारण, मार्ग-निर्देशन और नियंत्रण का कार्य करती है। नीतियों को लागू करने के भार दक्ष प्रशासकों और तकनीकी कार्मिकों पर छोड़ा जाता है जो कर्मचारी इकाई का गठन करते हैं। संस्था का प्रमुख मेयर होता है।

तीनों नगर निगमों का एकीकरण

दिल्ली नगर निगम को तीन नगर निगमों–(उत्तरी, पूर्वी व दक्षिणी) में दिल्ली विधान सभा ने वर्ष 2011 में विभाजित कर दिया था। संसाधनों की कमी के चलते इन नगर निगमों को आर्थिक मुश्किलों का सामना करना पड़ रहा था। क्योंकि तीन नगर निगम होने से हर विभाग में एक के स्थान पर तीन-तीन अधिकारियों की नियुक्ति करनी पड़ती थी। इसी तरह की अनेक अन्य समस्याओं के कारण तथा नीतियों में एकरूपता लाने के उद्देश्य से केन्द्र सरकार ने दिल्ली के तीनों निगमों के एकीकरण का निर्णय किया तथा इसके लिए दिल्ली नगर निगम संशोधन विधेयक-2022 को संसद में पारित कराया गया।

दोनों सदनों में पारित इस संशोधन विधेयक को राष्ट्रपति का अनुमोदन 19 अप्रैल, 2022 को प्राप्त हो गया, जिससे यह विधेयक अधिनियमित हो गया तथा इससे राजधानी में तीन नगर निगमों–(उत्तरी, पूर्वी व दक्षिणी) के स्थान पर अकेले दिल्ली नगर निगम की स्थापना हो गई। संशोधित अधिनियम के तहत सरकार से तात्पर्य केन्द्र सरकार से है। नगर निगम में सीटों की अधिकतम संख्या 250 है। निगम का कामकाज महापौर के स्थान पर केन्द्र सरकार द्वारा नियुक्त विशेष अधिकारी देखता है।

वैधानिक समितियां

1. स्थापना समिति
2. वार्ड समिति
3. ग्रामीण क्षेत्रीय समिति
4. शिक्षा समिति

विशेष और तदर्थ समितियां

निगम की आवश्यकतानुसार इनकी संख्या निधारित होती हैं।

उप समिति

अपने सदस्यों के सहयोग से स्थापना और वार्ड समिति कोई भी उप समिति का निर्माण कर सकती हैं।

नगर आयुक्त

यह कार्यपालिका इकाई का प्रमुख होता है जो अतिरिक्त आयुक्तों (राजस्व, शिक्षा, स्वास्थ्य, अभियंत्रणा, झुग्गी-झोपड़ी के लिए), एक निगरानी निदेशक और एक वित्तीय सलाहकार की मदद से कार्य संपादित करता है। इसकी नियुक्ति केन्द्र सरकार द्वारा होती है जिसे विशेष बैठक में निगम के सदस्यों की कुल संख्या का 3/5 से प्रस्ताव पारित कर हटाया जा सकता है। दिल्ली नगर निगम को 12 जोनों में प्रशासनिक सुविधा के लिए बाँटा गया है। ये हैं– (1) रोहिणी जोन (2) वेस्ट जोन (3) साउथ जोन (4) सेन्ट्रल जोन (5) सिविल लाइन्स जोन (6) करोल बाग जोन (7) सिटी जोन (8) नरेला जोन (9) नजफगढ़ जोन (10) शाहदरा (साउथ) जोन (11) शाहदरा (ईस्ट) जोन (12) सदर पहाड़गंज जोन।

निगम को व्यापक अधिकार और जिम्मेदारियां दी गई हैं। यद्यपि दिल्ली सरकार और केन्द्र सरकार को भी दखल देने और निगरानी करने का अधिकार दिया गया है। केन्द्र सरकार नगर निगम पर नियंत्रण स्थापित करने के लिए व्यापक अधिकार का प्रयोग करती है। जैसे– उपकानूनों और नियमों की स्वीकृति, दस्तावेज के लिए बुलावा, प्रतिवेदन और लेखा की जाँच। दिल्ली सरकार भी किसी भी दस्तावेज की मांग, योजना अथवा कोई भी पत्र की जाँच के लिए किसी भी व्यक्ति को नियुक्त कर सकती है। यदि केन्द्र सरकार के मत में निगम के प्रदर्शन में ह्रास हो रहा हो या फिर वह अपनी शक्ति का दुरुपयोग कर रहा हो, तो उसे भंग कर सकती है।

दिल्ली नगर निगम का प्रादेशिक क्षेत्राधिकार, नई दिल्ली नगर परिषद् और दिल्ली छावनी (कैन्टोनमेंट) बोर्ड के क्षेत्र को छोड़कर दिल्ली सरकार के तुल्य है यद्यपि उसकी कार्य-सीमा भिन्न है। जबकि दिल्ली नगर निगम का शुद्ध रूप में नगर कार्य है। दिल्ली नगर निगम विश्व के बड़े नगर निकायों में से एक है जो राजधानी नगर के 1.67 करोड़ नागरिकों को नगर सेवाएं प्रदान करती है। क्षेत्र के मामले में यह सिर्फ टोकयो (Tokyo) के बाद है। इसके क्षेत्राधिकार में विश्व के सबसे सघन आबादी वाले क्षेत्र हैं। दिल्ली नगर निगम 23 बाध्यकारी और 27 स्वैच्छिक कार्य करती है। यह जीवन से मृत्यु तक दिन-रात नागरिकों की सेवा में उपलब्ध रहती है।

बाध्यकारी कार्य

ये कार्य निम्नलिखित हैं– 1. नाली बनाना, रख-रखाव करना, सफाई करना। शौचालय और मूत्रालय की सुविधाएं प्रदान करना। 2. प्रदूषित और व्यर्थ पदार्थों को हटाना। 3. मृतकों के लिए जगह मुहैया कराना। 4. जन्म-मृत्यु का निबंधन। 5. टीकाकरण की व्यवस्था। 6. खतरनाक बीमारियों की पहचान और उन्हें रोकना। 7. औषधालयों, प्रसूति केन्द्र और बाल कल्याण केन्द्र की स्थापना और उनका रख-रखाव करना। साथ ही कुछ ऐसे चिकित्सीय कार्य जो जन-मानस को राहत पहुँचाते हों। 8. अस्पतालों की सुविधाओं को बढ़ाना। 9. नगर, बाजार और बूचड़खाने का निर्माण करना तथा उसे सही स्थिति में रखना। 10. खतरनाक भवनों और स्थानों को अपने कब्जे में लेना और उन्हें नष्ट करना। 11. आम गलियों में बिजली, पानी और सफाई की व्यवस्था करना। 12. गलियों, पुलों और अन्य सरकारी स्थलों को स्वच्छ रखना। 13. गलियों और क्षेत्रों का नामकरण करना। 14. सरकारी सहायता प्राप्त प्राथमिक स्कूलों की स्थापना एवं रख-रखाव, केन्द्र सरकार द्वारा तय राशि का अनुदान प्रदान करना। 15. लोक उद्यान, बगीचे और मनोरंजन गृहों का रख-रखाव। 16. स्थानीय क्षेत्र में स्थित स्मारकों का रख-रखाव। 17. आर्थिक विकास और सामाजिक न्याय के लिए योजना तैयार करना। 18. वैसा कोई भी कार्य जो कानून अथवा अन्य प्रावधान द्वारा प्रदत्त हों।

स्वैच्छिक कार्य

1. पुस्तकालय, स्मारक, संग्रहालय, जैविक उद्यानों की स्थापना और रख-रखाव। **2.** खेल-कूद के स्थल, स्टेडियमों, अखाड़ों आदि की स्थापना और रख-रखाव। **3.** सड़क के किनारे व अन्य स्थलों पर वृक्षारोपण एवं उसकी देखभाल। **4.** जन गणना करवाना। **5.** लोक स्थलों पर संगीत या अन्य मनोरंजक तरीकों की व्यवस्था करना। **6.** सिनेमा और थियेटर की स्थापना। **7.** मेले और प्रदर्शनियों की व्यवस्था एवं प्रबंधन। **8.** निर्माण एवं रख-रखाव : (क) निजी विश्राम स्थल (ख) गरीबों के लिए भवन (ग) बाल गृह (घ) विकलांगों और अपाहिज बच्चों के लिए आश्रय-स्थल (ङ) पागलखाना। **9.** पशुगृह का निर्माण व रख-रखाव। **10.** अधिकारियों व कर्मचारियों के लिए गृह ऋण, वाहन ऋण मुहैया कराना। **11.** रासायनिक व जैविक प्रयोगशालाओं का निर्माण व रख-रखाव जिसमें जल, भोजन और दवाओं की जाँच की जाती है। **12.** बीमारियों पर शोध हेतु शोध संस्थान की स्थापना। **13.** लोक स्नानागार, स्वीमिंग पुल आदि का निर्माण करना। **14.** डेरी की स्थापना तथा दुग्ध वितरण की व्यवस्था। **15.** गोदामों का निर्माण एवं रख-रखाव। **16.** निगम द्वारा स्वीकृत दिल्ली के विकास के लिए धर्मशाला, होटल आदि का निर्माण। **17.** जनसुरक्षा, स्वास्थ्य और जनसाधारण के कल्याण के लिए कार्य करना।

दिल्ली नगर निगम के पास दोहरी जिम्मेवारी ग्रामीण क्षेत्रों और शहरी क्षेत्रों में नागरिक सेवाएं प्रदान करने की है। निगम की जिम्मेवारी ग्रामीण और शहरी गांवों की देखभाल, कॉलोनियों की पुनर्स्थापना अनधिकृत कॉलोनियों को नियमित करना, भी है।

निगम द्वारा विभिन्न प्रकार के कर वसूले जाते हैं–

(क) संपत्ति कर
(ख) वाहनों व जानवरों पर कर
(ग) थियेटर कर
(घ) समाचार पत्र में छपे विज्ञापन को छोड़कर अन्य विज्ञापनों पर लगाये गये कर
(ङ) संपत्ति हस्तांतरण ड्यूटी
(च) भवन पर नक्शा पास कराने सहित लगाया गया कर।

इन करों के अलावा निगम इस प्रकार के करों की भी वसूली करती है–(क) भूमि राजस्व पर स्थानीय कर (ख) शिक्षा कर (ग) व्यवसायिक कर (घ) बिजली बिक्री या आंपूर्त्ति पर लगाया गया कर (ङ) टॉल टैक्स।

ग्रामीण क्षेत्र

दिल्ली के गांवों को दिल्ली नगर निगम के प्रादेशिक क्षेत्राधिकार में रखा गया है। इन्हें पाँच विकसित प्रखंडों में बांटा गया है। विकास आयुक्त के अधीन उप आयुक्त, उप विकास आयुक्त के रूप में कार्य करते हैं। दोनों विकास से संबंधित परियोजनाओं को क्रियान्वित करने हेतु जिम्मेवार होते हैं। दिल्ली पंचायत राज कानून, 1954 के अधीन ग्राम सभा और प्रखंड पंचायत आते हैं। ग्रामीण क्षेत्रों में नागरिक सुविधाओं की देख-भाल नगर निगम के अधीन होती है।

दिल्ली नगर निगम, दिल्ली सरकार को स्थानांतरित

26 अक्टूबर 2009 को केन्द्र सरकार ने एमसीडी के अधिकारों को दिल्ली सरकार के अधीन लाने का नोटिफिकेशन जारी कर दिया।

डीएमसीडी की धारा 54 से 57 तक में कमिश्नर की नियुक्ति का अधिकार केन्द्र सरकार के पास था, उसे अब दिल्ली सरकार को दे दिया

गया है। धारा 42 (2) में वॉर्ड कमेटियों का गठन व शक्ति, 3 (ए) में जोन का पुनर्निर्धारण, 5 (2) में वॉर्डों का डिलिमिटेशन, धारा 512 में लैंड व बिल्डिंग के अलावा टैक्स नियुक्तियां और नोटिफिकेशन भी अब दिल्ली सरकार को सौंप दिए गए हैं।

दिल्ली सरकार को क्या मिला

- कमिश्नर की नियुक्ति व एमसीडी को भंग करने का अधिकार, पर केन्द्र से पूर्वानुमति लेनी होगी।
- इस नियुक्ति का अधिकार केन्द्र के पास था, उसे दिल्ली सरकार को दे दिया गया।
- निगम को भंग करने का प्रावधान, वॉर्ड कमिटियों का गठन, जोन व पुनर्निर्धारण, वॉर्डों का डिलिमिटेशन भी।
- लैंड व बिल्डिंग के अलावा टैक्स, नियुक्तियां और नोटिफिकेशन अब दिल्ली सरकार के जिम्मे।
- प्राइमरी स्कूल व विशेष अस्पतालों के परिचालन का अधिकार भी अब दिल्ली सरकार के पास आ गया है।
- एमसीडी कैसे चले और उसको चलाने के उपाय क्या हों, इसकी धारा भी दिल्ली सरकार को सौंप दी गईहै।
- एमसीडी की बड़ी योजनाओं को पास करवाने के लिए अब दिल्ली को केन्द्र के पास आने की जरूरत नहीं है।

इसके अलावा धारा 489 में प्राइमरी स्कूल व धारा 372 (2) में विशेष अस्पतालों के परिचालन का अधिकार भी अब दिल्ली सरकार के पास आ गया है। एमसीडी कैसे चले और उसको चलाने के उपाय क्या हों, इसकी धारा 480 (2) भी दिल्ली सरकार को सौंप दी गई है। दिल्ली सरकार को यह भी अधिकार है कि एमसीडी की बड़ी योजनाओं को पास करवाने के लिए अब उसे केन्द्र सरकार के पास आने की जरूरत नहीं है।

नई दिल्ली नगर परिषद्

भारत की नई राजधानी के निर्माण में संलग्न श्रमिकों की नागरिक सुविधाओं के लिए सन् 1916 में रायसीना नगर समिति का गठन हुआ। पंजाब नगर कानून, 1911 के अधीन इसे द्वितीय श्रेणी की नगरपालिका के रूप में विकसित किया गया। इस दौरान इसे इम्पीरियल दिल्ली नगर समिति के रूप में मान्यता मिली। बाद में इसका नाम नई दिल्ली नगर समिति रखा गया और सन् 1932 में यह प्रथम दर्जे की नगरपालिका बनी।

मई 1994 में नई दिल्ली नगर समिति, 1994 ने पंजाब नगर कानून, 1911 का स्थान लिया और इस समिति का दोबारा नाम नई दिल्ली नगर परिषद् पड़ा। कानून संसद द्वारा पारित किया गया। नई दिल्ली नगर परिषद् का क्षेत्र 43 वर्ग किलोमीटर तय किया गया। इस क्षेत्र में विदेशी दूतावास, केन्द्र सरकार का सचिवालय और कर्मचारियों के लिए आवास की व्यवस्था है। यह महसूस किया गया कि स्वास्थ्य का स्तर, सफाई, शिक्षा और लगभग सभी चीजों पर विशेष ध्यान देने की आवश्यकता है इसलिए इसे बड़ी इकाई दिल्ली नगर निगम से जोड़ दिया गया। नई दिल्ली नगर परिषद् का क्षेत्र पूर्व में पूसा रोड और अपर रिब्ज रोड के मिलन बिन्दु से लेकर न्यू लिंक रोड तक जोड़ा गया। यह पंचकुईयां रोड से लेकर पुराना गुड़गांव रोड तक जोड़ा गया। उत्तर-पूर्व में पुराना गुड़गांव रोड और चेम्सफोर्ड रोड से लेकर नई दिल्ली रेलवे स्टेशन तक जोड़ा गया। दक्षिण-पूर्व में रेलवे लाइन से लेकर हार्डिंग ब्रिज तक जोड़ा गया। दक्षिण में इसे मथुरा रोड से लोधी रोड तक जोड़ा गया। यह रोड लोधी कॉलोनी की ओर जाती है। लोधी कॉलोनी से यह रिंग रेलवे से जुड़ती है। दक्षिण में रेलवे लाइन से कुतब रोड में मिलती है। कुतब रोड से कुशाक नाला में मिलती है। पूर्व में यह कुशाक नाला से पुनः निगम की सीमा से जा मिलती है। साथ ही दक्षिण सीमा में मेडिकल इनक्लेव से ग्वालियर पोर्टरिज़ के निकट रिंग रोड से मिलती है। दक्षिण पश्चिम में रिंग रोड के द्वारा किचर रोड से मिलती है। उत्तर में यह अपर रिज़ से मिलती है।

परिषद् के सदस्य–(क) दिल्ली के मुख्यमंत्री की सलाह पर केन्द्र सरकार भारत के संयुक्त सचिव या उससे वरिष्ठ पद पर आसीन व्यक्ति को अध्यक्ष पद पर नियुक्त करती है। (ख) दिल्ली विधानसभा के तीन सदस्य जो निर्वाचन क्षेत्र का प्रतिनिधित्व करते हैं तथा नई दिल्ली क्षेत्र में पूर्णतः अथवा अंशतः आते हैं। (ग) केन्द्र सरकार के अधिकारियों में से पाँच सदस्य और दो सदस्यों का नामांकन दिल्ली के मुख्यमंत्री के परामर्श से केन्द्र सरकार वकीलों, डॉक्टरों, इंजीनियरों, बुद्धिजीवियों, व्यापार एवं वित्तीय परामर्शदाताओं, व्यापारियों, श्रमिकों, सामाजिक कार्यकर्त्ताओं, खिलाड़ियों इत्यादि में से करता है। परिषद् की बैठक में सांसद जो निर्वाचन क्षेत्र का प्रतिनिधित्व करता है और नई दिल्ली क्षेत्र में पूर्णतः या अंशतः रहता है, को आमंत्रित किया जाता है लेकिन उसे मतदान का अधिकार नहीं होता है। ग्यारह सदस्यों में से कम से कम तीन महिला सदस्य होते हैं और एक सदस्य अनुसूचित जाति से आता है। सदस्यों के बीच से एक उपाध्यक्ष का मनोनयन केन्द्र सरकार दिल्ली के मुख्य मंत्री के परामर्श से करती हैं। प्रथम बैठक की तिथि से 5 वर्ष तक यह परिषद् कार्यरत रहती है यदि इसे बीच में ही भंग न कर दिया जाए। परिषद् द्वारा अपने कार्य के संपादन हेतु आवश्यकतानुसार समितियों का गठन किया जाता हैं। संस्था का प्रमुख अध्यक्ष होता है जबकि सचिव प्रशासन प्रमुख होता है। वित्तीय सलाहकार वित्तीय नियंत्रण पर नजर रखता है। लेखापरीक्षक व्यय और राजस्व संबंधी लेखा की जाँच करता है। बहुत सारे विभाग होते हैं। प्रत्येक विभाग का प्रमुख एक वरिष्ठ स्तर का अधिकारी होता है जिसे विभाग प्रमुख कहा जाता है।

दिल्ली के नागरिकों को आवश्यक और स्तरीय सेवाएं प्रदान करने के लिए नई दिल्ली नगर परिषद् शहरी जीवन में प्रतिष्ठित संस्थाओं की स्थापना कर उच्च श्रेणी की सुविधाएं प्रदान करती है। कोई भी नगर तभी याद किया जाता है जब कोई व्यक्ति नगर भ्रमण करने के समय क्या महसूस करता है। शहर की चौड़ी सड़कों पर कतारबद्ध वृक्ष लगे हुए हैं। लगभग प्रत्येक चौराहे पर एक छोटा बगीचा विकसित किया गया है जिसमें तरह-तरह के झरने लगे हैं। दिल्लीवासियों को नागरिक सुविधाएं प्रदान करने के अलावा नगर परिषद् सामाजिक, सांस्कृतिक, शैक्षिक और चिकित्सीय सुविधाएं निश्चित की हैं। कानून की दृष्टि में नई दिल्ली नगर परिषद् एक छोटी-मोटी सरकार है। पुलिस और परिवहन को छोड़कर नगर प्रबंधन के सभी आयाम इसके अधीन हैं।

शायद यह देश की एकमात्र नगरपालिका है जो जल और विद्युत आपूर्ति करती है। इसकी स्वैच्छिक क्रियाओं में खेल-कूद, कला, संगीत और संस्कृति का उत्थान, पुस्तकालयों का रख-रखाव तथा मानसिक और शारीरिक रूप से विकलांगों, वृक्षों आदि की सुधि लेना भी है। परिषद् ने यह निर्णय लिया है कि कला और संस्कृति को संग्रहालयों और ऑडिटोरियम से बाहर लाकर खुले स्थानों पर कराया जाए जहाँ आम लोग इसे देख सकें और इसमें भाग ले सकें। इसमें शास्त्रीय संगीत भोर राग महीने में एक बार नेहरू पार्क, शास्त्रीय नृत्य खुली हवा में तालकटोरा गार्डन में आयोजित करना प्रारंभ कर दिया है। साथ ही विद्यार्थियों के लिए ग्रीष्मावकाश में कार्यशाला का भी आयोजन प्रारंभ किया है। यह कामगार महिला, घरेलू समस्याओं और सामाजिक सुविधाओं जैसे-बारात घर और सामुदायिक केन्द्रों, की भी देखभाल करती है।

दिल्ली छावनी (कैन्टोनमेंट) बोर्ड

सुरक्षा और लोकहित के आधार पर दिल्ली छावनी (कैन्टोनमेंट) बोर्ड की स्थापना सही प्रतीत होती है। दिल्ली कैन्टोनमेंट बोर्ड को दिल्ली नगर निगम के प्रादेशिक क्षेत्राधिकार से बाहर रखा गया है। इसका क्षेत्राधिकार 42.89 वर्ग किलोमीटर है जो दिल्ली के दक्षिण और दक्षिण-पश्चिम में अवस्थित है। इसके सात अधिकारी और सात चयनित सदस्य हैं। उन कार्यों को छोड़कर जो सीधे तौर पर सेना प्राधिकार की जिम्मेवारियां हैं, दिल्ली कैन्टोनमेंट बोर्ड सामान्य नगरीय क्रियाएं करती हैं। अधिकांश जनसंख्या सैनिक बलों, यथा नागरिकों की है और उनके आवासों की संख्या बहुत कम है।

अन्य महत्त्वपूर्ण संगठन

दिल्ली विकास प्राधिकरण

यद्यपि नगर विकास की जिम्मेवारी दिल्ली नगर निगम की है फिर भी भारत सरकार ने यह महसूस किया कि नगर के विकास के लिए मास्टर प्लान तैयार किया जाना आवश्यक है। वृहद् क्षेत्रों के विकास के साथ-साथ भीड़-भाड़ वाले नगर को वर्तमान समस्या से छुटकारा दिलाना, एक मुख्य चुनौती है। अतः इस विषय पर ध्यान देने के लिए एक विशेष संस्था की आवश्यकता महसूस की गई। फलतः दिल्ली का विकास योजनाबद्ध तरीके से करने के लिए दिल्ली विकास प्राधिकरण का गठन किया गया। दिल्ली का लेफ्टिनेंट गवर्नर इसका पदेन अध्यक्ष होता है जबकि इसके सदस्य जो केन्द्र सरकार द्वारा नियुक्त किए जाते हैं, को छोड़कर, हैं– दिल्ली नगर निगम का आयुक्त (पदेन), राज्य विधान सभा के तीन प्रतिनिधि और केन्द्र सरकार द्वारा नामित व्यक्ति। इसके उपाध्यक्ष, वित्तीय सदस्य और इंजीनियर सदस्य केन्द्र सरकार द्वारा नियुक्त किए जाते हैं। सलाहकार परिषद् प्राधिकरण से जुड़े होते हैं जिनकी संख्या 20 होती है। इसमें डीडीए का पदेन अध्यक्ष भी शामिल है। इसके दस सदस्यों का मनोनयन केन्द्र सरकार द्वारा होता है जिनमें से चार तकनीकी विभाग से, तीन सदस्य संसद से होते हैं और अन्य दिल्ली परिवहन निगम, दिल्ली नगर निगम और इसके विद्युत और जल आपूर्त्ति विभाग से, उद्योग से और श्रम प्रतिनिधियों से होते हैं। दिल्ली विकास प्राधिकरण के मुख्य कार्य हैं: (क) भूमि का अधिग्रहण और विकास (ख) भवनों और गंदी बस्तियों के विकास से संबंधित कार्य।

नगर एवं राष्ट्रीय योजना संगठन

इस संस्था ने सन् 1957 में दिल्ली विकास प्राधिकरण के परामर्श से दिल्ली के लिए एक मास्टर प्लान तैयार किया और केन्द्र सरकार से इसकी स्वीकृति पाई। दिल्ली भारत का पहला नगर है जिसके पास बोधगम्य मास्टर प्लान है जिससे क्षेत्रीय और महानगरीय विकास के प्रस्तावों को अपनाया जा सकता है। योजना को पूर्ण रूप से लागू करने के लिए बहुत सारी संस्थाएं संबद्ध हैं–दिल्ली सरकार, दिल्ली नगर निगम और इसके वैधानिक उपक्रम, नई दिल्ली नगर परिषद्, लोक निर्माण विभाग (केन्द्र सरकार) और केन्द्र सरकार के गृह एवं शहरी विकास मंत्रालय। यद्यपि मुख्य रूप से इसकी सफलता के लिए दिल्ली विकास प्राधिकरण जिम्मेवार है।

दिल्ली शहरी कला आयोग

दिल्ली की शहरी संरचना, सौन्दर्यविषयक स्तर और पर्यावरण से संबंधित रख-रखाव की जिम्मेवारी दिल्ली शहरी कला आयोग को दी गई जिसकी स्थापना संसदीय कानून 1973 के तहत की गई। अन्य अभिकरण जैसे–डीडीए, एमसीडी, एनडीएमसी और कैन्टोनमेंट बोर्ड से भी अपेक्षा की जाती है कि वे शहरी संरचना के स्तर को भवन, कार्यालय, उद्यान, मनोरंजन गृह आदि के निर्माण कार्य के दौरान जिसकी योजना की स्वीकृति उन्होंने दी है, सुनिश्चित करें। यद्यपि यह देखा गया है कि दिल्ली शहरी कला आयोग अपने कार्यों में प्रभावकारी नहीं रही है क्योंकि उसे अपने निर्णयों को लागू करने का और दोषी को दंडित करने का अधिकार नहीं है। वास्तव में अनुमोदन करने का अधिकार अन्य निकायों व अभिकरणों को है तथा दिल्ली शहरी कला आयोग का नियंत्रण भी अपर्याप्त है।

राष्ट्रीय राजधानी क्षेत्र योजना बोर्ड

दिल्ली का विकास केन्द्रशासित क्षेत्रों तक ही सीमित नहीं है, इसका शहरी विकास आस-पास के क्षेत्रों तक फैल चुका है। ये आस-पास के क्षेत्र यू.पी. और हरियाणा हैं। जैसे–हरियाणा में फरीदाबाद, बल्लभगढ़, गुरुग्राम और गाजियाबाद तथा नोएडा उत्तर प्रदेश में हैं। एक सुनियोजित विकसित दिल्ली के उद्देश्य को प्राप्त करने के लिए 1957 में ही एक क्षेत्रीय दृष्टिकोण से युक्त योजना अपनाई गई। यह योजना राष्ट्रीय राजधानी क्षेत्र को ध्यान में रख कर अपनाई गई। दिल्ली के लिए मास्टर प्लान की तैयारी शुरू की गई। इसके लिए एक योजना बोर्ड का गठन किया गया जो राष्ट्रीय राजधानी क्षेत्र के विकास पर केन्द्रित था। राष्ट्रीय राजधानी क्षेत्र का गठन हरियाणा, राजस्थान और यूपी तथा केन्द्रशासित प्रदेश दिल्ली को लक्ष्य करके किया गया जो 1985 में अस्तित्व में आया। केन्द्रीय मंत्री, शहरी विकास इस बोर्ड के पदेन अध्यक्ष हैं। इस बोर्ड में 21 सदस्य हैं। इसके अलावा भारत सरकार के विभिन्न मंत्रालयों से पांच सदस्य लिए जाते हैं। संबंधित राज्यों के मुख्यमंत्री, दिल्ली के लेफ्टिनेंट गवर्नर और मुख्यमंत्री तथा संबंधित राज्यों के शहरी विकास के मंत्रिगण इस बोर्ड में

शामिल हैं। राष्ट्रीय राजधानी क्षेत्र योजना बोर्ड ने एक वैधानिक क्षेत्रीय योजना (2001) तैयार किया। इसका उद्देश्य संतुलित और सतत् विकास करना है। राष्ट्रीय राजधानी क्षेत्र के मुख्य उद्देश्य हैं–

- राष्ट्रीय राजधानी क्षेत्र में सुनियोजित शहरी स्थलों का सामाजिक आवश्यकता के अनुरूप वातावरण के आधार पर निर्माण जिसमें स्थानीय इकाईयों की प्रभावशाली भूमिका हो।
- सुंदर राजधानी के रूप में तेजी से क्रमिक रूप से दिल्ली का विकास हो जो राष्ट्र के लिए एक प्रेरणा का स्रोत हो।
- अखंडित और संयोजित परिवहन तंत्र का विकास, निकासी और विद्युत आपूर्त्ति एक विस्तृत क्षेत्रीय फैलाव के रूप में।
- स्वस्थ ग्रामीण और शहरी परिवेश जिसमें स्वच्छ हवा और जल का इस क्षेत्र में व्यापक प्रबंध हो।

हरियाणा के क्षेत्र जो राष्ट्रीय राजधानी क्षेत्र में शामिल हैं–गुरुग्राम, फरीदाबाद, रोहतक, सोनीपत, पानीपत, झज्जर और रेवाड़ी जिला। उत्तर प्रदेश के बुलंदशहर, मेरठ, गाजियाबाद, गौतमबुद्ध नगर, और बागपत एनसीआर में शामिल हैं। अलवर, बेहरोर, मंडावर, किशनगढ़, बास, तिजारा और कोट कासिम तहसील जो अलवर जिला में हैं, राष्ट्रीय राजधानी क्षेत्र में आते हैं। दिए गए नक्शे के माध्यम से एनसीआर के क्षेत्र दृष्टिगोचर होते हैं।

राष्ट्रीय राजधानी क्षेत्र का बढ़ा दायरा

राष्ट्रीय राजधानी क्षेत्र का विस्तार करते हुए एनसीआर प्लानिंग बोर्ड ने 1 जुलाई, 2013 को राजस्थान के भरतपुर तथा हरियाणा के भिवानी और महेन्द्रगढ़ को एनसीआर में शामिल करने के प्रस्ताव को मंजूरी दे दी है। एनसीआर प्लानिंग बोर्ड की बैठक के बाद शहरी विकास मंत्री ने कहा कि एनसीआर में तीन जिले–भरतपुर, भिवानी और महेन्द्रगढ़ को शामिल किया गया है जबकि जींद और करनाल को एनसीआर में शामिल करने के संबंध में हरियाणा सरकार अलग से एक प्रस्ताव भेजेगी। इन तीन जिलों के शामिल होने के बाद एनसीआर का क्षेत्रफल 34,144 वर्ग किलोमीटर से बढ़कर 46,249 वर्ग किलोमीटर हो जाएगा। अब तक एनसीआर में सिर्फ वे जिले शामिल थे जो दिल्ली से 100 किलोमीटर के दायरे में थे। अब यह दायरा बढ़ाकर 150 किलोमीटर कर दिया है।

दिल्ली के लिए 2001 का मास्टर प्लान

जन उपयोगी तंत्रों को प्लान 2001 सुनिश्चित करता है। इसमें भवन निर्माण, रोजगार सामाजिक संरचना, सार्वजनिक परिवहन और निजी परिवहन, दुकानें आदि की सुनियोजित व्यवस्था की गई है। योजना की अवधारणा निम्नलिखित है–

- दिल्ली को इसके क्षेत्र के अनिवार्य अंग के रूप में नियोजित किया जाएगा।
- पारिस्थितिकीय संतुलन बरकरार रखा जाएगा।
- नगर के मुख्य क्षेत्र को एक विशेष क्षेत्र के रूप में मान्यता दी जाएगी।
- दिल्ली के शहरी धरोहरों को संरक्षित किया जाएगा।
- नगर केन्द्र का विकेन्द्रीकरण होगा।
- परिवहन तंत्र कई प्रारूपों में होगा।
- नगर विकास श्रेणीबद्ध होगा।

जिला प्रशासन

स्वतंत्रता के पश्चात् जिला प्रशासन के स्वरूप में कई परिवर्तन हुए और नये सृजित विभागों में शक्तियों का बँटवारा किया गया। उदाहरण के लिए नगरपालिका दिल्ली नगर निगम से विकसित हुई जिसमें 1958 के बाद उपायुक्त की कोई भूमिका नहीं रह गई। विकास संबंधी कार्यों का स्थानांतरण विकास आयुक्त को किया गया। औद्योगिक कार्य, उद्योग निदेशालय के पास चले गए और परिवहन संबंधी कार्य परिवहन विभाग को सौंपे गए।

यद्यपि उपायुक्त, दिल्ली को जिला प्रशासन का मुख्य अधिकारी रखा गया। वह कानून व्यवस्था, उत्पाद शुल्क, हथियारों और विस्फोटकों के लिए लाइसेंस जारी करना और नागरिकता प्रमाण-पत्र प्रदान करना, राजस्व के अलावा आपराधिक मामले के न्यायिक कार्य के प्रति जिम्मेवार है। 70 के मध्य में उपायुक्त का कार्यालय निम्नलिखित रूप में संगठित हुआ: चार प्रशासनिक जिले थे– नया, मध्य, उत्तर और दक्षिण जो अपर समाहर्त्ताओं द्वारा संचालित थे। अन्य कार्य व शक्तियां भी थीं जैसे-कोषागार, मनोरंजन इत्यादि। राजस्व और भूमि अधिग्रहण संबंधी कार्य अपर समाहर्ता (राजस्व) और अपर समाहर्ता (भूमि अधिग्रहण) द्वारा संचालित होते थे। कुल 12 उप मंडल थे जिनके प्रमुख पृथक् रूप से एक-एक उपमंडलाधिकारी (एसडीएम) होते थे। इसे बाद में घटा कर सात कर दिया गया।

उप आयुक्त की भूमिका में दो महत्वपूर्ण परिवर्तन किए गए। सन् 1969 में कार्यपालिका को न्यायपालिका से अलग किया गया। संगीन अपराधों का निपटारा सत्र न्यायालय में किया जाने लगा तथा अन्य अपराध जिसमें भारतीय दंड संहिता के तहत् किए गए अपराध भी शामिल थे, न्यायिक दंडाधिकारी को सौंपा गया। कार्यपालक दंडाधिकारी को कार्यपालिका और प्रशासनिक मामले को निपटाने का कार्यभार सौंपा गया। जैसे-लाइसेंस जारी करना, नागरिक दंड संहिता (सीपीसी) की निषेधात्मक धाराएं और दंड देना। सन् 1978 में पुलिस एक्ट लागू किया गया जिसके तहत् दिल्ली, पुलिस आयुक्त के अधीन आ गया। नागरिक दंड संहिता के अनुसार जिला दंडाधिकारी के सारे अधिकार पुलिस आयुक्त को सौंपे गए। तब से धारा 107 और धारा 144 जो अत्यंत महत्वपूर्ण थे, सीधे पुलिस के अधीन चले गए। बाद में लाइसेंस जारी करने और मनोरंजन संबंधी अधिकार भी जो उपायुक्त के पास थे, पुलिस को दे दिए गए। यह स्थिति 1996 में भी जब उपायुक्त कार्यालय का विकेन्द्रीकरण शुरू किया गया। जिसके तहत् 27 अनुमंडल कार्यालय और 9 उपायुक्त कार्यालय शुरू किए गए। 1996 के मध्य में अनुमंडलाधिकारियों को स्थान मिला और उपायुक्तों ने 1 जनवरी 1997 से कार्य करना प्रारंभ किया। सभी उपायुक्तों को अपना प्रतिवेदन मंडल आयुक्त को देना होता है।

संगठनात्मक व्यवस्था

दिल्ली को 11 जिलों में बाँटा गया–

- पश्चिम जिला–अनुमंडलाधिकारी (पटेल नगर), अनुमंडलाधिकारी (रजौरी गार्डन), अनुमंडलाधिकारी (पंजाबी बाग)।
- उत्तर जिला–अनुमंडलाधिकारी (मॉडल टाउन), अनुमंडलाधिकारी (नरेला), अनुमंडलाधिकारी (अलीपुर)।
- मध्य जिला–अनुमंडलाधिकारी (सिविल लाइन्स), अनुमंडलाधिकारी (कोतवाली), अनुमंडलाधिकारी (करोल बाग)।
- नई दिल्ली जिला–अनुमंडलाधिकारी (चाणक्यपुरी), अनुमंडलाधिकारी (दिल्ली कैंट), अनुमंडलाधिकारी (वसंतकुंज)।
- दक्षिण जिला–अनुमंडलाधिकारी (महरौली), अनुमंडलाधिकारी (साकेत), अनुमंडलाधिकारी (हौज खास)।
- दक्षिण-पश्चिम जिला–अनुमंडाधिकारी (द्वारका), अनुमंडलाधिकारी (कापसहेड़ा), अनुमंडलाधिकारी (नजफगढ़)।
- उत्तर-पूर्व जिला–अनुमंडलाधिकारी (सीलमपुर), अनुमंडलाधिकारी (यमुना विहार), अनुमंडलाधिकारी (करावल नगर)।
- पूर्व जिला–अनुमंडलाधिकारी (प्रीत विहार), अनुमंडलाधिकारी (मयूर विहार), अनुमंडलाधिकारी (गांधीनगर)।
- उत्तर-पश्चिम जिला–अनुमंडलाधिकारी (सरस्वती विहार), अनुमंडलाधिकारी (रोहिणी), अनुमंडलाधिकारी (कंझावला)।
- दक्षिण-पूर्व जिला–अनुमंडलाधिकारी (कालकाजी), अनुमंडलाधिकारी (सरिता विहार), अनुमंडलाधिकारी (डिफेंस कॉलोनी)।
- शाहदरा–अनुमंडलाधिकारी (शाहदरा), अनुमंडलाधिकारी (सीमापुरी), अनुमंडलाधिकारी (विवेक विहार)।

पुलिस

कोतवाल की नामी गिरामी संस्था के रूप में दिल्ली का पुलिस के मामले में एक लम्बा इतिहास रहा है। मलिकुल उमर फकरूद्दीन (सन् 1237) को दिल्ली का पहला कोतवाल माना जाता है। यह अनुमान लगाया जाता है कि उस समय पुलिस या कोतवाल का मुख्यालय किला राय पिथौरा जो आज महरौली है, था। सन् 1648 में जब बादशाह शाहजहां ने अपनी राजधानी को आगरा से दिल्ली स्थानांतरित किया तो उन्होंने नये नगर का पहला कोतवाल गजनफर खान को नियुक्त किया। गजनफर खान को एक और महत्वपूर्ण विभाग 'मीर-ए-आतिश' भी सौंपा गया।

कोतवाल परंपरा का अंत 1857 के विद्रोह के बाद ब्रिटिश सरकार द्वारा किया गया। सबसे मजेदार बात यह है कि विद्रोह शुरू होने के पहले अंतिम कोतवाल गंगाधर नेहरू को बनाया गया था जो पंडित मोतीलाल नेहरू के पिता और पंडित जवाहर लाल नेहरू के दादा थे। बाद में विद्रोह कुचलने के बाद कोतवाल प्रथा समाप्त कर दी गई। भारतीय पुलिस कानून 1861 के तहत् 1857 के विद्रोह के बाद एक सुसंगठित पुलिस व्यवस्था ब्रिटिश द्वारा स्थापित हुई। दिल्ली के पंजाब का हिस्सा होने के कारण दिल्ली, पंजाब पुलिस की इकाई थी जो भारत की राजधानी 1912 में बनने के बाद तक रही। उसी वर्ष, दिल्ली का पहला मुख्य आयुक्त नियुक्त हुआ जिसे पुलिस महानिरीक्षक के अधिकार व शक्तियां प्रदान की गईं। दिल्ली जिला उस समय पुलिस उपमहानिरीक्षक के नियंत्रण में था जिसका मुख्यालय अम्बाला में था। दिल्ली जिला में पुलिस बल एक आरक्षी अधीक्षक और एक आरक्षी उप अधीक्षक के अधीन था। उस समय पुलिस बल की संरचना इस प्रकार थी– 2 निरीक्षक, 27 उपनिरीक्षक, 110 हेड कांस्टेबल (मुख्य आरक्षी), 985 फुट कांस्टेबल (पैदल आरक्षी) और 28 सवार। नगर में ग्रामीण आरक्षी दो निरीक्षकों के अधीन थे जिनका मुख्यालय क्रमशः सोनीपत और बल्लभगढ़ था। कुल 10 पुलिस स्टेशन उनके नियंत्रण में थे। इसके अलावा सात सीमा चौकी और 4 सड़क चौकी थी। नगर के तीन बड़े-बड़े पुलिस स्टेशन–कोतवाली, सब्जीमंडी और पहाड़गंज में थे। सिविल लाइन्स में बहुत बड़ी पुलिस छावनी थी जहां अतिरिक्त पुलिस कर्मी और हथियार रखे जाते थे और पुलिस की नियुक्तियां भी वहीं की जाती थीं।

पुलिस व्यवस्था स्वतंत्रता पश्चात्

दिल्ली पुलिस का पुनर्गठन 1946 ई. में हुआ और इसकी संख्या दोगुनी कर दी गई। देश बंटवारा के क्रम में बड़ी संख्या में शरणार्थियों ने नगर में प्रवेश किया और 1948 में अपराधों की संख्या तेजी से बढ़ने लगी। 1951 तक दिल्ली पुलिस की संख्या बढ़कर 8,000 हो गई जिसमें एक आरक्षी महानिरीक्षक और आठ आरक्षी अधीक्षक शामिल थे। दिल्ली में आबादी की वृद्धि के फलस्वरूप पुलिस की संख्या में भी वृद्धि की गई और 1961 में 12,000 से अधिक पुलिसकर्मी हो गए। 1966 में भारत सरकार ने दिल्ली पुलिस आयोग का गठन किया जिसकी अध्यक्षता न्यायमूर्ति जी.डी. खोसला ने की। यह आयोग दिल्ली पुलिस द्वारा सामना किए जाने वाली कठिनाइयाँ संबंधी मामलों की जानकारी लेने के लिए था। आयोग के प्रतिवेदन के आधार पर दिल्ली पुलिस का एक बार फिर पुनर्गठन किया गया। चार पुलिस जिले–उत्तर, केन्द्रीय, दक्षिण और नई दिल्ली बनाए गए। आयोग ने एक पुलिस आयुक्त प्रणाली लागू करने की अनुशंसा की जिसे 1 जुलाई, 1978 से अपनाया गया। इस पद्धति के तहत् पुलिस से संबंधित सारी जिम्मेवारियां आयुक्त को दी गईं। इसने पहले की पुलिस महानिरीक्षक प्रणाली की जगह ली, जहाँ पुलिस महानिरीक्षक दिल्ली के संभागीय आयुक्त (भारत) को रिपोर्ट करता था, इस प्रकार प्रभावी रूप से दोहरी शक्ति थी। आयुक्त प्रणाली ने इस दोहरी शक्ति को समाप्त कर दिया क्योंकि तब से नियुक्त पुलिस आयुक्त पुलिस महानिदेशक (DGP), केन्द्रीय गृहमंत्री और उपराज्यपाल को रिपोर्ट करता है। पुलिस अधिकारी कुछ निश्चित अधिकारों जो सामान्यतः कार्यपालक दंडाधिकारियों में निहित थे, जैसे-धारा 107 और नागरिक दंड संहिता की धारा 144 जो कानून व्यवस्था लागू करने में अत्यंत महत्वपूर्ण होते हैं, को हासिल किया। इसके अलावा लाइसेंस प्रदान करने का अधिकार और मनोरंजन संबंधी क्रियाओं के निष्पादन का अधिकार जो उपायुक्त के पास था, पुलिस को प्रदान कर दिया गया।

पुलिस बल का गठन कमोबेश ऐसा ही है जैसा कि अन्य महानगरों जैसे–मुम्बई, कोलकाता और चेन्नई में है लेकिन अन्य राज्यों के विपरीत दिल्ली के निर्वाचित प्रतिनिधियों को जन व्यवस्था और पुलिस के मामले में निर्णय लेने का अधिकार नहीं है। एक आरक्षित विषय के रूप में लेफ्टिनेंट गवर्नर केन्द्र सरकार के अधीन रह कर अपने विवेक से इन विषयों पर निर्णय ले सकता है।

संगठनात्मक संरचना

दिल्ली की जनसंख्या और पुलिस की समस्याएं गुणात्मक रूप से बढ़ीं और श्रीवास्तव समिति की अनुशंसाओं पर पुलिस कार्मिकों की संख्या बढ़ाकर 83,762 कर दी गई। वर्तमान में, दिल्ली में मंजूर पुलिस कार्मिकों की संख्या 94,255 है। दिल्ली में 6 रेंज, 15 पुलिस जिले और 225 पुलिस स्टेशन हैं। आज की तिथि में शायद दिल्ली पुलिस महानगर पुलिस के रूप में विश्व की सबसे बड़ी पुलिस है। यहाँ तक कि लंदन, पेरिस, न्यूयॉर्क और टोक्यो की पुलिसों से भी बड़ी पुलिस है, जहाँ तक संख्या का सवाल है।

अपने कर्तव्यों के निर्वाहन और शक्तियों का उपयोग करने के क्रम में पुलिस आयुक्त को संयुक्त आयुक्त तथा सहायक आयुक्त सहायता प्रदान करते हैं। प्रत्येक पुलिस जिला में एक पुलिस उप आयुक्त होता है जिसे एक या एक से अधिक अतिरिक्त पुलिस उप आयुक्त सहायता करते हैं। पुलिस उपायुक्त को धारा 47 और 48 के अधीन पेशेवर अंपराधियों को दंड देने का अधिकार है यद्यपि इनके आदेश को ऊपर के न्यायालयों में चुनौती दी जा सकती है। ठीक इसी तरह प्रत्येक पुलिस अनुमंडल एक सहायक पुलिस आयुक्त के अधीन होता है। नागरिक दंड संहिता की धारा 107 के तहत् सहायक पुलिस आयुक्तों को सुरक्षा मामले में कार्यवाही करने का अधिकार है। इस तरह के कार्य सुरक्षात्मक प्रवृत्ति के होते हैं और इन्हें सत्र/उच्च न्यायालयों में चुनौती दी जा सकती है। विशेष कार्यपालक दंडाधिकारी होने के कारण सहायक पुलिस आयुक्त अपने मूल विभाग की तुलना में सत्र न्यायालय के प्रति भी जिम्मेवार होते हैं। उन्हें निरीक्षक का रैंक प्राप्त है और एक अतिरिक्त एसएचओ (जो निरीक्षक होता है) की सहायता प्राप्त होती है। पुलिस स्टेशन में उप निरीक्षक, सहायक उप निरीक्षक, हेड कांस्टेबल और कांस्टेबल होते हैं।

संयुक्त आयुक्त : 20 सहायक आयुक्त : 20

- **दिल्ली पुलिस की विभिन्न इकाइयांः** आर्थिक अपराध, सामान्य अपराध तथा रेलवे, लाइसेंसिंग, संवेदनमंदक और अपराध रोकथाम शाखा, महिलाओं के विरूद्ध अपराध की शाखा, विशेष शाखा, विशेष सेल, विशेष दंगा सेल, सतर्कता इत्यादि।
- **पुलिस रेंज और जिले :** कुल रेंजः 06, कुल जिलाः 15

पदानुक्रम

अधिकारी

- पुलिस आयुक्त (सीपी)
- विशेष पुलिस आयुक्त (स्पेशल सीपी)
- संयुक्त पुलिस आयुक्त (ज्वाइंट सीपी)
- अतिरिक्त पुलिस आयुक्त (एडिशनल सीपी)
- पुलिस उपायुक्त (चयन ग्रेड) डीसीपी (एसजी)
- पुलिस उपायुक्त (डीसीपी)
- सहायक पुलिस आयुक्त (एसीपी)

अधीनस्थ

- निरीक्षक (आईएनएसपी)
- पुलिस उपनिरीक्षक (एसआई)
- सहायक उपनिरीक्षक (एएसआई)
- हेड कांस्टेबल (एचसी)
- पुलिस कांस्टेबल (पीसी)

दिल्ली पर्यटक पुलिस

दिल्ली एक महत्वपूर्ण पर्यटन गन्तव्य है, साथ ही एक पारगमन बिंदु भी, जहाँ से राष्ट्रीय और अंतर्राष्ट्रीय पर्यटक अगले पर्यटन स्थल की भावी यात्रा तय करते हैं। पर्यटकों को कई समस्याओं का सामना करना पड़ता है। ये समस्याएं यातायात, ठहरने संबंधी, पर्यटन संबंधी जानकारियां हैं। कई बार ठग और दलाल उनके कीमती सामानों को लेकर चंपत हो जाते हैं, यह भी एक गंभीर समस्या है। पर्यटकों की मदद के लिए दिल्ली पुलिस की पर्यटक पुलिस निम्नलिखित दस स्थानों पर प्रतिनियुक्त की गई है–

- इंदिरा गांधी अंतर्राष्ट्रीय हवाई अड्डा
- नई दिल्ली रेलवे स्टेशन
- हजरत निजामुद्दीन रेलवे स्टेशन
- राजघाट
- लाल किला
- कुतुबमीनार
- पालिका बाजार
- जनपथ
- इंडिया गेट
- पहाड़ गंज (रेलवे स्टेशन की ओर)

उद्देश्यः

- पर्यटकों को दलाल द्वारा परेशान किए जाने से बचाना।
- उचित दर पर परिवहन और ठहरने में पर्यटकों को मदद करना ताकि हवाई अड्डा, बस टर्मिनल, महत्वपूर्ण पर्यटन स्थलों आदि पर अफरा-तफरी न मचे।
- इन स्थलों पर धोखेबाजों और चोरों से बचाव।
- पॉकेटमारी, नशाखोरी इत्यादि अपराधों से बचाव।
- राजधानी दिल्ली और उसके आस-पास के क्षेत्रों के बारे में सूचना प्रदान करना।

कर्त्तव्य

- पर्यटकों का मार्गदर्शन करना–पर्यटन स्थलों के बारे में, दूरी और उपलब्ध यातायात की जानकारी देना।
- पर्यटकों को संग्रहालयों, आश्रयस्थलों, परिवहनों, सिनेमा घरों के लिए टिकट प्राप्त करने में तथा दलालों और काला बाजारियों से रक्षा करने में मदद करना।
- यह सुनिश्चित करना कि उन्हें दुकानदार, दलाल, ठग और भिखमंगे इत्यादि परेशान न करें।
- नगर में रहने के दौरान पर्यटकों की समस्याओं का समाधान करना।
- पर्यटकों को स्थानीय कला व संस्कृति, इम्पोरियम, बुक स्टॉल, बैंकों और सार्वजनिक टेलीफोन बूथ इत्यादि की जानकारी देना।
- पर्यटकों को कानून व्यवस्था के संदर्भ में, सुरक्षा के विषय में और चिकित्सीय सुविधाओं के विषय में जानकारी प्रदान करना।
- पर्यटकों का पासपोर्ट, वीजा, मुद्रा विनिमय आदि के संबंध में मार्गदर्शन करना।
- स्थानीय रीति-रिवाजों और परंपराओं की जानकारी प्रदान करना।

दिल्ली पुलिस में महिलाओं को 33 प्रतिशत आरक्षण

दिल्ली पुलिस बल में एक तिहाई संख्या महिलाओं की होगी। पूर्व गृह मंत्री राजनाथ सिंह ने 6 अगस्त, 2014को संसद में इस फैसले की जानकारी दी थी। गौरतलब है कि दिल्ली पुलिस में महिलाओं की संख्या और अहम पोस्टिंग का रेकॉर्ड बढ़िया नहीं रहा। दिल्ली पुलिस में इस वक्त मंजूर पुलिसकार्मिकों की संख्या 94,255 है, जिनमें 7,000 महिला पुलिसकर्मी हैं।

खुफिया ब्यूरो

खुफिया ब्यूरो और गृह मंत्रालय पुलिस सुरक्षा के हकदार व्यक्तियों की पहचान करने और उन्हें नामित करने के लिए जिम्मेदार हैं। पुलिस सुरक्षा का स्तर गृह मंत्री और गृह सचिव द्वारा तय किया जाता है। सुरक्षा कवर की पाँच श्रेणियाँ हैं: Z+, Z, Y+, Y और X. किसको किस श्रेणी का सुरक्षा कवर मिलेगा, इसका फैसला गृह सचिव की अध्यक्षता वाली सुरक्षा वर्गीकरण समिति (SCC) द्वारा किया जाता है।

गृह मंत्रालय द्वारा सुरक्षा के हकदार के रूप में नामित लोगों को सशस्त्र पुलिस सुरक्षा गृह मंत्रालय के तहत आने वाले केंद्रीय अर्धसैनिक बलों जैसे NSG, सीआरपीएफ और CISF से लिए गए कर्मियों द्वारा प्रदान की जाती है। 2006 में CISF को VIP सुरक्षा के लिए एक विशेष सुरक्षा समूह बनाने का अधिकार दिया गया था। यह इकाई 17 नवंबर, 2006 को अस्तित्व में आई। यह इकाई अत्यधिक खतरे में पड़े गणमान्य व्यक्तियों/व्यक्तियों की शारीरिक सुरक्षा, संरक्षित व्यक्तियों को निकालने तथा संरक्षित व्यक्तियों को स्थिर और साथ ही मोबाइल सुरक्षा प्रदान करने के लिए जिम्मेदार है। गृह मंत्रालय और खुफिया ब्यूरो के अलावा, दिल्ली पुलिस आयुक्त को भी दिल्ली पुलिस के विशेष ब्यूरो की रिपोर्ट के आधार पर पुलिस सुरक्षा प्रदान करने का अधिकार है।

प्रशिक्षणः दिल्ली पुलिस प्रशिक्षण महाविद्यालय दिल्ली के झारोदा कलां और वजीराबाद गाँव में स्थित है।

स्वाट (SWAT) कमांडो

स्वाट (SWAT) कमांडो 26/11 के मद्देनजर 2009 में गठित किए गए थे। इन्होंने पहली बार 2010 के राष्ट्रमंडल खेलों में अपनी सेवाएं दी। इन्हें सुरक्षा का काम सौंपा गया था। इन्हें राष्ट्रीय सुरक्षा गार्ड की तर्ज पर प्रशिक्षित किया जाता है। सभी कमांडो 28 वर्ष से कम आयु के होते हैं। इस प्रकार वे कमांडो के लिए निर्धारित कार्यों के लिए फिट और सक्षम होते हैं। इनका मुख्य कार्य दिल्ली एनसीआर में होने वाले किसी भी आतंकवादी हमले से लड़ना है। इन्हें विशेष रूप से क्राव मागा में प्रशिक्षित किया जाता है।

दिल्ली पुलिस शिकायत प्राधिकरण

दिल्ली पुलिस से संबंधित शिकायतों पर कार्यवाही के लिए राष्ट्रीय राजधानी क्षेत्र हेतु पुलिस शिकायत प्राधिकरण का गठन किया गया है।

राष्ट्रीय राजधानी क्षेत्र दिल्ली के पुलिस शिकायत प्राधिकरण में एक अध्यक्ष तथा तीन सदस्य होते हैं। तीन सदस्यों में से एक महिला सदस्य होती है। अध्यक्ष का चयन नीचे उल्लिखित श्रेणी (क) में से किया जाता है तथा श्रेणी (ख) से (घ) प्रत्येक में से एक-एक सदस्य का चयन किया जाता है:

(क) उच्च न्यायालय का सेवानिवृत्त न्यायाधीश;

(ख) समाज में प्रसिद्ध एवं ख्याति प्राप्त व्यक्ति;

(ग) दिल्ली सरकार में न्यूनतम सचिव पद के वेतनमान वाले सेवानिवृत्त लोक सेवक जिसका अनुभव लोक प्रशासन में हो; तथा

(घ) पुलिस के संयुक्त आयुक्त/महानिरीक्षक के वेतनमान या समकक्ष रैंक का एक सेवानिवृत्त पुलिस अधिकारी।

यदि महिला को अध्यक्ष के रूप में नियुक्त किया जाता है तो महिला का सदस्य के रूप में होना अनिवार्य नहीं है।

नियुक्तिः

- राष्ट्रीय राजधानी क्षेत्र दिल्ली के उपराज्यपाल पुलिस शिकायत प्राधिकरण के अध्यक्ष तथा सदस्यों के नियोक्ता प्राधिकारी होते हैं।
- प्राधिकरण के अध्यक्ष का चयन दिल्ली उच्च न्यायालय के मुख्य न्यायाधीश द्वारा प्रस्तावित नामों के पैनल से किया जाता है।
- प्राधिकरण के सदस्यों का चयन लोकायुक्त तथा अध्यक्ष, जन शिकायत आयोग के परामर्श के पश्चात् मुख्य सचिव द्वारा तैयार पैनल से किया जाता है।
- अध्यक्ष तथा प्राधिकरण के सदस्यों का कार्यकाल तीन वर्ष का होता है। सदस्यों की अधिकतम आयु सीमा 65 वर्ष होती है लेकिन अध्यक्ष तीन साल के कार्यकाल को पूर्ण करने के लिए 65 वर्ष से अधिक, यदि आवश्यक है, जारी रख सकते हैं, इसमें उपराज्यपाल का अनुमोदन आवश्यक होगा।

- पुलिस शिकायत प्राधिकरण के अध्यक्ष तथा सदस्य प्राधिकरण के पूर्णकालिक सदस्य होते हैं तथा लाभ के किसी अन्य गतिविधि में संलग्न नहीं हो सकतें हैं।

पदच्युतिः पुलिस शिकायत प्राधिकरण के अध्यक्ष तथा सदस्यों को उपराज्यपाल, राष्ट्रीय राजधानी क्षेत्र दिल्ली द्वारा निम्नलिखित किन्हीं कारणों से सुनवाई का अवसर देने के पश्चात् हटाया जा सकता है:

- कदाचार या दुर्व्यवहार की पुष्टि होना;
- लगातार कर्त्तव्य निवर्हन की अवेहलना करना;
- ऐसी स्थिति उत्पन्न होना जिससे वह नियुक्ति के उपयुक्त नहीं रह जायेगा;
- कार्यकाल के दौरान अपने पद की ड्यूटी से बाहर किसी अन्य आय प्राप्ति के रोजगार में संलग्न होना।

भूमिका और कार्यः पुलिस शिकायत प्राधिकरण की भूमिका एवं कार्य निम्न हैं:

- प्राधिकरण पुलिस कर्मियों के विरुद्ध "गंभीर कदाचार" जैसेः पुलिस हिरासत में मौत, पुलिस हिरासत में गंभीर चोट, बलात्कार या पुलिस हिरासत में बलात्कार का प्रयास, कानून की अपेक्षित प्रक्रिया के बिना गिरफ्तारी या हिरासत में रखना, या फिरौती या भूमि/घर पर कब्जा करना या प्राधिकार के गंभीर दुरुपयोग संबंधी कोई अन्य घटना के आरोप में जाँच करेगा या निम्नलिखित में से किसी से प्राप्त शिकायत पर स्वतः कार्यवाही करेगा:
- कोई पीड़ित या उसकी तरफ से शपथ पत्र के माध्यम से कोई अन्य व्यक्ति;
- राष्ट्रीय मानवाधिकार आयोग; या
- दिल्ली के उपराज्यपाल या मुख्य सचिव या प्रधान सचिव (गृह)।

पुलिस शिकायत प्राधिकरण की शक्तियां

- प्राधिकरण किसी व्यक्ति या प्राधिकारी को किसी ऐसे बिन्दु या मामले में ऐसी सूचना प्रदान करने के लिये कह सकता है जो प्राधिकरण की राय में शिकायत की विषयवस्तु के लिये उपयोगी या प्रासंगिक होगा।
- प्राधिकरण अपनी रिपोर्ट को अंतिम रूप देने से पहले दिल्ली पुलिस को अपना दृष्टिकोण तथा अतिरिक्त तथ्य यदि कोई है और प्राधिकरण के जानकारी में पहले नहीं है पर पर्याप्त अवसर प्रदान करेगा। प्राधिकरण दिल्ली पुलिस से ऐसी सूचना जो मामले पर प्रभाव डालती है, ऐसी अतिरिक्त सूचना प्राप्त होने पर अपने निष्कर्ष की समीक्षा कर सकता है।

दिल्ली की निचली अदालतें

- तीस हजारी कोर्ट
- कड़कड़डूमा कोर्ट, आनंद विहार
- रोहिणी कोर्ट
- पटियाला हाउस कोर्ट
- द्वारका कोर्ट
- साकेत कोर्ट

वस्तुनिष्ठ प्रश्नोत्तर

1. संविधान में दिल्ली को राष्ट्रीय राजधानी क्षेत्र (NCT of Delhi) का दर्जा कब दिया गया?

A. 1950 B. 1975
C. 1991 D. 2002

2. दिल्ली की विधान सभा और मंत्रिपरिषद् का प्रावधान किस अनुच्छेद द्वारा किया गया है?

A. अनुच्छेद 239
B. अनुच्छेद 239A
C. अनुच्छेद 239AA
D. अनुच्छेद 240

3. अनुच्छेद 239AA (3)(a) में किन विषयों पर दिल्ली की विधान सभा कानून बना सकती है?

A. पुलिस और सार्वजनिक व्यवस्था
B. भूमि अधिकार
C. राज्य सूची व समवर्ती सूची के उन विषयों पर जो लागू हों
D. विदेश मामलों पर

4. दिल्ली विधानसभा द्वारा कानून नहीं बनाया जा सकता किन विषयों पर?

A. शिक्षा
B. स्वास्थ्य
C. पुलिस, सार्वजनिक व्यवस्था और भूमि
D. परिवहन

5. दिल्ली की मंत्रिपरिषद् को किससे सलाह और सहायता करनी होगी?

A. राष्ट्रपति
B. उपराज्यपाल
C. केंद्र सरकार
D. सर्वोच्च न्यायालय

6. जब किसी विधेयक पर उपराज्यपाल और मंत्रिपरिषद् में मतभेद हो, तो उपराज्यपाल क्या कर सकता है?

A. उस कानून को तुरंत लागू कर दे

B. राष्ट्रपति को निर्णय हेतु भेज दे

C. मंत्रिपरिषद् को समाप्त कर दे

D. विधान सभा भंग कर दे

7. दिल्ली में "सेवाएँ (services)" अर्थात सरकारी अधिकारी नियुक्ति, स्थानांतरण आदि का नियंत्रण किसके पास था, सुप्रीम कोर्ट के 11 मई 2023 के निर्णय के अनुसार (अलग-अलग मामलों को छोड़कर)?

A. उपराज्यपाल

B. केंद्र सरकार

C. दिल्ली सरकार

D. न्यायालय

8. दिल्ली (संशोधन) अधिनियम, 2023 (GNCTD Amendment Act, 2023) का महत्वपूर्ण प्रावधान क्या है?

A. विधायिका को समाप्त करना

B. केंद्र सरकार को दिल्ली के अधिकारियों पर पूरा नियंत्रण देना

C. उपराज्यपाल की शक्तियों को सीमित करना

D. एक राष्ट्रीय राजधानी सिविल सेवा प्राधिकरण (National Capital Civil Services Authority) की स्थापना

9. दिल्ली सरकार के उन विषयों पर नियंत्रण जो विधानसभा कानून बना सकती है, वे किन विषयों से बाहर होंगे?

A. Entry 1, 2, 18 (State List entries)

B. Entry 41 (State Public Services)

C. Entry 97 (Concurrent list)

D. Entry 45 (Union list)

10. दिल्ली सरकार और उपराज्यपाल के बीच विवाद का निपटारा किसके निर्णय पर होगा?

A. उच्च न्यायालय

B. राष्ट्रपति

C. लोकसभा

D. लोकायुक्त

11. दिल्ली विधान सभा के सदस्यों को निर्वाचित करने की व्यवस्था संविधान में किस भाग द्वारा नियंत्रित है?

A. अनुच्छेद 326

B. अनुच्छेद 239AA

C. अनुच्छेद 143

D. अनुच्छेद 352

12. दिल्ली विधायिका को अपने कार्य के संचालन हेतु नियम बनाने का अधिकार कब मिला?

A. 1991 से

B. 2021 (संशोधन) के पश्चात्

C. 2010 में

D. 2000 में

13. GNCTD संशोधन 2021 अधिनियम में कौन-सा प्रावधान है?

A. "सरकार" शब्द का तात्पर्य उपराज्यपाल से होगा

B. दिल्ली विधायिका का पूर्ण अतिक्रमण

C. संप्रभुता वापस लेना

D. दिल्ली को पूर्ण राज्य घोषित करना

14. दिल्ली में उपराज्यपाल से पहले नामित किया गया "प्रशासक (Administrator)" का पद किस अनुच्छेद से संबंधित था?

A. अनुच्छेद 240

B. अनुच्छेद 239

C. अनुच्छेद 243

D. अनुच्छेद 239A

15. यदि दिल्ली विधान सभा का कानून संसद द्वारा बनाए गए कानून से विरोधाभासी हो, तो कौन-सा कानून सिद्ध होगा?

A. विधान सभा का कानून

B. संसद का कानून

C. उपराज्यपाल का आदेश

D. सर्वोच्च न्यायालय का निर्णय

16. "ट्रिपल चेन ऑफ अकाउंटेबिलिटी (Triple Chain of Accountability)" किस सिद्धांत से संबंधित है?

A. न्यायिक समीक्षा

B. निर्वाचित सरकारों की जवाबदेही

C. संघीय सीमाएँ

D. भ्रष्टाचार निवारण

17. राष्ट्रीय राजधानी क्षेत्र दिल्ली की परिषदें/संस्थाएँ जैसे कि नगर निगम, नगरपालिका आदि किस स्तर पर आती हैं?

A. संघ सरकार

B. दिल्ली सरकार

C. स्थानीय स्वशासन (Local self-government)

D. न्यायपालिका

18. दिल्ली में नगर प्रशासन (municipal administration) किस अधिनियम या व्यवस्था के अंतर्गत आती है?

A. दिल्ली नगर निगम अधिनियम

B. भारतीय नगरपालिका अधिनियम

C. राज्य विधान अधिनियम

D. केंद्र अधिनियम

19. दिल्ली राज्य निर्वाचन आयोग (State Election Commission) कौन-से प्रकार की निकायों के चुनाव कराता है?

A. संसद चुनाव

B. विधानसभा चुनाव

C. स्थानीय निकायों (Municipalities, Corporations)

D. राष्ट्रपति चुनाव

20. यदि दिल्ली सरकार अपने एक मंत्री की नियुक्ति करना चाहे, तो किसकी सलाह पर नियुक्ति होगी?

A. मुख्यमंत्री की

B. उपराज्यपाल की

C. राष्ट्रपति की

D. केंद्र सरकार की

21. दिल्ली सरकार में मंत्रिपरिषद् का आकार क्या हो सकता है?

A. विधानसभा के कुल सदस्यों का 10%

B. विधानसभा के कुल सदस्यों का 20%

C. क़ोई सीमित नहीं

D. 5 सदस्यों तक

22. दिल्ली सरकार में मंत्रिपरिषद् किसके प्रति उत्तरदायी होती है?

A. उपराज्यपाल

B. राष्ट्रपति

C. विधानसभा

D. नौकरशाही

23. दिल्ली में "Public Order" पर कानून बनाने का अधिकार किसके पास है?

A. दिल्ली विधान सभा

B. संसद

C. दोनों

D. स्थानीय सरकार

24. दिल्ली की अधिकार-निर्धारण व्यवस्था में, संविधान के किस अनुच्छेद के अंतर्गत उपराज्यपाल को "डिस्क्रीशनरी पावर" दी गई है?

A. 239AA (4) B. 240

C. 243Q D. 243ZD

25. सुप्रीम कोर्ट ने 11 मई 2023 के निर्णय में यह माना कि दिल्ली सरकार को कौन सी शक्तियाँ दी जानी चाहिए?

A. सभी शक्तियाँ

B. केवल विधायी शक्ति

C. प्रशासनिक (services) नियंत्रण, विधायी और कार्यकारी शक्ति (सिवाय पुलिस, सार्वजनिक व्यवस्था, भूमि)

D. केवल चतुर्थांश शक्ति

26. उपराज्यपाल अपने विवेक (discretion) से क्या कर सकता है, यदि मामला तात्कालिक हो?

A. स्वतः कानून बना सकता है

B. मंत्रिपरिषद् को बर्खास्त कर सकता है

C. तत्काल कदम उठा सकता है या दिशा निर्देश दे सकता है

D. विधानसभा भंग कर सकता है

27. दिल्ली का संविधान संशोधन अधिनियम 2023 (GNCTD Amendment 2023) कब लागू हुआ?

A. 1 जनवरी 2023

B. 19 मई 2023

C. 3 मई 2023

D. 7 अगस्त 2023

28. "National Capital Civil Services Authority" में कौन शामिल होंगे?

A. प्रधानमंत्री, मुख्यमंत्री, सचिव

B. उपराज्यपाल, मुख्यमंत्री, मुख्य सचिव

C. मुख्यमंत्री, मुख्य सचिव, प्रधान सचिव (Delhi)

D. राष्ट्रपति, उपराज्यपाल, दिल्ली सरकार

29. दिल्ली सरकार के अधिकारी परियोजनाओं या नीतियों का कार्यान्वयन करते समय किस पर निर्भर रहे होंगे, सुप्रीम कोर्ट के आदेश अनुसार?

A. उपराज्यपाल की स्वतंत्र भूमिका

B. मंत्रिपरिषद् की नीति

C. केंद्र सरकार की योजना

D. संसद की अधिसूचना

30. यदि दिल्ली विधान सभा द्वारा पारित कोई विधेयक राष्ट्रपति की मंजूरी प्राप्त करता है, तो वह कानून बन जाता है। यदि विवाद हो, तो किस प्रकार के कानून को प्राथमिकता दी जाएगी?

A. विधान सभा का कानून

B. राष्ट्रपति का निर्णय

C. संसद का कानून

D. सर्वोच्च न्यायालय का आदेश

31. दिल्ली में किस संस्था द्वारा प्रदूषण नियंत्रण (Pollution Control) किया जाता है?

A. दिल्ली प्रदूषण नियंत्रण समिति (DPCC)

B. दिल्ली सरकार

C. केंद्रीय प्रदूषण नियंत्रण बोर्ड

D. MCD

32. दिल्ली की नगर निकायों के चुनाव का नियंत्रण किस निकाय के पास है?

A. निर्वाचन आयोग (Election Commission of India)

B. दिल्ली राज्य निर्वाचन आयोग (State Election Commission)

C. दिल्ली सरकार

D. उपराज्यपाल

33. दिल्ली प्रशासन की तीन स्तर व्यवस्था में नीचे दिए गए किस स्तर को शामिल नहीं किया जाता?

A. केंद्र

B. दिल्ली सरकार

C. स्थानीय निकाय

D. न्यायालय

34. दिल्ली संविधान व्यवस्था में "लोकप्रिय सरकार" की अवधारणा को बनाए रखने के लिए किस सिद्धांत का विशेष महत्व है?

A. न्यायपालिका की भूमिका

B. तात्कालिक शासन

C. जिम्मेदारी (accountability)

D. संघीय नियंत्रण

35. किस अधिनियम द्वारा दिल्ली सरकार की शक्तियों का पुनर्संतुलन किया गया?

A. संविधान (संशोधन) अधिनियम, 2002

B. GNCTD संशोधन अधिनियम, 2021

C. GNCTD संशोधन अधिनियम, 1995

D. दिल्ली विशेष प्रावधान अधिनियम, 1991

36. दिल्ली की विधानसभा में कितनी सीटों का आरक्षण अनुसूचित जातियों के लिए है?

A. 10%

B. 15%

C. जैसा संसद द्वारा अधिनियम द्वारा निर्धारित

D. 20%

37. दलों द्वारा दिल्ली विधानसभा की नियमावली (Rules of Procedure) बनाने का अधिकार किस संशोधन अधिनियम के बाद विशेष रूप से दिया गया?

A. 1991 में

B. 2000 में

C. 2021 में

D. 2023 में

38. दिल्ली की शासन व्यवस्था में "लोकतांत्रिक विकेंद्रीकरण (decentralization)" को बढ़ावा देने के लिए किस स्तर को सुदृढ़ करना जरूरी है?

A. केंद्र

B. विधानसभा

C. स्थानीय निकाय

D. न्यायपालिका

39. दिल्ली में यदि आपत्तिजनक विधेयक को राष्ट्रपति को भेजा गया है, तो वह किसके आदेश से वापस आ सकता है?

A. दिल्ली सरकार

B. उपराज्यपाल

C. संसद

D. राष्ट्रपति

40. दिल्ली की शासन व्यवस्था की एक बड़ी चुनौती कौन-सी है?

A. पूर्ण स्वायत्तता की मांग

B. न्यायालयों का हस्तक्षेप

C. केंद्र एवं दिल्ली सरकार के बीच सत्ता विवाद

D. संसदीय नियंत्रण

41. दिल्ली विधान सभा के अध्यक्ष या उपाध्यक्ष को निम्नलिखित में से किन तरीकों से उनके पद से हटाया जा सकता है?

A. वह स्वयं पद का त्याग कर देगा, यदि उसने विधान सभा की सदस्यता छोड़ दी हो।

B. अध्यक्ष अपना त्यागपत्र उपाध्यक्ष को और इसी तरह उपाध्यक्ष अपना त्यागपत्र अध्यक्ष को सौंपकर अपने पद का त्याग कर सकता है।

C. विधान सभा में सदस्यों के बहुमत से उनके विरुद्ध प्रस्ताव (14 दिन पूर्व में सूचित) लाकर उन्हें उनके पद से हटाया जा सकता है।

D. उपर्युक्त सभी

42. विधान सभा में यदि अध्यक्ष या उपाध्यक्ष के विरुद्ध प्रस्ताव विचाराधीन हो तो, वे सदन की अध्यक्षता :

A. कर सकते हैं

B. नहीं कर सकते हैं

C. कर भी सकते हैं और नहीं भी कर सकते हैं

D. ले. गवर्नर की स्वीकृति से कर सकते हैं

43. विधान सभा का कोई सदस्य विधान सभा की अनुमति के बिना लगातार कितने दिनों तक विधान सभा की बैठकों में अनुपस्थित रहता है तो विधान सभा उसकी सदस्यता निरस्त कर सकती है?

A. 55 दिन

B. 60 दिन

C. 45 दिन

D. 75 दिन

44. विधान सभा में निम्नांकित वित्त विधेयकों—किसी भी कर का आरोपण, समापन, छूट, परिवर्तन या विनियमन या किसी बाध्यता के अन्तर्गत कानूनों में संशोधन या केन्द्र सरकार का उत्तरदायित्व या केन्द्र की समेकित निधि के अतिरिक्त मुद्राओं का विनियोग—के सन्दर्भ में किसकी अनुशंसा के बगैर कोई विधेयक अथवा संशोधन प्रस्ताव नहीं लाया जाएगा?

A. विधान सभा में सदस्यों के बहुमत से
B. विधान सभा अध्यक्ष की अनुशंसा से
C. ले. गवर्नर की अनुशंसा से
D. मुख्यमंत्री की अनुशंसा से

45. यदि कोई विधेयक विधान सभा में विचाराधीन हो और विधान सभा का विघटन हो जाए तो:

A. वह विधेयक अगली विधान सभा में पुन: प्रस्तुत किया जा सकेगा
B. वह विधेयक समाप्त हो जाएगा
C. वह विधेयक स्वत: स्वीकृत हो जाएगा
D. उपर्युक्त में से कोई नहीं

46. चुनाव आयोग किस धारा के अन्तर्गत व्यावहारिक परन्तु नियत एक सदस्यीय राजधानी चुनाव क्षेत्रों का निर्धारण एवं वितरण करेगा?

A. धारा-3 B. धारा-24
C. धारा-324 D. उपर्युक्त में से कोई नहीं

47. विधान सभा के एक सत्र (अन्तिम दिन) से दूसरे सत्र (प्रथम दिन) के बीच की अवधि अधिकतम कितने दिनों की होती है?

A. 3 माह B. 4 माह
C. 5 माह D. 6 माह

48. चुनाव आयोग किस धारा के अन्तर्गत विधान सभा चुनाव क्षेत्रों के निर्धारण के पश्चात जितना जल्दी हो सके, विधान सभा के गठन हेतु आम चुनाव कराएगा।

A. धारा-38 B. धारा-37
C. धारा-36 D. धारा-34

49. वह निश्चित अवधि, जिसके अन्तर्गत यदि कोई मंत्री विधान सभा का सदस्य नहीं बनता है तो उस अवधि की समाप्ति पर उसका मंत्री पद निरस्त हो जाएगा?

A. 4 माह B. 6 माह
C. 8 माह D. 12 माह

50. वह संवैधानिक अनुच्छेद जिसके आधार पर राष्ट्रपति द्वारा राज्य में आपातकाल की घोषणा कर विधान सभा को भंग किया जा सकता है तथा उसकी अवधि एक बार में 6 माह से कम तथा 1 वर्ष से अधिक नहीं होगी—

A. अनुच्छेद 324 की धारा (2)
B. अनुच्छेद 345 की धारा (1)
C. अनुच्छेद 352 की धारा (1)
D. अनुच्छेद 368 की धारा (4)

51. दिल्ली में विधानसभा सीटों की संख्या कितनी है?

A. 70 B. 65
C. 75 D. 80

52. दिल्ली के किस जिले में हरित क्षेत्रफल सर्वाधिक है?

A. पूर्व दिल्ली B. नई दिल्ली
C. उत्तर दिल्ली D. दक्षिण दिल्ली

53. दिल्ली में कुल सब डिवीजनों की संख्या है?

A. 25 B. 29
C. 33 D. 47

54. वर्तमान में विधान सभा की कितनी सीटें अनुसूचित जाति के लिए आरक्षित हैं?

A. 17 B. 25
C. 10 D. 12

55. किस समिति की अनुशंसाओं के आधार पर संसद ने 69वाँ संविधान संशोधन 1991 में पारित किया?

A. बालकृष्णन समिति
B. सीतारमैय्या समिति
C. केलकर समिति
D. उपरोक्त में से कोई नहीं

56. विधान सभा का अनिवार्य अंग है :

A. मुख्य न्यायाधीश
B. ले. गवर्नर
C. गृहमंत्री भारत सरकार
D. इनमें से कोई नहीं

57. दिल्ली नगर निगम का कितना प्रतिशत क्षेत्र कार्यरत है?

A. 80.24% B. 94.22%
C. 47.52% D. 78.62%

58. 1957 का दिल्ली नगर निगम अधिनियम LXVI संसद द्वारा कब लागू हुआ?

A. 28 दिसम्बर, 1957 B. 10 जनवरी, 1957
C. 28 सितम्बर, 1957 D. 26 जनवरी, 1957

59. सन् 1958 में दिल्ली नगर निगम की स्थापना के समय कुल पार्षदों की संख्या थी:

A. 80 B. 90
C. 70 D. 50

60. पुलिस उपायुक्त को किस धारा के अधीन पेशेवर अपराधियों को दंड देने का अधिकार है?

A. धारा 25 एवं 26 B. धारा 47 एवं 48
C. धारा 51 एवं 52 D. धारा 79 एवं 80

उत्तरमाला

1	2	3	4	5	6	7	8	9	10
C	C	C	C	B	B	C	D	A	B
11	**12**	**13**	**14**	**15**	**16**	**17**	**18**	**19**	**20**
B	B	A	B	B	B	C	A	C	C
21	**22**	**23**	**24**	**25**	**26**	**27**	**28**	**29**	**30**
A	C	B	A	C	C	B	C	B	C
31	**32**	**33**	**34**	**35**	**36**	**37**	**38**	**39**	**40**
A	B	D	C	B	C	C	C	D	C
41	**42**	**43**	**44**	**45**	**46**	**47**	**48**	**49**	**50**
D	B	B	C	B	A	D	A	B	C
51	**52**	**53**	**54**	**55**	**56**	**57**	**58**	**59**	**60**
A	D	C	D	A	B	B	A	A	B

मानसिक क्षमता/सामान्य बुद्धिमत्ता
(Mental Ability/General Intelligence)

भाषिक

1 शृंखला (Series)

अक्षर शृंखला (Semantic Series)

अक्षर शृंखला में निहित अक्षरों का एक निश्चित क्रम होता है। दी गई अक्षर शृंखला में अक्षर वर्णमाला के सीधे क्रम में भी हो सकते हैं और वर्णमाला के विपरीत क्रम में भी। यही नहीं, एक ही शृंखला में अक्षर वर्णमाला के सीधे क्रम में और वर्णमाला के विपरीत या उल्टे क्रम में अर्थात् दोनों ही अनुक्रमों में भी हो सकते हैं। शृंखला में दिए गए क्रम में कुछ अक्षर छोड़े भी गए हो सकते हैं या ऐसा भी हो सकता है कि शृंखला में कुछ अक्षरों को एकाधिक बार प्रयुक्त किया गया हो या फिर वे क्रमागत हों। शृंखला एकल भी हो सकती है और एक ही शृंखला में एकांतर क्रम में दो अलग-अलग शृंखलाएं भी निहित हो सकती हैं। अक्षर शृंखला पर आधारित प्रश्नों को हल करते समय शृंखला के पैटर्न पर ध्यान दिया जाना आवश्यक होता है।

वर्णमाला के सीधे क्रम में अक्षरों की शृंखला है :

A B C D E F G H I J K L M N O P Q R S T U V W X Y Z

A ↓ पहला, E ↓ 5वाँ, J ↓ 10वाँ, O ↓ 15वाँ, T ↓ 20वाँ, Y ↓ 25वाँ

वर्णमाला के विपरीत या उल्टे क्रम में अक्षरों की शृंखला है :

Z Y X W V U T S R Q P O N M L K J I H G F E D C B A

Z ↓ पहला, V ↓ 5वाँ, Q ↓ 10वाँ, L ↓ 15वाँ, G ↓ 20वाँ, B ↓ 25वाँ

टिप्पणी : Z पर पहुंचकर शृंखला A से पुनः शुरू होती है और A पर पहुंचकर शृंखला Z से पुनः शुरू होती है।

प्रश्नमाला

निर्देश : *नीचे दी गई प्रत्येक शृंखला में अक्षरों का क्रम निर्धारित करें। तत्पश्चात् दिए गए विकल्पों में से उस विकल्प का चयन करें जिससे दी गई शृंखला में प्रश्नचिह्न प्रतिस्थापित होता हो।*

1. B Y C X D W E ?
(*a*) S (*b*) T
(*c*) U (*d*) V

2. A D C G E ?
(*a*) G (*b*) J
(*c*) I (*d*) L

3. L N P R T ?
(*a*) U (*b*) V
(*c*) W (*d*) Y

4. X O I F ?
(*a*) D (*b*) F
(*c*) B (*d*) E

5. D Q G O J M ?
(*a*) K (*b*) P
(*c*) M (*d*) L

6. B A F E J I P O ? U
(*a*) V (*b*) T
(*c*) S (*d*) Q

7. Z A A Y B B X C ?
(*a*) W (*b*) C
(*c*) V (*d*) D

8. B D G K ? V
(*a*) N (*b*) P
(*c*) Q (*d*) M

9. V R O K ? D
(*a*) L (*b*) I
(*c*) H (*d*) J

10. Z X V T ?
(*a*) Q (*b*) S
(*c*) R (*d*) P

11. Z A Y B X C W D V E ?
(*a*) UD (*b*) UC
(*c*) TR (*d*) UF

12. B C D B D D B E D B F D B G ?
(*a*) BD (*b*) BF
(*c*) HB (*d*) DB

13. Z Y X C B A W V U F E D ?
(*a*) STR (*b*) TSR
(*c*) RQP (*d*) IHG

14. B D A C F H E G ?
(*a*) JL (*b*) IK
(*c*) JK (*d*) KL

15. A Z Y B X W C V U D T S E ?
(*a*) RS (*b*) ST
(*c*) RQ (*d*) QR

16. A D E H I L M P Q T U ?
(*a*) XY (*b*) YZ
(*c*) UV (*d*) VW

17. X Y Z U V W C B A F E D R S T O ?
(*a*) GE (*b*) OP
(*c*) PQ (*d*) GH

18. Z X Y W V T U S R P Q O ?
(*a*) MN (*b*) MK
(*c*) NL (*d*) LN

19. C A B F D E I G H ?
(*a*) JLK (*b*) JKL
(*c*) LKJ (*d*) LJK

20. M N L O K P J Q I R H S ?
(*a*) TG (*b*) GT
(*c*) FU (*d*) RH

व्याख्यात्मक उत्तरमाला

1. (*d*) : दी गई शृंखला में बारी-बारी से दो अक्षर शृंखलाएं अंतर्निहित हैं।

+1 +1 +1
B Y C X D W E V
−1 −1 −1

शृंखला I : BCDE (वर्णमाला के सीधे क्रम में)
शृंखला II : YXWV (वर्णमाला के विपरीत क्रम में)

2. (*b*) : दी गई शृंखला में बारी-बारी से दो अक्षर शृंखलाएं अंतर्निहित हैं।

+2 +2
A D C G E J
+3 +3

शृंखला I : ACE (शृंखला +2 पैटर्न का अनुपालन करती है)
शृंखला II : DGJ (शृंखला +3 पैटर्न का अनुपालन करती है)

3. (*b*) : शृंखला +2 पैटर्न का अनुपालन करती है, अर्थात्

L N P R T V
+2 +2 +2 +2 +2

4. (*b*) : शृंखला में दो सन्निकट अक्षरों के बीच वर्णमाला के विपरीत क्रम में क्रमश: 3 की कमी होती जाती है, अर्थात्

X O I F F
−9 −6 −3 −0

5. (*c*) : दी गई शृंखला में बारी-बारी से दो शृंखलाएं अंतर्निहित हैं।

+3 +3 +3
D Q G O J M M
−2 −2

शृंखला I : DGJM (शृंखला +3 पैटर्न का अनुपालन करती है)
शृंखला II : QOM (शृंखला −2 पैटर्न का अनुपालन करती है)

6. (*a*) : शृंखला में अंग्रेजी वर्णमाला के पांच स्वर (vowel) हैं अर्थात् (AEIOU) जिनमें से प्रत्येक के पहले वर्णमाला के सीधे क्रम में उसके ठीक बाद का क्रमागत अक्षर लिखा गया है।

B A F E J I P O V U

7. (*b*) : शृंखला में बारी-बारी से तीन शृंखलाएं अंतर्निहित हैं जिनमें से दूसरी और तीसरी शृंखलाएं एक जैसी हैं, अर्थात्

−1 −1 −1
Z AA Y BB X CC
+1 +1

शृंखला I : ZYX (वर्णमाला के विपरीत क्रम में)
शृंखला II और III : ABC (वर्णमाला के सीधे क्रम में)
अक्षर 'C' शृंखला II और III में उभयनिष्ठ है।

8. (*b*) : शृंखला में दो सन्निकट अक्षरों के बीच अंतर में 2 से आरंभ होकर प्रत्येक चरण में क्रमश: 1 की वृद्धि होती जाती है।

B D G K P V
+2 +3 +4 +5 +6

9. (*c*) : शृंखला के अक्षर वर्णमाला के विपरीत क्रम में हैं तथा दो सन्निकट अक्षरों के बीच बारी-बारी से −4 और −3 का अंतर है।

V R O K H D
−4 −3 −4 −3 −4

10. (*c*) : शृंखला के अक्षर वर्णमाला के विपरीत क्रम में हैं तथा शृंखला के दो सन्निकट अक्षरों के बीच −2 का अंतर है।

Z X V T R

−2 −2 −2 −2

11. (*d*) : शृंखला में बारी-बारी से दो शृंखलाएं अंतर्निहित हैं।

−1 −1 −1 −1 −1

Z A Y B X C W D V E U F

+1 +1 +1 +1 +1

शृंखला I : ZYXWVU (वर्णमाला के विपरीत क्रम में)

शृंखला II : ABCDEF (वर्णमाला के सीधे क्रम में)

12. (*d*) : शृंखला में वर्णमाला के सीधे क्रम में क्रमागत अक्षर (जहां दो अक्षरों के बीच +1 का अंतर है) B और D के बीच विन्यस्त हैं।

B C D B D D B E D B F D B G D

+1 +1 +1 +1

13. (*b*) : शृंखला के अक्षर तीन के समूह में हैं। समूहों में अक्षर वर्णमाला के विपरीत क्रम में क्रमागत हैं और इनके दो अलग-अलग खंड हैं।

ZYX CBA WVU FED TSR

14. (*a*) : शृंखला के अक्षर निम्नलिखित क्रम में विन्यस्त हैं (चार अक्षर मिश्रित हैं)

A B C D इसे BDAC के रूप में लिखा गया है और

E F G H इसे FHEG के रूप में लिखा गया है। इसी प्रकार,

I J K L यह JLIK होगा।

उत्तर विकल्प JL अर्थात् (*a*) है।

15. (*c*) : शृंखला में बारी-बारी से दो शृंखलाएं अंतर्निहित हैं।

+1 +1 +1 +1

A Z Y B X W C V U D T S E R Q

+1 +1 +1 +1

शृंखला I : ABCDE (वर्णमाला के सीधे क्रम में)

शृंखला II : ZY XW VU TS RQ (वर्णमाला के विपरीत क्रम में एक साथ दो अक्षर)

16. (*a*) : शृंखला के अक्षरों के बीच बारी-बारी से +3 और +1 का अंतर है।

A D E H I L M P Q T U X Y

+3 +1 +3 +1 +3 +1 +3 +1 +3 +1 +3 +1

17. (*c*) : शृंखला में तीन-तीन अक्षरों के समूह निम्नवत् व्यवस्थित हैं :

XYZ UVW CBA FED RST OPQ

18. (*a*) : शृंखला में अक्षरों के समूह निम्नवत् व्यवस्थित हैं :

ZXYWV TUSR PQO MN

19. (*d*) : वर्णमाला के सीधे क्रम में 3 अक्षरों के समूह से एक खंड निर्मित होता है। प्रत्येक खंड में 3 अक्षरों के समूह में पहला अक्षर बीच में है जिसकी दाहिनी ओर उसका क्रमागत अक्षर हैं तथा तीसरा क्रमागत अक्षर बीच के अक्षर की बायीं ओर अवस्थित है।

CAB FDE IGH LJK

20. (*b*) : शृंखला में बारी-बारी से दो शृंखलाएं अंतर्निहित हैं।

−1 −1 −1 −1 −1 −1

M N L O K P J Q I R H S G T

+1 +1 +1 +1 +1 +1

शृंखला I : MLKJIHG (वर्णमाला के विपरीत क्रम में)

शृंखला II : NOPQRST (वर्णमाला के सीधे क्रम में)

संख्या शृंखला (Number Series)

स प्रकार की शृंखला में दी गई संख्याओं के समुच्चय एक-दूसरे से एक विशेष पैटर्न या रूप में संबंधित होते हैं। संख्याओं के बीच संबंध (*i*) क्रमागत वषम/सम संख्याओं; (*ii*) क्रमागत अविभाज्य संख्याओं; (*iii*) किसी संख्या (या संख्याओं) का वर्गफल/घनफल जिसमें किसी संख्या को जोड़ने या घटाने पर रिवर्तन होता है/नहीं होता; (*iv*) पूर्ववर्ती संख्याओं का योग/गुणनफल/अंतर; (*v*) किसी संख्या से योग/घटा/गुणा/भाग; और (*vi*) उपर्युक्त संबंधों के अनेक और ी संयोजनों पर आधारित होता है।

प्रश्नमाला

नर्देश : *शृंखलाओं को पूरा करने के लिए दिए गए विकल्पों में से लुप्त पद/ ंख्या ज्ञात करें।*

1. 3, 9, 27, 81, 243, ?

(*a*) 486 (*b*) 729
(*c*) 972 (*d*) 359

2. 1, 6, 12, 19, 27, ?

(*a*) 38 (*b*) 35
(*c*) 36 (*d*) 54

3. 2, 6, 14, 30, 62, ?

(*a*) 126
(*b*) 128
(*c*) 120
(*d*) 130

4. 8, 48, 16, 96, 32, ?

(*a*) 192 (*b*) 150
(*c*) 64 (*d*) 288

5. 2, 8, 14, 24, 34, 48, ?
(*a*) 66 (*b*) 62
(*c*) 58 (*d*) 64

6. 4, 9, 19, 34, 54, ?, 109
(*a*) 89 (*b*) 84
(*c*) 74 (*d*) 79

7. 3, 15, 35, 63, 99, ?
(*a*) 144 (*b*) 143
(*c*) 121 (*d*) 169

8. 2, 3, 6, 18, 108, ?
(*a*) 1944 (*b*) 1658
(*c*) 648 (*d*) 1008

9. 1, 2, 3, 2, 3, 5, 4, 5, ?
(*a*) 9 (*b*) 6
(*c*) 10 (*d*) 7

10. 7776, 1296, 216, 36, 6, ?
(*a*) 6 (*b*) 0
(*c*) 3 (*d*) 1

11. 1, 8, 27, 64, 125, ?
(*a*) 172 (*b*) 176
(*c*) 216 (*d*) 189

12. 2, 3, 5, 7, 11, 13, ?
(*a*) 19 (*b*) 57
(*c*) 31 (*d*) 17

13. 80, 64, 48, 32, 16, ?
(*a*) 4 (*b*) 0
(*c*) 8 (*d*) 1

14. 3, 8, 13, 24, 41, ?
(*a*) 65 (*b*) 75
(*c*) 70 (*d*) 80

15. 9, 81, 90, 810, 819, ?
(*a*) 7371 (*b*) 900
(*c*) 8100 (*d*) 1638

16. 0, 8, 24, 48, 80, ?
(*a*) 110 (*b*) 96
(*c*) 120 (*d*) 140

17. 2, 4, 8, 3, 9, 27, 4, 16, ?
(*a*) 64 (*b*) 32
(*c*) 48 (*d*) 24

18. 27, 28, 25, 25, 23, 22, 21, ?
(*a*) 20 (*b*) 21
(*c*) 19 (*d*) 18

19. 80, 63, 72, 72, 64, 81, 56, ?
(*a*) 96 (*b*) 98
(*c*) 89 (*d*) 90

20. 0, 5, 22, 57, ?, 205
(*a*) 198 (*b*) 116
(*c*) 172 (*d*) 92

व्याख्यात्मक उत्तरमाला

1. (*b*) : शृंखला में निहित संख्याओं को अगली संख्या प्राप्त करने के लिए 3 से गुणा किया गया है।

2. (*c*) : शृंखला के आरंभिक पदों अर्थात् 1 और 6 के बीच 5 का अंतर है और तत्पश्चात् शृंखला की आनुक्रमिक संख्याओं के बीच अंतर में क्रमश: 1 की वृद्धि होती जाती है।

1 6 12 19 27 36
+5 +6 +7 +8 +9

3. (*a*) : शृंखला की आरंभिक संख्याओं अर्थात् 2 और 6 के बीच 4 का अंतर है और तत्पश्चात् शृंखला की आनुक्रमिक संख्याओं के बीच अंतर क्रमश: दो गुना होता जाता है।

2 6 14 30 62 126
+4 +8 +16 +32 +64

4. (*a*) : *व्याख्या I* : शृंखला में पहले 6 से गुणा करने और तत्पश्चात् 3 से भाग करने का पैटर्न अपनाया गया है जिसकी पुनरावृत्ति होती है।

8 48 16 96 32 192
× 6 ÷ 3 × 6 ÷ 3 × 6

व्याख्या II : शृंखला में बारी-बारी से दो शृंखलाएं अंतर्निहित हैं और प्रत्येक शृंखला में पहले की संख्या को 2 से गुणा करने पर आनुक्रमिक संख्या प्राप्त होती है।

× 2 × 2
8 48 16 96 32 192
× 2 × 2

शृंखला I : 8, 16, 32
शृंखला II : 48, 96, 192

5. (*b*) : शृंखला में संख्याओं का अनुक्रम निम्नवत् है :

2 8 14 24 34 48 62
+6 +6 +10 +10 +14 +14

शृंखला में दो आनुक्रमिक संख्याओं के बीच अंतर में एकांतर चरण पर 4 की वृद्धि होती जाती है।

6. (*d*) : शृंखला की आरंभिक संख्याओं अर्थात् 4 और 9 के बीच 5 का अंतर है और तत्पश्चात् शृंखला की आनुक्रमिक संख्याओं के बीच अंतर में क्रमश: 5 की वृद्धि होती जाती है।

4 9 19 34 54 79 109
+5 +10 +15 +20 +25 +30

7. (*b*) : शृंखला में 2 से आरंभ करके क्रमागत सम संख्याओं का वर्ग घटा 1 के पैटर्न का अनुपालन किया गया है।

8. (*a*) : शृंखला में हर तीसरी संख्या पूर्ववर्ती दो संख्याओं का गुणनफल है।

2 3 6 18 108 1944

2 × 3

3 × 6

6 × 18

18 × 108

9. (a) : इस शृंखला में तीन संख्याओं से एक समुच्चय निर्मित होता है जिनमें से प्रत्येक समुच्चय में पहली दो संख्याएं सीधे क्रम में हैं तथा तीसरी संख्या पहली और दूसरी संख्याओं का योग है। अगले समुच्चय की पहली संख्या पूर्ववर्ती समुच्चय की पहली संख्या की दोगुनी है।

× 2 × 2

1 2 3 2 3 5 4 5 9

1 + 2 2 + 3 4 + 5

10. (d) : इस शृंखला में आनुक्रमिक संख्या पहली संख्या को 6 से भाग देने पर प्राप्त होती है।

11. (c) : इस शृंखला में संख्याएं 1 से आरंभ होकर क्रमागत संख्याओं का घनफल हैं।

12. (d) : शृंखला की संख्याएं वर्धमान क्रम में अविभाज्य संख्याएं (prime numbers) हैं।

13. (b) : शृंखला की संख्याओं में प्रत्येक चरण में 16 की कमी होती जाती है।

14. (c) : शृंखला में निम्नलिखित पैटर्न का अनुपालन किया जाता है : (दी गई संख्या + अगली संख्या) +2 से आरंभ करके प्रत्येक चरण में 1 की वृद्धि करते हुए क्रमागत प्राकृतिक संख्या का योग:

3 8 13 24 41 70

(3+8) + 2

(8 + 13) + 3

(13 + 24) + 4

(24 + 41) + 5

15. (a) : शृंखला में पहली संख्या को 9 से गुणा करने पर दूसरी संख्या प्राप्त होती है और दूसरी संख्या में 9 जोड़ने पर तीसरी संख्या प्राप्त होती है। तत्पश्चात् आगामी संख्याओं के लिए इसी पैटर्न का अर्थात् × 9, + 9 के पैटर्न का अनुपालन किया जाता है।

16. (c) : शृंखला की संख्याएं प्राकृतिक क्रम में दो सम संख्याओं का गुणनफल हैं, अर्थात्

0	8	24	48	80	120
↓	↓	↓	↓	↓	↓
(0 × 2)	(2 × 4)	(4 × 6)	(6 × 8)	(8 × 10)	(10 × 12)

17. (a) : इस शृंखला में 3 संख्याओं से एक समुच्चय निर्मित होता है जिनमें से प्रत्येक समुच्चय की पहली संख्याएं प्राकृतिक क्रम में हैं तथा प्रत्येक समुच्चय की दूसरी संख्या पहली संख्या का वर्ग है तथा तीसरी संख्या पहली संख्या का घन है।

18. (c) : शृंखला में बारी-बारी से दो शृंखलाएं अंतर्निहित हैं :

−2 −2 −2

27 28 25 25 23 22 21 19

−3 −3 −3

शृंखला I : 27, 25, 23, 21 (शृंखला −2 पैटर्न का अनुपालन करती है)

शृंखला II : 28, 25, 22, 19 (शृंखला −3 पैटर्न का अनुपालन करती है)

19. (d) : शृंखला में बारी-बारी से दो शृंखलाएं अंतर्निहित हैं :

−8 −8 −8

80 63 72 72 64 81 56 90

+9 +9 +9

शृंखला I : 80, 72, 64, 56 (शृंखला −8 का अनुपालन करती है)

शृंखला II : 63, 72, 81, 90 (शृंखला +9 पैटर्न का अनुपालन करती है)

20. (b) : शृंखला निम्नलिखित पैटर्न का अनुपालन करती है : 1 से आरंभ करके प्राकृतिक संख्याओं का घनफल घटा 1 से आरंभ करके एकांतर विषम संख्याएं

0	5	22	57	116	205
↓	↓	↓	↓	↓	↓
1^3-1	2^3-3	3^3-5	4^3-7	5^3-9	6^3-11

2 सादृश्य (Analogies)

शब्द सादृश्य (Semantic Analogy)

संबंध या सादृश्य परीक्षा में दिए गए दो शब्दों के बीच संबंध स्थापित किया जाता है और उसी संबंध को दिए गए अन्य शब्दों पर अनुप्रयुक्त किया जाता है। दिए गए दो शब्दों के बीच विभिन्न प्रकार के संबंध हो सकते हैं, अत: इस प्रकार के प्रश्नों को हल करते समय सर्वप्रथम यह ज्ञात करना होता है कि दिए गए दो शब्दों के बीच किस प्रकार का संबंध है। शब्दों के बीच विभिन्न संबंधों पर नीचे चर्चा की गई है :

प्रश्नमाला

निर्देश (प्रश्न 1 से 15): *पूछे गए प्रत्येक प्रश्न में पहले दिए गए दो शब्दों के बीच संबंध स्थापित करें। तत्पश्चात् दिए गए विकल्पों में से उस विकल्प का चयन करें जिसके शब्द और प्रश्न में दिए गए तीसरे शब्द के बीच ठीक वैसा ही संबंध या सादृश्य हो जैसा कि पहले के दो शब्दों के बीच है।*

1. जो संबंध 'उन्माद' और 'सनक' में है वही संबंध 'भय' और निम्नलिखित में से किसमें है?

(*a*) इच्छा (*b*) शौक
(*c*) आवश्यकता (*d*) डर

2. 'हकलाना' जिस प्रकर 'वाणी' से संबंधित है उसी प्रकार 'बहरापन' का संबंध निम्नलिखित में से किससे है?

(*a*) कान (*b*) सुनना
(*c*) शोर (*d*) चुप्पी

3. 'गोपनीयता' और 'खुलापन' के बीच वैसा ही संबंध है जैसा संबंध 'खरा' और .... में बीच है।

(*a*) खोटा (*b*) छुपा
(*c*) परिणाम (*d*) स्पष्ट

4. 'पट्टा' और 'पालतू पशु' के बीच जैसा संबंध है वैसा ही संबंध 'हथकड़ी' और निम्नलिखित में से किसके बीच है?

(*a*) धूर्त (*b*) डकैत
(*c*) अपराधी (*d*) लुटेरा

5. 'घुड़सवारी' का 'घोड़े' से वैसा ही संबंध है जैसा संबंध 'धुआं' का .... से है।

(*a*) चिमनी (*b*) चिनगारियां निकलना
(*c*) पाइप (*d*) राख

6. जिस प्रकार 'फ़िजूल खर्ची', 'धन' से संबंधित है, उसी प्रकार 'भोगविलास' किससे संबंधित है?

(*a*) प्रकाश (*b*) शक्ति
(*c*) बचत (*d*) यौवन

7. 'गुलाबी नशे में' और 'मदमस्त' होने के बीच जैसा संबंध है वैसा ही संबंध 'चलने' और निम्नलिखित में से किसके बीच है?

(*a*) टहलना (*b*) व्यायाम करना
(*c*) लंबे डग भरना (*d*) दौड़ना

8. जिस प्रकार 'गोला', वृत्त' से संबंधित है, उसी प्रकार 'शंकु' किससे संबंधित है?

(*a*) प्रिज्म (*b*) बेलन
(*c*) त्रिभुज (*d*) आयत

9. जिस प्रकार 'नेता', 'अनुयायी' से संबंधित है, उसी प्रकार .... संबंधित है सिपाही से।

(*a*) कैप्टन (*b*) यूनिट
(*c*) सेना (*d*) बैरक

10. जिस प्रकार 'अपराध बोध' संबंधित है 'भूतकाल' से, उसी प्रकार 'आशा' संबंधित है :

(*a*) वर्तमान काल से (*b*) भविष्य काल से
(*c*) आज से (*d*) हताशा से

11. .... और 'द्रव' में वैसा ही संबंध है जैसा संबंध 'मील' और दूरी में है।

(*a*) यूनिट (*b*) किलो
(*c*) पैमाना (*d*) लीटर

12. जो संबंध नेत्र-कोटर और नेत्र के बीच है, वही संबंध मसूड़ा और निम्नलिखित में से किसके बीच है ?

(*a*) पेड़ (*b*) कागज
(*c*) दांत (*d*) चिपकना

13. जिस प्रकार 'न्यायाधीशों' की 'पीठ' होती है उसी प्रकार 'आसन' निम्नलिखित में से किसका होता है ?

(*a*) अधिवक्ता (*b*) अध्यक्ष
(*c*) वकील (*d*) शासक

14. जिस प्रकार 'तारे', रात्रि से संबंधित हैं, उसी प्रकार 'सूरज' निम्नलिखित में से किससे संबंधित है ?

(*a*) मध्याह्न (*b*) सुबह के झुटपुटे
(*c*) दिन (*d*) प्रकाश

15. जिस प्रकार 'त्वचा' का संबंध 'स्पर्श' से है, उसी प्रकार 'नाक' निम्नलिखित में से किससे संबंधित है ?

(*a*) सूंघने (*b*) चेहरा
(*c*) सांस (*d*) सुगंध

निर्देश (प्रश्न 16 से 25) : *नीचे दिए गए प्रत्येक प्रश्न में :: चिह्न की बाईं ओर दो शब्द दिए गए हैं। इन दोनों शब्दों में कुछ संबंध है। वैसा ही संबंध :: चिह्न की दाईं ओर के दो शब्दों में है जिनमें से एक शब्द के स्थान पर प्रश्नवाचक चिह्न (?) है। प्रश्नवाचक चिह्न (?) के स्थान पर दिए गए विकल्पों में से एक उपयुक्त विकल्प का चयन करें।*

16. भूख : भोजन :: प्यास : ?

(*a*) जल (*b*) पीना
(*c*) चाय (*d*) कॉफी

17. शिकारी : बंदूक :: लेखक : ?

(*a*) पुस्तक (*b*) कलम
(*c*) कविता (*d*) पृष्ठ

18. ऊन : भेड़ :: रेशम : ?

(*a*) साड़ी (*b*) धागा
(*c*) रेशम कीट (*d*) कपड़े का कीड़ा

19. भोजन : आमाशय :: ईंधन : ?

(*a*) इंजन (*b*) ऑटोमोबाइल
(*c*) रेल (*d*) वायुयान

20. जल : रेत :: महासागर : ?

(*a*) द्वीप (*b*) नदी
(*c*) मरुभूमि (*d*) तरंगें

21. वयस्क : बच्चा :: फूल : ?

(*a*) बीज (*b*) कली
(*c*) फल (*d*) तितली

22. लेखक : पाठक :: निर्माता : ?

(*a*) सृजनकर्ता (*b*) ठेकेदार
(*c*) जीव (*d*) उपभोक्ता

23. प्रवेश : निकास :: वफादारी : ?

(*a*) धोखेबाजी (*b*) देशभक्ति
(*c*) ईमानदारी (*d*) पुरस्कार

24. मां : मातृक :: पिता : ?

(*a*) शाश्वत (*b*) हानिकारक
(*c*) पैतृक (*d*) भयानक

25. मोती : कंठहार :: फूल : ?

(*a*) पौधा (*b*) बगीचा
(*c*) पँखुड़ी (*d*) गुलदस्ता

व्याख्यात्मक उत्तरमाला

1. (*d*) : संबंधित शब्द पर्यायवाची हैं।

2. (*b*) : 'वाणी' के दोष से 'हकलाने' की समस्या उत्पन्न होती है जबकि 'सुनने' में कठिनाई से 'बहरापन' उत्पन्न होता है।

3. (*a*) : संबंधित शब्द 'विपरीतार्थक' हैं।

4. (*c*) : 'पट्टे' का उपयोग 'पालतू पशु' को बांधने के लिए और 'हथकड़ी' का उपयोग अपराधी को बांधने के लिए किया जाता है।

5. (*c*) : जिस प्रकार 'घुड़सवारी' के लिए 'घोड़े' की आवश्यकता होती है उसी प्रकार 'धुआं' निकालने के लिए 'पाइप' की आवश्यकता होती है।

6. (*d*) : 'फिजूलखर्ची' धन का क्षय है तो 'भोगविलास', यौवन का क्षय है।

7. (*d*) : 'गुलाबी नशा' हलके नशे का सूचक है तो 'मदमस्त' बहुत अधिक नशे में होने का सूचक है। इसी प्रकार तेजी से चलना 'दौड़ना' कहलाता है।

8. (*c*) : किसी 'गोले' का एक-आयामी दृश्य 'वृत्त' होता है और 'शंकु' का एक-आयामी दृश्य 'त्रिभुज' होता है।

9. (*a*) : जिस प्रकार 'अनुयायी' अपने 'नेता' से मार्गदर्शन प्राप्त करते हैं उसी प्रकार 'सिपाही' को अपने 'कैप्टन' से मार्गदर्शन प्राप्त होता है।

10. (*b*) : 'अपराध बोध' भूतकाल में की गई गलतियों को समझने पर होता है, उसी प्रकार 'आशा' का संबंध 'भविष्यकाल' से है।

11. (*d*) : 'द्रव' की माप लीटर में की जाती है तो दूरी की माप 'मील' में की जाती है।

12. (*c*) : जिस प्रकार 'नेत्र कोटर' में 'नेत्र' स्थित होते हैं उसी प्रकार मसूड़े में दाँत स्थित होते हैं।

13. (*b*) : 'न्यायाधीश' पीठ पर विराजमान होते हैं तो 'अध्यक्ष' अपने 'आसन' पर विराजमान होते हैं।

14. (*c*) : 'तारे', 'रात' में दिखाई देते हैं तो 'सूरज', 'दिन' में दिखाई देता है।

15. *(a)* : ये ज्ञानेद्रियां हैं—'त्वचा' से स्पर्श बोध होता है और 'नाक' सूंघने का काम करता है।

16. *(a)* : 'भूख' की तृप्ति 'भोजन' से और प्यास की तृप्ति जल से होती है।

17. *(b)* : 'शिकारी' का हथियार 'बंदूक' है और लेखक का हथियार 'कलम' है।

18. *(c)* : 'ऊन', 'भेड़' से और 'रेशम', रेशम कीट से प्राप्त होता है।

19. *(a)* : 'भोजन', 'आमाशय' में पचता है और ईंधन की खपत इंजन में होती है।

20. *(c)* : संबंधित शब्द एक–दूसरे के लगभग विपरीतार्थक शब्द हैं।

21. *(b)* : 'बच्चा' विकसित होकर 'वयस्क' बनता है और 'कली' खिलकर 'फूल' बनती है।

22. *(d)* : 'लेखक' अपने लेखन से 'पाठकों' को प्रसन्न करना चाहता है और निर्माता अपने उत्पादों से 'उपभोक्ताओं' को संतुष्ट रखना चाहता है।

23. *(a)* : संबंधित शब्द परस्पर विपरीतार्थक हैं।

24. *(c)* : मां की ओर के संबंधी 'मातृक' और पिता की ओर के संबंधी 'पैतृक' कहलाते हैं।

25. *(d)* : बहुत से मोतियों को मिलाकर कंठहार और बहुत से फूलों को मिलाकर 'गुलदस्ता' बनाया जाता है।

संख्या सादृश्य (Number Analogy)

संख्या सादृश्य में भी पहले दो दी गई संख्याओं के बीच संबंध स्थापित किया जाता है और तत्पश्चात् इस ज्ञात संबंध को संख्याओं के दूसरे जोड़े पर प्रयुक्त करके उसके लुप्त पद को ज्ञात किया जाता है। संख्याओं के बीच संबंध किसी भी एक पैटर्न पर आधारित हो सकता है, जैसे कि : *(i)* संख्याएं विषम/सम/अभाज्य सख्याए हो सकती है; *(ii)* सख्याए किसी एक संख्या का गुणज हो सकती हैं; *(iii)* संख्याएं भिन्न–भिन्न संख्याओं का वर्गफल/घनफल हो सकती हैं; *(iv)* दूसरी संख्या प्राप्त करने के लिए पहली संख्या में किसी संख्या को जोड़ा/घटाया/गुणा/ भाग किया जा सकता है; *(v)* दूसरी संख्या पहली संख्या के अंकों का योगफल/गुणनफल/अंतरफल हो सकती है, और *(vi)* दो दी गई संख्याओं के बीच संबंध उपर्युक्त किसी भी गणितीय परिकलनों के संयोजन द्वारा भी ज्ञात किया जा सकता है।

प्रश्नमाला

निर्देश : *नीचे के प्रत्येक प्रश्न में चिह्न ': :' के पहले दो संख्याएं दी गई हैं जिनमें आपस में एक संबंध है तथा ': :' चिह्न के बाद में एक तीसरी संख्या दी गई है। दिए गए विकल्पों में से उस संख्या का चयन करें जिसका तीसरी संख्या के साथ वैसा ही संबंध हो जैसा संबंध संख्याओं के पहले जोड़े के बीच है।*

1. 1 : 11 : : 2 : ?
(a) 20 (b) 22
(c) 24 (d) 44

2. 18 : 27 : : 22 : ?
(a) 42 (b) 39
(c) 33 (d) 54

3. 14 : 20 : : 16 : ?
(a) 23 (b) 10
(c) 48 (d) 32

4. 8 : 27 : : 64 : ?
(a) 277 (b) 125
(c) 250 (d) 99

5. $\frac{1}{7} : \frac{1}{14} : : \frac{1}{9} : ?$
(a) $\frac{1}{88}$ (b) $\frac{1}{80}$
(c) $\frac{1}{81}$ (d) $\frac{1}{18}$

6. 0.16 : 0.0016 : : 1.02 : ?
(a) 10.20 (b) 0.102
(c) 0.0102 (d) 1.020

7. 5 : 24 : : 8 : ?
(a) 65 (b) 63
(c) 62 (d) 64

8. 23 : 53 : : 8 : ?
(a) 66 (b) 57
(c) 27 (d) 19

9. 6 : 9 : : 7 : ?
(a) 4 (b) 14
(c) 10 (d) 28

10. 7 : 28 : : 2 : ?
(a) 8 (b) 16
(c) 24 (d) 12

11. 65 : 30 : : 44 : ?
(a) 79 (b) 62
(c) 28 (d) 16

12. 99 : 76 : : 24 : ?
(a) 1 (b) 13
(c) 9 (d) 7

13. 11 : 35 : : 17 : ?
(a) 3 (b) 22
(c) 58 (d) 10

14. 663 : 884 : : 221 : ?
(a) 332 (b) 554
(c) 773 (d) 442

15. 16 : 0.16 : : ?
(a) 2 : 0.02 (b) 7 : 0.007
(c) 1.3 : 0.13 (d) 0.01 : 0.001

व्याख्यात्मक उत्तरमाला

1. (b) : पहली संख्या के अंक को दो बार लिखने पर दूसरी संख्या प्राप्त होती है।

2. (c) : पहले जोड़े की संख्याएं 9 का गुणज हैं और दूसरे जोड़े की संख्याएं 11 का गुणज हैं :

18 : 27 :: 22 : 33

$18 \downarrow 9 \times 2$, $27 \downarrow 9 \times 3$, $22 \downarrow 11 \times 2$, $33 \downarrow 11 \times 3$

3. (a) : संख्याओं के बीच संबंध निम्नवत् है :

14 : 20 :: 16 : 23

$14 \downarrow 7 \times 2$, $20 \downarrow (7 \times 3) - 1$, $16 \downarrow 8 \times 2$, $23 \downarrow (8 \times 3) - 1$

4. (b) : संख्याएं भिन्न-भिन्न संख्याओं के घनफल द्वारा सूचित होती हैं :

8 : 27 :: 64 : 125

$8 \downarrow 2^3$, $27 \downarrow 3^3$, $64 \downarrow 4^3$, $125 \downarrow 5^3$

5. (d) : पहले भिन्न को 1/2 से गुणा करने पर दूसरा भिन्न प्राप्त होता है :

$\frac{1}{7} : \frac{1}{14} :: \frac{1}{9} : \frac{1}{18}$

$\times \frac{1}{2}$ $\qquad$ $\times \frac{1}{2}$

6. (c) : पहली दशमलव संख्या को 100 से भाग करने पर दूसरी दशमलव संख्या प्राप्त होती है :

0.16 : 0.0016 :: 1.02 : 0.0102

÷ 100 $\qquad$ ÷ 100

7. (b) : पहली संख्या के वर्ग से 1 घटाने पर दूसरी संख्या प्राप्त होती है :

5 : 24 :: 8 : 63

$(5^2) - 1$ $\qquad$ $(8^2) - 1$

8. (d) : सभी संख्याएं अभाज्य संख्याएं हैं।

9. (c) : दूसरी संख्या पहली संख्या से 3 अधिक है :

6 : 9 :: 7 : 10

+3 $\qquad$ +3

10. (a) : दूसरी संख्या पहली संख्या की चार गुनी है :

7 : 28 :: 2 : 8

× 4 $\qquad$ × 4

11. (d) : दूसरी संख्या पहली संख्या के अंकों का गुणनफल है :

$\frac{65 : 30}{(6 \times 5)} :: \frac{44 : 16}{(4 \times 4)}$

12. (a) : दूसरी संख्या पहली संख्या से 23 कम है :

99 : 76 :: 24 : 1

−23 $\qquad$ −23

13. (a) : सभी संख्याएं विषम संख्याएं हैं।

14. (d) : दहाई और सैकड़े के स्थान पर समान अंक हैं किंतु इकाई के स्थान का अंक दहाई और सैकड़े के स्थान के समान अंक का आधा है :

66 3 : 88 4 :: 22 1 : 44 2

15. (a) : दो संबंधित संख्याओं में से पहली संख्या को 100 से भाग देने पर दूसरी संख्या प्राप्त होती है :

16 : 0.16 :: 2 : 0.02

÷ 100 $\qquad$ ÷ 100

3 वर्गीकरण (Classification)

शब्दों का वर्गीकरण (Semantic Classification)

इस प्रकार के वर्गीकरण में पांच शब्द दिए जाते हैं जिनमें से चार शब्द तथ्य या अर्थ की दृष्टि से या अन्य किसी न किसी रूप में आपस में संबंधित होते हुए एक समूह बनाते हैं जबकि शेष केवल एक शब्द अन्य चारों से भिन्न होता है। परीक्षार्थी को यह पता लगाना होता है कि वह एक कौन-सा शब्द है जो समूह से संबंधित नहीं है और इस कारण विजातीय है।

प्रश्नमाला

निर्देश : *यहां दिए गए प्रत्येक प्रश्न में चार शब्द किसी न किसी प्रकार से समान हैं और इस कारण वे एक समूह बनाते हैं जबकि ऐके शब्द अन्य चारों से भिन्न है। इस भिन्न या विजातीय शब्द को ज्ञात करें।*

1. (*a*) हरा (*b*) लाल (*c*) रंग (*d*) नारंगी (*e*) काला

2. (*a*) अस्तबल (*b*) बिल (*c*) डोंगी (*d*) सूअर-बाड़ा (*e*) घोंसला

3. (*a*) नाक (*b*) आंख (*c*) त्वचा (*d*) जिह्वा (*e*) दांत

4. (*a*) बुध (*b*) चंद्रमा (*c*) बृहस्पति (*d*) मंगल (*e*) पृथ्वी

5. (*a*) खुश (*b*) उदास (*c*) प्रसन्नचित्त (*d*) प्रसन्न (*e*) अति प्रसन्न

6. (*a*) शंकु (*b*) वृत्त (*c*) त्रिभुज (*d*) आयत (*e*) वर्ग

7. (*a*) सीसा (*b*) पारद (*c*) तांबा (*d*) लोहा (*e*) टीन

8. (*a*) पतंग (*b*) चिड़िया (*c*) रेडार (*d*) जेट (*e*) रॉकेट

9. (*a*) घुटना (*b*) कंधा (*c*) टखना (*d*) कोहनी (*e*) हथेली

10. (*a*) अतिवृष्टि (*b*) अनावृष्टि (*c*) भूस्खलन (*d*) युद्ध (*e*) भूकंप

11. (*a*) सिंहशावक (*b*) चूंजा (*c*) सूअर (*d*) पिल्ला (*e*) मेमना

12. (*a*) खरगोश (*b*) मगरमच्छ (*c*) केंचुआ (*d*) घोंघा (*e*) छिपकली

13. (*a*) पेड़ (*b*) पत्ता (*c*) झाड़ी (*d*) शाकीय पौधे (*e*) विसर्पी लता

14. (*a*) डॉक्टर (*b*) शिक्षक (*c*) इंजीनियर (*d*) बढ़ई (*e*) गोताखोर

15. (*a*) दुलकना (*b*) घुड़सवारी (*c*) घुड़दौड़ (*d*) घुरघुराहट (*e*) हिनहिनाना

व्याख्यात्मक उत्तरमाला

1. (c) : अन्य सभी विभिन्न प्रकार के रंग हैं।

2. (c) : डोंगी एक छोटी नाव होती है। अन्य सभी पशु-पक्षियों के निवासस्थलों के नाम हैं।

3. (e) : अन्य सभी ज्ञानेंद्रियां हैं।

4. (b) : अन्य सभी ग्रहों के नाम हैं।

5. (b) : अन्य सभी आनन्द की अनुभूति को अभिव्यक्त करते हैं।

6. (a) : अन्य सभी ज्यामितीय आकृतियां हैं।

7. (b) : अन्य सभी ठोस धातुएं हैं।

8. (c) : अन्य सभी हवा में उड़ने वाली वस्तुएं हैं। रेडार हवा में गमन करने वाली वस्तुओं की पहचान करता है।

9. (e) : अन्य सभी स्थानों पर शरीर की हड्डियां आपस में मिलकर एक जोड़ (अस्थि संधि) निर्मित करती हैं।

10. (d) : अन्य सभी प्राकृतिक आपदाएं हैं। केवल युद्ध ही मानव द्वारा मानव समाज के समक्ष प्रस्तुत की जाने वाली एक कृत्रिम आपदा है।

11. (c) : अन्य सभी शब्द विभिन्न जंतुओं के शिशुओं के नाम हैं।

12. (a) : अन्य सभी रेंगने वाले जंतु हैं।

13. (b) : अन्य सभी विभिन्न प्रकार की वनस्पतियां हैं।

14. (e) : केवल गोताखोर ही जल के भीतर गोता लगाता है। अन्य सभी पृथ्वी के स्थलीय भाग में रहकर अपना पेशा करते हैं।

15. (d) : अन्य सभी घोड़े से संबंधित क्रियाकलाप हैं।

अक्षरों का वर्गीकरण (Letter Classification)

इस कोटि के अंतर्गत विकल्प के रूप में चार अक्षर-समूह या अक्षरों की एक श्रृंखला दी जाती है। परीक्षार्थी को इनमें से ऐसे विकल्प का चयन करना होता है जो अन्यों से भिन्न अर्थात् विजातीय हो।

प्रश्नमाला

निर्देश : *नीचे के प्रत्येक प्रश्न में अक्षर समूहों के रूप में चार विकल्प दिए गए हैं जिनमें से तीन में किसी न किसी प्रकार की समानता है और इस कारण वे एक समूह बनाते हैं। उस अक्षर समूह का चयन करें जो समूह से संबंधित नहीं है।*

1. (a) ACE (b) LOR (c) GIK (d) VXZ

2. (a) TSR (b) LKJ (c) PQO (d) HGF

3. (a) EF LM (b) KJ SR (c) XW HG (d) ED YX

4. (a) JOPK (b) BOPC (c) QOPR (d) TOPS

5. (a) DfH (b) MoQ (c) UwY (d) InO

6. (a) JKkL (b) OPpQ (c) DEEf (d) VWwX

7. (a) BdfH (b) FHJL (c) RTvX (d) uVwX

8. (a) DFHEG (b) TWXUV (c) OQSPR (d) JLNKM

9. (a) FEUV (b) DCXW (c) BAZY (d) HGTS

10. (a) UTSR (b) XYZW (c) ONML (d) IHGF

11. (a) MKGA (b) PNID (c) RPLF (d) VTPJ

12. (a) ABJNM (b) QRTUZ (c) IXYOQ (d) WGFPO

13. (a) BFJQ (b) RUZG (c) GJOV (d) ILQX

14. (a) CS (b) OU (c) EV (d) QO

15. (a) EFGH (b) IRST (c) ULMN (d) JKLO

16. (a) LNP (b) ECA (c) JLN (d) RTV

17. (a) SU (b) BD (c) PN (d) WY

18. (a) KI (b) SQ (c) CA (d) VX

19. (a) SC (b) FT (c) MK (d) HV

20. (a) END (b) PUT (c) ARM (d) OWL

21. (a) CFIL (b) ABCD (c) ACDF (d) EFGH

22. (a) SPQR (b) MKLN (c) WUVX (d) FDEG

23. (a) HK (b) DG (c) NK (d) UX

24. (a) MLKA (b) HGFA (c) RQPA (d) STUA

25. (a) KNOS (b) QTUY (c) DFGJ (d) BEFJ

व्याख्यात्मक उत्तरमाला

1. (b) : शेष सभी अक्षर समूहों में अगला अक्षर अपने पूर्ववर्ती अक्षर से वर्णमाला के सीधे क्रम में 2 अक्षर आगे का है जबकि विकल्प (b) के अक्षर समूह में +3 अनुक्रम का पालन होता है।

ABCDE (+2 +2) LMNOPQR (+3 +3)

GHIJK (+2 +2) VWXYZ (+2 +2)

2. (c) : प्रत्येक समूह में अक्षर वर्णमाला के उलटे क्रम में हैं। केवल विकल्प (c) में अक्षरों का अनुक्रम बाधित हो रहा है।

3. (a) : शेष सभी समूहों में क्रमागत अक्षर वर्णमाला के उलटे क्रम में हैं।

KJ SR; XW HG; ED YX
−1 −1 −1 −1 −1 −1

केवल विकल्प (a) में ही क्रमागत अक्षर वर्णमाला के सीधे क्रम में है।

EF (+1) LM (+1)

4. (d) : यहां दिए गए सभी अक्षर समूहों में बीच में 'OP' अक्षर हैं। विकल्प (d) में दोनों किनारों पर स्थित अक्षर वर्णमाला के उलटे क्रम में हैं, अर्थात्

TOPS (−1)

जबकि शेष सभी अक्षर समूहों में दोनों किनारों पर स्थित अक्षर वर्णमाला के सीधे क्रम में हैं।

JOPK (+1) ; BOPC (+1) ; QOPR (+1)

5. (d) : शेष समूहों में केवल बीच का अक्षर ही अंग्रेजी वर्णमाला का छोटा अक्षर है जबकि विकल्प (d) में बायें सिरे के दो अक्षर अंग्रेजी वर्णमाला के छोटे अक्षर हैं।

6. (c) : शेष समूहों में तीसरे अक्षर के रूप में दूसरे अक्षर की पुनरावृत्ति की गई है और उसे अंग्रेजी वर्णमाला के छोटे अक्षर के रूप में लिखा गया है जबकि विकल्प (c) के तीसरे अक्षर के रूप में दूसरे अक्षर की पुनरावृत्ति तो की जाती है किंतु उसे अंग्रेजी वर्णमाला के बड़े अक्षर के रूप में लिखा जाता है।

7. (d) : शेष समूहों में अंग्रेजी वर्णमाला के अक्षर चाहे छोटे हों या बड़े, किंतु दूसरे, तीसरे और चौथे स्थान पर स्थित अक्षर अपने पूर्ववर्ती अक्षरों से वर्णमाला के सीधे क्रम में 2 अक्षर आगे के हैं, अर्थात्

BDfH (+2 +2 +2) ; FHJL (+2 +2 +2) ; RTvX (+2 +2 +2)

केवल विकल्प (d) में अक्षर वर्णमाला के सहज क्रम (+1) में हैं, अर्थात्

uVwX (+1 +1 +1)

8. (b) : शेष समूहों में पहले, चौथे, दूसरे, पांचवें और तीसरे स्थानों पर स्थित अक्षरों से वर्णमाला का सीधा अनुक्रम बनता है।

विकल्प (b), में पहले, चौथे, पांचवें, दूसरे और तीसरे स्थानों पर स्थित अक्षरों के मेल से वर्णमाला का सीधा अनुक्रम बनता है।

9. (a) : शेष समूहों में बायें सिरे पर स्थित अक्षर का वर्णमाला के सीधे क्रम में स्थान दायें सिरे पर स्थित अक्षर का वर्णमाला के उलटे क्रम में स्थान से मेल खाता है,

अर्थात्

वर्णमाला का सीधा क्रम : A B C D E F G H I J K L M
वर्णमाला का उल्टा क्रम : Z Y X W V U T S R Q P O N
वर्णमाला का सीधा क्रम : N O P Q R S T U V W X Y Z
वर्णमाला का उल्टा क्रम : M L K J I H G F E D C B A

अत: वर्णमाला के सीधे क्रम में D का स्थान वर्णमाला के उलटे क्रम में W के स्थान से मेल खाता है, और
C का स्थान X से मेल खाता है,
तथा B का स्थान Y से मेल खाता है, और
A का स्थान Z से मेल खाता है,
H का स्थान S से मेल खाता है, और
G का स्थान T से मेल खाता है।

इसी प्रकार,
F का स्थान U से मेल खाता है और
E का स्थान V से मेल खाता है,
अर्थात् 'UV' अक्षरों के स्थान पर 'VU' लिखा जाना चाहिए।

10. (b) : शेष समूहों में अक्षर वर्णमाला के उलटे क्रम में लिखे गए हैं। विकल्प (b) में वर्णमाला का अनुक्रम बाधित है।

11. (b) : शेष समूहों में अक्षरों का अनुक्रम −2, −4, −6 के पैटर्न का पालन करता है, अर्थात्

M K G A (−2 −4 −6) ; R P L F (−2 −4 −6)

V T P J (−2 −4 −6)

विकल्प (b) में अनुक्रम का निम्नलिखित पैटर्न है :

P N I D (−2 −5 −5)

अत: सही पैटर्न होना चाहिए → P N J D (−2 −4 −6)

12. (c) : शेष समूहों में कम-से-कम दो जोड़े अक्षर वर्णमाला के क्रम में हैं, अर्थात्

ABJNM ; QRTUZ ; WGFPO

विकल्प (*c*) में केवल एक जोड़ा अक्षर–ही वर्णमाला के क्रम में है।

IXYOQ

13. (*a*) : शेष समूहों में अक्षरों का अनुक्रम वर्णमाला के सीधे क्रम में +3, +5, +7 पैटर्न का अनुपालन करता है, अर्थात्

R U Z G ; G J O V ; I L Q X

+3 +5 +7   +3 +5 +7   +3 +5 +7

टिप्पणी : अक्षर शृंखला 'Z' पर पहुंचने के बाद 'A' से पुन: आरंभ होती है।

इससे भिन्न विकल्प (*a*) में निम्नलिखित पैटर्न का अनुपालन किया जाता है :

B F J Q

+4 +4 +7

14. (*c*) : केवल इसी समूह के अक्षर सीधे रेखाखंडों से निर्मित होते हैं।

15. (*d*) : शेष समूहों में पहला अक्षर 'स्वर' है जिसके बाद तीन क्रमागत अक्षर लिखे गए हैं।

16. (*b*) : शेष समूहों में अक्षर वर्णमाला के सीधे क्रम में हैं और प्रत्येक दो अक्षरों के बीच एक अक्षर छूटा हुआ है।

17. (*c*) : शेष समूहों में अक्षर वर्णमाला के सीधे क्रम में हैं और उनके बीच एक अक्षर छूटा हुआ है।

18. (*d*) : शेष समूहों में अक्षर वर्णमाला के उलटे क्रम में हैं और उनके बीच का अक्षर छूटा हुआ है।

19. (*a*) : केवल इसी समूह में अक्षर वक्र रेखाओं से बने हैं।

20. (*b*) : शेष समूहों में पहला अक्षर एक स्वर है।

21. (*c*) : शेष समूहों में क्रमागत अक्षरों के बीच समान संख्या में अक्षर छूटे हुए हैं।

C F I L ; A B C D ; E F G H

+3 +3 +3   +1 +1 +1   +1 +1 +1

विकल्प (*c*) में निम्नलिखित पैटर्न है :

A C D F

+2 +1 +2

22. (*a*) : शेष समूहों में दूसरे, तीसरे, पहले और अंतिम स्थान पर स्थित अक्षरों से वर्णमाला का सीधा क्रम प्राप्त होता है। विकल्प (*a*) में दूसरे, तीसरे, चौथे और पहले स्थान पर स्थित अक्षर वर्णमाला के सीधे क्रम में है।

23. (*c*) : अन्य सभी समूहों में दो क्रमागत अक्षरों के बीच दो अक्षर छूटे हुए हैं और ये वर्णमाला के सीधे क्रम में हैं। विकल्प (*c*) में अक्षर वर्णमाला के उलटे क्रम में हैं।

24. (*d*) : शेष समूहों में पहले तीन अक्षर वर्णमाला के उलटे क्रम में हैं जिनके बाद अंतिम स्थान पर A का अक्षर है। विकल्प (*d*) में तीनों अक्षर वर्णमाला के सीधे क्रम में हैं।

25. (*c*) : शेष समूहों में अक्षरों के बीच +3, +1, +4 का पैटर्न है, अर्थात्

K N O S ; Q T U Y ; B E F J

+3 +1 +4   +3 +1 +4   +3 +1 +4

विकल्प (*c*) में अनुक्रम बाधित है।

D F G J

+2 +1 +3

संख्याओं का वर्गीकरण (Number Classification)

इस प्रकार के वर्गीकरण में विकल्पों के रूप में विभिन्न संख्याएं दी जाती हैं। इन संख्याओं में से एक को छोड़कर जो अन्य से भिन्न होती है, शेष किसी न किसी रूप में आपस में संबंधित होती हैं और इस प्रकार एक समूह बनाती हैं। परीक्षार्थी को दी गई संख्याओं में यह समानता ज्ञात करनी होती है और तत्पश्चात् समूह से भिन्न संख्या का चयन करना होता है। विकल्पों के रूप में दी गई संख्याएं विषम/सम/क्रमागत संख्याएं, अभाज्य संख्याएं, किसी संख्या का गुणज, एक अंकीय, विभिन्न संख्याओं का वर्ग या घन, किसी अन्य संख्या का जोड़/घटा या किसी भी गणितीय परिकलन का संयोजन हो सकती है।

प्रश्नमाला

निर्देश : *यहां प्रत्येक प्रश्न में चार विकल्प दिए गए हैं जिनमें से तीन किसी न किसी रूप में आपस में संबंधित होते हुए एक समूह बनाते हैं, जबकि शेष एक संख्या अन्य से भिन्न है। उस भिन्न संख्या का चयन करें जो समूह से संबंधित नहीं है।*

1. (*a*) 1948   (*b*) 2401
(*c*) 966   (*d*) 1449

2. (*a*) 182   (*b*) 169
(*c*) 130   (*d*) 158

3. (*a*) 129   (*b*) 130
(*c*) 131   (*d*) 132

4. (*a*) 3215   (*b*) 9309
(*c*) 4721   (*d*) 2850

5. (*a*) 1776   (*b*) 2364
(*c*) 1976   (*d*) 3776

6. (*a*) 64   (*b*) 84
(*c*) 16   (*d*) 36

7. (*a*) 24   (*b*) 90
(*c*) 54   (*d*) 36

8. (*a*) 7658   (*b*) 1234
(*c*) 9876   (*d*) 6543

9. (*a*) 3 (*b*) 9
(*c*) 5 (*d*) 7

10. (*a*) 6450 (*b*) 1776
(*c*) 2392 (*d*) 3815

11. (*a*) 24 (*b*) 48
(*c*) 42 (*d*) 12

12. (*a*) 616 (*b*) 252
(*c*) 311 (*d*) 707

13. (*a*) 18 (*b*) 12
(*c*) 30 (*d*) 20

14. (*a*) 3730 (*b*) 6820
(*c*) 5568 (*d*) 4604

15. (*a*) 2587 (*b*) 7628
(*c*) 8726 (*d*) 2867

16. (*a*) 63 (*b*) 29
(*c*) 27 (*d*) 25

17. (*a*) 23 (*b*) 37
(*c*) 21 (*d*) 31

18. (*a*) 18 (*b*) 9
(*c*) 21 (*d*) 7

19. (*a*) 9875432 (*b*) 98765
(*c*) 98756 (*d*) 9876543

20. (*a*) 602 (*b*) 431
(*c*) 530 (*d*) 813

21. (*a*) 4 (*b*) 6
(*c*) 7 (*d*) 10

22. (*a*) 3456 (*b*) 2345
(*c*) 5467 (*d*) 5678

23. (*a*) 10 (*b*) 11
(*c*) 15 (*d*) 16

24. (*a*) 336 (*b*) 213
(*c*) 436 (*d*) 819

25. (*a*) 258 (*b*) 326
(*c*) 224 (*d*) 339

26. (*a*) 28751 (*b*) 52638
(*c*) 85362 (*d*) 63852

27. (*a*) 73 (*b*) 43
(*c*) 63 (*d*) 83

28. (*a*) 64 (*b*) 27
(*c*) 125 (*d*) 9

29. (*a*) 63 (*b*) 49
(*c*) 21 (*d*) 81

30. (*a*) 74930 (*b*) 89435
(*c*) 66535 (*d*) 32116

व्याख्यात्मक उत्तरमाला

1. (*a*) : शेष संख्याएं 7 से विभाज्य हैं।

2. (*d*) : शेष संख्याएं 13 का गुणज हैं।

3. (*c*) : 131 एक अभाज्य संख्या (prime number) है।

4. (*b*) : शेष संख्याओं में किसी भी अंक का दो बार प्रयोग नहीं किया गया है।

5. (*b*) : शेष संख्याओं में आखिरी दो अंक एक से हैं।

6. (*b*) : शेष संख्याएं पूर्ण वर्ग संख्याएं हैं।

7. (*a*) : शेष संख्याओं में दोनों अंकों का योग 9 है।

8. (*a*) : शेष संख्याओं में उनके अंक गिनती के सीधे या उलटे क्रम में क्रमागत (निरंतर) हैं।

9. (*b*) : शेष सभी अभाज्य संख्याएं हैं।

10. (*d*) : शेष संख्याएं 2 से विभाज्य हैं।

11. (*c*) : शेष संख्याएं 12 का गुणज हैं।

12. (*c*) : शेष संख्याओं में पहले और आखिरी अंक एक से हैं।

13. (*a*) : शेष सभी संख्याएं $3^2 + 3 = 12, 5^2 + 5 = 30, 4^2 + 4 = 20$ हैं।

14. (*b*) : शेष सभी संख्याओं में दो अंक एक से हैं।

15. (*a*) : शेष संख्याएं 2, 6, 7 और 8 के अंकों से बनी हैं।

16. (*b*) : 29 एक अभाज्य संख्या है।

17. (*c*) : शेष सभी संख्याएं अभाज्य संख्याएं हैं।

18. (*d*) : शेष संख्याएं 3 से विभाज्य हैं।

19. (*c*) : शेष सभी संख्याओं में 987 के बाद अंक अवरोही या घटते हुए क्रम (decreasing order) में हैं।

20. (*d*) : शेष संख्याओं में अंकों का योग 8 है।

21. (*c*) : शेष सभी संख्याएं सम हैं।

22. (*c*) : शेष सभी संख्याओं में अंक आरोही या बढ़ते हुए क्रम (increasing order) में हैं।

23. (*b*) : 11 एक अभाज्य संख्या है।

24. (*c*) : शेष सभी संख्याओं में दाहिनी ओर का आखिरी अंक बायीं ओर के दो अंकों का योगफल है।

25. (*a*) : शेष सभी संख्याओं में दाहिनी ओर का आखिरी अंक बायीं ओर के शेष दो अंकों का गुणफल है।

26. (*a*) : 28751 एक विषम संख्या है।

27. (*c*) : शेष सभी अभाज्य संख्याएं हैं।

28. (*d*) : शेष सभी संख्याएं प्राकृत संख्याओं का घन हैं, 9 एक पूर्ण वर्ग संख्या है।

29. (*d*) : शेष सभी संख्याएं 7 का गुणज हैं।

30. (*d*) : शेष सभी संख्याएं 5 से विभाज्य हैं।

4 सांकेतिक भाषा परीक्षण (Coding and Decoding)

भाग – I

कूटलेखन या 'कोडिंग' संवाद-संप्रेषण की एक प्रक्रिया है जिसमें एक गुप्त भाषा का प्रयोग वास्तविक तथ्यों शब्दों/मूल्यों की अभिव्यक्ति या प्रस्तुतिकरण को एक ऐसी भाषा में परिवर्तित करने के लिए किया जाता है जिसे संवाद के प्रेषक और प्राप्तकर्ता के अतिरिक्त कोई तीसरा व्यक्ति समझ न सके। कूटभाषा में लिखने के लिए *(i)* शब्दों के अक्षरों के स्थान पर वर्णमाला के सीधे उलटे क्रम में एक या एकाधिक स्थान आगे या पीछे के अक्षरों को लिखा जाता है; *(ii)* अक्षरों के स्थान पर संख्याओं को या संख्याओं के स्थान पर अक्षरों को लिखा जाता है; *(iii)* दिए गए शब्द के कुछ या सभी अक्षरों को उलटे क्रम में लिखा जाता है; और *(iv)* शब्द के अक्षरों के स्थान पर वर्णमाला के उलटे क्रम में समस्थानिक अक्षरों को लिखा जाता है।

वर्णमाला को सीधे क्रम में लिखने पर प्राप्त शृंखला :

A B C D E F G H I J K L M N O P Q R S T U V W X Y Z

A ↓ प्रथम अक्षर; E ↓ पांचवा अक्षर; J ↓ दसवां अक्षर; O ↓ पंद्रहवां अक्षर; T ↓ बीसवां अक्षर; Y ↓ पच्चीसवां अक्षर

वर्णमाला को उलटे क्रम में लिखने पर प्राप्त शृंखला :

Z Y X W V U T S R Q P O N M L K J I H G F E D C B A

Z ↓ प्रथम अक्षर; V ↓ पांचवां अक्षर; Q ↓ दसवां अक्षर; L ↓ पंद्रहवां अक्षर; G ↓ बीसवां अक्षर; B ↓ पच्चीसवां अक्षर

टिप्पणी : Z पर पहुंचने के पश्चात् शृंखला A से पुनः शुरू होती है और A पर पहुंचने के पश्चात् शृंखला Z से पुनः शुरू होती है।

प्रश्नमाला

निर्देश : *निम्नलिखित प्रश्नों में दिए गए शब्दों या अक्षरों के लिए इंगित कूटभाषा के शब्द या अक्षर ज्ञात करें।*

1. यदि किसी कूट भाषा में CHAIR को FKDLU के रूप में लिखा जाए तो उसी कूटभाषा में RAID शब्द को किस प्रकार लिखा जाएगा?
   (*a*) ULGD (*b*) ULKG
   (*c*) ULDG (*d*) UDLG

2. यदि किसी कूटभाषा में CONDEMN को CNODMEN लिखा जाता है तो उसी कूटभाषा में TEACHER को कैसे लिखा जाएगा?
   (*a*) TEACHER (*b*) TAEECHR
   (*c*) TCAEEHR (*d*) TAECEHR

3. किसी कूटभाषा में COME को XLNV और ABLE को ZYOV लिखा जाता है। इसी कूटभाषा में MOLLY किस प्रकार लिखा जाएगा?
   (*a*) NLOBO (*b*) NLBOO
   (*c*) LNOOB (*d*) NLOOB

4. यदि किसी विशेष कूटभाषा में PROFESSION को EFORPNOISS के रूप में लिखा जाता हो तो उसी कूटभाषा में DICTIONARY को निम्नलिखित में से किस प्रकार लिखा जाएगा?
   (*a*) YRANOITCID (*b*) ITCIDYRANO
   (*c*) ITCIDYRNAO (*d*) ITCDIYARNO

5. यदि किसी कूटभाषा में JUNE को NXPF लिखा जाता हो तो उसी कूटभाषा में STAY को कैसे लिखा जाएगा?

(*a*) WWCZ (*b*) WVCZ
(*c*) WWDB (*d*) VWZC

6. यदि किसी कूटभाषा में GENIUS को IGPKWU लिखा जाता हो तो उसी कूटभाषा में IDIOT को कैसे लिखा जाएगा?

(*a*) JEJPU (*b*) KFKQV
(*c*) LGLRW (*d*) HCHNS

7. यदि किसी कूटभाषा में ACTION को ZXGRLM लिखा जाता हो तो उसी कूटभाषा में HEALTH को कैसे लिखा जाएगा?

(*a*) SVZOGS (*b*) TVZOGT
(*c*) RUZPGR (*d*) QVGOZQ

8. यदि किसी कूटभाषा में THOUSAND को SGNTRZMC लिखा जाए तो उसी कूटभाषा में FUMING को कैसे लिखा जाएगा?

(*a*) GVNJOH (*b*) ETHLMF
(*c*) EVLJMH (*d*) ETLHMF

9. यदि किसी विशेष कूटभाषा में EARTHQUAKE को MOGPENJOSM के रूप में लिखा जाता हो तो उसी कूटभाषा में EQUATE निम्नलिखित में से किस प्रकार लिखा जाएगा?

(*a*) MENOPM
(*b*) MENOMP
(*c*) MJOGPM
(*d*) MNJOPM

10. एक विशेष कूटभाषा में कूटबद्ध शब्द HJIZT का कूटवाचन MONEY के रूप में किया जाता है। इसी कूटभाषा में लिखे गए शब्द NOVGZ से निम्नलिखित में से कौन-सा अर्थ निरूपित होगा?

(*a*) STUMP (*b*) STALE
(*c*) STICK (*d*) SPIRE

व्याख्यात्मक उत्तरमाला

1. (*d*) : शब्द को कूटबद्ध करने के लिए उसके अक्षरों से वर्णमाला के क्रम में +3 चरण आगे के अक्षर लिए गए हैं।

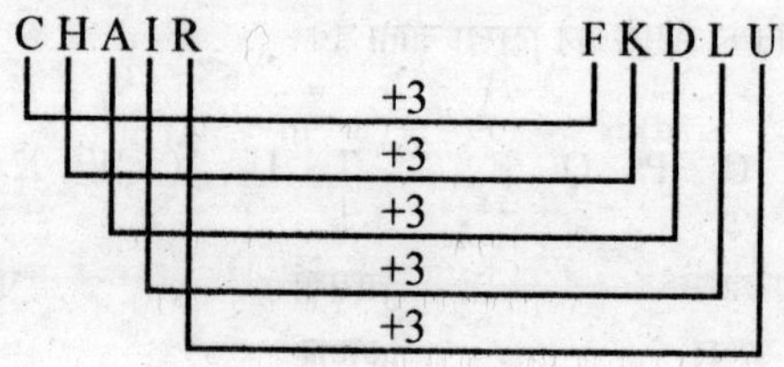

इसी प्रकार,

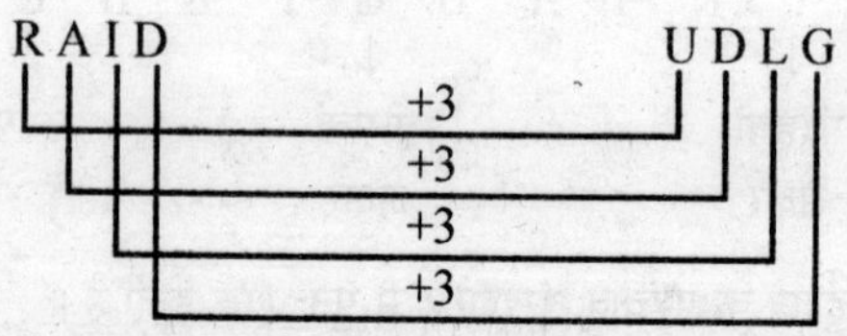

2. (*d*) : इस शब्द में दूसरे और तीसरे अक्षर एक-दूसरे के स्थान पर आ जाते हैं और पांचवे और छठे अक्षरों द्वारा भी इसी नियम का पालन किया जाता है। शेष अक्षरों का स्थान अपरिवर्तित रहता है।

इसी प्रकार,

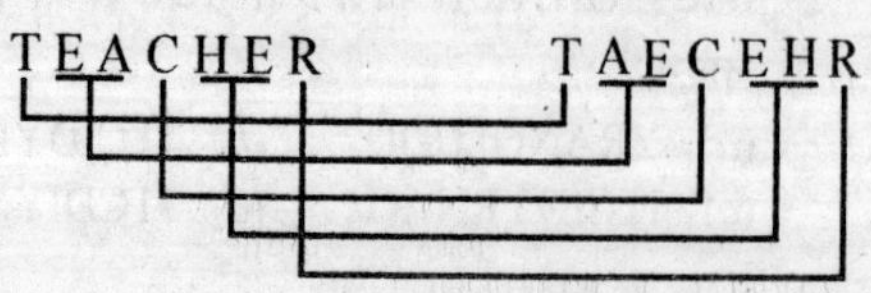

3. (*d*) : शब्द के अक्षरों को कूटबद्ध करने के लिए वर्णमाला के उलटे क्रम में समान स्थान वाले अक्षरों को लिया गया है।

C O M E → वर्णमाला के सीधे क्रम में अक्षर
X L N V → वर्णमाला के उलटे क्रम में समान स्थान वाले अक्षर
↓ ↓ ↓ ↓
3रा 15वां 13वां 5वां → वर्णमाला में अक्षरों का स्थान

A B L E → वर्णमाला के सीधे क्रम में अक्षर
Z Y O V → वर्णमाला के उलटे क्रम में समान स्थान वाले अक्षर
↓ ↓ ↓ ↓
1ला 2रा 12वां 5वां → वर्णमाला के अक्षरों का स्थान

इसी प्रकार,

M O L L Y → वर्णमाला के सीधे क्रम में अक्षर
N L O O B → वर्णमाला के उलटे क्रम में समान स्थान वाले अक्षर
↓ ↓ ↓ ↓ ↓
13वां 15वां 12वां 12वां 25वां → वर्णमाला में अक्षरों का स्थान

4. (*b*) : शब्द को दो समान भागों में विभाजित करके प्रत्येक भाग के अक्षरों को विपरीत अनुक्रम में लिखा गया है।

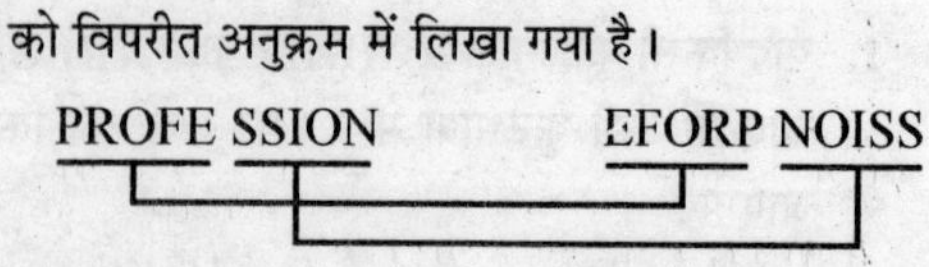

इसी प्रकार,

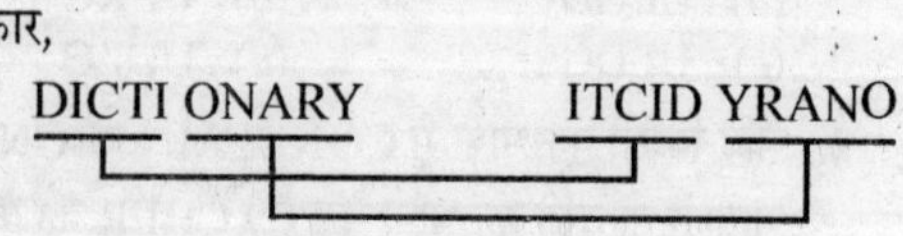

5. (*a*) : शब्द को कूटबद्ध करने के लिए उसके अक्षरों से वर्णमाला के सीधे क्रम में क्रमश: +4, +3, +2, और +1 चरण आगे के अक्षर लिए गए हैं।

JUNE NXPF

+4
+3
+2
+1

इसी प्रकार,

STAY WWCZ

+4
+3
+2
+1

6. *(b)* : शब्द को कूटबद्ध करने के लिए उसके अक्षरों से वर्णमाला के सीधे क्रम में दो चरण आगे के अक्षर लिए गए हैं।

GENIUS IGPKWU

+2
+2
+2
+2
+2
+2

इसी प्रकार,

IDIOT KFKQV

+2
+2
+2
+2
+2

7. *(a)* : शब्द के अक्षरों को कूटबद्ध करने के लिए वर्णमाला के उलटे क्रम में समान स्थान वाले अक्षरों को लिया गया है।

A C T I O N → वर्णमाला के सीधे क्रम में अक्षर

Z X G R L M → वर्णमाला के उलटे क्रम में समान स्थान वाले अक्षर

1ला 3रा 20वां 9वां 15वां 14वां — वर्णमाला में अक्षरों का स्थान

इसी प्रकार,

H E A L T H → वर्णमाला के क्रम में अक्षर

S V Z O G S → वर्णमाला के उलटे क्रम में समान स्थान वाले अक्षर

8वां 5वां 1ला 12वां 20वां 8वां → वर्णमाला में अक्षरों का स्थान

8. *(d)* : शब्द को कूटबद्ध करने के लिए उसके अक्षरों से वर्णमाला के सीधे क्रम में एक चरण पीछे के अक्षर लिए गए हैं।

THOUSAND SGNTRZMC

–1
–1
–1
–1
–1
–1
–1
–1

इसी प्रकार,

FUMING ETLHMF

–1
–1
–1
–1
–1
–1

9. *(d)* : EQUATE शब्द के अक्षर EARTHQUAKE शब्द से लिए गए हैं।

उत्तर कूट प्राप्त करने के लिए कूटबद्ध शब्द से अक्षरों का मिलान करें।

E A R T H Q U A K E → अक्षर

M O G P E N J O S M → कूट

E QUA TE → कूटबद्ध किए जाने वाले अक्षर

M N J O PM → उत्तर कूट

10. *(b)* : कूट भाषा में लिखे गए शब्द का अर्थ निरूपित करने के लिए उसके अक्षरों से वर्णमाला के सीधे क्रम में 5 चरण आगे के अक्षर लिए गए हैं, अर्थात्

HJIZT MONEY

+5
+5
+5
+5
+5

इसी प्रकार,

NOVGZ STALE

+5
+5
+5
+5
+5

भाग – II

यदि दिए गए कूटों का मिलान किया जाए तो कूट लेखन और दिए गए कूट का अर्थ निर्वचन (coding–decoding) वस्तुत: अत्याधिक सरल हो जाता है। कूटलेखन के इस प्रकार में अंक और उसके लिए प्रयुक्त अक्षर कूट या अक्षर और उसके लिए प्रयुक्त अंक कूट दिए गए होते हैं तथा अभ्यर्थी को केवल कूटों का मिलान करके ही दिए गए प्रश्न का उत्तर देना होता है।

प्रश्नमाला

निर्देश (प्रश्न 1 से 5) : *प्रश्न निम्नलिखित कूट पैटर्न पर आधारित हैं :*

अंक	:	2	6	4	1	0	8	3	7	5	9
अक्षर	:	M	E	N	H	V	F	I	W	L	X

उपर्युक्त कूट पैटर्न के आधार पर बताएं कि दी गई संख्याओं का सही अक्षर कूट क्या है?

1. 435216
(*a*) HILMNE (*b*) NILMHE
(*c*) VFLMNE (*d*) NILHME

2. 897615
(*a*) FXWEHL (*b*) VXLENH
(*c*) FXLWHE (*d*) VXELHI

3. 146738
(*a*) HNEIWF (*b*) HNWEIF
(*c*) HENWIF (*d*) HNEWIF

4. 092863
(*a*) VXMFEI (*b*) VXMIFE
(*c*) VXMIEF (*d*) VXFMEI

5. 702439
(*a*) LVMIEX (*b*) INEMHV
(*c*) WVMNIX (*d*) VWNMEX

निर्देश (प्रश्न 6 से 10) : *प्रश्न नीचे दिए गए कूट पैटर्न पर आधारित हैं :*

अंक	:	7	0	5	9	2	4	8	3	1	6
अक्षर	:	J	R	S	D	Q	C	A	K	G	O

उपर्युक्त कूट पैटर्न के आधार पर बताएं कि दी गई संख्याओं का सही अक्षर कूट क्या है?

6. 251460
(*a*) QSGCOR (*b*) CRGCOS
(*c*) QSCGOJ (*d*) CSGROS

7. 357698
(*a*) GSRODA (*b*) KSJOSA
(*c*) GSORSA (*d*) KSJODA

8. 735021
(*a*) JASRDG (*b*) JKDRQG
(*c*) JKSRQG (*d*) JKSQRG

9. 850394
(*a*) ASRKDC (*b*) ASRDKC
(*c*) CARKDQ (*d*) AKRDSQ

10. 176203
(*a*) GJODQR (*b*) GJOQRK
(*c*) KJOQAR (*d*) KOQRJA

उत्तरमाला

1	2	3	4	5	6	7	8	9	10
(*b*)	(*a*)	(*d*)	(*a*)	(*c*)	(*a*)	(*d*)	(*c*)	(*a*)	(*b*)

भाग – III

इस प्रकार के कूटलेखन में अंग्रेजी के A से Z तक के बड़े अक्षरों को a से z तक के छोटे अक्षरों द्वारा कूटबद्ध किया जाता है। कूटलेखन के पैटर्न की सहायता से अभ्यर्थी को बड़े अक्षरों के समूह के तुल्य कूट अक्षर जिस स्तंभ में हों उस स्तंभ से सही कूट अक्षरों का चयन करना होता है।

प्रश्नमाला

निर्देश (प्रश्न 1 से 10) : *नीचे A से Z तक अंग्रेजी के बड़े अक्षर लिखे गए हैं जिनमें से प्रत्येक के नीचे अंग्रेजी वर्णमाला के छोटे अक्षरों को लिखा गया है जिनका बड़े अक्षरों के लिए कूट के रूप में प्रयोग किया जाता है।*

A	B	C	D	E	F	G	H	I
p	t	x	q	v	y	r	z	e
J	K	L	M	N	O	P	Q	R
n	a	s	g	c	j	l	u	m
S	T	U	V	W	X	Y	Z	
o	w	k	d	i	b	h	f	

निम्नलिखित प्रत्येक प्रश्न में अंग्रेजी के छह बड़े अक्षरों का एक समूह दिया गया है तथा उसका समतुल्य कूट (a), (b), (c) या (d) स्तंभों में से किसी एक स्तंभ में निहित है। सही उत्तर के रूप में उस स्तंभ का चयन करें जिसमें बड़े अक्षर समूह का समतुल्य कूट अक्षर समूह निहित हो।

(a)	(b)	(c)	(d)
muvgto	zcuysm	wlhxct	ribgpq
xfwlmd	rsqwui	zcyums	mvquot
gwdnje	qvlmzi	xfdwlm	dgjtlq

muqvot	dgtjql	rigbqp	rqswui
qwjvrx	muvqto	rsqiwu	wlhzbt
wlhcxf	gwndej	qwjrvx	zcsmuy

1. DTOEGC
2. CZVTPR
3. MTVJOI
4. DEPRHW
5. TPYCNB
6. GWXMAD
7. GLDWTQ
8. RQEMBS
9. HNQFLR
10. VMOBPD

निर्देश (प्रश्न 11 से 20) : *नीचे A से Z तक अंग्रेजी वर्णमाला के बड़े अक्षर लिखे गए हैं तथा प्रत्येक बड़े अक्षर के नीचे अंग्रेजी के छोटे अक्षर के रूप में उसका समतुल्य लिखा गया है।*

A	B	C	D	E	F	G	H	I	J	K	L	M
g	m	x	k	z	r	a	l	p	v	u	c	o
N	O	P	Q	R	S	T	U	V	W	X	Y	Z
t	j	b	w	e	q	h	z	d	i	s	n	f

निम्नलिखित प्रत्येक प्रश्न में अंग्रेजी के बड़े अक्षरों का एक समूह दिया गया है तथा उसका समतुल्य कूट (a), (b), (c) या (d) स्तंभों में से किसी एक स्तंभ में निहित हैं। सही उत्तर के रूप में उस स्तंभ का चयन करें जिसमें बड़े अक्षर समूह का समतुल्य कूट अक्षर-समूह निहित हो।

(a)	(b)	(c)	(d)
womghz	nuarlk	trbhzy	xepush
defats	fnrsan	jgobka	deiots
moplqt	xelvsh	baifzu	womjhz
nurapk	deiats	mkisny	atzefh
ztmrqw	wonglq	cq juwt	duwpfj
atzwots	lqxcob	onqglz	nurlpk

11. BDWXZY
12. OAMPDG
13. CRHJXT
14. UNBFSQ
15. GNURZT
16. HSCLMP
17. VRWMNX
18. YKFGID
19. QMBATE
20. LSOKQN

उत्तरमाला

1	2	3	4	5	6	7	8	9	10
(*a*)	(*c*)	(*a*)	(*b*)	(*c*)	(*d*)	(*c*)	(*a*)	(*b*)	(*d*)
11	**12**	**13**	**14**	**15**	**16**	**17**	**18**	**19**	**20**
(*c*)	(*c*)	(*b*)	(*a*)	(*d*)	(*b*)	(*d*)	(*a*)	(*a*)	(*c*)

5 विश्लेषण (Analysis)

तर्कबुद्धि परीक्षण से संबंधित इस प्रकार के प्रश्नों में कुछ कथन दिए जाते हैं। इन कथनों में कतिपय तथ्यों को अलग-अलग रूपों में तोड़-मरोड़ कर प्रस्तुत किया जाता है। ऐसे प्रश्नों को हल करने के लिए अभ्यर्थियों से यह अपेक्षा की जाती है कि वे दिए गए कथनों का विश्लेषण करें, दिए गए तथ्यों को सुव्यवस्थित और वर्गीकृत करें तथा तत्पश्चात् दिए गए कथनों से संबंधित प्रश्नों के उत्तर दें।

प्रश्नमाला

1. A, B, C, D और E पांच मित्र हैं जिनमें से A का वजन B से अधिक है, C का वजन D से कम है, B का वजन D से कम है किंतु E से अधिक है। इनमें से किसका वजन सबसे अधिक है?

(*a*) B (*b*) C

(*c*) A (*d*) कहा नहीं जा सकता

2. झांसी की तुलना में पुणे एक बड़ा शहर है, तथा चित्तौड़ की तुलना में सीतापुर एक बड़ा शहर है। रायगढ़ झांसी जितना बड़ा शहर नहीं है किंतु यह सीतापुर की तुलना में बड़ा शहर है। चित्तौड़ सीतापुर जितना बड़ा शहर नहीं है। इनमें से सबसे छोटा शहर कौन है?

(*a*) झांसी (*b*) पुणे

(*c*) चित्तौड़ (*d*) सीतापुर

3. राम के मुकाबले अजय अधिक काम करता है। आलोक और राजू दोनों एक जितना काम करते हैं। पंकज आलोक के मुकाबले कम काम करता है। राम आलोक के मुकाबले अधिक काम करता है। इनमें से सबसे अधिक काम कौन करता है?

(*a*) अजय (*b*) राम

(*c*) आलोक (*d*) राजू

4. विपुल, हंस से लंबा है। हंस, आनंद से लंबा है। आलोक, अशोक से लंबा है। अशोक, हंस से लंबा है। इन पांचों मित्रों से कौन सबसे अधिक लंबा है?

(*a*) विपुल (*b*) आलोक

(*c*) अशोक (*d*) कहा नहीं जा सकता

5. प्रमोद, गोपाल से लंबा है। गोपाल, मधु से कम लंबा है। यह जानने के लिए कि इनमें सबसे अधिक लंबा कौन है, निम्नलिखित में से कौन सी अतिरिक्त जानकारी आवश्यक है?

(*a*) मधु, गोपाल से लंबी है

(*b*) मधु, प्रमोद के भाई से कम लंबी है

(*c*) प्रमोद, मधु से लंबा है

(*d*) प्रमोद, मधु के भाई से लंबा है

6. पांच मित्रों P, Q, R, S और T, में से सबसे कम आयु किसकी है? इस प्रश्न का उत्तर ज्ञात करने के लिए निम्नलिखित (A) और (B) कथनों में दी गई सूचनाओं में से कौन-सी सूचना पर्याप्त है?

(A) R की आयु P और T से कम है

(B) S की आयु Q से कम है

(*a*) केवल A में दी गई सूचना ही पर्याप्त है

(*b*) A और B में से कोई भी एक सूचना पर्याप्त है

(*c*) A और B दोनों सूचनाएं आवश्यक हैं

(*d*) A और B दोनों में दी गई सूचनाएं अपर्याप्त हैं

7. सुषमा, रश्मि की तुलना में अधिक धनी है जबकि आनंद, प्रिया से अधिक धनवान है। अरुण और रश्मि एक जैसे धनवान हैं। शोभा, सुषमा से अधिक धनवान है।

उपर्युक्त सूचना के आधार पर निम्नलिखित में से कौन-सा कथन सही है?

(*a*) रश्मि, प्रिया से कम धनवान है

(*b*) प्रिया, अरुण से अधिक धनवान है

(*c*) अरुण, सुषमा से कम धनवान है

(*d*) आनंद, रश्मि से अधिक धनवान है

8. A की आयु B से अधिक है जबकि C और D की आयु E से अधिक है तथा E की आयु A और B की आयुओं के बीच है। यदि C की आयु B की तुलना में अधिक हो तो बताएं कि निम्नलिखित में से कौन-सा कथन अनिवार्यत: सत्य है?

(*a*) E की आयु B से अधिक है
(*b*) A की आयु C से अधिक है
(*c*) C की आयु D से अधिक है
(*d*) D की आयु C से अधिक है

9. विक्रम की लंबाई राजन से अधिक किंतु ऐनी से कम है। जमाल, ऐनी से अधिक लंबा है। सीता, विक्रम से अधिक लंबी है। राजन, सीता से कम लंबा है। इस समूह में सबसे कम लंबाई किसकी है?
(*a*) सीता (*b*) राजन
(*c*) विक्रम (*d*) कहा नहीं जा सकता

10. सुरेश की आयु कमल से उतनी ही अधिक है जितनी कि उसकी आयु प्रबोध से कम है। नवीन और कमल की आयु एक जैसी है। निम्नलिखित में से कौन-सा कथन असत्य है?
(*a*) सुरेश की आयु नवीन से अधिक है
(*b*) कमल की आयु सुरेश से कम है
(*c*) प्रबोध सबसे अधिक आयु का नहीं है
(*d*) नवीन की आयु प्रबोध से कम है

11. अशोक का वजन गोपाल से अधिक है। महेश का वजन जयेश से कम है। प्रशांत का वजन जयेश से अधिक किंतु गोपाल से कम है। इनमें से किसका वजन सबसे अधिक है?
(*a*) गोपाल (*b*) जयेश
(*c*) प्रशांत (*d*) अशोक

12. सुबोध का अंग्रेजी में प्राप्तांक गोपाल के इतिहास में प्राप्तांक से उतना ही अधिक है जितना कि प्रमोद के अंग्रेजी में प्राप्तांक से कम है। सुबोध के अंग्रेजी में प्राप्तांक को जानने के लिए कथन (A) और (B) में से कौन-सी सूचना पर्याप्त है?
A. गोपाल का इतिहास में प्राप्तांक
B. प्रमोद का इतिहास में प्राप्तांक
(*a*) A और B दोनों में दी गई सूचनाएं आवश्यक हैं
(*b*) केवल B में दी गई सूचना पर्याप्त है
(*c*) A और B में से किसी भी एक में दी गई सूचना
(*d*) A और B दोनों में दी गई सूचनाएं पर्याप्त नहीं हैं

व्याख्यात्मक उत्तरमाला

1. (*d*) : वजन के घटते क्रम में इन मित्रों को निम्नवत् श्रेणीबद्ध किया जा सकता है : A/D, B/C, E या A/D, B, C/E अत: इन मित्रों में से A या D का वजन सबसे अधिक है।

2. (*c*) : आकार के घटते क्रम में शहरों के नाम हैं : पुणे, झांसी, रायगढ़, सीतापुर, चित्तौड़।

3. (*a*) : इन व्यक्तियों के नामों का इनके द्वारा किए जाने वाले काम की मात्रा के घटते क्रम में निम्नलिखित अनुक्रम होगा :
अजय, राम, आलोक/राजू, पंकज।

4. (*d*) : लंबाई के घटते क्रम में इन व्यक्तियों के नाम हैं : विपुल/आलोक, अशोक, हंस, आनंद। अत: विपुल या आलोक में से कोई एक सबसे अधिक लंबा है।

5. (*c*) : दी गई सूचना के अनुसार प्रमोद और मधु दोनों ही गोपाल से अधिक लंबे हैं। विकल्प (*c*) में दी गई जानकारी से ही यह पता चलता है कि सबसे अधिक लंबा कौन है।

6. (*d*) : सूचनाएं एक-दूसरे से संबंधित नहीं हैं।

7. (*c*) : धन के घटते क्रम में इन धनवानों के नाम हैं :
1. शोभा, सुषमा, रश्मि/अरुण
2. आनंद और प्रिया
(ये दोनों कथन एक-दूसरे से संबंधित नहीं हैं)

8. (*a*) : आयु के घटते क्रम में इन व्यक्तियों को निम्नवत् विन्यस्त किया जा सकता है :
A/C/D, E, B.

9. (*b*) : लंबाई के घटते क्रम में इन व्यक्तियों को निम्नवत् विन्यस्त किया जा सकता है :
जमाल/सीमा, ऐनी, विक्रम, राजन
या
जमाल, सीता/ऐनी, विक्रम, राजन

10. (*c*) : आयु के घटते क्रम में इन व्यक्तियों को निम्नवत् विन्यस्त किया जा सकता है :
प्रबोध, सुरेश, कमल/नवीन

11. (*d*) : वजन के घटते क्रम में इन व्यक्तियों को निम्नवत् विन्यस्त किया जा सकता है :
अशोक, गोपाल, प्रशांत, जयेश, महेश

12. (*d*) : प्राप्तांकों की तुलना से किसी विषय में सुबोध को प्राप्त हुए अंकों का पता नहीं चलता।

6 संबंध अवधारणा (Relationship Concept)

रक्त संबंधों पर आधारित प्रश्नों को हल करने के लिए यह आवश्यक है कि परीक्षार्थी रिश्तों की जटिलता को तत्काल समझ सकें और किन्हीं दो व्यक्तियों के बीच किस प्रकार के संबंध हो सकते हैं, इस बारे में उन्हें स्पष्ट जानकारी हो। इस प्रकार के प्रश्नों को पूछने का अभिप्राय मुख्यत: यह सुनिश्चित करना है कि परीक्षार्थी कतिपय जटिल भाषा में व्यक्त रिश्तों को कितनी तत्परता से समझ सकते हैं और उत्तर के रूप में सही विकल्प का चयन कर सकते हैं।

कुछ सामान्य रक्त संबंधों की सूची नीचे दी गई है :

मां	दादी
पिता	दादा
पुत्र	पोता
पुत्री	पोती
भाई	साला
बहन	साली
भतीजी	श्वसुर
भतीजा	सास
चाचा	दामाद
चाची	पुत्रवधु
पति	चचेरे या फुफेरे या ममेरे या मौसेरे भाई-बहन
पत्नी	

इन प्रश्नों को हल करने में सहायक कुछ संबंधों के पैटर्न नीचे दर्शाए गए हैं :

पिता का पिता	—	दादा
मां का पिता	—	नाना
पिता की मां	—	दादी
मां की मां	—	नानी
पिता या मां का पुत्र	—	भाई
पिता या मां की पुत्री	—	बहन
पिता का भाई	—	चाचा
पिता की बहन	—	बुआ
मां का भाई	—	मामा
मां की बहन	—	मौसी
चाचा या चाची का पुत्र या पुत्री	—	चचेरा भाई, चचेरी बहन
पुत्र की पत्नी	—	पुत्रवधु
पुत्री का पति	—	दामाद
पति का भाई	—	देवर
पत्नी का भाई	—	साला
पति की बहन	—	ननद
पत्नी की बहन	—	साली
भाई की पत्नी	—	भाभी
बहन का पति	—	बहनोई

प्रश्नमाला

निर्देश : *नीचे के प्रत्येक प्रश्न में व्यक्तियों के बीच उल्लिखित संबंधों को सावधानीपूर्वक समझें और तब दिए गए विकल्पों में से सही उत्तर का चयन करें :*

1. A, B और C का पिता है। B, A का पुत्र है किंतु C, A का पुत्र नहीं है। C का A से क्या संबंध है ?
(*a*) पुत्री (*b*) पुत्र
(*c*) भतीजी (*d*) भतीजा

2. एक महिला ने कहा, ''वहां खड़ी लड़की मेरे दादा जी के एकमात्र पुत्र की पुत्री है''। उस महिला का उस लड़की से क्या संबंध है ?
(*a*) बहन (*b*) मां
(*c*) चाची (*d*) भतीजा

3. रवि अमित के पुत्र के पुत्र का भाई है। अमित, रवि का क्या है ?
(*a*) चचेरा भाई (*b*) पिता
(*c*) दादा (*d*) पुत्र

4. मयंक ने कहा, ''मेरी मां रजत के भाई की बहन है''। रजत का मयंक से क्या संबंध है ?
(*a*) चचेरा भाई (*b*) मामा
(*c*) चाचा (*d*) साला

5. लिली से परिचय कराते हुए राघव ने कहा, ''इसके पिता मेरी मां के एकमात्र पुत्र हैं''। लिली का राघव से क्या संबंध है ?

(*a*) चाची (*b*) पुत्री

(*c*) मां (*d*) बहन

6. अजय, विजय का भाई है। शुभा, अजय की बहन है। संजय, राहुल का भाई है और मेहुल विजय की पुत्री है। संजय का चाचा कौन है ?

(*a*) राहुल (*b*) अजय

(*c*) मेहुल (*d*) दी गई सूचना अपर्याप्त है

7. आदित्य, रवि का भाई है। भरत, जयंत के पिता हैं। ईला, रवि की मां है। आदित्य और जयंत आपस में भाई हैं। ईला का भरत से क्या संबंध है ?

(*a*) बहन (*b*) मां

(*c*) पुत्री (*d*) पत्नी

8. एक व्यक्ति ने अपने साथ आ रहे लड़के का परिचय देते हुए कहा, ''यह मेरी पत्नी की पुत्री के पिता का पुत्र है।'' वह लड़का उस व्यक्ति का क्या है ?

(*a*) दामाद (*b*) पुत्र

(*c*) भाई (*d*) पिता

9. A और B दो भाई हैं। C, B की बहन है। D, E की बहन है। E, A का पुत्र है। D का चाचा कौन है ?

(*a*) D (*b*) E

(*c*) B (*d*) C

10. वरुण ने अरुण की ओर संकेत करते हुए कहा, ''वह मेरी बहन के एकमात्र भाई का पुत्र है।'' अरुण का वरुण से क्या संबंध है ?

(*a*) पुत्र (*b*) भाई

(*c*) भतीजा (*d*) दी गई सूचना अपर्याप्त है

11. एक व्यक्ति की ओर संकेत करते हुए एक महिला ने कहा ''उसके भाई के पिता मेरे दादाजी के एकमात्र पुत्र हैं।'' वह महिला उस व्यक्ति की क्या लगती है ?

(*a*) मां (*b*) बहन

(*c*) पुत्री (*d*) चाची

12. विद्या, गोपी की पत्नी है और गोपी, अखिल का भाई है। अखिल, विजय का चाचा है। विजय, विद्या का कौन है ?

(*a*) पुत्र (*b*) भतीजा

(*c*) देवर (*d*) भाई

13. यदि अमित के पिता बिल्लू के पिता के एकमात्र पुत्र हैं और बिल्लू का कोई भी भाई नहीं है और न ही उसकी कोई पुत्री है तो अमित और बिल्लू के बीच क्या संबंध है ?

(*a*) चाचा-भतीजा

(*b*) पिता-पुत्री

(*c*) पिता-पुत्र

(*d*) चचेरा भाई

14. A, B की बहन है। B, C का पुत्र है तथा E, D की पुत्री और A की बहन है। D, C का कौन है ?

(*a*) भाई

(*b*) पति

(*c*) पत्नी

(*d*) दी गई सूचना अपर्याप्त है

व्याख्यात्मक उत्तरमाला

1. (*a*) :

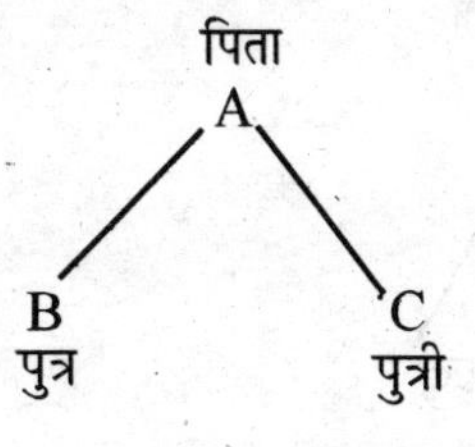

C, A का पुत्र नहीं है किंतु A, C का पिता है। अत: C, A की पुत्री है।

2. (*a*) :

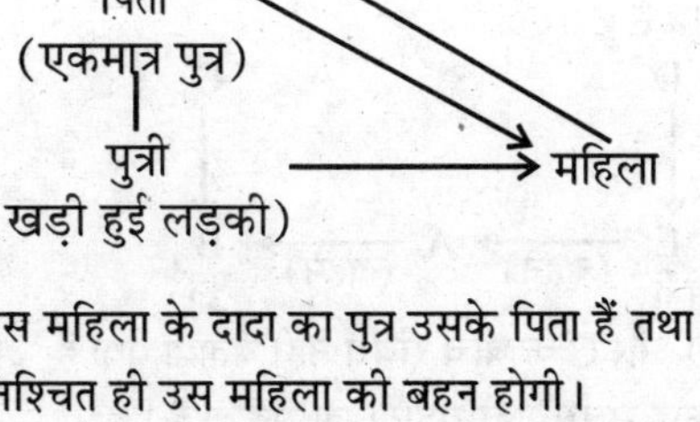

उस महिला के दादा का पुत्र उसके पिता हैं तथा पिता की पुत्री निश्चित ही उस महिला की बहन होगी।

3. (*c*) :

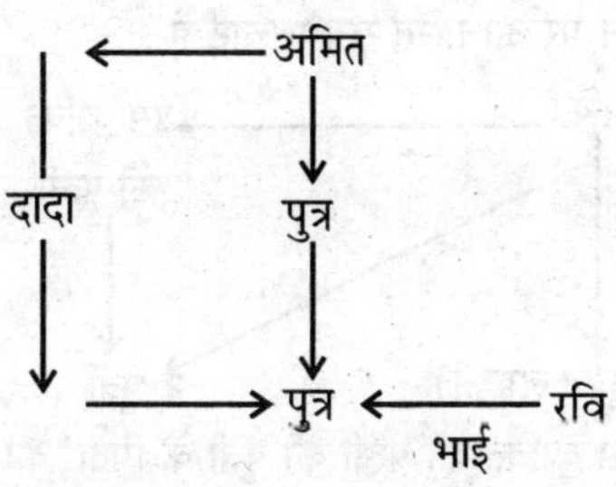

अमित के पुत्र का पुत्र अमित का पोता होगा। रवि अमित के पुत्र के पुत्र का भाई है, अत: अमित रवि के भी दादाजी हैं।

4. (*b*) :

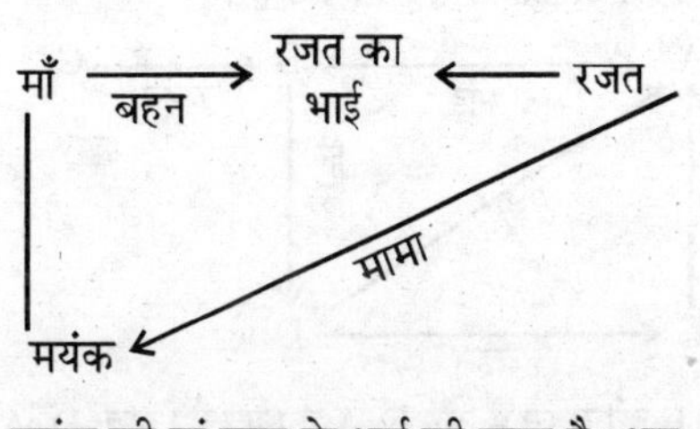

मयंक की मां रजत के भाई की बहन है। अत: रजत भी मयंक की मां का भाई है। इस प्रकार रजत, मयंक का मामा हुआ।

5. (*b*) : संबंध चार्ट निम्नवत् है : माँ

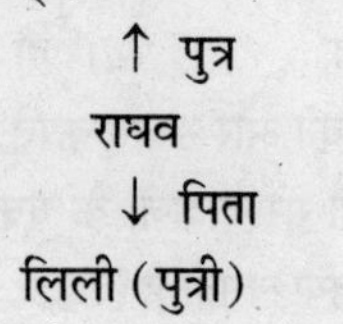

राघव जब कहता है, ''मेरी मां का एकमात्र पुत्र'' तो वह स्वयं अपने बारे में ही कह रहा होता है। इसके पिता का आशय है, 'लिली के पिता' अर्थात् स्वयं राघव। अत: लिली, राघव की पुत्री है।

6. (*d*) :

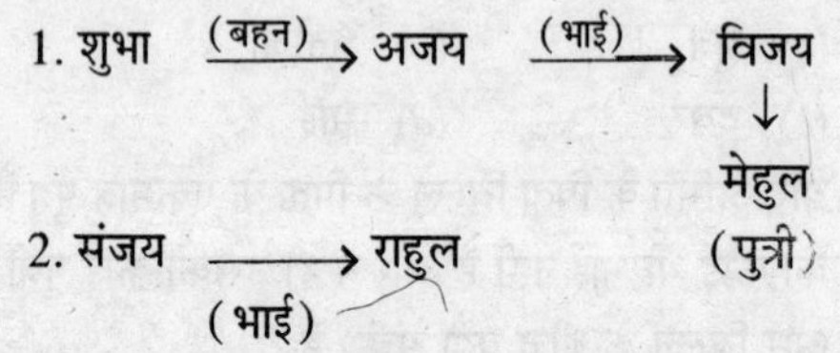

यहां दो संबंध-समुच्चयों का उल्लेख किया गया है। दी गई सूचना अपर्याप्त है और इन दो भिन्न संबंध-समुच्चयों के बीच कोई संबंध स्थापित नहीं किया जा सकता।

7. (*d*) : प्रश्न पर आधारित संबंध चार्ट है :

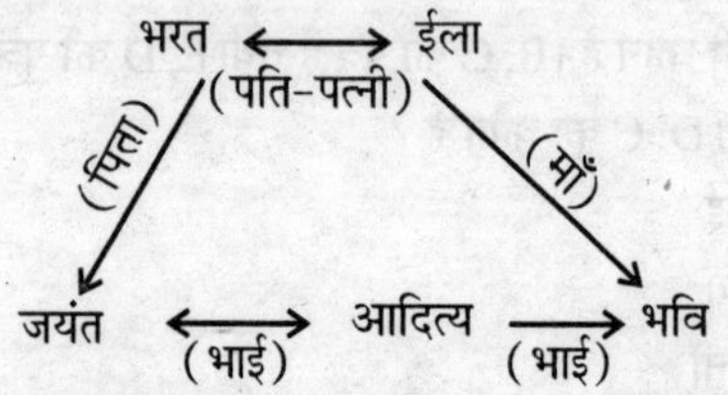

जयंत और आदित्य भाई हैं। यदि आदित्य, रवि का भाई है तो जयंत भी रवि का भाई है। यदि भरत, जयंत का पिता है तो वह आदित्य और रवि का भी पिता है। यदि ईला, रवि की मां है तो वह आदित्य और जयंत की भी मां है। इसका अर्थ है कि भरत और ईला पति-पत्नी हैं और तीनों बच्चों के माता-पिता हैं।

8. (*b*) : प्रश्न पर आधारित संबंध-चार्ट है :

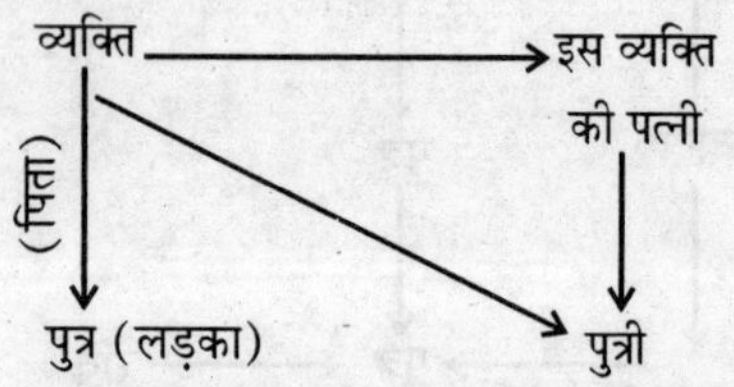

'उस व्यक्ति की पत्नी की पुत्री के पिता' का आशय है कि वह व्यक्ति स्वयं अपने बारे में बात कर रहा है, अत: वह लड़का उस व्यक्ति का पुत्र है।

9. (*c*) : प्रश्न पर आधारित संबंध-चार्ट है :

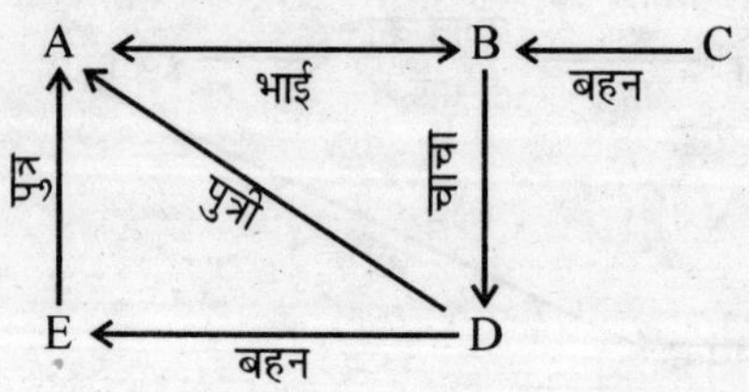

D, E की बहन है और E, A का पुत्र है। अत: D, A की पुत्री है। चूंकि A का भाई B है, अत: B, D का चाचा है।

10. (*a*) :

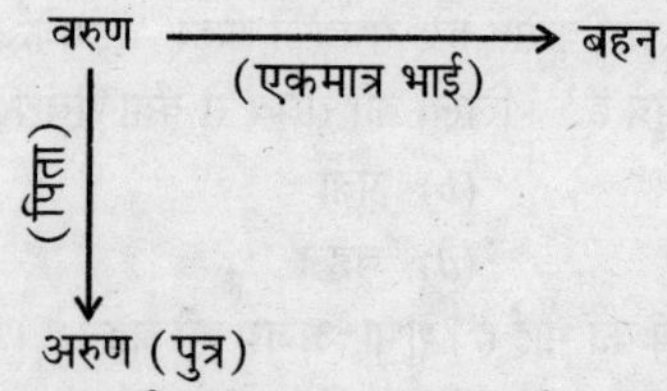

वरुण की बहन का एकमात्र भाई स्वयं वरुण है और उसका पुत्र अरुण है।

11. (*b*) :

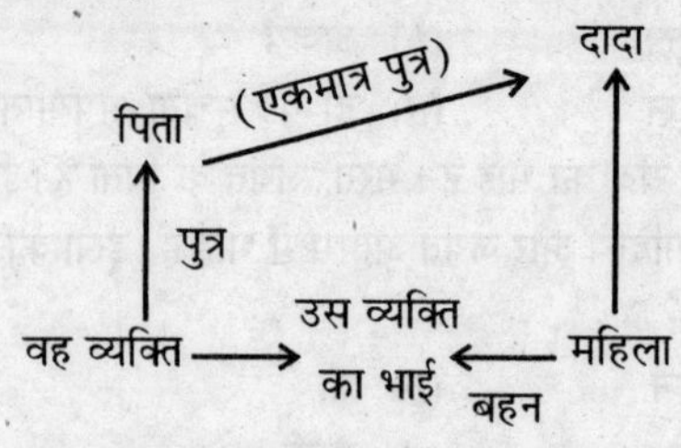

उस व्यक्ति के भाई के पिता उस महिला के भी पिता हैं क्योंकि वे उस महिला के दादाजी के एकमात्र पुत्र हैं। अत: वह महिला उस व्यक्ति की बहन है।

12. (*b*) : प्रश्न पर आधारित संबंध चार्ट है :

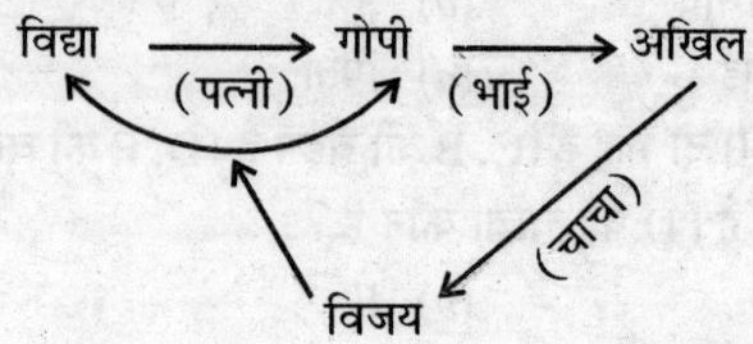

विद्या, गोपी की पत्नी है और गोपी, अखिल का भाई है। अत: विद्या, अखिल की भाभी है। यदि अखिल, विजय का चाचा है, तो स्पष्ट है कि गोपी भी विजय का चाचा ही है क्योंकि प्रश्न में उल्लिखित कथनों में यह नहीं बताया गया है कि अखिल या गोपी में से कोई भी विजय का पिता है। अब यदि विजय गोपी का भतीजा है, तो निश्चित ही वह विद्या का भी भतीजा है।

13. (*c*) : प्रश्न पर आधारित संबंध-चार्ट है :

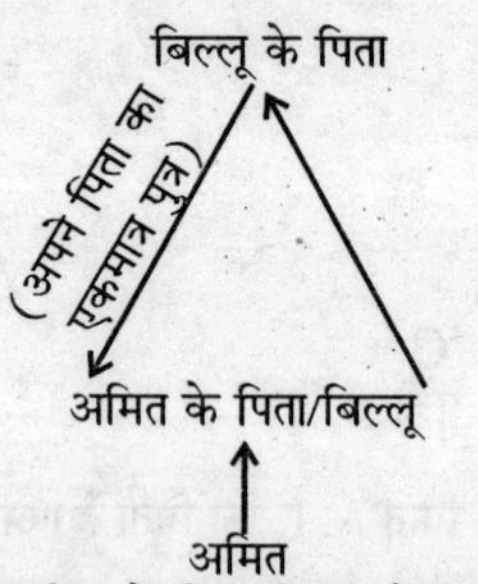

अमित के पिता बिल्लू के पिता के एकमात्र पुत्र हैं, और बिल्लू अपने पिता का एकमात्र पुत्र है (बिल्लू का कोई भाई नहीं है)। इससे यह स्पष्ट होता है कि बिल्लू ही अमित का पिता है। चूंकि बिल्लू की कोई पुत्री नहीं है, अत: अमित ही उसका एकमात्र पुत्र है।

14. (*d*) :

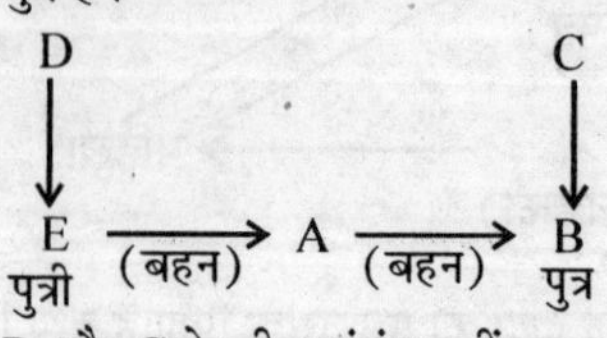

D और C के बीच संबंध नहीं बताया गया है, अत: इनके बीच कोई संबंध नहीं बताया जा सकता है।

7 समस्या समाधान/गणितीय तर्कशक्ति
(Problem Solving/Arithmetical Reasoning)

संख्यात्मक अभियोग्यता परीक्षा में संख्या अनुक्रम, बीजगणितीय व्यंजकों, गणितीय परिकलनों और अन्य प्रकार के संगत परिकलनों पर आधारित प्रश्न पूछे जाते हैं।

प्रश्नमाला

1. निम्नलिखित संख्या शृंखला में 6 के ऐसे कितने अंक हैं जिनके ठीक पहले 7 का अंक है किंतु जिनके ठीक बाद 9 का अंक नहीं है?
6 7 9 5 6 9 7 6 8 7 6 7 8 6 9 4 6 7 7 6 9 5 7 6 3
(*a*) एक (*b*) दो
(*c*) तीन (*d*) चार

2. एक शतरंज टूर्नामेंट में छह खिलाड़ियों में से प्रत्येक खिलाड़ी प्रत्येक अन्य खिलाड़ी के साथ ठीक एक बार खेलता है। बताइए कि इस टूर्नामेंट में कितने मैच खेले जाएँगे?
(*a*) 12 (*b*) 15
(*c*) 30 (*d*) 36

3. निम्नलिखित संख्या शृंखला में 4 के ऐसे कितने अंक हैं जिनके ठीक पहले 7 का अंक हैं किंतु जिनके ठीक पहले 8 का अंक नहीं है?
3 4 5 7 4 3 7 4 8 5 4 3 7 4 9 8 4 7 2 7 4 1 3 6
(*a*) 1 (*b*) 2
(*c*) 3 (*d*) 4

4. निम्नलिखित संख्या शृंखला में ऐसी कितनी सम संख्याएँ हैं जिनमें से प्रत्येक के ठीक पहले एक विषम संख्या है किंतु ठीक बाद कोई सम संख्या नहीं है?
5 3 4 8 9 7 1 6 5 3 2 9 8 4 3 5
(*a*) शून्य (*b*) 1
(*c*) 2 (*d*) 3

5. यदि 1 से 51 तक की 3 से पूर्णत: विभाज्य सभी संख्याओं को अवरोही क्रम में व्यवस्थित किया जाए तो निम्नलिखित में से कौन-सी संख्याएँ इस शृंखला में ऊपर से क्रमश: सातवें और दसवें स्थान पर होंगी?
(*a*) 33 & 27
(*b*) 33 & 21
(*c*) 21 & 30
(*d*) 33 & 24

6. नितिन 32 से उलटी गिनती कर रहा है। शशांक 1 से आरंभ करके सीधे क्रम में केवल विषम संख्याएँ ही गिन रहा है। यदि ये दोनों एक ही गति से गिनती कर रहे हों तो ये किस एक संख्या को एक साथ बोलेंगे?
(*a*) 21
(*b*) 22
(*c*) 19
(*d*) वे कभी भी एक ही संख्या को एक साथ नहीं बोलेंगे

7. निम्नलिखित संख्या शृंखला में 3 के कितने अंकों के ठीक बाद 3 का अंक किंतु ठीक पहले 3 का अंक नहीं है?
2 4 6 3 3 1 5 7 8 3 3 3 4 6 2 3 3 3 3 9 7 2 3
(*a*) 1 (*b*) 2
(*c*) 3 (*d*) 4

8. यदि किसी दी गई संख्या 5 8 9 4 3 2 7 6 1 4 में पहले और दूसरे अंकों, तीसरे और चौथे अंकों, पाँचवें और छठे अंकों के और इसी प्रकार अन्य अंकों के भी स्थान परस्पर बदल दिए जाएँ तो प्राप्त हुई नई संख्या में दाहिने सिरे से कौन-सा अंक छठे स्थान पर होगा?
(*a*) 3 (*b*) 2
(*c*) 4 (*d*) 5

9. अपर्णा एक केक को दो बराबर भागों में काटती है और इस प्रकार दो आधे-आधे केकों में से एक भाग को समान आकार के छोटे-छोटे टुकड़ों में बाँटती है। इनमें से प्रत्येक छोटे टुकड़े का वजन 20 ग्राम है। यदि उसके पास केक के कुल मिलाकर 7 टुकड़े हों तो मूल केक का वजन कितना था?
(*a*) 140 ग्राम
(*b*) 280 ग्राम
(*c*) 240 ग्राम
(*d*) 120 ग्राम

10. नीचे दी गई संख्या शृंखला में ऐसी कितनी सम संख्याएँ हैं जो अपने ठीक पहले की संख्या द्वारा पूर्णत: विभाज्य हैं किंतु अपने ठीक बाद की संख्या द्वारा पूर्णत: विभाज्य नहीं हैं ?

3 8 4 1 5 7 2 8 3 4 8 9 3 9 4 2 1 5 8 2

(*a*) दो (*b*) तीन

(*c*) चार (*d*) चार से अधिक

11. निम्नलिखित संख्या शृंखला में 7 की कितनी संख्याएँ हैं जिनके ठीक बाद 3 की संख्या है किंतु ठीक पहले 8 की संख्या नहीं है ?

8 9 8 7 6 2 2 6 3 2 6 9 7 3 2 8 7 2 7 7 8 7 3 7 7 9 4

(*a*) शून्य (*b*) एक

(*c*) दो (*d*) तीन

12. निम्नलिखित संख्या शृंखला में ऐसे कितने 9 हैं जिनके ठीक पहले 6 नहीं है और न ही जिनके ठीक बाद 3 है ?

9 3 8 6 9 9 5 9 3 7 8 9 9 9 3 9 6 3 9

(*a*) एक (*b*) दो

(*c*) तीन (*d*) चार

13. यदि कोई संख्या किसी अन्य संख्या, जो 40 से 4 कम है, की पाँच गुनी हो तो वह संख्या निम्नलिखित में से कौन-सी है ?

(*a*) 220 (*b*) 180

(*c*) 144 (*d*) 200

14. यदि किसी संख्या का दो-तिहाई (2/3) भाग 96 के बराबर हो तो उस संख्या का तीन-चौथाई (3/4) भाग निम्नलिखित में से किसके बराबर है ?

(*a*) 108 (*b*) 198

(*c*) 128 (*d*) 48

15. यदि 1 से 60 तक की संख्याओं में से ऐसी सभी संख्याएँ निकाल दी जाएँ जो 5 से पूर्णत: विभाज्य हों और साथ ही ऐसी सभी संख्याएँ भी निकाल दी जाएँ जिनमें एक अंक 5 का हो, तो प्राप्त संख्या शृंखला में कितनी संख्याएँ शेष रहेंगी ?

(*a*) 53 (*b*) 47

(*c*) 40 (*d*) 45

व्याख्यात्मक उत्तरमाला

1. (*c*) : 6 7 9 5 6 9 7 6 8 7 6 7 8 6 9 4 6 7 7 6 9 5 7 6 3
1 2 3

2. (*b*) : यदि प्रत्येक खिलाड़ी प्रत्येक अन्य खिलाड़ी के साथ ठीक एक बार खेलता है तो टूर्नामेंट में खेले जाने वाले मैचों की संख्या $\frac{n(n-1)}{2}$ सूत्र द्वारा ज्ञात की जा सकती है जहाँ '*n*' मैच खेलने वाले खिलाड़ियों की संख्या है। अत: खेले जाने वाले मैचों की संख्या होगी:

$(6 \times 5) \div 2 = 30 \div 2 = 15$

3. (*d*) : 3 4 5 7 4 3 7 4 8 5 4 3 7 4 9 8 4 7 2 7 4 1 3 6
1 2 3 4

4. (*c*) : 5 3 4 8 9 7 1 6 5 3 2 9 8 4 3 5
1 2

5. (*d*) : 3 से पूर्णत: (नि:शेष) विभाज्य संख्याओं का अवरोही क्रम में विन्यास निम्नवत है :

51, 48, 45, 42, 39, 36, 33, 30, 27, 24, 21,
7वां 10वां
18, 15, 12, 9, 6, 3.

6. (*d*) : जब नितिन 22 बोलेगा, उस क्षण शशांक 21 बोलेगा और जब नितिन 21 बोलेगा, उस क्षण शशांक 23 बोलेगा, अत: गिनती करते हुए वे कभी भी एक ही संख्या को एक साथ नहीं बोलेंगे।

7. (*c*) : 2 4 6 3 3 1 5 7 8 3 3 3 4 6 2 3 3 3 3 9 7 2 3
1 2 3

8. (*b*) : अंकों का स्थान परिवर्तित करने के बाद प्राप्त हुई नई संख्या है:

8 5 4 9 2 3 6 7 4 1

छठा अंक

9. (*c*) : केक के टुकड़ों में एक बड़ा टुकड़ा है और छह छोटे-छोटे टुकड़े हैं। प्रत्येक छोटे टुकड़े का वजन 20 ग्राम हैं, अत: छह छोटे-छोटे टुकड़ों का कुल वजन 120 ग्राम है।

∴ बड़े टुकड़े का वजन = 120 ग्राम

∴ मूल केक का वजन = 240 ग्राम

10. (*a*) : 3 8 4 1 5 7 2 8 3 4 8 9 3 9 4 2 1 5 8 2
1 2

11. (*c*) : 8 9 8 7 6 2 2 6 3 2 6 9 7 3 2 8 7 2 7 7 8 7 3 7 7 9 4
1 2

12. (*d*) : 9 3 8 6 9 9 5 9 3 7 8 9 9 9 3 9 6 3 9
1 2 3 4

13. (*b*) : 40 से 4 कम संख्या = 40 − 4 = 36

∴ 36 का 5 गुना = 36 × 5 = 180

14. (*a*) : मान लें कि संख्या = x

तो $\frac{2}{3}x = 96$

$$x = \frac{96 \times 3}{2} = 144$$

अत: इस संख्या का तीन-चौथाई भाग

$$= 144 \times \frac{3}{4} = 108$$

15. (*c*) : दी गई संख्या-शृंखला से निकाल दी गई बीस संख्याएं हैं : 5, 10, 15, 20, 25, 30, 35, 40, 45 और 50 से 60। अत: संख्या-शृंखला में शेष 40 संख्याएँ रहेंगी।

8 शब्द निर्माण (Word Building)

इस प्रकार के प्रश्नों को हल करने के लिए सतर्कता एकमात्र आवश्यक और अपरिहार्य अपेक्षा है। ऐसे प्रत्येक प्रश्न में एक शब्द दिया जाता है। इस दिए गए शब्द के अक्षरों का प्रयोग करके अभ्यर्थियों के समक्ष विकल्प प्रस्तुत किए जाते हैं तथा उनसे यह अपेक्षा की जाती है कि वे दिए गए विकल्पों से ऐसे शब्द का चयन करें जो (*i*) दिए गए शब्द के अक्षरों का प्रयोग करके नहीं बन सकता, या (*ii*) जो दिए गए शब्द के अक्षरों का प्रयोग करके बन सकता है।

प्रश्नमाला

निर्देश : *प्रत्येक दिए गए विकल्पों से उस एक शब्द का चयन करें जिसे प्रश्न में दिए गए शब्द के अक्षरों का प्रयोग करके लिखा नहीं जा सकता।*

1. ROTATION
(*a*) TORN (*b*) NOTE
(*c*) TART (*d*) RAIN

2. PHILOSOPHY
(*a*) SOIL (*b*) SHIP
(*c*) SOLO (*d*) SPIN

3. SLAVATION
(*a*) SNORT (*b*) LATVIA
(*c*) SALIVA (*d*) AVAIL

4. ACADEMY
(*a*) DEMY (*b*) MACE
(*c*) DIRE (*d*) MADE

5. INCOGNITO
(*a*) GOING (*b*) INACTION
(*c*) IGNITION (*d*) TONGO

6. JUDICIARY
(*a*) INJURY (*b*) CADDY
(*c*) DICY (*d*) ACRID

7. DOCTRINE
(*a*) CRUST (*b*) DOCTOR
(*c*) TIRED (*d*) CREED

8. EDUCATED
(*a*) DATE (*b*) CUTE
(*c*) EAST (*d*) DUCT

9. INSUFFICIENT
(*a*) ENTICE (*b*) SCENT
(*c*) SUFFICE (*d*) THENCE

10. DECEMBER
(*a*) REDEEM (*b*) DECREE
(*c*) BRACED (*d*) MEMBER

11. FUGITIVE
(*a*) EXIT (*b*) FIVE
(*c*) GIVE (*d*) GIFT

12. CATASTROPHE
(*a*) TASTE (*b*) CHEAP
(*c*) POUCH (*d*) STARE

उत्तरमाला

1	2	3	4	5	6	7	8	9	10
(*b*)	(*d*)	(*a*)	(*c*)	(*b*)	(*a*)	(*a*)	(*c*)	(*d*)	(*c*)
11	**12**								
(*a*)	(*c*)								

9 संख्यात्मक संक्रिया/प्रतिकात्मक संक्रिया (Numerical Operations/Symbolic Substitution)

इस प्रकार के प्रश्नों को हल करना अत्यधिक सरल है। ऐसे प्रश्नों को हल करने की एकमात्र अपेक्षा यह है कि उम्मीदवार दिए गए प्रतीकों या चिह्नों को प्रतिस्थापित करने और परिकलन की विद्या में पारंगत हों और अत्यधिक त्वरित गति से दिए गए प्रश्नों का हल ज्ञात कर सके। इस श्रेणी में पूछे गए कुछ सामान्य प्रकार के प्रश्न नीचे हल किए गए हैं।

प्रश्नमाला

1. यदि "+" का अर्थ "–"; "–" का अर्थ "×" हो; "×" का अर्थ "÷" हो और "÷" का अर्थ "+" हो, तो
$15 \times 5 \div 10 + 5 - 3 = ?$
(*a*) 9.5 (*b*) 0
(*c*) – 2 (*d*) 24

2. यदि "+" का अर्थ "–" हो; "–" का अर्थ "×" हो; "×" का अर्थ "÷" हो; और "÷" का अर्थ "+" हो, तो
$15 \times 3 \div 15 + 5 - 2 = ?$
(*a*) 0 (*b*) 10
(*c*) 20 (*d*) 6

3. यदि "+" का अर्थ "÷" हो; "×" का अर्थ "–" हो; "÷" का अर्थ "+" हो और "–" का अर्थ "×" हो, तो
$16 \div 8 \times 6 - 2 + 12 = ?$
(*a*) 22 (*b*) 24
(*c*) 23 (*d*) 20

4. यदि "+" का अर्थ "×" हो; "–" का अर्थ "÷" हो; "÷" का अर्थ "+" हो और "×" का अर्थ "–" हो, तो $20 \div 40 - 4 \times 5 + 6$ का मान निम्नलिखित में से क्या होगा?
(*a*) 60 (*b*) 1.67
(*c*) 150 (*d*) 0

5. यदि "+" का अर्थ "×" हो; "–" का अर्थ "÷" हो; "×" का अर्थ "–" हो और "÷" का अर्थ "+" हो, तो
$5 + 8 - 4 \times 2 \div 9 = ?$
(*a*) 15 (*b*) 13
(*c*) 17 (*d*) 11

6. यदि × का आशय जोड़ की संक्रिया से हो, ÷ का आशय घटाव की संक्रिया से हो, + का आशय गुणा की संक्रिया से हो और – का आशय भाग की संक्रिया से हो तो $(20 \times 6 \div 6 \times 4)$ निम्नलिखित में से किसके बराबर है?
(*a*) 5 (*b*) 24
(*c*) 25 (*d*) 80

7. यदि "+" का अर्थ "×" हो; "÷" का अर्थ "–" हो; "×" का अर्थ "÷" हो और "–" का अर्थ "+" हो, तो निम्नलिखित व्यंजक का क्या मान होगा?
$4 + 11 \div 5 - 50 = ?$
(*a*) 79 (*b*) – 11
(*c*) 91 (*d*) इनमें से कोई नहीं

8. यदि P = 6, J = 4, L = 8, M = 24 हो, तो निम्नलिखित व्यंजक में प्रश्नचिह्न (?) के स्थान पर विकल्पों में दिया गया कौन-सा मान आएगा?
$M \times J \div L + J = ?$
(*a*) 8 (*b*) 36
(*c*) 52 (*d*) 16

9. यदि $A + B > C + D$, $B + E = 2C$ और $C + D > B + E$ तो इसका निश्चित अर्थ यह है कि :
(*a*) $A > C$ (*b*) $A + B > 2D$
(*c*) $A + B > 2C$ (*d*) $A + B > 2E$

10. यदि $A + D > C + E$, $C + D = 2B$ और $B + E > C + D$ हो, तो इसका निश्चित अर्थ यह है कि :
(*a*) $A + D > B + E$ (*b*) $A + D > B + C$
(*c*) $A + B > 2D$ (*d*) $B + D > C + E$

11. यदि "+" का अर्थ "÷" हो; "÷" का अर्थ "–" हो; "–" का अर्थ "×" हो और "×" का अर्थ "+" हो, तो
$10 \div 2 - 15 + 3 \times 5 = ?$

(*a*) 10 (*b*) 15
(*c*) 25 (*d*) 5

12. यदि A का आशय 'जोड़' की संक्रिया से हो, B का आशय 'घटाव' की संक्रिया से हो, C का आशय 'गुणा' की संक्रिया से हो और D का आशय 'भाग' की संक्रिया से हो, तो 4A 3B 3A 2 का मान होगा :

(*a*) 2 (*b*) 4
(*c*) 6 (*d*) 8

13. यदि × का आशय 'जोड़' की संक्रिया से हो, < का आशय 'घटाव' की संक्रिया से हो, + का आशय 'भाग' की संक्रिया से हो, > का आशय 'गुणा' की संक्रिया से हो, – का आशय 'बराबर' हो, ÷ का आशय 'बड़ा होना' हो और = का आशय 'छोटा होना' हो तो बताइए कि निम्नलिखित में से कौन-सा विकल्प सत्य है ?

(*a*) $5 \times 3 < 7 \div 8 + 4 \times 1$
(*b*) $3 \times 4 > 2 - 9 + 3 < 3$
(*c*) $5 > 2 + 2 = 10 < 4 \times 8$
(*d*) $3 \times 2 < 4 \div 16 > 2 + 4$

14. यदि *x* का आशय 'जोड़' की संक्रिया से हो, *y* का आशय 'घटाव' की संक्रिया से हो, *z* का आशय 'भाग' की संक्रिया से हो और *p* का आशय 'गुणा' की संक्रिया से हो, तो
(7 *p* 3) *y* 6 *x* 5 का मान क्या होगा ?

(*a*) 5 (*b*) 10
(*c*) 15 (*d*) 20

15. यदि → का आशय 'घटाव' की संक्रिया से हो, ← का आशय 'जोड़' की संक्रिया से हो, ↑↑ का आशय गुणा की संक्रिया से हो; ↓↓ का आशय 'भाग' की संक्रिया से हो, ↔ का आशय 'बड़ा होना' हो और ←→ का आशय 'बराबर' हो, तो निम्नलिखित में से कौन-सा विकल्प सत्य है ?

(*a*) 4 ← 6 ↑↑ 2 ←↕→ 3 → 12 ← 12
(*b*) 10 ↓↓ 5 ↑↑ 5 ←↕→ 9 → 3 ← 4
(*c*) 15 ↑↑ 2 → 5 ←↕→ 12 ↓↓ 4 ← 3
(*d*) 13 ↓↓ 13 ← 1 ↔ 20 → 5 ↑↑ 2

व्याख्यात्मक उत्तरमाला

1. (*c*) : $15 \div 5 + 10 - 5 \times 3$
$3 + 10 - 15 = -2$

2. (*b*) : $15 \div 3 + 15 - 5 \times 2$
$5 + 15 - 10 = 10$

3. (*c*) : $16 + 8 - 6 \times 2 \div 12$
$16 + 8 - 1 = 23$

4. (*d*) : $20 + 40 \div 4 - 5 \times 6$
$20 + 10 - 30 = 0$

5. (*c*) : $5 \times 8 \div 4 - 2 + 9$
$10 - 2 + 9 = 17$

6. (*b*) : $20 + 6 - 6 + 4 = 24$

7. (*d*) : $4 \times 11 - 5 + 50$
$44 - 5 + 50 = 89$

8. (*d*) : $24 \times 4 \div 8 + 4$
$12 + 4 = 16$

9. (*c*) : A + B > C + D > B + E or 2 C
∴ A + B > 2C

10. (*b*) : 1. A + D > C + E
2. B + E > C + D or 2 B
चूँकि 1 और 2 के बीच संबंध स्पष्ट नहीं है, तथापि यह निश्चित है कि A + D > B + C.

11. (*d*) : $10 - 2 \times 15 \div 3 + 5$
$10 - 10 + 5 = 5$

12. (*c*) : $4 + 3 - 3 + 2 = 6$

13. (*c*) : (*a*) $5 + 3 - 7 > 8 \div 4 + 1$
$1 > 3$
(*b*) $3 + 4 \times 2 = 9 \div 3 - 3$
$11 = 0$
(*c*) $5 \times 2 \div 2 < 10 - 4 + 8$
$5 < 14$
(*d*) $3 + 2 - 4 > 16 \times 2 \div 4$
$1 > 8$

14. (*d*) : $(7 \times 3) - 6 + 5$
$21 - 6 + 5 = 20$

15. (*b*) : (*a*) $4 + 6 \times 2 = 3 - 12 + 12$
$16 = 3$
(*b*) $10 \div 5 \times 5 = 9 - 3 + 4$
$10 = 10$
(*c*) $15 \times 2 - 5 = 12 \div 4 + 3$
$25 = 6$
(*d*) $13 \div 13 + 1 > 20 - 5 \times 2$
$2 > 10$

10 निष्कर्ष (Judgement)

इन प्रश्नों में एक गद्यांश पर आधारित कुछ निष्कर्ष दिये गये है प्रार्थी को सभी निष्कर्षों पर अलग रूप से गद्यांश के संदर्भ में सोचकर निष्कर्ष की सच्चाई पर फैसला करना होता है। निम्न उदाहरण के अर्थ स्पष्ट हो जायेगा।

प्रश्नमाला

निर्देश : *नीचे दो गद्यांश एवं उसके संदर्भ से निकले निष्कर्ष दिये गये हैं। आप सभी निष्कर्ष की गद्यांश के संदर्भ में अलग-अलग परीक्षा कर उनकी सच्चाई या झूठ की मात्रा निश्चित करिये:*

(*a*) यदि निष्कर्ष निश्चित रूप से सही है।
(*b*) यदि निष्कर्ष 'प्राय: सत्य' है।
(*c*) यदि तथ्य काफी नहीं हैं अर्थात् निष्कर्ष सत्य या असत्य नहीं निकल रहा है या यह गद्यांश से सम्बन्धित नहीं है।
(*d*) यदि निष्कर्ष 'प्राय: असत्य' है जबकि दिये हुये तथ्यों के प्रकाश में 'निश्चित रूप से असत्य' नहीं है।
(*e*) यदि निष्कर्ष 'निश्चित रूप से असत्य' है। दिये हुये तथ्यों से वह निकालना आसान नहीं एवं वह दिए हुए तथ्यों के विरुद्ध है।

गद्यांश 1

पवन ऊर्जा एक कभी न खत्म होने वाला स्रोत है एवं वायुजनित्र इसे विद्युत में बदल सकता है। इस क्षेत्र में यद्यपि अभी तक ज्यादा कुछ नहीं किया गया है, फिर भी सर्वेक्षण से पता चलता है कि एक वैकल्पिक ऊर्जा स्रोत के रूप में पवन के विकास की व्यापक आशायें हैं, पवन सर्वेक्षण के चार घटक हैं – दिशा, अवधि, गति एवं वितरण इसके अनुसार उत्तर प्रदेश का पर्वतीय क्षेत्र वायुजनित्रों की स्थापना के लिए एक आदर्श जगह पायी गयी हैं, सिर्फ उत्तर प्रदेश के पहाड़ों में ही कम से कम ऐसे 58 स्थल ढूंढे गये हैं।

1. यह सर्वेक्षण उत्तर प्रदेश सरकार के तत्वाधान में किया गया था।
2. पवन से ऊर्जा, तुलनात्मक रूप से, नया उभरकर आने वाला क्षेत्र है।
3. उत्तर प्रदेश के पहाड़ों के अतिरिक्त किसी दूसरी जगह की खोज, वायुजनित्रों की स्थापना के लिये नहीं की है।
4. वायुजनित्रों की स्थापना के लिये सिर्फ उत्तर प्रदेश के पहाड़ी क्षेत्रों का ही सर्वेक्षण किया गया था।
5. उत्तर प्रदेश में खोजे गये 58 स्थलों में विद्युत नहीं है।

गद्यांश 2

बिहार में प्राइमरी शिक्षा अच्छी स्थिति में नहीं है, 50 प्रतिशत से ज्यादा स्कूलों में छात्र बारिश में खुले वातावरण में पढ़ते हैं, निम्न आमदनी वर्ग के दम्पति के यहां पैदा 6 मिलियन से ज्यादा बच्चे अनपढ़ रह जाते हैं, 63,000 प्राइमरी विद्यालयों में से एक प्रतिशत विद्यालयों में भी फर्नीचर, टायलेट, पीने का जल एवं खेलों की सुविधा उपलब्ध नहीं है, वर्तमान वित्तीय में 3,113 नये शिक्षकों का चुनाव है जिनमें से 2,747 स्त्रियाँ हैं अत: 13,220 प्राइमरी विद्यालयों में सभी में कम-से-कम दो शिक्षक हैं।

6. बिहार से ज्यादातर प्राइमरी स्कूलों में कक्षाओं की कमी है।
7. बिहार में निम्न आमदनी वर्ग में छ: मिलियन दम्पति हैं।
8. बिहार में बड़ी संख्या में स्कूल एवं शिक्षक स्कूल हैं।
9. बिहार में 50 प्रतिशत बच्चे अनपढ़ हैं।
10. बिहार में 90 प्रतिशत शिक्षक स्त्रियाँ है।

उत्तरमाला

1	2	3	4	5	6	7	8	9	10
(*c*)	(*a*)	(*c*)	(*c*)	(*d*)	(*b*)	(*a*)	(*a*)	(*c*)	(*c*)

11 न्यायबद्ध तर्क (Syllogistic Reasoning)

इस प्रकार के तर्क पैटर्न में दो आधार वाक्य (premises) दिए जाते हैं जिनके पश्चात उन आधार वाक्यों से प्राप्त दो निष्कर्ष दिए जाते हैं। इनमें विकल्प के रूप में पांच विकल्प *(a)*, *(b)*, *(c)*, *(d)* और *(e)* दिए जाते हैं। अभ्यर्थियों को पहले दिए गए दो कथनों के आधार पर उत्तर के रूप में सही विकल्प का चयन करना होता है।

प्रश्नमाला

निर्देश : *नीचे दिए गए प्रत्येक प्रश्न में दो कथन दिए गए हैं जिनके बाद दो निष्कर्ष I और II दिए गए हैं। आपको दिए गए कथनों को सत्य समझना है भले ही वे सर्वज्ञात तथ्यों से मेल न खाने वाले हों और सर्वज्ञात तथ्यों की ओर ध्यान न देते हुए यह निर्णय करना है कि उन दो निष्कर्षों में से कौन-सा निष्कर्ष दिए हुए कथनों से तर्कसंगत निकलता है। प्रत्येक प्रश्न में दिए गए दोनों कथनों को ध्यानपूर्वक पढ़िए और उत्तर (a) दीजिए यदि केवल निष्कर्ष I निकलता हो, उत्तर (b) दीजिए यदि केवल निष्कर्ष II निकलता हो, उत्तर (c) दीजिए यदि निष्कर्ष या तो I या II निकलता हो, उत्तर (d) दीजिए यदि न तो निष्कर्ष I और न ही II निकलता हो, और उत्तर (e) दीजिए यदि निष्कर्ष I और II दोनों निकलते हों।*

1. कथन I : सभी टमाटर लाल हैं।
II : सभी अंगूर टमाटर हैं।
निष्कर्ष I : सभी अंगूर लाल हैं।
II : कुछ टमाटर अंगूर हैं।

2. कथन I : सभी चित्रकार मुस्कराते हैं।
II : कुछ लेखक चित्रकार हैं।
निष्कर्ष I : सभी मुस्कराने वाले लेखक चित्रकार हैं।
II : कुछ लेखक मुस्कराते हैं।

3. कथन I : इस कार्यालय के सभी चपरासी दक्ष हैं।
II : रामू दक्ष नहीं है।
निष्कर्ष I : रामू इस कार्यालय का चपरासी नहीं है।
II : रामू को अधिक दक्ष होना चाहिए।

4. कथन I : सभी बुनकर कठोर परिश्रमी होते हैं।
II : कोई भी कठोर परिश्रमी मूर्ख व्यक्ति नहीं होता।
निष्कर्ष I : कोई भी बुनकर मूर्ख नहीं है
II : कुछ मूर्ख व्यक्ति बुनकर हैं।

5. कथन I : सभी मछलियां मोटरकार हैं।
II : सभी मोटरकार सब्जियां हैं।
निष्कर्ष I : कुछ सब्जियां मोटरकार हैं।
II : कुछ सब्जियां मछलियां हैं।

6. कथन I : कुछ कुत्ते पिल्ले हैं।
II : सभी घोड़े पिल्ले हैं।
निष्कर्ष I : कुछ कुत्ते घोड़े हैं।
II : कुछ घोड़े कुत्ते हैं।

7. कथन I : सभी सुंदर स्त्रियां माताएं हैं।
II : सभी माताएं समझदार हैं।
निष्कर्ष I : सभी सुंदर स्त्रियां समझदार हैं।
II : सभी माताएं सुंदर स्त्रियां हैं।

8. कथन I : कुछ खिलौने मेज हैं।
II : कोई भी मेज काला नहीं है।
निष्कर्ष I : कुछ खिलौने काले हैं।
II : कुछ खिलौने काले नहीं है।

9. कथन I : सभी नदियां पहाड़ हैं।
II : कुछ नदियां रेगिस्तान हैं।
निष्कर्ष I : कुछ पहाड़ रेगिस्तान हैं।
II : कुछ रेगिस्तान पहाड़ नहीं हैं।

10. कथन I : सभी पुरुष घोड़े हैं।
II : सभी घोड़े हाथी हैं।
निष्कर्ष I : सभी पुरुष हाथी हैं।
II : सभी हाथी पुरुष हैं।

11. कथन I : सभी मेधावी व्यक्ति विश्वास-योग्य हैं।
II : कुछ विश्वास-योग्य व्यक्ति संगीतज्ञ हैं।

निष्कर्ष I : सभी मेधावी व्यक्ति संगीतज्ञ हैं।

II : कुछ संगीतज्ञ मेधावी व्यक्ति नहीं हैं।

12. कथन I : मद्य पदार्थों का सेवन स्वास्थ्य के लिए हानिकारक है।

II : सभी बूढ़ी महिलाएं व्हिस्की का सेवन करती हैं।

निष्कर्ष I : सभी बूढ़ी महिलाओं का स्वास्थ्य कमजोर होता है।

II : सभी युवा महिलाओं का स्वास्थ्य अच्छा होता है।

13. कथन I : सभी छात्र कामकाजी हैं।

II : कोई भी कामकाजी व्यक्ति बच्चा नहीं है।

निष्कर्ष I : कोई भी छात्र बच्चा नहीं है।

II : कुछ कामकाजी व्यक्ति छात्र हैं।

14. कथन I : कुछ इंजीनियर शिक्षक हैं।

II : कुछ इंजीनियर दक्ष व्यक्ति हैं।

निष्कर्ष I : कुछ शिक्षक दक्ष हैं।

II : सभी दक्ष व्यक्ति इंजीनियर हैं।

15. कथन I : कुछ खाद्य पदार्थ मीठे हैं।

II : कुछ खाद्य पदार्थ खट्टे हैं।

निष्कर्ष I : सभी खाद्य पदार्थ या तो मीठे हैं या खट्टे हैं।

II : कुछ मीठे खट्टे हैं।

व्याख्यात्मक उत्तरमाला

1. (e) : जबकि सभी टमाटर लाल हैं और सभी अंगूर टमाटर हैं तो सभी अंगूर लाल भी हैं। जबकि सभी अंगूर टमाटर हैं तो कुछ टमाटर निश्चित ही अंगूर हैं। अत: निष्कर्ष I और II दोनों सही हैं।

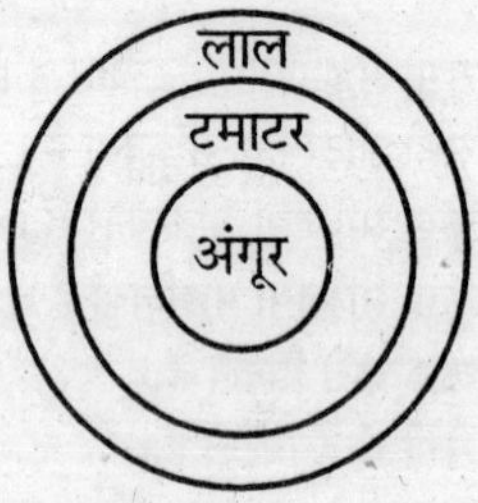

2. (b) : जबकि सभी चित्रकार मुस्कराते हैं और कुछ लेखक चित्रकार हैं, तो कुछ लेखक निश्चित ही मुस्कराते हैं, अत: केवल निष्कर्ष II सही है।

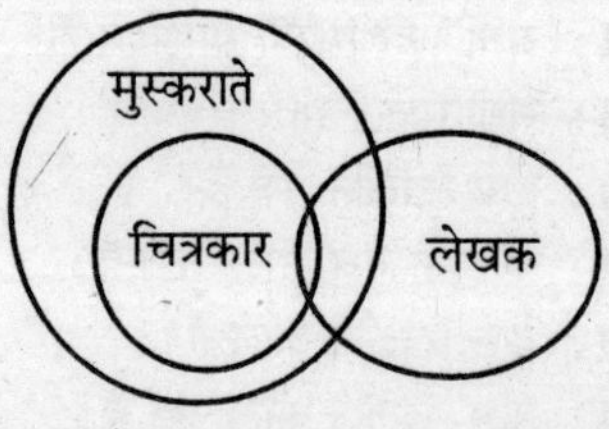

3. (a) : जबकि कार्यालय के सभी चपरासी दक्ष हैं, तो रामू इस कार्यालय का चपरासी नहीं हो सकता। अत: केवल निष्कर्ष I सही है।

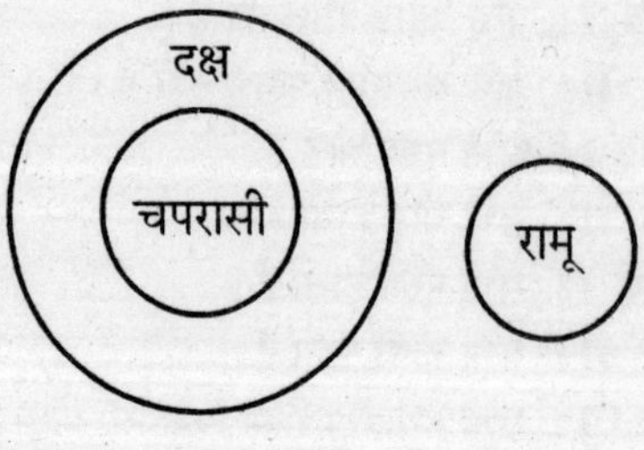

4. (a) : जबकि सभी बुनकर कठोर परिश्रमी हैं और कोई भी कठोर परिश्रमी व्यक्ति मूर्ख नहीं होता, तो कोई बुनकर मूर्ख नहीं है। अत: केवल निष्कर्ष I सही है।

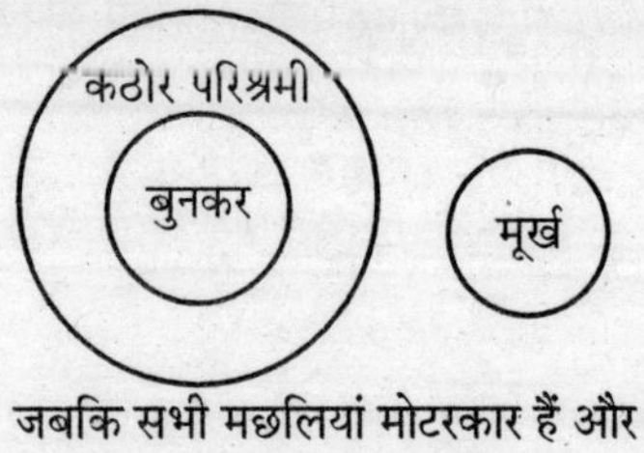

5. (e) : जबकि सभी मछलियां मोटरकार हैं और सभी मोटरकार सब्जियां हैं तो सभी मछलियां निश्चित ही सब्जियां होंगी। इसका अर्थ है कि कुछ सब्जियां मछलियां हैं। इसके साथ ही जबकि सभी मोटरकार सब्जियां हैं तो कुछ सब्जियां निश्चित ही मोटरकार होंगी। अत: निष्कर्ष I और II दोनों सही हैं।

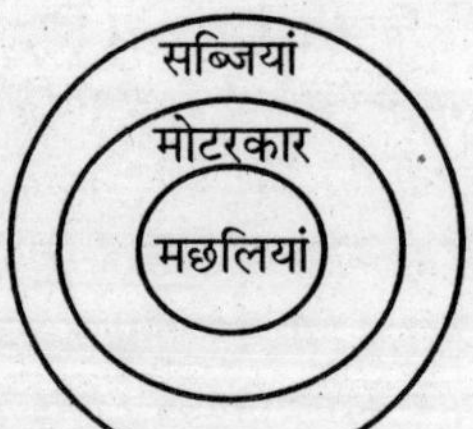

6. (d) : दोनों कथनों में कोई संबंध स्थापित नहीं किया जा सकता। अत: न तो निष्कर्ष I और न ही निष्कर्ष II सही है।

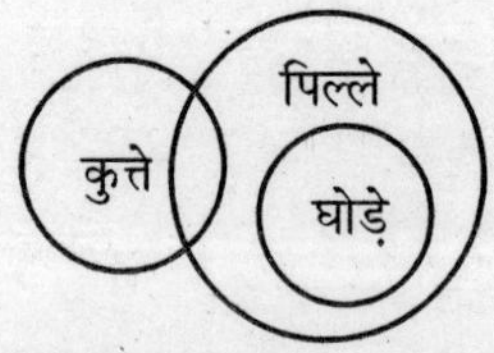

7. (a) : जबकि सभी सुंदर स्त्रियां माताएं हैं और सभी माताएं समझदार हैं, तो निश्चित ही सभी सुंदर स्त्रियां समझदार हैं। यह आवश्यक नहीं है कि सभी माताएं सुंदर स्त्रियां हों। अत: केवल निष्कर्ष I सही है।

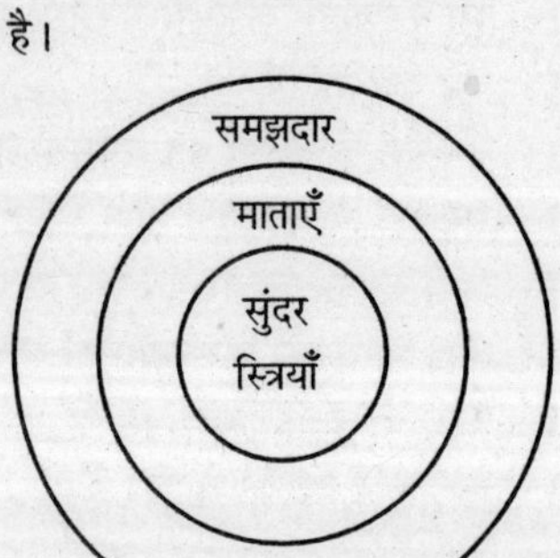

8. (c) : जबकि कुछ खिलौने मेज हैं और कोई भी मेज काला नहीं है तो इससे यह सूचित होता है कि कुछ खिलौने काले हो सकते हैं क्योंकि सभी खिलौने मेज नहीं हैं। दूसरी ओर कुछ खिलौने काले नहीं भी हो सकते। अत: इस बात की संभावना है कि कुछ खिलौने काले हो भी सकते हैं और काले नहीं भी हो सकते। अत: निष्कर्ष I या निष्कर्ष II कोई भी सही हो सकता है।

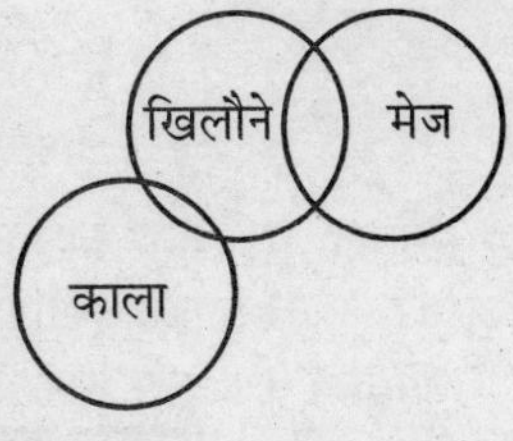

9. (e) : जबकि सभी नदियां पहाड़ हैं और कुछ नदियां रेगिस्तान हैं, तो कुछ रेगिस्तान पहाड़ नहीं हो सकते और साथ ही कुछ पहाड़ रेगिस्तान नहीं हो सकते। अत: निष्कर्ष I और II दोनों सही हैं।

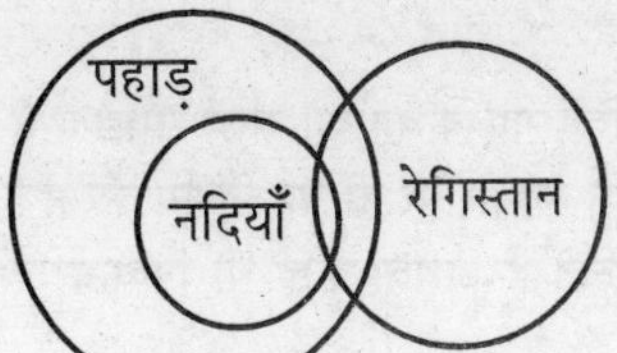

10. (a) : जबकि सभी पुरुष घोड़े हैं और सभी घोड़े हाथी हैं तो निश्चित ही सभी पुरुष हाथी हैं, किंतु सभी हाथी पुरुष ही होंगे, यह आवश्यक नहीं है। अत: केवल निष्कर्ष I सही है।

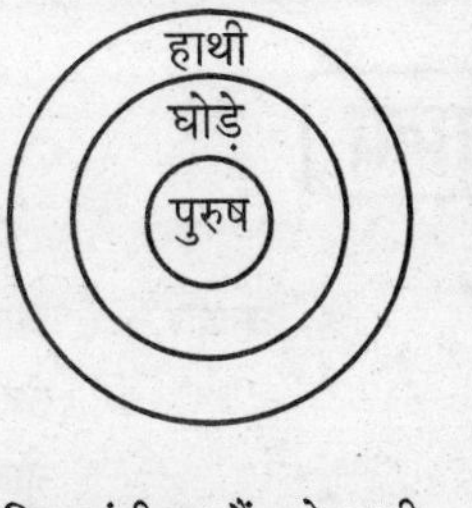

11. (b) : जबकि केवल कुछ विश्वासयोग्य व्यक्ति संगीतज्ञ हैं, तो सभी मेधावी व्यक्ति संगीतज्ञ नहीं हो सकते। इसी तार्किक विवेचना से हम कह सकते हैं कि कुछ विश्वासयोग्य व्यक्ति संगीतज्ञ हैं तो कुछ संगीतज्ञ मेधावी नहीं हैं। अत: केवल निष्कर्ष II सही है।

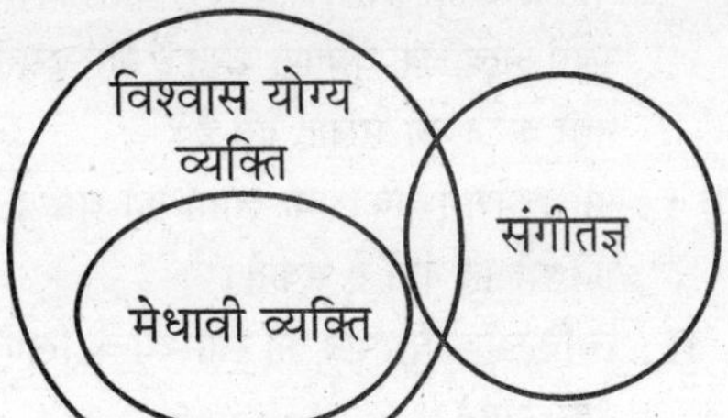

12. (d) : हालांकि मद्य सेवन स्वास्थ्य के लिए हानिकारक है और सभी बूढ़ी महिलाएं व्हिस्की का सेवन करती हैं और व्हिस्की एक मद्य पदार्थ है। इसका यह अनिवार्य अर्थ नहीं है कि सभी बूढ़ी महिलाओं का निश्चित ही कमजोर स्वास्थ्य होता है और यह कि सभी युवा महिलाओं का स्वास्थ्य अच्छा होता है क्योंकि वे मद्य पदार्थों का सेवन नहीं करतीं। अत: निष्कर्ष I और II में से कोई भी सही नहीं है।

13. (e) : जबकि सभी छात्र कामकाजी हैं तो कुछ कामकाजी व्यक्ति निश्चित रूप से छात्र हैं और जबकि कोई भी कामकाजी व्यक्ति बच्चा नहीं है तो कोई भी छात्र बच्चा नहीं हो सकता क्योंकि सभी छात्र कामकाजी हैं। अत: निष्कर्ष I और II दोनों सही हैं।

14. (d) : जबकि कुछ इंजीनियर शिक्षक हैं तो स्पष्ट है कि कुछ शिक्षक इंजीनियर हैं। इसके अतिरिक्त जब कुछ इंजीनियर दक्ष व्यक्ति हैं तो स्पष्ट है कि केवल कुछ दक्ष व्यक्ति ही इंजीनियर हैं। अत: दोनों निष्कर्ष सही नहीं है।

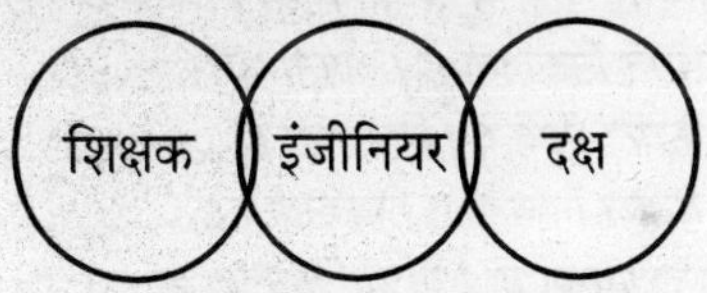

15. (d) : जबकि कुछ खाद्य पदार्थ मीठे हैं और कुछ खाद्य पदार्थ खट्टे हैं, तो सभी खाद्य पदार्थ निश्चित रूप से मीठे या खट्टे नहीं हैं और जो मीठा है वह खट्टा हो यह आवश्यक नहीं है। अत: कोई भी निष्कर्ष सही नहीं है।

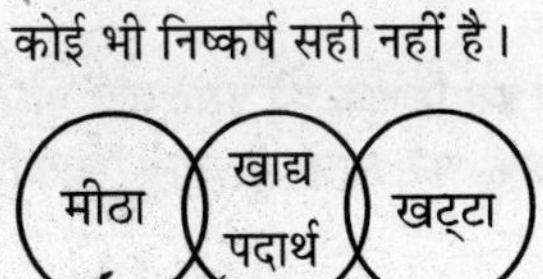

12 कथन और निष्कर्ष (Statement & Conclusion)

इस तार्किक प्रतिरूप में एक कथन दिया जाता है जिसके साथ दो निष्कर्ष दिए जाते हैं। अभ्यर्थियों को दिए गए कथन को सत्य समझना है भले ही वे सर्वज्ञात तथ्यों से मेल न खाने वाले हों और सर्वज्ञात तथ्यों की ओर ध्यान न देते हुए केवल दिए गए कथन के आधार पर ही यह निर्णय करना है कि उन दो निष्कर्षों में से कौन-सा निष्कर्ष निश्चित रूप से निकलता है या फिर क्या दोनों निष्कर्ष तर्कसंगत निकलते हैं अथवा कोई भी निष्कर्ष तर्कसंगत नहीं निकलता।

प्रश्नमाला

निर्देश : *निम्नलिखित प्रश्नों में प्रत्येक प्रश्न में एक कथन दिया गया है जिसके बाद दो निष्कर्ष दिए गए हैं। दिए गए कथन को सत्य मानकर निर्णय करें कि दिए गए निष्कर्षों में से कौन-सा निष्कर्ष दिए गए कथन से निश्चित रूप से तर्कसंगत निकलता है। अपना उत्तर*

(a) दीजिए यदि केवल निष्कर्ष I निकलता हो;
(b) दीजिए यदि केवल निष्कर्ष II निकलता हो;
(c) दीजिए यदि निष्कर्ष या तो I या II निकलता हो;
(d) दीजिए यदि न तो निष्कर्ष I और न ही II निकलता हो; और
(e) दीजिए यदि निष्कर्ष I और II दोनों निकलते हों।

1. कथन : प्रिंसिपल ने शिक्षक को छात्रों के सामने अपमानित किया।
निष्कर्ष I : प्रिंसिपल इस शिक्षक को पसंद नहीं करते।
II : इस शिक्षक को छात्रों के बीच लोकप्रियता प्राप्त नहीं है।

2. कथन : अच्छा स्वास्थ्य खाने संबंधी सही आदतों पर निर्भर करता है। अधिकतर लोग खाने के संबंध में किसी भी नियम का पालन नहीं करते।
निष्कर्ष I : अधिकतर लोगों का स्वास्थ्य निम्न कोटि का है।
II : लोग खाने संबंधी सही आदतों से परिचित नहीं हैं।

3. कथन : जब तक हमारे देश में आर्थिक समानता नहीं आती और लोगों को राजनीतिक स्वतंत्रता प्राप्त नहीं होती तब तक लोकतंत्र बेमानी है।
निष्कर्ष I : राजनीतिक स्वतंत्रता और लोकतंत्र के बीच चोली दामन का साथ है।
II : आर्थिक समानता से ही वास्तविक राजनीतिक स्वतंत्रता और लोकतंत्र की स्थापना हो सकती है।

4. कथन : आसमान में काले घने बादलों के छा जाने के बाद उन बादलों का गरजना शुरू होता है। वर्षा के बाद बादल गरजते हैं।
निष्कर्ष I : बादलों की गरजन वर्षा का कारण है।
II : काले-घने बादलों का छाना ही इनकी गरजन का कारण है।

5. कथन : 'पर उपदेश कुशल बहुतेरे।' अधिकांश चिकित्सक स्वयं अत्यधिक धूम्रपान करते हैं और दूसरों को धूम्रपान नहीं करने की सलाह देते हैं।
निष्कर्ष I : अधिकांश चिकित्सक लोगों को धूम्रपान नहीं करने की सलाह नहीं दे सकते।
II : चिकित्सक धूम्रपान को स्वास्थ्य के लिए हानिकारक नहीं मानते।

6. कथन : यदि श्रमिकों को कंपनियों के प्रबंधन में शामिल किया जाए तो वे अत्यधिक अभिप्रेरित होते हैं।
निष्कर्ष I : श्रमिकों को अधिक उत्पादन करने के लिए अभिप्रेरित किया जाना चाहिए।
II : श्रमिकों को कंपनियों के प्रबंधन में भाग लेने की अनुमति दी जानी चाहिए।

7. कथन : सर्वप्रथम यूरोप में शुरू हुए औद्योगिक आंदोलन से आधुनिक युग का सूत्रपात हुआ।
निष्कर्ष I : धनी और निर्धन के बीच असमानता क्रांति का कारण बनती है।
II : क्रांति समाज का कायापलट कर देती है।

8. कथन : अमेरिकी रक्षा मंत्री ने इस बात पर बल दिया कि वे पाकिस्तान को हथियारों की आपूर्ति जारी रखेंगे।

निष्कर्ष I : पाकिस्तान के पास हथियारों को निर्मित करने की क्षमता नहीं है।

II : इससे क्षेत्र में शांति स्थापित होगी।

9. कथन : धनवानों की तुलना में गरीब व्यक्ति अधिक विश्वास योग्य होता है। उन्हें यदि विश्वास में लिया जाए तो उपलब्धि आश्चर्यजनक हो सकती है।

निष्कर्ष I : गरीब लोग बहुत आश्चर्यजनक व्यक्तित्व के स्वामी होते हैं।

II : कुल मिलाकर धनी लोग विश्वास के योग्य नहीं होते।

10. कथन : सरकार ने अनेक उच्च स्तरीय वित्तीय संस्थाओं में निदेशक के पद पर नौकरशाहों की नियुक्ति करके इन संस्थाओं को लगभग बरबाद कर दिया है।

निष्कर्ष I : सरकार को वित्तीय संस्थानों में निदेशक के पद पर नियुक्ति संबंधित व्यक्ति की वित्त के क्षेत्र में विशेषज्ञता पर विचार करके करनी चाहिए।

II : वित्तीय संस्थानों के निदेशक को संस्थान द्वारा किए जाने वाले वित्तीय कार्य की अपेक्षाओं के अनुरूप विशेषज्ञता प्राप्त होनी चाहिए।

11. कथन : बाल श्रम के विषय में किया गया संविधान संशोधन किसी भी संगठन में बाल श्रमिकों को रोजगार देने से निषिद्ध करता है।

निष्कर्ष I : नियोक्ताओं के लिए अब इस संविधान संशोधन के उपबंधों का पालन करना आवश्यक है।

II : अब 14 वर्ष से कम आयु के बच्चों को शिक्षा प्राप्ति में लगाया जाएगा।

12. कथन : दहेज के विरुद्ध वही लोग आग उगलते हैं जिन्होंने स्वयं दहेज लिया है।

निष्कर्ष I : पर उपदेश कुशल बहुतेरे।

II : लोग दोहरे मानकों का पालन करते हैं।

13. कथन : बाजार में सब्जियों के दाम आसमान छू रहे हैं।

निष्कर्ष I : सब्जियाँ दुर्लभ उपभोक्ता वस्तु बनती जा रही हैं।

II : लोग अब सब्जियाँ नहीं खा सकते।

14. कथन : जहां तक साक्षरता दर का प्रश्न है, केरल और पश्चिम बंगाल राज्यों में कोई विशेष अंतर नहीं है किंतु बेरोजगार व्यक्तियों के प्रतिशत के संबंध में इनमें से एक राज्य दूसरे से काफी आगे हैं।

निष्कर्ष I : केरल में पश्चिम बंगाल की तुलना में अधिक बेरोजगारी है।

II : पश्चिम बंगाल में केरल की तुलना में बेरोजगारी अधिक है।

15. कथन : वह विभाग में अध्यापकों को कार्य आबंटित करने की वर्तमान पद्धति के स्थान पर अध्यापकों को उनके कार्य से अधिक संतोष देने वाली किसी अन्य पद्धति को लागू करने पर बिना थके तर्क देता है।

निष्कर्ष I : कोई भी पद्धति समस्याओं से मुक्त नहीं है, अतः कोई भी पद्धति अपनाई ही नहीं जानी चाहिए।

II : आप चाहे कोई भी पद्धति अपनाएं किंतु उससे अध्यापकों को अपने कार्य से पूर्ण संतुष्टि मिलनी चाहिए।

व्याख्यात्मक उत्तरमाला

1. *(a)* : केवल निष्कर्ष I सही है। दिए गए कथन से निष्कर्ष II की पुष्टि नहीं होती।

2. *(a)* : निष्कर्ष I की निश्चित रूप से पुष्टि होती है। दिए गए कथन से निष्कर्ष II की पुष्टि नहीं होती।

3. *(b)* : केवल निष्कर्ष II तर्कसंगत निकलता है। दिए गए कथन से निष्कर्ष I तर्कसंगत नहीं निकलता।

4. *(b)* : केवल निष्कर्ष II सही है। निष्कर्ष I गलत है क्योंकि बादलों के गरजने के साथ वर्षा होती है।

5. *(e)* : दिए गए कथन से निष्कर्ष I और II दोनों तर्कसंगत निकलते हैं क्योंकि स्वयं अधिक धूम्रपान करने वाले चिकित्सक यह व्यक्त करते हैं कि वे धूम्रपान करना स्वास्थ्य के लिए हानिकारक नहीं मानते, अतः वे लोगों को धूम्रपान नहीं करने की सलाह नहीं दे सकते।

6. *(e)* : दिए गए कथन से निष्कर्ष I और II दोनों तर्कसंगत निकलते हैं क्योंकि श्रमिकों को कंपनियों के प्रबंधन में शामिल करने से उत्पादन बढ़ता है और इससे कंपनियों को लाभ होता है।

7. *(b)* : केवल निष्कर्ष II तर्कसंगत निकलता है। निष्कर्ष I कथन से संबंधित नहीं है।

8. *(d)* : न तो निष्कर्ष I और न ही निष्कर्ष II तर्कसंगत निकलता है। दोनों ही निष्कर्ष कथन से संबंधित नहीं हैं।

9. *(b)* : केवल निष्कर्ष II सही है। निष्कर्ष I कथन से संबंधित नहीं है।

10. *(e)* : कथन I और कथन II दोनों तर्कसंगत निकलते हैं।

11. *(a)* : केवल कथन I तर्कसंगत निकलता है। निष्कर्ष II दिए गए कथन से संबंधित नहीं है।

12. *(e)* : निष्कर्ष I और II दोनों सही हैं क्योंकि प्रायः बहुत अधिक बोलने वाले लोग अपनी बात का पालन स्वयं नहीं करते।

13. *(d)* : दिए गए कथन से निष्कर्ष I और II में से किसी की भी पुष्टि नहीं होती।

14. *(d)* : दिए गए कथन से निष्कर्ष I और II में से किसी की भी पुष्टि नहीं होती क्योंकि प्रत्येक राज्य में बेरोजगारी के प्रतिशत का उल्लेख नहीं किया गया है।

15. *(b)* : केवल निष्कर्ष II सही है। निष्कर्ष I दिए गए कथन के विरुद्ध है क्योंकि किसी भी कार्य के लिए एक पद्धति को अपनाना आवश्यक है।

13 अनुमान निकालना (Drawing Inference)

प्रतियोगिता परीक्षाओं में तर्कबुद्धि परीक्षण हेतु निर्धारित प्रश्नों में इस प्रकार के प्रश्न प्राय: पूछे जाते हैं। इस परीक्षण में कोई कथन या प्रतिज्ञप्ति अथवा प्रस्थापना दिए जाने के स्थान पर एक परिच्छेद (Passage) दिया जाता है जिसमें अनेक प्रस्थापनाएं समाहित होती हैं और साथ ही अनेक तर्क भी अंतर्विष्ट होते हैं। ऐसे उद्धरणों या परिच्छेदों के नीचे उस परिच्छेद में वर्णित तथ्यों के आधार पर निकाले जा सकने वाले कुछ संभावित अनुमान दिए जाते हैं। उम्मीदवार को यह निर्णय करना होता है कि गृहीत अनुमान दिए गए परिच्छेद के आलोक में तर्कसंगत है अथवा नहीं।

प्रश्नमाला

निर्देश : *नीचे कुछ परिच्छेद दिए गए हैं जिनमें से प्रत्येक परिच्छेद के नीचे उस परिच्छेद में दिए गए तथ्यों के आलोक में गृहीत कुछ अनुमान दिए गए हैं। अभ्यर्थियों से यह अपेक्षा की जाती है कि वे परिच्छेद के संदर्भ में प्रत्येक अनुमान की अलग-अलग जांच करें और उसकी सत्यता अथवा असत्यता की मात्रा निश्चित करें।*

	अपना उत्तर निम्नवत् दें	***यदि आप निम्नवत् सोचते हैं***
(a)	''निश्चित रूप से सत्य''	यदि अनुमान दिए गए तथ्यों के आलोक में पूर्णरूप से निकल आता है
(b)	''संभवत: सत्य''	यदि अनुमान दिए गए तथ्यों के आलोक में सत्य हो सकता है किंतु निश्चित रूप से सत्य नहीं है।
(c)	''सूचना अपर्याप्त है''	यदि दिए गए तथ्यों के आलोक में अनुमान 'सत्य है या असत्य' यह आप नहीं कह सकते हैं।
(d)	''संभवत: असत्य''	यदि अनुमान दिए गए तथ्यों के आलोक में ''संभवत: असत्य है यद्यपि निश्चित रूप से असत्य'' नहीं है।
(e)	''निश्चित रूप से असत्य''	यदि अनुमान दिए गए तथ्यों के आधार पर निकालना संभव नहीं है अथवा वह दिए गए तथ्यों के विरुद्ध जाता है।

परिच्छेद–1

वर्तमान में भारत का ग्रेनाइट उद्योग संकट के दौर से गुजर रहा है क्योंकि केन्द्र सरकार द्वारा उदारीकरण की नीति लागू किए जाने के बावजूद राज्य सरकारों ने इस दिशा में कोई एकसमान नीति लागू नहीं की है। गत तीन वर्षों के दौरान इस क्षेत्र में की गई उल्लेखनीय प्रगति की तुलना में राज्य सरकारों द्वारा कोई उपयुक्त नीति क्रियान्वित नहीं किए जाने के कारण ग्रेनाइट खदान मालिक और इस उद्योग से जुड़े अन्य व्यक्ति ग्रेनाइट के अंतर्राष्ट्रीय बाजार की चुनौती का सामना नहीं कर पा रहे हैं। अलग-अलग राज्यों में अलग-अलग नीतियां होने के कारण निष्ठा, उपभोग-निरपेक्ष किराया और पट्टे की अवधि आदि के संबंध में समस्या उत्पन्न हुई है।

1. ग्रेनाइट खदान वाले प्रत्येक राज्य ने अपने अलग-अलग नियम बनाए हैं जो ग्रेनाइट उद्योग के हितों के विरुद्ध है।

2. तीन वर्ष पहले तक भारत में ग्रेनाइट उत्पादन लाभकारी नहीं था।

3. ग्रेनाइट उत्पादन को काफी हद तक लोगों द्वारा नियंत्रित किया जाता है।

4. भारत में ग्रेनाइट उत्पादन अंतर्राष्ट्रीय स्तर की गुणवत्ता के अनुरूप नहीं है।

5. भारत सरकार की उदारीकरण की नीति का प्रभाव ग्रेनाइट उद्योग पर पिछले तीन वर्षों के दौरान ही पड़ा है।

परिच्छेद–2

भारत में इस्पात उत्पादन संयंत्रों को स्थापित करने पर लागत विदेशों में ऐसे संयंत्रों को स्थापित करने पर आने वाली लागत की तुलना में काफी अधिक होती है। जबकि एक ओर इस्पात संयंत्रों से संबद्ध लगभग सभी उपकरणों के आयात पर सीमा शुल्क घटा दिया गया है वहीं दूसरी ओर उत्पाद शुल्क में वृद्धि कर दी गई है। देश में उत्पादित इस्पात अब अंतर्राष्ट्रीय बाजार की प्रतिस्पर्धा के समक्ष नहीं टिक सकता जिसे देखते हुए यह मांग की जाने लगी

है कि इस्पात उद्योग की रूग्णता दूर करने के लिए इसके सीमा शुल्क और उत्पाद शुल्क दोनों की दरों की एक बार फिर से समीक्षा की जाए।

6. सरकारी नीति की कमियों के कारण इस्पात उद्योग को व्यापक हानि हो रही है।

7. अन्य देशों में इस्पात की उत्पादन लागत भारत की तुलना में कम है।

8. यदि सरकार द्वारा अनुकूल नीति घोषित की जाए तो भारत इस्पात के मूल्य के मामले में विदेशों से प्रतिस्पर्धा कर सकता है।

9. विदेशी इस्पात भारत में उत्पादित इस्पात की तुलना में सस्ता होता है।

10. सरकार इस्पात उत्पादों के उत्पाद शुल्क में कमी करने पर विचार कर रही है।

परिच्छेद–3

इस शताब्दी के पूर्वार्ध की समाप्ति तक भारत में प्लास्टिक की घरेलू वार्षिक खपत आज के लगभग एक मिलियन मी. टन से बढ़कर 2.5–3 मिलियन मी. टन तक हो जाने की आशा है। वर्तमान में पूरे विश्व में प्लास्टिक की वार्षिक खपत लगभग 100 मिलियन मी. टन है। खपत में मौजूदा वृद्धि दर के अनुरूप उत्पादन की गति को बनाए रखने के लिए भारत को इस शताब्दी के पूर्वार्ध के दौरान प्रत्येक वर्ष 1,000 मी. टन क्षमता के दो अतिरिक्त पॉलिमर संयंत्र स्थापित करने की आवश्यकता होगी। उद्यमियों को अब वैश्वीकरण के अनुरूप सोचना चाहिए और अंतर्राष्ट्रीय क्षमता की परियोजनाओं को संवर्धन प्रदान करना चाहिए तथा उन्हें प्रौद्योगिकी हस्तांतरण और उन्नयन तथा रणनीति और सृजनात्मक गठबंधनों की दिशा में विचार करना होगा।

11. भारत में प्लास्टिक की मूल घरेलू खपत विश्व में हो रही कुल खपत का लगभग 1 प्रतिशत है।

12. वर्तमान में भारत द्वारा प्लास्टिक का आयात नहीं किया जाता।

13. भारत में प्लास्टिक उत्पादन की प्रौद्योगिकीय क्षमता का अभाव है।

14. प्लास्टिक की खपत में प्रत्येक वर्ष लगभग 0.2 प्रतिशत की दर से वृद्धि होने का अनुमान है।

15. भारत के विश्व में एक प्रमुख प्लास्टिक उत्पादक देश के रूप में उभरने की संभावना है।

व्याख्यात्मक उत्तरमाला

1. *(a)*: नीतियां अलग-अलग राज्यों में अलग-अलग हैं।

2. *(c)*: परिच्छेद में उल्लेख किया गया है कि गत तीन वर्षों के दौरान ग्रेनाइट उद्योग के क्षेत्र में उल्लेखनीय प्रगति हुई है किंतु यह उल्लेख नहीं किया गया है कि उत्पादन लाभकारी नहीं रहा है।

3. *(a)*: राज्य सरकारों द्वारा इस दिशा में कोई एकसमान नीति घोषित नहीं की गई है।

4. *(c)*: परिच्छेद में कहा गया है कि सरकार द्वारा कोई उपयुक्त नीति क्रियान्वित नहीं किए जाने के कारण ग्रेनाइट खदान मालिक और इस उद्योग से जुड़े अन्य व्यक्ति ग्रेनाइट के अंतर्राष्ट्रीय बाजार की चुनौती का सामना नहीं कर पा रहे हैं। भारत में उत्पादित या अंतर्राष्ट्रीय स्तर पर उत्पादित ग्रेनाइट की गुणवत्ता या किस्म के बारे में परिच्छेद में कुछ भी उल्लेख नहीं किया गया है।

5. *(c)*: यह अनुमान परिच्छेद में उल्लिखित तथ्यों के अनुरूप नहीं है।

6. *(d)*: केवल सरकारी नीति ही हानियों के लिए उत्तरदायी नहीं हो सकती। लागत या गुणवत्ता का घटक भी समान रूप से उत्तरदायी हो सकता है।

7. *(c)*: परिच्छेद में यह उल्लेख किया गया है कि भारत में इस्पात उत्पादन संयंत्रों को स्थापित करने पर लागत विदेशों में ऐसे संयंत्रों को स्थापित करने पर आनेवाली लागत की तुलना में काफी अधिक होती है। किंतु ऐसा नहीं कहा गया है कि अन्य देशों में इस्पात की उत्पादन लागत भारत की तुलना में कम है।

8. *(a)*: यदि सरकार अपनी नीतियों की समीक्षा कर लेती है तो हमारा देश इस्पात के मूल्यों के मामले में निश्चित ही अंतर्राष्ट्रीय बाजार की चुनौतियों का सामना कर सकता है।

9. *(a)*: लगभग सभी इस्पात उत्पादों पर सीमा शुल्क में कमी कर दी गई है।

10. *(b)*: सीमाशुल्क और उत्पाद शुल्क दोनों की समीक्षा करने की मांग की जा रही है।

11. *(a)*: वर्तमान में पूरे विश्व की प्लास्टिक की वार्षिक खपत लगभग 100 मिलियन मी. टन है और भारत में प्लास्टिक की खपत का मौजूदा स्तर 1 मिलियन मी. टन है।

12. *(c)*: अनुच्छेद में प्लास्टिक के आयात या निर्यात का उल्लेख नहीं किया गया है।

13. *(a)*: उद्यमियों को प्रौद्योगिकी हस्तांतरण, उन्नयन और कार्यनीति तथा सृजनात्मक गठबंधनों की दिशा में विचार करना होगा।

14. *(a)*: इस शताब्दी के पूर्वार्ध की समाप्ति तक प्रत्याशित वृद्धि 2.5 और 3 मिलियन मी. टन के बीच है। भारत को प्रति वर्ष 1,000 मी. टन क्षमता के दो अतिरिक्त पॉलिमर संयंत्र संस्थापित करने की आवश्यकता है।

15. *(a)*: वैश्वीकरण और अंतर्राष्ट्रीय गुणवत्ता के उत्पादों को विनिर्मित करने वाली परियोजना पर ध्यान देकर भारत अंतर्राष्ट्रीय बाजार में प्लास्टिक के उत्पादन के क्षेत्र में एक प्रमुख भूमिका निभा सकता है।

14 अनुमान-सिद्ध निष्कर्ष/अवलोकन (Observation)

इस प्रकार के तर्कबुद्धि परीक्षण में एक कथन दिया जाता है जिसके बाद उस कथन के आधार पर निकाले जा सकने वाले अनुमान दिए जाते हैं। इन अनुमानों में से केवल एक अनुमान निश्चित रूप से निकाला जा सकता है जो दिए गए कथन में अंतर्निहित एक प्रस्थापना होता है और वही दिए गए प्रश्न का सही उत्तर होता है।

प्रश्नमाला

निर्देश : *नीचे के प्रत्येक प्रश्न में एक या अधिक कथन दिए गए हैं जिसके साथ अनेक अनुमान-सिद्ध निष्कर्ष दिए गए हैं। जो अनुमान सिद्ध निष्कर्ष दी गई सूचना के अतिरिक्त और कुछ भी गृहीत न करके केवल कथन में वर्णित तथ्यों के आधार पर निश्चित रूप से निकाला जा सकता है वही आपका सही उत्तर है।*

1. यदि आपके पास संबंधित क्षेत्र में कम-से-कम दो वर्ष का कार्य अनुभव नहीं है तो इस नौकरी के लिए आपके चयन की संभावना काफी सीमित है। लगभग पिछले आठ वर्षों के दौरान किए गए चयनों में यही बात प्रतिबिंबित होती है।
(*a*) नौकरी के लिए आवेदन करने वाले सभी उम्मीदवारों को न्यूनतम दो वर्ष का कार्य-अनुभव होने की बात से स्पष्टत: अवगत करा दिया गया है।
(*b*) अधिकांश उम्मीदवारों के पास दो वर्ष से भी काफी अधिक समय का कार्य-अनुभव है।
(*c*) कार्य का पूर्व अनुभव कार्य के बेहतर निष्पादन के लिए अत्यधिक उपयोगी समझा जाता है।
(*d*) यदि आपके पास दो वर्ष से अधिक समय का कार्य-अनुभव है तो आपका चयन सुनिश्चित है।

2. कुछ ऐसे छात्र जिन्हें स्कूली शिक्षा के दौरान केवल औसत अंक ही प्राप्त होते रहे हैं, वे बाद में चलकर अपने व्यवसाय में काफी सफल होते हैं हालांकि ऐसे मामले केवल अपवाद ही होते हैं।
(*a*) शैक्षिक उपलब्धि और व्यावसायिक सफलता के बीच किसी भी प्रकार का कोई भी संबंध नहीं होता।
(*b*) कुछ ऐसे अपवाद भी देखे जा सकते हैं जिनमें स्कूली शिक्षा में बेहतर उपलब्धि प्राप्त करने वाले व्यक्ति जीवन के अन्य क्षेत्रों में विफल सिद्ध होते हैं।
(*c*) केवल वही जो स्कूली परीक्षाओं में बेहतर अंकों से उत्तीर्ण होते हैं, अच्छी नौकरी भी पा सकते हैं।
(*d*) कुछ छात्रों का स्कूली परीक्षाओं में बेहतर प्रदर्शन नहीं होता।

3. किसी संगठन के विभिन्न कार्यालय प्राय: इंटरकॉम नामक एक आंतरिक टेलीफोन प्रणाली द्वारा जुड़े होते हैं।
(*a*) प्राइवेट ब्रांच एक्सचेंज (पीबीएक्स) किसी ऑपरेटर द्वारा हस्त प्रचालित और नियंत्रित होता है।
(*b*) अंतर्विभागीय कार्य के निपटान हेतु एक उत्तम आंतरिक संचार प्रणाली का होना आवश्यक है।
(*c*) इंटरकॉम पर की गई बातचीत गुप्त रखी जा सकती है।
(*d*) इंटरकॉम में 3000 मीटर के दायरे में अधिकतम 10 पिन एक साथ संयोजित किए जा सकते हैं।

4. जनसंख्या वृद्धि की उच्च दर का वननाशन से गहरा संबंध है?
(*a*) वनों का मानव बस्तियों के विकास पर प्रतिकूल प्रभाव पड़ता है।
(*b*) मानव बस्तियों को वन्य जंतुओं से काफी कम खतरा है।
(*c*) वन क्षेत्र में कमी से मनुष्यों को अधिक तेजी से अपनी संख्या वृद्धि करने की प्रेरणा मिलती है।
(*d*) जनसंख्या वृद्धि से अधिक भूमि की आवश्यकता होती है।

5. शब्द संसाधक (वर्ड प्रोसेसर) स्क्रीन आधारित प्रणाली है जिसमें टाइप की हुई सामग्री स्क्रीन पर प्रदर्शित होती है।
(*a*) सामग्री को हार्ड डिस्क, फ्लॉपी डिस्क में रखा जाता है ताकि सामग्री में बाद में संशोधन या मुद्रण किया जा सके।
(*b*) यह हस्तचालित और विद्युत चालित है।

(*c*) नई सामग्री डालकर या अवांछित सामग्री हटाकर संपूर्ण सामग्री का संपादन किया जा सकता है।
(*d*) यह भावी प्रयोग के लिए सामग्री को सुरक्षित रखता है।
(*e*) बच्चे भी कंप्यूटर प्रणाली को प्रचालित कर सकते हैं।

6. फोटो कॉपी करने की मशीन प्रतिलिपिकरण के क्षेत्र में विकसित एक आधुनिकतम मशीन है?
(*a*) इसमें मूल सामग्री को छोटा या बड़ा करने की क्षमता नहीं होती।
(*b*) यह एक विद्युतचालित मशीन है जो मूल सामग्री का प्रतिबिंब निर्मित करती है।
(*c*) प्रत्येक प्रतिलिपि मूल प्रति, प्रभावोत्पादक और आकर्षक प्रतीत होती है।
(*d*) यह त्वरित, आसानी से प्रचालित किए जाने वाला, सस्ता और सही कार्य करने वाली मशीन है।

7. बड़े शहरों की जनसंख्या दिनानुदिन बढ़ रही है। किंतु नागरिक सुविधाएं और अन्य सहायक सुविधाएं पूर्ववत बनी हुई हैं और उनमें कोई विस्तार नहीं हुआ है।
(*a*) शहरों में गांवों की तुलना में जन्मदर अधिक है।
(*b*) शहर नष्ट हो रहे हैं।
(*c*) यदि नागरिक सुविधाओं में सुधार किया जाए तो जनसंख्या वृद्धि की दर में और वृद्धि होगी।
(*d*) सीमित मात्रा में उपलब्ध सुविधाओं का उपयोग अधिकाधिक लोगों द्वारा किया जा रहा है।

8. चूंकि महिलाएं अल्प शिक्षित हैं, अत: देश की संसद और विधान सभाओं में महिलाओं को 33% आरक्षण देने का अर्थ होगा सुशिक्षित व्यक्तियों पर अल्पशिक्षितों द्वारा शासन।
(*a*) अशिक्षित महिलाओं द्वारा अशिक्षित महिलाओं का चुनाव किया जाता है।
(*b*) चुनी गई महिलाओं में 33 प्रतिशत अशिक्षित होंगी।
(*c*) विधायिकाओं में अशिक्षित व्यक्तियों की संख्या काफी बढ़ जाएगी।
(*d*) विधायिकाओं में शिक्षित व्यक्तियों की आवाज दबकर रह जाएगी।

9. फैक्स मशीनें किसी भी प्रकार की लिखित या मुद्रित सामग्री, रेखा-चित्रों, छायाचित्रों आदि को एक स्थान से दूसरे स्थान पर संप्रेषित करने के लिए टेलीफोन लाइनों का उपयोग करती हैं।
(*a*) यह किसी दस्तावेज के संपादन, संशोधन और मुद्रण की एक विधि है।
(*b*) प्रापत्र और प्रेषण दोनों सिरों पर उपकरणों का चालू होना आवश्यक है।
(*c*) इस मशीन को प्रतिचित्रण (फैक्सीमाइल) टेलीग्राफी कहते हैं।
(*d*) यह टेलीफोन की गति और कार्यालय की कॉपियर मशीन की पुनरुत्पादन क्षमता के संयोजन द्वारा दस्तावेज की प्रतिलिपि लंबी दूरियों तक भेज सकता है।

10. कार्यालयों में परिकलन, दैनिक बिलिंग लेखांकन आदि के लिए अनेक प्रकार के कैलकुलेटरों का प्रयोग किया जाता है।
(*a*) कैलकुलेटरों का अंकगणितीय प्रक्रमों के लिए उपयोग किया जा सकता है।
(*b*) इलेक्ट्रॉनिक कैलकुलेटरों का बहुत से कार्यों के लिए उपयोग किया जा सकता है।
(*c*) इसका बहुत अधिक संख्या में लोगों को भुगतान करने के लिए उपयोग किया जा सकता है।
(*d*) इसकी सहायता से हम जोड़, घटा, गुणा, भाग, प्रतिशत और वर्गमूल परिकलन आदि जैसी संक्रियाएं कर सकते हैं।

उत्तरमाला

1	2	3	4	5	6	7	8	9	10
(*c*)	(*d*)	(*c*)	(*d*)	(*b*)	(*a*)	(*d*)	(*d*)	(*a*)	(*c*)

15 आलोचनात्मक विवेचन (Critical Thinking)

इस प्रकार के तर्कबुद्धि परीक्षण में दो कथन दिए जाते हैं जिनके आधार पर दो या दो से अधिक निष्कर्ष ज्ञात करने होते हैं। अभ्यर्थियों से यह अपेक्षा की जाती है कि वे अंतर्निहित तर्क को समझें और दिए गए विकल्पों में से किसी एक का सही उत्तर के रूप में चयन करें।

प्रश्नमाला

निर्देश : *नीचे दिए गए प्रत्येक प्रश्न में दो कथन और उनके बाद कुछ निष्कर्ष दिए गए हैं। सभी निष्कर्षों को पढ़िए और फिर तय कीजिए कि दिए गए निष्कर्षों में से कौन-कौन से निष्कर्ष दिए गए कथनों का तर्कसंगत रूप से अनुसरण करते हैं और तदनुसार दिए गए विकल्पों में से सही विकल्प का चयन करें।*

1. कथन I : सभी लोमड़ियां तश्तरियां हैं।
II : सभी तश्तरियां पेड़ हैं।
निष्कर्ष I : सभी लोमड़ियां पेड़ हैं।
II : सभी पेड़ लोमड़ियां हैं।
III : कुछ पेड़ लोमड़ियां हैं।
IV : कुछ पेड़ तश्तरियां हैं।
(*a*) सभी निष्कर्ष सही हैं।
(*b*) केवल निष्कर्ष I, III, और IV सही हैं।
(*c*) केवल निष्कर्ष II, III, और IV सही हैं।
(*d*) केवल निष्कर्ष I और IV सही है।
(*e*) उपर्युक्त में से कोई नहीं

2. कथन I : कुछ घन वर्ग हैं।
II : सभी वर्ग वृत्त हैं।
निष्कर्ष I : सभी घन वृत्त हैं।
II : कुछ वृत्त घन हैं।
III : कुछ वृत्त वर्ग हैं।
IV : सभी वर्ग घन हैं।
(*a*) केवल निष्कर्ष I सही है।
(*b*) केवल निष्कर्ष I, II और III सही हैं।
(*c*) सभी निष्कर्ष सही हैं।
(*d*) केवल निष्कर्ष II और III सही हैं।
(*e*) उपर्युक्त में से कोई नहीं।

3. कथन I : सभी प्याले बकरियां हैं।
II : सभी बकरियां टिन हैं।
निष्कर्ष I : सभी बकरियां प्याले हैं।
II : सभी टिन बकरियां हैं।
III : कोई भी प्याला टिन नहीं है।
IV : कोई भी टिन प्याला नहीं है।
(*a*) केवल निष्कर्ष III और IV सही हैं।
(*b*) केवल निष्कर्ष I और II सही हैं।
(*c*) केवल निष्कर्ष I, II और III सही हैं।
(*d*) सभी निष्कर्ष सही हैं।
(*e*) उपर्युक्त में से कोई नहीं।

4. कथन I : सभी बम थैले हैं।
II : कुछ थैले जेट विमान हैं।
निष्कर्ष I : सभी बम जेट विमान हैं।
II : सभी जेट विमान बम हैं।
III : कुछ जेट विमान बम हैं।
IV : कुछ बम जेट विमान हैं।
(*a*) केवल निष्कर्ष III सही है।
(*b*) केवल निष्कर्ष I और II सही हैं।
(*c*) सभी निष्कर्ष सही हैं।
(*d*) केवल निष्कर्ष III और IV सही हैं।
(*e*) इनमें से कोई नहीं।

5. कथन I : कुछ कांटे जैकेट हैं।
II : कुछ जैकेट नाव हैं।
निष्कर्ष I : कोई भी कांटा नाव नहीं है।
II : सभी जैकेट नाव हैं।

III : कुछ नाव काटे हैं।
IV : कोई भी जैकेट कांटा नहीं है।

(a) या तो निष्कर्ष I या IV सही है।
(b) या तो निष्कर्ष I या II सही है।
(c) या तो निष्कर्ष I या III सही है।
(d) कोई भी निष्कर्ष सही नहीं है।
(e) सभी निष्कर्ष सही हैं।

6. कथन I : सभी लड़कियां कलम हैं।
II : राहुल एक लड़का है।
निष्कर्ष I : कोई भी लड़का पेन नहीं है।
II : राहुल एक कलम नहीं है।
III : कुछ कलम लड़कियां हैं।

(a) केवल निष्कर्ष II और III सही हैं।
(b) केवल निष्कर्ष I सही है।
(c) सभी निष्कर्ष सही हैं।
(d) केवल निष्कर्ष I और III सही हैं।
(e) उपर्युक्त में से कोई नहीं

7. कथन I : कोई भी पुरुष गाय नहीं है।
II : सभी गाय खिड़कियां हैं।
निष्कर्ष I : कोई भी गाय पुरुष नहीं है।
II : कोई भी पुरुष खिड़की नहीं है।
III : कुछ खिड़कियां गाय हैं।
IV : कुछ गाय पुरुष हैं।

(a) केवल निष्कर्ष I और IV सही हैं।
(b) केवल निष्कर्ष II, III और IV सही हैं।
(c) केवल निष्कर्ष I, II और III सही हैं।
(d) सभी निष्कर्ष सही हैं।
(e) उपर्युक्त में से कोई नहीं

8. कथन I : कुछ बाघ छिपकलियां हैं
II : सभी छिपकलियां कछुए हैं।
निष्कर्ष I : सभी बाघ कछुए हैं।
II : सभी कछुए बाघ हैं।

(a) केवल निष्कर्ष I सही है।
(b) केवल निष्कर्ष II सही है।
(c) दोनों निष्कर्ष सही हैं।
(d) आंकड़े अपर्याप्त हैं।
(e) उपर्युक्त में से कोई नहीं।

9. कथन I : जो काले हैं वे सभी लाल हैं।
II : कोयला काला है।
निष्कर्ष I : कोयला लाल है।
II : कोयला लाल नहीं है।
III : जो लाल हैं वे सभी काले हैं।

(a) केवल निष्कर्ष I और II सही हैं।
(b) केवल निष्कर्ष II और III सही हैं।
(c) केवल निष्कर्ष I सही है।
(d) सभी निष्कर्ष सही हैं।
(e) इनमें से कोई नहीं

10. कथन I : सभी जलमुर्गियां मोर हैं।
II : सभी मोर किसान हैं।
निष्कर्ष I : कुछ किसान जलमुर्गियां हैं।
II : सभी जलमुर्गियां किसान हैं।
III : कुछ मोर जलमुर्गियां हैं।

(a) केवल निष्कर्ष I और II सही हैं।
(b) केवल निष्कर्ष II और III सही हैं।
(c) आंकड़े अपर्याप्त हैं।
(d) सभी निष्कर्ष सही हैं।
(e) उपर्युक्त में से कोई नहीं

व्याख्यात्मक उत्तरमाला

1. (b) :

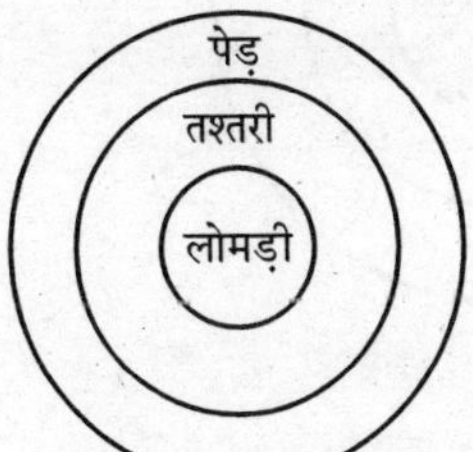

जबकि सभी लोमड़ियां तश्तरियां हैं और सभी तश्तरियां पेड़ हैं तो निश्चित ही सभी लोमड़ियां पेड़ हैं और कुछ पेड़ लोमड़ी हैं, और जब सभी तश्तरियां पेड़ हैं तो कुछ पेड़ तश्तरियां हैं। अतः केवल निष्कर्ष I, III और IV सही हैं।

2. (d) : जबकि यह दिया गया है कि कुछ घन वर्ग हैं और सभी वर्ग वृत्त हैं, तो कुछ घन निश्चित ही वृत्त होंगे हालांकि सभी घन वृत्त नहीं हो सकते। जबकि कुछ घन वृत्त हैं, तो कुछ वृत्त घन होंगे और जब सभी वर्ग वृत्त हैं, तो कुछ वृत्त निश्चित ही वर्ग होंगे। दिए गए कथन II, के अनुसार सभी वर्ग वृत्त हैं। अतः सभी वर्ग घन नहीं हो सकते। अतः केवल निष्कर्ष II और III ही सही हैं।

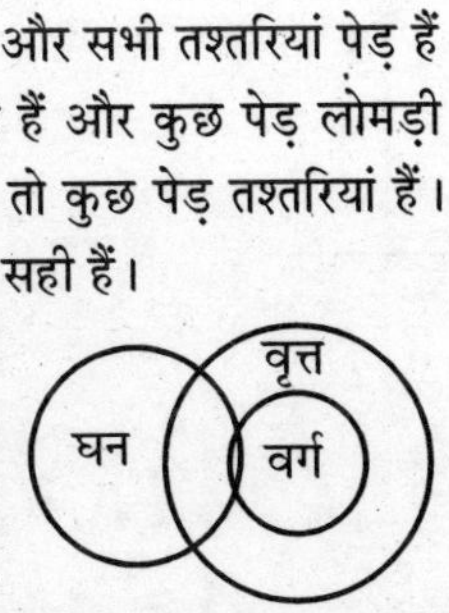

3. (e) : जबकि सभी प्याले बकरियां हैं, तो केवल कुछ बकरियां ही प्याले होंगी। जबकि सभी बकरियां टिन हैं तो केवल कुछ टिन ही बकरियां हो सकती हैं। जबकि सभी प्याले बकरियां हैं और सभी बकरियां टिन हैं तो निश्चित ही सभी प्याले और टिन और कुछ टिन निश्चित ही प्याले हैं। अतः सभी निष्कर्ष गलत हैं।

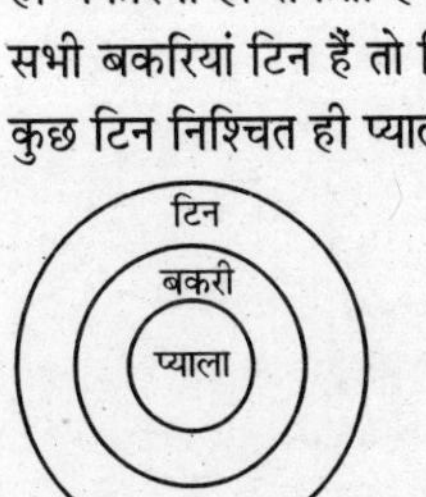

4. *(e)* **:** जबकि सभी बम थैले हैं और कुछ थैले जेट विमान हैं तो सभी बम जेट विमान नहीं हो सकते। 'कुछ बम' का अर्थ है कि कुछ बमों के जेट विमान होने की कोई संभावना नहीं है या कुछ जेट विमानों के बम होने की भी कोई संभावना नहीं है। इसके अतिरिक्त सभी जेट विमान बम नहीं हो सकते। अत: सभी निष्कर्ष गलत हैं।

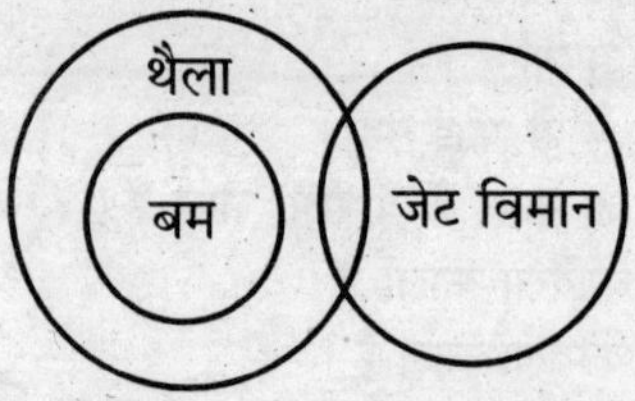

5. *(d)* **:** जबकि कुछ कांटे जैकेट हैं और कुछ जैकेट नाव हैं तो कुछ कांटे नाव हो सकते हैं। किंतु कुछ नाव काँटे नहीं हो सकते। कथन I के अनुसार कुछ काँटे जैकेट हैं, अत: कुछ जैकेट निश्चित ही काँटे हैं। जबकि कथन II के अनुसार कुछ जैकेट नाव हैं, अत: यह स्पष्ट है कि सभी जैकेट नाव नहीं हो सकते। अत: दिए गए कथनों से कोई भी विशिष्ट निष्कर्ष नहीं निकाला जा सकता।

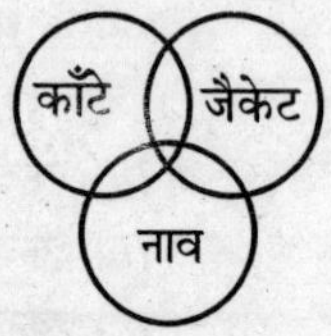

6. *(a)* **:** जबकि सभी लड़कियां कलम हैं तो

(i) कुछ कलम निश्चित ही लड़कियाँ हैं, और

(ii) जबकि राहुल एक लड़का है तो वह कलम नहीं हो सकता।

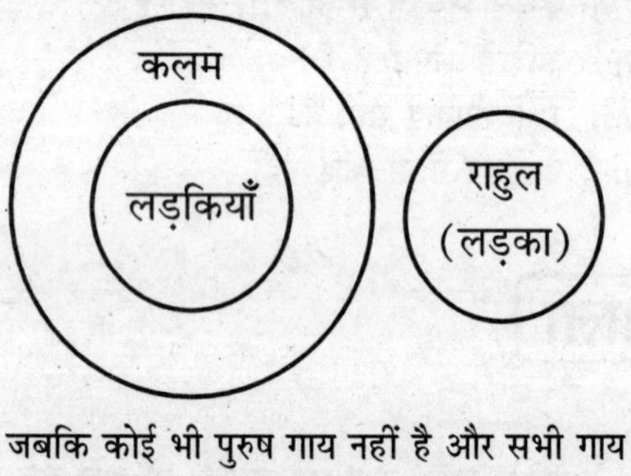

7. *(c)* **:** जबकि कोई भी पुरुष गाय नहीं है और सभी गाय खिड़कियां हैं तो कोई भी पुरुष खिड़की नहीं है। जबकि कोई भी पुरुष गाय नहीं हैं तो गायें पुरुष नहीं हो सकतीं। जबकि सभी गाय खिड़कियां हैं तो कुछ खिड़कियां निश्चित ही गाय होंगी।

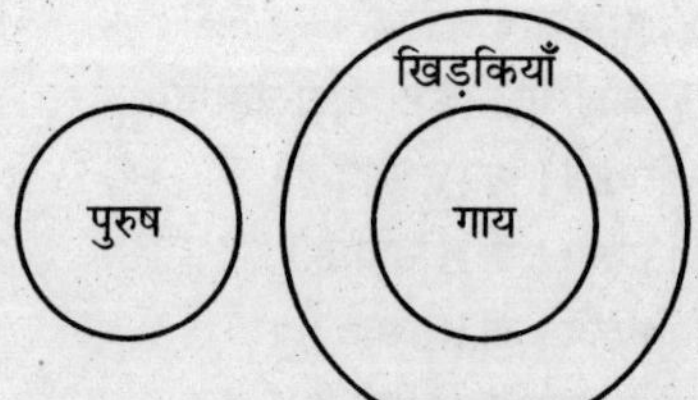

8. *(e)* **:** जबकि कुछ बाघ छिपकलियां हैं, और सभी छिपकलियां कछुए हैं, तो सभी बाघ कछुए नहीं हो सकते और इसी प्रकार सभी कछुए बाघ नहीं हो सकते।

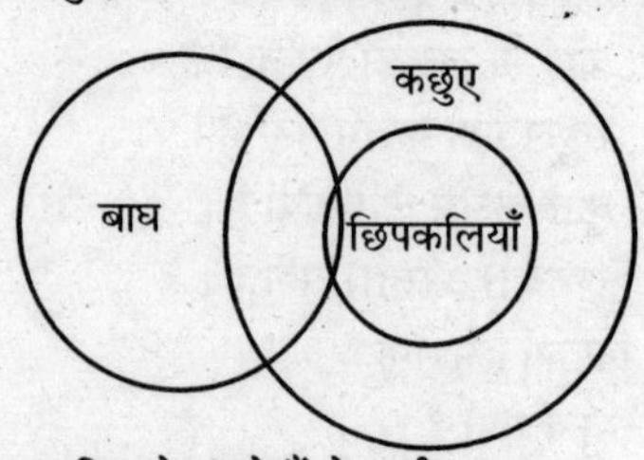

9. *(c)* **:** जबकि जो काले हैं वे सभी लाल हैं और जबकि कोयला काला है तो कोयला लाल है। जबकि जो काले हैं वे सभी लाल हैं तो यह आवश्यक नहीं हैं कि सभी लाल निश्चित ही काले होंगे हालांकि कुछ लाल निश्चित ही काले हैं। अत: केवल निष्कर्ष I ही सही है।

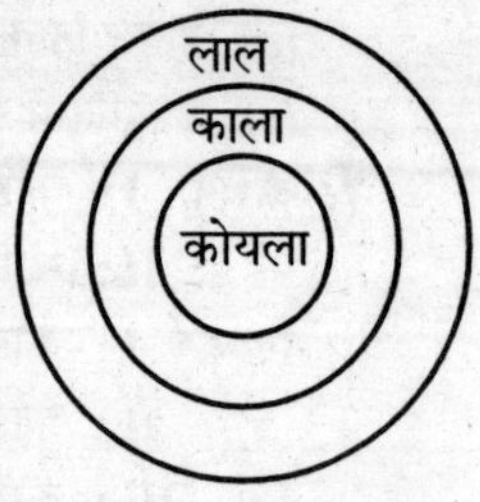

10. *(d)* **:** जबकि सभी जलमुर्गियां मोर हैं और सभी मोर किसान हैं तो निश्चित ही सभी जलमुर्गियां किसान हैं। जबकि सभी जलमुर्गियां मोर हैं, तो कुछ मोर निश्चित ही जलमुर्गियां हैं और जबकि सभी मोर किसान हैं तो कुछ किसान निश्चित ही जलमुर्गियां हैं। अत: सभी निष्कर्ष सही हैं।

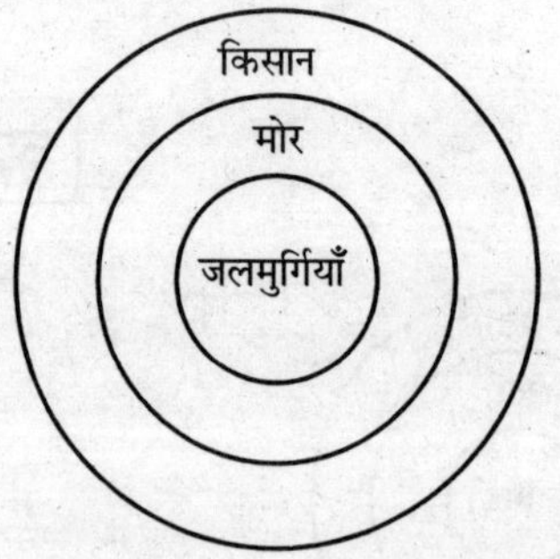

16 आरेख विश्लेषण (Venn Diagram)

इस प्रकार के परीक्षण में आरेखों द्वारा निरूपित दो या दो से अधिक वस्तुओं या तथ्यों या मदों के बीच संबंध स्थापित करना होता है। आरेखों द्वारा निरूपित मदें कोई पृथक वस्तु या प्राणी या व्यक्तियों का कोई विशिष्ट दल/वर्ग आदि हो सकती हैं। दिए गए आरेखों को अच्छी तरह समझ लेने पर अभ्यर्थियों के समक्ष प्रश्न से संबंधित अवधारणा स्पष्ट हो जाती है और वे अपनी प्रेक्षण शक्ति के आधार पर सही या तर्कसम्मत उत्तर पर सरलतापूर्वक पहुंच सकते हैं।

प्रश्नमाला

1. निम्नलिखित आरेख में कौन-सी संख्या केवल दो ज्यामितीय आकृतियों में उभयनिष्ठ है?

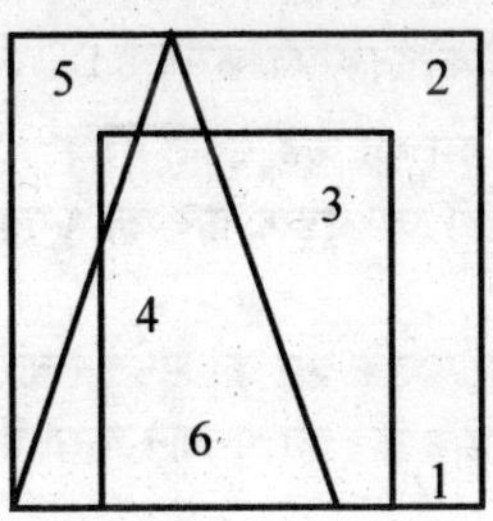

(*a*) 4 (*b*) 3
(*c*) 5 (*d*) 2

निर्देश (प्रश्न 2 और 3) : *नीचे के आरेख में आयत हिंदी के उद्घोषकों को निरूपित करता है, वृत्त अंग्रेजी भाषा के उद्घोषकों को निरूपित करता है, वर्ग फ्रांसीसी भाषा के उद्घोषकों को निरूपित करता है और त्रिभुज जर्मन भाषा के उद्घोषकों को निरूपित करता है।*

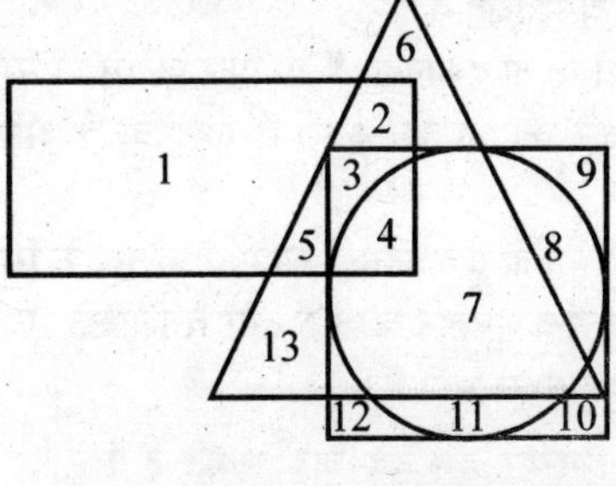

2. कौन-सा क्षेत्र उन उद्घोषकों को निरूपित करता है जो हिंदी, फ्रांसीसी और जर्मन भाषाओं में कार्यक्रम प्रस्तुत कर सकते हैं?

(*a*) 1 (*b*) 2
(*c*) 3 (*d*) 4

3 कौन-सा क्षेत्र उन उद्घोषकों को निरूपित करता है जो केवल फ्रांसीसी और अंग्रेजी भाषा में कार्यक्रम प्रस्तुत कर सकते हैं?

(*a*) 7 (*b*) 9
(*c*) 11 (*d*) 13

निर्देश (प्रश्न 4 और 5) : *नीचे दिए गए आरेख के आधार पर प्रश्न संख्या 4 और 5 के उत्तर दें :*

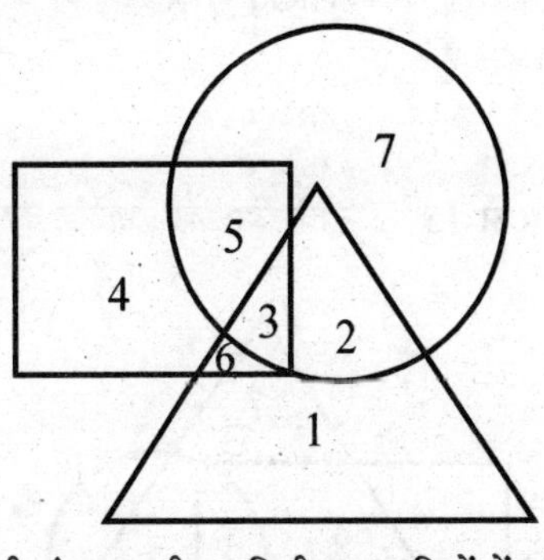

4. कौन-सी संख्या सभी ज्यामितीय आकृतियों में अंतर्निहित है?

(*a*) 5 (*b*) 6
(*c*) 2 (*d*) 3

5. संख्या 6 निम्नलिखित में से किसमें अंतर्निहित है?

(*a*) आयत और त्रिभुज
(*b*) वृत्त और त्रिभुज
(*c*) आयत और वृत्त
(*d*) केवल आयत

निर्देश (प्रश्न 6 से 9) :

दी गई आकृति में वृत्त खिलाड़ियों को निरूपित करता है, त्रिभुज घर से बाहर खेले जाने वाले खेलों को निरूपित करता है, षड्भुज घर के भीतर खेले जाने वाले (इन्डोर) खेलों को निरूपित करता है और वर्ग राष्ट्रीय स्तर के खिलाड़ियों को निरूपित करता है। इस आरेख का सावधानीपूर्वक अध्ययन करें और नीचे पूछे गए प्रश्नों के उत्तर दें :

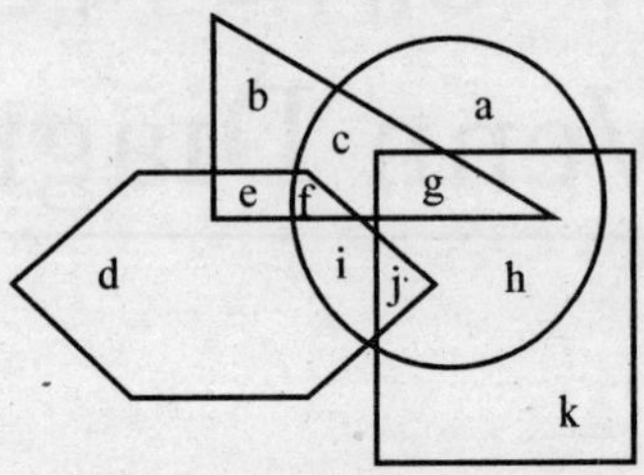

6. आकृति का कौन-सा भाग राष्ट्रीय स्तर पर इन्डोर खेलों (घर के भीतर खेले जाने वाले खेलों) को खेलने वाले खिलाड़ियों को निरूपित करता है ?

(*a*) f (*b*) i

(*c*) j (*d*) g

7. आकृति का कौन-सा भाग खेल के मैदान में खेले जाने वाले (आउटडोर) खेलों और इन्डोर खेलों दोनों के उन खिलाड़ियों को निरूपित करता है जो राष्ट्रीय स्तर के खिलाड़ी नहीं हैं :

(*a*) c (*b*) f

(*c*) e (*d*) i

8. आकृति का कौन-सा भाग राष्ट्रीय स्तर के ऐसे खिलाड़ियों को निरूपित करता है जो आउटडोर या इन्डोर कोई भी खेल नहीं खेलते किंतु फिर भी वे खिलाड़ियों की श्रेणी में हैं ?

(*a*) k (*b*) g

(*c*) c (*d*) h

9. ऐसे व्यक्ति जो आउटडोर खेल खेलते हैं किंतु खिलाड़ियों की श्रेणी में नहीं हैं, निम्नलिखित में से आकृति के किस भाग द्वारा निरूपित होते हैं ?

(*a*) b (*b*) c

(*c*) a (*d*) d

निर्देश (प्रश्न 10 से 13) : *नीचे दिए गए आरेख का सावधानीपूर्वक अध्ययन करें :*

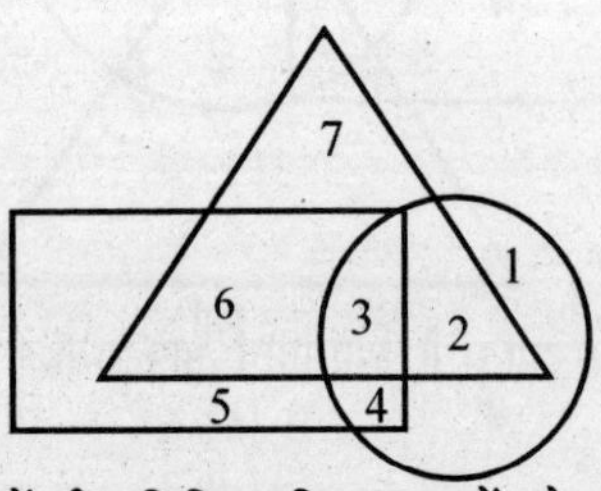

एक कॉलेज में तीन विभिन्न क्रियाकलापों को चलाने की अनुमति दी गई है। छात्र संघ त्रिभुज द्वारा निरूपित होता है, साहित्य सेवा समाज आयत द्वारा निरूपित होता है और सामाजिक सेवा संघ वृत्त द्वारा निरूपित होता है।

10. जो छात्र साहित्य सेवा समाज और सामाजिक सेवा संघ दोनों के क्रियाकलापों में भाग लेते हैं किंतु छात्र संघ के क्रियालापों में भाग नहीं लेते, उन्हें निम्नलिखित में से किसके द्वारा निरूपित किया जा सकता है ?

(*a*) 3 एवं 4 (*b*) 5 एवं 6

(*c*) 5 एवं 1 (*d*) 4

11. जो छात्र छात्र संघ के क्रियाकलापों में भाग लेते हैं किंतु सामाजिक सेवा संघ के क्रियाकलापों में भाग नहीं लेते उन्हें निम्नलिखित में से किसके द्वारा निरूपित किया जा सकता है ?

(*a*) 2 एवं 7 (*b*) 6 एवं 7

(*c*) 6 (*d*) 7

12. जो छात्र केवल साहित्य सेवा समाज के सदस्य हैं किंतु किसी भी अन्य क्रियाकलाप में भाग नहीं लेते उन्हें निम्नलिखित में से किसके द्वारा निरूपित किया जाता है ?

(*a*) 2 (*b*) 5

(*c*) 3 एवं 4 (*d*) 3

13. जो छात्र सभी तीनों समूहों के सदस्य हैं, उन्हें निम्नलिखित में से किसके द्वारा निरूपित किया जा सकता है ?

(*a*) 2 (*b*) 3

(*c*) 4 (*d*) 6

निर्देश (प्रश्न 14 से 16) : *नीचे पूछे गए प्रश्न यहां दी गई आकृति पर आधारित हैं :*

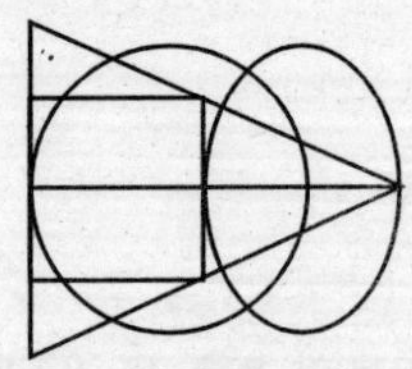

ऊपर दी गई आकृति व्यक्तियों के एक समुच्चय को निरूपित करती है। त्रिभुज शिक्षित व्यक्तियों को, वर्ग पुलिस के सिपाहियों को, वृत्त सड़क कर दाताओं को तथा दीर्घवृत्त दुकानदारों को निरूपित करता है।

14. दी गई आकृति के अनुसार हम यह कह सकते हैं कि

(*a*) पुलिस के कुछ सिपाही जो सड़क कर का भुगतान करते हैं, दुकानदार भी हैं।

(*b*) कुछ शिक्षित दुकानदार सड़क कर का भुगतान करते हैं।

(*c*) कुछ दुकानदार जो सड़क कर का भुगतान करते हैं, पुलिस के सिपाही भी हैं।

(*d*) पुलिस के कुछ अशिक्षित सिपाही सड़क कर का भुगतान करते हैं।

15. इस दी गई आकृति को ध्यान से देखने पर हम यह कह सकते हैं कि :

(*a*) कुछ लोग जो न तो दुकानदार हैं और न ही पुलिस के सिपाही ही, वे शिक्षित हैं।

(*b*) कुछ लोग जो या तो दुकानदार हैं या फिर पुलिस के सिपाही, वो सड़क कर का भुगतान करते हैं हालांकि वे अशिक्षित हैं।

(*c*) कुछ लोग जो या तो दुकानदार हैं या फिर पुलिस के सिपाही, वे सड़क कर का भुगतान करते हैं और वे शिक्षित भी हैं।

(*d*) उपर्युक्त सभी कथन सही हैं।

16. इस आकृति के अनुसार हम यह कह सकते हैं कि :

(*a*) पुलिस के सिपाही सड़क कर का भुगतान नहीं करते हैं।

(*b*) दुकानदार सड़क कर का भुगतान नहीं करते हैं।

(*c*) कुछ दुकानदार शिक्षित हैं।

(*d*) पुलिस के कुछ सिपाही दुकानदार हैं।

व्याख्यात्मक उत्तरमाला

1. (b) :

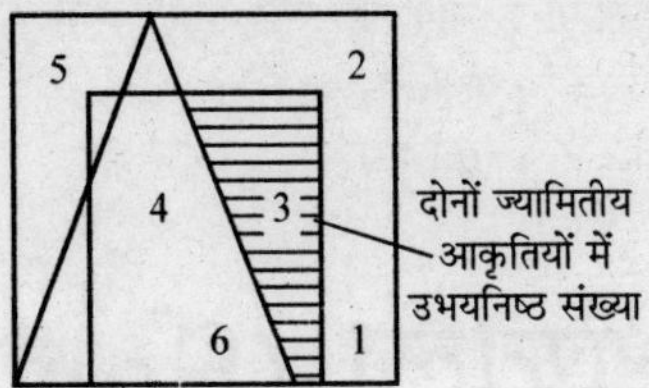

टिप्पणी : 4 और 6 की संख्याएं सभी तीनों ज्यामितीय आकृतियों में सर्वनिष्ठ हैं।

2. (c), 3. (c) :

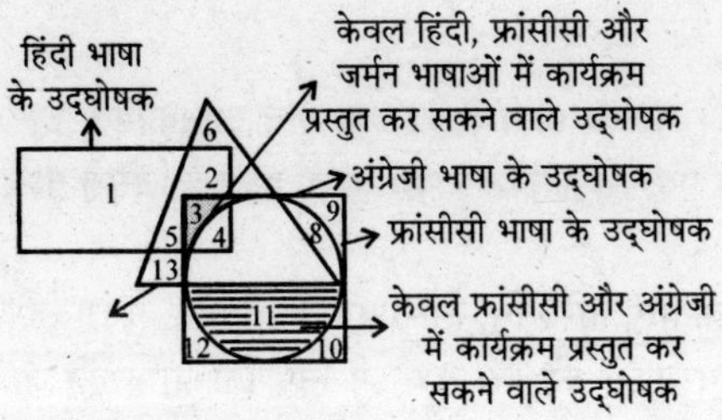

4. (d), 5. (a) :

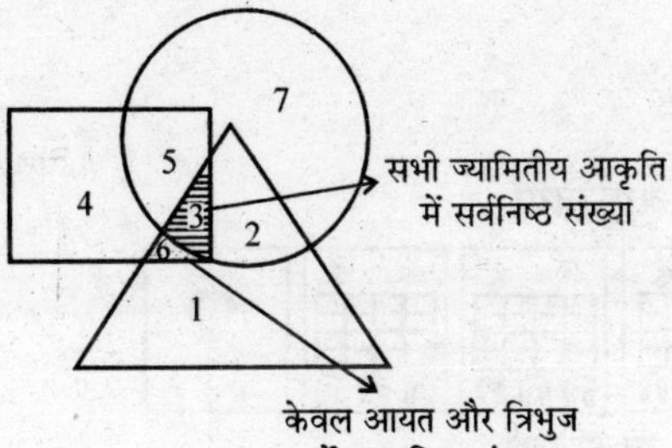

6. (c), 7. (b), 8. (d), 9. (a) :

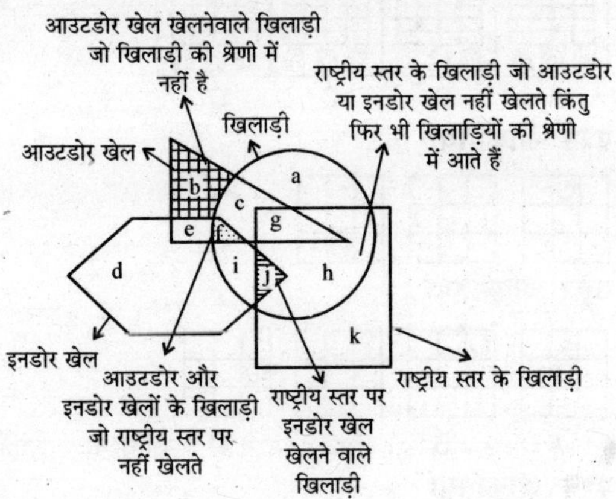

10. (d), 11. (b), 12. (b), 13. (b) :

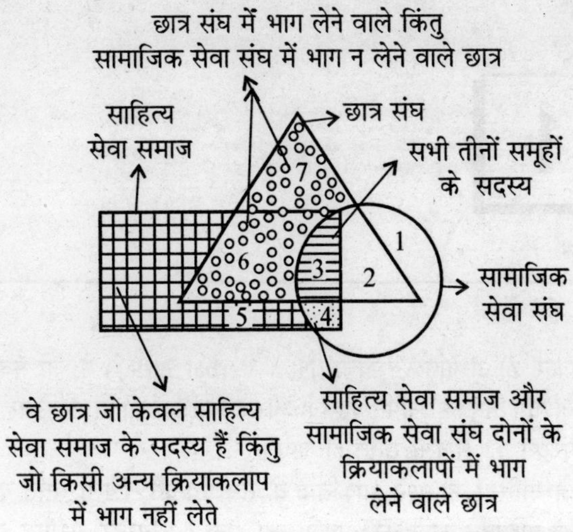

14. (b), 15. (d), 16. (c)

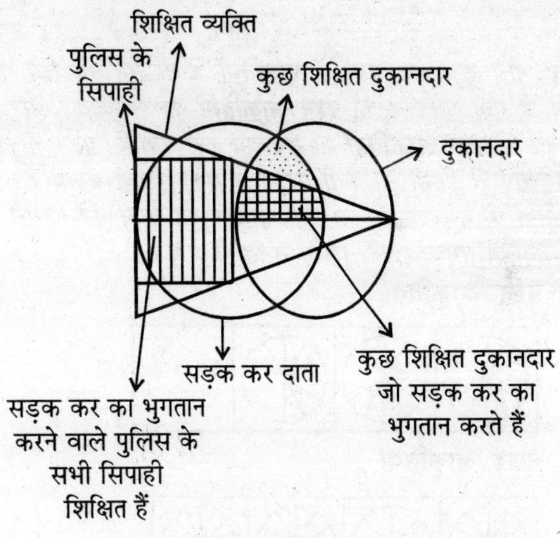

टिप्पणी : पुलिस के सिपाही और दुकानदार एक-दूसरे से पूर्णतः अलग हैं। उपर्युक्त दोनों श्रेणियों में कुछ शिक्षित हैं और सड़क कर का भुगतान करते हैं। कुछ जो शिक्षित नहीं हैं वे भी सड़क कर का भुगतान करते हैं।

अभाषिक

1 श्रृंखला (Series)

इस प्रकार की अभाषिक श्रृंखला (Non-Verbal Series) में, जो सर्वाधिक सामान्य प्रकार की श्रृंखला होती है, चार या पांच आनुक्रमिक प्रश्न आकृतियां एक निश्चित अनुक्रम निर्मित करते हैं और अभ्यार्थियों को दी गई उत्तर आकृतियों के सेट से उस एक आकृति का चयन करना होता है जिससे प्रश्न आकृतियों के समुच्चय की श्रृंखला सतत हो जाए।

अभ्यार्थियों को प्रश्न आकृतियों के समुच्चय की श्रृंखला सतत बनाने के लिए विभिन्न क्रियाएं, परिवर्तन, विस्थापन, क्रमावर्तन, पुनरावर्तन और बहुत से अन्य परिवर्तन करने की आवश्यकता होती है। निरंतर अभ्यास द्वारा श्रृंखला विषयक समस्याओं को हल करने में निपुणता प्राप्त की जा सकती है।

प्रश्नमाला

निर्देशः *नीचे के प्रत्येक प्रश्न में आकृतियों के दो समुच्चय दिए गए हैं जिनमें से एक समुच्चय को* ***प्रश्न आकृतियों*** *का समुच्चय और दूसरे समुच्चय को* ***उत्तर आकृतियों*** *का समुच्चय कहा गया है। प्रश्न आकृतियों के समुच्चय से किसी न किसी प्रकार से एक श्रृंखला बनती है। उत्तर आकृतियों के समुच्चय से उस एक आकृति का चयन करें जिससे प्रश्न आकृतियों के समुच्चय की श्रृंखला संतत हो जाए।*

1. प्रश्न आकृतियां

उत्तर आकृतियां

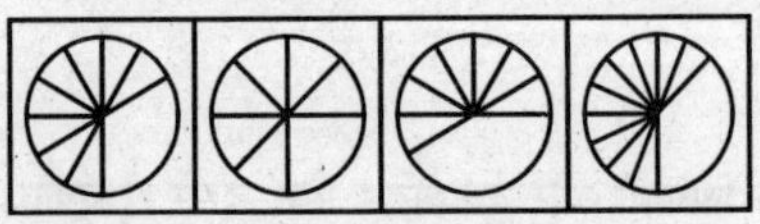

A B C D

2. प्रश्न आकृतियां

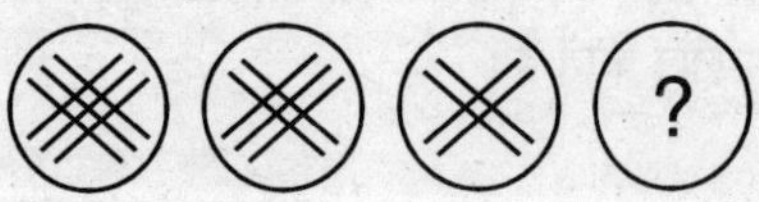

उत्तर आकृतियां

A B C D

3. प्रश्न आकृतियां

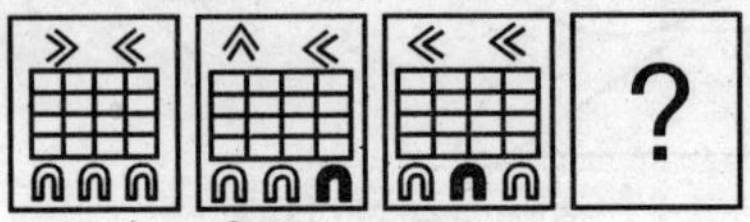

उत्तर आकृतियां

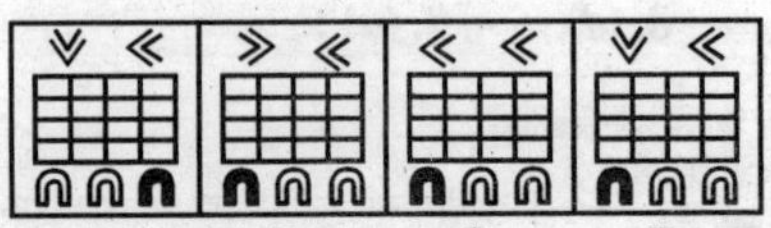

A B C D

4. प्रश्न आकृतियां

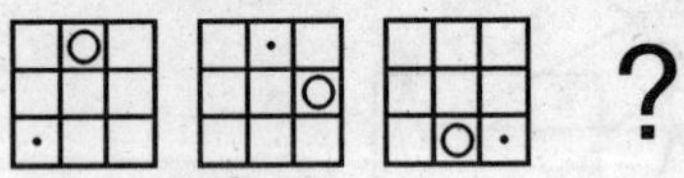

उत्तर आकृतियां

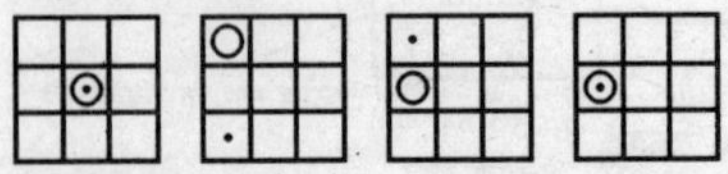

A B C D

5. प्रश्न आकृतियां

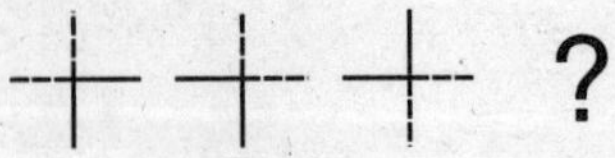

उत्तर आकृतियां

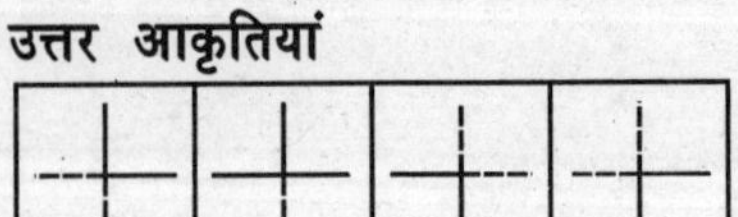

A B C D

6. प्रश्न आकृतियां

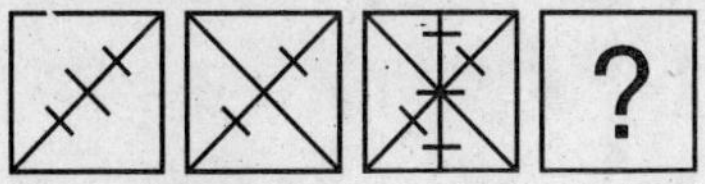

उत्तर आकृतियां

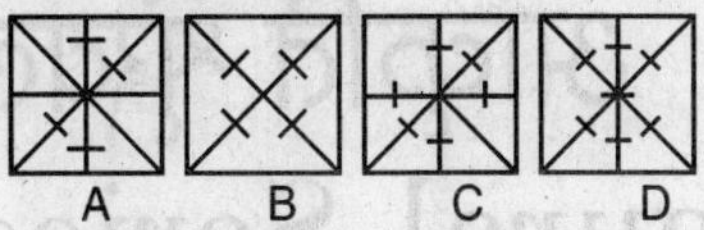

7. प्रश्न आकृतियां

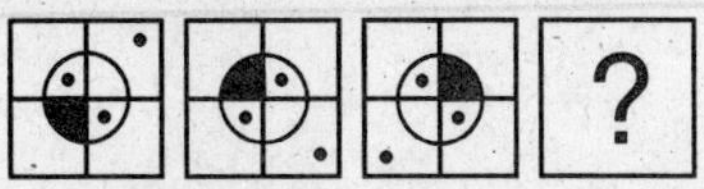

उत्तर आकृतियां

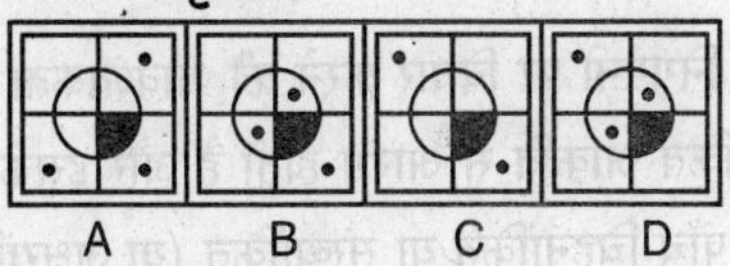

8. प्रश्न आकृतियां

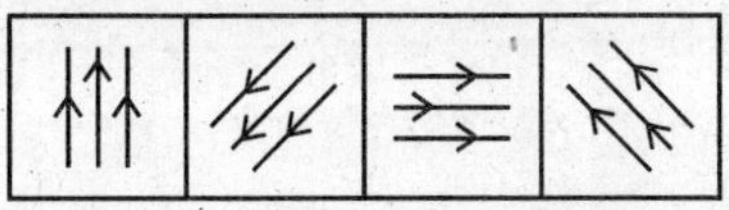

उत्तर आकृतियां

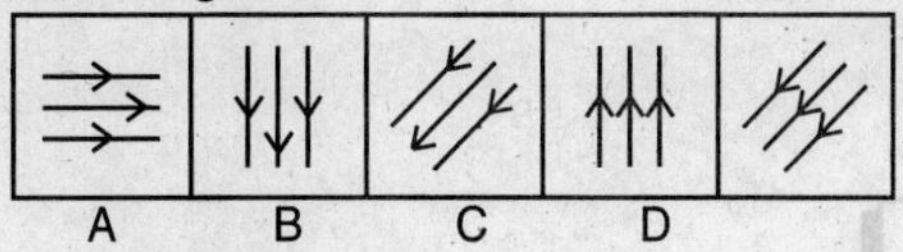

9. प्रश्न आकृतियां

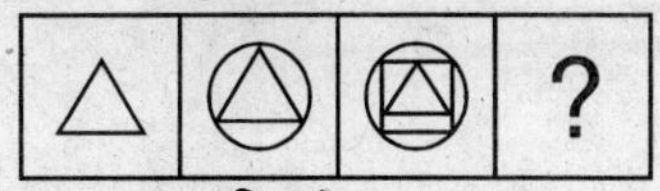

उत्तर आकृतियां

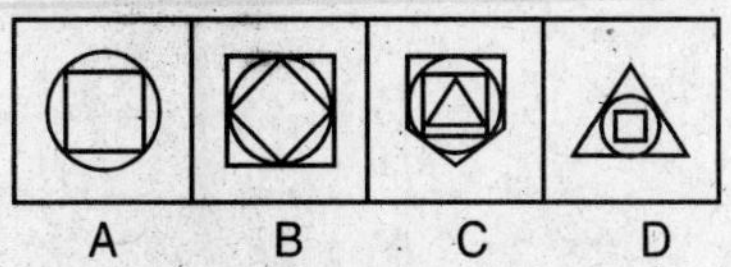

10. प्रश्न आकृतियां

उत्तर आकृतियां

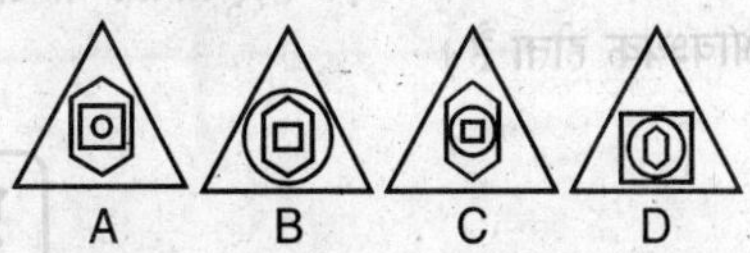

व्याख्यात्मक उत्तरमाला

1. C : एक आकृति से दूसरी आकृति में वृत्त क्रमशः दक्षिणावर्त 30° के कोण से घूम जाता है और प्रत्येक चरण में वृत्त के भीतर स्थित एक त्रिज्यीय रेखाखण्ड लुप्त होता जाता है।

2. D : तिरछे या विकर्णी रेखाखण्ड एक-एक करके एक निश्चित क्रम मे लुप्त होते जाते हैं।

3. D : पहली आकृति में ऊपर बाएं स्थित ≫ अवयव क्रमशः अगली आकृति में वामावर्त 90° के कोण से घूम जाता है। आकृति में नीचे स्थित तीन अवयवों में से दाहिने ओर का एक अवयव दूसरी आकृति में छायांकित हो जाता है तथा उसके बाद की आकृति में इन तीनों में से दाहिने से बाएं के क्रम में केवल एक अवयव ही छायांकित होता जाता है।

4. D : वृत्त (गोल घेरा) और बिंदु अगली आकृति में दक्षिणावर्त क्रमशः दो और तीन खंड आगे खिसक जाते हैं।

5. A : प्रत्येक चरण में क्रॉस का चिह्न दक्षिणावर्त 90° के कोण से घूम जाता है।

6. A : पहली आकृति में विकर्ण पर-बीच में स्थित रेखाखण्ड दूसरी आकृति में आगे बढ़कर वर्ग के सम्मुख कोनों को स्पर्श करता है। अगली आकृति में तीन रेखाखण्डों से युक्त एक नई रेखा जुड़ जाती है। श्रृंखला में निंरतरता स्थापित करने के लिए मध्यस्थ रेखाखण्ड को आगे बढ़ाकर वर्ग की भुजाओं से स्पर्श कराया जाना चाहिए।

7. B : प्रत्येक चरण पर संपूर्ण आकृति दक्षिणावर्त 90° के कोण से घूम जाती है।

8. B : एकांतर आकृतियों में तीर दक्षिणावर्त 90° के कोण से घूम जाते हैं और तीर के चिह्नों (वाणमुखों) की संस्थिति सामने से पीछे और पीछे से सामने होती जाती है।

9. C : प्रत्येक चरण पर पूर्ववर्ती आकृति-समुच्चयं में एक नई आकृति जुड़ती जाती है।

10. A : पहली आकृति में सबसे बाहरी संरचना अगली आकृति में सबसे भीतर चली जाती है।

2 आकृति शृंखला (Figural Series)

इस प्रकार की शृंखला में दी गई शृंखला के पैटर्न को समझने के लिए एक से अधिक पहलुओं या तार्किक निगमनों पर विचार करने की आवश्यकता होती है। पहले चर्चा की जा चुकी शृंखलाओं से विपरीत इस प्रकार की शृंखला सबसे बाईं ओर एक अचिह्नांकित आकृति से आरंभ होती है और इसके अंत में भी सबसे दाहिनी ओर एक अचिह्नांकित आकृति होती है। इन अचिह्नांकित दो आकृतियों के बीच में पाँच चिह्नांकित या संख्यांकित (या अक्षरांकित) आकृतियां होती हैं। इनमें से एक और केवल एक चिह्नांकित या अक्षरांकित आकृति ऐसी होती है जो शृंखला के पैटर्न के अनुकूल नहीं होती और जिसे उपयुक्त विन्यास देना आवश्यक होता है।

प्रश्नमाला

निर्देशः *नीचे के प्रत्येक प्रश्न में एक शृंखला दी गई है जो सबसे बाईं ओर एक अचिह्नांकित आकृति से आरंभ होती है। शृंखला की पाँच अक्षरांकित आकृतियों में से एक और केवल एक आकृति शृंखला में उपयुक्त आकृति नहीं है। शृंखला की सबसे बाईं ओर और सबसे दाईं ओर दी गई अचिह्नांकित आकृतियाँ शृंखला में उपयुक्त बैठती हैं। शृंखला की आकृतियों के संबंध में आप चाहें जितने संभावित पहलुओं पर विचार करें और दी गई पाँच अक्षरांकित आकृतियों में से उस आकृति को ज्ञात करें जो शृंखला में उपयुक्त आकृति नहीं है। उस आकृति को इंगित करने वाला अक्षर ही आपका उत्तर है।*

1.

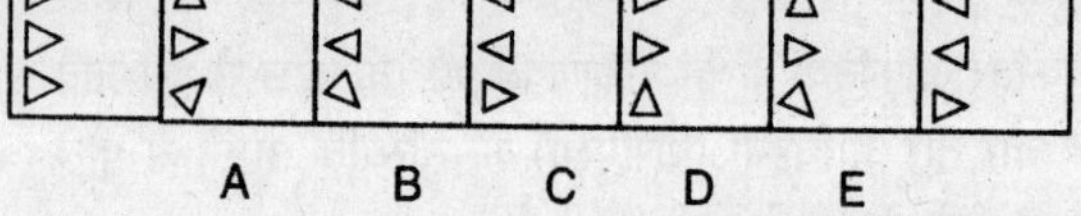

A B C D E

2.

A B C D E

3.

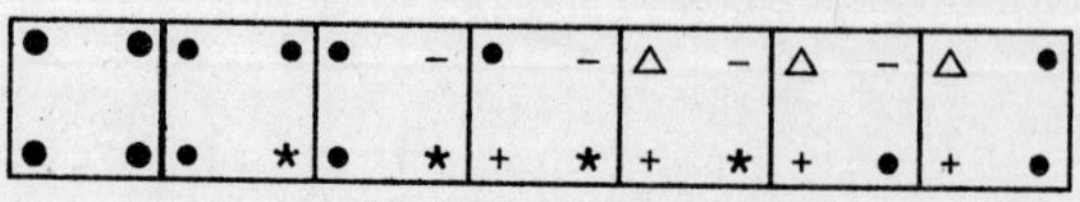

A B C D E

4.

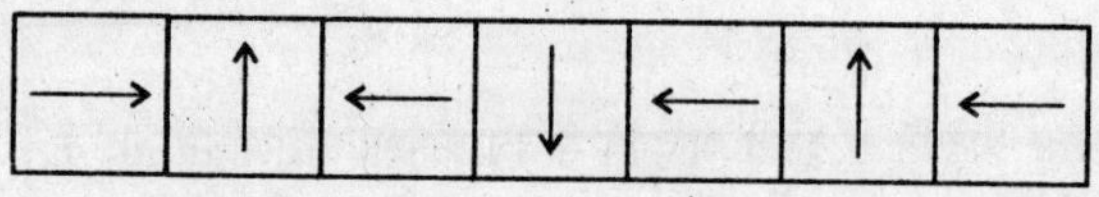

A B C D E

5.

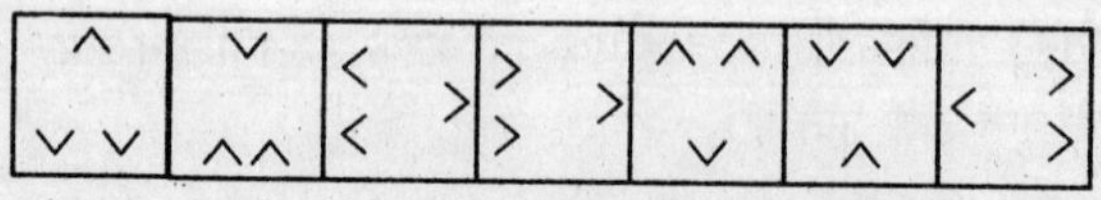

A B C D E

6.

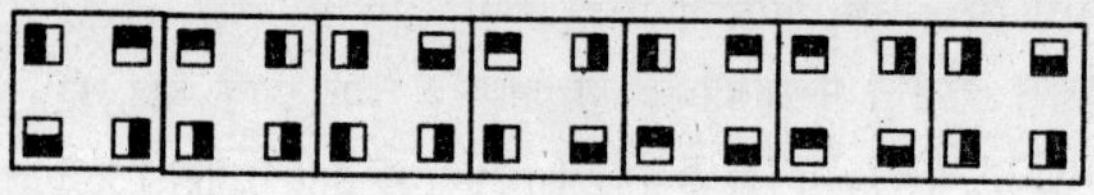

A B C D E

7.

A B C D E

8.

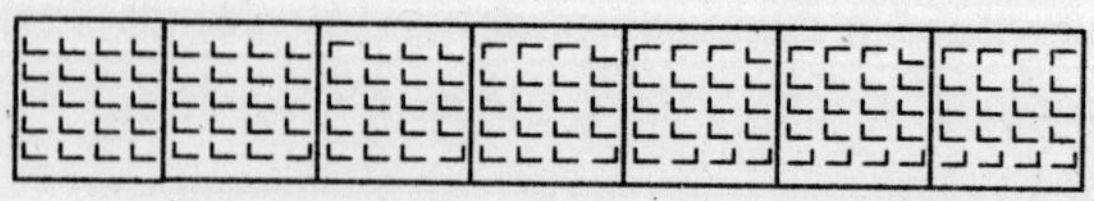

A B C D E

9.

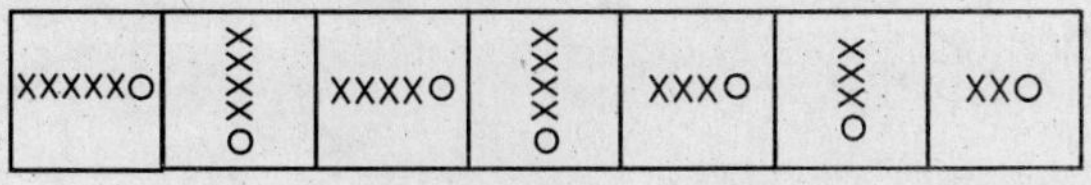

A B C D E

10.

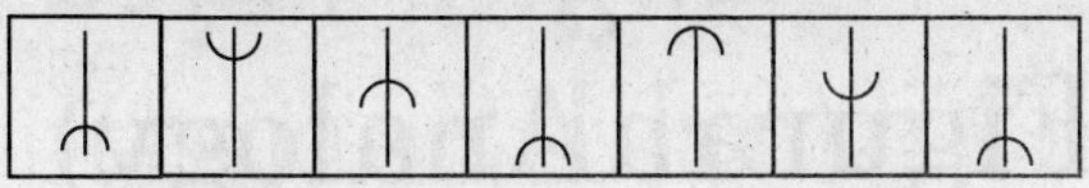

A B C D E

11.

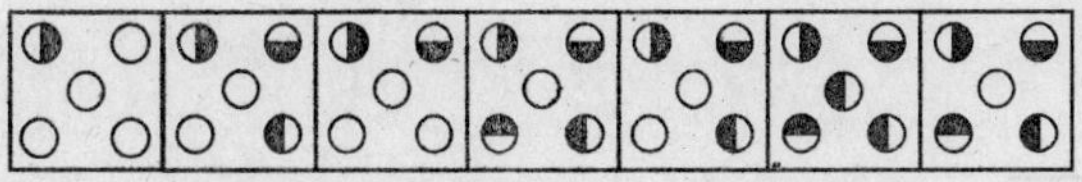

A B C D E

12.

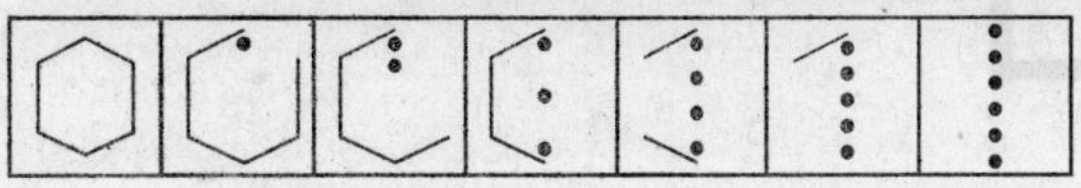

A B C D E

व्याख्यात्मक उत्तरमाला

1. D : A और B आकृतियों में सबसे ऊपरी अवयव वामावर्त 90° के कोण से घूम जाता है, C आकृति में नहीं घूमता और D आकृति में पार्श्वतः उत्क्रमित हो जाता है और तत्पश्चात् इसी प्रक्रिया की पुनरावृत्ति होती है। बीच का त्रिभुज एकांतर आकृतियों में पार्श्वतः उत्क्रमित होता है। सबसे नीचे स्थित त्रिभुज पहले वामावर्त 45° के कोण से घूमता है और तत्पश्चात् दक्षिणावर्त 90° के कोण से घूमता है और तब C आकृति में अपनी मूल स्थिति में आ जाता है। D आकृति में इसे 90° के बजाय वामावर्त 45° के कोण से घूमना चाहिए ताकि यह दोहराई जा रही प्रक्रिया के अनुरूप हो सके।

2. C : एकांतर आकृतियों में रेखाओं की संख्या में एक की वृद्धि होती है जबकि रेखाओं की तिर्यकता की दिशा प्रत्येक चरण पर परिवर्तित होती है। आकृति 'C' में दो तिर्यक रेखाएं होनी चाहिए।

3. C : आकृति 'D' तक बिंदुओं का वामावर्त एक-एक करके लोप होता है और उनके स्थान पर एक नया अवयव प्रतिस्थापित होता है किंतु आकृति 'C' दी गई शृंखला में उपयुक्त नहीं बैठती। आकृति 'E' से बिंदु पुनः प्रकट होने लगते हैं।

4. D : केवल आकृति 'D' को छोड़कर तीर प्रत्येक चरण पर वामावर्त 90° के कोण से घूम जाता है।

5. C : अवयव एकांतर आकृतियों में दक्षिणावर्त 90° के कोण से घूमते हैं। आकृति 'C' में सभी अवयव एक ही दिशा में हैं।

6. A : ऊपरी बाएं वर्ग में छायांकित भाग आकृति 'B' तक प्रत्येक अगली आकृति में एक चरण दक्षिणावर्त खिसकता है और तब छायांकित भाग आकृति D तक पहले की विपरीत दिशा में एक चरण वामावर्त खिसकता है तथा तत्पश्चात् प्रक्रिया की पुनरावृत्ति होती है। ऊपर दाएँ वर्ग में छायांकित भाग आकृति D तक एक चरण वामावर्त खिसकता है और तब विपरीत दिशा में अर्थात् दक्षिणावर्त खिसकता है। नीचे बाईं ओर के वर्ग में छायांकित भाग एकांतर आकृतियों में एक चरण दक्षिणावर्त खिसकता है और नीचे दाईं ओर के वर्ग में छायांकित भाग दो आकृतियों के बाद एक चरण दक्षिणावर्त खिसकता है। आकृति 'A' में नीचे बाईं ओर के वर्ग में छायांकित भाग द्वारा उक्त नियम का पालन नहीं किया जाता, अतः यही उत्तर आकृति है।

7. E : सबसे बाईं ओर का अवयव त्रिभुज युक्त रेखाखंड आकृति C तक प्रत्येक अगली आकृति में दाहिनी ओर एक चरण खिसकता है जहाँ यह सबसे दाहिनी ओर पहुँच जाता है। इसी प्रक्रिया की आकृति D से पुनरावृत्ति होती है जहाँ सबसे बाई ओर का अवयव एक छोटी रेखिका से युक्त रेखाखंड प्रत्येक अगली आकृति में दाहिनी ओर एक चरण खिसकना शुरू करता है। आकृति E में अवयवों की अवस्थिति शृंखला के नियम का पालन नहीं करती।

8. C : L अवयव नीचे के दाएँ कोने पर और ऊपरी बाएं कोने पर बारी-बारी से वामावर्त 90° और दक्षिणावर्त 90° के कोण से घूमता है। आकृति A से अंतिम अचिह्नित आकृति तक घूम गए कुल L अवयवों की संख्या 1, 1, 2, 2, 1, 1 होनी है। C आकृति में ऊपरी रेखा पर स्थित दो अवयव घूमते हैं जबकि इस शृंखला के पैटर्न के अनुसार नीचे की रेखा पर दो अवयव घूमने चाहिए।

9. A : जैसा कि आकृति B और C तथा आकृति D और E में है, उसी प्रकार शुरू की आकृति और आकृति A में भी क्रॉस चिह्नों की संख्या समान होनी चाहिए।

10. C : अर्धवृत्त रेखाखंड पर ऊपर-नीचे गति करता है और केवल आकृति C को छोड़कर प्रत्येक बार इसकी दिशा उलट जाती है।

11. E : एकांतर आकृतियों में दक्षिणावर्त एक नया वृत्त छायांकित हो जाता है तथा वृत के भीतर छायांकित भाग भी दक्षिणावर्त खिसकता है। आकृति E में बीच के वृत का दाहिना आधा भाग छायांकित होना चाहिए।

12. D : प्रत्येक अगली आकृति में पूर्ण षड्भुज को निर्मित करने वाले एक रेखाखंड का दक्षिणावर्त लोप होता जाता है और उसके स्थान पर एक बिंदु आता जाता है। आकृति D में रेखाखंड के लोप की निरंतरता भंग होती है।

3 आकृति सादृश्य (Figural Analogy)

सादृश्य दो एक जैसे या सदृश मामलों (आकृतियों) के विवेचन की एक प्रक्रिया है। इसका संबंध दो वस्तुओं के बीच किसी न किसी प्रकार से मेल या साम्य स्थापित करने से है। यह एक ऐसी प्रक्रिया है जिनके द्वारा दो आकृतियों, डिजाइनों या पैटर्नों के बीच अंतर्निहित संबंधों को निधारित किया जाता है। इस प्रक्रिया के अंतर्गत दो आकृतियों या डिजाइनों में उभयनिष्ठ विशेषताओं का पता लगाना होता है। यह उभयनिष्ठ विशेषता एक प्रतिमान या आधार होती है जिसके आलोक में इस प्रकार के प्रश्नों को हल किया जाता है।

प्रश्नमाला

***निर्देशः** प्रश्न आकृतियों में :: चिह्न के बाएं दी गई दो आकृतियों में से दूसरी आकृति का पहली आकृति के साथ एक विशेष संबंध है। :: चिह्न की दाईं ओर की दो आकृतियों के बीच भी ऐसा ही संबंध है। दिए गए विकल्पों से उस आकृति का चयन करें जिसे प्रश्न आकृतियों में प्रश्न चिह्न के स्थान पर रखा जा सकता है और जिसका :: चिह्न की दाईं ओर की पहली आकृति के साथ ठीक वैसा ही संबंध है जैसा कि :: चिह्न की बाईं ओर की दो आकृतियों के बीच है।*

1. प्रश्न आकृतियां

उत्तर आकृतियां

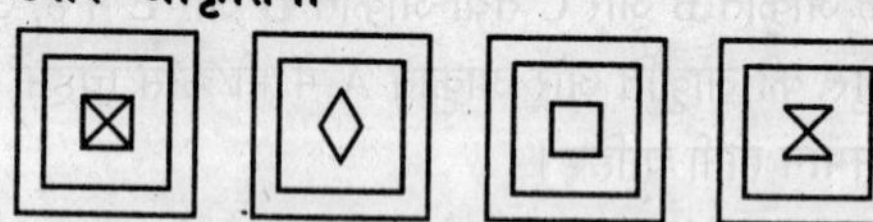

2. प्रश्न आकृतियां

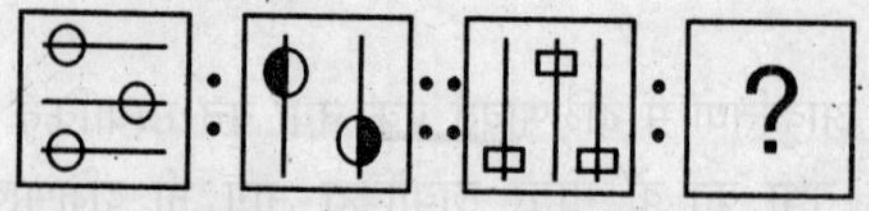

उत्तर आकृतियां

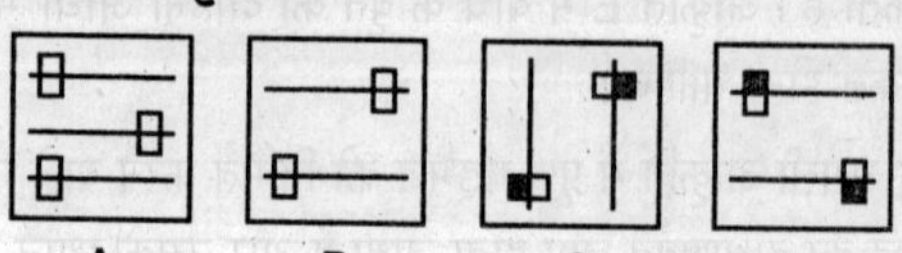

3. प्रश्न आकृतियां

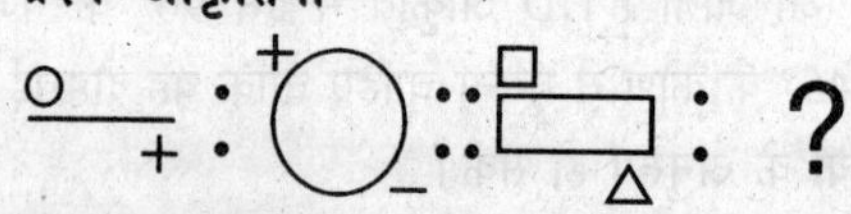

उत्तर आकृतियां

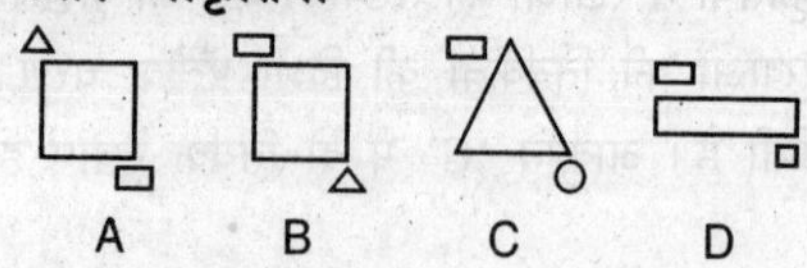

4. प्रश्न आकृतियां

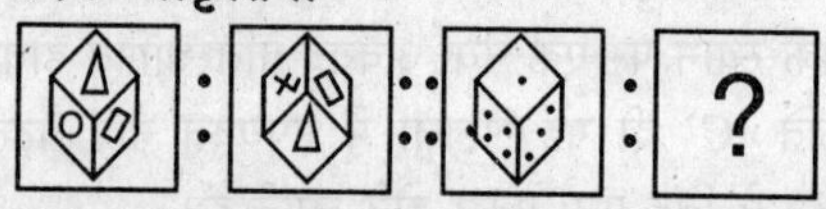

उत्तर आकृतियां

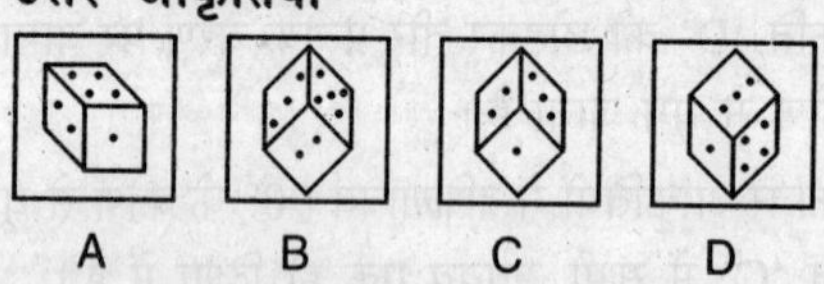

5. प्रश्न आकृतियां

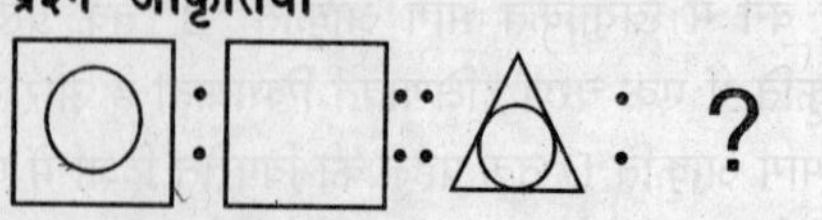

उत्तर आकृतियां

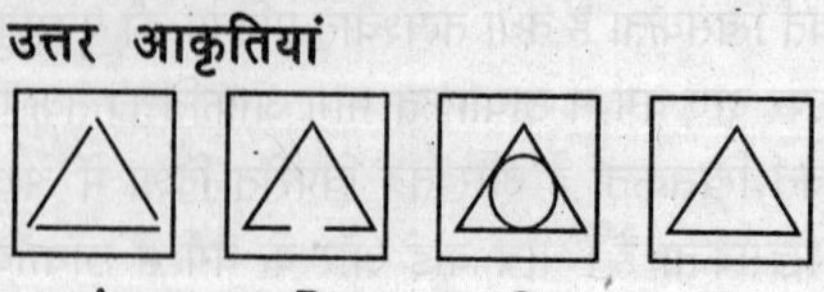

6. प्रश्न आकृतियां

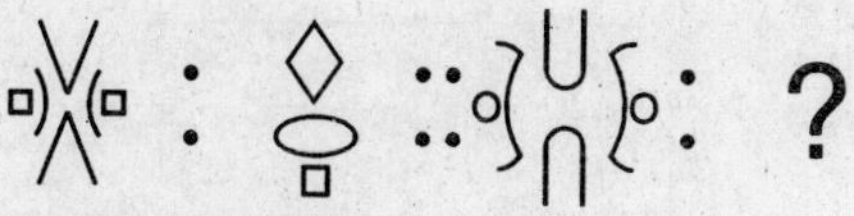

उत्तर आकृतियां

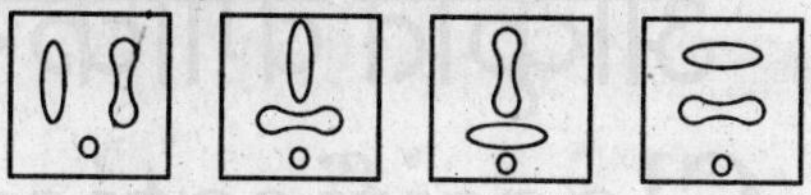

A B C D

7. प्रश्न आकृतियां

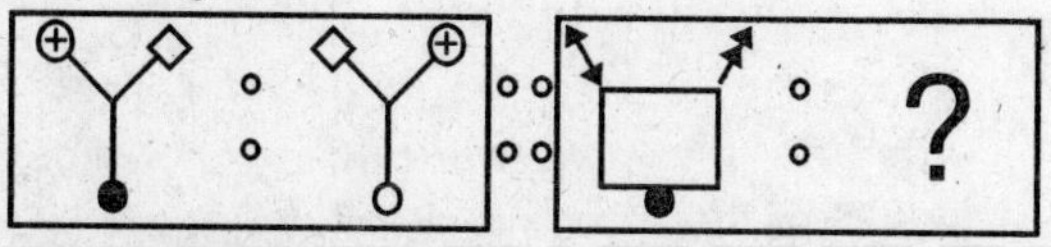

उत्तर आकृतियां

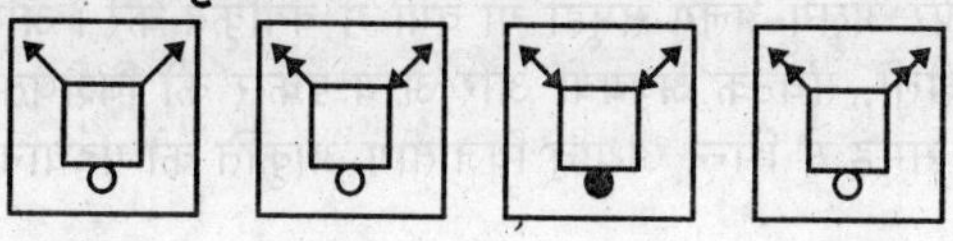

A B C D

8. प्रश्न आकृतियां

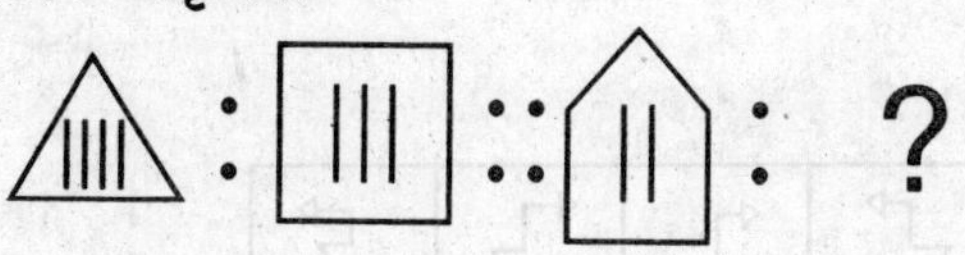

उत्तर आकृतियां

A B C D

9. प्रश्न आकृतियां

उत्तर आकृतियां

A B C D

10. प्रश्न आकृतियां

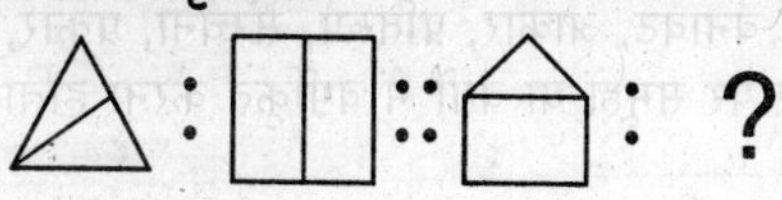

उत्तर आकृतियां

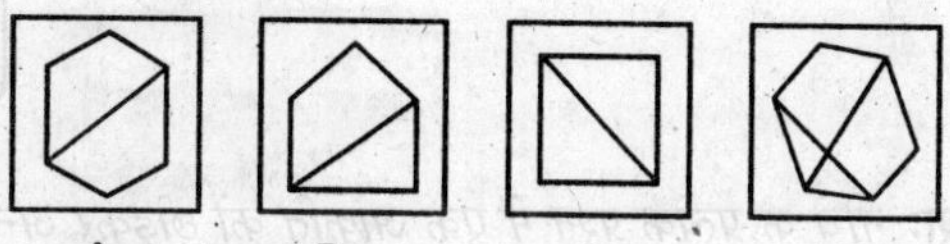

A B C D

व्याख्यात्मक उत्तरमाला

1. D : पहली आकृति का त्रिभुज दूसरी आकृति में बीच में आ जाता है। इसी प्रकार शीर्ष पर जुड़े दो त्रिभुज भी उत्तर आकृति में बीच में आ जाते हैं।

2. D : पहली आकृति का संपूर्ण डिजाइन दूसरी आकृति में दक्षिणावर्त 90° के कोण से घूम जाता है और उसका एक अवयव लुप्त हो जाता है तथा रेखिका से जुड़े अवयव के परस्पर-विपरीत दिशा वाले हिस्से छायांकित हो जाते हैं।

3. A : पहली आकृति से दूसरी आकृति में दाईं ओर नीचे का अवयव विकर्णतः सम्मुख कोने पर चला जाता है, बाईं ओर ऊपर का अवयव बड़ा हो जाता है और बीच में आ जाता है तथा बीच का अवयव छोटा होकर नीचे दाएँ कोने पर आ जाता है।

4. C : पहली आकृति से दूसरी आकृति में पाशे के फलक पर अंकित आकृति ऊपर से नीचे आ जाती है। दाहिनी ओर का डिजाइन अपरिवर्तित रहता है। जबकि बाईं ओर का डिजाइन बदल जाता है।

5. D : पहली आकृति में भीतर का अवयव दूसरी आकृति में लुप्त हो जाता है।

6. B : पहली आकृति के दो आधे अवयव दूसरी आकृति में ऊर्ध्वाधरतः पलट कर आपस में जुड़ जाते हैं और इस प्रकार निर्मित नया अवयव ऊपर शीर्ष पर पहुँच जाता है। पहली आकृति के दो क्षैतिजतः अवस्थित वक्र परस्पर जुड़कर एक नया अवयव निर्मित करते हैं और दूसरी आकृति में बीच में आ जाते हैं। पहली आकृति में दाएँ और बाएँ छोरों के दो सदृश अवयवों में से एक अवयव दूसरी आकृति में नीचे आ जाता है।

7. B : दूसरी आकृति में ऊपर के दो अवयव अपना स्थान बदलकर एक दूसरे के स्थान पर आ जाते हैं और वृत्त के भीतर का छायांकित भाग छायारहित हो जाता है।

8. A : पहली आकृति से दूसरी आकृति में एक ऊर्ध्वाधरतः रेखा कम हो जाती है और आकृति को निर्मित करने वाली रेखाओं की संख्या में एक की वृद्धि होती है।

9. A : पहली आकृति को वामावर्त 90° के कोण से घुमाने पर दूसरी आकृति प्राप्त होती है।

10. A : पहली आकृति से दूसरी आकृति में आकृति को निर्मित करने वाली रेखाओं की संख्या में एक की वृद्धि होती है।

4 आकृति वर्गीकरण (Figural Classification)

अभाषिक वर्गीकरण संबंधी तर्कबुद्धि परीक्षण विषयक प्रश्नों में आकृतियों का एक समूह दिया जाता है तथा अभ्यर्थियों से यह अपेक्षा की जाती है कि वे दी गई आकृतियों को उनके विशिष्ट गुणों या विशेषताओं के आधार पर अलग-अलग समूहों या वर्गों में वर्गीकृत करें। आकृतियों या मदों को उनकी बनावट, आकार, प्रतिरूप, संरचना, प्रकार, क्रम, रूप-रंग, कोटि, शैली, संघटक अवयवों और अन्य प्रकार की विशेषताओं में समानता के आधार पर समूहों या वर्गों में वर्गीकृत करना होता है और तत्पश्चात् उस समूह से भिन्न अर्थात् विजातीय आकृति की पहचान करनी होती है।

प्रश्नमाला

निर्देशः *नीचे के प्रत्येक प्रश्न में एक आकृति को छोड़कर अन्य सभी आकृतियाँ किसी-न-किसी रूप में आपस में संबंधित हैं और इस कारण वे एक समूह बनाती हैं। प्रत्येक प्रश्न में उस एक भिन्न आकृति का चयन करें जो अन्यों से संबंधित नहीं है अर्थात् जो भिन्न अथवा विजातीय है।*

1. 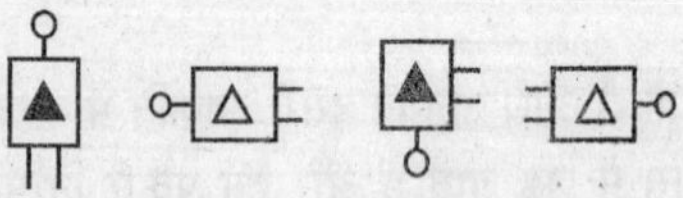

A B C D

2. 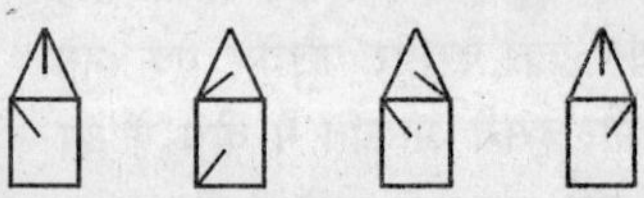

A B C D

3. 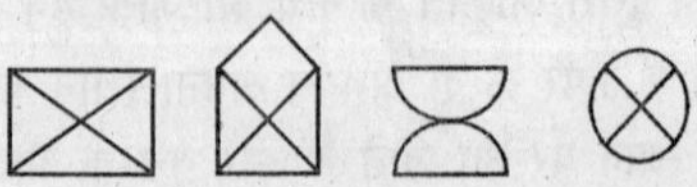

A B C D

4. 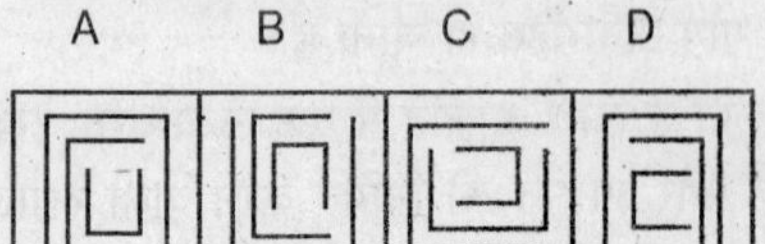

A B C D

5. 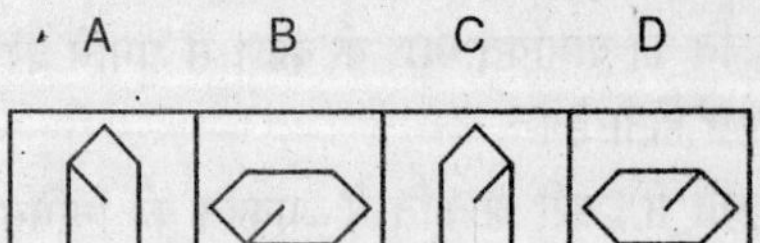

A B C D

6. 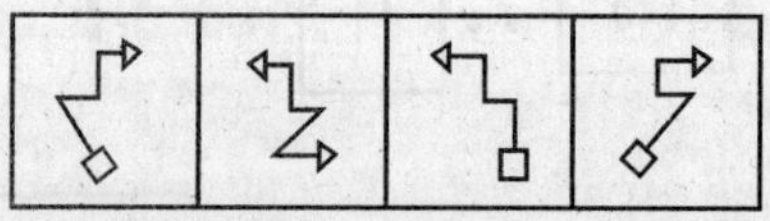

A B C D

7. 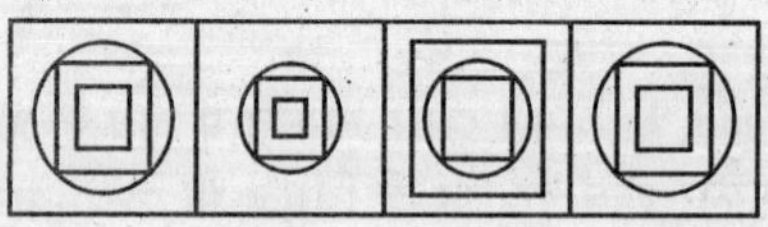

A B C D

8. 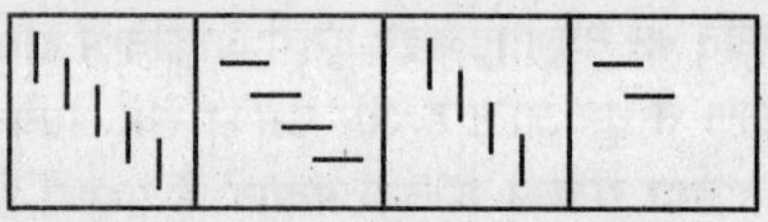

A B C D

9. 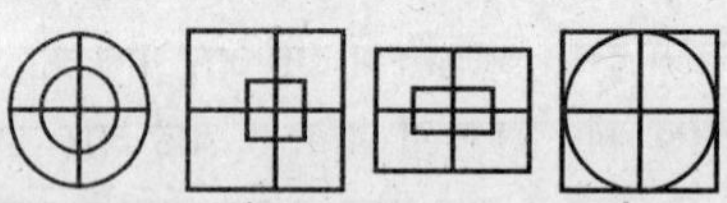

A B C D

10. 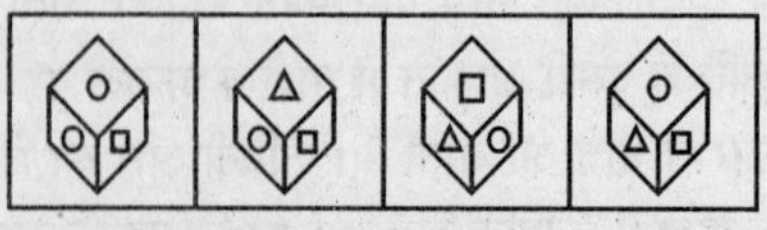

A B C D

11. 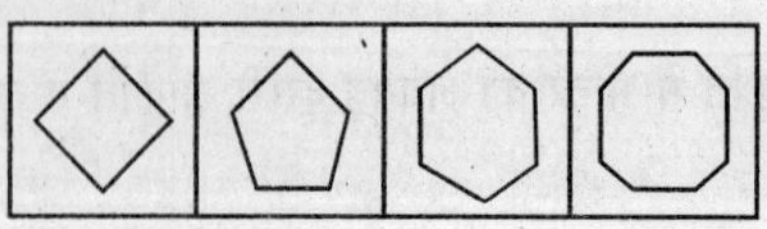

A B C D

12. 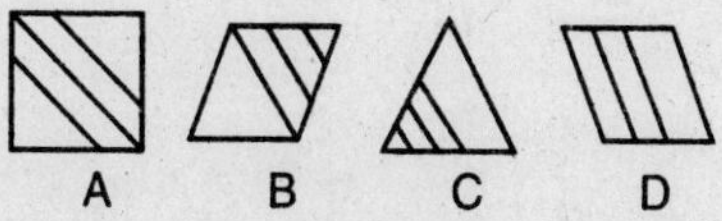

13. 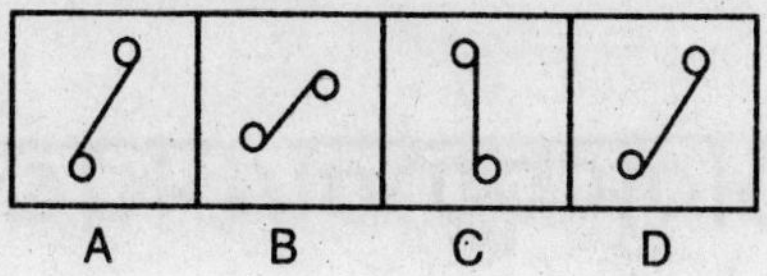

14. 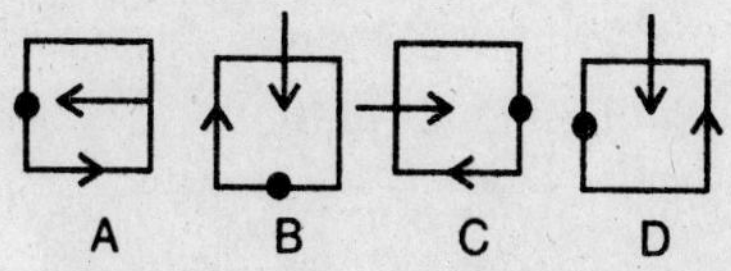

15. 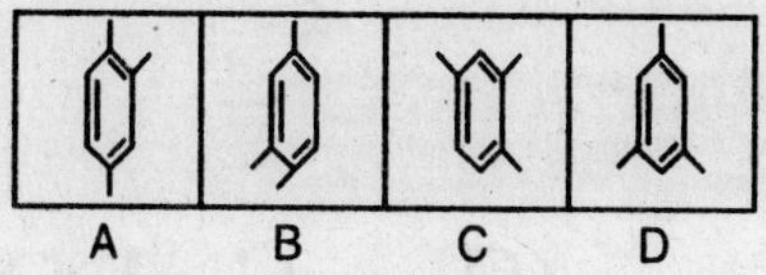

व्याख्यात्मक उत्तरमाला

1. C : अन्य सभी आकृतियों में वृत्त युक्त रेखा और दो रेखाखंड वर्ग की सम्मुख भुजाओं पर अवस्थित हैं।

2. C : शेष सभी आकृतियों में एक रेखा के सिरों से एक ही दिशा में दो रेखाखंड खींचे जाते हैं। इस आकृति 'C' में दो रेखाखंड दो विपरीत दिशाओं में खींचे जाते हैं।

3. C : शेष सभी आकृतियाँ चार भागों में विभक्त हैं।

4. D : केवल इसी आकृति में ही आकृति के मध्य में स्थित अवयव और दो अवयवों के बीच में स्थित अवयव परस्पर विपरीत दिशाओं में हैं।

5. C : शेष सभी आकृतियों को घुमाकर एक दूसरी आकृतियाँ प्राप्त की जा सकती हैं। इस आकृति में रेखाखंड गलत दिशा में है।

6. B : केवल इसी आकृति में मुड़ी हुई रेखाओं के सिरों पर सदृश अवयव हैं।

7. C : शेष सभी आकृतियों में बीच का और मध्यस्थ अवयव एक से हैं।

8. A : केवल इसी आकृति में रेखाखंडों की संख्या विषम है।

9. D : केवल इसी आकृति में दो अलग-अलग आकृतियाँ हैं जो दो समान भागों में विभाजित हैं।

10. A : केवल इसी आकृति में दो सदृश अवयव (वृत्त) निहित हैं।

11. B : केवल यही आकृति विषम संख्या में रेखाओं द्वारा निर्मित है।

12. D : अन्य सभी आकृतियाँ चार भागों में विभाजित हैं।

13. D : केवल इसी आकृति में वृत्त रेखा के एक ही ओर हैं।

14. A : केवल इसी आकृति में तीर वर्ग की भुजा को काट नहीं रहा है।

15. D : केवल इसी आकृति में डिजाइन के बाह्य और आंतरिक दोनों भागों में रेखाएं समान दूरी पर स्थित हैं।

5 स्थान अनुकूलन/अवबोध (Spatial Orientation/Visualization)

इस प्रकार के प्रश्नों में एक पूर्ण आकृति के कटे हुए टुकड़े दिए जाते हैं जिनके साथ वह पूर्ण आकृति भी दी जाती है अर्थात् वह आकृति भी दी जाती है जिससे विभिन्न टुकड़े काटे गए हैं। कटे हुए टुकड़ों को देखकर यह पता लगाना होता है कि दिए गए टुकड़ों को मिलाकर कौन-सी आकृति बनाई जा सकती है अर्थात् वह आकृति ज्ञात करनी होती हैं जिससे दिए गए टुकड़े काटे गए हैं। इस प्रकार के प्रश्नों को हल करने के लिए यह आवश्यक है कि अभ्यार्थी अपनी कल्पनाशक्ति और स्थान बोध का भरपूर प्रयोग करें। प्रश्नों को हल करने की संपूर्ण प्रक्रिया एक मानसिक प्रक्रिया होती है, अतः अभ्यर्थियों के लिए यह आवश्यक है कि वे विभिन्न स्थानिक पैटर्नों को अपनी कल्पना की आँखों से निर्धारित करने में विशिष्ट निपुणता का प्रयोग करें। ऐसी विशिष्ट निपुणता किसी भी व्यक्ति के लिए तत्काल विकसित कर पाना संभव नहीं है किंतु यदि निरंतर सजग रहकर अभ्यास किया जाए तो निःसंदेह इसे प्राप्त किया जा सकता है।

प्रश्नमाला

निर्देश (प्रश्न 1 - 14) *प्रत्येक प्रश्न में बताएं कि प्रश्न आकृतियों के रूप में कागज के दिए गए सभी टुकड़ों को मिलाकर कौन-सी एक आकृति बनाई जा सकती है?*

1. 

2. 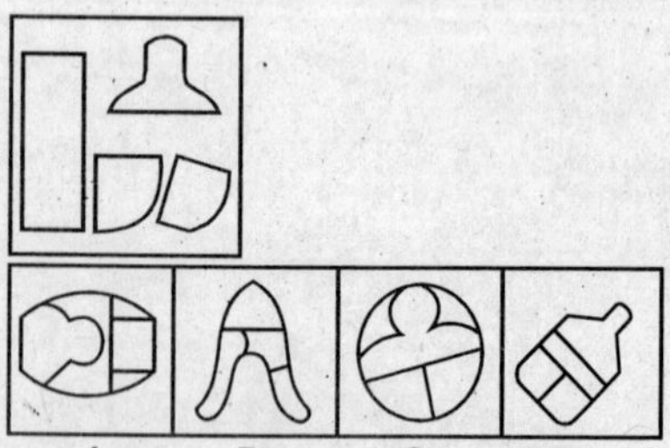

3. 

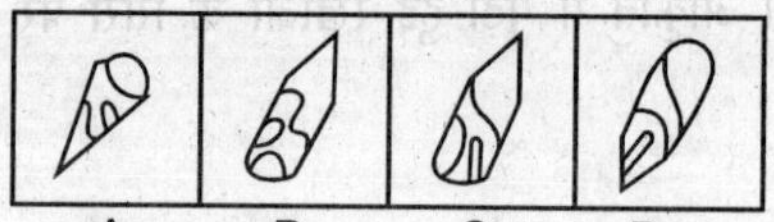

4. 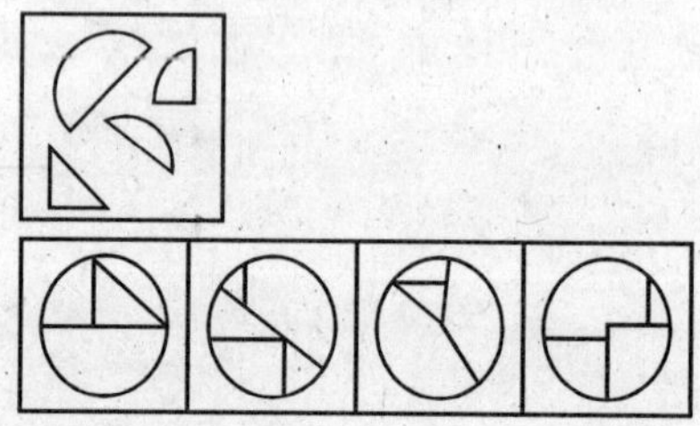

5. 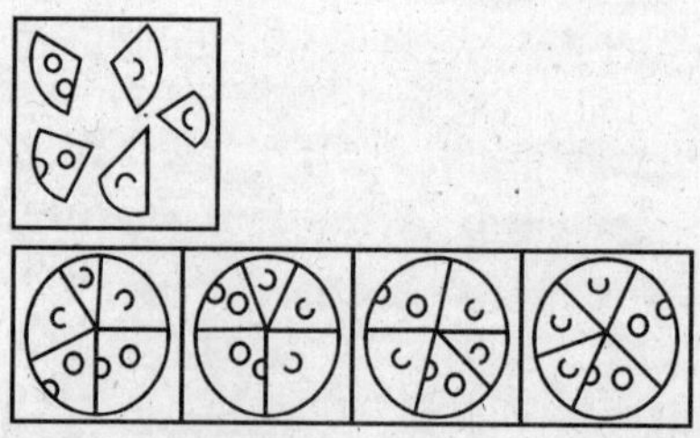

6. 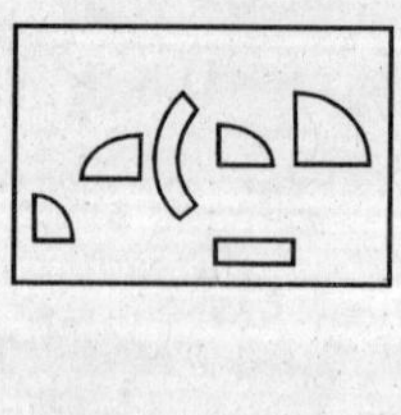

A B C D

7.

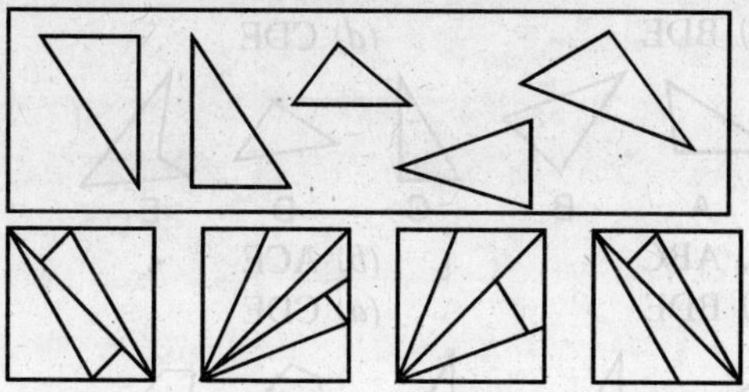

A B C D

8.

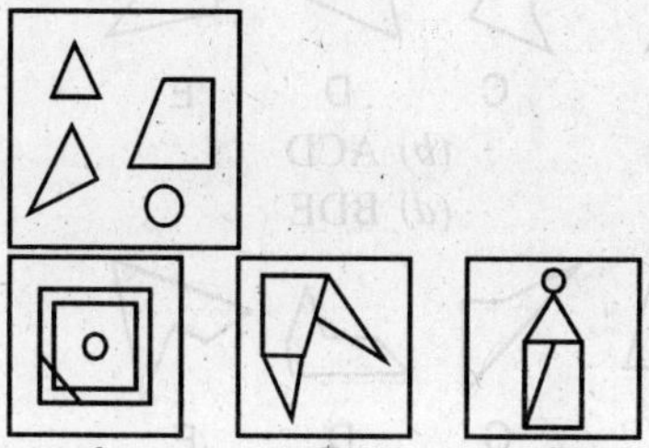

A B C D

9.

A B C D

10.

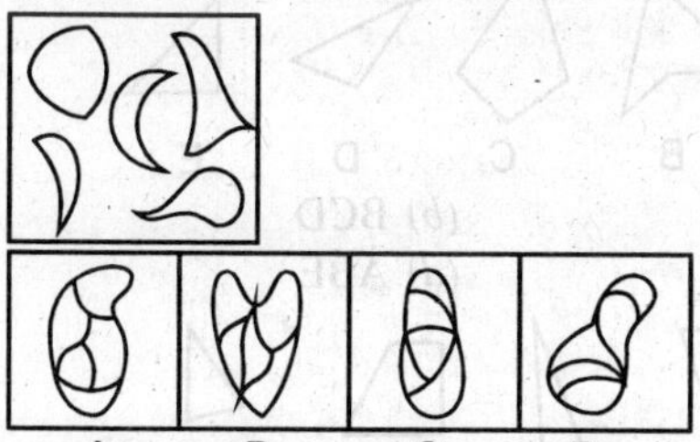

A B C D

11.

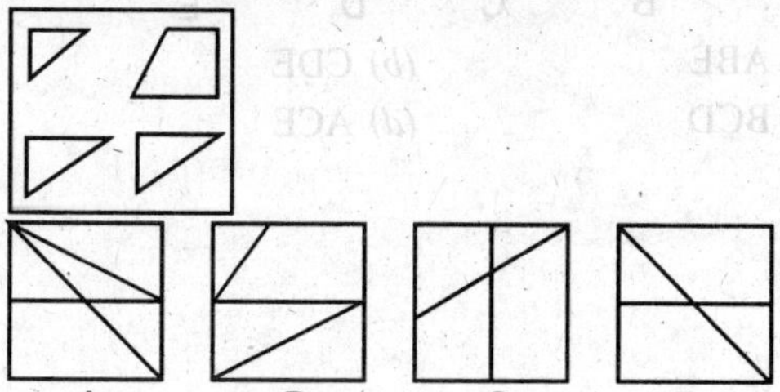

A B C D

12.

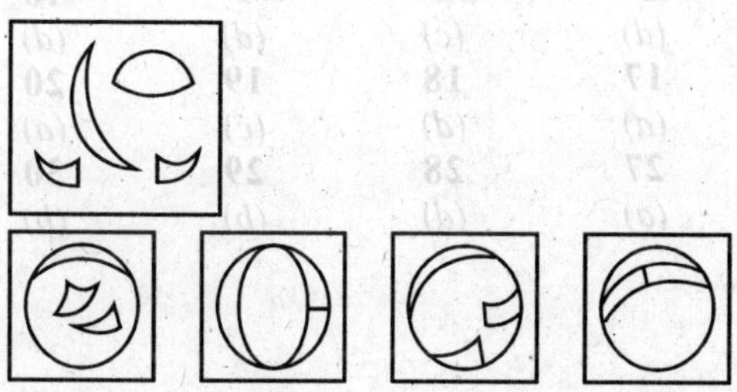

A B C D

13.

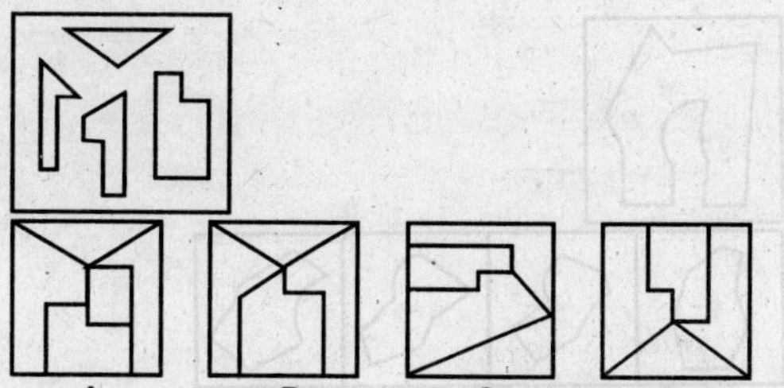

A B C D

14.

A B C D

निर्देश (प्रश्न 15 - 20) *नीचे के प्रत्येक प्रश्न में कागज के एक अनियमित टुकड़े को दो टुकडों में काटा गया है। जिनमें से एक टुकड़े को प्रश्न आकृति के रूप में दर्शाया गया है और उसके दूसरे लुप्त भाग को दी गई उत्तर आकृतियों में दर्शाया गया है। सभी उत्तर आकृतियों को ध्यान से देखें और दिए गए विकल्पों में से उस लुप्त भाग को ज्ञात करें:*

15.

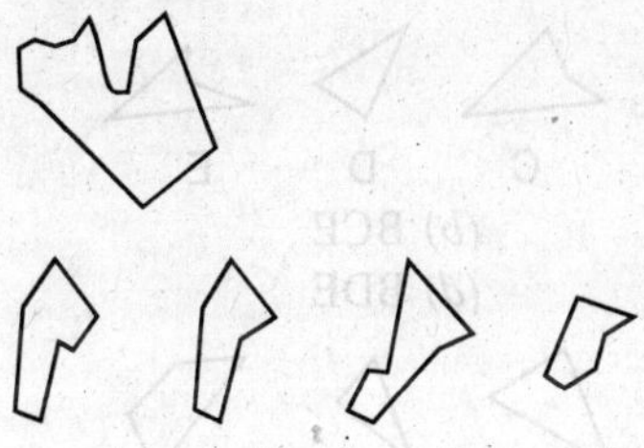

A B C D

16.

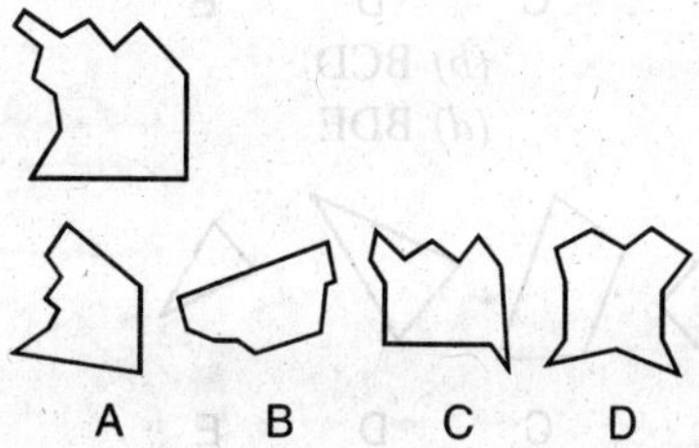

A B C D

17.

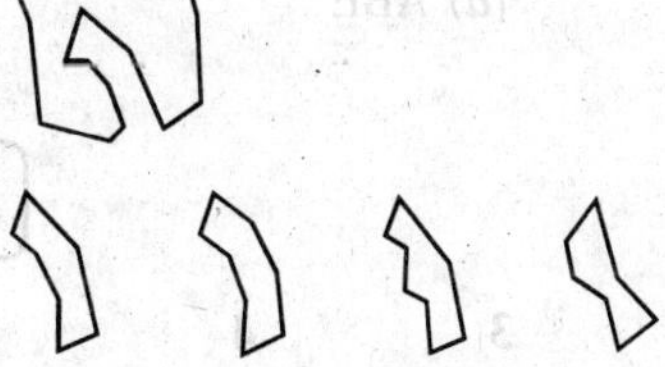

A B C D

18.

A B C D

19.

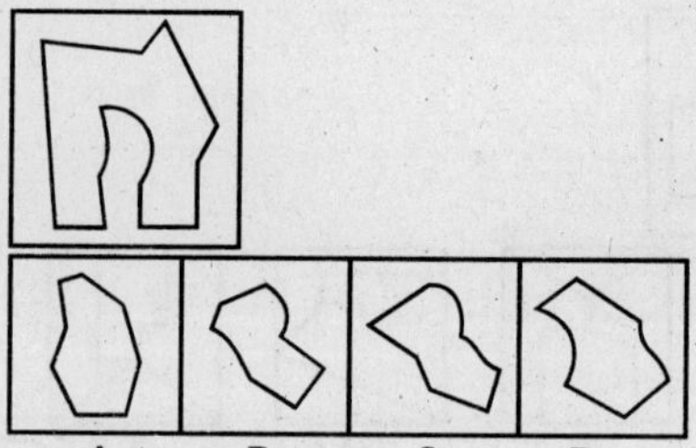

A B C D

20.

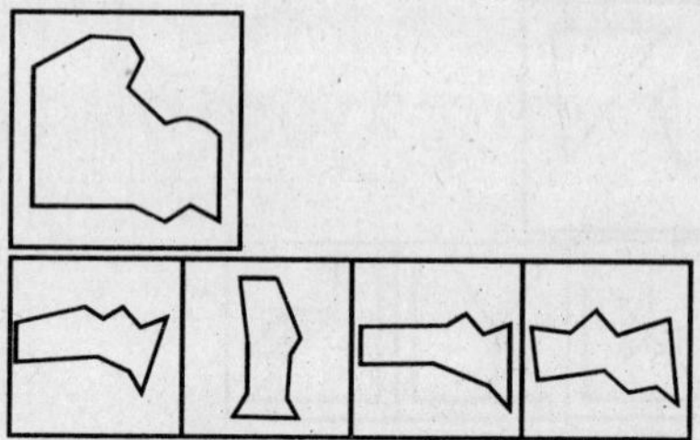

A B C D

निर्देश (प्रश्न 21-30): *नीचे के प्रत्येक प्रश्न में A से E के रूप में दर्शाए गए पाँच रेखा-चित्र दिए गए हैं। इन पाँचों रेखाचित्रों में से किन्हीं तीन को एक साथ रखने पर एक समबाहु त्रिभुज निर्मित होता हैं जिन्हें चार विकल्पों के रूप में दिया गया है। प्रत्येक प्रश्न में दिए गए विकल्पों से सही विकल्प का चयन करें।*

21.

A B C D E

(*a*) ABE (*b*) BCE
(*c*) ADE (*d*) BDE

22.

A B C D E

(*a*) ABC (*b*) BCD
(*c*) CDE (*d*) BDE

23.

A B C D E

(*a*) BCD (*b*) CDE
(*c*) ABD (*d*) ABE

24.

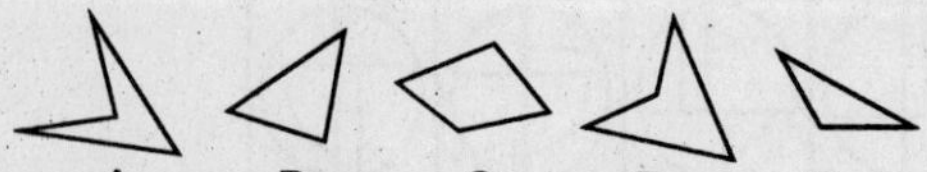

A B C D E

(*a*) ABD (*b*) ACD
(*c*) BDE (*d*) CDE

25.

A B C D E

(*a*) ABC (*b*) ACE
(*c*) BDE (*d*) CDE

26.

A B C D E

(*a*) BCD (*b*) ACD
(*c*) CDE (*d*) BDE

27.

A B C D E

(*a*) ACE (*b*) ABD
(*c*) BDE (*d*) CDE

28.

A B C D E

(*a*) ABC (*b*) ACE
(*c*) BCD (*d*) BDE

29.

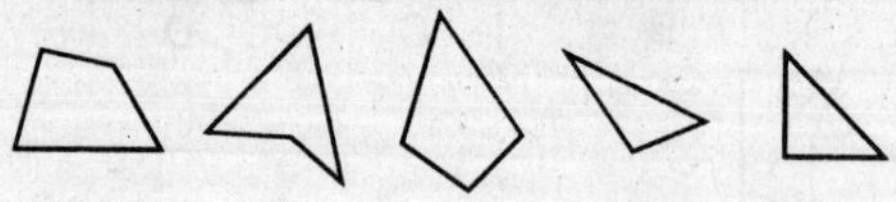

A B C D E

(*a*) ABC (*b*) BCD
(*c*) ABD (*d*) ABE

30.

A B C D E

(*a*) ABE (*b*) CDE
(*c*) BCD (*d*) ACE

उत्तरमाला

1	2	3	4	5	6	7	8	9	10
(*b*)	(*d*)	(*c*)	(*a*)	(*b*)	(*a*)	(*d*)	(*c*)	(*d*)	(*d*)
11	**12**	**13**	**14**	**15**	**16**	**17**	**18**	**19**	**20**
(*b*)	(*b*)	(*d*)	(*b*)	(*b*)	(*c*)	(*a*)	(*d*)	(*c*)	(*a*)
21	**22**	**23**	**24**	**25**	**26**	**27**	**28**	**29**	**30**
(*c*)	(*d*)	(*d*)	(*b*)	(*b*)	(*c*)	(*a*)	(*d*)	(*b*)	(*b*)

6 आकृति को पूरा करना या अपूर्ण प्रतिरूप

(Figural Pattern Folding and Completion)

इस प्रकार के प्रश्नों में दी गई आकृति का एक भाग लुप्त रहता है और इस अपूर्ण आकृति के बाद विकल्प आकृतियाँ दी जाती हैं जिनमें से एक आकृति दी गई प्रश्न आकृति को पूरा करती है। अभ्यर्थियों को दी गई प्रश्न आकृति के अन्य भागों को देखते हुए दिए हुए विकल्पों में से उसके लुप्त भाग को ढूंढना होता है। इस प्रकार के आकृति प्रतिरूपों में अभ्यर्थियों को दिए गए विकल्पों में से प्रतिसम आकृति को ढूँढ पाने में निपुण होना आवश्यक है।

प्रश्नमाला

निर्देशः *प्रत्येक प्रश्न में बताएं कि कौन-सी विकल्प आकृति दिए गए आकृति प्रतिरूप को पूरा करेगी।*

1. दी गई आकृति 

विकल्प आकृतियां

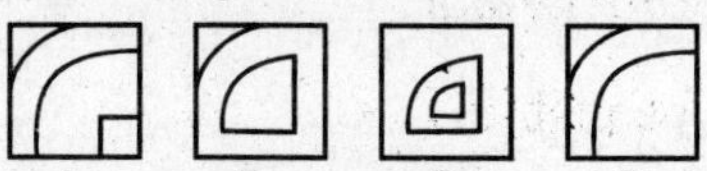

A B C D

2. दी गई आकृति 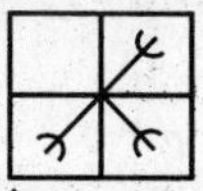

विकल्प आकृतियां

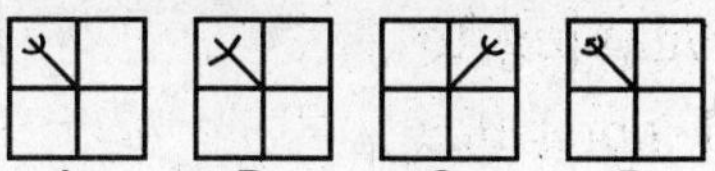

A B C D

3. दी गई आकृति 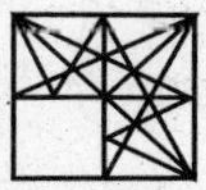

विकल्प आकृतियां

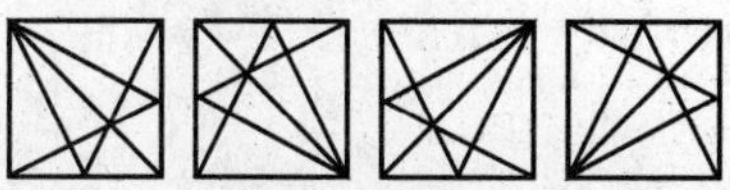

A B C D

4. दी गई आकृति 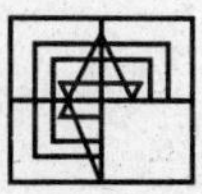

विकल्प आकृतियां

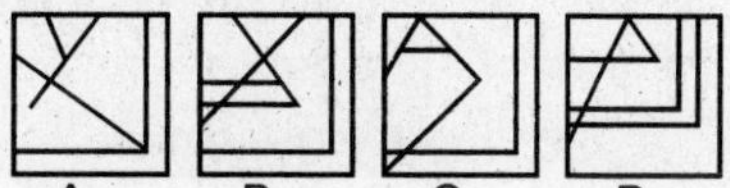

A B C D

5. दी गई आकृति 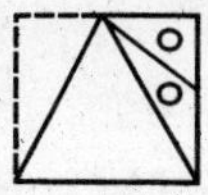

विकल्प आकृतियां

A B C D

6. दी गई आकृति 

विकल्प आकृतियां

A B C D

7. दी गई आकृति 

विकल्प आकृतियां

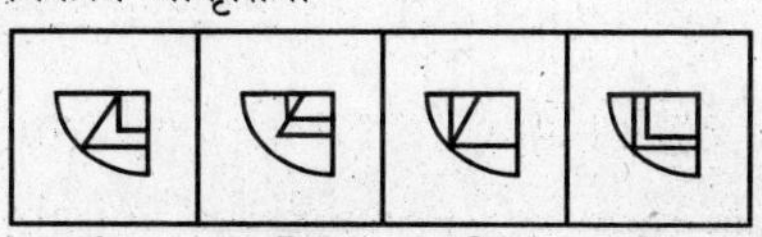

A B C D

8. दी गई आकृति 

विकल्प आकृतियां

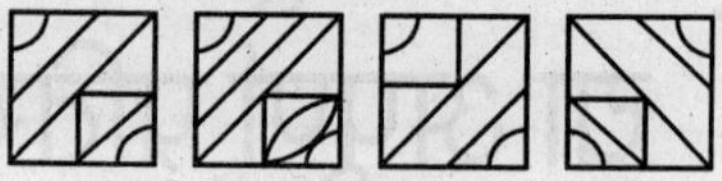

A B C D

9. दी गई आकृति 

विकल्प आकृतियां

A B C D

10. दी गई आकृति 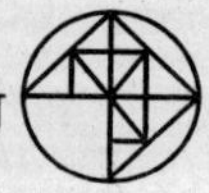

विकल्प आकृतियां

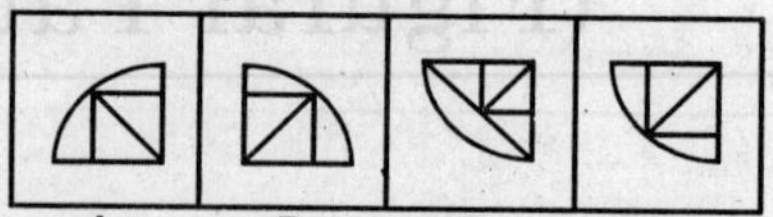

A B C D

व्याख्यात्मक उत्तरमाला

सभी पूर्ण आकृतियाँ निम्नवत् दिखाई देंगी:

1. B : 

2. A : 

3. D : 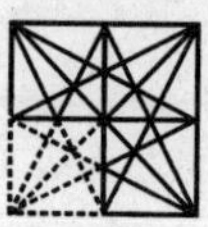

4. D : 

5. A : 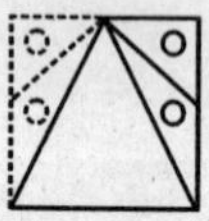

6. A : 

7. B : 

8. C : 

9. B : 

10. C : 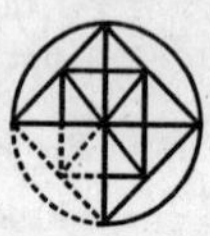

7 समामिश्रित आकृति (Embeded Figure)

इस प्रकार के प्रश्नों में ऊपर एक प्रश्न आकृति दी जाती है जिसके बाद विकल्प आकृतियाँ दी जाती हैं। दी गई प्रश्न आकृति दी गई विकल्प आकृतियों में से किसी एक में निहित होती है। वह प्रश्न आकृति जिस उत्तर आकृति में निहित होती है उसे ढूँढ़ना होता है। इस प्रकार के प्रश्नों को हल करने के लिए अभ्यर्थियों के लिए अपनी मानसिक निपुणता और कल्पनाशक्ति तथा तीक्ष्ण विश्लेषणात्मक क्षमता का प्रयोग करना अत्यधिक आवश्यक है और इस प्रकार वे ऐसे प्रश्नों को काफी सरलतापूर्वक हल कर सकेंगे।

प्रश्नमाला

निर्देश (प्रश्न 1 से 10): *नीचे के प्रत्येक प्रश्न में ऊपर एक आकृति दी गई है जिसके नीचे चार विकल्प आकृतियाँ दी गई हैं। प्रत्येक प्रश्न में ऊपर दी गई आकृति नीचे दी गई विकल्प आकृतियों में से किसी एक में निहित है। उस विकल्प आकृति को ढूँढ़िए जिसमें प्रश्न आकृति (मूल आकृति) छिपी है।*

1. 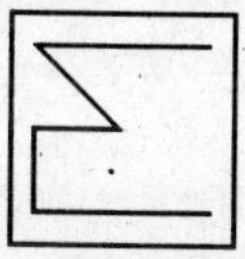

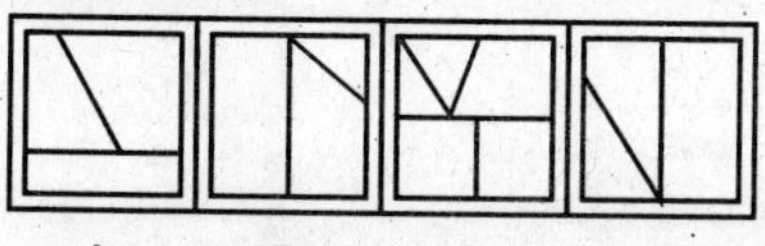

A B C D

2. 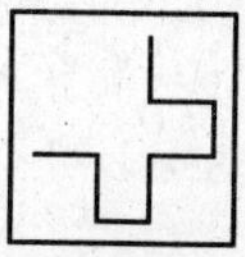

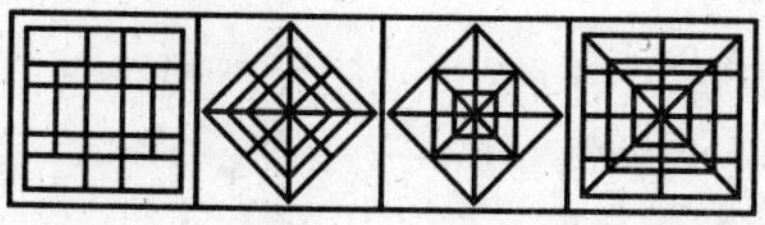

A B C D

3. 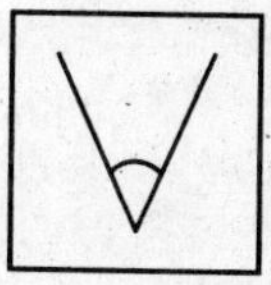

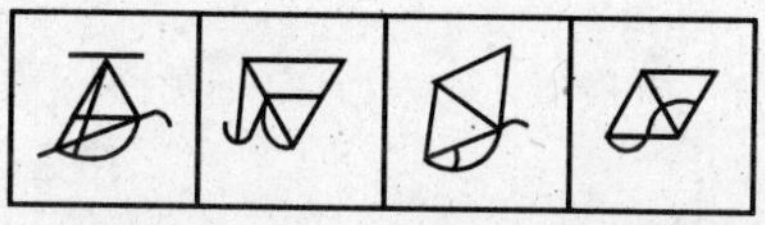

A B C D

4. 

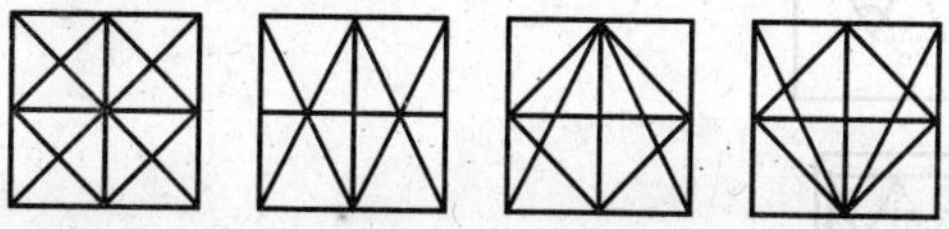

A B C D

5. 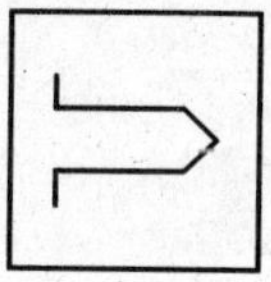

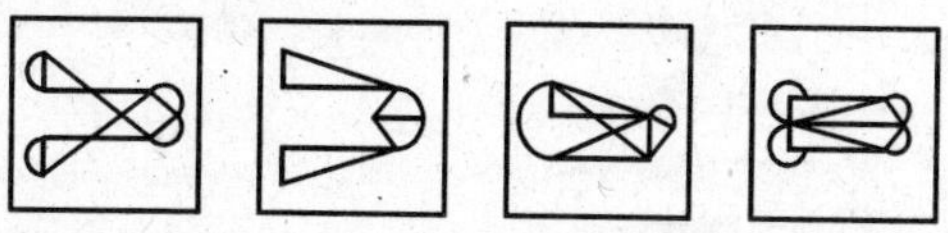

A B C D

6. 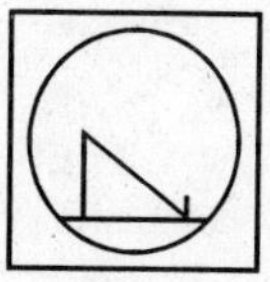

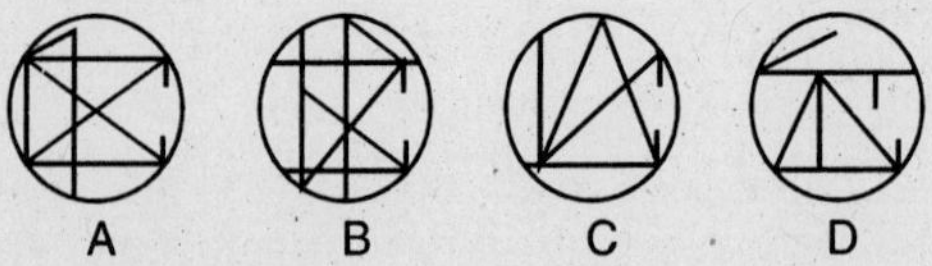

A B C D

7. 

A B C D

8. 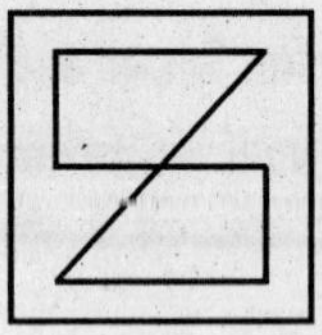

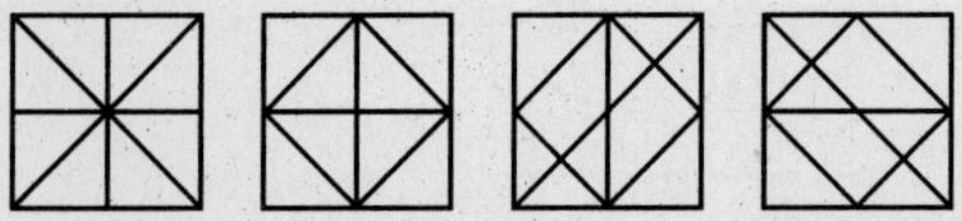

A B C D

9. 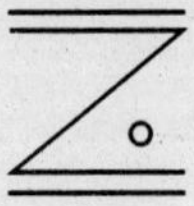

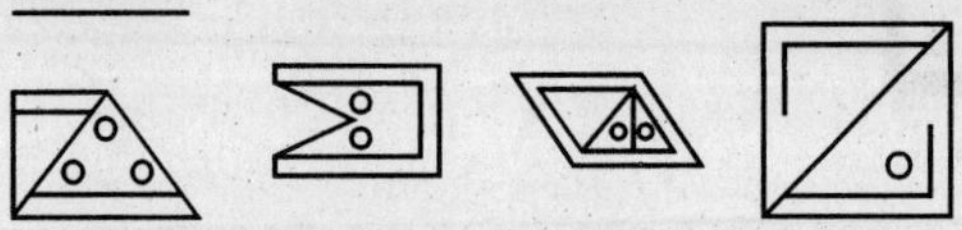

A B C D

10. 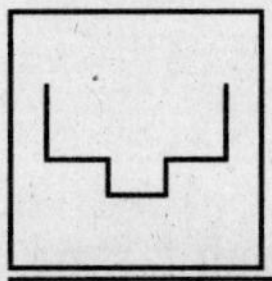

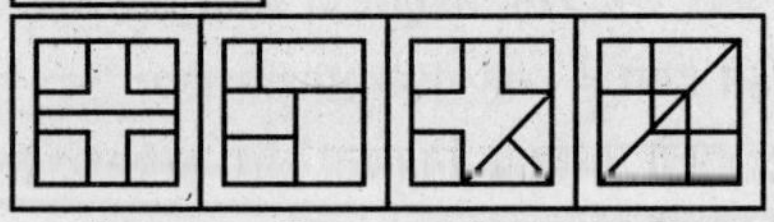

A B C D

व्याख्यात्मक उत्तरमाला

1. A : 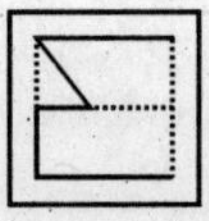

2. A : 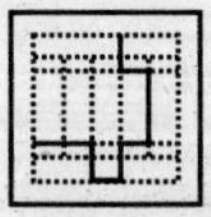

3. D : 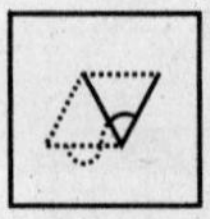

4. B : 

5. A : 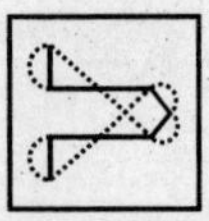

6. B : 

7. C : 

8. A : 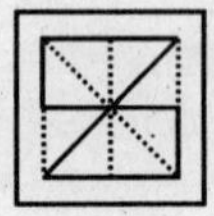

9. D : 

10. A : 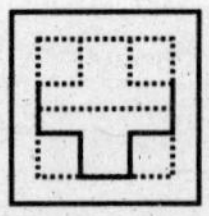

8

पृथक्करण (Discrimination)

इस प्रकार के प्रश्नों में किसी दी गई जटिल आकृति में निहित ज्यामितीय आकृतियों की संख्या ज्ञात करनी होती है। अभ्यर्थियों के लिए यह अनिवार्य है कि वे प्रश्न आकृति का अत्यंत सावधानीपूर्वक प्रेक्षण करें और तत्पश्चात् उसमें निहित ज्यामितीय आकृतियों को गिनें। एक बड़ी और उलझी हुई आकृति में से उसमें निहित आकृति/डिजाइन को ज्ञात करने के लिए सूक्ष्म बुद्धि और तीक्ष्ण विश्लेषणात्मक क्षमता अपेक्षित होती है तथा साथ ही यह भी आवश्यक है कि अभ्यर्थियों को सभी ज्यामितीय आकृतियों की संरचना का स्पष्ट ज्ञान हो।

प्रश्नमाला

1. नीचे दी गई आकृति में कुल कितने त्रिभुज हैं?

A. 24 B. 27
C. 25 D. 26

2. इस आकृति में कुल कितने समांतर चतुर्भुज हैं?

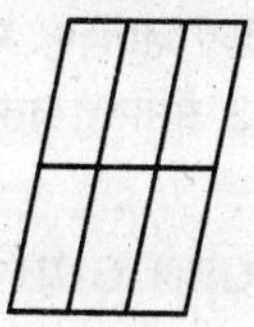

A. 9 B. 13
C. 15 D. 18

3. इस आकृति में कुल कितने त्रिभुज हैं?

A. 16 B. 17
C. 18 D. 19

4. इस आकृति में आयतों की कुल कितनी संख्या है?

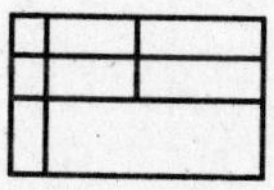

A. 21 B. 24
C. 23 D. 25

5. इस आकृति में कुल कितने वर्ग छिपे हैं?

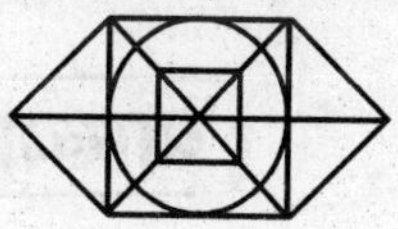

A. 7 B. 8
C. 9 D. 10

6. इस आकृति में निहित त्रिभुजों की संख्या कितनी है?

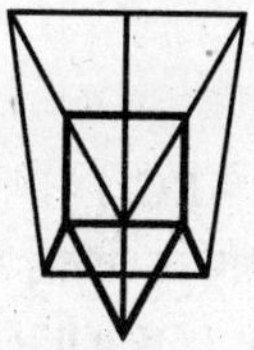

A. 19 B. 16
C. 21 D. 15

7. नीचे दी गई आकृति में कुल कितने वर्ग निहित हैं?

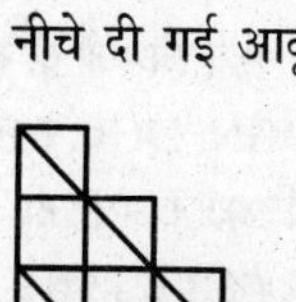

A. 10 B. 11
C. 13 D. 14

8. इस आकृति में वर्गों की कुल कितनी संख्या है?

A. 6　　B. 5
C. 2　　D. 3

9. नीचे दी गई आकृति में कितने त्रिभुज हैं?

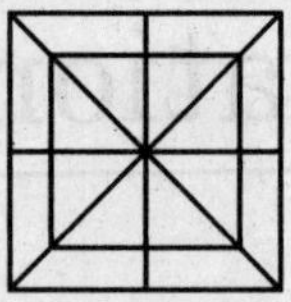

A. 28　　B. 36
C. 24　　D. 32

10. प्रश्न 9 में दी गई आकृति को निर्मित करने में कुल कितनी रेखाएं प्रयोग में लाई गई हैं?

A. 10　　B. 12
C. 11　　D. 13

11. नीचे दी गई आकृति में कुल कितने वर्ग हैं?

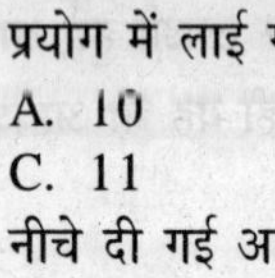

A. 15　　B. 11
C. 8　　D. 3

12. नीचे की आकृति में वर्गों की कुल कितनी संख्या है?

A. 6　　B. 10
C. 8　　D. 12

13. पूर्वोक्त प्रश्न में दी गई आकृति में निहित त्रिभुजों की संख्या बताइए।

A. 15　　B. 16
C. 17　　D. 18

14. नीचे की आकृति में कितने षड्भुज हैं?

A. 1　　B. 2
C. 4　　D. 5

15. इस आकृति में कुल कितने समांतर चतुर्भुज हैं?

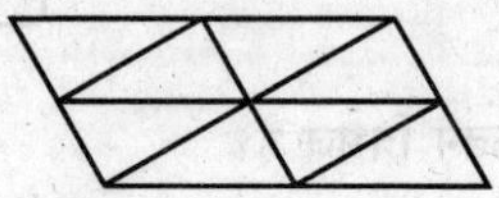

A. 11　　B. 12
C. 9　　D. 10

व्याख्यात्मक उत्तरमाला

1. B :

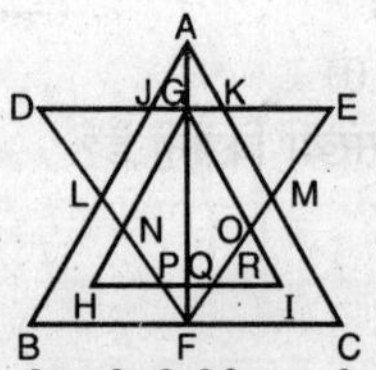

आकृति को निर्मित करने वाले मुख्य त्रिभुज हैं: ABC, DEF और GHI, अर्थात् 3 त्रिभुज। आकृति में निहित सरलतापूर्वक दिखाई पड़ने वाले त्रिभुज हैं: AJG, AGK, KEM, DJL, NHP, PQF, QFR और ORI, अर्थात् 8 त्रिभुज।

समद्विभाजक रेखा AF द्वारा निर्मित त्रिभुज हैं: ABF, AFC, GHQ, GQI, DGF और GFE, अर्थात् 6 त्रिभुज। तीनों मुख्य त्रिभुजों के बीच बनने वाले त्रिभुज हैं: AJK, ALF, AMF, DGN, DGF, LBF, MFC, GEO, GNF और GOF, अर्थात् 10 त्रिभुज। अतः दी गई आकृति में निहित त्रिभुजों की कुल संख्या है:= 3 + 8 + 6 + 10 = 27

2. D :

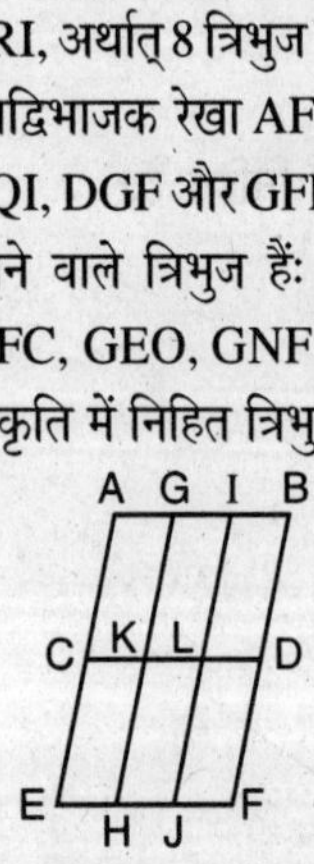

मुख्य समांतर चतुर्भुज ABEF है अर्थात् 1 समांतर चतुर्भुज।

CD रेखा द्वारा दो समान भागों में विभाजित किए जाने पर मुख्य आकृति के भीतर ABCD और CDEF, ये 2 समांतर चतुर्भुज निर्मित होते हैं।

दो अन्य रेखाएं GH और IJ खींची जाने पर AGEH, GIJH और IBJF, ये 3 समांतर चतुर्भुज निर्मित होते हैं।

आकृति में स्पष्टः और सरलतापूर्वक दिखाई पड़ने वाले AGCK, CKEH, GIKL, KLHJ, IBLD और LDJF में 6 समांतर चतुर्भुज निहित हैं।

आकृति में निहित अन्य समांतर चतुर्भुज AICL, CLEJ, GBKD, KDHF, AIEJ और GBHF ये 6 समांतर चतुर्भुज हैं।

अतः दी गई आकृति में निहित समांतर चतुर्भुजों की मूल संख्या हैं: 1 + 2 + 3 + 6 + 6 = 18

3. A :

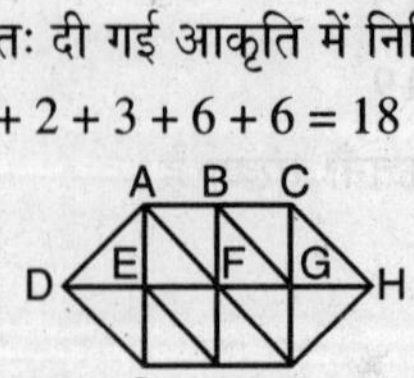

आकृति में सर्वाधिक सरलतापूर्वक दृष्टिगोचर होनेवाले त्रिभुज हैं: ADE, DEI, AEF, ABF, EIJ, EFJ, BFG, BCG, FJK, FGK,

CGH और GHK, अर्थात् 12 त्रिभुज।
समद्विभाजित त्रिभुज हैं: ADI और CHK अर्थात् 2 त्रिभुज।
AIK और ACK अन्य त्रिभुज हैं, अर्थात 2 त्रिभुज।
अतः आकृति में निहित त्रिभुजों की कुल संख्या
$= 12 + 2 + 2 = 16$

4. C :

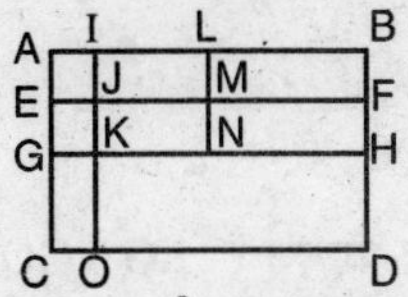

मुख्य आयत है ABCD अर्थात् 1 आयत।
आकृति में सर्वाधिक सरलतापूर्वक दृष्टिगोचर होने वाले आयत हैं: AIEJ, ILJM, LBMF, EJGK, JMKN, MFNH, GKCO और KHOD अर्थात् 8 आयत।
जिन आयतों के दो भाग हैं वे हैं: ALEM, IBJF, EMGN, JFKH, AIGK, IKLN, LDNH, EJCO और GHCD, अर्थात् 9 आयत।
जिन आयतों के 3 भाग हैं वे हैं: AICO, ABEF और EFGH अर्थात् 3 आयत।
जिन आयतों के 4 भाग हैं वे है: GLGN और IBKH, अर्थात् 2 आयत।
अतः आकृति में निहित आयतों की कुल संख्या
$= 1 + 8 + 9 + 3 + 2 = 23$

5. D :

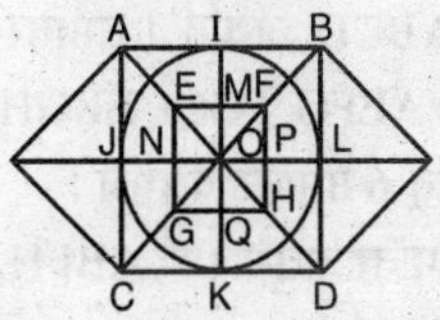

आकृति में निहित मुख्य वर्ग हैं : ABCD और EFGH, अर्थात् 2 वर्ग।
सरलतम बाह्य वर्ग हैं। AIJO, IBOL, JOCK, और OLKD, अर्थात् 4 वर्ग।
सरलतम आंतरिक वर्ग हैं: EMNO, NOGQ, MFOP और OPQH, अर्थात् 4 वर्ग।
आकृति में अन्य कोई वर्ग निहित नहीं हैं।
अतः उपर्युक्त आकृति में निहित वर्गों की कुल संख्या
$= 2 + 4 + 4 = 10$

6. B :

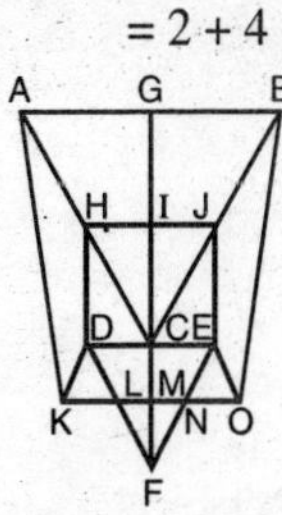

आकृति में निहित मुख्य त्रिभुज हैं: ABC, DEF, LNF, और HJC अर्थात् 4 त्रिभुज।
सरलतम त्रिभुज हैं: HIC, IJC, HDC, JCE, DKL, LMF, MFN और NOE अर्थात् 8 त्रिभुज।
आकृति में निहित अन्य त्रिभुज हैं: AGC, GBC, DCF और CEF अर्थात् 4 त्रिभुज।
अतः त्रिभुजों की कुल संख्या $= 4 + 8 + 4 = 16$

7. C :

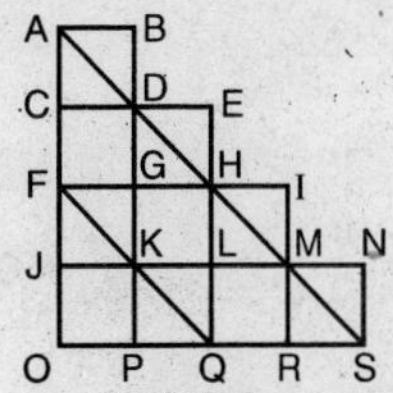

आकृति में निहित सरलतम वर्ग हैं: ABCD, CDFG, DEGH, FGJK, GHKL, HILM, JKOP, KLPQ, LMQR और MNRS अर्थात् – 10 वर्ग
आकृति में निहित अन्य वर्ग हैं: CEJL, FHOQ और GIPR अर्थात् – 3 त्रिभुज
∴ आकृति में निहित कुल वर्ग $= 10 + 3 = 13$

8. A :

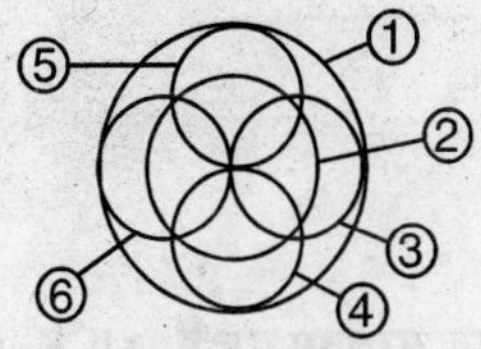

आकृति में दो मुख्य वृत्त हैं और चार छोटे वृत्त हैं और ये सभी एक-दूसरे को प्रतिच्छेदित कर रहे हैं।
∴ आकृति में निहित कुल वृत्त $= 2 + 4 = 6$

9. D :

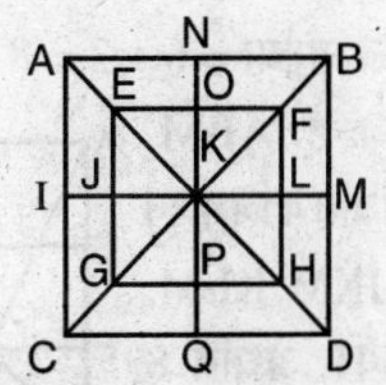

आकृति में निहित बड़े त्रिभुज हैं: ABC, BCD, ABD और ACD, अर्थात् 4 त्रिभुज।
छोटे त्रिभुज हैं: EFH, EGH, EFG और FGH अर्थात् 4 त्रिभुज।
सरलतम त्रिभुज हैं: EJK, EOK, OFK, JKG, FKL, KLH, KGP और KPH, अर्थात् 8 त्रिभुज।
समद्विभाजित त्रिभुज हैं:, AKC, ABK, CKD, KBD, EKG, EKF, KHG, KHF, अर्थात् 8 त्रिभुज।
अन्य त्रिभुज हैं: ANK, NKB, KBM, KMD, KQD, KQC. KCI, IKA, अर्थात् 8 त्रिभुज।
∴ आकृति में निहित कुल त्रिभुज
$= 4 + 4 + 8 + 8 + 8 = 32$

10. B :

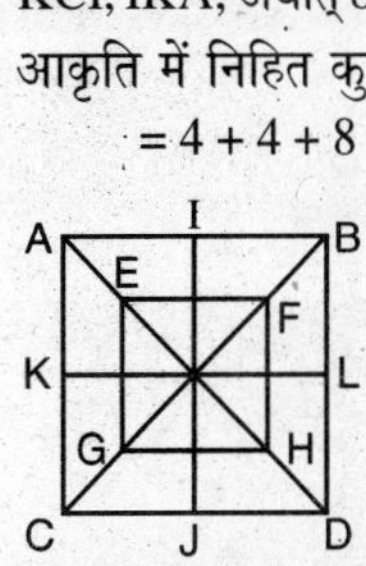

आकृति में निहित क्षैतिज रेखाएं हैं: AB, EF, KL, GH और CD, अर्थात् 5 रेखाएं।
ऊर्ध्वाधर रेखाएं हैं: AC, EG, IJ, FH और BD, अर्थात् 5 रेखाएं।
विकर्णी रेखाएं हैं: AD और BC, अर्थात् 2 रेखाएं।
उक्त आकृति को निर्मित करने के लिए प्रयोग में लाई गई रेखाओं की कुल संख्या $= 5 + 5 + 2 = 12$

11. C :

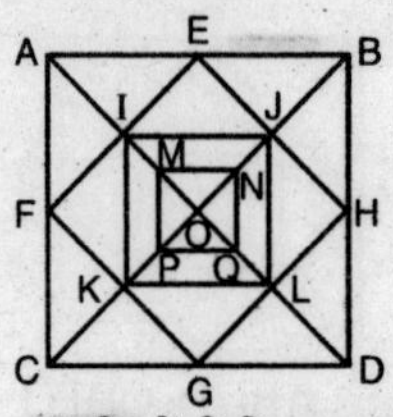

आकृति में निहित मुख्य वर्ग हैं: ABCD, IJKL, MNPQ और EFHG, अर्थात् 4 वर्ग।

अन्य वर्ग हैं: EIJO, IFKO, JOLH और OKGL, अर्थात् 4 वर्ग।

∴ आकृति में निहित वर्गों की कुल संख्या = 4 + 4 = 8

12. C :

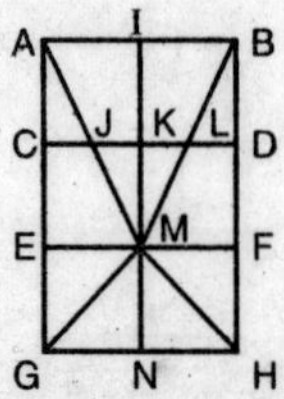

उपर्युक्त आकृति में निहित सरलतम वर्ग हैं: AICK, CKEM, EMGN, IBKD, KDMF और MFNH अर्थात् 6 वर्ग।

आकृति में निहित अन्य वर्ग हैं: ABEF और CDGH, अर्थात् 2 वर्ग।

∴ आकृति में निहित वर्गों की कुल संख्या = 6 + 2 = 8

13. B : उपर्युक्त प्रश्न में मुख्य त्रिभुज हैं: ABM, AMG, MGH और BMH, अर्थात् 4 त्रिभुज।

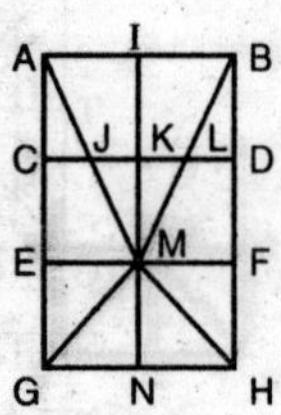

सरलतम त्रिभुज हैं ACJ, BLD, JKM, KLM, EMG, MGN, MNH, MFH, अर्थात 8 त्रिभुज।

अन्य त्रिभुज हैं: AIM, AEM, IBM, BMF, अर्थात् 4 त्रिभुज।

∴ आकृति में निहित त्रिभुजों की कुल संख्या
= 4 + 8 + 4 = 16

14. C :

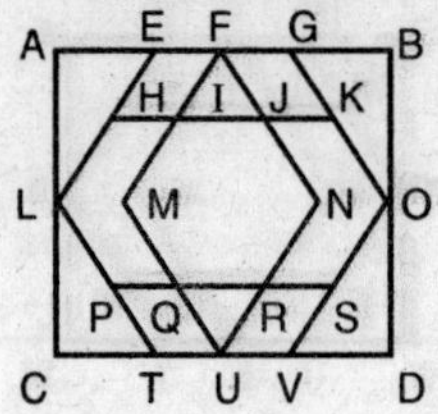

आकृति में निहित सबसे बड़ा षड्भुज है: EG – GO – GV – VT – TL – LE, अर्थात् 1 षड्भुज।

छोटे षड्भुज हैं: IJNRQMI (IJ – JN – NR – RQ – QM – MI), HJNRPLH (HJ – JN – NR – RP – PL – LH) और IKOSQMI (IK – KO – OS – SQ – QM – MI), अर्थात् 3 षड्भुज।

∴ आकृति में निहित षड्भुजों की कुल संख्या
= 1 + 3 = 4

(षड्भुज में समान लंबाई की छह भुजाएं निहित होती हैं)

15. A :

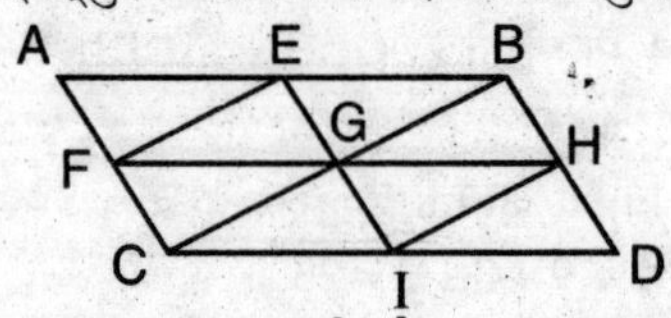

मुख्य समांतर चतुर्भुज है: ABCD, अर्थात् 1 समांतर चतुर्भुज।

सरलतम समांतर चतुर्भुज हैं: AEFG, FGCI, EBGH, GHID, FECG और GBIH, अर्थात् 6 समांतर चतुर्भुज।

आकृति में निहित अन्य समांतर चतुर्भुज हैं: ABFH, FHCD, AECI और EBID अर्थात् 4 समांतर चतुर्भुज।

∴ आकृति में निहित समांतर चतुर्भुजों की कुल संख्या
= 1 + 6 + 4 = 11

---

9 रिक्त स्थान दृश्यता (Space Visualization)

इस प्रकार के प्रश्नों में किसी घन, पासा या खाने (बक्से) का एक सांचा या विन्यास दिया जाता है जिसे मोड़कर विभिन्न आकृतियाँ निर्मित की जा सकती हैं। इस प्रकार के प्रश्नों को हल करने के लिए यह आवश्यक है कि अभ्यर्थियों को दिए गए विन्यास का स्पष्ट ज्ञान हो तथा वे दी गई विकल्प आकृतियों से उस एक आकृति का चयन कर सकें जो दिए गए विन्यास से निर्मित की जा सकती है। इस प्रकार के प्रश्नों को हल करने के लिए निम्नलिखित आकृति-विन्यास का सावधानीपूर्वक अध्ययन करें:

विन्यास 1. 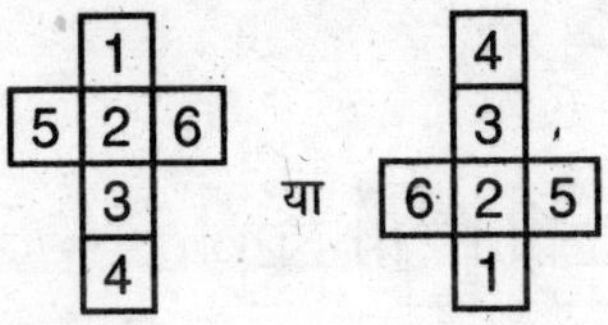

1 – 3, 2 – 4 और 5 – 6 आमने-सामने के फलक (सम्मुख फलक) हैं।

विन्यास 2. 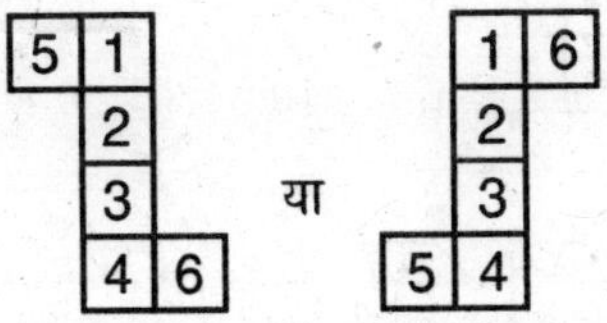

1 – 3, 2 – 4 और 5 – 6 आमने-सामने के फलक (सम्मुख फलक) हैं।

विन्यास 3. 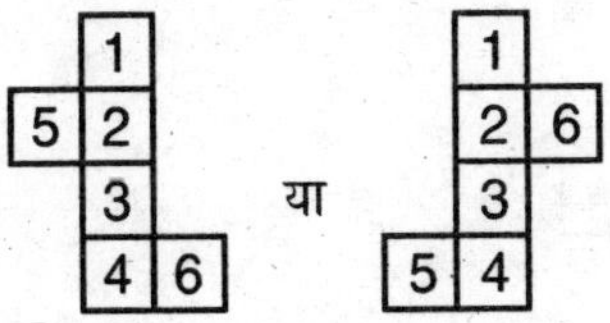

1 – 3, 2 – 4 और 5 – 6 आमने-सामने के फलक (सम्मुख फलक) हैं।

विन्यास 4. 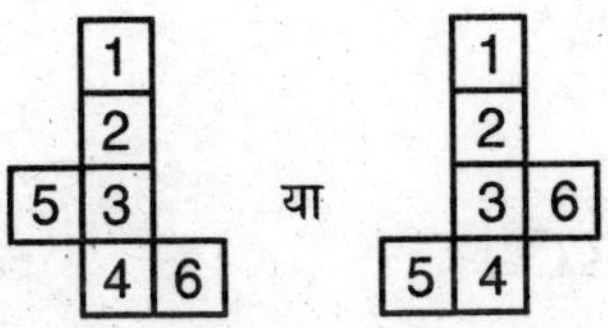

1 – 3, 2 – 4 और 5 – 6 आमने-सामने के फलक (सम्मुख फलक) हैं।

विन्यास 5. 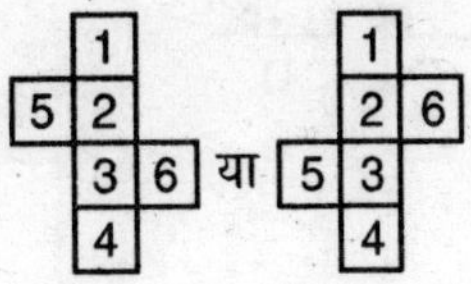

1 – 3, 2 – 4 और 5 – 6 आमने-सामने के फलक (सम्मुख फलक) हैं।

विन्यास 6. 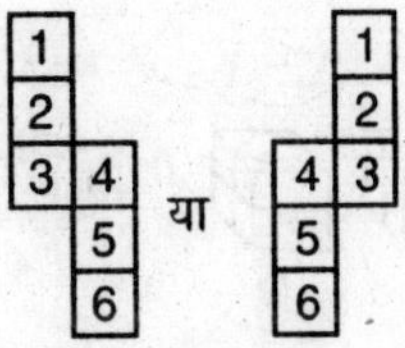

1 – 3, 2 – 4 और 5 – 6 आमने-सामने के फलक (सम्मुख फलक) हैं।

विन्यास 7. 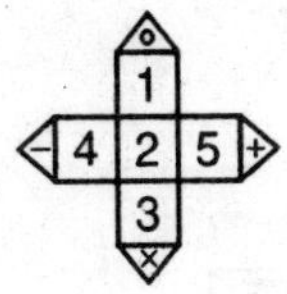

— 2, 1 — 3 और 4 – 5 आमने-सामने के फलक (सम्मुख फलक) हैं।

विन्यास 8. 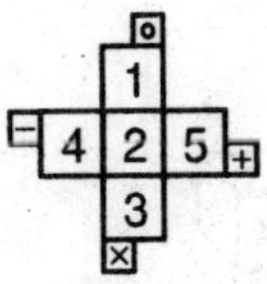

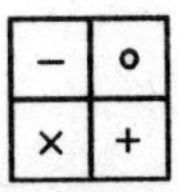

— 2, 1 — 3 और 4 – 5 आमने-सामने के फलक (सम्मुख फलक) हैं। यहाँ फलक संख्या 6 चार भागों में विभाजित है।

उपर्युक्त विन्यास से यह स्पष्ट है कि सम्मुख फलक को छोड़कर शेष सभी फलक आसन्न (सन्निकट) फलक हैं। यह भी ध्यान में रखें कि विकल्प आकृतियों के तीन दिखाई दे रहें फलक प्रत्येक सम्मुख फलकों के जोड़े का एक अवयव (सम्मुख फलक) है।

प्रश्नमाला

निर्देशः *आकृति (× द्वारा चिह्नित आकृति) को विभिन्न षड्फलकीय आकृतियाँ निर्मित करने के लिए मोड़ा जाता है। प्रत्येक प्रश्न में बताइए कि दी गई आकृति को इंगित रेखाओं के साथ-साथ घन की आकृति (षड्फलकीय आकृति) में मोड़ने पर प्राप्त आकृति कैसी दिखाई देगी?*

1. 

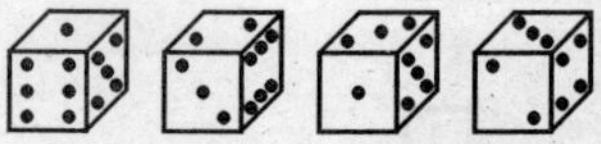

A B C D

2. 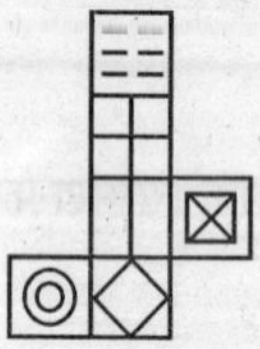

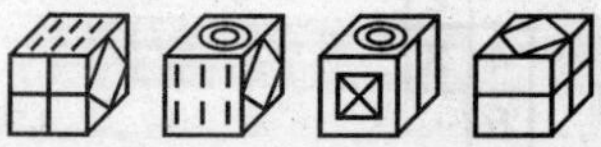

A B C D

3. 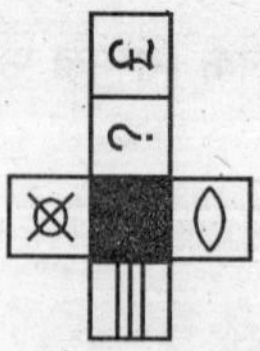

A B C D

4. 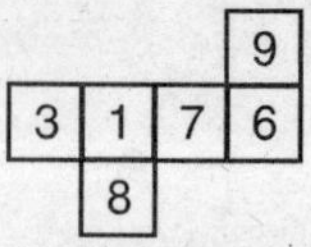

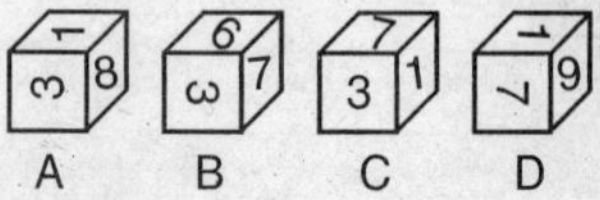

A B C D

5. 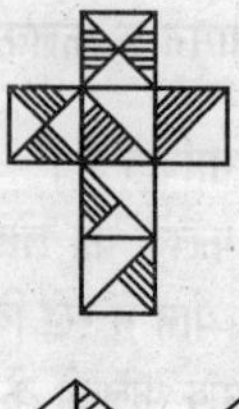

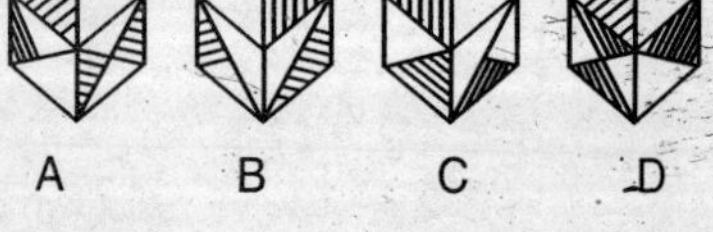

A B C D

6. 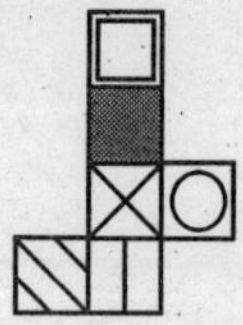

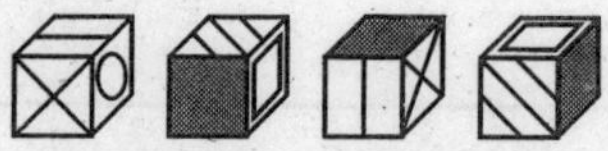

A B C D

7. 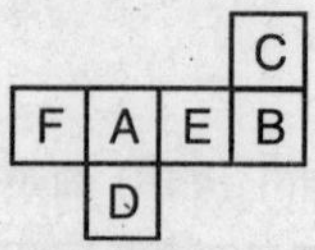

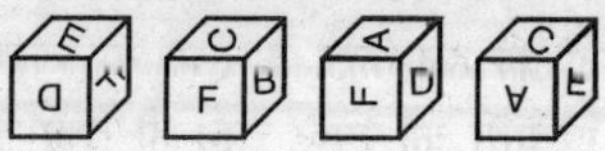

A B C D

8. 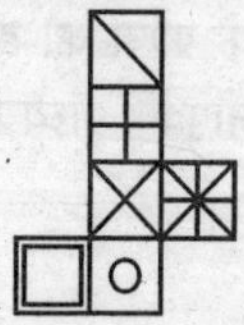

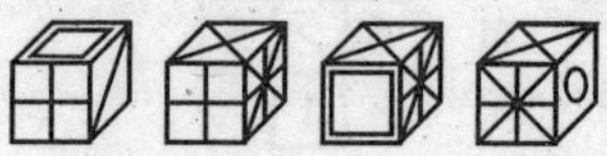

A B C D

9. 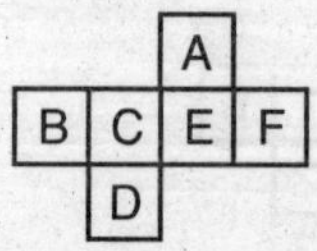

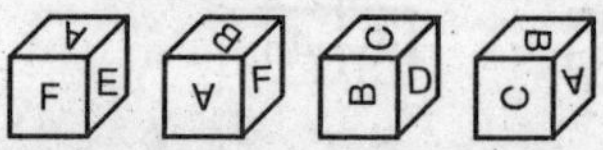

A B C D

10. 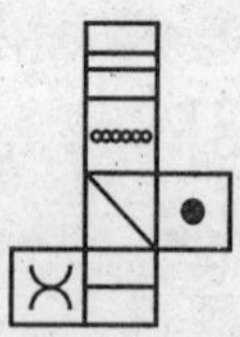

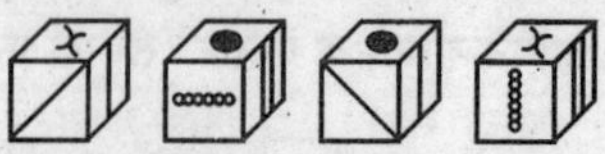

A B C D

11. 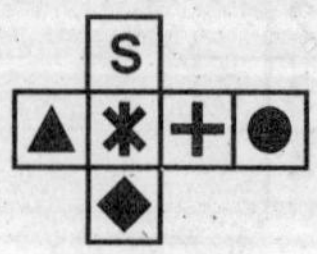

A B C D

12. 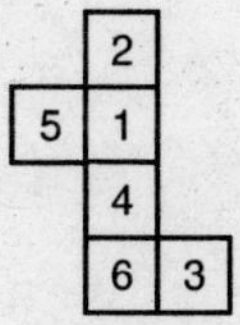

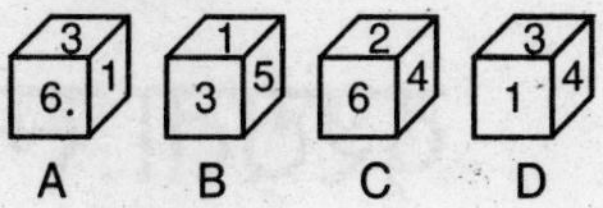

A B C D

13. 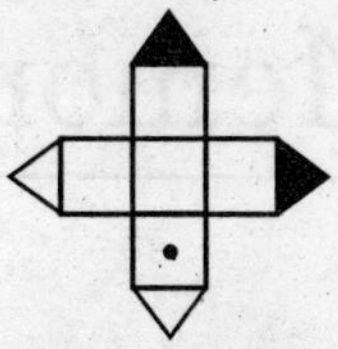

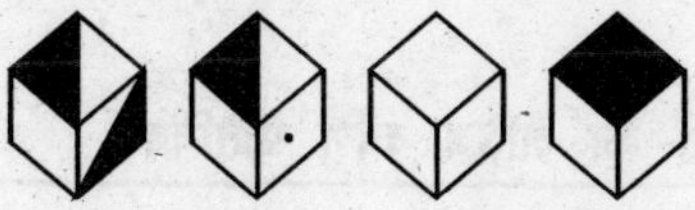

(a) *(b)* *(c)* *(d)*

A. a और b
B. b और d
C. b और c
D. a और d

14. 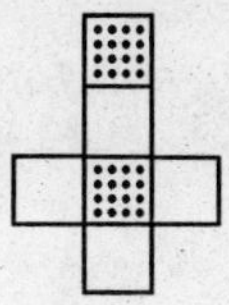

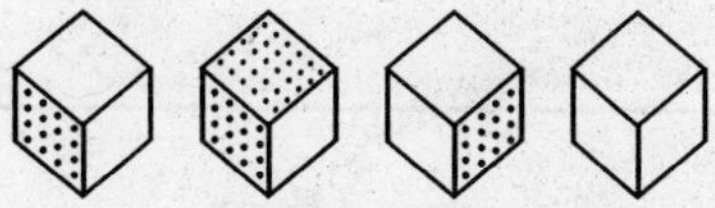

(a) *(b)* *(c)* *(d)*

A. a और c
B. a, b और c
C. b और d
D. a, c और d

व्याख्यात्मक उत्तरमाला

(सभी उत्तर इस अध्याय के आरंभ में दिए गए विन्यास में दर्शाए गए अनुसार फलकों के संख्या प्रतिरूप पर आधारित हैं)

1. D : दी गई आकृति विन्यास-4 के समान है। शीर्ष फलक 3 के सन्निकट फलक क्रमशः 2, 5, 4, 6 हैं। इन फलकों में से 4 और 6 क्रमशः बाईं और दाईं ओर है।

2. B : दी गई आकृति विन्यास-4 के समान है। शीर्ष फलक 5 के सन्निकट फलक क्रमशः 4, 3, 2, 1 हैं। इन फलकों में से 1 और 4 क्रमशः बाईं और दाईं ओर हैं।

3. D : दी गई आकृति विन्यास-1 के समान हैं। शीर्ष फलक 5 के सन्निकट फलक क्रमशः 4, 3, 2, 1 हैं। इन फलकों में से 2 और 1 क्रमशः बाईं और दाईं ओर है।

4. A : दी गई आकृति विन्यास-3 के समान है। शीर्ष फलक 2 के सन्निकट फलक क्रमशः 1, 5, 3, 6 हैं। इन फलकों में से 1 और 5 क्रमशः बाईं और दाईं ओर है।

5. C : दी गई आकृति विन्यास-1 के समान है। शीर्ष फलक 6 के सन्निकट फलक क्रमशः 1, 2, 3, 4 हैं। इन फलकों में से 2 और 3 क्रमशः बाईं और दाईं ओर है।

6. D : दी गई आकृति विन्यास-4 के समान है। शीर्ष फलक 1 के सन्निकट फलक क्रमशः 2, 6, 4, 5 हैं। इन फलकों में से 5 और 2 क्रमशः बाईं और दाईं ओर है।

7. C : दी गई आकृति विन्यास-3 के समान है। शीर्ष फलक 2 के सन्निकट फलक क्रमशः1, 5, 3, 6 हैं। इन फलकों में से 1 और 5 क्रमशः बाईं और दाईं ओर है।

8. A : दी गई आकृति विन्यास-4 के समान है। शीर्ष फलक 5 के सन्निकट फलक क्रमशः 4, 3, 2, 1 हैं। इन फलकों में से 2 और 1 क्रमशः बाईं और दाईं ओर है।

9. C : दी गई आकृति विन्यास-5 के समान है। यदि F फलक-1 पर हो, तो शीर्ष फलक 3 के सन्निकट फलक क्रमशः 4, 6, 2, 5 होंगे। इन फलकों में से 4 और 6 क्रमशः बाईं और दाईं ओर देखें जा सकते हैं।

10. D : दी गई आकृति विन्यास-4 के समान है। शीर्ष फलक 5 के सन्निकट फलक क्रमशः 4, 3, 2, 1 हैं। इन फलकों में से 2 और 1 क्रमशः बाईं और दाईं ओर है।

11. B : दी गई आकृति विन्यास-5 के समान है। यदि Δ फलक 1 पर हो तो शीर्ष फलक 3 के सन्निकट फलक क्रमशः 4, 6, 2, 5 होंगे। इन फलकों में से 4 और 6 क्रमशः बाईं और दाईं ओर होंगे।

12. B : दी गई आकृति विन्यास-3 के समान है। शीर्ष फलक 6 के सन्निकट फलक क्रमशः 1, 2, 3, 4 हैं। इन फलकों में से 2 और 3 क्रमशः बाईं और दाईं ओर है।

13. C : दी गई आकृति विन्यास-7 के समान है। विकल्प आकृति (b) में शीर्ष फलक 6 की बाईं ओर फलक 5 और दाईं ओर फलक 3 है। विकल्प आकृति (c) में शीर्ष फलक 2 की बाईं और दाईं ओर सन्निकट फलकों 1, 4, 3, 5 में से कोई दो फलक हो सकते हैं।

14. A : दी गई आकृति विन्यास-1 के समान है। विकल्प आकृति (a) में शीर्ष फलक 1 की बाईं ओर फलक 2 और दाईं ओर फलक 6 है। (इस आकृति के लिए फलकों का अन्य संयोजन भी संभव है)। विकल्प आकृति (c) में शीर्ष फलक 3 की बाईं ओर फलक 6 और दाईं ओर फलक 2 है (इस आकृति के लिए फलकों का अन्य संयोजन भी संभव है)।

10 दृश्यता स्मृति (Visual Memory)

इस प्रकार के प्रश्न संख्याओं, अक्षरों और आकृतियों के दर्पण प्रतिबिंबों पर आधारित होते हैं। इस कोटि के प्रश्नों को हल करते समय यह आवश्यक है कि अभ्यर्थी प्रश्नगत दर्पण प्रतिबिंबों को समझ सकने में पूर्णतः सक्षम हों, चाहे ये प्रतिबिंब क्षैतिज तल पर निर्मित होते हों या ऊर्ध्वाधर तल पर। नीचे दिए गए चार्ट और सूचना का सावधानीपूर्वक अध्ययन करें। अक्षरों और संख्याओं के दर्पण प्रतिबिंबों को समझ पाना अन्य आकृतियों के दर्पण प्रतिबिंबों को समझ पाने की तुलना में अधिक सरल होता है जिसका एकमात्र कारण है कि आकृति अनेकानेक रूपों में निर्मित की जा सकती है और सभी आकृतियों के संबंध में चर्चा नहीं की जा सकती।

संख्याओं के क्षैतिज दर्पण प्रतिबिंब (क्ष.द.प्र.)

संख्या	क्ष.द.प्र.	संख्या	क्ष.द.प्र.
0	0	5	ꙅ
1	l	6	ɑ
2	ς	7	٢
3	Ɛ	8	8
4	ᔭ	9	ᑫ

टिप्पणीः 0 और 8 के क्षैतिज दर्पण प्रतिबिंबों में कोई परिवर्तन नहीं होता।

संख्याओं के ऊर्ध्वाधर दर्पण प्रतिबिंब (ऊ.द.प्र.)

संख्याः	0	1	2	3	4	5	6	7	8	9
ऊ.द.प्र.	0	I	Z	3	ᔦ	ς	9	L	8	6

टिप्पणी : 0, 3 और 8 के ऊर्ध्वाधर दर्पण प्रतिबिंबों में कोई परिवर्तन नहीं होता। यदि इन्हें विशिष्ट शैली में लिखा जाए तो इन संख्याओं के दर्पण प्रतिबिंबों के संबंध में सावधानी बरतने की आवश्यकता है। उदाहरण के लिए, 3 का ऊर्ध्वाधर दर्पण प्रतिबिंब 3 होगा या 8 का ऊर्ध्वाधर दर्पण प्रतिबिंब 8 होगा।

अंग्रेजी के बड़े अक्षरों का क्षैतिज दर्पण प्रतिबिंब

अक्षर	क्ष.द.प्र.	अक्षर	क्ष.द.प्र.	अक्षर	क्ष.द.प्र.
A	A	J	Ⴑ	S	Ƨ
B	ꓭ	K	ꓘ	T	T
C	Ↄ	L	⅃	U	U
D	ꓷ	M	M	V	V
E	Ǝ	N	И	W	W
F	ꟻ	O	O	X	X
G	ꓨ	P	ꟼ	Y	Y
H	H	Q	Ϙ	Z	Ƶ
I	I	R	Я		

टिप्पणीः A, H, I, M, O, T, U, V, W, X और Y के क्षैतिज दर्पण प्रतिबिंब में कोई परिवर्तन नहीं होता।

यदि उन्हें विशिष्ट शैली में लिखा जाए तो इनके दर्पण प्रतिबिंबों के संबंध में सावधानी बरतने की आवश्यकता है। उदाहरण के लिए, A का क्षैतिज दर्पण प्रतिबिंब A होगा X का क्षैतिज दर्पण प्रतिबिंब X होगा।

अंग्रेजी के बड़े अक्षरों का ऊर्ध्वाधर दर्पण प्रतिबिंब

अक्षर	A	B	C	D	E	F	G	H	I	J	K	L	M
ऊ.द.प्र.	∀	B	C	D	E	Ⅎ	⅁	H	I	ſ	K	Γ	W

अक्षर	N	O	P	Q	R	S	T	U	V	W	X	Y	Z
ऊ.द.प्र.	N	O	b	Ò	ʁ	S	⊥	∩	Λ	M	X	⅄	Z

टिप्पणीः C, D, E, H, I, K, O और X के ऊर्ध्वाधर दर्पण प्रतिबिंबों में कोई परिवर्तन नहीं होता।

अंग्रेजी के छोटे अक्षरों का क्षैतिज दर्पण प्रतिबिंब

अक्षर	क्ष.द.प्र.	अक्षर	क्ष.द.प्र.	अक्षर	क्ष.द.प्र.
a	ɒ	j	į	s	ƨ
b	d	k	ʞ	t	ɟ
c	ɔ	l	l	u	u
d	b	m	m	v	v
e	ɘ	n	n	w	w
f	ɟ	o	o	x	x
g	ϱ	p	q	y	γ
h	ʜ	q	p	z	ƹ
i	i	r	ɿ		

टिप्पणीः o, v, w और x के क्षैतिज दर्पण प्रतिबिंबों में कोई परिवर्तन नहीं होता।

अंग्रेजी के छोटे अक्षरों का ऊर्ध्वाधर दर्पण प्रतिबिंब

अक्षर	a	b	c	d	e	f	g	h	i	j	k	l	m
ऊ.द.प्र.	ɐ	p	c	q	ə	ɟ	ƃ	ɥ	!	ɾ	ʞ	l	ɯ

अक्षर	n	o	p	q	r	s	t	u	v	w	x	y	z
ऊ.द.प्र.	u	o	b	d	ɹ	s	ʇ	n	ʌ	ʍ	x	ʎ	z

टिप्पणीः c, o और x के ऊर्ध्वाधर दर्पण प्रतिबिंबों में कोई परिवर्तन नहीं होता। इस संबंध में अक्षर i एक अपवाद है यदि इसे सीधी ऊर्ध्वाधर रेखा द्वारा लिखा जाए तभी इसका ऊर्ध्वाधर दर्पण प्रतिबिंब अपरिवर्तित रहता है।

कुछ ज्यामितीय आकृतियों (ज्या.आ.) का क्षैतिज दर्पण प्रतिबिंब (क्ष.द.प्र.)

ज्या. आ. क्ष.द.प्र. ज्या. आ. क्ष.द.प्र.

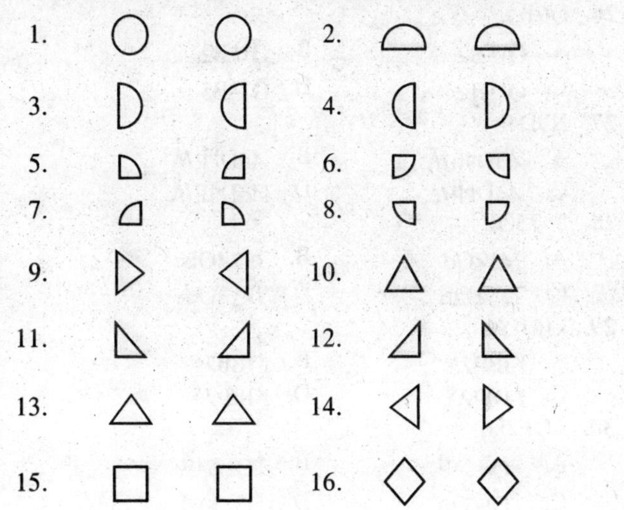

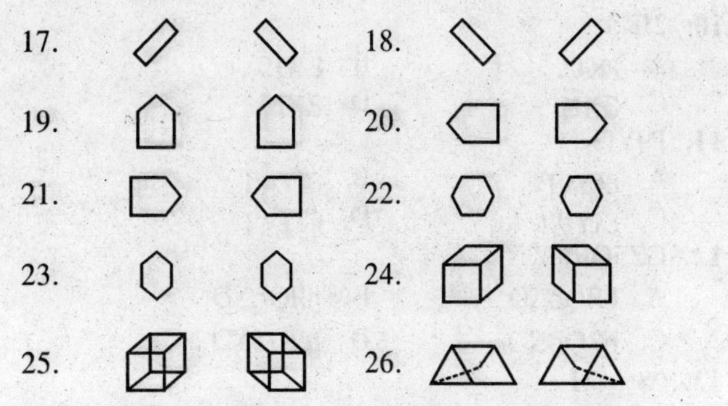

कुछ ज्यामितीय आकृतियों का ऊर्ध्वाधर दर्पण प्रतिबिंब

ज्या.आ.

ऊ.द.प्र.

ज्या.आ.

ऊ.द.प्र.

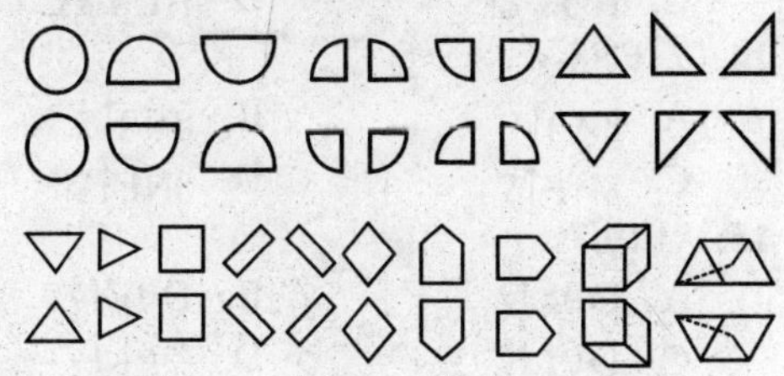

कुछ चिह्नों एवं प्रतीकों का क्षैतिज और ऊर्ध्वाधर दर्पण प्रतिबिंब

चि.ए.प्र.	क्ष.द.प्र.	ऊ.द.प्र.	चि.ए.प्र.	क्ष.द.प्र.	ऊ.द.प्र.	चि.ए.प्र.	क्ष.द.प्र.	ऊ.द.प्र.
+	+	+	→	←	→	(	)	(
–	–	–	←	→	←	)	(	)
♤	♤	♡	↓	↓	↑	}	{	}
↑	↑	↓	ᔕ	ᘐ	ᘐ	<	>	<
*	*	*	⬯	⬯	⬯	>	<	<
%	℅	℅	&	⅋	⅋	$	$	$
卐	卍	卍	△	△	▽	£	Ƹ	Ɛ

टिप्पणीः अभ्यर्थी यह ध्यान में रखें कि इस कोटि के प्रश्न संख्याओं या अक्षरों या आकृतियों या चिह्नों (या प्रतीकों) या इन सभी के संयोजन पर भी आधारित हो सकते हैं।

प्रश्नमाला

निर्देशः (प्रश्न 1 से 15): *नीचे के प्रत्येक प्रश्न में बताइए कि कौन-सा उत्तर विकल्प प्रश्नगत अक्षरों के समूह का बिलकुल ठीक-ठीक दर्पण प्रतिबिंब होगा यदि दर्पण को क्षैतिजतया रखा जाए।*

1. DuST
A. ꓕSuᗡ B. TSnᗡ
C. TSuᗡ D. ᗡuST

2. CHAIR
A. ꓤIHAↃ B. ꓤIAHↃ
C. ꓤIAHC D. ↃHAIR

3. WHOM
A. MOHW B. WOHM
C. ʍHOʍ D. ʍOHʍ

4. plaque
A. ǝnbɐlq B. ǝnqblp
C. qlapue D. ǝnbɐlp

5. brows
A. dɹoʍs B. drows
C. ʂʍoɹd D. ʂword

6. flying
A. ƃuiʎlɟ B. gniʎlɟ
C. gniylɟ D. gniylɟ

7. 4379
A. 6ᄅƐㄣ B. 6ᄅƐ4
C. 6ᄅ34 D. 9ᄅƐㄣ

8. 57182
A. ᄅ8ㄥ1ϛ B. 5ㄥ1ᄅ8
C. ᄅ81ㄥϛ D. ᄅ81ㄥ5

9. 69430
A. 0Ɛㄣ69 B. 0Ɛㄣ96
C. 0Ɛ4̄96 D. 0Ɛ496

10. 2JKS

A. SKJ2 B. SKJ2

C. SKJ2 D. SKJ2

11. P9Yf3

A. Ɛf Y9P B. ƐfY9P

C. ƐfY9P D. ƐfY9P

12. GZ5QRh

A. hRQ5ZG B. hRQ5ZG

C. hRQ5ZG D. hRQ5ZG

13. 2$%CH

A. HC%$2 B. HC%$2

C. HC%$2 D. HC%$2

14. 7↑FN8

A. 8NF↑7 B. 8NF↑7

C. 8NF↑7 D. 8NF↑7

15. yk19G

A. G91ky B. G91ky

C. G91ky D. G91ky

निर्देशः (प्रश्न 16 से 30): *नीचे के प्रत्येक प्रश्न में बताइए कि कौन-सा उत्तर विकल्प प्रश्नगत अक्षरों के समुच्चय का बिलकुल ठीक-ठीक दर्पण प्रतिबिंब होगा यदि दर्पण को ऊर्ध्वाधरतः रखा जाए।*

16. CHIDE

A. CHIDE B. CHIDE

C. CHIDE D. CHIDE

17. SAVOUR

A. SAVOUR B. SAVOUR

C. SAVOUR D. SAVOUR

18. PRICKLY

A. PRICKLY B. PRICKLY

C. PRICKLY D. PRICKLY

19. taxi

A. taxi B. taxi

C. taxi D. taxi

20. pond

A. pond B. pond

C. pond D. pond

21. ehswz

A. ehswz B. ehswz

C. ehswz D. ehswz

22. 4320

A. 4320 B. 4320

C. 4320 D. 4320

23. 8951

A. 8951 B. 8951

C. 8951 D. 8951

24. 7643

A. 7643 B. 7643

C. 7643 D. 7643

25. MJ7KL

A. MJ7KL B. MJ7KL

C. MJ7KL D. MJ7KL

26. QtrB5

A. QtrB5 B. QtrB5

C. QtrB5 D. QtrB5

27. N9D4hW

A. N9D4hW B. N9D4hW

C. N9D4hW D. N9D4hW

28. 3*7$OP

A. 3*7$OP B. 3*7$OP

C. 3*7$OP D. 3*7$OP

29. kJRbYz

A. kJRbYz B. kJRbYz

C. kJRbYz D. kJRbYz

30. ↓OF2xq

A. ↑OF2xq B. ↑OF2xq

C. ↑OF2xq D. ↑OF2xq

उत्तरमाला

1	2	3	4	5	6	7	8	9	10
C	B	D	A	C	D	B	A	A	C
11	12	13	14	15	16	17	18	19	20
D	B	C	A	D	C	A	C	A	B
21	22	23	24	25	26	27	28	29	30
C	A	B	D	B	A	D	C	A	B

गणित (Mathematics)

1 संख्या पद्धति (Number System)

❖ **प्राकृत संख्या (Natural Numbers):** जिन संख्याओं से गिनती की क्रिया की जाती है, उन्हें प्राकृत संख्या कहते हैं। इनमें शून्य (0) शामिल नहीं है। प्राकृत संख्याएं अनन्त होती हैं।

जैसे: 1, 2, 3, 4, 5, 6, 7 ....

❖ **पूर्ण संख्या (Whole Numbers):** प्राकृत संख्याओं में 0 (शून्य) को शामिल करने के बाद संख्याओं का जो समुच्चय या परिवार बनता है, उन्हें पूर्ण संख्याएँ कहते हैं।

जैसे: 0, 1, 2, 3, 4, 5 .... इत्यादि।

❖ **पूर्णांक संख्याएँ (Integer Numbers):** जब पूर्ण संख्याओं को धनात्मक और ऋणात्मक चिह्नों के द्वारा दर्शाया जाता है तो इनसे बना समुच्चय पूर्णाक संख्याएँ कहलाती हैं।

जैसे: .... –4, –3, –2, –1, 0, 1, 2, 3, 4 ....

❖ **भाज्य संख्याएँ या यौगिक संख्याएँ (Composite Numbers):** वे प्राकृत संख्याएँ जो 1 व अपने अलावा किसी अन्य संख्या से भी विभाजित हो सकें अर्थात् जिनके आसानी से अन्य अभाज्य गुणनखण्ड (टुकड़े) हो सकें, भाज्य संख्याएँ कहलाती हैं।

जैसे: 4, 6, 8, 10, 12, 14, 15 ....

❖ **रूढ़ संख्याएँ या अभाज्य संख्याएँ (Prime Numbers):** वे प्राकृत संख्याएँ जो केवल स्वयं से या 1 से विभाजित हों अन्य से नहीं अर्थात् जिनके अभाज्य गुणनखण्ड (टुकड़े) न हो सकें, अभाज्य संख्याएँ कहलाती हैं।

जैसे: 2, 3, 5, 7, 11, 13, 17 ....

सबसे छोटी अभाज्य संख्या 2 है।

2 एकमात्र एक ऐसी अभाज्य संख्या है जो सम संख्या भी है।

1 न तो भाज्य संख्या है न ही अभाज्य संख्या है।

1 से 25 तक अभाज्य संख्याएँ = 9

1 से 50 तक अभाज्य संख्याएँ = 15

1 से 75 तक अभाज्य संख्याएँ = 21

1 से 100 तक अभाज्य संख्याएँ = 25

❖ **असहभाज्य संख्याएँ (Co-Prime Numbers):** जब दो प्राकृत संख्याओं का म.स.प. 1 हो, तो वे दोनों संख्याएँ असहभाज्य संख्याएँ कहलाती हैं।

जैसे: (2, 5) (3, 7) (4, 9) .... इत्यादि।

❖ **सम-संख्याएँ (Even Numbers):** वे संख्याएँ जो दो से भाज्य हों सम संख्याएँ कहलाती हैं। अर्थात् जिनके अन्त में 0, 2, 4, 6 व 8 हो।

जैसे: 2, 4, 6, 8, 10, 12 .... इत्यादि।

❖ **विषम संख्याएँ (Odd Number):** ऐसी संख्याएँ जो 2 से पूरी तरह विभाजित न हों विषम संख्याएँ कहलाती हैं।

जैसे: 1, 3, 5, 7 .... इत्यादि।

❖ **परिमेय संख्याएँ (Rational Numbers):** एक पूर्णांक को दूसरे पूर्णांक (0 को छोड़कर) से भाग देने पर जो लघुत्तम प्राप्त हो उन्हें परिमेय संख्या कहते हैं अर्थात् जिनको p/q के रूप में लिख सकें। यहाँ $q \neq 0$

अर्थात् गुणनखण्ड (common factor) न हों।

दशमलव भिन्न वाली संख्याओं में दशमलव के बाद वाली संख्याओं की गिनती हो सके या दशमलव के बाद वाली संख्याओं की पुनरावृत्ति हो रही हो। परिमेय संख्याएँ होंगी।

जैसे: $1, 2, 3, 4, \frac{1}{2}, 3, 7, \frac{2}{5}$ .... इत्यादि।

❖ **अपरिमेय संख्याएँ (Irrational Numbers):** ऐसी संख्याएँ जिनको p/q के रूप में न लिख सकें, अपरिमेय संख्या कहलाती हैं।

अर्थात् जिनका कोई निश्चित अन्त न हो। e एवं π अपरिमेय संख्या है।

❶ ऐसी संख्याएँ प्रायः पूर्ण वर्ग संख्याएँ नहीं होती हैं।

❷ परिमेय संख्याओं के समुच्चय में सभी प्राकृत, पूर्ण, पूर्णांक संख्याएँ शामिल हैं।

❸ दो परिमेय संख्याओं का गुणनफल या योग हमेशा एक परिमेय संख्या होती है।

❹ एक परिमेय संख्या तथा एक अपरिमेय संख्या का गुणनफल या योग हमेशा एक अपरिमेय संख्या होती है।

❖ **पूर्ववर्ती संख्या:** दी गई संख्या से ठीक पहले आने वाली (छोटी) संख्या, **जैसे:** 752 की पूर्ववर्ती संख्या 751 है।

❖ **अनुवर्ती संख्या:** दी गई संख्या से ठीक बाद आने वाली (बड़ी) संख्या, **जैसे:** 16543 की अनुवर्ती संख्या 16544 है।

संख्याओं में 2, 3, 4, 5, 6, 8, 9, 10 व 11 से विभाज्यता की जाँच

1. **2 से विभाज्यता:** ऐसी संख्याएं जिनके इकाई के स्थान पर 0, 2, 4, 6 या 8 का अंक हों, तो वे संख्याएं 2 से पूर्णतः विभाजित होंगी।
2. **3 से विभाज्यता:** ऐसी संख्याएं जिनके अंकों का योग 3 से विभाज्य हों, तो वे संख्याएं 3 से विभाज्य होंगी।
3. **4 से विभाज्यता:** यदि किसी संख्या के अन्तिम दो अंक 4 से पूर्णतः विभाजित हों, तो वे संख्याएं 4 से विभाजित होंगी।
4. **5 से विभाज्यता:** जिन संख्याओं के इकाई के स्थान पर 0 या 5 का अंक हो, तो वे संख्याएं 5 से विभाजित होंगी।
5. **6 से विभाज्यता:** ऐसी संख्याएं जो 2 और 3 से अलग-अलग पूर्णतः विभाजित हों, तो वे संख्याएं 6 से विभाजित होंगी।
6. **8 से विभाज्यता:** वे संख्याएं जिनके अन्तिम तीन अंक 8 से विभाज्य हों, तो वे संख्याएं 8 से विभाजित होंगी।
7. **9 से विभाज्यता:** ऐसी संख्याएं जिनके अंकों का योग 9 से विभाज्य हों, तो वे संख्याएं 9 से विभाजित होंगी।
8. **10 से विभाज्यता:** जिन संख्याओं के इकाई के स्थान पर 0 का अंक हो, वे संख्याएं 10 से विभाजित होंगी।
9. **11 से विभाज्यता:** ऐसी संख्याएं जिनके सम तथा विषम स्थानों के अंकों के योगफलों का अन्तर 0 या 11 का गुणज हों, तो वे संख्याएं 11 से विभाजित होंगी।

भाज्य, भाजक, भागफल तथा शेष में संबंध

1. भाज्य = भाजक × भागफल + शेष **2.** भाजक = $\frac{\text{भाज्य} - \text{शेष}}{\text{भागफल}}$

ध्यान रखने योग्य कुछ महत्वपूर्ण बातें

(*i*) छोटा-से-छोटा प्राकृतिक या धन पूर्णांक (+1) है।

(*ii*) बड़े-से-बड़ा ऋण पूर्णांक (–1) है।

(*iii*) "0" न तो धनात्मक और न ही ऋणात्मक पूर्णांक है।

(*iv*) ऐसी संख्या जो न तो भाज्य है और न ही अभाज्य केवल 1 है।

(*v*) ऐसी संख्या जो सम भी है और अभाज्य भी केवल 2 है।

(*vi*) छोटी-से-छोटी अभाज्य संख्या 2 है।

(*vii*) 1 से 100 तक की संख्याओं के बीच अभाज्य संख्याओं की कुल गिनती 25 है।

(*viii*) किसी भी पूर्ण वर्ग संख्या के इकाई के स्थान पर केवल 0, 1, 4, 5, 6 तथा 9 अंकों में से कोई भी अंक हो सकता है।

(*ix*) यदि किसी संख्या का घन किया जाये तो प्राप्त घन के इकाई के स्थान पर 0 से 9 तक कोई भी अंक हो सकता है।

वस्तुनिष्ठ प्रश्न

1. 49587 में 5 के स्थानीय मान और जातीय मान में कितना अन्तर है?

A. 495 B. 480
C. 8 D. 400

2. गुणनफल 743 × 512 × 417 × 215 में इकाई का अंक क्या है?

A. 0 B. 2
C. 3 D. 5

3. दो संख्याओं का योग 25 तथा अन्तर 13 है, तो इन संख्याओं का गुणनफल होगा:

A. 122 B. 118
C. 104 D. 114

4. किसी संख्या को जब 221 से विभाजित करते हैं, तो 64 शेष बचता है। यदि उस अंक को 13 से विभाजित करें, तो कितना शेष बचेगा?

A. 9 B. 10
C. 11 D. 12

5. यदि $\frac{x}{16} = \frac{196}{x}$ हो, तो x का मान बताओ:

A. 56 B. 58
C. 42 D. इनमें से कोई नहीं

6. किसी संख्या का $\frac{2}{3}$ का 25% अगर 30 है, तो वह संख्या क्या है?

A. 180 B. 140
C. 90 D. 150

7. एक परीक्षा में एक छात्र को किसी संख्या का $\frac{3}{14}$ ज्ञात करने को कहा परन्तु उसने गलती से उसका $\frac{3}{4}$ निकाल दिया, तो उसका उत्तर सही उत्तर से 150 अधिक आया, तो बताओ वह संख्या क्या है?

A. 140 B. 230
C. 280 D. 250

8. यदि $\frac{x}{y}=\frac{5}{2}$ हो, तो $\frac{4x+2y}{4x-2y}$ का मान क्या होगा?

A. 4.5 B. 1.5
C. 3.5 D. 2.5

9. दो संख्याओं के वर्गों का योग 386 है। यदि एक संख्या 5 हो, तो दूसरी संख्या क्या है?

A. 16 B. 19
C. 17 D. 18

10. किसी प्राकृत संख्या के वर्ग के तिगुने में से उस संख्या के चार गुने को घटाने पर प्राप्त संख्या उस संख्या से 50 अधिक है, तो वह संख्या क्या है?

A. 4 B. 5
C. 10 D. 6

11. किसी संख्या के तीन-चौथाई का $\frac{4}{5}$ भाग 153 है। वह संख्या क्या है?

A. 255 B. 235
C. 265 D. 225

12. किसी संख्या के $\frac{6}{7}$ भाग का 20%, 78 है। वह संख्या क्या है?

A. 465 B. 555
C. 365 D. 455

13. किसी संख्या का $\frac{5}{8}$ भाग 3825 है। उस संख्या का दो-तिहाई कितना है?

A. 3060 B. 4080
C. 2980 D. 5060

14. किसी संख्या का 26%, 1040 है। उस संख्या का तीन-चौथाई भाग क्या है?

A. 3200 B. 3400
C. 3000 D. 2800

15. दो लगातार विषम संख्याओं का योग 116 है। उन संख्याओं का गुणनफल क्या है?

A. 3264 B. 3253
C. 3373 D. 3363

16. दो संख्याएँ 7 : 15 के अनुपात में हैं। यदि वे एक-दूसरे से 128 कम हों, तो बड़ी संख्या क्या है?

A. 250 B. 235
C. 240 D. 245

17. दो संख्याएँ 3 : 8 के अनुपात में हैं। यदि बड़ी संख्या को 34 कम कर दिया जाता है, तब वह 38 हो जाती है। छोटी संख्या क्या है?

A. 27 B. 22
C. 28 D. 23

18. 160 को दो भागों में इस प्रकार बाँटा गया है कि पहले भाग का पाँच गुना तथा दूसरे भाग के दो गुना का योग 599 है। पहले भाग की संख्या क्या है?

A. 85 B. 93
C. 89 D. 91

19. किसी संख्या को 9 से गुणा करके गुणनफल में से 12 घटाने से 717 प्राप्त होता है। वह संख्या क्या है?

A. 83 B. 87
C. 81 D. 78

20. किसी संख्या के वर्ग में 102 जोड़ने पर जो संख्या प्राप्त होती है, वह उस संख्या के वर्ग के दो गुना से 42 कम है। वह संख्या क्या है?

A. 12 B. 16
C. 18 D. 20

21. एक संख्या को जब उसके $\frac{3}{5}$ से बढ़ाया जाता है, तब वह संख्या 48 से बढ़ जाती है। वह संख्या क्या है?

A. 85 B. 70
C. 65 D. 80

22. किसी परीक्षा में रूपेश ने गणित में जो अंक प्राप्त किया वह उसके द्वारा विज्ञान और हिन्दी में प्राप्त अंकों के योग का $\frac{2}{3}$ है। उसने हिन्दी में 75 अंक प्राप्त किया तथा उसका विज्ञान का अंक हिन्दी में प्राप्त अंक के $\frac{6}{5}$ है। उसने गणित में कितने अंक प्राप्त किया?

A. 108 B. 110
C. 114 D. 116

23. अगर किसी संख्या का $\frac{7}{9}$ और उसके दो गुने के बीच 132 का अन्तर हो, तो वह संख्या क्या है?

A. 109 B. 110
C. 108 D. 116

24. दो अंकों की एक संख्या में से जब 14 घटाया जाता है, तब उस संख्या का तीन-चौथाई प्राप्त होता है। उस संख्या के अंकों का गुणनफल क्या है?

A. 24 B. 28
C. 56 D. 30

25. तीन लगातार सम संख्याओं का योग 246 है। पहली संख्या का $\frac{2}{5}$ भाग, दूसरे का $\frac{3}{4}$ भाग तथा तीसरे के आधा का योग क्या है?

A. 118.5 B. 120
C. 135.5 D. 125.4

26. किसी संख्या के पाँचवे भाग को जब 80 बढ़ाया जाता है तब ऐसी संख्या प्राप्त होती है जो उस संख्या के $\frac{3}{4}$ भाग को 19 से घटाने से प्राप्त संख्या के बराबर होती है। वह संख्या क्या है?

A. 180 B. 160
C. 108 D. 150

27. यदि किसी संख्या के आठ गुना में 120 जोड़ा जाता है, तो उस संख्या के 10 गुना से 4 कम प्राप्त होता है। वह संख्या क्या है?
A. 63 B. 65
C. 62 D. 68

28. तीन संख्याओं में से पहली तथा तीसरी संख्या का योग 39 है और पहली और दूसरी संख्या का योग 45 है। यदि दूसरी संख्या का चार गुना और तीसरी संख्या का योग 114 हो, तो दूसरी संख्या क्या होगी?
A. 22 B. 24
C. 21 D. 26

29. बड़ी संख्या एक छोटी संख्या के पांच गुने से 4 अधिक है। छोटी संख्या का 8 गुना बड़ी संख्या से 2 अधिक है। बड़ी संख्या क्या है?
A. 14 B. 15
C. 16 D. 21

30. यदि दो संख्याओं में से बड़ी संख्या के तीन गुने से जब 54 घटाया जाता है, तब छोटी संख्या प्राप्त होती है। जब छोटी संख्या में 14 जोड़ा जाता है, तब बड़ी संख्या प्राप्त होती है। उनमें से छोटी संख्या क्या है?
A. 4 B. 5
C. 6 D. 7

31. किसी संख्या को 9 से गुणा करके गुणनफल में से 12 घटाने से 717 प्राप्त होता है। वह संख्या क्या है?
A. 83 B. 87
C. 81 D. 78

32. एक संख्या को जब उसके $\frac{3}{5}$ से बढ़ाया जाता है, तब वह संख्या 48 से बढ़ जाती है। वह संख्या क्या है?
A. 85 B. 70
C. 65 D. 80

33. एक बाँस का $\frac{1}{4}$ भाग काले रंग से, $\frac{2}{5}$ भाग पीले रंग से और शेष 21 मीटर लाल रंग से रंगा हुआ है। उस बाँस की लम्बाई क्या है?
A. 50 मी. B. 58 मी.
C. 65 मी. D. 60 मी.

34. 9.48 मी. लम्बी रस्सी के टुकड़े से 79 सेमी. लम्बी रस्सी के कितने टुकड़े काटे जा सकते हैं?
A. 18 B. 20
C. 12 D. 14

35. यदि 49 अंडों का मूल्य ₹ 95.40 हो, तो 11 दर्जन अंडों का मूल्य लगभग क्या होगा?
A. ₹ 260
B. ₹ 270
C. ₹ 265
D. ₹ 250

36. दो शहरों के बीच की दूरी 138.6 किमी. है, यदि कोई आदमी 6.3 किमी. प्रतिदिन पैदल चले तो, वह कितने दिनों में पूरी दूरी तय कर लेगा?
A. 28 B. 20
C. 18 D. 22

37. पाँच लगातार विषम संख्याओं का योग तीसरी संख्या से 60 अधिक है। सबसे बड़ी विषम संख्या क्या है?
A. 16 B. 18
C. 19 D. 17

38. दो अंकीय संख्या और इस संख्या के दोनों अंकों को परस्पर बदलने के बाद बनी संख्या के बीच 9 का अन्तर है। संख्या के दोनों अंकों के बीच कितना अन्तर है?
A. 5 B. 3
C. 1 D. 2

39. दो अंकों की संख्या के अंकों का योग 7 है। यदि अंकों को पलट दिया जाता है, तो नई संख्या में 3 जोड़ने पर मूल संख्या की चार गुनी हो जाती है। मूल संख्या क्या है?
A. 18 B. 21
C. 35 D. 16

40. 60 से 75 के बीच की अभाज्य संख्याओं का योग कितना है?
A. 242 B. 262
C. 282 D. 272

उत्तरमाला

1	2	3	4	5	6	7	8	9	10
A	A	D	D	A	A	C	B	B	B
11	**12**	**13**	**14**	**15**	**16**	**17**	**18**	**19**	**20**
A	D	B	C	D	C	A	B	C	A
21	**22**	**23**	**24**	**25**	**26**	**27**	**28**	**29**	**30**
D	B	C	C	C	A	C	B	A	C
31	**32**	**33**	**34**	**35**	**36**	**37**	**38**	**39**	**40**
C	D	D	C	A	D	C	C	D	D

व्याख्यात्मक उत्तर

1. 5 का स्थानीय मान = 500 और जातीय मान 5

अन्तर = 500 − 5 = 495.

2. 743 × 512 × 417 × 215 में इकाई का अंक

3 × 2 × 7 × 5 = 0.

3. पहली संख्या = $\frac{25+13}{2} = \frac{38}{2} = 19$

दूसरी संख्या = $\frac{25-13}{2} = \frac{12}{2} = 6$

गुणनफल = 19 × 6 = 114.

4. $\frac{64}{13} = 4$, शेष = 12.

5.
$$\frac{x}{16} = \frac{196}{x}$$
$$x^2 = 16 \times 196$$
$$x = \sqrt{16 \times 196},$$
$$x = 4 \times 14 = 56.$$

6.
$$x \times \frac{2}{3} \times \frac{25}{100} = 30$$
$$x = 180.$$

7.
$$\frac{3x}{4} - \frac{3x}{14} = 150$$
$$21x - 6x = 150 \times 28$$
$$x = \frac{150 \times 28}{15} = 280.$$

8. $\frac{4x+2y}{4x-2y} - \frac{4(5)+2(2)}{4(5)-2(2)} = \frac{20+4}{20-4} = \frac{24}{16} = 1.5.$

9. माना दूसरी संख्या x है।
$$x^2 + (5)^2 = 386$$
$$x^2 = 386 - 25$$
$$x^2 = 361$$
$$x = 19.$$

10. माना वह संख्या x है।
$$3x^2 - 4x = x + 50$$
$$3x^2 - 5x - 50 = 0$$
$$3x^2 - 15x + 10x - 50 = 0$$
$$3x(x-5) + 10(x-5) = 0$$
$$(x-5) + (3x+10) = 0$$
$$x = 5.$$

11. संख्या = x (माना)

∴ $x \times \frac{3}{4} \times \frac{4}{5} = 153$

∴ $x = \frac{153 \times 5}{3} = 255.$

12. संख्या = x (माना)

∴ $x \times \frac{6}{7} \times \frac{20}{100} = 78$

या, $x = \frac{78 \times 100 \times 7}{6 \times 20} = 455.$

13. संख्या = x (माना)

∴ $x \times \frac{5}{8} = 3825$

∴ $x = \frac{3825 \times 8}{5} = 6120$

∴ अभीष्ट संख्या = $6120 \times \frac{2}{3} = 4080.$

14. संख्या = x (माना)

∴ x का $\frac{26}{100} = 1040$

∴ $x = \frac{1040 \times 100}{26} = 4000$

∴ अभीष्ट संख्या = $4000 \times \frac{3}{4} = 3000.$

15. दो लगातार विषम संख्याएँ क्रमशः x और $(x + 2)$ हैं।

∴ $x + (x + 2) = 116$

या, $2x + 2 = 116$

या, $2x = 116 - 2$

∴ $x = \frac{114}{2} = 57$

∴ पहली विषम संख्या = 57

दूसरी विषम संख्या = 57 + 2 = 59

∴ अभीष्ट गुणनफल = 57 × 59 = 3363

16. पहली संख्या = $7x$

तथा दूसरी संख्या = $15x$

∴ $15x - 7x = 128$

या, $8x = 128$

∴ $x = \frac{128}{8} = 16$

अतः बड़ी संख्या = $15x = 15 \times 16 = 240.$

17. छोटी संख्या $= 3x$

बड़ी संख्या $= 8x$

$\therefore \quad 8x - 34 = 38$

या, $\quad 8x = 38 + 34 = 72$

$\therefore \quad x = \frac{72}{8} = 9$

$\therefore$ छोटी संख्या $= 3x = 3 \times 9 = 27.$

18. पहला भाग $= x$ (माना)

$\therefore$ दूसरा भाग $= (160 - x)$

$\therefore 5x + 2 \times (160 - x) = 599$

या, $\quad 5x + 320 - 2x = 599$

या, $\quad 3x = 599 - 320$

$\therefore \quad x = \frac{279}{3} = 93$

$\therefore$ पहली संख्या $= x = 93$

19. संख्या $= x$ (माना)

अतः $\quad 9x - 12 = 717$

या, $\quad 9x = 717 + 12$

या, $\quad x = \frac{729}{9} = 81$

अतः संख्या = 81.

20. संख्या $= x$ (माना)

$\therefore \quad x^2 + 102 = 2x^2 - 42$

या, $\quad 2x^2 - x^2 = 102 + 42$

या, $\quad x^2 = 144$

$\therefore \quad x = \sqrt{144} = 12$

21. संख्या $= x$ (माना)

$$x + \frac{3x}{5} = x + 48$$

या, $\quad \frac{3x}{5} = 48$

$\therefore \quad x = \frac{48 \times 5}{3} = 80$

22. $\quad \text{H} = 75$

$$\text{S} = 75 \times \frac{6}{5} = 90$$

$\therefore \quad \text{M} = (\text{H} + \text{S}) \times \frac{2}{3} = (75 + 90) \times \frac{2}{3}$

$$= 165 \times \frac{2}{3} = 110$$

23. संख्या $= x$ (माना)

अतः $\quad 2x - \frac{7x}{9} = 132$

या, $\quad \frac{11x}{9} = 132$

$\therefore \quad x = \frac{132 \times 9}{11} = 108.$

24. संख्या $= x$ (माना)

अतः $\quad x - 14 = \frac{3x}{4}$

या, $\quad x - \frac{3x}{4} = 14$

या, $\quad \frac{x}{4} = 14$

$\therefore$ संख्या $= x = 4 \times 14 = 56.$

25. प्रश्नानुसार

$x + (x + 2) + (x + 4) = 246$

या, $\quad 3x + 6 = 246$

या, $\quad 3x = 246 - 6$

$\therefore \quad x = \frac{240}{3} = 80$

$\therefore$ पहली सम संख्या $= x = 80$

दूसरी सम संख्या $= x + 2 = 82$

तीसरी सम संख्या $= x + 4 = 84$

$\therefore$ अभीष्ट उत्तर $= \left(80 \times \frac{2}{5}\right) + \left(82 \times \frac{3}{4}\right) + 84 \times \frac{1}{2}$

$$= 32 + 61.5 + 42 = 135.5.$$

26. संख्या $= x$ (माना)

$\therefore \quad \frac{x}{5} + 80 = \frac{3x}{4} - 19$

या, $\quad \frac{3x}{4} - \frac{x}{5} = 80 + 19$ या, $\frac{11x}{20} = 99$

$\therefore \quad x = \frac{20 \times 99}{11} = 180.$

27. संख्या $= x$ (माना)

$8x + 120 = 10x - 4$

या, $\quad 10x - 8x = 120 + 4$

या, $\quad 2x = 124$

$\therefore \quad x = \frac{124}{2} = 62$

$\therefore$ अभीष्ट संख्या = 62.

28. पहली, दूसरी और तीसरी संख्याएँ क्रमशः x, y और z हैं।

अतः $x + z = 39$ ...(i)

$x + y = 45$ ...(ii)

$4y + z = 114$ ...(iii)

समीकरण (i) से, $x = 39 - z$

समीकरण (ii) से, $x = 45 - y$

$\therefore$ $39 - z = 45 - y$

या, $y - z = 45 - 39 = 6$

अब, $4y + z = 114$

$y - z = 6$

$5y = 120$

$\therefore$ $y = \frac{120}{5} = 24.$

29. छोटी संख्या $= x$

तथा बड़ी संख्या $= y$ (माना)

$\therefore$ $y = 5x + 4$

या, $y - 5x = 4$

पुनः $8x = y + 2$

या, $-y + 8x = 2$

$\therefore$ $y - 5x = 4$

$-y + 8x = 2$

$3x = 6$

$\therefore$ $x = 2$

$\therefore$ $y = 5 \times 2 + 4 = 14.$

अतः अभीष्ट बड़ी संख्या = 14

30. छोटी संख्या $= x$

बड़ी संख्या $= y$

प्रश्न से, $3y - 54 = x$

या, $3y - x = 54$

पुनः $x + 14 = y$

या, $-y + x = -14$

अब,

$3y - x = 54$

$-y + x = -14$

$2y = 40$

$\therefore$ $y = 20$

$\therefore$ $x = 3 \times 20 - 54$

$= 60 - 54 = 6$

अतः अभीष्ट छोटी संख्या = 6.

$\therefore$ सबसे बड़ी सम संख्या = 62 + 6 = 68.

31. संख्या $= x$ (माना)

अतः $9x - 12 = 717$

या, $9x = 717 + 12$

या, $x = \frac{729}{9} = 81$

अतः संख्या = 81.

32. संख्या $= x$ (माना)

$x + \frac{3x}{5} = x + 48$ या, $\frac{3x}{5} = 48$

$\therefore$ $x = \frac{48 \times 5}{3} = 80$

33. बाँस की लम्बाई $= x$ (माना)

काले और पीले रंग से रंगे बाँस का भाग $= \frac{x}{4} + \frac{2x}{5} = \frac{13x}{20}$

लाल रंग से रंगे बाँस का भाग $= x - \frac{13x}{20} = \frac{7x}{20}$

$\therefore$ $\frac{7x}{20} = 21$

अतः $x = \frac{21 \times 20}{7} = 60$ मी.

34. रस्सी के टुकड़े की अभीष्ट संख्या $= \frac{9.48}{0.79} = 12.$

35. $\because$ 49 अंडों का मूल्य = ₹ 95.40

$\therefore$ 1 अंडों का मूल्य $= \frac{95.40}{49}$

$\therefore$ 132 अंडों का मूल्य $= \frac{95.40 \times 132}{49}$

= ₹ 260 (लगभग)

36. दिनों की अभीष्ट संख्या $= \frac{138.6}{6.3} = 22.$

37. $x + (x + 2) + (x + 4) + (x + 6) + (x + 8)$

$= (x + 4) + 60$

या, $5x + 20 = x + 4 + 60$

या, $5x - x = 64 - 20$

या, $4x = 44$

$\therefore$ $x = \frac{44}{4} = 11$

अतः सबसे बड़ी विषम संख्या = 11 + 8 = 19.

38. अंकों का अन्तर $= \frac{\text{संख्याओं का अन्तर}}{9} = \frac{9}{9} = 1.$

39. विकल्प (D) से, 16 = 61 + 3 = 64.

40. अभीष्ट योग = (61 + 67 + 71 + 73) = 272.

★ ★ ★

2 पूर्ण संख्याओं पर संक्रियाएँ (Operations on Whole Number)

प्राकृत संख्याएँ शून्य के साथ मिलकर पूर्ण संख्याओं (whole numbers) का संग्रह बनाती हैं। अर्थात् 0, 1, 2, 3, ... ∞ को पूर्ण संख्याएँ कहते हैं।

पूर्ण संख्याओं पर आधारित चार मूलभूत संक्रियाएं (जैसे : जोड़, घटाव, गुणा और भाग) निम्न हैं–

योगफल (Addition) के गुण

(*i*) पूर्ण संख्याओं का योग क्रम विनिमेय (Commutative) होता है।
यदि a तथा b कोई दो पूर्ण संख्याएँ हैं,
तब $a + b = b + a$
जैसे : $4 + 6 = 6 + 4$

(*ii*) पूर्ण संख्याओं का योग साहचर्य (Associative) होता है।
यदि a, b, c कोई तीन पूर्ण संख्याएँ है, तब
$$(a + b) + c = a + (b + c)$$
जैसे : $(6 + 4) + 5 = 6 + (4 + 5)$

(*iii*) जब आप शून्य को किसी पूर्ण संख्या में जोड़ते हैं, तो परिणाम स्वयं वही पूर्ण संख्या होती है।
यदि a कोई पूर्ण संख्या है,
तब $a + 0 = 0 + a = a$
जैसे : $6 + 0 = 0 + 6 = 6$

शून्य को पूर्ण संख्याओं के लिए तत्समक अवयव (identity element) या योज्य तत्समक (additive identity) कहते हैं।

घटाव (Subtraction) के गुण

घटाव क्रम विनिमय नहीं होता है।
घटाव साहचर्य नहीं होता है।
घटाव तत्समक अवयव नहीं है।
अर्थात् $a - b \neq b - a$
$a - (b - c) \neq (a - b) - c$
तथा $a - 0 \neq 0 - a \neq a$

गुणा के गुण (Properties of multiplication)

(*i*) दो पूर्ण संख्याओं का गुणनफल एक पूर्ण संख्या होती है। अतः हम कह सकते हैं कि पूर्ण संख्याएँ गुणन के अन्तर्गत संवृत होती हैं।

(*ii*) पूर्ण संख्याओं के लिए गुणन क्रम विनिमेय (Commutative) होता है। यदि a तथा b कोई दो पूर्ण संख्याएँ हैं,
तब $a \times b = b \times a$
जैसे : $8 \times 6 = 6 \times 8$

(*iii*) पूर्ण संख्याओं के लिए गुणन साहचर्य (Associative) होता है :
यदि a, b, c कोई तीन पूर्ण संख्याएँ हैं,
तब $a \times (b \times c) = (a \times b) \times c$
जैसे : $6 \times (2 \times 4) = (6 \times 2) \times 4$

(*iv*) किसी पूर्ण संख्या को 1 से गुणा करने पर उनका गुणनफल उस संख्या के बराबर होता है।
यदि a एक पूर्ण संख्या है, तब
$$a \times 1 = 1 \times a = a$$
जैसे : $8 \times 1 = 1 \times 8 = 8$
1 को पूर्ण संख्याओं का तत्समक अवयव (identity element) गुणज कहते हैं।

(*v*) योग पर गुणन का वितरण नियम (Distributive property of multiplication over addition)
यदि a, b, c कोई तीन पूर्ण संख्याएँ हैं
तब $a \times (b + c) = a \times b + a \times c$
जैसे : $4 \times (5 + 6) = 4 \times 5 + 4 \times 6$

पूर्ण संख्याओं का विभाजन

हम जानते हैं कि विभाजन, गुणा की विपरीत संक्रिया है।
∵ $3 \times 5 = 15$,
अतः $15 \div 5 = 3$ तथा $15 \div 3 = 5$
$4 \times 3 = 12$,
अतः $12 \div 4 = 3$ तथा $12 \div 3 = 4$ प्राप्त होता है।

इस प्रकार हम कह सकते हैं कि पूर्ण संख्याओं के प्रत्येक गुणन कथन के लिए दो विभाजन या भाग कथन हैं।

पूर्ण संख्याओं का भाग के संदर्भ में एक प्रमुख सूत्र
$$\text{भाज्य} = \text{भाजक} \times \text{भागफल} + \text{शेष}$$
$$\text{भाजक} = \frac{\text{भाज्य} - \text{शेष}}{\text{भागफल}}$$
$$\text{भागफल} = \frac{\text{भाज्य} - \text{शेष}}{\text{भाजक}}$$

वस्तुनिष्ठ प्रश्न

1. यदि 9587 – A = 7429 – 4358, तब A का मान क्या है?
A. 6516 B. 5616
C. 6156 D. 6616

2. 976 × 237 + 976 × 763 = ?
A. 9760 B. 7600
C. 976000 D. 237000

3. यदि 7589 – P = 3434, तब P का मान है:
A. 4242 B. 4155
C. 1123 D. 11023

4. यदि 8597 – M = 7429 – 4358, तब M का मान क्या है?
A. 5426 B. 5706
C. 5526 D. 5476

5. सरल कीजिए :

3251 + 587 + 369 – A = 3007
A. 1250 B. 1300
C. 1375 D. 1200

6. 5358 × 51 = ?
A. 273258 B. 322758
C. 223758 D. 237258

7. 256 × 47 का गुणनफल है:
A. 32120 B. 12032
C. 21320 D. 12322

8. 18 को किस संख्या से गुणा किया जाए कि उनका गुणनफल 846 हो?
A. 51 B. 48
C. 47 D. 57

9. 26 को किस संख्या से गुणा करें कि गुणनफल 1014 हो जाए?
A. 49 B. 48
C. 38 D. 39

10. अन्तर ज्ञात कीजिए : 1426 – 548
A. 878 B. 788
C. 868 D. 798

11. 986 × 307 – 986 × 207 = ?
A. 86900 B. 98600
C. 69800 D. 68900

12. 2010 में कौन-सी छोटी संख्या जोड़ी जाए ताकि प्राप्त संख्या 19 से पूर्णतः विभाजित हो?
A. 2 B. 3
C. 4 D. 5

13. 1672 में कौन-सी संख्या घटाई जाए ताकि प्राप्त संख्या 17 से पूर्णतः विभाजित हो?
A. 4 B. 7
C. 5 D. 6

14. 12401 को किसी संख्या से भाग देने पर भागफल 76 तथा शेष 13 प्राप्त होता है। भाजक ज्ञात कीजिए:
A. 163 B. 165
C. 173 D. 153

15. किसी संख्या को 342 से भाग देने पर शेष 47 आता है तो उसी संख्या को 18 से भाग देने पर शेष क्या होगा?
A. 8 B. 9
C. 10 D. 11

16. 8001 + 7909 + 5190 = ?
A. 21100 B. 20100
C. 21090 D. 20090

17. 2095 + 3909 = 7209 – ?
A. 1205 B. 6004
C. 8414 D. 4111

18. 74 × 34 = ?
A. 2436 B. 2516
C. 2456 D. 2526

19. (71 + 25) × 26 को सरल कीजिए:
A. 2496 B. 1801
C. 1846 D. 1775

20. 86 × 27 – 27 = ?
A. 2349 B. 0
C. 2295 D. 1435

21. 8223 ÷ 41 = ?
A. 303 B. 105
C. 200.56 D. 403

22. यदि 18952 ÷ 23 = 824, तो 18952 ÷ 824 = ?
A. 21 B. 20
C. 22 D. 23

23. 4845760 से 70,00,000 कितना अधिक है?
A. 2154240 B. 2164240
C. 2174240 D. 2184240

24. दो संख्याओं का योग 673579845 है। यदि उनमें से एक 492798546 है, तो दूसरी संख्या है:
A. 185781299 B. 180781299
C. 186781299 D. 182781299

25. दो संख्याओं का गुणनफल 492723 है। यदि एक संख्या 567 है, तो दूसरी संख्या है:
A. 869 B. 769
C. 669 D. 569

26. 469157 × 9999 = (______)
A. 4586970843 B. 4686970743
C. 4691100843 D. 4586870843

27. राम का वजन 123 किलोग्राम है। वह श्याम से 4 गुना भारी है। श्याम का वजन कितना है?
A. 30.75 किलोग्राम B. 30.65 किलोग्राम
C. 30.70 किलोग्राम D. 30.60 किलोग्राम

28. 27 से छोटी उन सभी संख्याओं का योग ज्ञात कीजिए जो 9 से विभाज्य हैं।

A. 54 B. 18 C. 36 D. 27

29. (–10) में से (–4) घटाएँ।

A. 6 B. –6 C. 14 D. –14

30. एक स्कूल में 1200 विद्यार्थी हैं। यदि उनमें से 40% लड़कियाँ हैं, तो स्कूल में लड़कों की संख्या ज्ञात कीजिए।

A. 480
B. 620
C. 720
D. 600

उत्तरमाला

1	2	3	4	5	6	7	8	9	10
A	C	B	C	D	A	B	C	D	A
11	**12**	**13**	**14**	**15**	**16**	**17**	**18**	**19**	**20**
B	C	D	A	D	A	A	B	A	C
21	**22**	**23**	**24**	**25**	**26**	**27**	**28**	**29**	**30**
C	D	A	B	A	C	A	D	B	C

व्याख्यात्मक उत्तर

1. $\because$ $9587 - A = 7429 - 4358$

$\Rightarrow$ $9587 + 4358 - 7429 = A$

$\Rightarrow$ $13945 - 7429 = A$

$\Rightarrow$ $6516 = A$

$\therefore$ $A = 6516.$

2. $976 \times 237 + 976 \times 763$

$= 976\,(237 + 763) = 976 \times 1000$

$= 976000.$

3. $\because$ $7589 - P = 3434$

$\Rightarrow$ $7589 - 3434 = P$

$\Rightarrow$ $4155 = P$

$\therefore$ $P = 4155$

4. $\because$ $8597 - M = 7429 - 4358$

$\Rightarrow$ $8597 - M = 3071$

$\Rightarrow$ $8597 - 3071 = M$

$\Rightarrow$ $5526 = M$

$\therefore$ $M = 5526.$

5. $3251 + 587 + 369 - 3007 = A$

$\Rightarrow$ $4207 - 3007 = A$

$\Rightarrow$ $1200 = A$

$\therefore$ $A = 1200.$

6. 5358×51

```
   5358
  × 51
 ------
   5358
  26790
 ------
 273258
```

अतः $5358 \times 51 = 273258$

7. 256×47

```
   256
  × 47
 -----
  1792
  1024
 -----
 12032
```

अतः $256 \times 47 = 12032.$

8. अभीष्ट संख्या $= 846 \div 18 = 47$

```
      47
 18 ) 846 (
      72
     ----
      126
      126
     ----
        ×
```

9.

```
      39
 26 ) 1014 (
       78
      ----
       234
       234
      ----
         ×
```

$\therefore$ अभीष्ट संख्या $= 1014 \div 26 = 39.$

10.

```
   1426
 −  548
 ------
    878
```

11. $986 \times 307 - 986 \times 207$

$= 986\,(307 - 207)$

$= 986 \times 100$

$= 98600.$

12.

$$\begin{array}{r} 19\overline{)2010}(105 \\ 19 \\ \hline 110 \\ 95 \\ \hline 15 \end{array}$$

∴ अभीष्ट संख्या = 19 – 15 = 4.

13.

$$\begin{array}{r} 17\overline{)1672}(98 \\ 153 \\ \hline 142 \\ 136 \\ \hline 6 \end{array}$$

∴ अभीष्ट संख्या = 6.

14. भाजक × भागफल + शेष = भाज्य

$$\therefore \quad \text{भाजक} = \frac{\text{भाज्य} - \text{शेष}}{\text{भागफल}}$$

$$= \frac{12401 - 13}{76}$$

$$= \frac{12388}{76} = 163.$$

15. माना कि दी गई संख्या को 342 से विभाजित करने पर हम पाते हैं कि

भागफल = K तथा शेष = 47

तब, संख्या = 342 × K + 47
= (18 × 19K) + (18 × 2) + 11
= 18 (19K + 2) + 11

अतः संख्या को जब 18 से भाग दिया जाता है, तो शेष 11 होगा।

16. 8001 + 7909 + 5190 = 21100

$$\begin{array}{r} 8001 \\ 7909 \\ +5190 \\ \hline 21100 \\ \hline \end{array}$$

17. $2095 + 3909 = 7209 - x$

$\Rightarrow \quad 6004 + x = 7209$

$\Rightarrow \quad x = 7209 - 6004$

$\Rightarrow \quad x = 1205.$

18. 74 × 34 = 2516

$$\begin{array}{r} 74 \\ \times 34 \\ \hline 296 \\ +222\; \\ \hline 2516 \\ \hline \end{array}$$

19. (71 + 25) × 26 = 96 × 26 = 2496

$$\begin{array}{r} 96 \\ \times 26 \\ \hline 576 \\ +192\; \\ \hline 2496 \\ \hline \end{array}$$

20. 86 × 27 – 27

$$\begin{array}{r} 85 \\ \times 27 \\ \hline 595 \\ +170\; \\ \hline 2295 \\ \hline \end{array}$$

= 27 (86 – 1) = 27 × 85 = 2295.

21. 8223 ÷ 41 = ? ∴ ? = 200.56.

22. 18952 ÷ 23 = 824 तो, 18952 ÷ 824 = 23.

नोटः यदि भाजक और भागफल को आपस में बदल दिया जाए, तो भाजक, भागफल बन जाएगा और भागफल, भाजक बन जाएगा।

23.

$$\begin{array}{r} 7000000 \\ -\ 4845760 \\ \hline 2154240 \\ \hline \end{array}$$

24. दो संख्याओं का योग = 673579845

⇒ 492798546 + दूसरी संख्या = 673579845

⇒ दूसरी संख्या = 673579845 – 492798546
= 180781299.

25. दो संख्याओं का गुणनफल = 492723

⇒ 567 × दूसरी संख्या = 492723

$$\Rightarrow \quad \text{दूसरी संख्या} = \frac{492723}{567} = 869.$$

26. 469157 × 9999 = 469157 × (10000 – 1)
= 4691570000 – 469157 = 4691100843.

27. माना श्याम का वजन = x किग्रा

तो, राम का वजन = 4 × श्याम का वजन

⇒ 123 किग्रा = 4 × x किग्रा

$$\Rightarrow \quad x = \frac{123}{4} = 30.75 \text{ किग्रा}$$

28. 27 से छोटी संख्याएँ जो 9 से विभाज्य हैं, 9 और 18 हैं।

योग = 9 + 18 = 27

अतः 27 से छोटी सभी संख्याओं का योग जो 9 से विभाज्य हैं, 27 है।

29. –10 – (–4) = –10 + 4 = –6.

30. स्कूल में लड़कों की संख्या $= 1200 \times \frac{100 - 40}{100}$

= 12 × 60 = 720.

★★★

3 महत्तम समापवर्तक तथा लघुत्तम समापवर्त्य (HCF and LCM)

लघुत्तम समापवर्त्य (L.C.M.)

किन्हीं दो या दो से अधिक दी हुई संख्याओं का लघुत्तम समापवर्त्य (ल.स.) वह छोटी-से-छोटी संख्या है जो प्रत्येक दी हुई संख्याओं से पूरी-पूरी विभाजित हो जाए।

लघुत्तम समापवर्त्य ज्ञात करने की दो विधियाँ हैं :

(*i*) अभाज्य गुणनखण्ड विधि द्वारा; (*ii*) भाग विधि द्वारा।

(*i*) अभाज्य गुणनखण्ड विधि द्वारा ल.स. निकालना

इस विधि में दी गई संख्याओं का सबसे पहले अभाज्य गुणनखण्ड करते हैं। इसके बाद सर्वाधिक बार आए हुए गुणनखण्डों का आपस में गुणा कर देते हैं। इस प्रकार प्राप्त गुणनफल अभीष्ट ल.स. होता है।

उदाहरण : 24, 36 तथा 90 का ल.स. ज्ञात कीजिए।

हल : 24, 36 तथा 90 के अभाज्य गुणनखण्ड करने पर

$$24 = 2 \times 2 \times 2 \times 3$$
$$36 = 2 \times 2 \times 3 \times 3$$
$$90 = 2 \times 3 \times 3 \times 5$$

अतः स्पष्ट है कि अभाज्य गुणनखण्ड 2 सबसे अधिक 3 बार, 3 दो बार तथा 5 एक बार आया है।

$\therefore$ अभीष्ट ल.स. $= 2 \times 2 \times 2 \times 3 \times 3 \times 5 = 360$

(*ii*) भाग विधि द्वारा ल.स. निकालना

दी हुई संख्याओं को अर्थात् जिन संख्याओं का ल.स. ज्ञात करना हो उन्हें क्रम से लिख देते हैं। फिर 2, 3, 4, 5, ... से बारी-बारी से भाग देते जाते हैं। यदि किसी संख्या में भाग न जाए, तो उसे ज्यों-का-त्यों उतार देते हैं। अगली बार उसे उसके भाजक से भाग देते हैं। जब सभी संख्याओं का अन्तिम भागफल 1 आ जाए तो सभी भाजकों को आपस में गुणा कर देते हैं। इस प्रकार प्राप्त गुणनफल अभीष्ट ल.स. होगा।

उदाहरण : 16, 24, 36 तथा 54 का ल.स. (L.C.M.) ज्ञात कीजिए।

हल :

2	16,	24,	36,	54
2	8,	12,	18,	27
2	4,	6,	9,	27
3	2,	3,	9,	27
3	2,	1,	3,	9
	2,	1,	1,	3

अतः ल.स. $= 2 \times 2 \times 2 \times 3 \times 3 \times 2 \times 3 = 432.$

महत्तम समापवर्तक (H.C.F.)

किन्हीं दो या दो से अधिक दी गई संख्याओं का महत्तम समापवर्तक (म.स.) वह बड़ी-से-बड़ी संख्या है जो प्रत्येक दी गई संख्याओं को पूरा-पूरा विभाजित कर दे। महत्तम समापवर्तक ज्ञात करने की दो विधियाँ हैं :

(*i*) अभाज्य गुणनखण्ड विधि द्वारा म.स. निकालना

जिन संख्याओं का म.स. ज्ञात करना होता है, उनका बारी-बारी से अभाज्य गुणनखण्ड करते हैं। अभाज्य गुणनखण्ड करने के बाद सर्वनिष्ठ गुणनखण्डों (Common factors) को आपस में गुणा कर लेते हैं। इस प्रकार प्राप्त गुणनफल अभीष्ट म.स. होता है।

उदाहरण : 28, 32 तथा 40 का म.स. ज्ञात कीजिए।

हल : 28, 32 तथा 40 को अभाज्य गुणनखण्डों के गुणनफल के रूप में लिखने पर,

$$28 = \underline{2 \times 2} \times 7$$
$$32 = \underline{2 \times 2} \times 2 \times 2 \times 2$$
$$40 = \underline{2 \times 2} \times 2 \times 5$$

चूँकि तीनों संख्याओं का उभयनिष्ठ गुणनखण्ड $2 \times 2 = 4$ है।

अतः अभीष्ट म.स. = 4

(*ii*) भाग विधि द्वारा म.स. निकालना

जब दी गई संख्याएँ इस प्रकार हों कि उनका अभाज्य गुणनखण्ड आसानी से ज्ञात न हो सके, तब भाग विधि का प्रयोग किया जाता है। इस विधि में सबसे पहले दो संख्याओं को लेकर छोटी संख्या से बड़ी संख्या में भाग देते हैं। इस क्रिया के अन्त में जो शेष बचता है उससे भाजक में भाग देते हैं। पुनः इसमें प्राप्त शेष से इसके भाजक में भाग देते हैं। यही क्रिया तब तक करते हैं जब तक शेष शून्य न हो जाए। जब शेष शून्य हो जाए तो अन्तिम भाजक दोनों संख्याओं का म.स. होगा। यदि तीसरी संख्या भी प्रश्न में दी गई हो, तो इस म.स. और तीसरी संख्या का म.स. उक्त भाग विधि से ज्ञात करते हैं। इस प्रकार चौथी, पाँचवीं संख्या का म.स. ज्ञात किया जाता है।

उदाहरण : 48, 168 तथा 324 का म.स. (H.C.F.) ज्ञात कीजिए।

हल : सबसे पहले 168 को 48 से भाग देते हैं।

48) 168 (3
   144
   24) 48 (2
       48
       ×

इस प्रकार 48 और 168 का म.स. 24 हुआ। अब 24 और तीसरी संख्या 324 का म.स. इसी भाग विधि से ज्ञात करेंगे।

```
24) 324 ( 13
    24
    ---
     84
     72
    ---
 12) 24 ( 2
     24
     ---
      ×
```

अतः तीनों संख्याओं 48, 168 तथा 324 का म.स. 12 हुआ।

भिन्नों का ल.स. तथा म.स. ज्ञात करना

$$\text{ल.स.} = \frac{\text{अंश का ल.स.}}{\text{हर का म.स.}}$$

तथा $$\text{म.स.} = \frac{\text{अंश का म.स.}}{\text{हर का ल.स.}}$$

उदाहरण : $\frac{2}{5}, \frac{3}{10}$ तथा $\frac{6}{25}$ का ल.स. निकालें।

हल : $\frac{2}{5}, \frac{3}{10}$ तथा $\frac{6}{25}$ का ल.स. $= \frac{\text{2,3 तथा 6 का ल.स.}}{\text{5,10 तथा 25 का म.स.}} = \frac{6}{5}$

उदाहरण : $\frac{4}{9}, \frac{10}{21}$ तथा $\frac{20}{63}$ का म.स. ज्ञात कीजिए।

हल : $\frac{4}{9}, \frac{10}{21}$ तथा $\frac{20}{63}$ का म.स.

$$= \frac{\text{4, 10 तथा 20 का म.स.}}{\text{9, 21 तथा 63 का ल.स.}} = \frac{2}{63}.$$

दो संख्याओं तथा उनके म.स. तथा ल.स. में सम्बन्ध (Relationship between two numbers and their H.C.F. and L.C.M.)

किन्हीं दो दी गई संख्याओं का म.स. तथा ल.स. का गुणनफल उन दो दी गई संख्याओं के गुणनफल के बराबर होता है।

अर्थात् पहली संख्या × दूसरी संख्या = म.स. × ल.स.

उदाहरण : दो संख्याओं का ल.स. तथा म.स. क्रमशः 72 तथा 6 है। यदि उनमें से एक संख्या 18 हो, तो दूसरी संख्या का मान कितना होगा?

हल : पहली संख्या × दूसरी संख्या = ल.स. × म.स.

$$18 \times \text{दूसरी संख्या} = 72 \times 6$$

$$\therefore \quad \text{दूसरी संख्या} = \frac{72 \times 6}{18} = 24.$$

उदाहरण : दो संख्याओं का गुणनफल 2560 है। यदि दोनों संख्याओं का म.स. 16 है, तो उनका ल.स. कितना होगा?

हल : ल.स. × म.स. = दोनों संख्याओं का गुणनफल

$$\text{ल.स.} \times 16 = 2560$$

$$\therefore \quad \text{ल.स.} = \frac{2560}{16} = 160.$$

वस्तुनिष्ठ प्रश्न

1. 420, 315 तथा 462 का म.स. क्या है?
A. 24 B. 28
C. 27 D. 21

2. 6, 8, 10 तथा 12 का ल.स. कितना होगा?
A. 120 B. 60
C. 240 D. 130

3. $\frac{5}{6}, \frac{6}{7}, \frac{7}{8}, \frac{8}{9}$ तथा $\frac{9}{10}$ का म.स. कितना होगा?
A. $\frac{1}{2420}$ B. $\frac{1}{2520}$
C. $\frac{1}{2660}$ D. $\frac{1}{2540}$

4. दो संख्याओं का ल.स. तथा म.स. क्रमशः 4284 तथा 32 है। यदि उन संख्याओं में से एक संख्या 204 है, तो दूसरी संख्या का मान क्या होगा?
A. 672 B. 576
C. 676 D. 572

5. वह छोटी-से-छोटी संख्या क्या होगी जो 3, 4, 6 तथा 8 से पूर्णतः विभाजित हो जाए?
A. 26 B. 24
C. 28 D. 32

6. तीन अंकों की सबसे छोटी संख्या क्या होगी जो 12, 18 तथा 24 से पूर्णतः विभाजित हो?
A. 72 B. 144
C. 180 D. 224

7. तीन अंकों की वह बड़ी-से-बड़ी संख्या क्या होगी जिसमें 6, 9 तथा 12 से भाग देने पर प्रत्येक दशा में 1 शेष बचे?
A. 887 B. 987
C. 973 D. 730

8. 226 और 272 में भाग देने पर क्रमशः 1 और 2 शेषफल देने वाली बड़ी-से-बड़ी संख्या का मान कितना होगा?
A. 36 B. 45
C. 55 D. 59

9. बिजली की तारें दो तरह की हैं जिसमें एक एल्युमिनियम की है जिसकी लम्बाई 9 मी. 60 सेमी. है तथा दूसरी तार तांबे की है जिसकी लम्बाई 5 मी. 12 सेमी. है। उस तार की अधिकतम लम्बाई ज्ञात कीजिए जिससे दोनों तारों को पूर्णतः विभाजित कर सकें।
A. 40 सेमी. B. 46 सेमी.
C. 64 सेमी. D. 60 सेमी.

10. पाँच घंटियाँ एक साथ 24, 40, 64, 72 तथा 120 सेकेण्ड के अन्तर पर बजती हैं। कितने सेकेण्ड के बाद वे फिर एक साथ बजेंगी?

A. 42 मिनट B. 36 मिनट
C. 48 मिनट D. 54 मिनट

11. तीन विभिन्न चौराहों पर यातायात की बत्तियाँ 48 सेकेण्ड, 72 सेकेण्ड तथा 108 सेकेण्ड के बाद बदलती रहती हैं। यदि वे प्रातः 9 बजे एक साथ बदलें, तो पुनः एक साथ कितने बजे बदलेंगी?

A. 10 मिनट 10 सेकेण्ड B. 7 मिनट 12 सेकेण्ड
C. 7 मिनट 10 सेकेण्ड D. 12 मिनट 10 सेकेण्ड

12. वह बड़ी-से-बड़ी नाप ज्ञात कीजिए जो क्रमशः 4 मी. 3 सेमी., 4 मी. 34 सेमी. तथा 4 मी. 65 सेमी. की लम्बाइयों को पूर्णतया नाप सके।

A. 31 सेमी. B. 29 सेमी.
C. 28 सेमी. D. 32 सेमी.

13. 3, 9, 12, 15, 6 का ल.स. ज्ञात कीजिए।

A. 240 B. 90
C. 180 D. 120

14. $\frac{4}{3}, \frac{8}{9}, \frac{3}{5}$ का ल.स. ज्ञात कीजिए।

A. 20 B. 24
C. $\frac{1}{24}$ D. $\frac{1}{20}$

15. 120, 150, 180 का म.स. ज्ञात कीजिए।

A. 30 B. 60
C. 50 D. 10

16. तीन घंटियाँ 12, 15 तथा 18 मिनट के अन्तराल पर बजती हैं। यदि वे प्रातः 9 बजे एक साथ बजें तो वे पुनः कितनी देर बाद एक-साथ बजेंगी?

A. 10:00 a.m. B. 11:00 a.m.
C. 12:00 p.m. D. 1:00 p.m.

17. वह बड़ी-से-बड़ी संख्या ज्ञात कीजिए जिससे 43, 91 तथा 183 को भाग देने पर प्रत्येक दशा में समान शेष बचे।

A. 9 B. 8
C. 4 D. 3

18. दो संख्याओं का अनुपात 5 : 6 है। यदि उनका म.स. 4 है, तो उनका ल.स. होगा?

A. 90 B. 96
C. 150 D. 120

19. वह छोटी-से-छोटी संख्या ज्ञात कीजिए जो 12, 15 तथा 25 से पूर्ण विभाजित हो जाए।

A. 300 B. 150
C. 200 D. 400

20. तीन घंटियाँ क्रमशः 4, 5 तथा 6 मिनटों के अन्तराल पर बजती हैं। यदि वे प्रातः 8:30 बजे एक साथ बजना आरम्भ करें, तो वे पुनः कितने बजे एक-साथ बजेंगी?

A. 8:45 a.m. B. 9:30 a.m.
C. 9:45 a.m. D. 10:15 a.m.

उत्तरमाला

1	2	3	4	5	6	7	8	9	10
D	A	B	A	B	B	C	B	C	C
11	**12**	**13**	**14**	**15**	**16**	**17**	**18**	**19**	**20**
B	A	C	B	A	C	C	D	A	B

व्याख्यात्मक उत्तर

1.

```
315 ) 420 ( 1
      315
     105 ) 315 ( 3
           315
            ×
105 ) 462 ( 4
      420
       42 ) 105 ( 2
             84
             21 ) 42 ( 2
                  42
                   ×
```

∴ अभीष्ट म.स. = 21.

2. 6, 8, 10 तथा 12 का ल.स.

2	6, 8, 10, 12
2	3, 4, 5, 6
3	3, 2, 5, 3
	1, 2, 5, 1

ल.स. $= 2 \times 2 \times 3 \times 2 \times 5 = 120$.

3. $\frac{5}{6}, \frac{6}{7}, \frac{7}{8}, \frac{8}{9}$ तथा $\frac{9}{10}$ का म.स.

$$\text{म.स.} = \frac{\text{अंश का म.स.}}{\text{हर का ल.स.}}$$

$$= \frac{5, 6, 7, 8, 9 \text{ का म.स.}}{6, 7, 8, 9, 10 \text{ का ल.स.}}$$

$$= \frac{1}{2520}.$$

4. $\because$ पहली संख्या × दूसरी संख्या = ल.स. × म.स.

$\Rightarrow$ 204 × दूसरी संख्या = 4284 × 32

$\therefore$ दूसरी संख्या $= \frac{4284 \times 32}{204} = 42 \times 16$

$\therefore$ अभीष्ट संख्या = 672.

5. 3, 4, 6 तथा 8 का ल.स.

2	3, 4, 6, 8
2	3, 2, 3, 4
3	3, 1, 3, 2
	1, 1, 1, 2

$\therefore$ सबसे छोटी संख्या = 2 × 2 × 3 × 2 = 24.

6. 12, 18, 24 का ल.स.

2	12, 18, 24
2	6, 9, 12
3	3, 9, 6
	1, 3, 2

ल.स. = 2 × 2 × 3 × 3 × 2 = 72

$\therefore$ अभीष्ट संख्या = 72 × 2 = 144.

7. 6, 9 तथा 12 का ल.स.

2	6, 9, 12
3	3, 9, 6
	1, 3, 2

$\therefore$ ल.स. = 2 × 3 × 3 × 2 = 36

$\because$ तीन अंकों की सबसे बड़ी संख्या = 999

```
36) 999 ( 27
    72
    279
    252
     27
```

$\therefore$ तीन अंकों की सबसे बड़ी संख्या जो 6, 9 तथा 12 से पूर्णतः विभाजित है

= 999 − 27 = 972

$\therefore$ अभीष्ट संख्या = 972 + 1 = 973.

8. 226 − 1 = 225

तथा 272 − 2 = 270

अब 225 तथा 270 का म.स.

```
225) 270 ( 1
     225
      45) 225 ( 5
          225
           ×
```

$\therefore$ अभीष्ट संख्या = 45.

9. 9 मी. 60 सेमी. = 960 सेमी.

तथा 5 मी. 12 सेमी. = 512 सेमी.

960 तथा 512 का म.स.

```
512) 960 ( 1
     512
     448) 512 ( 1
          448
           64) 448 ( 7
               448
                ×
```

$\therefore$ अभीष्ट सबसे बड़ा टुकड़ा = 64 सेमी.

10. 24, 40, 64, 72 तथा 120 का ल.स.

2	24, 40, 64, 72, 120
2	12, 20, 32, 36, 60
2	6, 10, 16, 18, 30
3	3, 5, 8, 9, 15
5	1, 5, 8, 3, 5
	1, 1, 8, 3, 1

ल.स. = 2 × 2 × 2 × 3 × 5 × 8 × 3 = 2880

2880 सेकेण्ड $= \frac{2880}{60}$ = 48 मिनट

$\therefore$ अभीष्ट समय = 48 मिनट

11. 48, 72 तथा 108 का ल.स. = 432 सेकेण्ड

यातायात की बत्तियाँ 432 सेकेण्ड के बाद बदलेंगी

= 7 मिनट 12 सेकेण्ड

$\therefore$ अभीष्ट समय = 7 मिनट 12 सेकेण्ड

12. 4 मी. 3 सेमी. = 403 सेमी.; 4 मी. 34 सेमी. = 434 सेमी.

4 मी. 65 सेमी. = 465 सेमी.

403, 434 तथा 465 का म.स.

```
403) 434 ( 1
     403
    × 31) 403 ( 13
          31
          × 93
            93
            ×
```

$$31\overline{)465}(15$$
$$\begin{array}{r}31\\ \hline 155\\ 155\\ \hline \times\end{array}$$

∴ अभीष्ट माप

= 403, 434 तथा 465 का म.स.

= 31 सेमी.

13. 3, 9, 12, 15, 6 का ल.स.

$$\begin{array}{c|ccccc}2 & 3, & 9, & 12, & 15, & 6\\ \hline 3 & 3, & 9, & 6, & 15, & 3\\ \hline & 1, & 3, & 2, & 5, & 1\end{array}$$

ल.स. $= 2 \times 3 \times 3 \times 2 \times 5 = 180$.

14. $\frac{4}{3}, \frac{8}{9}, \frac{3}{5}$ भिन्न का ल.स.

ल.स. $= \frac{\text{अंश का ल.स.}}{\text{हर का म.स.}}$

$= \frac{4,8,3 \text{ का ल.स.}}{3,9,5 \text{ का म.स.}} = \frac{24}{1}$

∴ अभीष्ट ल.स. = 24.

15. 120, 150, 180 का म.स.

$$120\overline{)150}(1$$
$$\begin{array}{r}120\\ \hline 30\overline{)120}(4\\ 120\\ \hline \times\end{array}$$

$$30\overline{)180}(6$$
$$\begin{array}{r}180\\ \hline \times\end{array}$$

∴ अभीष्ट म.स. = 30.

16. 12, 15 तथा 18 का ल.स.

$$\begin{array}{c|ccc}2 & 12, & 15, & 18\\ \hline 3 & 6, & 15, & 9\\ \hline & 2, & 5, & 3\end{array}$$

ल.स. $= 2 \times 3 \times 2 \times 5 \times 3 = 180$

180 मिनट $= \frac{180}{60} = 3$ घंटे

अभीष्ट समय = 9:00 A.M. + 3 घंटे

= 12:00 P.M.

17. इस तरह के प्रश्न में, सबसे बड़ी अभीष्ट संख्या दिए गए संख्याओं के अन्तर का म.स. होती है।

∴ (*i*) $\begin{array}{r}91\\ -43\\ \hline 48\end{array}$ (*ii*) $\begin{array}{r}183\\ -43\\ \hline 140\end{array}$ (*iii*) $\begin{array}{r}183\\ -91\\ \hline 92\end{array}$

अब तीन संख्याएँ 48, 140 तथा 92 और उनका म.स. 4 होगा।

अतः अभीष्ट बड़ी संख्या = 4.

18. माना कि संख्याएँ $5x$ तथा $6x$ हैं

$5x$ तथा $6x$ का म.स. $= x$

लेकिन म.स. = 4 (दिया गया है)

∴ $x = 4$

संख्याएँ 20 तथा 24 हैं

∴ ल.स. $= \frac{\text{संख्याओं का गुणनफल}}{\text{म.स.}}$

$= \frac{20 \times 24}{4} = 5 \times 24 = 120.$

19. 12, 15 तथा 25 का ल.स.

$$\begin{array}{c|ccc}3 & 12, & 15, & 25\\ \hline 5 & 4, & 5, & 25\\ \hline & 4, & 1, & 5\end{array}$$

ल.स. $= 3 \times 5 \times 4 \times 5 = 300$

∴ अभीष्ट संख्या = 300.

20. 4, 5 तथा 6 का ल.स.

$$\begin{array}{c|ccc}2 & 4, & 5, & 6\\ \hline & 2, & 5, & 3\end{array}$$

ल.स. $= 2 \times 2 \times 5 \times 3$

= 60 मिनट

60 मिनट = 1 घंटा

∴ अभीष्ट समय = 8:30 a.m. + 1 घंटा

= प्रातः 9:30 बजे

★ ★ ★

4

दशमलव भिन्न (Decimal Fraction)

ऐसी भिन्नात्मक संख्याएँ जिनके हर 10 के घात में हों, दशमलव भिन्नें कहलाती हैं।

जैसे : $\frac{1}{10}, \frac{7}{100}, \frac{11}{1000}$ इत्यादि।

$\frac{1}{10} = .1$ इसे दशमलव एक पढ़ा जाता है।

$\frac{7}{100} = .07$ इसे दशमलव शून्य सात पढ़ा जाता है।

$\frac{11}{1000} = .011$ इसे दशमलव शून्य एक एक पढ़ा जाता है।

दशमलव पर सभी मूलभूत संक्रियाएँ

दशमलव भिन्नों को जोड़ना तथा घटाना

दी गई दशमलव भिन्नों को इस प्रकार लिखा जाता है कि दशमलव बिन्दु एक-दूसरे के ऊपर नीचे रहे। अब इन संख्याओं को उसी प्रकार जोड़ा या घटाया जाता है, जिस प्रकार साधारण संख्याओं को। उत्तर में दशमलव बिन्दु ठीक ऊपर लिए गए बिन्दुओं के नीचे लगाते हैं।

उदाहरण : $521 + 52.1 + 5.21 + 0.521$ का जोड़ ज्ञात कीजिए।

हल :

$$\begin{array}{r} 521.000 \\ 52.100 \\ 5.210 \\ +0.521 \\ \hline 578.831 \end{array}$$

जोड़ने के बाद 578.831 हमें प्राप्त होता है।

उदाहरण : $5.064 + 3.98 + 0.7036 + 7.6 + 0.3 + 2$ का मान ज्ञात कीजिए।

हल :

$$\begin{array}{l} 5.064 \\ 3.980 \\ 0.7036 \\ 7.6 \\ 0.3 \\ +2.0 \\ \hline 19.6476 \end{array}$$

अतः अभीष्ट योगफल का मान 19.6476 होगा।

उदाहरण : 31.004 में से 17.2386 घटाइए।

हल :

$$\begin{array}{r} 31.0040 \\ -17.2386 \\ \hline 13.7654 \end{array}$$

अतः $31.004 - 17.2386 = 13.7654$

दशमलव भिन्नों का गुणा

दी गई संख्याओं को बिना दशमलव बिन्दु के गुणा कर लेते हैं। गुणनफल में दशमलव बिन्दु उतने लेते हैं, जितना कि दी गई भिन्नों के दशमलव स्थानों का योग है।

उदाहरण : $.2 \times .02 \times .002$ का गुणनफल ज्ञात कीजिए।

हल : $2 \times 2 \times 2 = 8$

दशमलव स्थानों का योग $= 1 + 2 + 3 = 6$

अतः गुणनफल में 6 अंकों पूर्व दशमलव बिन्दु लगाएं।

अतः $.2 \times .02 \times .002 = 0.000008$

उदाहरण : 6.32×0.002 का मान ज्ञात कीजिए।

हल : $632 \times 2 = 1264$

दशमलव स्थानों का योग $= 2 + 3 = 5$

अतः गुणनफल में 5 अंकों पूर्व दशमलव बिन्दु लगाएं।

$6.32 \times 0.002 = .01264$

अतः अभीष्ट गुणनफल $= .01264$

दशमलव भिन्न में एक पूर्णांक से भाग

यदि किसी दशमलव भिन्न में किसी पूर्णांक से भाग करना हो, तो दशमलव चिह्न (.) को ध्यान में रखे बिना साधारण क्रिया से भाग करें। भागफल में दाहिनी ओर से गिनकर उतने अंकों के बाद दशमलव चिह्न लगा दें, जितने अंकों के बाद दशमलव चिह्न (.) भाज्य भिन्न में हों।

जैसे : $0.049 \div 7$ में भागफल ज्ञात करना है।

$$\begin{array}{l} 7\,)\,49\,(7 \\ \quad\; 49 \\ \hline \quad\; \times \end{array}$$

अतः भागफल = 7.

चूँकि भाज्य दशमलव भिन्न (0.049) में दशमलव चिह्न (.) दाहिनी ओर से तीन अंकों के बाद है। इसलिए भागफल में भी दशमलव चिह्न (.) दाहिनी ओर से तीन अंकों के बाद ही आएगा। अतः भागफल 7 से पहले आवश्यकतानुसार शून्य लगाने पर भागफल 007 होगा तथा तीन अंकों के बाद दशमलव चिह्न (.) लगाने पर अभीष्ट भागफल 0.007 होगा।

दशमलव भिन्न का दशमलव भिन्न से भाग

किसी दशमलव भिन्न में किसी दूसरी दशमलव भिन्न से भाग करना हो, तो भाजक और भाज्य दोनों में 10 की ऐसी न्यूनतम घात से गुणा करनी चाहिए जिससे भाजक एक पूर्णांक बन जाए। फिर उपरोक्त बताई गई विधि के अनुसार क्रिया करके भागफल में दशमलव चिह्न (.) सुविधा अनुसार लगा दें। जैसे : 12.45 ÷ 1.5 का भागफल ज्ञात है तब चूँकि भाजक 1.5 है, इसे पूर्णांक बनाना है।

अतः भाजक और भाज्य में 10 से गुणा करें।

$$\frac{12.45 \times 10}{1.5 \times 10} = \frac{124.5}{15}$$

अब, 15)1245(83
120
45
45
×

अतः भागफल = 83

चूँकि भाज्य (124.5) में दशमलव चिह्न (.) दाहिनी ओर से एक अंक बाद है। अतः भागफल में भी दशमलव चिह्न (.) दाहिनी ओर से एक अंक बाद होगा।

∴ अभीष्ट भागफल = 8.3.

वस्तुनिष्ठ प्रश्न

1. 337.62 + 8.591 + 34.4 का योगफल ज्ञात कीजिए:
A. 370.611 B. 380.511
C. 380.611 D. 426.97

2. 48.95 – 32.006 का मान है :
A. 16.089 B. 16.35
C. 16.89 D. 16.944

3. (1 + .1 + .01 + .001) का मान है :
A. 1.001 B. 1.011
C. 1.003 D. 1.111

4. 34.95 + 240.016 + 23.98 का मान ज्ञात कीजिए :
A. 298.0946 B. 298.111
C. 298.946 D. 299.09

5. 4.036 को 0.04 से भाग देने पर मिलता है :
A. 1.009 B. 10.09
C. 100.9 D. 1009

6. 0.213 को 0.00213 से भाग दीजिए :
A. 1 B. 10
C. 100 D. 1000

7. $\frac{1}{0.04}$ का मान है :
A. $\frac{1}{40}$ B. $\frac{2}{5}$
C. 2.5 D. 25

8. 95.75 तथा .02554 के गुणनफल में दशमलव के दाहिनी तरफ कितने अंक होंगे?
A. 5 B. 6
C. 7 D. 3

9. यदि $\frac{144}{0.144} = \frac{14.4}{x}$, तब x का मान है :
A. 0.0144 B. 1.44
C. 14.4 D. 144

10. एक दर्जी के पास 37.5 मी. कपड़ा है और एक मीटर में उसे 8 टुकड़े बनाना है, तो पूरे कपड़े में कितने टुकड़े प्राप्त होंगे?
A. 320 B. 360
C. 400 D. इनमें से कोई नहीं

11. $\frac{3.6 \times 0.48 \times 2.50}{0.12 \times 0.09 \times 0.5}$ का मान है :
A. 80 B. 800
C. 8000 D. 80000

12. 0.002 × 0.5 = ?
A. 0.0001 B. 0.001
C. 0.01 D. 0.1

13. 3 × 0.3 × 0.03 × 0.003 × 30 = ?
A. 0.0000243 B. 0.000243
C. 0.00243 D. 0.0243

14. 0.014 × 0.014 = ?
A. 0.000196 B. 0.00196
C. 19.6 D. 196

15. 792.02 + 101.32 – 306.76 = ?
A. 586.58 B. 893.34
C. 997.11 D. 1200.10

16. 12.1212 + 17.0005 – 9.1102 = ?
A. 20.0015 B. 20.1015
C. 20.0115 D. 20.0105

17. 892.7 – 573.07 – 95.007 = ?
A. 224.623 B. 224.777
C. 233.523 D. 414.637

18. .4 × .04 × .004 × 40 का गुणनफल ज्ञात कीजिए :
A. 25600 B. .002560
C. 2560 D. .00264

19. दिया गया है कि 268 × 74 = 19832, तो 2.68 × .74 का मान ज्ञात कीजिए :
A. 1.9832 B. 1983.2
C. 19.832 D. 198.32

20. 3.1603 ÷ 13 का मान है :
A. 2.431 B. 24.31
C. .2431 D. .2341

उत्तरमाला

1	2	3	4	5	6	7	8	9	10
C	D	D	C	C	C	D	B	A	D
11	**12**	**13**	**14**	**15**	**16**	**17**	**18**	**19**	**20**
B	B	C	A	A	C	A	B	A	C

व्याख्यात्मक उत्तर

1.
$$\begin{array}{r} 337.62 \\ 8.591 \\ +34.4 \\ \hline 380.611 \end{array}$$

2.
$$\begin{array}{r} 48.950 \\ -32.006 \\ \hline 16.944 \end{array}$$

3.
$$\begin{array}{r} 1.000 \\ .1 \\ .01 \\ +.001 \\ \hline 1.111 \end{array}$$

4.
$$\begin{array}{r} 34.95 \\ 240.016 \\ +23.98 \\ \hline 298.946 \end{array}$$

5. $\frac{4.036}{0.04} = \frac{4036}{1000} \times \frac{100}{4} = \frac{1009}{10} = 100.9.$

6. $\frac{0.213}{0.00213} = \frac{213}{1000} \times \frac{100000}{213} = 100.$

7. $\frac{1}{0.04} = \frac{100}{4} = 25.$

8. ∵ दशमलव स्थानों का योग = 7

∵ गुणनफल में अन्तिम अंक 0, $(5 \times 4 = 20)$ आ रहा है। अतः दशमलव के बाद दाहिनी तरफ 6 अंक होंगे।

9. $\frac{144 \times 1000}{144} = \frac{144}{10x}$

$\Rightarrow \quad 1000 \times 10x = 144 \Rightarrow x = \frac{144}{10000} = 0.0144.$

10. अभीष्ट टुकड़ों की संख्या $= 37.5 \times 8$

$= \frac{375 \times 8}{10} = \frac{3000}{10} = 300.$

11. $\frac{3.6 \times 0.48 \times 2.50}{0.12 \times 0.09 \times 0.5} = \frac{36 \times 48 \times 250}{12 \times 9 \times 5}$

$= 4 \times 4 \times 50 = 800.$

12. $0.002 \times 0.5 = \frac{2}{1000} \times \frac{5}{10} = \frac{1}{1000} = 0.001.$

13. $\frac{3 \times 3 \times 3 \times 3 \times 30}{10 \times 100 \times 1000} = \frac{243}{100000} = 0.00243.$

14. $0.014 \times 0.014 = \frac{14}{1000} \times \frac{14}{1000} = \frac{196}{1000000}$

$= 0.000196.$

15.
$$\begin{array}{r} 792.02 \\ +101.32 \\ \hline 893.34 \end{array} \qquad \begin{array}{r} 893.34 \\ -306.76 \\ \hline 586.58 \end{array}$$

16.
$$\begin{array}{r} 12.1212 \\ +17.0005 \\ \hline 29.1217 \end{array} \qquad \begin{array}{r} 29.1217 \\ -9.1102 \\ \hline 20.0115 \end{array}$$

17. $892.7 - 573.07 - 95.007$

$$\begin{array}{r} 892.700 \\ -668.077 \\ \hline 224.623 \end{array}$$

$= 892.7 - 668.077$

$= 224.623$

18. $.4 \times .04 \times .004 \times 40$

$= \frac{4 \times 4 \times 4 \times 40}{10 \times 100 \times 1000} = \frac{256}{100000}$

$= 0.00256 = .002560.$

19. ∵ $268 \times 74 = 19832$

∴ $2.68 \times .74 = 1.9832$

20. $\frac{3.1603}{13} = \frac{31603}{13} \times \frac{1}{10000} = \frac{2431}{10000} = 0.2431.$

★ ★ ★

5

आयु संबंधी प्रश्न
(Problems on Age)

आयु संबंधी प्रश्न सामान्यतः अनुपात अथवा गुणा पर आधारित होते हैं। अतः ऐसे प्रश्नों का उत्तर देने से पूर्व सर्वप्रथम इसकी भाषा समझने का प्रयास करना चाहिए। इसमें गुणा पर आधारित प्रश्नों को भी अनुपात के आधार पर ही हल करना चाहिए।

साधित उदाहरण

1. एक व्यक्ति अपने पुत्र से 24 वर्ष बड़ा है। 2 वर्ष बाद उसकी आयु अपने पुत्र की आयु की दुगुना होगी। पुत्र की वर्तमान आयु कितनी है?

हल: माना पुत्र की वर्तमान आयु = x वर्ष

तथा, पिता की वर्तमान आयु = $(x + 24)$ वर्ष

2 वर्ष बाद पिता की आयु = $(x + 26)$ वर्ष

तथा पुत्र की आयु = $(x + 2)$ वर्ष

$\therefore (x + 26) = 2(x + 2) \Leftrightarrow x = 22$

अतः पुत्र की वर्तमान आयु = 22 वर्ष

2. 6 वर्ष पूर्व कुनाल तथा रोहित की आयु का अनुपात 6 : 5 था। चार वर्ष बाद इनकी आयु का अनुपात 11 : 10 होगा। रोहित की वर्तमान आयु कितनी है?

हल: माना 6 वर्ष पूर्व कुनाल की आयु = $6x$ वर्ष

तथा रोहित की आयु = $5x$ वर्ष

4 वर्ष बाद इनकी आयु क्रमशः $(6x + 10)$ वर्ष तथा $(5x + 10)$ वर्ष होगी।

$$\therefore \frac{6x+10}{5x+10} = \frac{11}{10}$$

$\Leftrightarrow 60x + 100 = 55x + 110$

$\Leftrightarrow 5x = 10 \Leftrightarrow x = 2$

रोहित की वर्तमान आयु = $(5 \times 2 + 6) = 16$ वर्ष

3. 18 वर्ष पूर्व एक व्यक्ति की आयु उसके पुत्र की आयु से तिगुनी थी। अब उस व्यक्ति की आयु अपने पुत्र की आयु से दुगुनी है। पिता तथा पुत्र की वर्तमान आयु का योग कया होगा?

हल: माना पुत्र की वर्तमान आयु = x वर्ष

तब, 18 वर्ष पूर्व पुत्र की आयु = $(x - 18)$ वर्ष

18 वर्ष पूर्व व्यक्ति की आयु = $3(x - 18)$ वर्ष

$\Leftrightarrow$ व्यक्ति की वर्तमान आयु = $(3x - 54 + 18)$ वर्ष

= $(3x - 36)$ वर्ष

$\therefore (3x - 36) = 2x$

$\Leftrightarrow x = 36$

पिता तथा पुत्र की वर्तमान आयु का योग

= $(3 \times 36 - 36) + 36 = 108$ वर्ष

4. नीलम तथा शान की वर्तमान आयु का अनुपात 5 : 6 है। यदि नीलम की एक-तिहाई आयु तथा शान की आधी आयु का अनुपात 5 : 9 हो, तो शान की वर्तमान आयु कितनी है?

हल: माना नीलम की वर्तमान आयु = $5x$ वर्ष

तथा शान की वर्तमान आयु = $6x$ वर्ष

$$\left(\frac{1}{3} \times 5x\right) : \left(\frac{1}{2} \times 6x\right) = 5 : 9$$

$\Leftrightarrow 5 : 9 = 5 : 9$

अतः शान की वर्तमान आयु ज्ञात नहीं की जा सकती।

5. एक व्यक्ति तथा उसकी पत्नी की आयु का अनुपात 4 : 3 है। चार वर्ष बाद यह अनुपात 9 : 7 होगा। यदि शादी के समय इनकी आयु का अनुपात 5 : 3 हो, तो शादी कितने वर्ष पहले हुई थी?

हल: माना उस व्यक्ति की वर्तमान आयु = $4x$ वर्ष

तथा उसकी पत्नी की वर्तमान आयु = $3x$ वर्ष

$$\therefore \frac{4x+4}{3x+4} = \frac{9}{7}$$

$\Leftrightarrow 28x + 28 = 27x + 36 \quad \Leftrightarrow x = 8$

$\therefore$ व्यक्ति की वर्तमान आयु = 32 वर्ष

तथा पत्नी की वर्तमान आयु = 24 वर्ष

माना उनकी शादी y वर्ष पूर्व हुई

तब, $\dfrac{32 - y}{24 - y} = \dfrac{5}{3}$

$\Leftrightarrow 3(32 - y) = 5(24 - y)$

$\Leftrightarrow 2y = 24 \Leftrightarrow y = 12$

अतः उनकी शादी 12 वर्ष पहले हुई।

6. A, B से 2 वर्ष बड़ा है तथा B की आयु, C की आयु की दुगुनी है। यदि A, B, C की आयु का योग 27 वर्ष हो, तो B की आयु कितनी है?

हलः माना C की आयु = x वर्ष

तब, B की आयु = $2x$ वर्ष

तथा, A की आयु = $(2x + 2)$ वर्ष

$\therefore\ x + 2x + (2x + 2) = 27 \Leftrightarrow 5x = 25 \Leftrightarrow x = 5$

∴ अतः B की आयु (2×5) वर्ष = 10 वर्ष

7. 1 वर्ष पहले प्रीति की आयु सोनल की आयु से 4 गुना थी। 6 वर्ष बाद प्रीति की आयु सोनल की आयु से 9 वर्ष अधिक होगी। प्रीति तथा सोनल की वर्तमान आयु का अनुपात क्या होगा?

हलः माना सोनल की वर्तमान आयु = x वर्ष

1 वर्ष पहले सोनल की आयु = $(x - 1)$ वर्ष

तथा प्रीति की आयु = $4(x - 1)$ वर्ष

प्रीति की वर्तमान आयु = $(4x - 4 + 1)$ वर्ष = $(4x - 3)$ वर्ष

6 वर्ष बाद सोनल की आयु = $(x + 6)$ वर्ष

तथा प्रीति की आयु = $(4x - 3 + 6)$ वर्ष = $(4x + 3)$ वर्ष

$\therefore\ (4x + 3) - (x + 6) = 9$

$\Leftrightarrow 3x = 12 \Leftrightarrow x = 4$

प्रीति तथा सोनल की वर्तमान आयु का अनुपात

$= (4 \times 4 - 3) : 4 = 13 : 4$

8. एक व्यक्ति की आयु अपने पुत्र की आयु से दुगुनी है। बीस वर्ष पूर्व पिता की आयु पुत्र की आयु का 12 गुना थी। उनकी वर्तमान आयु ज्ञात कीजिए।

हलः माना पुत्र की वर्तमान आयु = x वर्ष

तब, पिता की वर्तमान आयु = $2x$ वर्ष

20 वर्ष पूर्व, पुत्र की आयु = $(x - 20)$ वर्ष

तथा पिता की आयु = $(2x - 20)$ वर्ष

$\therefore\ 12(x - 20) = (2x - 20) \Leftrightarrow 10x = 220 \Leftrightarrow x = 22$

अतः पुत्र की वर्तमान आयु = 22 वर्ष

तथा पिता की वर्तमान आयु = 44 वर्ष

9. एक व्यक्ति तथा उसके पुत्र की वर्तमान आयु का अनुपात 7 : 2 है। दस वर्ष बाद इनकी आयु का अनुपात 9 : 4 होगा। पिता की वर्तमान आयु कितनी है?

हलः माना पिता की वर्तमान आयु = $7x$ वर्ष तथा

पुत्र की वर्तमान आयु = $2x$ वर्ष

$$\therefore\ \frac{7x+10}{2x+10} = \frac{9}{4} \Leftrightarrow 28x + 40 = 18x + 90$$

$\Leftrightarrow 10x = 50$

$\Leftrightarrow x = 5$

अतः पिता की वर्तमान आयु = (7×5) वर्ष = 35 वर्ष

10. 10 वर्ष पूर्व सचिन की आयु अजय की आयु से दुगुनी थी। दस वर्ष बाद सचिन की आयु 40 वर्ष होगी। अजय की वर्तमान आयु कितनी है?

हलः सचिन की वर्तमान आयु = $(40 - 10)$ वर्ष = 30 वर्ष

10 वर्ष पूर्व सचिन की आयु = $(30 - 10)$ वर्ष = 20 वर्ष

10 वर्ष पूर्व अजय की आयु = $\frac{1}{2} \times 20$ वर्ष

= 10 वर्ष

अजय की वर्तमान आयु = $(10 + 10)$ वर्ष = 20 वर्ष

वस्तुनिष्ठ प्रश्न

1. जॉन की वर्तमान आयु अपने पिता की वर्तमान आयु की एक चौथाई है। 4 वर्ष बाद इनकी आयु का योग 68 वर्ष हो जाएगा। जॉन की वर्तमान आयु कितनी है?

A. 6 वर्ष B. 9 वर्ष
C. 12 वर्ष D. 11 वर्ष

2. उर्मिला की आयु उसके पुत्र की आयु से चार गुनी है। यदि चार वर्ष बाद दोनों की आयु का योग 43 वर्ष हो, तो पुत्र की आयु क्या है?

A. 7 वर्ष B. 5 वर्ष
C. 6 वर्ष D. 12 वर्ष

3. 5 वर्ष बाद पिता की आयु अपने पुत्र की आयु की तिगुनी हो जाएगी और 5 वर्ष पूर्व पिता की आयु, पुत्र की आयु की सात गुनी थी। पिता की वर्तमान आयु क्या है?

A. 35 वर्ष B. 38 वर्ष
C. 40 वर्ष D. 42 वर्ष

4. जयेश, प्रकाश और समीर की आयु का कुल योग 93 वर्ष है। 10 वर्ष पहले उनकी आयु का अनुपात 2 : 3 : 4 था। समीर की वर्तमान आयु क्या है?

A. 40 वर्ष B. 38 वर्ष
C. 37 वर्ष D. 36 वर्ष

5. जगदीश की वर्तमान आयु उसके 5 बच्चों की वर्तमान आयु के योग के बराबर है। 15 वर्ष बाद उसके 5 बच्चों की आयु का योग उसकी आयु से दुगुना हो जाएगा। जगदीश की वर्तमान आयु क्या है?

A. 41 वर्ष B. 43 वर्ष
C. 44 वर्ष D. 45 वर्ष

6. एक पिता और उसके पुत्र की आयु का योग 45 है। यदि 5 वर्ष पूर्व दोनों की आयु का गुणनफल उस समय पिता की आयु का 4 गुना था तो पुत्र की वर्तमान आयु क्या है?

A. 9 वर्ष B. 7 वर्ष
C. 8 वर्ष D. 10 वर्ष

7. सुनीता तथा बबीता की वर्तमान आयु का अनुपात 4 : 3 है। 6 वर्ष बाद सुनीता 30 वर्ष की हो जाती है। बबीता की वर्तमान आयु क्या है?

A. 15 वर्ष B. 16 वर्ष
C. 12 वर्ष D. 18 वर्ष

8. A, B तथा C की औसत आयु 30 वर्ष है। यदि उनकी आयु का अनुपात 3 : 5 : 7 है तो A की आयु क्या है?

A. 18 वर्ष B. 17 वर्ष
C. 15 वर्ष D. 20 वर्ष

9. A तथा B की आयु में 5 वर्ष का अन्तर है। B तथा C की आयु में 3 : 2 का अनुपात है। D की आयु A की आयु की दोगुनी है। यदि C तथा D की आयु का योग 50 वर्ष है तो A की आयु कितनी है?

A. 20 वर्ष B. 19 वर्ष
C. 18 वर्ष D. 22 वर्ष

10. दो व्यक्तियों की आयु में 20 वर्ष का अन्तर है। 5 वर्ष पूर्व बड़े व्यक्ति की आयु छोटे व्यक्ति की आयु की 5 गुनी थी। उनकी वर्तमान आयु क्रमशः है?

A. 30 वर्ष, 10 वर्ष B. 25 वर्ष, 5 वर्ष
C. 29 वर्ष, 9 वर्ष D. 50 वर्ष, 30 वर्ष

उत्तरमाला

1	2	3	4	5	6	7	8	9	10
C	A	C	B	D	A	D	A	A	A

व्याख्यात्मक उत्तर

1. जॉन तथा उसके पिता की वर्तमान आयु का अनुपात = 1 : 4

$\therefore$ 4 वर्ष बाद उनकी आयु का अनुपात = $(x + 4) : (4x + 4)$

प्रश्नानुसार,

$x + 4 + 4x + 4 = 68$

$\Rightarrow 5x = 68 - 8$

$\Rightarrow 5x = 60$

$\therefore x = 12$ वर्ष

2. उर्मिला तथा उसके पुत्र की वर्तमान आयु का अनुपात = 4 : 1

$\therefore$ 4 वर्ष बाद उनकी आयु का अनुपात = $(4x + 4) : (x + 4)$

प्रश्नानुसार,

$(4x + 4) + (x + 4) = 43$

$\Rightarrow 5x = 43 - 8$

$\Rightarrow 5x = 35 \Rightarrow x = 7$ वर्ष

3. 5 वर्ष बाद पिता और पुत्र की आयु का अनुपात = 3 : 1 और 5 वर्ष पूर्व इनकी आयु का अनुपात = 7 : 1

$\therefore \frac{7x+5+5}{x+5+5} = \frac{3}{1} \Rightarrow \frac{7x+10}{x+10} = \frac{3}{1}$

$\Rightarrow 7x + 10 = 3x + 30$

$\Rightarrow 4x = 20$ वर्ष

$\therefore x = 5$

$\therefore$ पिता की वर्तमान आयु = $(7x + 5) = (7 \times 5 + 5) = 40$ वर्ष

4. $(2x + 10) + (3x + 10) + (4x + 10) = 93$

$\Rightarrow 9x = 93 - 30 = 63$

$\Rightarrow x = 7$

$\Rightarrow$ समीर की वर्तमान आयु = $(4x + 10)$

$= (4 \times 7 + 10) = 38$ वर्ष

5. माना जगदीश की वर्तमान आयु = उसके 5 बच्चों की वर्तमान आयु का योग = x

प्रश्नानुसार, $2(x + 15) = x + 5 \times 15$

$\Rightarrow 2x + 30 = x + 75 \Rightarrow x = 45$ वर्ष

6. माना पिता की वर्तमान आयु = F तथा पुत्र की वर्तमान आयु = S

$\therefore (F - 5)(S - 5) = 4(F - 5)$

$\Rightarrow S - 5 = 4 \Rightarrow S = 9$ वर्ष

7. $4x + 6 = 30$

$\Rightarrow 4x = 24 \Rightarrow x = 6$

$\therefore$ बबीता की वर्तमान आयु = $3x = (3 \times 6) = 18$ वर्ष

8. A, B तथा C की आयु का योग = $3 \times 30 = 90$ वर्ष

$\therefore$ A की आयु = $\frac{3}{(3+5+7)} \times 90 = \left(\frac{3}{15} \times 90\right) = 18$ वर्ष

9. $A - B = 5 \quad \Rightarrow B = A - 5$

$\frac{B}{C} = \frac{3}{2} \quad \Rightarrow C = \frac{2}{3}B = \frac{2}{3}(A - 5)$ तथा $D = 2A$

$\therefore C + D = 50 \Rightarrow \frac{2}{3}(A - 5) + 2A = 50$

$\Rightarrow 2A - 10 + 6A = 150 \Rightarrow 8A = 160$

$\therefore A = 20$ वर्ष

10. माना, 5 वर्ष पूर्व छोटे व्यक्ति की आयु = x वर्ष

$\therefore$ बड़े व्यक्ति की आयु = $5x$ वर्ष

अब, $(5x + 5) - (x + 5) = 20 \Rightarrow 4x = 20 \Rightarrow x = 5$

$\therefore 5x + 5 = (5 \times 5 + 5) = 30$ वर्ष तथा

$x + 5 = 5 + 5 = 10$ वर्ष

★ ★ ★

6

घातांक तथा करणी

(Indices and Surds)

घातांक (Indices)

जब किसी संख्या के गुणनों को संख्या के ऊपर दिया जाए, तो वह उस संख्या का घातांक कहलाता है।

यदि x कोई संख्या तथा n कोई पूर्णांक $(n > 0)$ है, तो x^n का अर्थ है कि x को n बार गुणा किया है। अर्थात् $x^n = x \times x \times x \times .... n$ बार

पद x^n में x को आधार तथा n को घातांक कहा जाता है।

घातांक के नियम

(*i*) $a^m \times a^n \times a^k = a^{m+n+k}$

जैसे : $2^3 \times 2^2 \times 2^4 = 2^{3+2+4}$ या 2^9

(*ii*) $\frac{a^m}{a^n}$ या $a^m \div a^n = a^{m-n}$

जैसे : $\frac{5^7}{5^3} = 5^{7-3}$ या 5^4

(*iii*) $(a^m)^n = a^{mn}$ जैसे : $(3^3)^2 = 3^{3\times2}$ या 3^6

(*iv*) $a^1 = a$, जैसे : $5^1 = 5$

(*v*) $a^0 = 1$. (जिसकी घात शून्य हो तो उसका मान 1 होगा।) जैसे : $3^0 = 1$

(*vi*) घातांक वाली संख्या को ऊपर या नीचे बदलने पर उसकी घात के चिह्न (–, +) बदल जाते हैं।

$\frac{1}{a^{-n}} = a^n$ जैसे : $\frac{1}{5^{-2}} = 5^2$

(*vii*) $(ab)^n = a^n . b^n$

(*viii*) $\left(\frac{a}{b}\right)^n = \frac{a^n}{b^n}$

करणी (Surds)

यदि किसी संख्या का मूल (root) पूरी तरह से नहीं निकाला जा सके तो उसे करणी कहते हैं। जैसे : $\sqrt[3]{4}, \sqrt[4]{5}$, यदि $\sqrt[n]{a}$ एक करणी हो, तो n को करणीघात एवं a को करणीगत कहते हैं।

प्रत्येक करणी एक अपरिमेय संख्या होती है परन्तु प्रत्येक अपरिमेय संख्या एक करणी नहीं हो सकती।

करणी के नियम

(*i*) $a\sqrt{x} + b\sqrt{x} + c\sqrt{x} = \sqrt{x}(a+b+c)$

जैसे : $5\sqrt{3} + 4\sqrt{3} + 2\sqrt{3} = \sqrt{3}(5+4+2)$

या $\sqrt{3}(11)$ या $11\sqrt{3}$

(*ii*) $\sqrt{a} \times \sqrt{b} \times \sqrt{c} = \sqrt{a \times b \times c}$

जैसे : $\sqrt{5} \times \sqrt{3} \times \sqrt{6} = \sqrt{5 \times 3 \times 6} = \sqrt{90}$

(*iii*) $\sqrt[n]{a} = a^{\frac{1}{n}}$ जैसे : $\sqrt{3} = 3^{\frac{1}{2}}, \sqrt[3]{5} = 5^{\frac{1}{3}}$

(*iv*) $\left(\sqrt[n]{a}\right)^n = \left(a^{\frac{1}{n}}\right)^n = a$

(*v*) $\sqrt[n]{\frac{a}{b}} = \frac{\sqrt[n]{a}}{\sqrt[n]{b}}$ जैसे : $\sqrt[3]{\frac{49}{15}} = \frac{\sqrt[3]{49}}{\sqrt[3]{15}}$

(*vi*) $\sqrt[m]{\sqrt[n]{a}} = \sqrt[mn]{a}$ जैसे : $\sqrt[3]{\sqrt[2]{45}} = \sqrt[3\times2]{45}$ या $\sqrt[6]{45}$

इस प्रकार के प्रश्नों को हल करने के लिए निम्न मानों को याद रखें :

$\sqrt{2} = 1.414$ $\sqrt{3} = 1.732$ $\sqrt{5} = 2.236$

$\sqrt{6} = 2.449$ $\sqrt{7} = 2.645$ $\sqrt{8} = 2.828$

वस्तुनिष्ठ प्रश्न

1. $\left(\frac{8}{125}\right)^{\frac{-4}{3}} = ?$

A. $\frac{625}{16}$ B. $\frac{625}{8}$

C. $\frac{625}{32}$ D. $\frac{16}{625}$

2. $(4)^{0.5} \times (0.5)^4$ का मान है–

A. 1 B. 0.1250

C. $\frac{1}{16}$ D. $\frac{1}{32}$

3. $(-3)^2 + 3^{-2} - 3^2 = ?$

A. –9 B. 3

C. 3^{-2} D. इनमें से कोई नहीं

4. यदि $\frac{(x^3)^3 \times x^5}{x^4} = x^n$ हो, तो n का मान है–

A. 10
B. 7
C. 9
D. इनमें से कोई नहीं

5. $16^{(-2)^{(-2)}}$ बराबर है।

A. 16^4 B. $\frac{1}{256}$
C. 16 D. 2

6. $\frac{\sqrt{80}-\sqrt{112}}{\sqrt{45}-\sqrt{63}} = ?$

A. $\frac{3}{4}$ B. $1\frac{3}{4}$
C. $1\frac{1}{3}$ D. $1\frac{7}{9}$

7. $\left(\sqrt{72}-\sqrt{18}\right) \div \sqrt{12}$ का मान होगा।

A. $\sqrt{6}$ B. $\frac{\sqrt{3}}{2}$
C. $\frac{\sqrt{2}}{3}$ D. $\frac{\sqrt{6}}{2}$

8. यदि $27^{2x-1} = (243)^3$ हो, तो x का मान होगा :

A. 6 B. 9
C. 7 D. 3

9. $\sqrt{2^n} = 64$ हो, तो n का मान है :

A. 2 B. 4
C. 6 D. 12

10. वह संख्या जिसे $\left(\sqrt{3}+\sqrt{2}\right)$ के साथ गुणा करने पर $\left(\sqrt{12}+\sqrt{18}\right)$ प्राप्त होता है, है :

A. $3\sqrt{2}-2\sqrt{3}$ B. $3\sqrt{2}+2\sqrt{3}$
C. $\sqrt{6}$ D. $2\sqrt{3}-3\sqrt{2}$

11. यदि $a = \frac{\sqrt{3}}{2}$ हो, तो $\sqrt{1+a}+\sqrt{1-a}$ का मान होगा :

A. $\sqrt{3}$ B. $\frac{\sqrt{3}}{2}$
C. $2+\sqrt{3}$ D. $2-\sqrt{3}$

12. यदि $\frac{4^n \times 4^8 - 4^{(n+1)}}{4 \times 4^{n+7}} = x$ हो, तो $x \times 4^7$ का मान होगा :

A. (4^7-1) B. (4^6-1)
C. (4^5-1) D. $(4^{10}-1)$

13. यदि $\sqrt[3]{3} \times 3^3 \div 3^{\frac{-3}{2}} = 3^{a+1}$ हो, तो a का मान कितना होगा?

A. $\frac{23}{6}$ B. $\frac{27}{6}$
C. $\frac{29}{6}$ D. इनमें से कोई नहीं

14. यदि $2^{x+6} = 8^{x+1}$ हो, तो x का मान है :

A. $\frac{3}{2}$ B. $\frac{5}{2}$
C. $\frac{7}{2}$ D. $\frac{9}{2}$

15. यदि $2^{2x-y} = 16$ और $2^{x+y} = 32$, तो xy का मान है :

A. 2 B. 4
C. 6 D. 8

उत्तरमाला

1	2	3	4	5	6	7	8	9	10
A	B	C	A	D	C	D	D	D	C
11	**12**	**13**	**14**	**15**					
A	A	A	A	C					

व्याख्यात्मक उत्तर

1. $\left(\frac{8}{125}\right)^{\frac{-4}{3}} = \left[\left(\frac{2}{5}\right)^3\right]^{\frac{-4}{3}} = \left(\frac{2}{5}\right)^{-4} = \left(\frac{5}{2}\right)^4 = \frac{625}{16}.$

2. $(4)^{0.5} \times (0.5)^4 = (4)^{1/2} \times (0.5)^4$

$= \left(2^2\right)^{1/2} \times .0625$

$= 2 \times .0625 = .1250.$

3. $(-3)^2 + 3^{-2} - 3^2 = 9 + 3^{-2} - 9 = 3^{-2}.$

4. $\frac{(x^3)^3 \times x^5}{x^4} = x^{9+5-4} = x^{10}$

अतः $n = 10.$

5. $16^{(-2)^{(-2)}} = 16^{\left(-\frac{1}{2}\right)^2} = 16^{\frac{1}{4}}$

$= \left(2^4\right)^{\frac{1}{4}} = 2.$

6. $\dfrac{\sqrt{80}-\sqrt{112}}{\sqrt{45}-\sqrt{63}} = \dfrac{\sqrt{16\times5}-\sqrt{16\times7}}{\sqrt{9\times5}-\sqrt{9\times7}} = \dfrac{4\sqrt{5}-4\sqrt{7}}{3\sqrt{5}-3\sqrt{7}}$

$$= \frac{4\left(\sqrt{5}-\sqrt{7}\right)}{3\left(\sqrt{5}-\sqrt{7}\right)} = \frac{4}{3} = 1\frac{1}{3}.$$

7. $\left(\sqrt{72}-\sqrt{18}\right)\div\sqrt{12} = \left(\sqrt{36\times2}-\sqrt{9\times2}\right)\div\sqrt{4\times3}$

$$= \left(6\sqrt{2}-3\sqrt{2}\right)\div2\sqrt{3} = \frac{3\sqrt{2}}{2\sqrt{3}} = \frac{\sqrt{3}.\sqrt{2}}{2} = \frac{\sqrt{6}}{2}.$$

8.
$$27^{2x-1} = (243)^3$$
$$(3^3)^{2x-1} = (3^5)^3$$
$$3^{6x-3} = 3^{15}$$
$$6x-3 = 15$$
$$6x = 18$$
$$x = 3.$$

9.
$$\sqrt{2^n} = 64 \Rightarrow 2^{\frac{n}{2}} = 2^6$$
$$\frac{n}{2} = \frac{6}{1}$$
$$\Rightarrow \quad n = 12.$$

10. अभीष्ट संख्या $= \dfrac{\sqrt{12}+\sqrt{18}}{\sqrt{3}+\sqrt{2}} = \dfrac{\sqrt{2\times2\times3}+\sqrt{3\times3\times2}}{\sqrt{3}+\sqrt{2}}$

$$= \frac{2\sqrt{3}+3\sqrt{2}}{\sqrt{3}+\sqrt{2}}\times\frac{\sqrt{3}-\sqrt{2}}{\sqrt{3}-\sqrt{2}}$$

$$= 6+3\sqrt{6}-2\sqrt{6}-6 = \sqrt{6}.$$

11. दिया है, $a = \dfrac{\sqrt{3}}{2}$

$$\therefore \sqrt{1+a}+\sqrt{1-a}$$

$$= \sqrt{1+\frac{\sqrt{3}}{2}}+\sqrt{1-\frac{\sqrt{3}}{2}} = \sqrt{\frac{2+\sqrt{3}}{2}}+\sqrt{\frac{2-\sqrt{3}}{2}}$$

$$= \sqrt{\frac{4+2\sqrt{3}}{4}}+\sqrt{\frac{4-2\sqrt{3}}{4}}$$

$$= \sqrt{\frac{\left(\sqrt{3}\right)^2+1^2+2\sqrt{3}}{4}}+\sqrt{\frac{\left(\sqrt{3}\right)^2+1^2-2\sqrt{3}}{4}}$$

$$= \sqrt{\frac{\left(\sqrt{3}+1\right)^2}{4}}+\sqrt{\frac{\left(\sqrt{3}-1\right)^2}{4}}$$

$$= \sqrt{\left(\frac{\sqrt{3}+1}{2}\right)^2}+\sqrt{\left(\frac{\sqrt{3}-1}{2}\right)^2}$$

$$= \frac{\sqrt{3}+1}{2}+\frac{\sqrt{3}-1}{2} = \frac{\sqrt{3}+1+\sqrt{3}-1}{2} = \frac{2\sqrt{3}}{2} = \sqrt{3}.$$

12. $\dfrac{4^n\times4^8-4^{(n+1)}}{4\times4^{n+7}} = x$

$$\Rightarrow \frac{4^n\times4^8-4^n\times4}{4\times4^n\times4^7} = x \Rightarrow \frac{4^n(4^8-4)}{4\times4^n\times4^7} = x$$

$$\Rightarrow \frac{4^8-4}{4\times4^7} = x \Rightarrow \frac{4(4^7-1)}{4\times4^7} = x$$

$$\Rightarrow \frac{4^7-1}{4^7} = x$$

$$\therefore \quad x\times4^7 = \frac{4^7-1}{4^7}\times4^7 = (4^7-1).$$

13. $\sqrt[3]{3}\times3^3\div3^{\frac{-3}{2}} = 3^{a+1}$

$$3^{\frac{1}{3}}\times3^3\times3^{\frac{3}{2}} = 3^{a+1}$$

$$3^{\frac{29}{6}} = 3^{a+1}$$

$$a+1 = \frac{29}{6} \Rightarrow a = \frac{23}{6}.$$

14. दिया है, $2^{x+6} = 8^{x+1}$

$$\Rightarrow \quad 2^{x+6} = 2^{3x+3}$$
$$\Rightarrow \quad x+6 = 3x+3$$
$$\Rightarrow \quad 3x-x = 6-3$$
$$\Rightarrow \quad 2x = 3$$
$$\Rightarrow \quad x = \frac{3}{2}.$$

15. दिया है, $2^{2x-y} = 16 \Rightarrow 2^{2x-y} = 2^4$

$\Rightarrow \quad 2x-y = 4$ ...(*i*)

और $\quad 2^{x+y} = 32$

$\Rightarrow \quad 2^{x+y} = 2^5$

$\Rightarrow \quad x+y = 5$ ...(*ii*)

(*i*) और (*ii*) को जोड़ने से,

$$3x = 9 \Rightarrow x = 3$$

x का मान (*ii*) में रखने पर, $y = 2$

अतः $xy = 3\times2 = 6.$

★ ★ ★

7

सीधा अनुपात, विलोमानुपात और मिश्र समानुपात

(Direct, Indirect and Chain Rule)

सीधा अनुपात (Direct Proportion)

यदि दो राशियाँ इस प्रकार हों कि एक राशि के घटने (या बढ़ने) पर दूसरी राशि भी उसी अनुपात में घटे (या बढ़े), तो ये राशियाँ सीधे अनुपात में कहलाती हैं।

विलोमानुपात (Indirect Proportion)

यदि दो राशियाँ इस प्रकार हों कि एक राशि को घटाने से दूसरी राशि बढ़े या एक को बढ़ाने से दूसरी घटे, तो ये राशियाँ विलोमानुपात में कहलाती हैं। यूँ तो Chain Rule से संबंधित सभी प्रश्नों को Repeated use of Rule Three से हल किया जा सकता है, लेकिन इस नियम के अनुप्रयोग में समय अपेक्षाकृत अधिक लगता है। अतः ऐसे प्रश्नों को सूत्रों से हल करना अधिक सुविधाजनक होता है।

मिश्र समानुपात (Chain Rule)

जब तीन समानुपात दिए गये हों तो चौथा समानुपात ज्ञात करना साधारण समानुपात (Simple Proportion) या "Rule of Three" कहलाता है। "Rule of three" का बार-बार प्रयोग (Repeated Use) मिश्र समानुपात (Chain Rule) कहलाता है। दूसरे शब्दों में, यदि चार राशियाँ समानुपाती हों तथा इनमें से तीन राशियाँ ज्ञात हों, तो चौथी राशि को x मानकर समानुपात के गुण का प्रयोग करके इसका मान ज्ञात करते हैं।

$$(a : b) : : (c : x) \Rightarrow ax = bc \Rightarrow x = \frac{bc}{a}$$

वस्तुनिष्ठ प्रश्न

1. यदि 4.5 मीटर लम्बी लोहे की एक समांग छड़ का भार 17.1 किग्रा. हो, तो इसी प्रकार की 12 मीटर लम्बी छड़ का भार क्या होगा?

A. 48 किग्रा. B. 52 किग्रा.
C. 45.6 किग्रा. D. 47 किग्रा.

2. एक मानचित्र में यदि 0.8 सेमी., 8.8 किमी. वास्तविक दूरी को प्रदर्शित करे, तो 80.5 सेमी. कितनी वास्तविक दूरी को व्यक्त करेगा?

A. 820 किमी. B. 885.5 किमी.
C. 845 किमी. D. इनमें से कोई नहीं

3. किसी समय झन्डे में लगी 17.5 मीटर ऊँची छड़ की परछाई 40.25 मीटर है, उसी समय 28.75 मीटर लम्बी परछाई कितनी ऊँची इमारत की होगी?

A. 15.5 मीटर B. 12.5 मीटर
C. 16.5 मीटर D. 14.5 मीटर

4. यदि 5 व्यक्ति एक खाई 1 घण्टे में खोद सकें, तो 12 व्यक्ति ऐसी ही खाई खोदने में कितना समय लेंगे?

A. 15 मिनट B. 25 मिनट
C. 18 मिनट D. 35 मिनट

5. कुछ व्यक्ति एक कार्य को 40 दिन में समाप्त कर सकते है। यदि 8 व्यक्ति और होते तो यह कार्य 10 दिन कम में समाप्त हो जाता। आरम्भ में कितने व्यक्ति थे?

A. 20 B. 22
C. 24 D. 23

6. एक किले में 40 व्यक्तियों के लिए 12 दिन का राशन है। यही राशन 30 व्यक्तियों के लिए कितने दिन के लिए पर्याप्त होगा?

A. 8 दिन B. 12 दिन
C. 16 दिन D. 18 दिन

7. एक किले में 500 सैनिकों के लिए 24 दिन का भोजन था। 300 सैनिक और आ जाने पर यह भोजन कितने दिन चलेगा?

A. 15 दिन B. 14 दिन
C. 16 दिन D. 17 दिन

8. यदि 10 व्यक्ति 60 घरों में रंग रोगन 120 दिन में करें, तो 5 व्यक्ति 30 घरों का रंग रोगन कितने दिन में करेंगे?

A. 85 दिन B. 80 दिन
C. 90 दिन D. 120 दिन

9. यदि 6 मजदूरों का 15 दिन का वेतन ₹ 700 हो, तो 9 मजदूरों का 12 दिन का वेतन कितना होगा?
A. ₹ 790
B. ₹ 840
C. ₹ 830
D. ₹ 850

10. यदि 39 मजदूर 5 घण्टे प्रतिदिन कार्य करके एक सड़क की मरम्मत 12 दिन में कर सकें, तो 30 मजदूर 6 घण्टे प्रतिदिन कार्य करके इस सड़क की मरम्मत कितने दिनों में पूरी कर सकेंगे?
A. 12 दिन B. 13 दिन
C. 16 दिन D. 11 दिन

उत्तरमाला

1	2	3	4	5	6	7	8	9	10
C	B	B	B	C	C	A	D	B	B

व्याख्यात्मक उत्तर

1. माना अभीष्ट भार $= x$ किग्रा.
अधिक लम्बाई, अधिक भार (सीधा अनुपात)
$4.5 : 12 :: 17.1 : x \Leftrightarrow 4.5 \times x = 12 \times 17.1$
$\Leftrightarrow \quad x = \frac{(12 \times 17 \cdot 1)}{4 \cdot 5} = 45.6$ किग्रा.

2. माना अभीष्ट भार $= x$ किग्रा.
मानचित्र में अधिक दूरी, वास्तव में अधिक दूरी (सीधा अनुपात)
$0.8 : 80.5 :: 8.8 : x$
$\Leftrightarrow \quad 0.8 \times x = 80.5 \times 8.8$
$\Leftrightarrow \quad x = \frac{(80 \cdot 5 \times 8 \cdot 8)}{0 \cdot 8} = 885.5$ किग्रा.

3. माना इमारत की अभीष्ट ऊँचाई $= x$ मीटर
कम परछाई, कम ऊँचाई (सीधा अनुपात)
$40.25 : 28.75 :: 17.5 : x$
$\Leftrightarrow 40.25 \times x = 28.75 \times 17.5$
$\Leftrightarrow \quad x = \frac{28 \cdot 75 \times 17 \cdot 5}{40 \cdot 25} = 12 \cdot 5$ मीटर

4. माना अभीष्ट समय $= x$ मिनट
अधिक व्यक्ति, कम समय (विलोमानुपात)
$12 : 5 :: 60 : x \Leftrightarrow 12 \times x = (5 \times 60)$
$\Leftrightarrow \quad x = \frac{(5 \times 60)}{12} = 25$ मिनट

5. माना आरम्भ में x व्यक्ति थे। तब, $40 : 30 :: (x + 8) : x$
$\Leftrightarrow \frac{40}{30} = \frac{x+8}{x} \Leftrightarrow 4x = 3x + 24 \Leftrightarrow x = 24$ व्यक्ति

6. माना अभीष्ट दिनों की संख्या $= x$
कम व्यक्ति, अधिक दिन का राशन (विलोमानुपात)
$30 : 40 :: 12 : x \Leftrightarrow (30 \times x) = (40 \times 12)$
$\Leftrightarrow \quad x = \frac{(40 \times 12)}{30} = 16$ दिन

7. माना अभीष्ट दिनों की संख्या $= x$
अधिक व्यक्ति, कम दिन का भोजन (विलोमानुपात)
$800 : 500 :: 24 : x$
$\Leftrightarrow (800 \times x) = (500 \times 24)$
$\Leftrightarrow \quad x = \frac{(500 \times 24)}{800} = 15$ दिन

8. माना अभीष्ट दिनों की संख्या $= x$
कम व्यक्ति, अधिक दिन (विलोमानुपात)
कम घर, कम दिन (सीधा अनुपात)

$$\left.\begin{matrix} \text{व्यक्ति} & 5 : 10 \\ \text{घर} & 60 : 30 \end{matrix}\right\} :: 120 : x$$

$\therefore (5 \times 60 \times x) = (10 \times 30 \times 120)$
$\Leftrightarrow \quad x = \frac{(10 \times 30 \times 120)}{(5 \times 60)} = 120$ दिन

9. माना अभीष्ट वेतन $= x$ रु.
अधिक मजदूर, अधिक दिन (समानुपात)
कम दिन, कम वेतन (समानुपात)

$$\left.\begin{matrix} \text{मजदूर} & 6 : 9 \\ \text{दिन} & 15 : 12 \end{matrix}\right\} :: 700 : x$$

$\therefore (6 \times 15 \times x) = (9 \times 12 \times 700)$
$\Leftrightarrow \quad x = \frac{(9 \times 12 \times 700)}{(6 \times 15)} = ₹\ 840$

10. माना अभीष्ट दिनों की संख्या $= x$.
कम मजदूर, अधिक दिन (विलोमानुपात)
अधिक घण्टे प्रतिदिन, कम दिन (विलोमानुपात)

$$\left.\begin{matrix} \text{मजदूर} & 30 : 39 \\ \text{घण्टे प्रतिदिन} & 6 : 5 \end{matrix}\right\} :: 12 : x$$

$\therefore (30 \times 6 \times x) = (39 \times 5 \times 12)$
$\Leftrightarrow \quad x = \frac{(39 \times 5 \times 12)}{(30 \times 6)} = 13$ दिन

★ ★ ★

8

प्रतिशतता
(Percentage)

❖ **प्रतिशतता:** प्रतिशत वह भिन्न है जिसका हर (Denominator) 100 हो। अंश (Numerator) को दर प्रतिशत कहा जाता है। इसे प्रायः % चिह्न द्वारा व्यक्त किया जाता है।

x प्रतिशत का अर्थ है, किसी वस्तु के 100 बराबर भागों में से x भाग। इसे $x\%$ से व्यक्त करते हैं। स्पष्ट है कि, $x\% = \frac{x}{100}$.

उदाहरण: $25\% = \frac{25}{100} = \frac{1}{4}$.

❖ **प्रतिशत को भिन्न में बदलना:** किसी प्रतिशत को भिन्न में बदलने के लिए उसे 100 से भाग दिया जाता है।

जैसे: $15\% = \frac{15}{100} = \frac{3}{20}$.

❖ **भिन्न को प्रतिशत में बदलना:** भिन्न को प्रतिशत में बदलने के लिए उसे 100 से गुणा किया जाता है।

जैसे: $\frac{3}{5} = \frac{3}{5} \times 100 = 60\%$.

❖ **दशमलव को प्रतिशत में बदलना:** दशमलव को प्रतिशत में बदलने के लिए उसे 100 से गुणा किया जाता है।

जैसे: $0.3 = 0.3 \times 100 = \frac{3}{10} \times 100 = 30\%$.

स्मरणीय तथ्य

$5\% = \frac{1}{20}$	$10\% = \frac{1}{10}$	$80\% = \frac{4}{5}$
$30\% = \frac{3}{10}$	$75\% = \frac{3}{4}$	$60\% = \frac{3}{5}$
$8\frac{1}{3}\% = \frac{1}{12}$	$40\% = \frac{2}{5}$	$90\% = \frac{9}{10}$
$12\frac{1}{2}\% = \frac{1}{8}$	$33\frac{1}{3}\% = \frac{1}{3}$	$150\% = \frac{3}{2}$

वस्तुनिष्ठ प्रश्न

1. 800 का 40% क्या होगा?
A. 420 B. 320
C. 440 D. 220

2. 1200 का कितने प्रतिशत 900 है?
A. 65% B. 70%
C. 75% D. 85%

3. किस संख्या का 65%, 260 है?
A. 300 B. 400
C. 500 D. 200

4. 1 प्रतिशत का आधा क्या होगा?
A. 0.5 B. 0.05
C. 0.005 D. 0.0005

5. 12.5 प्रतिशत को साधारण भिन्न में बदलो–
A. $\frac{2}{5}$ B. $\frac{1}{8}$
C. $\frac{4}{3}$ D. $\frac{5}{2}$

6. दो वस्तुओं का वजन 3 : 5 में है, तो बताओ प्रथम वस्तु का वजन, दूसरी वस्तु के वजन का कितने प्रतिशत है?
A. 45% B. 60%
C. 55% D. 65%

7. राम का वेतन ₹ 800 से बढ़कर ₹ 1000 हो गया, तो बताओ उसके वेतन में कितने प्रतिशत की वृद्धि हुई?
A. 24% B. 25%
C. 35% D. 28%

8. किसी शहर की जनसंख्या 4000 से बढ़कर 5000 हो जाती है, तो बताओ इस जनसंख्या में कितने % की कमी करें ताकि पुनः वही जनसंख्या हो जाए?
A. 25% B. 20%
C. 30% D. 40%

9. किसी संख्या में से 15 घटाने पर उस संख्या में 20% की कमी हो जाती है, तो उस संख्या का 60% क्या है?
A. 75 B. 35
C. 45 D. 55

10. 5 घंटा, एक दिन का कितना % है?

A. 22% B. $20\frac{5}{6}\%$

C. 26% D. 40%

11. यदि x का 30% का 15% = 18, तो x का मान है:

A. 375 B. 425
C. 300 D. 400

12. यदि x का $x\%$ = 36, हो, तो x का मान है:

A. 45 B. 60
C. 75 D. 80

13. किसी संख्या के 60% में से 60 घटाने पर 60 प्राप्त होता है। वह संख्या है:

A. 175 B. 160
C. 125 D. 200

14. 4.8 को प्रतिशतता में व्यक्त करने पर प्राप्त होगा:

A. 0.48% B. 4.8%
C. 48% D. 480%

15. $\frac{2}{3}, \frac{1}{3}$ का कितने प्रतिशत है?

A. $33\frac{1}{3}\%$ B. 50%

C. 150% D. 200%

16. किस संख्या का 75%, 15 है?

A. 28 B. 20
C. 32 D. 30

17. किसी संख्या का 35%, 175 है। तब, 175 का कितने प्रतिशत वह संख्या होगी?

A. 35% B. 65%
C. 280% D. इनमें से कोई नहीं

18. एक संख्या में 25% कमी करने पर यह 225 हो जाती है। इसमें कितने प्रतिशत वृद्धि की जाये कि वह 375 हो जाये?

A. 25% B. 45%
C. 35% D. 15%

19. यदि x, y से 10% कम है तथा y, 125 से 10% अधिक है, तो x का मान है:

A. 123.75 B. 140.55
C. 143 D. 150

20. यदि x, y से 10% अधिक हो, तो y, x से कितने प्रतिशत कम है?

A. $9\frac{2}{11}\%$ B. $9\frac{1}{11}\%$

C. $2\frac{9}{11}\%$ D. $4\frac{11}{12}\%$

उत्तरमाला

1	2	3	4	5	6	7	8	9	10
B	C	B	C	B	B	B	B	C	B
11	**12**	**13**	**14**	**15**	**16**	**17**	**18**	**19**	**20**
D	B	D	D	D	B	D	A	A	B

व्याख्यात्मक उत्तर

1. $800 \times \frac{40}{100} = 320$

2. $1200 \times x\% = 900$

$\Rightarrow \quad \frac{1200 \times x}{100} = 900$

$\Rightarrow \quad x = \frac{900}{1200} \times 100 = 75\%$

अर्थात् जिसके साथ "का" लगा होता है उसे नीचे लिखते हैं।

3. $x \times 65\% = 260$

$\frac{x \times 65}{100} = 260$

$\Rightarrow \quad x = 400$

4. 1% का $\frac{1}{2} = \frac{1}{100} \times \frac{1}{2} = \frac{1}{200} = .005.$

5. $12.5\% = \frac{12.5}{100} = \frac{125}{1000} = \frac{1}{8}.$

6. प्रथम वस्तु का वजन, दूसरी वस्तु के वजन का

$\frac{3}{5} \times 100 = 60\%.$

7. वेतन में वृद्धि = 1000 – 800 = ₹ 200

% वृद्धि = $\frac{200}{800} \times 100 = 25\%.$

8. जनसंख्या में कमी = 5000 – 4000 = ₹ 1000

% कमी = $\frac{1000}{5000} \times 100 = 20\%.$

9. माना वह संख्या = x

$$x - 15 = \frac{80x}{100}$$
$$5x - 75 = 4x$$
$$x = 75$$

तो $75 \times \frac{60}{100} = 45$

दूसरी विधि $20\% = 15$

तो $60\% = \frac{15}{20} \times 60 = 45.$

10. $\frac{5}{24} \times 100 = 20\frac{5}{6}\%.$

11. $\left(x \times \frac{30}{100} \times \frac{15}{100}\right) = 18$

$\Rightarrow$ $9x = 3600$

$\Rightarrow$ $x = 400.$

12. $\left(x \times \frac{x}{100}\right) = 36$

$\Rightarrow$ $x^2 = 3600$

$\Rightarrow$ $x = \sqrt{3600} = 60.$

13. माना संख्या = x तब, (x का 60%) − 60 = 60

$\Rightarrow$ $\left(x \times \frac{60}{100}\right) = 120$

$\Rightarrow$ $\frac{3x}{5} = 120$

$\Rightarrow$ $x = \frac{(120 \times 5)}{3} = 200.$

14. $4.8 = \left(\frac{48}{10} \times 100\right)\% = 480\%.$

15. अभीष्ट % = $\left\{\frac{(2/3)}{(1/3)} \times 100\right\}\% = 200\%.$

16. माना x का 75% = 15, तब, $x \times \frac{75}{100} = 15$

$\Rightarrow$ $x = \frac{(15 \times 100)}{75} = 20.$

17. माना x का 35% = 175

तब, $x \times \frac{35}{100} = 175$

$\Rightarrow$ $x = \left(175 \times \frac{100}{35}\right) = 500$

माना 175 का y% = 500 तब, $175 \times \frac{y}{100} = 500$

$\Rightarrow$ $y = \left(\frac{500 \times 100}{175}\right) = 285\frac{5}{7}\%.$

18. माना संख्या = x

तब, x का 75% = 225

$\Rightarrow$ $x \times \frac{75}{100} = 225$

$\Rightarrow$ $x = \left(\frac{225 \times 100}{75}\right) = 300$

अब मूल संख्या = 300

वृद्धि के बाद संख्या = 375

इच्छित % वृद्धि = $\left(\frac{75}{300} \times 100\right)\% = 25\%.$

19. $x = y$ का 90% = $\left(y \times \frac{90}{100}\right) = \frac{9y}{10}$

$y = 125$ का 110% = $\left(125 \times \frac{110}{100}\right) = 137.5$

$\therefore$ $x = \left(\frac{9}{10} \times 137.5\right) = (9 \times 13.75) = 123.75.$

20. $x = y$ का 110% = $\left(y \times \frac{110}{100}\right) = \frac{11y}{10}$

$\Rightarrow$ $y = \frac{10x}{11}$

अभीष्ट % = $\left\{\frac{(x - y)}{x} \times 100\right\}\%$

$$= \left\{\frac{\left(x - \frac{10x}{11}\right)}{x} \times 100\right\}\%$$

$$= \frac{100}{11}\% = 9\frac{1}{11}\%.$$

★ ★ ★

9

लाभ, हानि और बट्टा (Profit, Loss and Discount)

❖ **क्रय मूल्य (Cost Price):** जिस मूल्य पर कोई वस्तु खरीदी जाती है वह मूल्य उस वस्तु का क्रय मूल्य कहलाता है।

जैसेः राम ने एक पंखा ₹ 500 में खरीदा तथा ₹ 600 में बेच दिया। यहाँ क्रय मूल्य ₹ 500 है।

❖ **विक्रय मूल्य (Selling Price):** जिस मूल्य पर कोई वस्तु बेची जाती है, उसे उस वस्तु का विक्रय मूल्य कहते हैं।

जैसेः राम ने एक पुस्तक ₹ 50 में खरीदी तथा ₹ 80 में बेच दी। यहाँ विक्रय मूल्य ₹ 80 है।

❖ **लाभ (Profit):** यदि किसी वस्तु का विक्रय-मूल्य उसके क्रय-मूल्य से अधिक हो, तो वहाँ लाभ होता है।

❖ **हानि (Loss):** यदि किसी वस्तु का क्रय-मूल्य उसके विक्रय-मूल्य से अधिक हो, तो वहाँ हानि होती है।

❖ **उपरिव्यय (Overhead Expenditure):** यह वह व्यय है जो किसी व्यापारी को किसी वस्तु के क्रय मूल्य के अतिरिक्त वहन करना जरूरी हो जाता है।

जैसेः श्याम ने 8 टी.वी. ₹ 25000 में खरीदे तथा ₹ 1200 भाड़े और ₹ 600 ढुलाई पर खर्च किया।

अतः उपरिव्यय = 1200 + 600 = ₹ 1800

इसे लागत या क्रय-मूल्य में जोड़ दिया जाता है।

❖ **अंकित मूल्य (Marked Price):** यह वह मूल्य है जो किसी वस्तु पर या उसके पैकेट पर अंकित रहता है।

जैसेः किसी साबुन के पैकेट पर लिखा है "Price ₹ 10 (inclusive of all taxes)" अर्थात् अंकित मूल्य ₹ 10 है। इसे सूची मूल्य भी कहा जाता है।

❖ **बट्टा (Discount):** किसी वस्तु के अंकित मूल्य पर जो छूट दी जाती है उसे बट्टा कहते हैं। **जैसेः** एक साड़ी की कीमत ₹ 200 है तथा यह 20% छूट पर बेची जाती है। अतः बट्टा = 20%.

❖ **क्रमिक बट्टा (Successive Discount):** जब किसी वस्तु के अंकित मूल्य पर r_1 % की छूट देने के बाद शेष धनराशि पर r_2 % की छूट दी जाए, फिर r_2 % की छूट देने के बाद शेष धनराशि पर r_3 % की छूट दी जाए, तो r_1 %, r_2 % तथा r_3 % को क्रमिक बट्टा कहा जाता है।

महत्वपूर्ण सूत्र

1. क्रय मूल्य (CP) = विक्रय मूल्य (SP) – लाभ (Profit)
2. क्रय मूल्य (CP) = विक्रय मूल्य (SP) + हानि (Loss)
3. लाभ (Profit) = विक्रय मूल्य (SP) – क्रय मूल्य (CP)
4. हानि (Loss) = क्रय मूल्य (CP) – विक्रय मूल्य (SP)
5. प्रतिशत लाभ = $\frac{\text{लाभ}}{\text{क्रय मूल्य}} \times 100$
6. प्रतिशत हानि = $\frac{\text{हानि}}{\text{क्रय मूल्य}} \times 100$

वस्तुनिष्ठ प्रश्न

1. यदि 16 वस्तुओं का विक्रय-मूल्य 20 वस्तुओं के क्रय-मूल्य के बराबर हो, तो विक्रेता कोः

A. 10% हानि होगी B. 15% लाभ होगा
C. 25% हानि होगी D. 25% लाभ होगा

2. यदि 8 वस्तुओं का क्रय-मूल्य 9 वस्तुओं के विक्रय-मूल्य के बराबर हो, तो विक्रेता को कितना प्रतिशत लाभ अथवा हानि होगी?

A. $11\frac{1}{9}$% लाभ B. $11\frac{1}{9}$% हानि
C. $12\frac{1}{2}$% लाभ D. $12\frac{1}{2}$% हानि

3. एक फल-विक्रेता ने 100 संतरे ₹ 350 में खरीद कर ₹ 48 प्रति दर्जन के भाव से बेच दिये। उसे कितने प्रतिशत लाभ अथवा हानि हुई?

A. $14\frac{2}{7}$% लाभ
B. 12% लाभ
C. $14\frac{2}{7}$% हानि
D. 12% हानि

4. A ने कोई वस्तु ₹ 400 की खरीदकर B को 20% लाभ पर बेच दी। B ने इसे C को 10% लाभ पर बेच दिया। C ने इसे कितने में खरीदा?

A. ₹ 482 B. ₹ 582
C. ₹ 528 D. ₹ 428

5. प्रीति ने एक पुस्तक 10% हानि पर बेची। यदि वह इसे ₹ 85 अधिक में बेचती, तो उसे 7% लाभ होता। पुस्तक का क्रय-मूल्य क्या है?

A. ₹ 500 B. ₹ 600
C. ₹ 625 D. ₹ 725

6. एक व्यापारी अपनी वस्तुओं को क्रय-मूल्य पर बेचने का दिखावा करता है। परन्तु वह 1 किग्रा. के स्थान पर 900 ग्राम का बाट प्रयोग करता है। उसका लाभ प्रतिशत कितना है?

A. $16\frac{2}{3}\%$ B. $33\frac{1}{3}\%$
C. $8\frac{1}{3}\%$ D. $11\frac{1}{9}\%$

7. एक बेईमान दुकानदार अपनी वस्तुओं को क्रय-मूल्य पर बेचता है, परन्तु कम तोल कर 25% लाभ कमाता है। 1 किग्रा. के लिए वह कितना भार प्रयोग करता है?

A. 775 ग्राम B. 900 ग्राम
C. 800 ग्राम D. 850 ग्राम

8. एक दुकानदार दो घड़ियों में से प्रत्येक को ₹ 616 में बेचता है। इस प्रकार वह एक घड़ी पर 12% लाभ कमाता है तथा दूसरी पर 12% हानि। कुल पर उसे कितना लाभ अथवा हानि होती है?

A. न लाभ न हानि B. $1\frac{11}{25}\%$ लाभ
C. $1\frac{11}{25}\%$ हानि D. $3\frac{2}{25}\%$ हानि

9. एक व्यक्ति को कोई वस्तु एक निश्चित मूल्य पर बेचने से 20% लाभ होता है। यदि वह इसे इससे दुगुने मूल्य पर बेचे, तो उसे कितने प्रतिशत लाभ होगा?

A. 125% B. 130%
C. 135% D. 140%

10. एक फल विक्रेता को ₹ 9 प्रति किग्रा. की दर से आम बेचने पर 20% हानि होती है। इस पर 5% लाभ कमाने के लिए उसे कितने ₹ प्रति किग्रा. की दर से बेचना होगा?

A. ₹ 11.81 B. ₹ 12
C. ₹ 12.25 D. ₹ 12.31

11. यदि किसी वस्तु के क्रय-मूल्य तथा विक्रय-मूल्य में 4 : 5 का अनुपात हो, तो लाभ प्रतिशत कितना होगा?

A. 15% B. 18%
C. 25% D. 35%

12. एक फल विक्रेता ने ₹ 34 के 8 की दर से सेब खरीदे तथा उन्हें ₹ 57 के 12 की दर से बेच दिया। ₹ 45 का लाभ कमाने हेतु उसे कितने सेब बेचने होंगे?

A. 90 B. 80
C. 120 D. 110

13. 17 गेंदें ₹ 720 में बेचने पर, 5 गेंदों के क्रय-मूल्य के बराबर हानि होती है। एक गेंद का क्रय-मूल्य क्या होगा?

A. ₹ 40 B. ₹ 55
C. ₹ 45 D. ₹ 60

14. 36 संतरे बेचने पर एक फल वाले को 4 संतरों के विक्रय-मूल्य के बराबर हानि होती है। हानि प्रतिशत कितनी है?

A. 10% B. $12\frac{1}{2}\%$
C. $11\frac{1}{9}\%$ D. इनमें से कोई नहीं

15. यदि 110 आम बेचने पर 120 आमों का क्रय-मूल्य प्राप्त होता है, तो लाभ प्रतिशत कितना है?

A. $9\frac{1}{9}\%$ B. $9\frac{1}{11}\%$
C. $10\frac{10}{11}\%$ D. $11\frac{1}{9}\%$

उत्तरमाला

1	2	3	4	5	6	7	8	9	10
D	B	A	C	A	D	C	C	D	A
11	**12**	**13**	**14**	**15**					
C	A	D	A	B					

व्याख्यात्मक उत्तर

1. माना प्रत्येक वस्तु का क्रय-मूल्य = ₹ 1

तब, 16 वस्तुओं का क्रय-मूल्य = ₹ 16

16 वस्तुओं का क्रय-मूल्य = 20 वस्तुओं का क्रय-मूल्य = ₹ 20

₹ 16 पर लाभ = ₹ 4 $\Rightarrow$ लाभ % = $\left(\frac{4}{16}\times 100\right)\% = 25\%$

2. माना प्रत्येक वस्तु का क्रय-मूल्य = ₹ 1

तब, 9 वस्तुओं का क्रय-मूल्य = ₹ 9

9 वस्तुओं का विक्रय-मूल्य = 8 वस्तुओं का क्रय-मूल्य = ₹ 8

₹ 9 पर हानि = ₹ 1 $\Rightarrow$ हानि % = $\left(\frac{1}{9}\times 100\right)\% = 11\frac{1}{9}\%$.

3. 100 संतरों का क्रय-मूल्य = ₹ 350

100 संतरों का विक्रय-मूल्य = ₹ $\left(\frac{48}{12}\times 100\right)$ = ₹ 400

अतः लाभ = ₹ (400 – 350) = ₹ 50

$\Rightarrow$ लाभ % = $\left(\frac{50}{350}\times 100\right)\% = 14\frac{2}{7}\%$.

4. A का विक्रय-मूल्य = ₹ 400 का 120% = ₹$\left(400\times\frac{120}{100}\right)$

= ₹ 480

B का विक्रय-मूल्य = ₹ 480 का 110% = ₹$\left(480\times\frac{110}{100}\right)$

= ₹ 528

अतः C ने इसे ₹ 528 में खरीदा।

5. माना क्रय मूल्य = ₹ x तब, (7% लाभ पर विक्रय-मूल्य) – (10% हानि पर विक्रय-मूल्य) = 85

$\Rightarrow \quad \left(x\times\frac{107}{100}\right)-\left(x\times\frac{90}{100}\right) = 85$

$\Rightarrow \quad 107x - 90x = 8500$

$\Rightarrow \quad 17x = 8500 \Rightarrow x = 500$

अतः पुस्तक का क्रय-मूल्य = ₹ 500.

6. माना 1 किग्रा. का क्रय-मूल्य = ₹ 1000

तब, 900 ग्राम का क्रय-मूल्य = 900

900 ग्राम का विक्रय-मूल्य = 1000

₹ 900 पर लाभ = ₹ 100

$\Rightarrow$ लाभ % = $\left(\frac{100}{900}\times 100\right)\% = 11\frac{1}{9}\%$.

7. माना कि दुकानदार 1000 ग्राम के स्थान पर $(1000 - x)$ ग्राम बाट का प्रयोग करता है तथा 1 ग्राम का क्रय-मूल्य = ₹ 1

तब क्रय-मूल्य = ₹ $(1000 - x)$ तथा विक्रय-मूल्य = ₹ 1000

लाभ = ₹ $[1000 - (1000 - x)]$ = ₹ x

$\therefore$ लाभ % = $\frac{x}{(1000-x)}\times 100 \Rightarrow \frac{100x}{(1000-x)} = 25$

$\Rightarrow \quad 100x = 25000 - 25x \Rightarrow 125x = 25000 \Rightarrow x = 200$

अतः 1000 ग्राम के स्थान पर वह (1000 – 200) = 800 ग्राम बाट का प्रयोग करता है।

8. इसमें सदैव हानि होती है।

हानि % = $\left(\frac{\text{उभयनिष्ठ लाभ व हानि \%}}{10}\right)^2\%$

$= \left(\frac{12}{10}\right)^2 = \left(\frac{12}{10}\times\frac{12}{10}\right)\% = \frac{36}{25}\% = 1\frac{11}{25}\%.$

9. माना क्रय-मूल्य = ₹ x

तब, विक्रय-मूल्य = ₹ x का 120% = ₹ $\left(x\times\frac{120}{100}\right)$ = ₹ $\frac{6x}{5}$

नया विक्रय-मूल्य = ₹$\left(2\times\frac{6x}{5}\right)$ = ₹$\frac{12x}{5}$

तब, लाभ = ₹$\left(\frac{12x}{5}-x\right)$ = ₹$\frac{7x}{5}$

$\therefore$ लाभ % = $\left(\frac{7x}{5}\times\frac{1}{x}\times 100\right)\% = 140\%.$

10. माना फल विक्रेता ने 1 किग्रा. आम बेचे।

विक्रय-मूल्य = ₹ 9, हानि = 20%

$\Rightarrow$ क्रय-मूल्य = ₹$\left(\frac{100}{80}\times 9\right)$ = ₹$\frac{45}{4}$

अब, क्रय-मूल्य = ₹$\frac{45}{4}$, लाभ = 5%

विक्रय-मूल्य = ₹$\left(\frac{105}{100}\times\frac{45}{4}\right)$ = ₹ 11.81

अतः आम बेचने की दर = ₹ 11.81 प्रति किग्रा.।

11. माना क्रय-मूल्य = ₹ $4x$, तब, विक्रय-मूल्य = ₹ $5x$

$\therefore$ लाभ % = $\left(\frac{x}{4x}\times 100\right)\% = 25\%.$

12. 1 सेब का क्रय-मूल्य = ₹$\left(\frac{34}{8}\right)$ = ₹ 4.25

1 सेब का विक्रय-मूल्य = ₹$\left(\frac{57}{12}\right)$ = ₹ 4.75

प्रत्येक सेब पर लाभ = ₹ (4.75 – 4.25) = ₹ .50

अभीष्ट सेबों की संख्या = $\left(\frac{45}{0.50}\right) = \left(45\times\frac{100}{50}\right) = 90.$

13. (17 गेंदों का क्रय-मूल्य) – (17 गेंदों का विक्रय-मूल्य) = (5 गेंदों का क्रय-मूल्य)

$\Rightarrow$ (12 गेंदों का क्रय-मूल्य) = (17 गेंदों का विक्रय-मूल्य) = ₹ 720

$\Rightarrow$ 1 गेंद का क्रय-मूल्य = ₹$\left(\frac{720}{12}\right)$ = ₹ 60.

14. (36 संतरों का क्रय-मूल्य) – (36 संतरों का विक्रय-मूल्य) = (4 संतरों का विक्रय-मूल्य)

$\Rightarrow$ 36 संतरों का क्रय-मूल्य = 40 संतरों का विक्रय-मूल्य

माना 1 संतरे का क्रय-मूल्य = ₹ 1

40 संतरों का विक्रय-मूल्य = 36 संतरों का क्रय-मूल्य = ₹ 36

$\therefore$ हानि % = $\left(\frac{4}{40}\times 100\right)\% = 10\%.$

15. 110 आमों का विक्रय-मूल्य = 120 आमों का क्रय-मूल्य

माना 1 आम का क्रय-मूल्य = ₹ 1

110 आमों का क्रय-मूल्य = ₹ 110

110 आमों का विक्रय-मूल्य = 120 आमों का क्रय-मूल्य = ₹ 120

$\therefore$ लाभ % = $\left(\frac{10}{110}\times 100\right)\% = 9\frac{1}{11}\%.$

★ ★ ★

10

साधारण ब्याज
(Simple Interest)

जब कोई व्यक्ति किसी अन्य व्यक्ति से अथवा बैंक से रुपया उधार लेता है, तो उसे अन्य व्यक्ति या बैंक का धन प्रयोग करने के लिए जो किराया देना पड़ता है उसे ब्याज कहते हैं। अर्थात् उधार ली गई धनराशि के साथ जो अतिरिक्त धन राशि वापस की जाती है उसे ब्याज कहते हैं। जब ब्याज केवल उधार ली गई राशि पर, जिसे मूलधन कहते हैं, लगता है तब उसे साधारण ब्याज कहते हैं। मूलधन और ब्याज के योग को मिश्रधन कहते हैं।

महत्वपूर्ण सूत्र

(i) साधारण ब्याज (S.I.) = $\frac{\text{मूलधन} \times \text{दर} \times \text{समय}}{100}$

(ii) मूलधन (P) = $\frac{\text{साधारण ब्याज} \times 100}{\text{दर} \times \text{समय}}$

(iii) दर (R) = $\frac{\text{साधारण ब्याज} \times 100}{\text{मूलधन} \times \text{समय}}$

(iv) समय (T) = $\frac{\text{साधारण ब्याज} \times 100}{\text{मूलधन} \times \text{दर}}$

(v) साधारण ब्याज (S.I.) = मिश्रधन – मूलधन

(vi) मिश्रधन (A) = मूलधन + साधारण ब्याज

(vii) मूलधन (P) = मिश्रधन – साधारण ब्याज

वस्तुनिष्ठ प्रश्न

1. किस धनराशि पर 4% वार्षिक ब्याज की दर से 5 वर्ष का साधारण ब्याज ₹ 64 होगा?
A. ₹ 220 B. ₹ 280
C. ₹ 320 D. ₹ 300

2. ₹ 600 की राशि पर $2\frac{1}{2}$ वर्ष का साधारण ब्याज ₹ 30 हो, तो ब्याज की वार्षिक दर होगी:
A. 1% B. 2%
C. 4% D. 8%

3. कितने वर्ष में ₹ 3600 पर 6% वार्षिक ब्याज की दर से साधारण ब्याज ₹ 432 होगा?
A. 1 वर्ष B. 2 वर्ष
C. $1\frac{1}{2}$ वर्ष D. $2\frac{1}{4}$ वर्ष

4. ₹ 5000 की राशि पर 10% वार्षिक ब्याज की दर से 5 वर्ष का साधारण ब्याज कितना होगा?
A. ₹ 2200 B. ₹ 2500
C. ₹ 2300 D. ₹ 2600

5. कितने वर्षों में कोई राशि 10% वार्षिक ब्याज की दर से अपने से दोगुनी हो जाएगी?
A. 10 वर्ष B. 8 वर्ष
C. 5 वर्ष D. 12 वर्ष

6. कोई धनराशि 20 वर्षों में दो गुनी हो जाती है, तो वह धनराशि कितने समय में तीन गुनी हो जाएगी?
A. 30 वर्षों में B. 50 वर्षों में
C. 40 वर्षों में D. 45 वर्षों में

7. कोई धनराशि किसी निश्चित दर से 3 वर्ष में बढ़कर ₹ 1150 तथा 5 वर्ष में बढ़कर ₹ 1250 हो जाती है, तो उस राशि पर प्रतिशत दर क्या होगी?
A. 5% B. 8%
C. 7% D. 6%

8. किसी राशि का 6% की दर से $4\frac{1}{2}$ वर्ष का साधारण ब्याज ₹ 81 हो जाता है, तो वह राशि कितनी होगी?
A. ₹ 325 B. ₹ 225
C. ₹ 300 D. ₹ 340

9. यदि किसी राशि का 3 वर्ष का साधारण ब्याज की दर से मिश्रधन ₹ 2100 तथा 5 वर्ष का मिश्रधन ₹ 2250 हो, तो उस राशि पर ब्याज की वार्षिक दर कितनी होगी?
A. 4% B. 3%
C. 2% D. 5%

10. यदि किसी धनराशि का 2 वर्ष में मिश्रधन ₹ 1760 तथा 5 वर्ष में मिश्रधन ₹ 2000 हो, तो वह धनराशि कितनी होगी?
A. ₹ 1650 B. ₹ 1500
C. ₹ 1580 D. ₹ 1600

11. यदि किसी राशि पर 6% प्रति वर्ष की दर से 3 वर्ष का साधारण ब्याज ₹ 90 है, तो वह राशि कितनी होगी?
A. ₹ 500 B. ₹ 450
C. ₹ 525 D. ₹ 560

12. यदि ₹ 500 का 4 वर्ष के लिए साधारण ब्याज ₹ 40 हो, तो ब्याज की प्रतिशत दर क्या है?
A. $3\frac{1}{2}\%$ B. 2%
C. $2\frac{1}{2}\%$ D. 3%

13. कितने समय में ₹ 2000 की राशि 4% वार्षिक दर से ₹ 2240 हो जाएगी?
A. 3 वर्षों में B. 2 वर्षों में
C. 5 वर्षों में D. 4 वर्षों में

14. ₹ 892 की राशि पर 6% की दर से 8 मास का साधारण ब्याज क्या होगा जबकि ब्याज की दर वार्षिक हो?
A. ₹ 36.68 B. ₹ 35.68
C. ₹ 48.58 D. ₹ 33.38

15. ₹ 1850 का 3% वार्षिक ब्याज की दर से 5 वर्ष का मिश्रधन कितना होगा?
A. ₹ 2227.75
B. ₹ 2127.50
C. ₹ 2137.50
D. ₹ 2086.50

16. एक व्यक्ति ₹ 500, 4 वर्ष के लिए तथा ₹ 600, 3 वर्ष के लिए साधारण ब्याज पर उधार देता है। यदि उसे ₹ 190 साधारण ब्याज के रूप में मिले हों, तो दोनों राशियों पर वार्षिक प्रतिशत दर क्या होगी?
A. 8% B. 5%
C. 10% D. 4%

17. ₹ 1550 की राशि में से कुछ धन 5% तथा शेष धन 8% की साधारण ब्याज पर उधार दिया गया। यदि 3 वर्ष बाद साधारण ब्याज ₹ 300 हो, तो 8% पर दिया गया धन कितना होगा?
A. ₹ 760 B. ₹ 775
C. ₹ 750 D. ₹ 780

18. किसी राशि पर साधारण ब्याज ₹ 144 है। यदि ब्याज की दर का प्रतिशत वर्ष की संख्या के बराबर हो, तो प्रतिशत ब्याज दर क्या होगी?
A. 10% B. 12%
C. 15% D. 8%

19. यदि कोई राशि साधारण ब्याज की दर से उधार देने पर 3 वर्ष में बढ़कर ₹ 368 तथा पुनः 2 वर्ष में बढ़कर ₹ 400 हो जाती है, तो वह राशि कितनी होगी?
A. ₹ 300 B. ₹ 320
C. ₹ 290 D. ₹ 325

20. गिरीश ने राजेश को 5% वार्षिक दर से कुछ धन उधार दिया। राजेश ने ओमदत्त को $8\frac{1}{2}\%$ वार्षिक दर से वही धन उधार दे दिया। इस प्रकार राजेश को वर्ष के अन्त में ₹ 350 का फायदा हुआ, तो बताइए गिरीश ने राजेश को कितना धन उधार दिया?
A. ₹ 10000 B. ₹ 8000
C. ₹ 9500 D. ₹ 10500

उत्तरमाला

1	2	3	4	5	6	7	8	9	10
C	B	B	B	A	C	A	C	A	D
11	12	13	14	15	16	17	18	19	20
A	B	A	B	B	B	C	B	B	A

व्याख्यात्मक उत्तर

1. $\text{मूलधन} = \frac{\text{ब्याज} \times 100}{\text{दर} \times \text{समय}}$

$= \frac{64 \times 100}{5 \times 4} = ₹\ 320$

2. $\text{दर} = \frac{\text{ब्याज} \times 100}{\text{मूलधन} \times \text{समय}}$

$= \frac{30 \times 100 \times 2}{600 \times 5} = 2\%$

3. $\text{समय} = \frac{\text{ब्याज} \times 100}{\text{मूलधन} \times \text{दर}}$

$= \frac{432 \times 100}{3600 \times 6} = 2$ वर्ष

4. $\text{साधारण ब्याज} = \frac{\text{मूलधन} \times \text{समय} \times \text{दर}}{100}$

$= \frac{5000 \times 5 \times 10}{100} = ₹\ 2500$

5. माना कि मूलधन = P, मिश्रधन = 2P

ब्याज = 2P – P = P

$$\text{समय} = \frac{\text{ब्याज} \times 100}{\text{मूलधन} \times \text{दर}} = \frac{P \times 100}{P \times 10} = 10 \text{ वर्ष}$$

6. मूलधन = ₹ P, मिश्रधन = ₹ 2P, समय = 20 वर्ष

अतः ब्याज = मिश्रधन – मूलधन = 2P – P = P

$$\text{दर} = \frac{\text{ब्याज} \times 100}{\text{मूलधन} \times \text{समय}} = \frac{P \times 100}{P \times 20} = 5\%$$

पुनः मूलधन = P, मिश्रधन = 3P, दर = 5%

ब्याज = मिश्रधन – मूलधन = 3P – P = 2P

$$\text{समय} = \frac{\text{ब्याज} \times 100}{\text{मूलधन} \times \text{दर}} = \frac{2P \times 100}{P \times 5} = 40 \text{ वर्ष}$$

अतः वह धनराशि 40 वर्षों बाद तीन गुनी हो जाएगी।

7. ∵ 3 वर्ष का मिश्रधन = ₹ 1150

तथा 5 वर्ष का मिश्रधन = ₹ 1250

∴ 2 वर्ष का साधारण ब्याज

= 5 वर्ष का मिश्रधन – 3 वर्ष का मिश्रधन

= 1250 – 1150 = ₹ 100

$$1 \text{ वर्ष का साधारण ब्याज} = \frac{100}{2} = ₹ 50$$

3 वर्ष का साधारण ब्याज = 50 × 3 = ₹ 150

∴ मूलधन = 3 वर्ष का मिश्रधन – 3 वर्ष का साधारण ब्याज

= 1150 – 150 = ₹ 1000

अतः

$$\text{दर} = \frac{\text{ब्याज} \times 100}{\text{मूलधन} \times \text{समय}} = \frac{50 \times 100}{1000 \times 1} = 5\%$$

8.

$$\text{मूलधन} = \frac{\text{ब्याज} \times 100}{\text{समय} \times \text{दर}} = \frac{81 \times 100 \times 2}{9 \times 6} = ₹ 300$$

अतः वह राशि ₹ 300 होगी।

9. ∵ 3 वर्ष का मिश्रधन = ₹ 2100 तथा

5 वर्ष का मिश्रधन = ₹ 2250

∴ 2 वर्ष का साधारण ब्याज

= 5 वर्ष का मिश्रधन – 3 वर्ष का मिश्रधन

= 2250 – 2100 = ₹ 150

$$1 \text{ वर्ष का साधारण ब्याज} = \frac{150}{2} = ₹ 75$$

3 वर्ष का साधारण ब्याज = 75 × 3 = ₹ 225

मूलधन = 3 वर्ष का मिश्रधन – 3 वर्ष का ब्याज

= 2100 – 225

= ₹ 1875

$$\text{दर} = \frac{\text{ब्याज} \times 100}{\text{मूलधन} \times \text{समय}} = \frac{225 \times 100}{1875 \times 3} = 4\%$$

10. 2 वर्ष का मिश्रधन = ₹ 1760

5 वर्ष का मिश्रधन = ₹ 2000

3 वर्ष का साधारण ब्याज

= 5 वर्ष का मिश्रधन – 2 वर्ष का मिश्रधन

= 2000 – 1760 = ₹ 240

$$1 \text{ वर्ष का साधारण ब्याज} = \frac{240}{3} = ₹ 80$$

2 वर्ष का साधारण ब्याज = 80 × 2 = ₹ 160

मूलधन = 2 वर्ष का मिश्रधन – 2 वर्ष का ब्याज

= 1760 – 160 = ₹ 1600

11. ∵ साधारण ब्याज = ₹ 90

दर = 6%

समय = 3 वर्ष

$$\therefore \text{मूलधन या राशि} = \frac{\text{साधारण ब्याज} \times 100}{\text{दर} \times \text{समय}} = \frac{90 \times 100}{6 \times 3} = ₹ 500.$$

12. $\text{दर} = \frac{40 \times 100}{500 \times 4} = 2\%.$

13. ∵

$$\text{मिश्रधन} = \text{मूलधन}\left(1 + \frac{\text{दर} \times \text{समय}}{100}\right)$$

या

$$\text{समय} = \frac{(\text{मिश्रधन} - \text{मूलधन}) \times 100}{\text{मूलधन} \times \text{दर}} = \frac{(2240 - 2000) \times 100}{2000 \times 4} = \frac{240 \times 100}{2000 \times 4} = 3 \text{ वर्ष}$$

14. ∵ मूलधन = ₹ 892

दर = 6% तथा

$$\text{समय} = 8 \text{ मास} = \frac{8}{12} = \frac{2}{3} \text{ वर्ष}$$

$$\therefore \text{साधारण ब्याज} = \frac{892 \times 6 \times \frac{2}{3}}{100} = ₹ 35.68$$

15. $\because$ मूलधन = ₹ 1850

दर = 3%

समय = 5 वर्ष

$\therefore$ साधारण ब्याज = $\frac{1850 \times 3 \times 5}{100}$ = ₹ 277.50

$\therefore$ मिश्रधन = मूलधन + साधारण ब्याज

= 1850 + 277.50 = ₹ 2127.50

16. माना कि ब्याज की वार्षिक प्रतिशत दर x% है

$\therefore$ **पहली स्थिति में,**

साधारण ब्याज = $\frac{500 \times 4 \times x}{100}$ = ₹ $20x$

दूसरी स्थिति में,

साधारण ब्याज = $\frac{600 \times 3 \times x}{100}$ = ₹ $18x$

प्रश्नानुसार,

दोनों स्थितियों में साधारण ब्याज का योग = ₹ 190

$\therefore \quad 20x + 18x = 190$

$\Rightarrow \quad 38x = 190$

$\Rightarrow \quad x = \frac{190}{38} \Rightarrow x = 5$

$\therefore$ दोनों राशियों पर ब्याज की वार्षिक प्रतिशत दर 5% होगी।

17. माना कि ₹ 1550 में से 5% की दर पर ₹ x तथा 8% की दर पर ₹ $(1550 - x)$ उधार दिए।

$\therefore$ **5% दर के लिए,**

मूलधन = ₹ x

दर = 5%

समय = 3 वर्ष

$\therefore$ साधारण ब्याज = $\frac{x \times 5 \times 3}{100}$ = ₹ $\frac{15x}{100}$

$\therefore$ **8% दर के लिए,**

मूलधन = ₹ $(1550 - x)$

दर = 8%

समय = 3 वर्ष

$\therefore$ साधारण ब्याज = $\frac{(1550 - x) \times 8 \times 3}{100}$ = ₹ $\frac{24(1550 - x)}{100}$

प्रश्नानुसार, दोनों राशियों पर साधारण ब्याज = ₹ 300 है।

$\therefore \quad \frac{15x}{100} + \frac{24(1550 - x)}{100} = 300$

$\Rightarrow \quad 15x + 24(1550 - x) = 30000$

$\Rightarrow \quad 9x = 24 \times 1550 - 30000$

$= 37200 - 30000 = 7200$

$\Rightarrow \quad x = \frac{7200}{9} = 800$

$\therefore$ 8% दर पर उधार दिया गया धन

= ₹ (1550 – 800) = ₹ 750 होगा।

18. माना कि राशि = ₹ 100 तथा दर = x% $\therefore$ समय = x वर्ष

$\therefore$ साधारण ब्याज = $\frac{\text{मूलधन} \times \text{दर} \times \text{समय}}{100}$

$\therefore \quad 144 = \frac{100 \times x \times x}{100}$

$\Rightarrow \quad x^2 = 144 \Rightarrow x = 12$

अतः ब्याज की प्रतिशत दर 12% होगी।

19. $\because$ 3 वर्ष का मिश्रधन = ₹ 368

तथा (3 + 2) = 5 वर्ष का मिश्रधन = ₹ 400

$\therefore$ 2 वर्ष का साधारण ब्याज = 400 – 368 = ₹ 32

$\therefore$ 1 वर्ष का साधारण ब्याज = $\frac{32}{2}$ = ₹ 16

$\therefore$ 3 वर्ष का साधारण ब्याज = 16 × 3 = ₹ 48

$\therefore$ राशि (मूलधन)

= 3 वर्ष का मिश्रधन – 3 वर्ष का साधारण ब्याज

= 368 – 48 = ₹ 320

अतः वह राशि ₹ 320 होगी।

20. माना कि गिरीश ने राजेश को ₹ x उधार दिए।

$\therefore$ राजेश के लिए,

साधारण ब्याज = $\frac{x \times 5 \times 1}{100}$ = ₹ $\frac{5x}{100}$

चूँकि राजेश, ओमदत्त को ₹ x उधार देगा।

$\therefore$ ओमदत्त के लिए,

साधारण ब्याज = $\frac{x \times 8\frac{1}{2} \times 1}{100}$ = ₹ $\frac{17x}{200}$

प्रश्नानुसार, राजेश को ₹ 350 का फायदा होने का अर्थ होगा कि राजेश का साधारण ब्याज, ओमदत्त के साधारण ब्याज से ₹ 350 कम है।

$\therefore \quad \frac{5x}{100} + 350 = \frac{17x}{200}$

$\Rightarrow \quad \frac{17x}{200} - \frac{5x}{100}$ = ₹ 350

$\Rightarrow \quad 17x - 10x = 200 \times 350 \Rightarrow 7x$ = ₹ 70000

$\Rightarrow \quad x = \frac{70000}{7} = 10000$

अतः गिरीश ने राजेश को ₹ 10000 उधार दिए।

★ ★ ★

11

चक्रवृद्धि ब्याज
(Compound Interest)

❖ **चक्रवृद्धि ब्याजः** कभी-कभी उधार दिये गये धन को चुकता करने के लिए एक निश्चित अवधि तय कर ली जाती है जो कि प्रायः वार्षिक, छमाही अथवा तिमाही होती है। इस अवधि के बाद मूलधन तथा ब्याज को जोड़ने पर बना मिश्रधन अगली अवधि के लिए मूलधन बन जाता है। प्रत्येक अवधि के लिए यही क्रिया दोहराई जाती है। अन्त में बना मिश्रधन चक्रवृद्धि-मिश्रधन कहलाता है।
चक्रवृद्धि ब्याज = (चक्रवृद्धि मिश्रधन) − (मूलधन)।

महत्वपूर्ण सूत्र

माना मूलधन = ₹ P, दर = R% वार्षिक तथा समय = n वर्ष। तब,

1. यदि ब्याज वार्षिक देय हो, तो मिश्रधन = $P\left(1+\frac{R}{100}\right)^n$.
2. यदि ब्याज छमाही देय हो, तो दर = $\frac{R}{2}$% प्रति छमाही तथा समय = 2n छमाही, चक्रवृद्धि मिश्रधन = $P\left(1+\frac{R}{2\times100}\right)^{2n}$.
3. यदि ब्याज तिमाही देय हो, तो दर = $\frac{R}{4}$% प्रति तिमाही तथा समय = 4n तिमाही, चक्रवृद्धि मिश्रधन = $P\left(1+\frac{R}{4\times100}\right)^{4n}$.
4. यदि ब्याज वार्षिक हो तथा ब्याज की दर पहले वर्ष R_1%, दूसरे वर्ष R_2% तथा तीसरे वर्ष R_3% हो, तो
3 वर्ष बाद चक्रवृद्धि मिश्रधन
$= P\left(1+\frac{R_1}{100}\right)\times\left(1+\frac{R_2}{100}\right)\times\left(1+\frac{R_3}{100}\right)$.
5. यदि समय एक परिमेय संख्या हो, जैसे $3\frac{2}{5}$ वर्ष।
तब, $3\frac{2}{5}$ वर्ष बाद चक्रवृद्धि मिश्रधन
$= P\left(1+\frac{R}{100}\right)^3\times\left(1+\frac{2}{5}\cdot\frac{R}{100}\right)$.
6. n वर्ष बाद देय किसी धन x का वर्तमान मूल्य = $\frac{x}{\left(1+\frac{R}{100}\right)^n}$.

वस्तुनिष्ठ प्रश्न

1. ₹ 25000 पर 12% वार्षिक दर से 3 वर्ष का चक्रवृद्धि ब्याज क्या होगा?
A. ₹ 9000.30 B. ₹ 10123.20
C. ₹ 10483.20 D. ₹ 9720

2. आनन्द ने निशा से ₹ 15000, 12% वार्षिक दर से चक्रवृद्धि ब्याज पर उधार लिये। इस ऋण को चुकता करने के लिए आनन्द को 2 वर्ष बाद कितना धन देना होगा?
A. ₹ 18600 B. ₹ 18618
C. ₹ 18816 D. ₹ 18869

3. ₹ 11200 का 10% वार्षिक दर से $1\frac{1}{2}$ वर्ष का चक्रवृद्धि ब्याज क्या होगा, जबकि ब्याज वार्षिक देय हो?
A. ₹ 1740 B. ₹ 1750
C. ₹ 1736 D. ₹ 1725

4. एक पेड़ की ऊँचाई में प्रतिवर्ष 1/8 गुना वृद्धि हो जाती है। यदि पेड़ की वर्तमान ऊँचाई 64 सेमी. हो, तो 2 वर्ष बाद इसकी ऊँचाई कितनी होगी?
A. 70 सेमी. B. 72 सेमी.
C. 81 सेमी. D. 90 सेमी.

5. ₹ 1000 पर 10% वार्षिक दर से 4 वर्ष का चक्रवृद्धि ब्याज तथा साधारण ब्याज का अन्तर क्या होगा?
A. ₹ 50.10 B. ₹ 65.20
C. ₹ 60.20 D. ₹ 64.10

6. समीर ने ₹ 15000 एक वर्ष के लिए 10% वार्षिक दर पर उधार दिये। यदि ब्याज प्रति छमाही संयोजित हो, तो वर्ष के अन्त में उसे कितना धन मिलेगा?
A. ₹ 16500 B. ₹ 16525.50
C. ₹ 16537.50 D. ₹ 18150

7. ₹ 15625 पर 9 माह का 16% वार्षिक दर से तिमाही देय चक्रवृद्धि ब्याज कितना होगा?
A. ₹ 1931 B. ₹ 1951
C. ₹ 1960 D. ₹ 1941

8. ₹ 1200 का 1 वर्ष में 10% वार्षिक दर से चक्रवृद्धि ब्याज तथा साधारण ब्याज का अन्तर कितना होगा, जबकि चक्रवृद्धि ब्याज छमाही देय हो?

A. ₹ 5　　B. ₹ 3
C. ₹ 2　　D. ₹ 6

9. कितने समय में ₹ 30000 का 7% वार्षिक दर से चक्रवृद्धि ब्याज ₹ 4347 हो जायेगा?
A. 2 वर्ष　　B. 3 वर्ष
C. 5 वर्ष　　D. 4 वर्ष

10. कितने वर्ष में ₹ 1600 का चक्रवृद्धि मिश्रधन 10% वार्षिक दर से ₹ 1852.20 हो जायेगा, जबकि ब्याज प्रति छमाही संयोजित होता रहे?
A. 3 वर्ष　　B. $1\frac{1}{2}$ वर्ष
C. $2\frac{1}{2}$ वर्ष　　D. 2 वर्ष

11. ₹ 5000 पर 4% वार्षिक दर से $1\frac{1}{2}$ वर्ष के चक्रवृद्धि ब्याजों में क्या अन्तर होगा जबकि ब्याज क्रमशः वार्षिक तथा छमाही देय हो?
A. ₹ 2.04　　B. ₹ 3.06
C. ₹ 4.80　　D. ₹ 8.30

12. चक्रवृद्धि ब्याज से किसी धन का मिश्रधन 2 वर्ष में ₹ 9680 तथा 3 वर्ष में ₹ 10648 हो जाता है। ब्याज की वार्षिक दर क्या है?
A. 8%　　B. 7%
C. 10%　　D. 11%

13. किसी धन पर 5% वार्षिक दर से 3 वर्ष का चक्रवृद्धि ब्याज ₹ 252.20 है। इतने ही धन पर इसी दर से इतने ही समय का साधारण ब्याज क्या होगा?
A. ₹ 235　　B. ₹ 240
C. ₹ 230　　D. ₹ 245

14. किसी धन पर 5% वार्षिक दर से 2 वर्ष का चक्रवृद्धि ब्याज ₹ 328 है। इतने ही धन पर इसी दर से इतने ही समय का साधारण ब्याज क्या होगा?
A. ₹ 318　　B. ₹ 316
C. ₹ 320　　D. ₹ 222

15. किसी धन पर 4% वार्षिक दर से 2 वर्ष का चक्रवृद्धि ब्याज तथा साधारण ब्याज का अन्तर ₹ 80 है। यह धन कितना है?
A. ₹ 40,000　　B. ₹ 45,000
C. ₹ 55,000　　D. ₹ 50,000

उत्तरमाला

1	2	3	4	5	6	7	8	9	10
B	C	C	C	D	C	B	B	A	B
11	**12**	**13**	**14**	**15**					
A	C	B	C	D					

व्याख्यात्मक उत्तर

1. चक्रवृद्धि ब्याज $= \left\{25000 \times \left(1+\frac{12}{100}\right)^3 - 25000\right\}$

$= \left\{\left(25000 \times \frac{28}{25} \times \frac{28}{25} \times \frac{28}{25}\right) - 25000\right\}$

$= \left(\frac{175616}{5} - 25000\right) = \frac{50616}{5} =$ ₹ 10123.20.

2. अभीष्ट धन

$= \left\{15000 \times \left(1+\frac{12}{100}\right)^2\right\} = \left(15000 \times \frac{28}{25} \times \frac{28}{25}\right)$

= ₹ 18816.

3. चक्रवृद्धि ब्याज

$= \left[\left\{11200 \times \left(1+\frac{10}{100}\right) \times \left(1+\frac{\frac{1}{2} \times 10}{100}\right)\right\} - 11200\right]$

$= \left\{\left(11200 \times \frac{11}{10} \times \frac{21}{20}\right) - 11200\right\}$

= (12936 – 11200) = ₹ 1736.

4. पेड़ की वर्तमान ऊँचाई = 64 सेमी., वार्षिक वृद्धि %

$= \left(\frac{1}{8} \times 100\right)\% = \frac{25}{2}\%$ तथा समय = 2 वर्ष

अभीष्ट ऊँचाई $= \left\{64 \times \left(1+\frac{25}{2 \times 100}\right)^2\right\}$ सेमी.

$= \left(64 \times \frac{9}{8} \times \frac{9}{8}\right)$ सेमी. = 81 सेमी.

5. साधारण ब्याज $= \left(1000 \times \frac{10}{100} \times 4\right) =$ ₹ 400

चक्रवृद्धि ब्याज $= \left\{1000 \times \left(1+\frac{10}{100}\right)^4 - 1000\right\}$

$= \left\{\left(1000 \times \frac{11}{10} \times \frac{11}{10} \times \frac{11}{10} \times \frac{11}{10}\right) - 1000\right\} = \frac{4641}{10}$

= ₹ 464.10.

अभीष्ट अन्तर = (464.10 – 400) = ₹ 64.10.

6. मूलधन = ₹ 15000, दर $= \left(\frac{10}{2}\right)\%$ प्रति छमाही तथा समय = 2 छमाही ∴ अभीष्ट धन $= \left\{15000 \times \left(1+\frac{5}{100}\right)^2\right\}$

$= \left(15000 \times \frac{21}{20} \times \frac{21}{20}\right) = \frac{33075}{2} =$ ₹ 16537.50

7. मूलधन = ₹ 15625, दर = $\left(\frac{16}{4}\right)\%$ प्रति तिमाही तथा समय = 3 तिमाही।

$\therefore$ चक्रवृद्धि ब्याज $= \left\{15625 \times \left(1+\frac{4}{100}\right)^3 - 15625\right\}$

$= \left\{\left(15625 \times \frac{26}{25} \times \frac{26}{25} \times \frac{26}{25}\right) - 15625\right\}$

= (17576 – 15625) = ₹ 1951.

8. साधारण ब्याज $= \left(1200 \times \frac{10}{100} \times 1\right)$ = ₹ 120

अब, मूलधन = ₹ 1200, दर = $\left(\frac{10}{2}\right)\%$ प्रति छमाही तथा समय = 2 छमाही

$\therefore$ चक्रवृद्धि ब्याज $= \left\{1200 \times \left(1+\frac{5}{100}\right)^2 - 1200\right\}$

$= \left\{\left(1200 \times \frac{21}{20} \times \frac{21}{20}\right) - 1200\right\}$ = (1323 – 1200) = ₹ 123

अभीष्ट अन्तर = (123 – 120) = ₹ 3.

9. चक्रवृद्धि मिश्रधन = (30000 + 4347) = ₹ 34347

माना अभीष्ट समय = n वर्ष

तब, $30000 \times \left(1+\frac{7}{100}\right)^n = 34347$

$\Leftrightarrow \left(\frac{107}{100}\right)^n = \frac{34347}{30000} = \frac{11449}{10000} = \left(\frac{107}{100}\right)^2 \Leftrightarrow n = 2.$

अतः अभीष्ट समय = 2 वर्ष।

10. मूलधन = ₹ 1600, दर = $\left(\frac{10}{2}\right)\%$ प्रति छमाही, चक्रवृद्धि मिश्रधन = ₹ 1852.20

माना समय = n वर्ष = $(2n)$ छमाही

$\therefore 1600 \times \left(1+\frac{5}{100}\right)^{2n} = 1852.20$

$\Leftrightarrow \left(\frac{21}{20}\right)^{2n} = \frac{185220}{160000} = \frac{9261}{8000} = \left(\frac{21}{20}\right)^3$

$\Leftrightarrow 2n = 3 \Leftrightarrow n = \frac{3}{2}$ वर्ष $= 1\frac{1}{2}$ वर्ष।

11. वार्षिक देय चक्रवृद्धि ब्याज

$= \left\{5000 \times \left(1+\frac{4}{100}\right) \times \left(1+\frac{2}{100}\right) - 5000\right\}$

$= \left\{\left(5000 \times \frac{26}{25} \times \frac{51}{50}\right) - 5000\right\}$

= (5304 – 5000) = ₹ 304.

छमाही देय चक्रवृद्धि ब्याज

$= \left\{5000 \times \left(1+\frac{2}{100}\right)^3 - 5000\right\}$

$= \left\{\left(5000 \times \frac{51}{50} \times \frac{51}{50} \times \frac{51}{50}\right) - 5000\right\}$

= (5306.04 – 5000) = ₹ 306.04.

अभीष्ट अन्तर = (306.04 – 304) = ₹ 2.04.

12. ₹ 9680 पर 1 वर्ष का ब्याज = (10648 – 9680) = ₹ 968

$\therefore$ ब्याज की दर $= \left(\frac{968 \times 100}{9680 \times 1}\right)\%$ वार्षिक = 10% वार्षिक।

13. माना अभीष्ट धन = ₹ x तब,

चक्रवृद्धि ब्याज $= \left\{x \times \left(1+\frac{5}{100}\right)^3 - x\right\}$

$= \left\{\left(x \times \frac{21}{20} \times \frac{21}{20} \times \frac{21}{20}\right) - x\right\} = \left(\frac{9261}{8000} - x\right) = \frac{1261x}{8000}$

$\therefore \frac{1261x}{8000} = 252.60 \Leftrightarrow x = \left(\frac{252.20 \times 8000}{1261}\right)$

$= \left(\frac{25220 \times 8000}{1261 \times 100}\right)$ = ₹ 1600

अतः साधारण ब्याज $= \left(1600 \times \frac{5}{100} \times 3\right)$ = ₹ 240.

14. माना अभीष्ट धन = ₹ x, तब

चक्रवृद्धि ब्याज $= \left\{x \times \left(1+\frac{5}{100}\right)^2 - x\right\}$

$= \left\{\left(x \times \frac{21}{20} \times \frac{21}{20}\right) - x\right\} = \frac{41x}{400}$

$\therefore \frac{41x}{400} = 328 \Leftrightarrow x = \left(\frac{328 \times 400}{41}\right)$ = ₹ 3200

अतः साधारण ब्याज $= \left(3200 \times \frac{5}{100} \times 2\right)$ = ₹ 320.

15. माना अभीष्ट धन = ₹ x, तब

चक्रवृद्धि ब्याज $= \left\{x \times \left(1+\frac{4}{100}\right)^2 - x\right\}$

$= \left\{\left(x \times \frac{26}{25} \times \frac{26}{25}\right) - x\right\} = \frac{51x}{625}$

साधारण ब्याज $= \left(x \times \frac{4}{100} \times 2\right) = \frac{2x}{25}$

(चक्रवृद्धि ब्याज) – (साधारण ब्याज) $= \left(\frac{51x}{625} - \frac{2x}{25}\right) = \frac{x}{625}$

$\therefore \frac{x}{625} = 80 \Leftrightarrow x = (625 \times 80)$ = ₹ 50000.

★ ★ ★

12

समय तथा कार्य (Time and Work)

किसी काम को करने वाले आदमी तथा उस काम को पूरा करने में लगे समय में व्युत्क्रमानुपाती सम्बन्ध होता है।

यदि कोई व्यक्ति n दिनों में 1 काम करता है तो 1 दिन में उस काम को $\frac{1}{n}$ भाग करेगा। यदि m आदमी n दिनों में किसी काम को करते हैं, तो n आदमी उसी काम को m दिनों में करेंगे। यदि तीन व्यक्तियों की क्षमता का अनुपात $x : y : z$ हो, तो उसके द्वारा किसी काम को अलग-अलग करने में लगे समय का अनुपात $\frac{1}{x}:\frac{1}{y}:\frac{1}{z}$ होगा।

जैसे: 4 : 5 : 6 अनुपात की क्षमता वाले तीन व्यक्तियों द्वारा किसी काम को अलग-अलग करने में लगे समय का अनुपात

$$=\frac{1}{4}:\frac{1}{5}:\frac{1}{6}= 15 : 12 : 10$$

किसी काम को करने वाले व्यक्तियों को $m : n$ अनुपात में बदल दिया जाए, तो काम को करने में लगा समय $n : m$ अनुपात में बदल जाता है।

वस्तुनिष्ठ प्रश्न

1. मुकेश किसी काम को 18 दिनों में तथा राजेश उसी काम को 24 दिनों में कर सकता है। वे दोनों एक साथ मिलकर उस काम को कितने दिनों में पूरा करेंगे?

A. $10\frac{3}{7}$ B. $10\frac{1}{7}$
C. $10\frac{5}{7}$ D. $10\frac{2}{7}$

2. A किसी काम को 30 घंटे में तथा B उसे 45 घंटे में अलग-अलग पूरा कर सकते हैं। दोनों एक साथ मिलकर उस काम को कितने समय में सम्पन्न करेंगे?

A. 19 घंटे B. 18 घंटे
C. 13 घंटे D. 14 घंटे

3. दो मित्र अलग-अलग एक खाई को 15 तथा 20 घंटों में खोद सकते हैं। दोनों एक साथ मिलकर इस तरह के तीन खाइयों को कितने घंटों में खोद सकेंगे?

A. $26\frac{2}{7}$ B. $25\frac{2}{7}$
C. $25\frac{5}{7}$ D. $24\frac{1}{7}$

4. A और B एक साथ एक दीवार को 12 दिनों में तैयार कर सकते हैं। यदि B उस दीवार को अकेले 18 दिनों में तैयार करता है, तो A उसे अकेले कितने दिनों में तैयार कर पायेगा?

A. 36 B. 35
C. 39 D. 34

5. प्रेम और सुमन एक साथ मिलकर किसी खेत की फसल को 180 मिनट में काट सकते हैं यदि प्रेम अकेले उसे 270 मिनट में काटता है, तो सुमन अकेले उसे कितने घंटों में काट सकता है?

A. 6 घंटे B. 7 घंटे
C. 5 घंटे D. 9 घंटे

6. राजेन्द्र और अभय किसी काम को 50 दिनों में पूरा कर सकते हैं। यदि अभय उसी काम को 60 दिनों में कर सकता है, तो राजेन्द्र अकेले उस काम को कितने दिनों में पूरा करेगा?

A. 275 B. 320
C. 310 D. 300

7. A, B और C एक साथ एक काम को 20 दिनों में कर सकते हैं। यदि B और C अलग-अलग उस काम को क्रमशः 40 और 50 दिनों में पूरा कर सकते हैं, तो A अकेले उसे कितने दिनों में पूरा करेगा?

A. 175 B. 195
C. 200 D. 220

8. सुमित, अमित और कुमित एक साथ एक खाई 10 दिनों में खोद सकते हैं। सुमित और कुमित उसे अलग-अलग क्रमशः 20 और 25 दिनों में खोद सकते हैं। अमित अकेले उसे कितने दिनों में खोद पायेगा?

A. 95 B. 90
C. 100 D. 105

9. A, B और C एक साथ 10 एकड़ में खड़ी फसल को 80 मिनट में काट सकते हैं। A और B अलग-अलग उसे क्रमशः 160 और 240 मिनट में काट सकते हैं। C अकेले उसे कितने मिनटों में काट सकता है?

A. 460 B. 480
C. 475 D. 485

10. जयन्ती किसी काम को 20 दिनों में तथा सीमा उसी कार्य को 40 दिनों में कर सकती है। 10 दिन तक जयंती अकेले काम करती है तथा उसके बाद वह काम करना छोड़ देती है। शेष काम को सीमा कितने दिनों में पूरा करेगी?

A. 22 B. 20
C. 16 D. 15

11. सोहन और पीयूष अलग-अलग किसी काम को क्रमशः 40 और 45 दिनों में पूरा कर सकते हैं। 9 दिनों तक पीयूष उस काम को अकेले करता है, उसके बाद वह काम करना छोड़ देता है। शेष काम को सोहन कितने दिनों में पूरा करेगा?

A. 32 B. 36
C. 31 D. 29

12. A तथा B की कार्यक्षमता का अनुपात 4 : 5 है। यदि A अकेले किसी काम को 15 दिनों में पूरा करे तो B अकेले उसे कितने दिनों में पूरा करेगा?

A. 11 B. 9
C. 12 D. 13

13. B, A से 40% अधिक सक्षम श्रमिक है। यदि B अकेले किसी काम को 30 दिनों में करे, तो A उसे अकेले कितने दिनों में पूरा करेगा?

A. 45 B. 42
C. 41 D. 43

14. A, B का चार गुना काम निश्चित समय में करने की क्षमता रखता है। यदि दोनों मिलकर किसी काम को 28 दिनों में कर सकते हैं, तब A अकेले उस काम को कितने दिनों में पूरा कर सकेगा?

A. 34 B. 36
C. 33 D. 35

15. B की कार्य क्षमता A की 80% है। यदि दोनों मिलकर एक काम को 24 दिनों में करते हैं, तो B अकेले उस काम को कितने दिनों में पूरा करेगा?

A. 54 B. 55
C. 56 D. 52

16. A, B से दुगुना अच्छा श्रमिक है। किसी काम को करने में A, B से 9 दिन कम समय लेता है, तब A अकेले उस काम को कितने दिनों में पूरा करेगा?

A. 11 B. 8
C. 7 D. 9

17. B, A से तिगुना अधिक कार्य क्षमता वाला मजदूर है। यदि B किसी काम को करने में A से 12 दिन कम समय ले, तो A अकेले उसे कितने दिनों में पूरा करेगा?

A. 18 B. 22
C. 17 D. 14

18. A और B की कार्य क्षमता का अनुपात 6 : 11 है। यदि A किसी काम को करने में B से 35 दिन अधिक समय ले तो B अकेले उसे कितने दिनों में पूरा करेगा?

A. 44 B. 45
C. 42 D. 36

19. किसी काम को ₹ 600 में समाप्त करने का ठेका दिया गया। उस काम को A अकेले 20 दिनों में तथा B अकेले 30 दिनों में समाप्त कर सकता है। अगर दोनों साथ-साथ काम करें तो उसमें से A की मजदूरी कितनी होगी?

A. ₹ 325 B. ₹ 360
C. ₹ 375 D. ₹ 365

20. दो मजदूर अलग-अलग किसी काम को 7 दिन और 8 दिन में समाप्त कर सकते हैं। यदि वे एक साथ काम करें, तो ₹ 1800 की कुल मजदूरी में से दूसरे मजदूर की मजदूरी क्या होगी?

A. ₹ 830 B. ₹ 860
C. ₹ 820 D. ₹ 840

उत्तरमाला

1	2	3	4	5	6	7	8	9	10
D	B	C	A	D	D	C	C	B	B
11	**12**	**13**	**14**	**15**	**16**	**17**	**18**	**19**	**20**
A	C	B	D	A	D	A	C	B	D

व्याख्यात्मक उत्तर

1. अभीष्ट समय $= \frac{18 \times 24}{18+24}$

$= \frac{18 \times 24}{42} = \frac{72}{7} = 10\frac{2}{7}$ दिन

2. अभीष्ट समय $= \frac{30 \times 45}{30+45} = \frac{30 \times 45}{75} = 18$ घंटा

3. अभीष्ट समय $= \left(\frac{15 \times 20}{15+20}\right) \times 3 = \frac{15 \times 20 \times 3}{35}$

$$= \frac{180}{7} = 25\frac{5}{7} \text{ घंटा}$$

4. अभीष्ट समय $= \frac{12\times18}{18-12} = \frac{12\times18}{6} = 36$ दिन

5. अभीष्ट समय $= \frac{180\times270}{270-180}$

$$= \frac{180\times270}{90} = 540 \text{ मिनट}$$

$$= \frac{540}{60} \text{ घंटा} = 9 \text{ घंटा}$$

6. अभीष्ट समय $= \frac{50\times60}{60-50} = \frac{50\times60}{10} = 300$ दिन

7. अभीष्ट समय $= \frac{20\times40\times50}{40\times50-20\times40-20\times50}$

$$= \frac{40000}{2000-800-1000}$$

$$= \frac{40000}{200} = 200 \text{ दिन}$$

8. अभीष्ट समय $= \frac{10\times20\times25}{20\times25-10\times20-10\times25}$

$$= \frac{10\times20\times25}{500-200-250}$$

$$= \frac{10\times20\times25}{50} = 100 \text{ दिन}$$

9. अभीष्ट समय $= \frac{80\times160\times240}{160\times240-80\times160-80\times240}$

$$= \frac{80\times160\times240}{38400-12800-19200}$$

$$= \frac{80\times160\times240}{6400} = 480 \text{ मिनट}$$

10. अभीष्ट समय $= \left(\frac{20-10}{20}\right)\times40 = \frac{10}{20}\times40 = 20$ दिन

11. अभीष्ट समय $= \left(\frac{45-9}{45}\right)\times40 = \frac{36}{45}\times40 = 32$ दिन

12. अभीष्ट समय $= \frac{4}{5}\times15 = 12$ दिन

13. $A : B = 100 : 140 = 5 : 7$

$\therefore$ अभीष्ट समय $= \frac{7}{5}\times30 = 42$ दिन

14. $A : B = 4 : 1$

$\therefore$ अभीष्ट समय $= \frac{28(4+1)}{4} = 7\times5 = 35$ दिन

15. $A : B = 100 : 80 = 5 : 4$

$\therefore$ अभीष्ट समय $= \frac{24\times(5+4)}{4} = 6\times9 = 54$ दिन

16. $A : B = 2 : 1$

$\therefore$ अभीष्ट उत्तर $= \frac{1}{2-1}\times9 = 9$ दिन

17. $A : B = 1 : 3$

$\therefore$ अभीष्ट समय $= \frac{3}{3-1}\times12 = 18$ दिन

18. $\therefore$ अभीष्ट समय $= \frac{6}{11-6}\times35 = \frac{6}{5}\times35 = 42$ दिन

19. A की मजदूरी $= \frac{30}{20+30}\times600$

$$= \frac{30}{50}\times600 = ₹\ 360$$

20. दूसरे मजदूर की अभीष्ट मजदूरी $= \frac{7}{7+8}\times1800$

$$= \frac{7}{15}\times1800 = ₹\ 840$$

★ ★ ★

13 समय, चाल और दूरी
(Time, Speed and Distance)

दूरी (Distance)

वस्तु द्वारा किसी समय अन्तराल में तय किए गए मार्ग की सम्पूर्ण लम्बाई को दूरी कहते हैं। यह एक अदिश राशि है। यह सदैव धनात्मक होती है।

दूरी = चाल × समय

चाल (Speed)

किसी गतिशील वस्तु द्वारा एकांक समय में चली गई दूरी को चाल कहते हैं। इसका मात्रक मी./से. या किमी./घंटा है।

$$\text{चाल} = \frac{\text{चली गई दूरी}}{\text{समय}}$$

यदि कोई वस्तु समान समय में समान दूरियाँ तय करे, तो वह एक समान चाल से गतिमान होगी।

औसत चाल (Average Speed)

किसी वस्तु द्वारा किसी समय अन्तराल में तय की गई दूरी और उस समय अन्तराल के अनुपात को उस वस्तु की औसत चाल (Average Speed) कहते हैं।

$$\text{औसत चाल} = \frac{\text{तय की गई कुल दूरी}}{\text{दूरी तय करने में लगा समय}}$$

सापेक्ष गति (Relative Speed)

जब दो वस्तुएँ समान दिशा (Same direction) में गतिशील हों

यदि दो रेलगाड़ियाँ किसी स्थान से निश्चित समय में समान दिशा में क्रमशः x किमी./घंटा तथा y किमी./घंटा की गति से चलना प्रारम्भ करती हैं, तो उनकी एक-दूसरे के सापेक्ष चाल = $(x - y)$ किमी./घंटा होगी।

अर्थात् सापेक्ष गति = पहली रेलगाड़ी की चाल − दूसरी रेलगाड़ी की चाल।

जब दो वस्तुएँ विपरीत दिशा (Opposite direction) में गतिशील हों

जब दो रेलगाड़ियाँ किसी निश्चित स्थान से निश्चित समय में, विपरीत दिशा में क्रमशः x किमी./घंटा तथा y किमी./घंटा की चाल से चलती हैं। तो उनकी एक-दूसरे के सापेक्ष चाल = $(x + y)$ किमी./घंटा होगी।

अर्थात् सापेक्ष गति = पहली रेलगाड़ी की चाल + दूसरी रेलगाड़ी की चाल।

महत्वपूर्ण नियम :

यदि कोई सवारी किसी निश्चित दूरी को x किमी./घंटा तथा दूसरी समान दूरी को y किमी./घंटा की चाल से तय करती है, तो सम्पूर्ण यात्रा में सवारी की औसत चाल = $\left(\frac{2xy}{x+y}\right)$ किमी./घंटा होगी।

(*i*) $\text{चाल} = \frac{\text{दूरी}}{\text{समय}}$

(*ii*) $\text{समय} = \frac{\text{दूरी}}{\text{गति}}$

(*iii*) दूरी = समय × चाल

(*iv*) x किमी./घंटा $= \left(x \times \frac{5}{18}\right)$ मी./से.

(*v*) x मी./से. $= \left(x \times \frac{18}{5}\right)$ किमी./घंटा

(*vi*) यदि कोई रेलगाड़ी किसी वृक्ष या रेलवे लाइन के पास खड़े किसी व्यक्ति को पार करती है, तो दिए गए चाल व समय में अपनी लम्बाई के बराबर ही दूरी तय करती है।

(*vii*) यदि कोई रेलगाड़ी किसी रेलवे प्लेटफार्म या पुल को पार करती है तो वह अपनी लम्बाई के साथ-साथ रेलवे प्लेटफार्म या पुल की लम्बाई की दूरी को भी तय करती है।

वस्तुनिष्ठ प्रश्न

1. एक मोटर साइकिल की चाल 36 किमी./घंटा है। इसकी चाल मी./सेकेण्ड में कितनी होगी?
A. 10
B. 12
C. 14
D. 18

2. 400 मीटर लम्बी एक रेलगाड़ी 72 किमी./घंटा की चाल से चल रही है। इसे 100 मीटर लम्बे एक प्लेटफार्म को पार करने में कितना समय लगेगा?
A. 22 सेकेण्ड B. 25 सेकेण्ड
C. 23 सेकेण्ड D. 24 सेकेण्ड

3. एक 100 मीटर लम्बी रेलगाड़ी 65 किमी./घंटा की चाल से चल रही है। गाड़ी विपरीत दिशा में 5 किमी./घंटा की चाल से आते हुए एक आदमी को पार करने में कितना समय लेगी?

A. $5\frac{1}{7}$ सेकेण्ड B. $6\frac{2}{3}$ सेकेण्ड

C. $4\frac{1}{7}$ सेकेण्ड D. $3\frac{1}{7}$ सेकेण्ड

4. एक रेलगाड़ी, जो 90 किमी./घंटा की गति से चली जा रही है। एक खम्भे को पार करने में 10 सेकेण्ड का समय लेती है। रेलगाड़ी की लम्बाई (मीटर में) कितनी होगी?

A. 250 B. 240
C. 280 D. 270

5. A एक स्थान से कार द्वारा 60 किमी./घंटा की चाल से चलता है। B एक घंटे बाद उसी स्थान से उसी दिशा में 80 किमी./घंटे की चाल से चलता है। बताइये B, A को कितने समय पश्चात् पकड़ लेगा?

A. $2\frac{1}{2}$ घंटे B. 2 घंटे

C. 3 घंटे D. $3\frac{1}{2}$ घंटे

6. एक रेलगाड़ी जिसकी चाल 54 किमी./घंटा है, प्लेटफार्म पर खड़े एक व्यक्ति को 9 सेकेण्ड में पार कर लेती है। रेलगाड़ी की लम्बाई (मीटर) में क्या होगी?

A. 140 B. 135
C. 145 D. 120

7. एक रेलगाड़ी 130 किमी./घंटा की चाल से चल रही है। यदि रेलगाड़ी की लम्बाई 110 मी. हो, तो 165 मी. लम्बे प्लेटफार्म को कितने समय में पार कर लेगी?

A. $8\frac{9}{13}$ सेकेण्ड B. $7\frac{9}{13}$ सेकेण्ड

C. $7\frac{8}{13}$ सेकेण्ड D. $8\frac{3}{13}$ सेकेण्ड

8. कंचन अपने मकान से 4 किमी./घंटा की चाल से चलकर अपने स्कूल 5 मिनट देर से पहुँचती है। यदि वह 5 किमी./घंटा की चाल से चलती है, तो स्कूल $2\frac{1}{2}$ मिनट पहले पहुँच जाती है। बताइये घर से स्कूल की दूरी कितनी होगी?

A. 3.5 किमी. B. 2.5 किमी.
C. 2.75 किमी. D. 3.2 किमी.

9. दो रेलगाड़ियाँ एक-दूसरे की ओर क्रमशः 40 किमी. प्रति घंटा तथा 30 किमी. प्रति घंटा की चाल से समान्तर पटरियों पर चल रही हैं। यदि दोनों गाड़ियों के बीच की दूरी 35 किमी. हो, तो वे कब मिलेंगी?

A. 18 मि. बाद B. 30 मि. बाद
C. 27 मि. बाद D. 35 मि. बाद

10. दो बिन्दुओं A से B तक के बीच की दूरी 150 किमी. है। यदि कोई व्यक्ति A से B तक जाने में 3 घंटे 20 मिनट तथा B से A तक वापस आने में 4 घंटे 10 मिनट का समय लेता हो, तो उसकी सम्पूर्ण यात्रा में औसत चाल, A से B तक की यात्रा की औसत चाल से कितनी कम होगी?

A. 5 किमी./घंटा B. 7.5 किमी./घंटा
C. 9 किमी./घंटा D. 3 किमी./घंटा

11. एक 100 मीटर लम्बी रेलगाड़ी 60 किमी./घंटा की रफ्तार से जा रही है। रेलगाड़ी को एक टेलीग्राफ पोस्ट को पार करने में कितना समय लगेगा?

A. 4 सेकेण्ड B. 6 सेकेण्ड
C. 8 सेकेण्ड D. 10 सेकेण्ड

12. एक 150 मीटर लम्बी रेलगाड़ी 90 किमी./घंटा की चाल से चल रही है। गाड़ी को एक पेड़ को पार करने में कितना समय लगेगा?

A. 6 सेकेण्ड B. 8 सेकेण्ड
C. 10 सेकेण्ड D. 11 सेकेण्ड

13. एक स्कूटर सवार अपनी यात्रा 10 घंटे में पूरी करता है। यदि वह आधी दूरी 21 किमी./घंटा की चाल से तथा शेष आधी दूरी को 24 किमी./घंटा की चाल से तय करे, तो उसके द्वारा तय की गई दूरी कितनी होगी?

A. 230 किमी. B. 224 किमी.
C. 324 किमी. D. 120 किमी.

14. एक आदमी प्लेटफार्म पर 8 किमी./घंटा की चाल से चल रहा है। पीछे से आती हुई एक रेलगाड़ी उसे 30 सेकेण्ड में पार कर जाती है। यदि रेलगाड़ी की लम्बाई 300 मीटर हो, तो इसकी चाल कितनी होगी?

A. 32 किमी./घंटा B. 44 किमी./घंटा
C. 34 किमी./घंटा D. 40 किमी./घंटा

15. कमलकान्त ने कार द्वारा 40 किमी./घंटा की चाल से 2 घंटे तक यात्रा की तथा उसने A की तरफ आधी दूरी तय कर ली। अब वह किस औसत चाल से चले ताकि अगले 4 घंटे में A तक पहुँच जाए?

A. 22 किमी./घंटा B. 21 किमी./घंटा
C. 20 किमी./घंटा D. 30 किमी./घंटा

उत्तरमाला

1	2	3	4	5	6	7	8	9	10
A	B	A	A	C	B	C	B	B	A
11	**12**	**13**	**14**	**15**					
B	A	B	B	C					

व्याख्यात्मक उत्तर

1. मोटरसाइकिल की चाल = 36 किमी./घंटा

$\therefore$ मोटर साइकिल की चाल $= 36 \times \frac{5}{18} = 10$ मी./से.

$\left[\because 1 \text{ किमी./घंटा} = \frac{5}{18} \text{ मी./से.}\right]$

2. चूँकि रेलगाड़ी प्लेटफार्म को पार करती है।

$\therefore$ प्लेटफार्म को पार करने में लगा समय

$$= \frac{\text{रेलगाड़ी की लम्बाई + प्लेटफार्म की लम्बाई}}{\text{रेलगाड़ी की चाल}}$$

$$= \frac{(400+100) \text{ मी.}}{72 \text{ किमी./घंटा}} = \frac{500}{72 \times \frac{5}{18}} = \frac{500}{20} = 25 \text{ सेकेण्ड}$$

3. चूँकि आदमी रेलगाड़ी के विपरीत दिशा में चल रहा है।

$\therefore$ सापेक्ष चाल = रेलगाड़ी की चाल + आदमी की चाल

= 65 + 5 = 70 किमी./घंटा

रेलगाड़ी की लम्बाई = 100 मी.

70 किमी./घंटा $= 70 \times \frac{5}{18}$ मी./से.

$\therefore$ पार करने में लगा समय $= \frac{100 \times 18}{70 \times 5} = \frac{36}{7} = 5\frac{1}{7}$ सेकेण्ड

4. चूँकि रेलगाड़ी सिर्फ खम्भे को पार करती है।

$\therefore$ खम्भे को पार करने में लगा समय $= \frac{\text{रेलगाड़ी की लम्बाई}}{\text{रेलगाड़ी की चाल}}$

$\Rightarrow \quad 10 = \frac{\text{रेलगाड़ी की लम्बाई}}{90 \times \frac{5}{18}}$

$\therefore$ रेलगाड़ी की लम्बाई = 10 × 25 = 250 मीटर।

5. माना कि B, A को t घंटे बाद पकड़ लेगा।

A के द्वारा 60 किमी./घंटा की चाल से $(t+1)$ घंटे में तय की गई दूरी $60 \times (t+1)$ किमी. ...(*i*)

तथा B के द्वारा 60 किमी./घंटा की चाल से t घंटे में तय की गई दूरी $= 80t$ किमी. ...(*ii*)

परन्तु समीकरण (*i*) तथा (*ii*) में तय की गई दूरी समान हैं

$\therefore \quad 60 \times (t+1) = 80t$

$\Rightarrow \quad 80t - 60t = 60$

$\Rightarrow \quad 20t = 60 \Rightarrow t = 3$ घंटे

अतः B, A को 3 घंटे के बाद पकड़ लेगा।

6. चूँकि रेलगाड़ी सिर्फ व्यक्ति को पार करती है।

अतः दिये गये समय में खिलाड़ी अपनी लम्बाई के बराबर ही दूरी तय करेगी।

$\because$ रेलगाड़ी की चाल = 54 किमी./घंटा

$= 54 \times \frac{5}{18}$ मी./से.

$\therefore$ रेलगाड़ी की लम्बाई = चाल × समय

= 15 × 9 = 135 मी.

7. चूँकि रेलगाड़ी अपनी लम्बाई के साथ-साथ प्लेटफार्म की लम्बाई की दूरी को भी तय करेगी।

$\therefore$ रेलगाड़ी द्वारा तय की गई दूरी = 110 + 165 = 275 मी.

तथा रेलगाड़ी की चाल = 130 किमी./घंटा

$= 130 \times \frac{5}{18} = \frac{325}{9}$ मी./से.

$\therefore$ प्लेटफार्म को पार करने में लिया गया समय

$$= \frac{275}{\frac{325}{9}} = \frac{275 \times 9}{325} = \frac{99}{13} = 7\frac{8}{13} \text{ से.।}$$

8. माना कि घर से स्कूल की दूरी x किमी. है। 4 किमी./घंटा की चाल से x किमी. की दूरी तय करने में लगा समय

$= \frac{x}{4}$ घंटा।

परन्तु कंचन अपने स्कूल 5 मिनट देर से पहुँचती है

$\therefore$ पहुँचने का वास्तविक समय

$$= \frac{x}{4} \text{ घंटा} - 5 \text{ मिनट} = \left(\frac{x}{4} - \frac{1}{12}\right) \text{ घंटा}$$

तथा 5 किमी./घंटा की चाल से x किमी. की दूरी तय करने में लगा समय

$= \frac{x}{5}$ घंटा

परन्तु कंचन अपने स्कूल $2\frac{1}{2}$ मिनट जल्दी पहुँचती है

$\therefore$ पहुँचने का वास्तविक समग

$$= \frac{x}{5} \text{ घंटा} + \frac{5}{2} \text{ मिनट} = \left(\frac{x}{5} + \frac{1}{24}\right) \text{ घंटा}$$

$\therefore \quad \frac{x}{4} - \frac{1}{12} = \frac{x}{5} + \frac{1}{24}$

$\Rightarrow \quad \frac{x}{4} - \frac{x}{5} = \frac{1}{24} + \frac{1}{12}$

$\Rightarrow \quad \frac{5x-4x}{20} = \frac{1+2}{24} = \frac{3}{24} = \frac{1}{8} \Rightarrow \frac{x}{20} = \frac{1}{8}$

$\Rightarrow \quad 8x = 20$

$\Rightarrow \quad x = \frac{20}{8} = \frac{5}{2} = 2.5$

अतः घर से स्कूल की दूरी 2.5 किमी. होगी।

9. चूँकि दोनों रेलगाड़ियाँ एक-दूसरे की ओर चलती हैं।

$\therefore$ सापेक्ष गति $= 40 + 30 = 70$ किमी/घंटा

तथा बीच की दूरी $= 35$ किमी.

$\therefore$ मिलने का समय $= \frac{35}{70} = \frac{1}{2}$ घंटा $= 30$ मिनट बाद।

10. A से B तक जाने में, चली गई दूरी $= 150$ किमी.

तथा समय $= 3$ घंटे 20 मिनट

$= 3\frac{1}{3} = \frac{10}{3}$ घंटे

व्यक्ति की औसत चाल $= \frac{150}{\frac{10}{3}} = \frac{150 \times 3}{10} = 45$ किमी./घंटा

B से A तक आने में, चली गई दूरी $= 150$ किमी.

तथा समय $= 4$ घंटे 10 मिनट $= 4\frac{1}{6} = \frac{25}{6}$ घंटा

व्यक्ति की औसत चाल $= \frac{150}{\frac{25}{6}} = \frac{150 \times 6}{25} = 36$ किमी./घंटा

चूँकि आने और जाने में तय की गई दूरी समान है

$\therefore$ सम्पूर्ण यात्रा में औसत चाल

$= \frac{2 \times 45 \times 36}{45 + 36} = \frac{90 \times 36}{81}$

$= 40$ किमी./घंटा

अतः स्पष्ट है कि सम्पूर्ण यात्रा में औसत चाल, A से B तक की औसत चाल से $(45 - 40) = 5$ किमी./घंटा कम है।

11. रेलगाड़ी की लम्बाई $= 100$ मीटर

गाड़ी की चाल $= 60$ किमी./घंटा

$= 60 \times \frac{5}{18} = \frac{50}{3}$ मी./से.

गाड़ी को टेलीग्राफ पोस्ट को पार करने में लगा समय

$= \frac{\text{दूरी}}{\text{गति}} = \frac{100}{\frac{50}{3}} = \frac{100 \times 3}{50} = 6$ सेकेण्ड

12. रेलगाड़ी की लम्बाई $= 150$ मीटर

गाड़ी की चाल $= 90$ किमी./घंटा

$= 90 \times \frac{5}{18} = 25$ मी./से.

गाड़ी को एक पेड़ को पार करने में लगा समय

$= \frac{\text{दूरी}}{\text{गति}} = \frac{150}{25} = 6$ से.

13. माना कि स्कूटर सवार द्वारा तय की गई दूरी $= x$ किमी.

पहली स्थिति में, दूरी $= \frac{x}{2}$ किमी. तथा

चाल $= 21$ किमी./घंटा

तय करने में लगा समय $= \frac{\text{दूरी}}{\text{चाल}}$

$= \frac{x/2}{21} = \frac{x}{42}$ घंटा

दूसरी स्थिति में, दूरी $= \frac{x}{2}$ किमी. तथा

चाल $= 24$ किमी./घंटा

तय करने में लगा समय $= \frac{\text{दूरी}}{\text{चाल}}$

$= \frac{x/2}{24} = \frac{x}{48}$ घंटा

परन्तु वह पूरी यात्रा 10 घंटे में तय करता है

$\therefore \frac{x}{42} + \frac{x}{48} = 10$

$\frac{8x + 7x}{336} = 10$

$15x = 336 \times 10$

$x = \frac{336 \times 10}{15} = 112 \times 2 = 224$

अतः यात्रा की दूरी $= 224$ किमी. होगी।

14. चूँकि आदमी, रेलगाड़ी के समान दिशा में चल रहा है।

$\therefore$ सापेक्ष गति $=$ रेलगाड़ी की चाल $-$ आदमी की चाल

$=$ रेलगाड़ी की चाल $- 8$ किमी./घंटा

$\therefore$ रेलगाड़ी की चाल $- 8$ किमी./घंटा

$= \frac{\text{रेलगाड़ी की लम्बाई}}{\text{पार करने में लगा समय}}$

$= \frac{300}{30} = 10$ मी./सेकेण्ड

$= 10 \times \frac{18}{5} = 36$ किमी./घंटा

अतः रेलगाड़ी की चाल $= 36 + 8 = 44$ किमी./घंटा

15. 40 किमी./घंटे की चाल से 2 घंटे में तय की गई दूरी

$= 40 \times 2 = 80$ किमी.

परन्तु यह यात्रा की आधी है

$\therefore$ यात्रा की शेष बची दूरी $= 80$ किमी.

तथा लिये जाने वाला समय $= 4$ घंटे

$\therefore$ A तक पहुँचने में औसत चाल $= \frac{80}{4}$

$= 20$ किमी./घंटा होनी चाहिए।

★ ★ ★

14 बीजगणित (Algebra)

बीजगणितीय सूत्र (Algebraic Identities)

(*i*) $(a + b)^2 = a^2 + 2ab + b^2$

(*ii*) $(a - b)^2 = a^2 - 2ab + b^2$

(*iii*) $a^2 - b^2 = (a - b)(a + b)$

(*iv*) $(a + b + c)^2 = a^2 + b^2 + c^2 + 2ab + 2bc + 2ca$

(*v*) $(a + b - c)^2 = a^2 + b^2 + c^2 + 2ab - 2bc - 2ca$

(*vi*) $(a - b + c)^2 = a^2 + b^2 + c^2 - 2ab - 2bc + 2ca$

(*vii*) $(-a + b + c)^2 = a^2 + b^2 + c^2 - 2ab + 2bc - 2ca$

(*viii*) $(a + b)^3 = a^3 + b^3 + 3ab(a + b)$ या

$= a^3 + b^3 + 3a^2b + 3ab^2$

(*ix*) $(a - b)^3 = a^3 - b^3 - 3ab\,(a - b)$ या

$= a^3 - b^3 - 3a^2b + 3ab^2$

(*x*) $a^3 + b^3 = (a + b)\,(a^2 + b^2 - ab)$ या

$= (a + b)^3 - 3ab(a + b)$

(*xi*) $a^3 - b^3 = (a - b)\,(a^2 + b^2 + ab)$ या

$= (a - b)^3 + 3ab\,(a - b)$

(*xii*) $a^3 + b^3 + c^3 - 3abc = (a + b + c)(a^2 + b^2 + c^2 - ab - bc - ca)$

यदि $a + b + c = 0$

$a^3 + b^3 + c^3 = 3abc$

(*xiii*) $(x + a)\,(x + b) = x^2 + (a + b)x + ab$

(*xiv*) $(a + b)^2 + (a - b)^2 = 2(a^2 + b^2)$

(*xv*) $(a + b)^2 - (a - b)^2 = 4ab$

(*xvi*) $(a + b)^3 + (a - b)^3 = 2(a^3 + 3ab^2)$

(*xvii*) $(a + b)^3 - (a - b)^3 = 2(b^3 + 3a^2b)$

(*xviii*) यदि $x + \frac{1}{x} = t$

तब, $x^2 + \frac{1}{x^2} = t^2 - 2$

(*xix*) यदि $x - \frac{1}{x} = t$

तब, $x^2 + \frac{1}{x^2} = t^2 + 2$

(*xx*) $x^3 + \frac{1}{x^3} = \left(x + \frac{1}{x}\right)^3 - 3\left(x + \frac{1}{x}\right)$

(*xxi*) $x^2 - \frac{1}{x^3} = \left(x - \frac{1}{x}\right)^3 + 3\left(x - \frac{1}{x}\right)$

(*xxii*) $x + \frac{1}{x} = \sqrt{x^2 + \frac{1}{x^2} + 2}$

(*xxiii*) $x - \frac{1}{x} = \sqrt{x^2 + \frac{1}{x^2} - 2}$

गुणनखण्ड (Factorisation)

यदि कोई व्यंजक दो या दो से अधिक व्यंजक का गुणनफल है, तो इनमें से प्रत्येक व्यंजक को मूल व्यंजक का गुणनखण्ड तथा उस मूल व्यंजक को, अभाज्य गुणनखण्डों के रूप में प्रदर्शित करने की क्रिया को गुणनखण्ड (Factorisation) कहते हैं।

वस्तुनिष्ठ प्रश्न

1. यदि $2x + \frac{1}{3x} = 6$ हो, तो $3x + \frac{1}{2x}$ का मान क्या होगा?

A. 4 B. 8

C. 9 D. 12

2. यदि $x + \frac{1}{16x} = 1$, तो $64x^3 + \frac{1}{64x^3}$ का मान क्या होगा?

A. 4 B. 52

C. 64 D. 76

3. यदि $x\left(3 - \frac{2}{x}\right) = \frac{3}{x}, x \neq 0$, तो $x^2 + \frac{1}{x^2}$ का मान क्या होगा?

A. $2\frac{1}{3}$ B. $2\frac{2}{3}$

C. $2\frac{4}{9}$ D. $2\frac{5}{9}$

4. यदि $\sqrt{x}+\frac{1}{\sqrt{x}}=5$ हो, तो $x^2+\frac{1}{x^2}$ का मान क्या होगा?

A. 250　　B. 525
C. 527　　D. 725

5. यदि $x = a(b-c), y = b(c-a), z = c(a-b)$ हो, तो व्यंजक $\left(\frac{x}{a}\right)^3+\left(\frac{y}{b}\right)^3+\left(\frac{z}{c}\right)^3$ का मान क्या होगा?

A. $x+y+z$　　B. abc
C. $\frac{3xyz}{abc}$　　D. $\frac{3abc}{xyz}$

6. यदि $x=\frac{\sqrt{3}+1}{\sqrt{3}-1}, y=\frac{\sqrt{3}-1}{\sqrt{3}+1}$ हो, तो x^2+y^2 का मान क्या होगा?

A. 3　　B. 12
C. 2　　D. 14

7. यदि $x+\frac{1}{y}=1$ तथा $y+\frac{1}{z}=1$ हो, तो $z+\frac{1}{x}=?$

A. 0　　B. 1
C. 2　　D. 4

8. यदि $x^2+y^2+z^2+2=2(y-x)$, तो $x^3+y^3+z^3$ का मान है :

A. 0　　B. 1
C. 2　　D. 3

9. यदि $x+y+z=0$ हो, तो व्यंजक $\frac{(x+y)(y+z)(z+x)}{xyz}$ का मान क्या होगा?

A. -3　　B. -2
C. 0　　D. -1

10. यदि $x+y=2z$ हो, तो व्यंजक $\frac{x}{x-z}+\frac{z}{y-z}$ का मान क्या होगा?

A. 1　　B. 4
C. 0　　D. 2

उत्तरमाला

1	2	3	4	5	6	7	8	9	10
C	B	C	C	C	D	B	A	D	A

व्याख्यात्मक उत्तर

1. $\because\ 2x+\frac{1}{3x}=6$

$\frac{3}{2}$ से दोनों ओर गुणा करने पर,

$$\frac{3}{2}\times 2x+\frac{3}{2}\times\frac{1}{3x} = \frac{3}{2}\times 6$$

$$\Rightarrow \quad 3x+\frac{1}{2x} = 9$$

2. $\because$
$$x+\frac{1}{16x} = 1$$

दोनों ओर 4 से गुणा करने पर,

$$4x+\frac{1}{4x} = 4$$

पुनः दोनों ओर घन करने पर,

$$\left(4x+\frac{1}{4x}\right)^3 = (4)^3$$

$$\Rightarrow 64x^3+\frac{1}{64x^3}+3.4x.\frac{1}{4x}\left(4x+\frac{1}{4x}\right) = 64$$

$$\Rightarrow \quad 64x^3+\frac{1}{64x^3}+3\times 4 = 64$$

$$\Rightarrow \quad 64x^3+\frac{1}{64x^3} = 52$$

3.
$$x\left(3-\frac{2}{x}\right) = \left(\frac{3}{x}\right)$$

$$\Rightarrow \quad 3x-2 = \frac{3}{x}$$

$$\Rightarrow \quad 3x-\frac{3}{x} = 2$$

$$\Rightarrow \quad x-\frac{1}{x} = \frac{2}{3}$$

दोनों ओर वर्ग करने पर,

$$\left(x-\frac{1}{x}\right)^2 = \left(\frac{2}{3}\right)^2$$

$$\Rightarrow \quad x^2+\frac{1}{x^2}-2\cdot x\cdot\frac{1}{x} = \frac{4}{9}$$

$$\Rightarrow \quad x^2+\frac{1}{x^2} = \frac{4}{9}+2=\frac{22}{9}=2\frac{4}{9}$$

4. $\because \quad \sqrt{x}+\frac{1}{\sqrt{x}} = 5$

$\Rightarrow \quad \left(\sqrt{x}+\frac{1}{\sqrt{x}}\right)^2 = (5)^2$

$\therefore \quad x+2.\sqrt{x}.\frac{1}{\sqrt{x}}+\frac{1}{x} = 25$

$\therefore \quad x+2+\frac{1}{x} = 25$

$\Rightarrow \quad x+\frac{1}{x} = 25 - 2 = 23$

$\therefore \quad \left(x+\frac{1}{x}\right)^2 = (23)^2$

$\Rightarrow \quad x^2+2\cdot x\cdot\frac{1}{x}+\frac{1}{x^2} = 529$

$\therefore \quad x^2+2+\frac{1}{x^2} = 529$

$\Rightarrow \quad x^2+\frac{1}{x^2} = 529 - 2$

$x^2+\frac{1}{x^2} = 527$

5. $x = a(b - c) \Rightarrow \frac{x}{a} = b - c$

$y = b(c - a) \Rightarrow \frac{y}{b} = c - a$

तथा $z = c(a - b)$

$\Rightarrow \quad \frac{z}{c} = a - b$

$\therefore \quad \frac{x}{a}+\frac{y}{b}+\frac{z}{c} = b - c + c - a + a - b = 0$

$\Rightarrow \quad \left(\frac{x}{a}+\frac{y}{b}+\frac{z}{c}\right)^3 = 0$

$\therefore \quad \frac{x^3}{a^3}+\frac{y^3}{b^3}+\frac{z^3}{c^3} = 3\cdot\frac{x}{a}\cdot\frac{y}{b}\cdot\frac{z}{c}$

$= \frac{3xyz}{abc} \quad [\because a + b + c = 0)$

6. $x = \frac{\sqrt{3}+1}{\sqrt{3}-1} = \frac{(\sqrt{3}+1)\times(\sqrt{3}+1)}{(\sqrt{3}-1)(\sqrt{3}+1)} = \frac{3+1+2\sqrt{3}}{2}$

$= 2+\sqrt{3}$

तथा $y = \frac{\sqrt{3}-1}{\sqrt{3}+1} = \frac{(\sqrt{3}-1)\times(\sqrt{3}-1)}{(\sqrt{3}+1)(\sqrt{3}-1)}$

$= \frac{3+1-2\sqrt{3}}{2} = 2-\sqrt{3}$

$\therefore \quad x^2 + y^2 = (2+\sqrt{3})+(2-\sqrt{3})^2$

$= 4+3+2.2\sqrt{3}+4+3-2.2\sqrt{3}$

$= 7 + 7 = 14$

7. $x+\frac{1}{y} = 1$

$\Rightarrow \quad xy + 1 = y$

$\Rightarrow \quad x = \frac{y-1}{y}$

$\Rightarrow \quad \frac{1}{x} = \frac{y}{y-1}$

तथा $y+\frac{1}{z} = 1$

$\Rightarrow \quad zy + 1 = z$

$\Rightarrow \quad z = \frac{1}{1-y}$

$\therefore \quad z+\frac{1}{x} = \frac{1}{1-y}+\frac{y}{y-1}$

$= \frac{1-y}{1-y} = 1$

8. $x^2 + y^2 + z^2 + 2 = 2(y - x)$

$\Rightarrow \quad x^2 + y^2 + z^2 + 2 = 2y - 2x$

$\Rightarrow \quad x^2 + 2x + 1 + y^2 - 2y + 1 + z^2 = 0$

$\Rightarrow \quad (x + 1)^2 + (y - 1)^2 + (z - 0)^2 = 0$

$\therefore \quad x = - 1, y = 1$ तथा $z = 0$

तब $x^3 + y^3 + z^3 = (-1)^3 + (1)^3 + (0)^3$

$= -1 + 1 + 0 = 0$

9. $x + y + z = 0 \Rightarrow x + y = -z$

$x + y + z = 0 \Rightarrow y + z = -x$

तथा $x + y + z = 0 \Rightarrow z + x = -y$

$\therefore \quad \frac{(x+y)(y+z)(z+x)}{xyz} = \frac{(-z)\cdot(-x)\cdot(-y)}{xyz} = -1$

10. $\because \quad x + y = 2z$

या $x - z = z - y$

$\therefore \quad \frac{x}{x-z}+\frac{z}{y-z} = \frac{x}{x-z}-\frac{z}{y-z}$

$= \frac{x-z}{x-z} = 1 \quad (\because z - y = x - z)$

★ ★ ★

15

क्षेत्रमिति (Mensuration)

समतल आकृतियाँ

आयत (Rectangle)

❖ परिमिति = 2 × (लम्बाई + चौड़ाई)

❖ क्षेत्रफल = लम्बाई × चौड़ाई

❖ विकर्ण = $\sqrt{(\text{ल०})^2+(\text{चौ०})^2}$

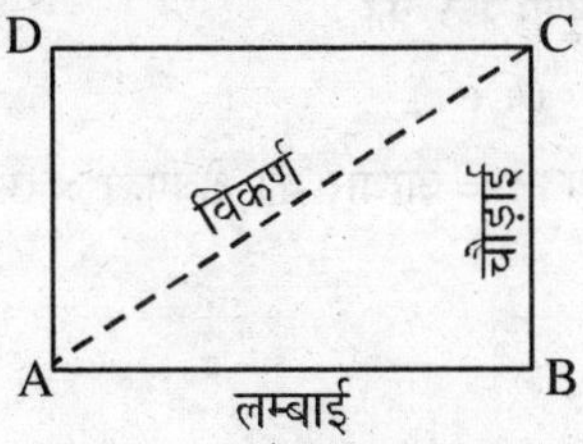

वर्ग (Square)

❖ क्षेत्रफल = $(\text{भुजा})^2 = \dfrac{(\text{विकर्ण})^2}{2}$

❖ परिमिति = 4 × भुजा

$\Rightarrow$ भुजा = $\dfrac{\text{परिमिति}}{4}$

❖ भुजा = $\sqrt{\text{क्षेत्रफल}}$

❖ विकर्ण = $\sqrt{2}\times\text{भुजा} = \sqrt{2\times\text{क्षेत्रफल}}$

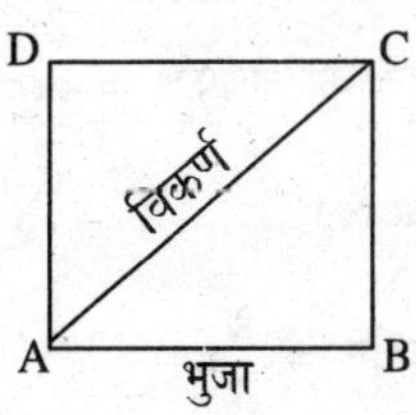

त्रिभुज (Trianlges)

❖ विषमबाहु त्रिभुज का क्षेत्रफल

$= \sqrt{s(s-a)(s-b)(s-c)}$

जहाँ $s=\dfrac{a+b+c}{2}$

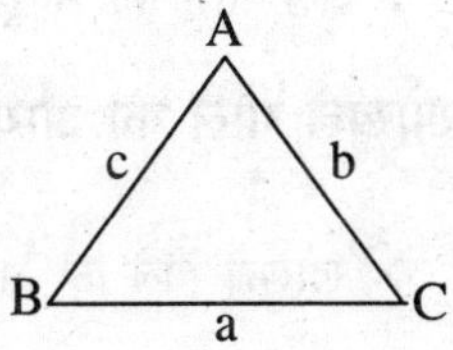

❖ समद्विबाहु त्रिभुज का क्षेत्रफल

$= \sqrt{s(s-a)(s-b)^2}$

जहाँ $s=\dfrac{a+2b}{2}$

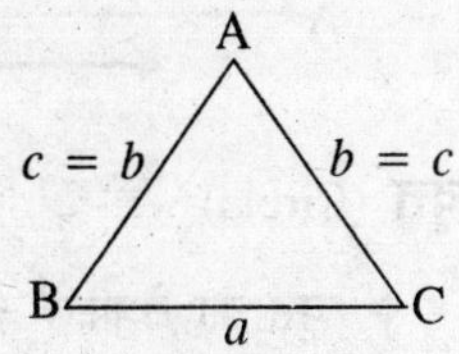

❖ समबाहु त्रिभुज का क्षेत्रफल

$= \dfrac{\sqrt{3}}{4}\times\text{भुजा}^2$

समबाहु त्रिभुज की ऊँचाई

$= \dfrac{\sqrt{3}}{2}\times\text{भुजा}$

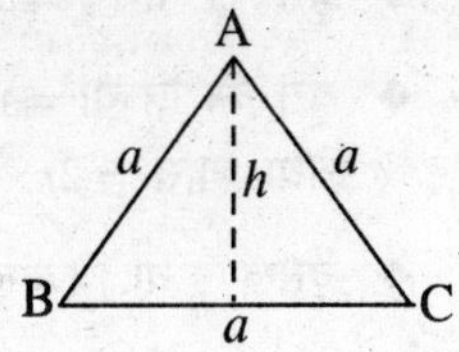

❖ समकोण त्रिभुज का क्षेत्रफल

$= \dfrac{1}{2}\times$ आधार × ऊँचाई

कर्ण^2 = लम्ब^2 + आधार^2

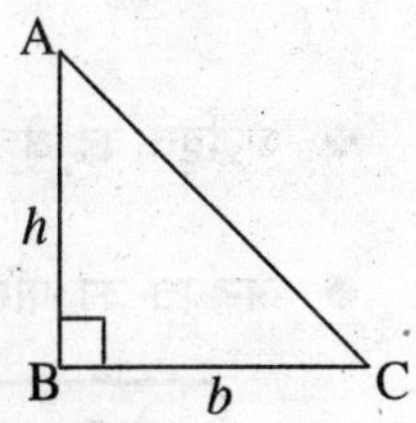

चतुर्भुज (Quadrilateral)

❖ समानान्तर चतुर्भुज (Parallelogram) का क्षेत्रफल = आधार × ऊँचाई

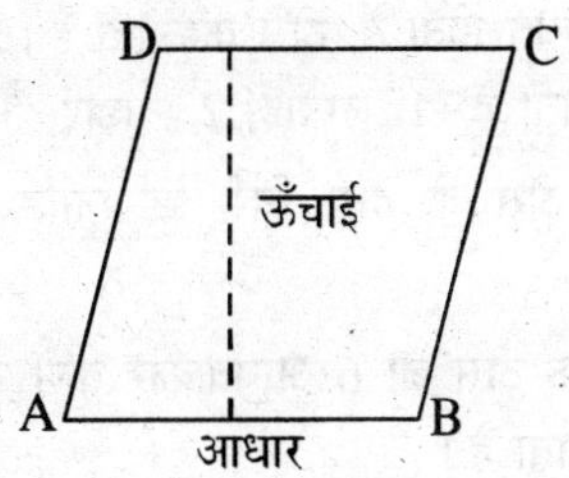

❖ समचतुर्भुज (Rhombus) का क्षेत्रफल

$= \dfrac{1}{2}\times$ पहला विकर्ण × दूसरा विकर्ण

$= \dfrac{1}{2}\times AC\times BD$

$= \dfrac{1}{2}\times d_1\times d_2$

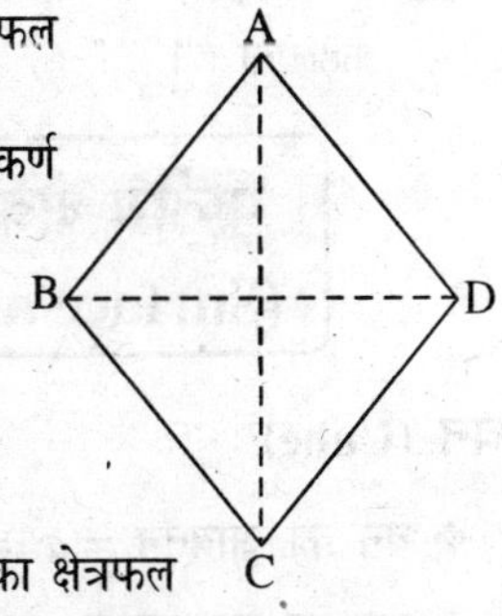

❖ समलम्ब चतुर्भुज (Trapezium) का क्षेत्रफल

$= \dfrac{1}{2}\times$ समानान्तर भुजाओं का योग × ऊँचाई

$= \frac{1}{2} \times (b_1 + b_2) \times h$

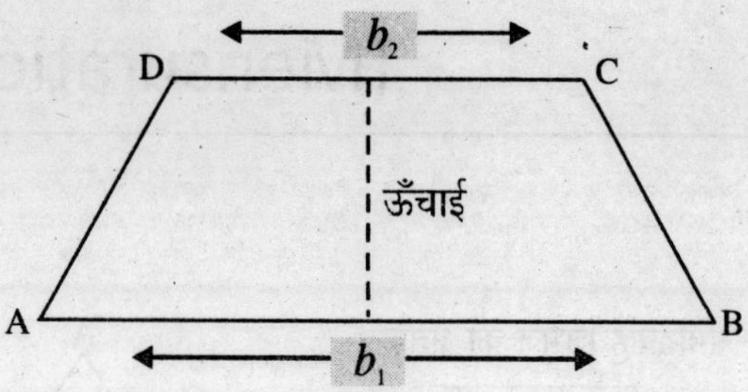

वृत्त (Circle)

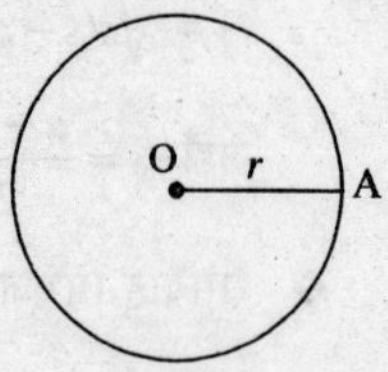

❖ वृत्त का क्षेत्रफल = πr^2

❖ वृत्त की परिधि = $2\pi r$

❖ वृत्त की त्रिज्या = r
तथा व्यास = $2r$

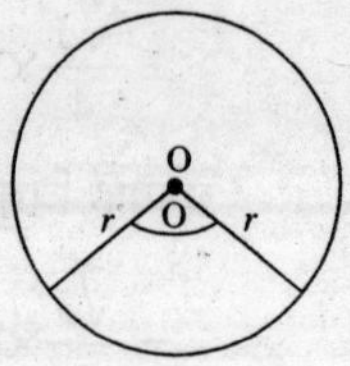

❖ वृत्तखण्ड या त्रिज्यखण्ड का क्षेत्रफल

$$= \frac{\theta}{360^\circ} \times \pi r^2$$

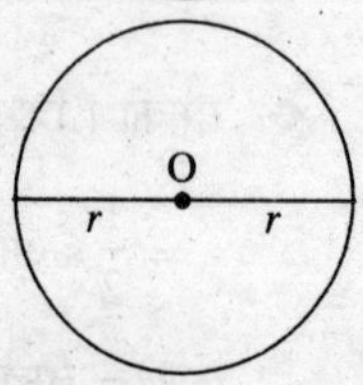

❖ अर्द्धवृत्त का क्षेत्रफल = $\frac{1}{2}\pi r^2$

❖ अर्द्धवृत्त का परिमाप = $\pi r + 2r$

ठोस आकृतियाँ (Solid Figures)

❑ **ठोस:** कोई वस्तु जो स्थान घेरती है, भार रखती है तथा जिसका आकार निश्चित होता है, ठोस कहलाती है। इस प्रकार ठोस की तीन माप होती हैं—1. लम्बाई; 2. चौड़ाई; 3. ऊँचाई (मोटाई)।

❑ **आयतन:** ठोस के द्वारा घिरी हुई जगह ठोस का आयतन कहलाती है।

❑ **घनाभ:** एक ठोस जो 6 आयताकार तलों द्वारा घिरा होता है, घनाभ कहलाता है।

❑ **घन:** एक ठोस जो 6 वर्गाकार तलों द्वारा घिरा होता है, घन कहलाता है।

पृष्ठीय क्षेत्रफल और आयतन (Surface area and Volume)

घन (Cube)

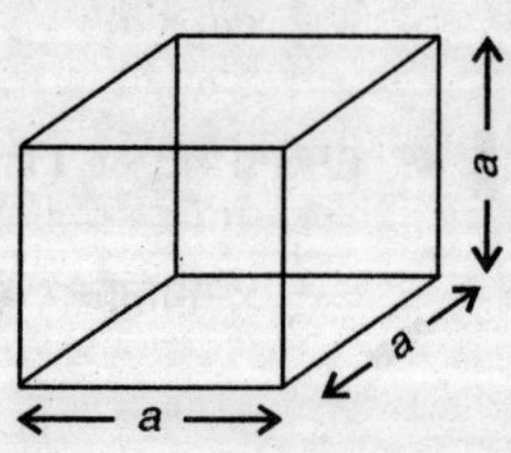

❖ घन का आयतन = a^3 = (भुजा)^3

❖ घन का वक्र पृष्ठीय क्षेत्रफल = $4a^2$

❖ घन का कुल पृष्ठीय क्षेत्रफल = $6a^2$

❖ घन का विकर्ण = $a\sqrt{3}$

घनाभ (Cuboid)

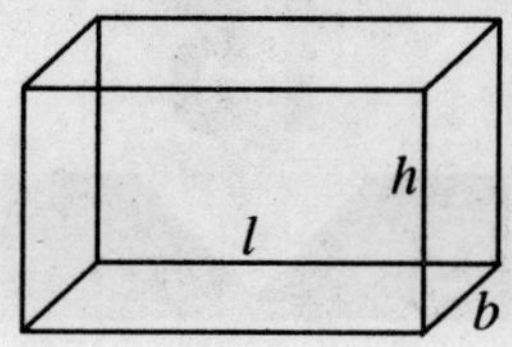

❖ घनाभ का आयतन
= लम्बाई × चौड़ाई × ऊँचाई
= $l \times b \times h$

❖ घनाभ का पृष्ठीय क्षेत्रफल
= $2(l + b) \times h$

❖ घनाभ का कुल पृष्ठीय क्षेत्रफल = $2(lb + bh + hl)$

❖ घनाभ का विकर्ण = $\sqrt{l^2 + b^2 + h^2}$

बेलन (Cylinder)

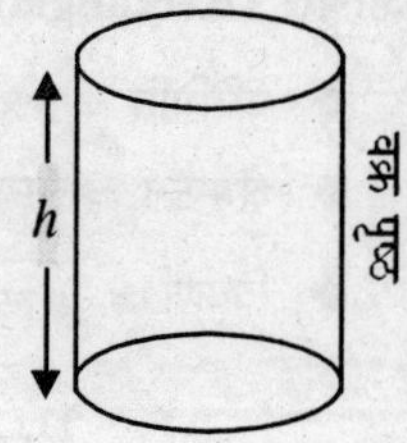

❖ बेलन का आयतन = $\pi r^2 h$

❖ बेलन का वक्र पृष्ठ का क्षेत्रफल = $2\pi rh$

❖ बेलन का सम्पूर्ण पृष्ठ का क्षेत्रफल = $2\pi r (h + r)$

❖ बेलन का आयतन = आधार का क्षेत्रफल × ऊँचाई

शंकु (Cone)

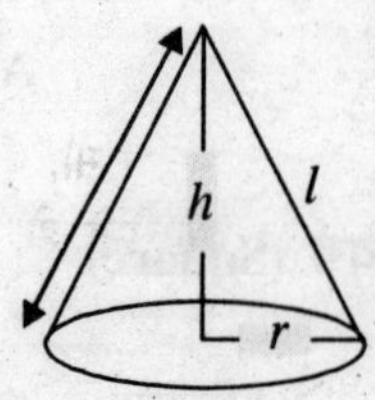

❖ शंकु का आयतन = $\frac{1}{3}\pi r^2 h$

❖ शंकु का वक्र पृष्ठ का क्षेत्रफल = πrl
[$l^2 = r^2 + h^2$,
जहाँ l तिर्यक ऊँचाई (Slant height) है]

❖ शंकु का सम्पूर्ण पृष्ठ का क्षेत्रफल = $\pi r (l + r)$

गोला (Sphere)

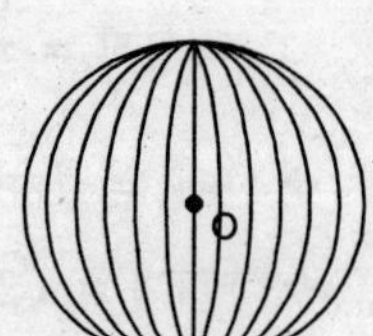

❖ गोले का आयतन = $\frac{4}{3}\pi r^3$

❖ गोले का पृष्ठीय क्षेत्रफल = $4\pi r^2$

❖ गोले का सम्पूर्ण पृष्ठ का क्षेत्रफल = $4\pi r^2$

अर्द्धगोला (Hemisphere)

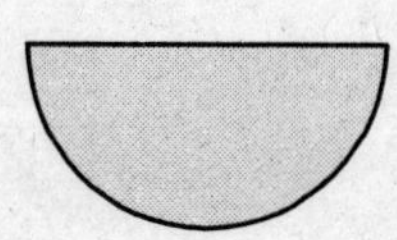

❖ अर्द्ध गोले का आयतन = $\frac{2}{3}\pi r^3$

❖ अर्द्ध गोले का पृष्ठीय क्षेत्रफल = $2\pi r^2$

❖ अर्द्ध गोले का सम्पूर्ण पृष्ठ का क्षेत्रफल = $3\pi r^2$

खोखले गोले का आयतन (Volume of Hollow Sphere)

❖ खोखले गोले का आयतन = $\frac{4}{3}\pi\left(R^3 - r^3\right)$

❖ बाह्य पृष्ठीय क्षेत्रफल = $4\pi R^2$

वस्तुनिष्ठ प्रश्न

1. एक वर्गाकार मैदान का परिमाप 580 मी. है, तो बताइये उस मैदान का क्षेत्रफल कितना होगा?

A. 21025 वर्ग मी. B. 20050 वर्ग मी.
C. 20075 वर्ग मी. D. 20060 वर्ग मी.

2. यदि किसी त्रिभुज का आधार 8 सेमी. तथा ऊँचाई 10 सेमी. हो, तो उस त्रिभुज का क्षेत्रफल कितना होगा?

A. 40 वर्ग सेमी. B. 35 वर्ग सेमी.
C. 42 वर्ग सेमी. D. 28 वर्ग सेमी.

3. एक आयताकार खेत का परिमाप 760 मी. है तथा इसकी लम्बाई व चौड़ाई में 11 : 8 का अनुपात है। तो बताइये आयताकार खेत का क्षेत्रफल क्या होगा?

A. 35200 वर्ग मी. B. 34700 वर्ग मी.
C. 35600 वर्ग मी. D. 45200 वर्ग मी.

4. एक वृत्त की परिधि तथा एक वर्ग का परिमाप बराबर है। तो बताइये उनके क्षेत्रफलों का अनुपात क्या होगा?

A. 14 : 11 B. 7 : 8
C. 14 : 13 D. 13 : 11

5. एक घास का मैदान 24 मी. × 14 मी. है तथा इसके बाहर की ओर 1 मी. चौड़ा रास्ता है। यदि एक टाइल का क्षेत्रफल 20 × 20 वर्ग सेमी. हो, तो रास्ते पर लगने वाली टाइलों की संख्या क्या होगी?

A. 1900 B. 2100
C. 2000 D. 2050

6. एक कमरे की चार दीवारों का क्षेत्रफल 120 वर्ग मी. है तथा इसकी लम्बाई, चौड़ाई से दुगुनी है। यदि कमरे की ऊँचाई 4 मीटर हो, तो इसके फर्श का क्षेत्रफल क्या होगा?

A. 48 वर्ग मीटर B. 49 वर्ग मीटर
C. 50 वर्ग मीटर D. 52 वर्ग मीटर

7. एक आयताकार मैदान की भुजायें 3 : 4 के अनुपात में हैं। यदि इस मैदान का क्षेत्रफल 7500 वर्ग मीटर हो, तो इसके चारों ओर 25 पैसे प्रतिमीटर की दर से बाड़ लगाने का खर्च क्या होगा?

A. ₹ 55.50 B. ₹ 67.50
C. ₹ 86.50 D. ₹ 87.50

8. एक वर्गाकार खेत का क्षेत्रफल 0.5 हेक्टेयर है। इसके विकर्ण की लम्बाई क्या होगी?

A. 75 मीटर B. 80 मीटर
C. 100 मीटर D. 110 मीटर

9. एक वर्ग तथा इसके विकर्ण पर बनाये गये वर्ग के क्षेत्रफलों का अनुपात क्या होगा?

A. 1 : 2 B. 2 : 3 C. 3 : 4 D. 4 : 5

10. एक वर्गाकार खेत को ₹ 135 प्रति हेक्टेयर की दर से समतल करने का खर्च ₹ 1215 है। इस खेत के चारों ओर 75 पैसे प्रति मीटर की दर से बाड़ लगाने का खर्च क्या होगा?

A. ₹ 540 B. ₹ 880 C. ₹ 900 D. ₹ 920

11. एक पहिये की त्रिज्या 0.25 मीटर है। 11 किमी. दूरी तय करने में यह कितने चक्कर लगायेगा?

A. 8000 B. 6000
C. 9000 D. 7000

12. एक लम्ब वृत्तीय शंकु का आयतन 1232 सेमी.^{3} है, और उसकी ऊर्ध्वाधर ऊँचाई 24 सेमी. है। तदनुसार, वक्राकार पृष्ठ का क्षेत्रफल कितना है?

A. 154 सेमी.^{2} B. 550 सेमी.^{2}
C. 604 सेमी.^{2} D. 704 सेमी.^{2}

13. एक लोहे का बड़ा गोला, जिसको पिघलाकर तीन विभिन्न प्रकार के गोले बनाये जाते हैं जिसकी त्रिज्या क्रमशः 3 सेमी., 4 सेमी. तथा 5 सेमी. है। बड़े गोले का व्यास कितना होगा?

A. 6 सेमी. B. 8 सेमी.
C. 12 सेमी. D. 16 सेमी.

14. एक घन का पृष्ठ क्षेत्रफल 1014 वर्ग सेमी. है। इसका आयतन कितना होगा?

A. 2197 घन सेमी. B. 2297 घन सेमी.
C. 2179 घन सेमी. D. 2117 घन सेमी.

15. यदि दो घनाकृतियों के आयतन में 8 : 1 का अनुपात हो, तो उनकी कोरों में क्या अनुपात होगा?

A. 1 : 2 B. 2 : 1 C. 4 : 1 D. 2 : 3

16. दो गोलों के पृष्ठ क्षेत्रफल में 9 : 16 का अनुपात है, तो बताइये उनके आयतनों में क्या अनुपात होगा?

A. 64 : 27 B. 27 : 64
C. 16 : 27 D. 11 : 27

17. एक कमरे की लं., चौ. व ऊँ. क्रमशः 12 मी., 9 मी. तथा 8 मी. है, तो बताइये उस छड़ की अधिक-से-अधिक लम्बाई क्या होगी जो कमरे में ठीक प्रकार रखी जा सके?

A. 17 मी. B. 18 मी. C. 25 मी. D. 16 मी.

18. यदि किसी बेलन के आधार की परिधि 88 सेमी. तथा ऊंचाई 42 सेमी. हो, तो उस बेलन का आयतन कितना होगा?

A. 25872 घन सेमी. B. 28572 घन सेमी.
C. 25870 घन सेमी. D. 22584 घन सेमी.

19. 14 मी. लम्बे तथा 4 मी. त्रिज्या वाले एक ठोस बेलन को पिघलाकर शंकु बनाया जाता है। यदि शंकु की त्रिज्या बेलन की त्रिज्या के बराबर हो, तो शंकु की ऊंचाई कितनी होगी?

A. 21 मी. B. 42 मी. C. 48 मी. D. 54 मी.

20. तीन घन, जिनके किनारे क्रमशः 2 सेमी., 3 सेमी. तथा 4 सेमी. हैं, को पिघलाकर एक नया घन बनाया जाता है। उस नए घन का किनारा कितना होगा?

A. $\sqrt{99}$ सेमी. B. $3\sqrt{99}$ सेमी.
C. $\sqrt[3]{99}$ सेमी. D. 99 सेमी.

उत्तरमाला

1	2	3	4	5	6	7	8	9	10
A	A	A	A	C	C	D	C	A	C
11	**12**	**13**	**14**	**15**	**16**	**17**	**18**	**19**	**20**
D	B	C	A	B	B	A	A	B	C

व्याख्यात्मक उत्तर

1. $\because$ वर्गाकार मैदान का परिमाप = 4 × भुजा

प्रश्नानुसार, $\therefore$ 4 × भुजा = 580 $\Rightarrow$ भुजा = $\frac{580}{4}$ = 145 सेमी.

$\therefore$ क्षेत्रफल = (भुजा)^2 = $(145)^2$ = 21025 वर्ग सेमी.

2. त्रिभुज का क्षेत्रफल = $\frac{1}{2}$ × आधार × ऊँचाई

$= \frac{1}{2} \times 8 \times 10 = 40$ वर्ग सेमी.।

3. माना कि आयताकार खेत की लम्बाई व चौड़ाई क्रमशः $11x$ मी. व $8x$ मी. है।

$\therefore$ खेत का परिमाप = $2(11x + 8x) = 2 \times 19x = 38x$ मी.

प्रश्नानुसार, आयताकार खेत का परिमाप = 760 मी. है।

$\therefore 38x = 760 \quad \Rightarrow x = \frac{760}{38} = 20$

$\therefore$ खेत की लम्बाई व चौड़ाई क्रमशः (11 × 20 = 220 मी.) व (8 × 20 = 160 मी.) होगी।

$\therefore$ आयताकार खेत का क्षेत्रफल = 220 × 160 = 35200 वर्ग मी.।

4. माना कि वृत्त की त्रिज्या R सेमी. तथा वर्ग की भुजा x सेमी. है।

$\therefore$ वृत्त की परिधि = $2\pi R$ सेमी. तथा वर्ग का परिमाप = $4x$ सेमी.

प्रश्नानुसार, $2\pi R = 4x \Rightarrow R = \frac{2x}{\pi}$

$\therefore$ वृत्त तथा वर्ग के क्षेत्रफलों में अनुपात = $\pi R^2 : x^2$

$\Rightarrow \pi \times \left(\frac{2x}{\pi}\right)^2 : x^2 \Rightarrow \frac{4x^2}{\pi} : x^2$

$\Rightarrow 4 : \pi \quad \Rightarrow 4 : \frac{22}{7} \quad \Rightarrow 14 : 11$

5. चूँकि मैदान का क्षेत्रफल = 24 × 14 = 336 वर्ग मी.

रास्ते सहित मैदान का क्षेत्रफल = 26 × 16 = 416 वर्ग मी.

$\therefore$ रास्ते का क्षेत्रफल = 416 – 336 = 80 वर्ग मी.

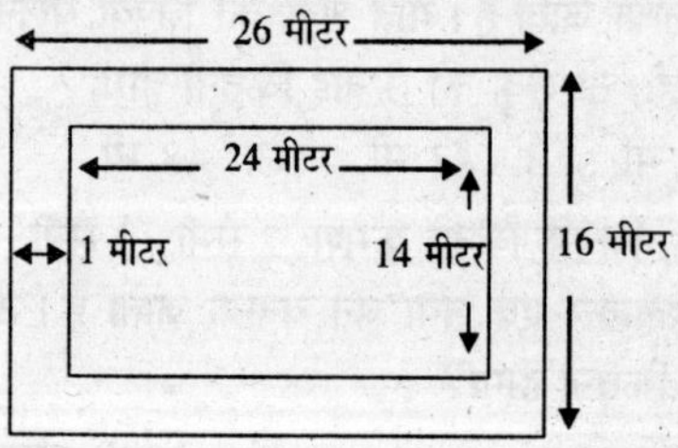

चूँकि एक टाइल का क्षेत्रफल = $\frac{20}{100} \times \frac{20}{100} = \frac{400}{10000}$ = .04 वर्ग मी.

$\therefore$ रास्ते पर लगने वाली टाइलों की संख्या = $\frac{80}{.04}$ = 2000

6. माना कमरे की लम्बाई = x मीटर। तब चौड़ाई = $\left(\frac{x}{2}\right)$ मीटर

कमरे की चार दीवारों का क्षेत्रफल = 2 (लम्बाई + चौड़ाई) × ऊँचाई

$= \left[2\left(x + \frac{x}{2}\right) \times 4\right]$ वर्ग मी. = $(12x)$ वर्ग मी.

$\therefore 12x = 120 \Leftrightarrow x = 10$

अतः लम्बाई = 10 मीटर तथा चौड़ाई = 5 मीटर

$\therefore$ फर्श का क्षेत्रफल = (10 × 5) वर्ग मी. = 50 वर्ग मीटर

7. माना भुजायें क्रमशः $3x$ तथा $4x$ मीटर हैं।

तब, $3x \times 4x = 7500 \Leftrightarrow x^2 = 625 \Leftrightarrow x = 25$

अतः भुजाओं की लम्बाई 75 मी. तथा 100 मी. हैं।

$\therefore$ परिमिति = 2(75 + 100) मी. = 350 मी.

बाड़ लगाने का खर्च = $\left(350 \times \frac{25}{100}\right)$ = ₹ 87.50

8. वर्ग का क्षेत्रफल = $\frac{1}{2}$ × (विकर्ण)^2

$\Leftrightarrow$ (0.5 × 10000) वर्ग मी. = 0.5 × (विकर्ण)^2

$\Leftrightarrow$ (विकर्ण)^2 = 10000 मीटर $\Leftrightarrow$ विकर्ण = 100 मीटर

9. माना वर्ग की प्रत्येक भुजा = x मी.

विकर्ण पर बने वर्ग की भुजा = $\sqrt{2}x$ मी.

पहले वर्ग का क्षेत्रफल = x^2 वर्ग मी.,

दूसरे वर्ग का क्षेत्रफल = $2x^2$ वर्ग मी.

क्षेत्रफलों का अभीष्ट अनुपात = $x^2 : 2x^2 = 1 : 2$

10. खेत का क्षेत्रफल = $\frac{\text{कुल खर्च}}{\text{दर}} = \left(\frac{1215}{135}\right)$ हेक्टेयर = 9 हेक्टेयर

= (9 × 10000) वर्ग मी.

खेत की प्रत्येक भुजा = $\sqrt{9 \times 10000} = (3 \times 100)$ मी. = 300 मीटर

खेत की परिमिति = (300 × 4) मीटर = 1200 मीटर

बाड़ लगाने का खर्च = $\left(1200 \times \frac{75}{100}\right)$ = ₹ 900

11. पहिये की परिधि = $2\pi R = \left(2\times\frac{22}{7}\times\frac{25}{100}\right)$ मी. = $\frac{11}{7}$ मी.

11 किमी. दूरी तय करने में लगे चक्करों की संख्या

$$= \left(11000\times\frac{7}{11}\right) = 7000$$

12. शंकु का आयतन = 1232 सेमी.^{3}

$$\Rightarrow \quad \frac{1}{3}\pi r^2 h = 1232$$

$$\Rightarrow \quad \frac{1}{3}\times\frac{22}{7}\times r^2\times 24 = 1232$$

$$\Rightarrow \quad r^2 = \frac{3\times 7\times 1232}{22\times 24} = 49$$

$$\Rightarrow \quad r = 7 \text{ सेमी.}$$

तिर्यक ऊँचाई = $\sqrt{r^2+h^2} = \sqrt{7^2+24^2}$

$= \sqrt{49+576} = \sqrt{625} = 25$ सेमी.

अभीष्ट क्षेत्रफल = $\pi rl = \frac{22}{7}\times 7\times 25 = 550$ वर्ग सेमी.

13. माना कि बड़े गोले की त्रिज्या R सेमी. है।

बड़े गोले का आयतन = 3 छोटे गोले का आयतन

$$\Rightarrow \quad \frac{4}{3}\pi R^3 = \frac{4}{3}\pi\left[(3)^3+(4)^3+(5)^3\right]$$

$$\Rightarrow \quad R^3 = 27 + 64 + 125 = 216$$

$$\Rightarrow \quad R^3 = (6)^3$$

$$\Rightarrow \quad R = 6 \text{ सेमी.}$$

अतः बड़े गोले का व्यास = 2 × 6 = 12 सेमी.।

14. $\because$ घन का पृष्ठ क्षेत्रफल = 6 × (भुजा)^2

$\therefore$ 6 × (भुजा)^2 = 1014

$\Rightarrow$ (भुजा)^2 = $\frac{1014}{6} = 169$

$\therefore$ घन की भुजा = $\sqrt{169}$ = 13 सेमी.

$\therefore$ घन का आयतन = (भुजा)^3

= (13)^3 सेमी. = 2197 घन सेमी.

15. माना दो घनों की भुजा क्रमशः a_1 व a_2 है।

$\therefore$ दोनों घनों का आयतन क्रमशः a_1^3 व a_2^3 होगा

प्रश्नानुसार, $a_1^3 : a_2^3 = 8 : 1$

$$\therefore \frac{a_1^3}{a_2^3} = \frac{8}{1} \quad \therefore \left(\frac{a_1}{a_2}\right)^3 = \left(\frac{2}{1}\right)^3 \Rightarrow a_1 : a_2 = 2 : 1$$

अतः उनकी कोरों में 2 : 1 का अनुपात होगा।

16. माना कि दो गोलों की त्रिज्या क्रमशः r_1 व r_2 है

दोनों गोलों का पृष्ठ क्षेत्रफल क्रमशः $4\pi r_1^2$ व $4\pi r_2^2$

प्रश्नानुसार, $4\pi r_1^2 : 4\pi r_2^2 = 9 : 16 \Rightarrow r_1^2 : r_2^2 = 9 : 16$

$$\Rightarrow \frac{r_1^2}{r_2^2} = \frac{9}{16} \Rightarrow \left(\frac{r_1}{r_2}\right)^2 = \left(\frac{3}{4}\right)^2 \Rightarrow r_1 : r_2 = 3 : 4$$

$$\Rightarrow \left(\frac{r_1}{r_2}\right)^3 = \left(\frac{3}{4}\right)^3 \Rightarrow \frac{r_1^3}{r_2^3} = \frac{27}{64}$$

$$\Rightarrow r_1^3 : r_2^3 = 27 : 64$$

$\because$ उनके आयतनों का अनुपात = $\frac{4}{3}\pi r_1^3 : \frac{4}{3}\pi r_2^3$

$$\Rightarrow r_1^3 : r_2^3 = 27 : 64$$

17. $\because$ अधिक-से-अधिक लम्बाई की छड़ = घनाभ के विकर्ण की लम्बाई

= $\sqrt{(\text{लं.})^2 + (\text{चौ.})^2 + (\text{ऊं})^2}$

= $\sqrt{(12)^2+(9)^2+(8)^2}$

= $\sqrt{144+81+64} = \sqrt{289}$ = 17 मी.

अतः उस छड़ की अधिक-से-अधिक लम्बाई जो ठीक प्रकार से कमरे में रखी जा सके 17 मी. होगी।

18. माना कि बेलन के आधार की त्रिज्या = r सेमी.

$\therefore$ बेलन के आधार की परिधि = $2\pi r$ सेमी.

प्रश्नानुसार, $2\pi r = 88$

$$\Rightarrow r = \frac{88}{2\pi} = \frac{88}{2\times\frac{22}{7}} = \frac{88\times 7}{2\times 22} = 14 \text{ सेमी.}$$

$\therefore$ बेलन का आयतन = $\pi r^2 h = \frac{22}{7}\times(14)^2\times 42$

= 22 × 2 × 14 × 42 = 25872 घन सेमी.।

19. $\because$ ठोस बेलन का आयतन = $\pi r^2 h = \pi r^2 \times 14$ घन मी.

प्रश्नानुसार,

शंकु की त्रिज्या = बेलन की त्रिज्या r मी = 4 मी.

चूंकि शंकु का आयतन = बेलन का आयतन

$\therefore \frac{1}{3}\pi r^2 \times$ ऊंचाई $= \pi r^2 \times 14$

$\therefore$ ऊंचाई = 14 × 3 = 42 मी.

अतः शंकु की ऊंचाई 42 मी. होगी।

20. $\because$ तीन घन के किनारे क्रमशः 2 सेमी., 3 सेमी. तथा 4 सेमी. है।

$\therefore$ तीनों घनों के आयतन क्रमशः $(2)^3$ = 8 घन सेमी., $(3)^3$ = 27 घन सेमी. तथा $(4)^3$ = 64 घन सेमी. होगी।

$\therefore$ नए घन का आयतन = तीनों घनों का आयतन

$\therefore$ नए घन का आयतन = 8 + 27 + 64 = 99 घन सेमी.

$\therefore$ नए घन का किनारा = $\sqrt[3]{99}$ सेमी.।

★ ★ ★

16

ज्यामिति
(Geometry)

बिन्दु (Point)

बिन्दु वह है, जिसमें न लम्बाई हो, न चौड़ाई हो और न मोटाई हो अर्थात् किसी लेखनी से एक समतल पटल पर दबाने पर जो चिह्न बनता है, बिन्दु कहलाता है।

रेखा (line)

- रेखा वह है, जिसमें केवल लम्बाई हो, चौड़ाई और मोटाई न हो।
- एक रेखा में असंख्य बिन्दु होते हैं।
- एक रेखा में कम-से-कम दो बिन्दु अवश्य होंगे।
- रेखा असीमित हैं।
- दो भिन्न-भिन्न रेखाएँ अधिक से अधिक एक बिन्दु पर कटती है।
- दो बिन्दुओं से एक और केवल एक रेखा गुजरती है।

रेखा दो प्रकार की होती हैं—1. सरल रेखा (Straight line), 2. वक्र रेखा (Curved Line)

सरल रेखा (Straight Line) : वह रेखा, जो एक बिन्दु से दूसरे बिन्दु तक बिना दिशा बदले जाती है, सरल रेखा कहलाती है।

यहाँ AB एक सरल रेखा है।

वक्र रेखा (Curved Line) : वह रेखा, जो एक बिन्दु से दूसरे बिन्दु तक टेढ़ी-मेढ़ी दिशा में बदलती हुई जाती है, वक्र रेखा कहलाती है।

कोण (Angle)

किसी बिन्दु पर दो आसन्न रेखाओं के मिलने से जो झुकाव पैदा होता है, उसे कोण कहते हैं। चित्र में, AB और BC रेखाओं से बना कोण ABC है। सांकेतिक रूप से इसे ∠B या ∠ABC या ∠CBA से व्यक्त किया जाता है।

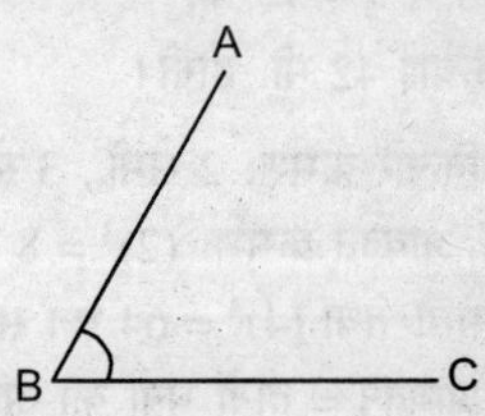

समकोण (Right Angle) : वह कोण, जिसका मान 90° होता है, समकोण कहलाता है। चित्र में, ∠ABC समकोण है।

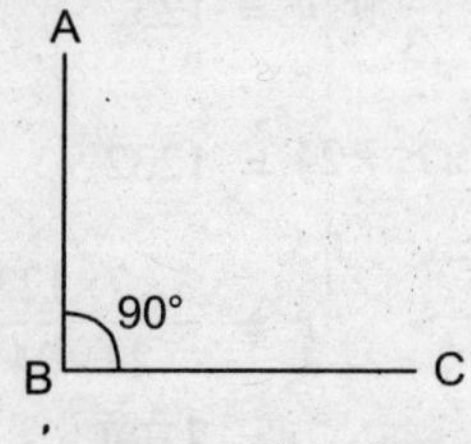

न्यून कोण (Acute Angle) : वह कोण, जिसका मान 0° से अधिक और 90° से कम होता है, उसे न्यून कोण कहते हैं। चित्र में, ∠ABC न्यून कोण है।

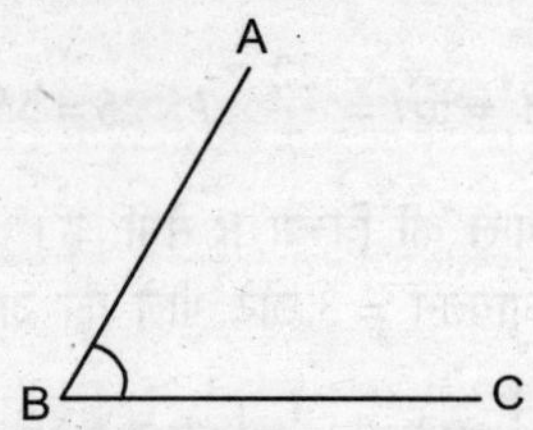

अधिक कोण (Obtuse Angle) : वह कोण, जिसका मान 90° से बड़ा और 180° से छोटा होता है, उसे अधिक कोण कहते हैं। चित्र में, ∠ABC अधिक कोण है।

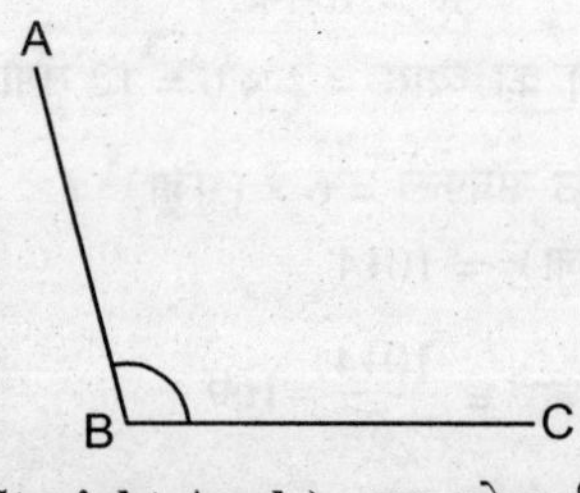

ऋजु कोण (Straight Angle) : वह कोण, जिसका मान 180° होता है, ऋजु कोण कहलाता है। चित्र में, ∠ABC ऋजु कोण है।

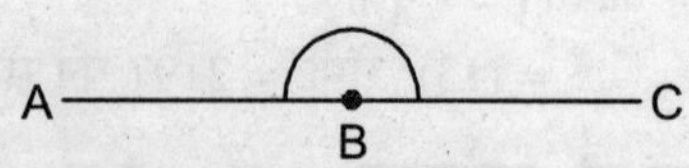

वृहत् कोण (Reflex Angle) : वह कोण, जिसका मान 180° से अधिक और 360° से कम होता है, उसे वृहत् कोण कहते हैं। चित्र में, ∠ABC वृहत् कोण है।

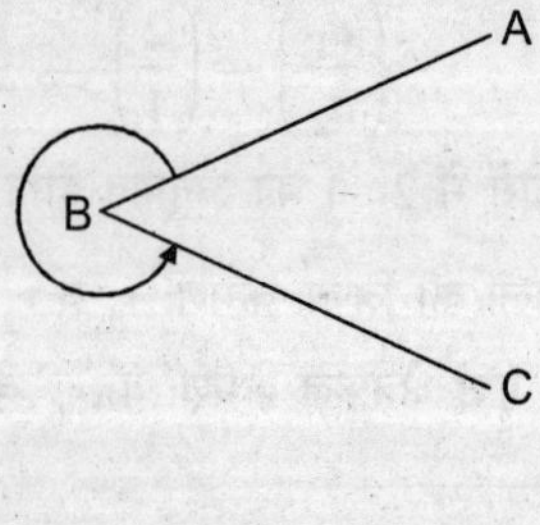

कोटिपूरक कोण (Complementary Angle) : जब दो कोणों का योग 90° होता है, तो प्रत्येक कोण एक-दूसरे के कोटिपूरक कोण कहलाते हैं।

चित्र में, $\angle ABD$ का कोटिपूरक $\angle DBC$ और $\angle DBC$ का कोटिपूरक $\angle ABD$ है।

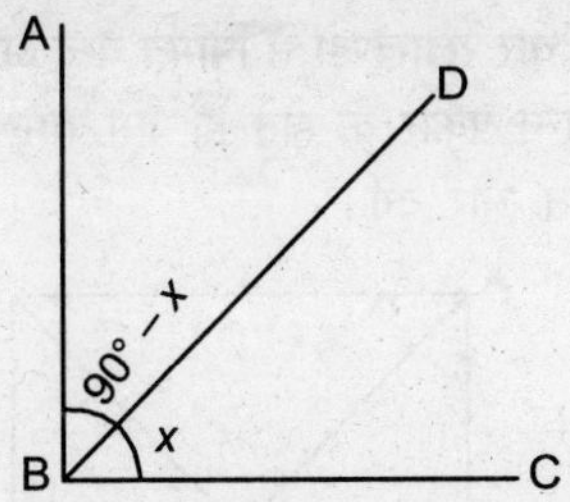

सम्पूरक कोण (Supplementary Angle) : जब दो कोणों का योग 180° होता है, तो प्रत्येक कोण एक-दूसरे के सम्पूरक कोण कहलाते हैं।

चित्र में, $\angle ABD$ का सम्पूरक $\angle CBD$ और $\angle CBD$ का सम्पूरक $\angle ABD$ है।

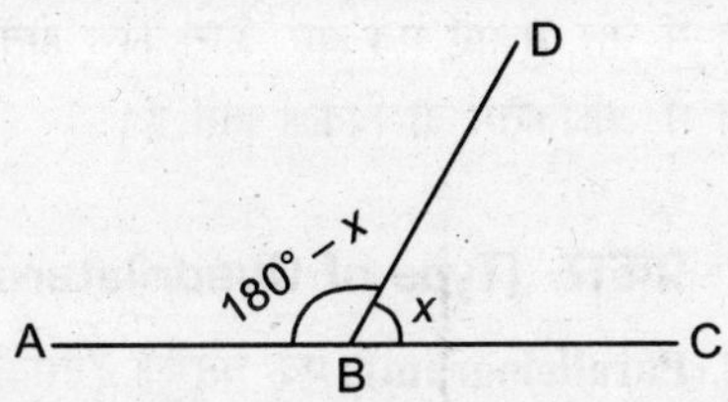

शीर्षाभिमुख कोण (Vertically Opposite Angle) : जब दो रेखाएँ एक-दूसरे को किसी बिन्दु पर प्रतिच्छेदित करती हैं, तब इस प्रकार आमने-सामने बने कोण शीर्षाभिमुख कोण कहलाते हैं।

चित्र में, $\angle AOC$ और $\angle BOD$ शीर्षाभिमुख कोण हैं तथा $\angle AOD$ और $\angle BOC$ भी शीर्षाभिमुख कोण हैं। अतः $\angle AOC = \angle BOD$ तथा $\angle AOD = \angle BOC$ होगा।

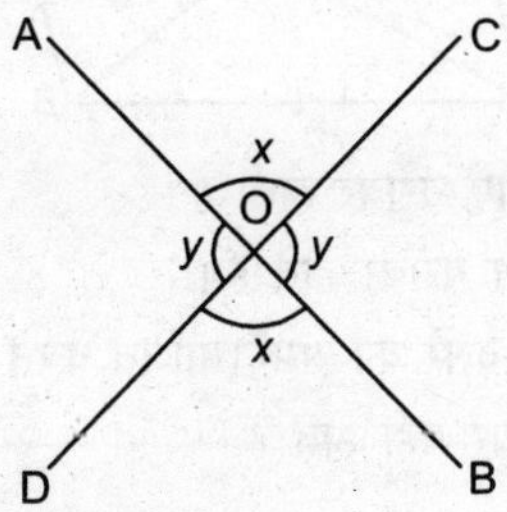

त्रिभुज (Triangle)

तीन रेखाखण्डों से घिरी हुई समतलीय आकृति त्रिभुज कहलाती है। त्रिभुज को Δ से निरूपित करते हैं तथा इसमें तीन भुजाएँ और तीन कोण होते हैं।

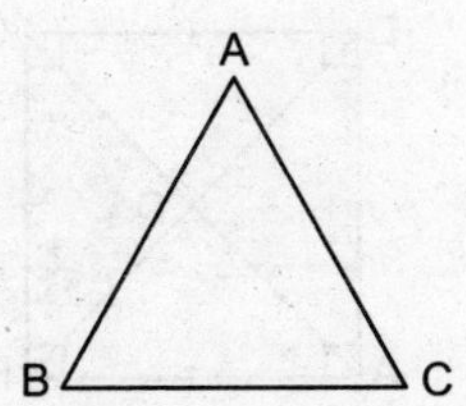

भुजाओं के आधार पर त्रिभुज के प्रकार
(Types of Triangles on the Basis of Sides)

भुजाओं (विमाओं) के आधार पर त्रिभुज के निम्न प्रकार हैं :

विषमबाहु त्रिभुज (Scalene Triangle) : वह त्रिभुज जिसकी सभी भुजाएँ भिन्न-भिन्न लम्बाइयों की होती हैं, विषमबाहु त्रिभुज कहलाता है।

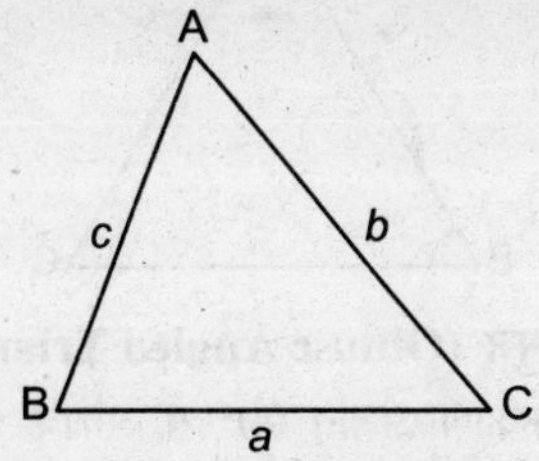

समद्विबाहु त्रिभुज (Isosceles Triangle) : वह त्रिभुज जिसकी दो भुजाएँ बराबर हों, समद्विबाहु त्रिभुज कहलाता है।

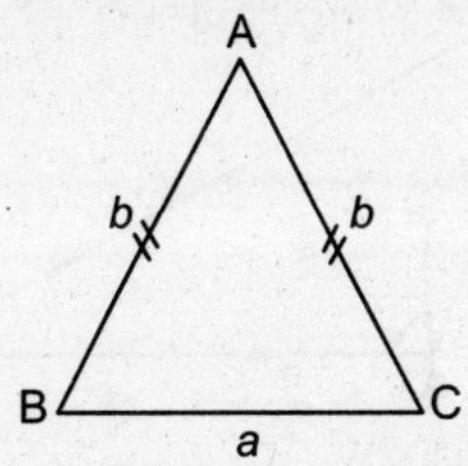

समबाहु त्रिभुज (Equilateral Triangle) : वह त्रिभुज जिसकी तीनों भुजाएँ बराबर हों, समबाहु त्रिभुज कहलाता है।

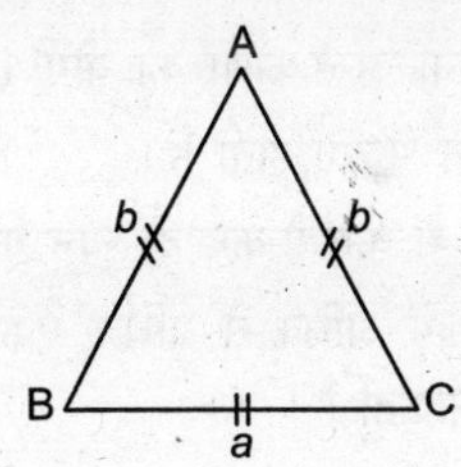

नोट : समबाहु त्रिभुज के प्रत्येक कोण की माप 60° होती है।

कोणों के आधार पर त्रिभुजों के प्रकार
(Types of Triangles on the Basis of Angles)

कोणों के आधार पर त्रिभुज के निम्न प्रकार हैं :

समकोण त्रिभुज (Right Angled Triangle) : जिस त्रिभुज का एक कोण समकोण अर्थात् 90° का हो, उसे समकोण त्रिभुज कहते हैं। चित्र में, ABC एक समकोण त्रिभुज है, जिसमें $\angle ABC = 90°$ है।

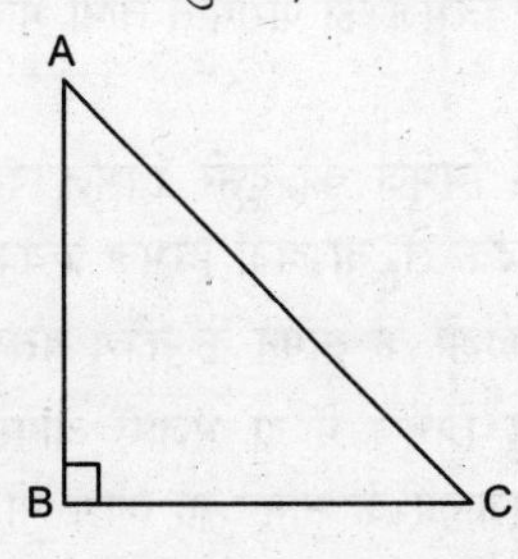

न्यूनकोण त्रिभुज (Acute Angled Triangle) : जिस त्रिभुज के तीनों कोण न्यून कोण अर्थात् 90° से कम हों, उसे न्यूनकोण त्रिभुज कहते हैं। चित्र में, ABC एक न्यूनकोण त्रिभुज है, जिसमें प्रत्येक कोण की माप 90° से कम है।

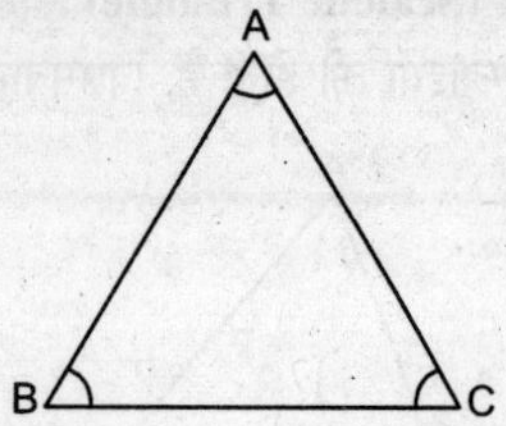

अधिककोण त्रिभुज (Obtuse Angled Triangle) : जिस त्रिभुज का एक कोण अधिककोण अर्थात् 90° से अधिक हो, उसे अधिककोण त्रिभुज कहते हैं। चित्र में, ABC एक अधिककोण त्रिभुज है, जिसमें $\angle ABC$ की माप 90° से अधिक है।

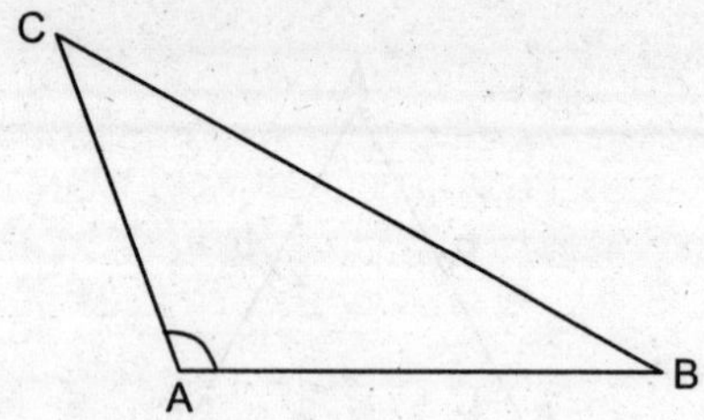

त्रिभुजों से सम्बन्धित महत्वपूर्ण तथ्य (Important Facts Related to Triangle)

- तीन भुजाओं से घिरा समतल क्षेत्र त्रिभुज कहलाता है।
- त्रिभुज के तीनों अन्तःकोणों का योग 180° होता है।
- त्रिभुज में तीन भुजाएँ होती हैं।
- किसी त्रिभुज में कम-से-कम दो न्यून कोण हो सकते हैं।
- किसी त्रिभुज में अधिक-से-अधिक एक अधिककोण या एक समकोण हो सकता है।
- त्रिभुज की समान भुजाओं के सम्मुख बने कोण एकसमान होते हैं।
- यदि किसी त्रिभुज के दो कोण बराबर हों, तो उनकी सम्मुख भुजाएँ भी बराबर होती हैं।
- किसी भी त्रिभुज की दो भुजाओं का योग तीसरी भुजा से अधिक होता है।
- किसी भी त्रिभुज की दो भुजाओं का अन्तर तीसरी भुजा से कम होता है।
- किसी भी त्रिभुज की परिमिति तीनों भुजाओं का योगफल होता है।
- यदि एक त्रिभुज को दूसरे त्रिभुज पर रखने से दूसरा उसे पूरा-पूरा ढक ले, तो दोनों त्रिभुज प्रत्येक दशा में बराबर होंगे।
- संगत भुजाओं के सामने के कोण बराबर होते हैं।
- समद्विबाहु त्रिभुज में दो भुजाएँ आंपस में बराबर होती हैं। बराबर भुजाओं के सामने के कोण भी बराबर होते हैं।
- समबाहु त्रिभुज में तीनों भुजाएँ बराबर होती हैं तथा इसके तीनों कोण बराबर यानि प्रत्येक कोण 60° का होता है।
- यदि दो या दो से अधिक त्रिभुजों के कोण आपस में अलग-अलग बराबर हों, तो त्रिभुजों को समान कोणिक त्रिभुज कहते हैं।

चतुर्भुज (Quadrilateral)

किसी समतल पर चार रेखाखण्डों से निर्मित बन्द आकृति चतुर्भुज कहलाती है। चतुर्भुज विभिन्न प्रकार के होते हैं; जैसे समलम्ब, समान्तर चतुर्भुज, समचतुर्भुज, आयत और वर्ग।

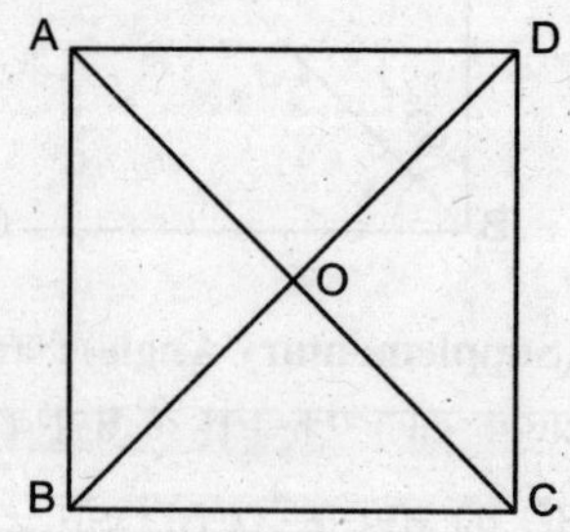

एक चतुर्भुज के सभी कोणों का योग 360° होता है।
चतुर्भुज में चार भुजाएँ एवं चार अन्तःकोण होते हैं।
चतुर्भुज में अधिकतम दो विकर्ण होते हैं।

चतुर्भुज के प्रकार (Type of Quadrilateral)

समान्तर चतुर्भुज (Parallelogram) : एक चतुर्भुज, जिसकी आमने-सामने की भुजाएँ (सम्मुख भुजाएँ) बराबर और समान्तर हों, समान्तर चतुर्भुज कहलाता है।

समान्तर चतुर्भुज के गुण (Porperties of Parallelogram) :

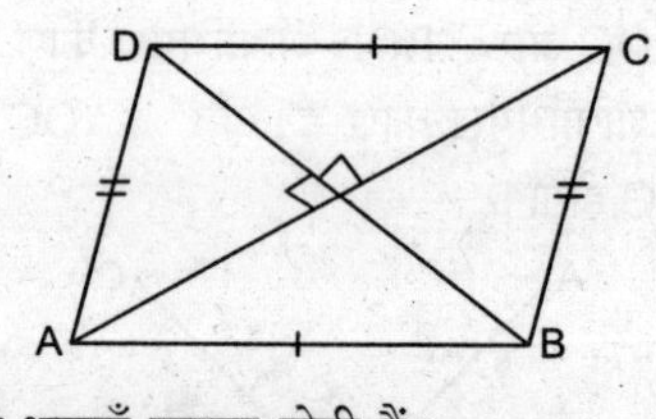

- सम्मुख भुजाएँ बराबर होती हैं।
- सम्मुख कोण बराबर होते हैं।
- विकर्ण एक-दूसरे को समद्विभाजित करते हैं।
- विकर्ण बराबर नहीं होते हैं।

वर्ग (Square)

वह समान्तर चतुर्भुज, जिसकी सभी भुजाएँ समान हों, वर्ग कहलाता है। इसकी आसन्न भुजाओं के बीच बना प्रत्येक कोण 90° का होता है।

वर्ग के गुण (Properties of Square) :

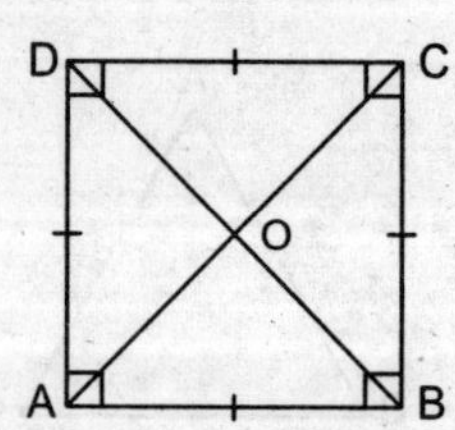

- चारों भुजाएँ बराबर होती हैं।
- प्रत्येक अन्तःकोण समकोण होता है।
- विकर्ण बराबर होते हैं।
- विकर्ण एक-दूसरे को 90° पर समद्विभाजित करते हैं।
- विकर्ण एक-दूसरे पर लम्बवत् होते हैं।

आयत (Rectangle)

वह समान्तर चतुर्भुज, जिसकी सम्मुख भुजाएँ बराबर व समान्तर हों और आसन्न भुजाओं के बीच का कोण 90° हो, आयत कहलाता है।

आयत के गुण (Properties of Rectangle) :

- सम्मुख भुजाएँ बराबर होती हैं।
- प्रत्येक अन्तःकोण समकोण होता है।
- विकर्ण बराबर होते हैं।
- विकर्ण एक-दूसरे को समद्विभाजित करते हैं।

समचतुर्भुज (Rhombus)

वह समान्तर चतुर्भुज जिसकी चारों भुजाएँ बराबर हों, समचतुर्भुज कहलाता है।

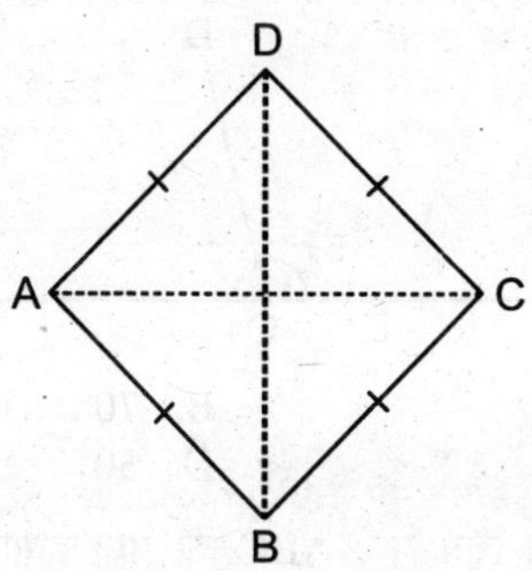

समचतुर्भुज के गुण (Properties of Rhombus) :

- चारों भुजाएँ बराबर होती हैं।
- विकर्ण एक-दूसरे को 90° पर समद्विभाजित करते हैं।
- विकर्ण बराबर नहीं होते हैं।
- भुजाओं के वर्गों का योग विकर्णों के वर्गों के योग के बराबर होता है।

  अर्थात् $AB^2 + BC^2 + CD^2 + DA^2 = AC^2 + BD^2$

समलम्ब (Trapezium)

वह चतुर्भुज जिसकी दो सम्मुख भुजाएँ समान्तर हों तथा शेष दो सम्मुख भुजाएँ असमान्तर हों, समलम्ब कहलाता है।

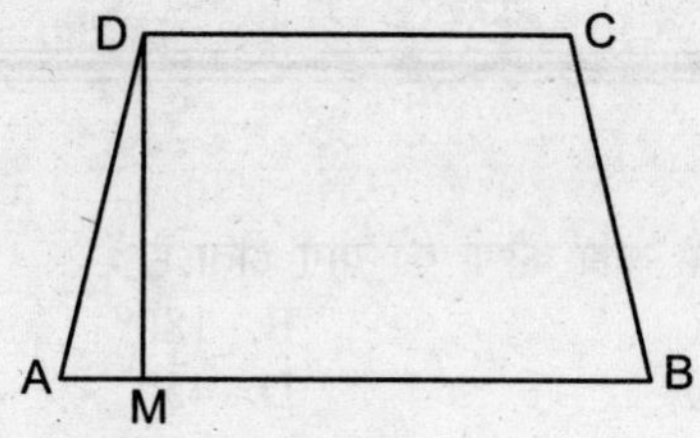

यहाँ पर $AB \,||\, DC$, $DM \perp AB$

वृत्त (Circle)

वृत्त एक ऐसी बन्द एवं गोल आकृति है जिसका केन्द्र बिन्दु उसकी परिधि से समान दूरी पर स्थित होता है। इस दूरी को त्रिज्या कहते हैं, जिसे संकेत (r) से प्रदर्शित करते हैं।

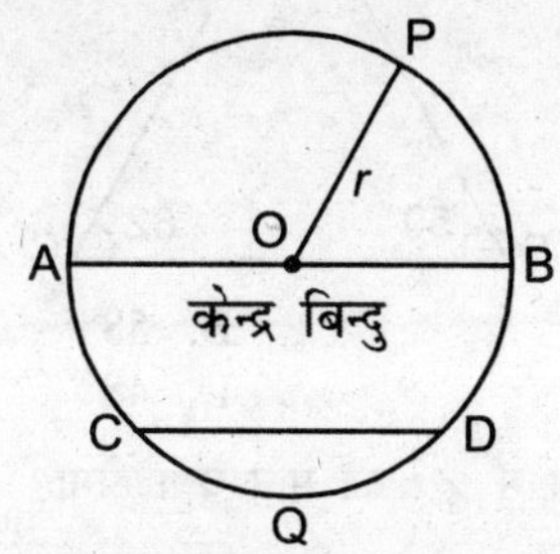

दिए गए वृत्त के चित्र में,

(*i*) AB वृत्त का व्यास है

(*ii*) CD वृत्त की जीवा है

(*iii*) OP वृत्त की त्रिज्या है

(*iv*) CQD वृत्त का चाप है

वृत्त के गुण (Properties of Circle) :

- एक वृत्त में, केन्द्र से जीवा पर डाला गया लम्ब जीवा को समद्विभाजित करता है।
- एक वृत्त में, जीवा के मध्य-बिन्दु को केन्द्र से मिलाने वाली रेखा जीवा पर लम्ब होती है।
- वृत्त की समान जीवाएँ केन्द्र से समदूरस्थ होती हैं।
- वृत्त की समान जीवाएँ केन्द्र पर समान कोण बनाती हैं।
- केन्द्र से समदूरस्थ जीवाएँ समान होती हैं।
- वृत्त की वे जीवाएँ, जो केन्द्र पर समान कोण बनाती हैं, समान होती हैं।
- तीन असरेखीय बिन्दुओं से होकर के एक और केवल एक ही वृत्त खींचा जा सकता है।

संकेन्द्रीय वृत्त (Concentric Circle)

ऐसे दो वृत्त जिनका एक ही केन्द्र हो तथा दोनों वृत्तों की अलग-अलग त्रिज्याएँ हों, संकेन्द्रीय वृत्त कहलाता है।

वस्तुनिष्ठ प्रश्न

1. त्रिभुज के बाह्य कोणों का योग होता है :
A. 90°　　B. 180°
C. 360°　　D. 45°

2. चतुर्भुज के सभी अन्तःकोणों का योग होता है :
A. 2 समकोण　　B. 3 समकोण
C. 1 समकोण　　D. 4 समकोण

3. दिए गए चित्र में कोण A का मान होगा :

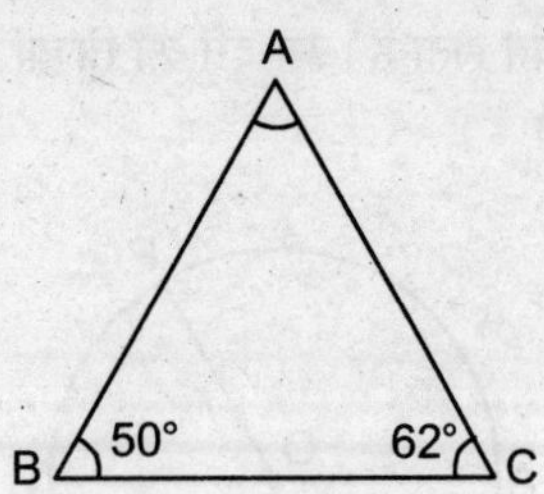

A. 68°　　B. 58°
C. 78°　　D. 48°

4. नीचे के चित्र में $\angle x$ का मान क्या होगा?

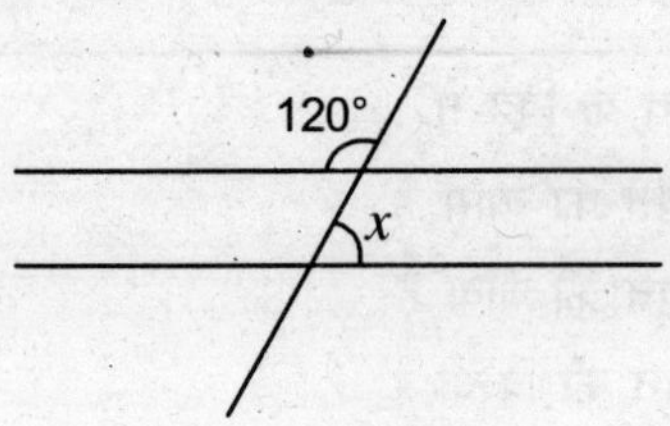

A. 30°　　B. 45°
C. 60°　　D. 65°

5. निम्नलिखित चित्र में $\angle AOD$ का मान ज्ञात करें :

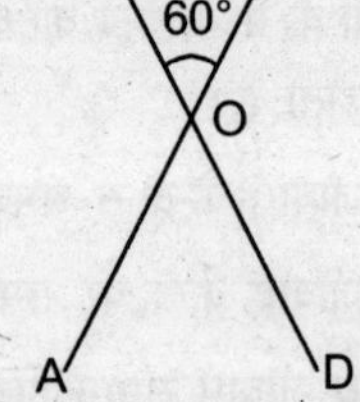

A. 30°　　B. 60°
C. 70°　　D. 80°

6. निम्नलिखित कथनों में से सही कथन का चयन करें :
A. एक बिन्दु पर बनने वाले सभी कोणों का योग 180° होता है।
B. किसी त्रिभुज का बहिष्कोण अपने सामने के प्रत्येक कोण से छोटा होता है।
C. यदि शीर्षों से सम्मुख भुजाओं पर खीचें गए लम्ब बराबर हों तो वह त्रिभुज समबाहु त्रिभुज होगा।
D. समद्विबाहु त्रिभुज के तीनों कोण आपस में बराबर होते हैं।

7. दिए गए चित्र में त्रिभुज XYZ में अन्तःकोण $\angle Y$ का मान होगा :

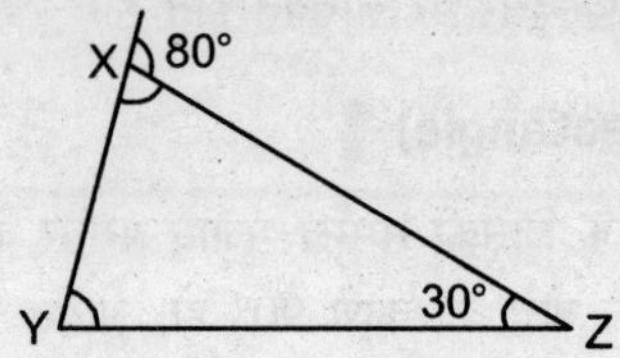

A. 50°　　B. 60°
C. 70°　　D. 75°

8. निम्नलिखित चित्र में यदि $\angle B = \angle C$ हो, तो AB और CD में क्या सम्बन्ध हैं?

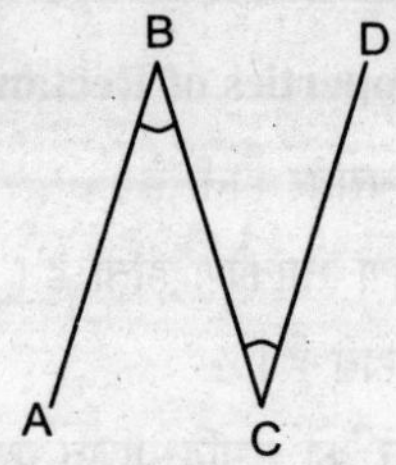

A. $AB = CD$　　B. $AB \parallel CD$
C. $AB \neq CD$　　D. $AB \neq CD$

9. दिए गए चित्र में $\angle ACD = 5x$ और $\angle BCD = x$, तो x का मान होगा :

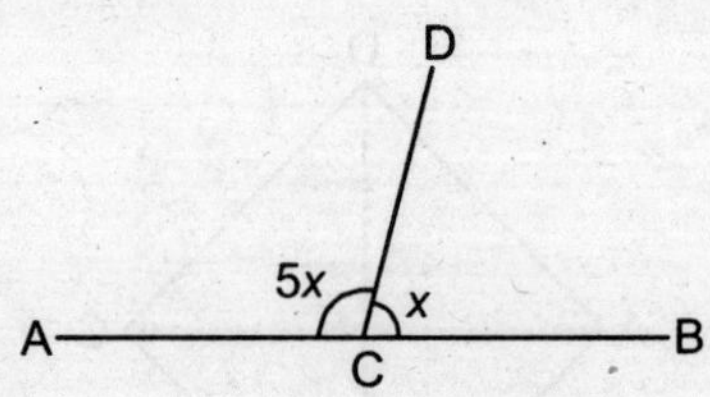

A. 60°　　B. 70°
C. 80°　　D. 30°

10. निम्नलिखित चित्र में $\angle ABC$ का मान होगा :

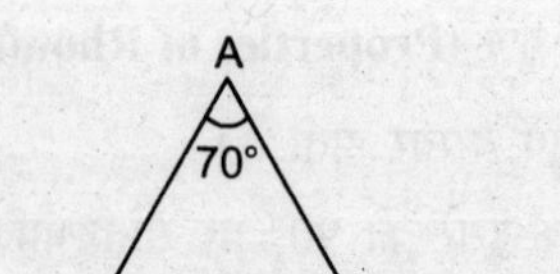

A. 75°　　B. 65°
C. 60°　　D. 56°

11. $\frac{3}{5}$ समकोण के कोटिपूरक कोण का मान है :
A. 60°　　B. 55°
C. 50°　　D. 36°

12. किसी त्रिभुज में अधिक-से-अधिक कितने समकोण हो सकते हैं?

A. एक B. दो

C. एक भी नहीं D. एक या दो

13. समचतुर्भुज के विकर्ण परस्पर किस कोण पर काटते हैं?

A. अधिककोण

B. समकोण

C. न्यूनकोण

D. इनमें से कोई नहीं

14. यदि दो समान्तर रेखाओं को कोई तिर्यक रेखा काटे, तो एक ही ओर के दो अन्तःकोणों का योग कितना होगा?

A. तीन समकोण B. दो समकोण

C. एक समकोण D. चार समकोण

15. यदि किसी त्रिभुज की दो भुजाओं के मध्य बिन्दुओं को मिलाया जाए, तो मिलाने वाली रेखा आधार की कितनी गुनी होगी?

A. दो-तिहाई B. दोगुनी

C. तीन गुनी D. आधी

उत्तरमाला

1	2	3	4	5	6	7	8	9	10
C	D	A	C	B	C	A	B	D	D
11	**12**	**13**	**14**	**15**					
D	A	B	B	D					

व्याख्यात्मक उत्तर

1. त्रिभुज के बाह्य कोणों का योग 360° होता है।

2. चतुर्भुजों के सभी अंतःकोण का योग 360° अर्थात् 4 समकोण होता है।

3. $\angle A = 180° - (50° + 62°) = 68°$

4. $\angle x = 180° - 120° = 60°$

$\therefore$ यह कोण सम्पूरक कोण है।

5. $\angle AOD + \angle AOC = 180°$

$\therefore \angle AOC = \angle BOC = 60°$ (शीर्षाभिमुख कोण)

6. यदि शीर्षों से सम्मुख भुजाओं पर खीचें गए लम्ब बराबर हों तो वह त्रिभुज समबाहु त्रिभुज होगा।

7. दिए गए चित्र में,

$80° + \angle YXZ = 180°$

$\Rightarrow \angle YXZ = 180° - 80° \Rightarrow \angle YXZ = 100°$

$\therefore \Delta XYZ$ में,

$\angle X + \angle Y + \angle Z = 180°$

$\Rightarrow 100 + \angle Y + 30° = 180°$

$\Rightarrow \angle Y = 180° - 130° = 50°.$

8. दिया है, चित्र में, $\angle B = \angle C$ (एकांतर अंतःकोण)

$\therefore AB \parallel CD.$

9. $\angle 5x° + \angle x° = 180°$

$\angle x° = \frac{180°}{6} = 30°$

10. चित्र से, $\angle ACD = 180° - 54° = 126°$

तब $\angle A + \angle B = 126°$

$\because$ दो अन्तः कोणों का योग बाह्य कोण के बराबर होता है,

$70° + \angle B = 126° \Rightarrow \angle B = 126° - 70° = 56°.$

11. $\frac{3}{5}$ समकोण का कोटिपूरक कोण $= 90° - \frac{3}{5} \times 90°$

$= 90° - 54° = 36°$

12. किसी त्रिभुज में तीनों कोणों का योग 180° होता है।

$\therefore$ किसी त्रिभुज में अधिक से अधिक एक समकोण हो सकता है।

13. समचतुर्भुज के चारों भुजा बराबर होते हैं।

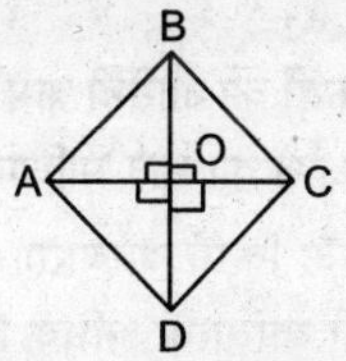

$\therefore$ इसके विकर्ण परस्पर समकोण पर काटते हैं।

14. एक ही ओर के दो अंतःकोणों का योग

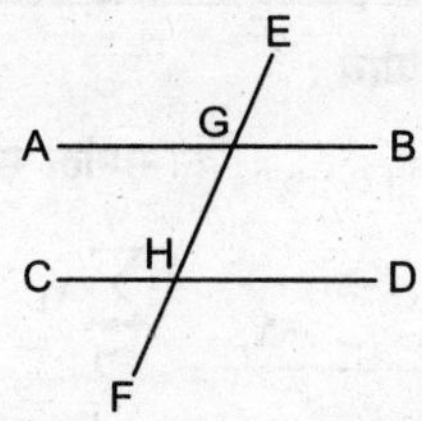

$= \angle BGH + \angle GHD = 180° =$ दो समकोण।

15. $DE = \frac{1}{2} BC$

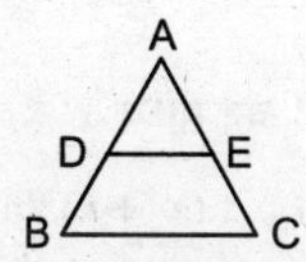

किसी की दो भुजाओं के मध्य बिन्दुओं को मिलाया जाए, तो मिलाने वाली रेखा आधार की आधी होती है।

★ ★ ★

17

सांख्यिकी
(Statistics)

केंद्रीय प्रवृत्ति की माप

औसत की पांच सामान्य माप निम्नलिखित हैं :

(*i*) **समांतर माध्य :** किसी संख्याओं के समूह का औसत, इन संख्याओं का समांतर माध्य कहलाता है। उदाहरण के लिए n संख्याओं x_1, $x_2, x_3 .. x_n$, का समांतर माध्य,

$$x = \frac{x_1 + x_2 + x_3 + ... + x_n}{n} = \frac{\sum_{i=1}^{n} x_i}{n}$$

(*ii*) **गुणोत्तर माध्य :** अवर्गीकृत आंकड़ों के लिए गुणोत्तर माध्य निम्नलिखित है– G. M. = $(x_1 . x_2 . x_3 ....x_n)^{1/n}$

(*iii*) **हरात्मक माध्य :** अवर्गीकृत आंकड़ों के लिए हरात्मक माध्य निम्नलिखित है–

$$\text{H. M.} = \frac{n}{\frac{1}{x_1} + \frac{1}{x_2} + \frac{1}{x_3} + ... + \frac{1}{x_n}}$$

(*iv*) **माध्यिका :** आंकड़ों को आरोही क्रम में व्यवस्थित किए जाने के बाद मध्यवर्ती प्रेक्षणों का मान माध्यिका कहलाता है।

(*v*) **बहुलक :** बहुलक किसी बारंबारता बंटन के लिए वह मान है जिसके विचर की बारंबारता अधिक है।

महत्वपूर्ण तथ्य एवं सूत्र

माध्य के कुछ अन्य परिणाम :

n संख्याओं $x_1, x_2, x_3 ....x_n$ का समांतर माध्य है

$$\bar{x} = \frac{x_1 + x_2 + x_3 + ... + x_n}{n} = \frac{\sum_{i=1}^{n} x_1}{n}$$

(*i*) यदि n प्रेक्षणों $x_1, x_2 ...... x_n$ का माध्य $\bar{x}$ है, तो

$$\sum_{i=1}^{n} (xi - \bar{x}) = 0$$

(*ii*) यदि $x_1, x_2, ...x_n$ का माध्य $\bar{x}$ है, तो $(x_1 + k), (x_2 + k).......(x_n + k)$ का माध्य $(\bar{x} + k)$ होता है।

(*iii*) यदि $x_1, x_2, ...x_n$ का माध्य $\bar{x}$ है, तो $(x_1 - k), (x_2 - k).......(x_n - k)$ का माध्य $(\bar{x} - k)$ होता है।

वर्गीकृत आंकड़ों का माध्य (Mean of Grouped Data) : यदि $x_1, x_2........x_k$ तथा उनकी बारंबारताएं $f_1, f_2 ......fk$ हैं, तो माध्य

$$\bar{x} = \frac{\sum f_i x_i}{\sum f_i} \text{ होता है}$$

भारित समांतर माध्य (Weighted Arithmetic Mean) : यदि w_1, w_2 ...., w_n क्रमश: $x_1, x_2 ....x_n$ के लिए निर्धारित भार है, तो

$$\text{भारित समांतर माध्य} = \frac{w_1 x_1 + w_2 x_2 + ... + w_n x_n}{w_1 + w_2 + ... + w_n}$$

$$\text{या भारित समांतर माध्य} = \frac{\sum w_i x_i}{\sum w_i}$$

संयुक्त माध्य (Combinded Mean) : यदि $\bar{x}_1, \bar{x}_2$ उन दो शृंखलाओं के समांतर माध्य हैं जिनके पदों की संख्या क्रमश: n_1, n_2 है, तो संयुक्त माध्य

$$= \frac{n_1 \bar{x} + n_2 \bar{x}_2}{n_1 + n_2}$$

माध्यिका गणना

(*i*) **अवर्गीकृत आंकड़ों की माध्यिका :** सर्वप्रथम आंकड़ों को बढ़ते या घटते क्रम में व्यवस्थित करते हैं तथा प्रेक्षणों की कुल संख्या n है।

(क) यदि n विषम हो, तो माध्यिका $\left(\frac{n+1}{2}\right)$ वां मान होगी।

(ख) यदि n सम हो, तो माध्यिका $\left(\frac{n}{2}\right)$ वें व $\left(\frac{n}{2}+1\right)$ वें मान का औसत होगी।

(*ii*) **असंतत श्रेणी की माध्यिका (Median of Discrete Series) :** सर्वप्रथम पदों को आरोही क्रम में व्यवस्थित करते हैं, इसके पश्चात् संचयी बारंबारता सारणी तैयार करते हैं। माना कुल बारंबारता n है।

(क) यदि n विषम है, तो माध्यिका = $\left(\frac{n+1}{2}\right)$ वें पद का आमाप

(ख) यदि n सम है, तो माध्यिका = $\frac{1}{2}\left[\left(\frac{n}{2}\right)\text{ वें पद का आमाप } + \left(\frac{n}{2}+1\right)\text{ वें पद का आमाप}\right]$

बहुलक (Mode)

एक बारंबारता बंटन के बहुलक की परिभाषा उस मान के रूप में की जाती है, जिसके विचर की बारंबारता अधिकतम है।

(क) अवर्गीकृत आंकड़ों के लिए

Mo = सबसे अधिक बारंबारता वाले पद का आमाप

(ख) सतत् शृंखला के लिए, $Mo = 1 + \left(\frac{f_f - m_1}{2f_m - f_1 - f_2}\right) \times i$

प्रत्येक आंकड़े और बंटन के लिए बहुलक होना आवश्यक नहीं है।

माध्य, माध्यिका तथा बहुलक में मूलानुपाती सम्बन्ध

(*i*) बहुलक = 3 × माध्यिका − 2 × माध्य

(*ii*) माध्य − बहुलक = 3 (माध्य − माध्यिका)

वस्तुनिष्ठ प्रश्न

1. निम्नलिखित बंटन में 3 की बारंबारता कितनी होगी?
3, 7, 0, 5, 3, 2, 3, 4, 3, 2, 7, 8, 3 व 3.
A. 6 B. 3
C. 2 D. 5

2. यदि किसी बंटन में एक वर्ग का मध्यमान 47 तथा वर्ग अन्तराल 5 हो, तो उस वर्ग की निम्नतम सीमा क्या होगी?
A. 44.5 B. 47.5
C. 52.5 D. 42.5

3. 9, 10, 14, 16, 18 की माध्यिका क्या होगी?
A. 10 B. 14
C. 16 D. 15

4. एक विद्यालय के 12 छात्रों ने गणित में 50 अंकों में से क्रमशः 25, 32, 35, 19, 23, 30, 16, 20, 22, 15, 13 तथा 27 अंक प्राप्त किए हों, तो प्राप्तांकों की माध्यिका कितनी होगी?
A. 17.5 B. 22.5
C. 21 D. 23

5. 3, 2, 3, 4, 5, 3, 3, 2, 1, 1 का बहुलक कितना होगा?
A. 4 B. 2
C. 3 D. 1

6. 1 से 20 तक की धन पूर्णांक संख्याओं का समान्तर माध्य कितना होगा?
A. 10.5 B. 12.5
C. 18.6 D. 11.5

7. एक परीक्षा में 8 छात्रों को गणित विषय में क्रमशः 40, 52, 65, 35, 36, 79, 81 व 39 अंक मिले हों, तो इसका परिसर क्या होगा?
A. 36 B. 46
C. 41 D. 49

8. 1, 1, 2, 2, 2, 3, 3, 3, 3, 4, 4, 4, 4, 4 का बहुलक क्या होगा?
A. 2 B. 3
C. 4 D. 1

9. संख्याओं 4, 5, 8, 6, 3, 4 तथा 12 का समान्तर माध्य है :
A. 6 B. 8
C. 7 D. 5

10. यदि $x_1, x_2, x_3, ..., x_n$ का माध्य $\bar{x}$ है, तो $mx_1, mx_2, mx_3, ..., mx_n$ का माध्य होगा :
A. $\sum_1^n mx$ B. $\sum_1^m mx$
C. $m\bar{x}$ D. $\frac{m\bar{x}}{n}$

11. 3, 4, 6 तथा x का समान्तर माध्य 5 है। x का मान होगा :
A. 5 B. 2
C. 7 D. 3

12. 4, 7, 8, 6 तथा x का समान्तर माध्य 6 है। x का मान होगा :
A. 4 B. 5
C. 6 D. 7

13. निम्नलिखित संख्याओं की माध्यिका होगी :
0, 1, 0, 2, 3, 2, 3, 4
A. 0 B. 2
C. 3 D. 4

14. निम्नलिखित आँकड़ों की माध्यिका होगी :
7, 10, 12, 15, 19, 23, 29, 32, 35, 44
A. 19 B. 20
C. 21 D. 22

15. निम्नलिखित आँकड़ों की माध्यिका होगी :
6, 9, 11, 14, 18, 22, 28, 31, 34, 43
A. 18 B. 16
C. 20 D. 22

उत्तरमाला

1	2	3	4	5	6	7	8	9	10
D	A	B	B	C	A	B	C	A	C
11	**12**	**13**	**14**	**15**					
C	B	B	C	C					

व्याख्यात्मक उत्तर

1. चूँकि दिये गये बंटन में 3 सबसे अधिक 5 बार आया है।
$\therefore$ 3 की बारंबारता = 5 होगी।

2. माना कि बंटन वर्ग की निम्नतम व उच्चतम सीमा क्रमशः x_1 व x_2 है।

$\therefore$ मध्यमान = $\frac{x_1 + x_2}{2}$ $\therefore 47 = \frac{x_1 + x_1}{2}$

$\Rightarrow$ $x_1 + x_2 = 94$ ...(*i*)

तथा $x_2 - x_1 = 5$ (दिया हुआ है) ...(*ii*)

समीकरण (*i*) व (*ii*) से $2, x_1 = 94 - 5 = 89$

$\therefore$ $x_1 = \frac{89}{2} = 44.5$

अतः वर्ग की निम्नतम सीमा = 44.5 होगी।

3. $\because$ दी हुई संख्याओं को आरोही क्रम में लिखने पर श्रेणी 9, 10, 14, 16, 18
चूँकि श्रेणी में मध्य पद का मान = 14 $\therefore$ माध्यिका = 14 होगी।

4. $\because$ दिये गये प्राप्तांकों को आरोही क्रम में लिखने पर,
13, 15, 16, 19, 20, 22, 23, 25, 27, 30, 32 व 35
चूँकि इसमें 22 तथा 23 दो मध्य पद हैं।

$\therefore$ माध्यिका = $\frac{22+23}{2} = \frac{45}{2} = 22.5$.

5. $\because$ दिये गये आँकड़ों में 3 सबसे अधिक 4 बार आया है
$\therefore$ अभीष्ट बहुलक = 3 होगा।

6. $\because$ 1 से 20 तक की धन पूर्णांक संख्याएँ क्रमशः 1, 2, 3, 4, 5, ... 20 तक होंगी

$\therefore$ स. मा. = $\frac{1+2+3+...+20}{20} = \frac{20 \times 21}{20 \times 2} = 10.5$

[$\because 1+2+3+....+n$ पदों का योग = $\frac{n(n+1)}{2}$]

7. परिसर = चर राशि का अधिकतम मान – चर राशि का न्यूनतम मान
$= 81 - 35 = 46.$

8. $\because$ 4 की बारंबारता सबसे अधिक 5 है।
$\therefore$ दिये गये आँकड़ों का बहुलक = 4 होगा।

9. दी हुई संख्याओं का समान्तर माध्य
$= \frac{4+5+8+6+3+4+12}{7} = \frac{42}{7} = 6$.

10. $\therefore x_1, x_2, x_3, ..., x_n$ का माध्य = $\bar{x}$

$\Rightarrow \frac{x_1 + x_2 + x_3 + ... + x_n}{n} = \bar{x}$ ...(*i*)

$\therefore mx_1, mx_2, mx_3, ..., mx_n$ का माध्य

$= \frac{mx_1 + mx_2 + mx_3 + ... + mx_n}{n}$

$= \frac{m(x_1 + x_2 + x_3 + ... + x_n)}{n} = m\bar{x}$. (समीकरण (*i*) से)

11. 3, 4, 6 तथा x का समान्तर माध्य = 5

$\therefore$ $\frac{3+4+6+x}{4} = 5$ या $13 + x = 5 \times 4$

या $13 + x = 20$ या $x = 20 - 13 = 7.$

12. 4, 7, 8, 6 तथा x का समान्तर माध्य = 6

$\therefore$ $\frac{4+7+8+6+x}{5} = 6$ या $25 + x = 6 \times 5$

या $25 + x = 30$ या $x = 30 - 25 = 5.$

13. दी हुई संख्याएँ आरोही क्रम में हैं, में लिखने पर :
0, 0, 1, 2, 2, 3, 3, 4
$\because$ पदों की संख्या $n = 8$ = एक सम संख्या
$\therefore$ दो मध्य-पद होंगे जो निम्नलिखित हैं :

$\frac{n}{2}$ वाँ पद = $\frac{8}{2}$ वाँ पद = चौथा पद

तथा $\left[\frac{n}{2}+1\right]$ वाँ पद = $\left[\frac{8}{2}+1\right]$ वाँ पद

= (4 + 1) वाँ पद = पाँचवां पद

$\therefore$ दी हुई संख्याओं की माध्यिका

$= \frac{\text{चौथे पद का मान} + \text{पाँचवें पद का मान}}{2} = \frac{2+2}{2} = \frac{4}{2} = 2$.

14. दिए हुए आँकड़े आरोही क्रम में हैं,
$\because$ पदों की संख्या = 10 = एक सम संख्या
$\therefore$ दिए हुए आँकड़ों की माध्यिका

$= \frac{\frac{10}{2} \text{वें पद का मान} + \left[\frac{10}{2}+1\right] \text{वें पद का मान}}{2}$

$= \frac{\text{पाँचवें पद का मान} + \text{छठे पद का मान}}{2}$

$= \frac{19+23}{2} = \frac{42}{2} = 21.$

15. दिए हुए आँकड़े आरोही क्रम में हैं,
$\because$ पदों की संख्या = 10 = एक सम संख्या
$\therefore$ दिए हुए आँकड़ों की माध्यिका

$= \frac{\frac{10}{2} \text{वें पद का मान} + \left[\frac{10}{2}+1\right] \text{वें पद का मान}}{2}$

$= \frac{\text{पाँचवें पद का मान} + \text{छठे पद का मान}}{2}$

$= \frac{18+22}{2} = \frac{40}{2} = 20.$

★ ★ ★

ENGLISH

1 English Grammar

PARTS OF SPEECH

Parts of speech	Definition or Function	Examples
Noun	Name of a person, place, animal, quality or thing	Ram, boy, dog, pen, sun, Delhi, truth, honesty
Pronoun	Used in place of a noun	I, you, he she, they
Articles & Determiners	Points out indefinite and definite nouns	a, an, the, few, some
Adjective	Describes a noun or pronoun	big, honest, wooden, valuable, quiet, deep, soft, narrow
Adverb	Describes a verb, an adjective or another adverb	silently, widely, softly, quietly, very, carefully
Verb	Tells about action or state of something or someone	is, am, was, have, do, like, walk, work, make, throw, tell
Conjunction	Joins words, clauses or sentences	and, but, when, yet, while, else
Preposition	Links a noun or pronoun to another word	at, to, after, on, for, under, over, with
Interjection	Expresses sudden feelings or emotions	Ah!, Alas!, oh!, ouch!, hi!, well!, Hurrah!

NOUNS

A word which denotes a person, a thing, an animal or a place is said to be a noun.

There are two noun numbers in English — the *Singular* and the *Plural*.

Singular Numbers : A noun that denotes one person or one thing, is said to be in the Singular number. For example — book, pencil, bird, dog, hen etc. are in singular number.

Plural Number : A noun that denotes more than one person or one thing is said to be in plural number. For example — boys, pens, lions, girls, men etc. are in plural number.

REMEMBER

Singular	*Plural*	*Singular*	*Plural*
Cat	Cats	Book	Books
Pen	Pens	Room	Rooms
Tree	Trees	Bus	Buses
Bush	Bushes	Box	Boxes
Glass	Glasses	Dish	Dishes
Judge	Judges	Tax	Taxes
Watch	Watches	Calf	Calves
Thief	Thieves	Knife	Knives
Scarf	Scarves	Wife	Wives
Leaf	Leaves	Wolf	Wolves

Singular	*Plural*	*Singular*	*Plural*
Half	Halves	Monarch	Monarchs
Roof	Roofs	Hoof	Hoofs
Gulf	Gulfs	Staff	Staffs
Radio	Radios	Bamboo	Bamboos
Folio	Folios	Hero	Heroes
Volcano	Volcanoes	Mango	Mangoes
Piano	Pianos	Baby	Babies
Fly	Flies	Country	Countries
Lady	Ladies	Boy	Boys
Monkey	Monkeys	Ox	Oxen
Child	Children	Man	Men
Woman	Women	Tooth	Teeth
Axis	Axes	Basis	Bases
Foot	Feet	Goose	Geese
Englishman	Englishmen	Radius	Radii
Vertex	Vertices	Stimulus	Stimuli

1. Note the plurals of the following nouns:

Singular	*Plural*	*Singular*	*Plural*
copy	copies	cry	cries
baby	babies	duty	duties
body	bodies	country	countries
family	families	diary	diaries
fly	flies	fairy	fairies
city	cities	spy	spies
army	armies	storey	storeys
bay	bays	monkey	monkeys

2. The following nouns do not undergo any change in plural form, in general.

Singular	*Plural*	*Singular*	*Plural*
deer	deer	sheep	sheep
thousand	thousand	pair	pair
hundred	hundred	score	score
dozen	dozen	gross	gross

Note: We can write—(*a*) thousands of men; (*b*) two pairs of shoes; (*c*) dozens of mangoes; (*d*) scores of people etc.

But—(*a*) two thousand rupees; (*b*) three hundred men; (*c*) five dozen eggs, etc.

3. The following nouns are usually used in plural forms. They take a plural verb after them—

eatables	fetters	surroundings
riches	alms	spectacles
trousers	pants	scissors
premises	thanks	annals
congratulations	goods	shorts
tongs	pains	arms
breeches	(for troubles)	

4. The following are the nouns which are plural in appearance but are usually used in singular number. They are followed by a singular verb—

news	politics	physics
mathematics	economics	ethics
politics	classics	gallows
statistics	athletics	innings
mechanics	summons	mumps

5. Collective nouns often used as plurals—

public	police	cattle
audience	clergy	folk
people	poultry	nation
elite	gentry	glitterati

6. The nouns that are usually used in singular forms—

advice	hair	rice
fuel	alphabet	machinery
offspring	issue	furniture
mischief	stationery	luggage
bedding	information	abuse

7. Material nouns are always used in singular number—

gold	copper	milk
water	silk	wool

Note: They may be used in plural with a different meaning. copper coins (coppers), chains or fetters (irons), cans made of tin (tins).

GENDERS

The difference in sex is denoted by Gender in grammar. The various genders are as follows :

1. **Masculine Gender :** A noun that denotes a male is said to be of the masculine gender, as man, uncle, ox, boy etc.
2. **Feminine Gender :** A noun that denotes a female is said to be of feminine gender, as woman, aunt, princess, cow etc.
3. **Common Gender :** Nouns which denote both males and females are said to be of the common gender, as friend, cousin, person, parent, baby etc.
4. **Neuter Gender :** A noun that denotes the name of object without life is said to be of neuter gender, as file, table, pencil.

REMEMBER

Masculine	*Feminine*
Boy	Girl
Son	Daughter
Brother	Sister
Murderer	Murderess
Sorcerer	Sorceress
Son-in-law	Daughter-in-law
Father-in-law	Mother-in-law
Man-servant	Maid-servant
Land-lord	Land-lady
Bachelor	Maid
Gentleman	Lady

Masculine	Feminine
Monk	Nun
Earl	Countess
Lad	Lass
Sir	Madam
Duke	Dutchess
Emperor	Empress
Milk-man	Milk-maid
Pea-cock	Pea-hen
Step-father	Step-mother
Hero	Heroine
Mr.	Mrs.
Governor	Governess
Master	Mistress
Wizard	Witch
Host	Hostess
Lion	Lioness
Mayor	Mayoress
Actor	Actress
Buck	Doe

Masculine	Feminine
Colt	Filly
Dog	Bitch
Horse	Mare
Hunter	Huntress
Prince	Princess
Abbot	Abbess
God	Goddess
Ox	Cow
Widower	Widow
Grand-father	Grand-mother
He-goat	She-goat
Milk-man	Milk-woman
Bridegroom	Bride
Tiger	Tigress
Priest	Priestess
Poet	Poetess
Shepherd	Shepherdess
Nephew	Niece
Stag	Hind

PRONOUNS

The repetition of a noun in a sentence or a set of sentences is really boring. So, instead of repeating the noun, we can use a word (for that noun) called the pronoun.

"A pronoun is a word that we use instead of a noun".

Example: This is *Sachin. He* plays cricket.

Note: *He* is the pronoun used in place of *Sachin.*

Kinds of Pronouns

1. **Personal pronouns :** A pronoun which is used instead of the name of a person is known as a 'Personal Pronoun'. A list of the 'Personal pronouns' is listed below :

   I, my, mine, me, we (First Person)

   You, your, yours (Second Person)

   He, his, him, she, her, hers, it, its, they, their, theirs, them (Third Person)

2. **Demonstrative, Indefinite and Distributive Pronouns:**

   (a) Demonstrative Pronouns : Pronouns used to point out the objects to which they refer are called Demonstrative Pronouns.

   Examples :

   (i) *This* is a present from my uncle.
   (ii) *These* are merely excuses.
   (iii) Bombay mangoes are better than *those* of Bengaluru.

   (b) Indefinite Pronouns : All pronouns which refer to persons or things in a general way and do not refer to any particular person or thing are called Indefinite Pronouns.

   Examples :

   (i) *Somebody* has stolen my watch.
   (ii) *Few* escaped unhurt.
   (iii) Did you ask *anybody* to come?

   (c) Distributive Pronouns : Each, either, neither are called distributive pronouns because they refer to persons or things one at a time. For this reason they are always singular and followed by the verb in singular.

   Examples :

   (i) *Each* of the men received a reward.
   (ii) *These* men received *each* a reward.
   (iii) *Either* of you can go.

3. **Relative Pronouns :** A relative pronoun refers or relates to some noun going before, which is called its Antecedent.

   Examples :

   (i) I met Hari *who* used to live here.
   (ii) I have found the pen *which* I had lost.
   (iii) Here is the book *that* you lent me.

4. **Interrogative Pronouns :** These pronouns, are used for asking questions.

   Examples :

   (i) *Whose* book is this?
   (ii) *What* will all the neighbours say?
   (iii) *Which* do you prefer, tea or coffee?

Note : Interrogative pronouns can also be used in asking indirect questions. Consider the following examples:

(i) I asked *who* was speaking.
(ii) Tell me *what* you have done.
(iii) Say *which* you would like best.

Behaviour of the Pronouns

1. If three pronouns are used together in the same sentence they are arranged in the following order :

2	+	3	+	1
↓		↓		↓
Second Person		Third Person		First Person

Examples :

I, you and he must help *that* poor man. (Incorrect)
You, he and I must help *that* poor man. Correct)

2. When two or more singular nouns are joined by and, the pronoun used for them should be plural.
Examples : Mohan and Sohan are friends. *They* play football. *They* live at Lajpat Nagar.
3. But if these nouns joined by and refer to the same person or thing, the pronoun used should be singular.
Examples :
(i) Delhi, the beautiful city and the capital of India, is famous for *its* historical monuments.
(ii) The manager and owner of the firm expressed *his* views on the demands of the workers.
4. When two nouns are used with as well as, the pronoun agrees with the first subject.
Examples :
(a) Mohan as well as his friends is doing *his* work.
(b) The students as well as their teachers are doing *their* work.
5. When two singular nouns joined by 'and' are preceded by *each* or *every*, the pronoun used must be singular and should agree in gender with the second noun.
Examples :
(a) Every man and every woman will do *her* best for the nation.
(b) Each boy and each girl went to *her* house.
6. When two nouns are joined by using 'with', the pronoun agrees with the noun coming before 'with'.
Examples :
(a) The boy with *his* parents has gone to see a movie.
(b) The children with *their* parents have gone to picnic.
7. When two different nouns are joined by either......... or; neither .... nor, the pronoun is used according to the number and gender of the second noun.
Examples :
(a) Either your sister or you have done *your* work.
(b) Neither the students nor the teacher was in *his* class.
8. The pronoun coming after '*than*' must be in the same case as that coming before '*than*'.
Examples :
(a) She plays better than *me*. (Incorrect)
She plays better than *I*. (Correct)
(b) His elder brother is more intelligent than *him*. (Incorrect)
His elder brother is more intelligent than *he*. (Correct)
9. 'Many a' always takes a singular pronoun and singular verb.
Example :
Many a soldier has met *his* death in the battle field.
10. 'Who', 'Whose', 'Whom' are used only for persons.
Examples :
(a) *Who* is knocking at the door?
(b) *Whose* pen is this?
(c) *What* do you want?
11. 'Which' is used for things.
Example :
Which game do you like?

Multiple Choice Questions

Directions: *In the following questions choose the correct options to fill the blanks.*

1. The place was so dirty that ..... wished to run away from there.
A. everybody B. anybody
C. few D. some

2. ..... was there to help me.
A. Somebody B. Anything
C. Anybody D. Nobody

3. Is there ...... to eat?
A. some B. something
C. any D. few

4. ..... of the students were making a great noise.
A. Anyone
B. Somebody
C. Many
D. Nobody

5. ..... of the students can solve this sum.
A. Someone B. Anybody
C. Somebody D. None

6. .... of us should try our best to make India a heaven.
A. Any B. Somebody
C. Anybody D. All

7. ...... of us do not know the real meaning of our lives.
A. Any B. Something
C. Several D. Many

8. My .... black.
A. hairs are B. hair is
C. hairs shall D. hair will

9. She saw two .... on the last Sunday.
A. thiefs B. theifs
C. thieves D. theives

10. My sister is a ....
A. bacheloress B. bachelor
C. unmaried D. spinster

11. One is supposed to do ....
A. our duty B. their duty
C. one's duty D. his duty

12. Take anything .... you want.
A. that B. which
C. than D. then

13. I cannot tolerate ....
A. separated you B. your separation
C. separation from you D. you separated

14. He is .... faithful partner.
A. Yours B. You
C. Your D. Your's

15. Ajay is more smart than ....
A. her B. hers
C. herself D. she

16. Vivek works harder than ....
A. me B. I
C. her D. his

17. They should help ....
A. the poor people B. the poor
C. the poor persons D. the poor peoples

18. .... are mad.
A. All his sons B. His all sons
C. Sons all his D. All sons his

19. The poor fellow .... to fate.
A. resigned B. resigned himself
C. resigned itself D. resigned themselves

20. Nobody will help you but ....
A. I B. me
C. ours D. his

21. It is a good chance, You must avail .... this opportunity.
A. of B. yourself of
C. for D. from

22. The person who is elected .... my relative.
A. is B. he is
C. his D. him

23. He made ....
A. yours mention B. mention of you
C. mention for you D. mention about you

24. .... I know, he is quite faithful.
A. As far as B. So far as
C. So far this D. So far so

25. It is a duty of a person to take .... for his family.
A. pain B. pains
C. pain-killers D. pained

26. She does not love .... husband.
A. his B. her
C. its D. their

27. Let .... work together.
A. him and me B. he and I
C. he and him D. I and me

28. Copper, Silver and Gold ....
A. each will do B. either will do
C. any one will do D. any will do

29. Jessica and Roma are very irregular .... habits.
A. in her B. in their
C. in its D. in every

30. One likes to enjoy .... who was a great poet.
A. The sonnets of Shakespeare
B. Shakespeare's sonnets
C. Sonnets
D. Shakespeare

ANSWERS

1	2	3	4	5	6	7	8	9	10
A	D	B	C	D	D	D	B	C	D
11	12	13	14	15	16	17	18	19	20
C	A	C	C	D	B	B	A	B	B
21	22	23	24	25	26	27	28	29	30
B	A	B	A	B	B	A	C	B	A

ARTICLES

The family of the articles has only three members. They are: A, An and The. However, they fall under two groups:
(a) Definite Article
(b) Indefinite Article

'The' is known as definite article whereas 'a' and 'an' are known as indefinite articles.

Use of the Definite Article 'The'

'The' is used before

1. The superlative degree:
He is the ablest man of the town.
(ablest is a superlative degree)

2. The name of states, countries etc. having a descriptive name :
   (i) The J & K is a small state. (J & K is a descriptive name)
   (ii) He lives in the U.S.A. (U.S.A. is a descriptive name)
   (But the Delhi and the America are wrong because neither Delhi nor America is a descriptive name)
3. The names of the scriptures :
   The Gita is a holy book. (Gita is a scripture)
4. Name of newspapers :
   The Tribune is published from Chandigarh.
5. Name of rivers, canals, seas, oceans, bays, gulfs, groups of islands etc. :
   (i) The Ganga is a holy river.
   (ii) The Indian Ocean is the deepest ocean.
   (iii) The Persian Gulf is a narrow gulf.
6. The name of famous buildings :
   The Taj is one of the best buildings in India.
7. The names of nationals, sects and communities:
   (i) The English defeated the Germans in the World War.
   (ii) The rich should help the poor.
   (iii) The Hindus believe in the caste system.
8. Proper nouns used as common nouns :
   (i) Kalidas is the Shakespeare of India.
   (ii) Delhi is the London of India.
9. Famous historical events :
   The Industrial Revolution changed the face of England.
10. The directions and the celestial bodies:
    The sun rises in the east.
11. Titles : Akbar, the Great was loved by his subjects.

Do not use 'the'

1. Before languages :
   The English is an international language. (Incorrect)
   English is an international language. (Correct)
2. Before the names of games :
   The hockey is a popular game. (Incorrect)
   Hockey is a popular game. (Correct)

Use of the Indefinite Articles 'A' and 'An'

'A' is used before :

1. All singular common nouns beginning with a consonant :
   (i) A boy sings a song.
   (ii) A black and a white cow were grazing in the field.
2. If a word begins with a vowel but gives the sound of a consonant, 'a' should be used before it :
   (i) He was helped in his work by a European.
   (ii) He is a one-eyed man.
   (iii) It is a useful work.

'An' is used as follows :

1. All singular common nouns beginning with a vowel (*i.e.*, a, e, i, o, u) :
   (i) He is an artist. (ii) He is an old man. (iii) I intend to buy an umbrella.
2. If a word starts with a consonant but gives the sound of a vowel, "an" should be used before it :
   (i) Brutus is an honourable man.
   (ii) He is an honour to his profession.
   (iii) He is an L.L.B.

Demonstratives, that, these and those

1. The demonstrative adjectives and pronouns are for objects nearby the speaker:
   this (singular) those (plural)
   and for objects far away from the speaker.
   That (singular) those (plural)
2. Demonstratives are the only adjectives that agree in number with their nouns.
   That hat is nice.
   Those hats are nice.
3. When there is the idea of selection, the pronoun "one" (or "ones") often follows the demonstrative.
   I want a book. I'll get this (one).
   If the demonstrative is followed by an adjective, "one"(or "ones") must be used.
   I want a book. I'll get this big one.

Multiple Choice Questions

1. .... will have to be paid for this material.
A. Half rupee B. Half a rupee
C. A half rupee D. An half rupee

2. .... is taking keen interest in India.
A. The USA B. USA
C. An USA D. A USA

3. Only .... can save our country.
A. the Hitler B. a Hitler
C. Hitler D. an Hitler

4. I can run for ....
A. hundred miles B. the hundred miles
C. a hundred miles D. an hundred miles.

5. .... man-eater has been killed.
A. The B. A
C. An D. Either A or B

6. What .... fine idea!
A. the B. an
C. a D. No article

7. .... earth is moving around the sun.
A. An B. A
C. The D. No article

8. This is .... first example while I got.
A. the B. a
C. an D. No article

9. This is .... house which was built during earthquake.
A. a B. an
C. the D. No article

10. .... America is a rich country.
A. The B. An
C. A D. No article

11. .... U.S.A. is a developed country.
A. A B. An
C. The D. No article

12. .... Bible is a holy book.
A. A B. The
C. An D. No article

13. .... rich should help the poor.
A. The B. A
C. An D. No article

14. .... Gold is a costly metal.
A. The B. A
C. An D. No article

15. Kalidas is .... Shakespeare of India.
A. a B. an
C. the D. No article

16. I cannot do .... difficult work.
A. a such B. the such
C. such the D. such a

17. How foolish .... plan it is!
A. a B. an
C. the D. No article

18. An ink is .... useful article.
A. an B. a
C. the D. No article

19. There are .... husband and wife.
A. a B. an
C. the D. No article

20. He is learning .... French
A. the B. a
C. an D. No article

ANSWERS

1	2	3	4	5	6	7	8	9	10
B	A	B	C	D	C	C	A	C	D
11	**12**	**13**	**14**	**15**	**16**	**17**	**18**	**19**	**20**
C	B	A	D	C	D	A	B	D	D

ADJECTIVES & ADVERBS

An Adjective is a word which adds something to the meaning of a noun or a pronoun.

Mridula is an *intelligent* girl. He has a *black* goat.
He is a *brilliant* student. She is a *clever* girl.
It is a *beautiful* picture.

In the sentences given above, the words in italics are adjectives.

An Adverb is a word which qualifies the meaning of a Verb, an Adjective or another Adverb.

(*i*) He talks *slowly*.
(*ii*) He is a *very* good student.
(*iii*) He talks *very* slowly.

In sentence (*i*), *slowly* qualifies the verb *talks*.
In sentence (*ii*), *very* qualifies the adjective *good*.
In sentence (*iii*), *very* qualifies the adverb *slowly*.

Adjectives have three degrees of comparison :

1. **Positive Degree :** It expresses the common form of an adjective.
   Example : Ram is a *tall* boy.
   In the above sentence *tall* is an adjective and expresses the common form.

2. **Comparative Degree :** It expresses the more of the same form.
   Example :
   Ram is *taller* than Mahesh.
   In the above sentence *taller* is an adjective that expresses the more of the common form of the adjective *tall*.
   "When and How to Use" Comparative Degree?
   (a) Comparative Degree is used when two persons or two groups of persons or things are compared.
   Examples :
   (a) He is *wiser* than his younger brother.
   (b) This glass is *cleaner* than the other.
   (b) When two different qualities in the same person are compared, more is used instead of 'er' to form the comparative. The formula used in this case should be :
   More + Positive Degree
   She is *fairer* than polite. (Incorrect)
   She is *more fair* than polite. (Correct)

(c) When selection of one out of two persons or things is meant, the degree of comparison is followed by of and *the* is used before it.
Example : Zia is abler of *the* two sisters.

(d) If two comparatives are used in the same sentence to impress upon an idea, both should be preceded by the definite article.
Examples :
(i) The higher you go, the cooler it is.
(ii) The more we get, the more we desire.

(e) When one person or thing is compared with another of the same kind, other is used after the comparative degree. In such sentences other is normally preceded by any or all.
Examples :
(i) Kalidas is greater than any dramatist. (Incorrect)
Kalidas is greater than any other dramatist. (Correct)
(ii) Lead is heavier than all metals. (Incorrect)
Lead is heavier than all other metals. (Correct)

(f) Senior, junior, superior, inferior, prior, anterior (earlier than) and posterior (later than) are always followed by 'to'.

Examples :
(i) Ram is senior *to* Mohan by three years.
(ii) That pen is inferior *to* that.
(iii) He is junior *to* me in rank.
(iv) This event was posterior *to* that.

Note: Never use *than* after the above mentioned adjectives.

Important Information

(a) 'Preferable' is also used as an adjective of the comparative degree. As such, it is always followed by *to* and not *a*.
Death is preferable than dishonour. (Incorrect)
Death is preferable *to* dishonour. (Correct)

(b) To intensify the Degree of comparison, we use *far* or *much* before the comparative.
Examples :
(i) This book is *far* better than that.
(ii) His performance was *much* better than Mohan's.
Warning : Always avoid the use of double comparatives.
Don't say : Ram is more cleverer than his younger brother.
Say: Ram is cleverer than his younger brother.

3. **Superlative Degree :** It expresses the most of the common form of an adjective.
Example : He is the ablest man of the town.

How and when to use the Superlative Degree?

(a) The Superlative Degree is used when more than two persons or things are compared.

(b) The Superlative Degree is generally preceded by 'the' and followed by 'of' in most of the cases or otherwise.

(c) When an adjective of the superlative degree is preceded by a Possessive Adjective or a Noun in the Possessive case, 'the' should not be used before it.
Example : Which is Kalidas' best play?
It will be a blunder to use 'the' before the Superlative Degree in such cases.
Don't say : Which is Kalidas' the best play.

(d) To intensify the degree of comparison, *by far* is used before the superlative degree.
Example : India is *by far* the most beautiful country of the world.
Note: Always avoid the use of double superlatives.
Don't say : He is the most strongest boy in the class.
Say : He is the strongest boy in the class.

Use of some Important Adjectives

1. (a) **'Some'** is used as follows :
(i) With countable nouns where it means— a little, a small quantity.
(ii) In a question which shows some request.
Examples :
(i) There is some water in the bottle.
(ii) Some of the students were absent yesterday.
(iii) Will you have some milk?
(iv) Will you buy some fruit for me?

(b) **'Any'** is used as follows :
(i) In negative sentences.
(ii) In interrogative sentences.
(iii) After 'Hardly', 'Scarcely' and 'Barely'.
(iv) After 'If'.
Examples :
(i) There is not any sugar in the pot.
(ii) We haven't any rice in the house.
(iii) I have hardly any money.
(iv) There are scarcely any plants in this field.
(v) If there is any danger, blow the whistle.

2. (a) **Older :** Older (and oldest) are used for persons animals and things. But 'Older' and 'Oldest' refer to the persons who do not belong to the same family.
Examples :
(i) Radha is older than Shyama.
(ii) John is the oldest member of the staff.
'Older' and 'Oldest' refer to the persons who do not belong to the same family.

(b) **Elder** (and **eldest**) are used in respect of the members of the same family like sons, daughters, brothers, sisters.
Examples :
(i) My elder sister is a lecturer.
(ii) Meenakshi is the eldest of the three sisters.
Note :
(i) 'Elder' is not followed by 'than'.
(ii) 'Elder' and 'Eldest' cannot be used for things.

3. (a) **'Few'** is negative and is the opposite of 'Many'. It means 'not many'.

(b) **'A few'** is positive and means 'some at least'. It is the opposite of 'None'.

(c) **'The few'** means 'minority' and suggests 'whether there is'.

Examples :

(i) We have few holidays in school.
(ii) Only a few boys will fail in the examination.
(iii) The few poems that he wrote are very popular.

4. (a) **Further** means 'something additional'.
(b) **Farther** means 'a greater distance'.

Examples :

(i) Further discussion will be held in the office of the principal.
(ii) Amritsar is farther from Delhi than Ambala.

5. (a) **Little** is negative. It means, 'not much', or 'hardly any'.
(b) **A little** is positive. It means 'some quantity'.
(c) **The little** denotes quantity. It means, 'not much but all that is, or whatever quantity there is'.

Examples :

(i) There is little hope of his success.
(ii) He knows a little of everything.
(iii) I have spent the little money I had.
(iv) The little knowledge of shoe-making proved very useful to me.

6. (a) **'Much'** expresses 'quantity'.
(b) **'Many'** expresses 'number'.
(c) **'Many a'**—'Singular noun' and 'Singular verb' are used with 'many a'.

Examples :

(i) There is not *much* water in the jug.
(ii) *Many* boys are absent today.
(iii) *Many* a battle has been fought on the soil of India.

7. (a) **'Less'** denotes 'in a small degree'.
(b) **'Fewer'** denotes 'number'.

Examples :

(i) He devotes less time to his studies.
(ii) There are no fewer than ten chairs in this room.

8. (a) **'Each'** is used for a single number of 'two persons' or 'things'.
(b) **'Every'** is used for a single number of 'many persons' or 'things'.

Examples :

(i) Each boy must take part in games.
(ii) There are only two poets. Each poet recited his poem.
(iii) Every man dies in this world.
(iv) Every man is expected to do his duty.

9. (a) **'Either'** means one of the two or both.
(b) **'Neither'** is negative of the either.

Examples :

(i) You may buy either of these two chairs.
(ii) Neither of them could speak on the stage.

10. (a) **'Later'** expresses 'late in time'.
(b) **'Latter'** means 'second in position or order'.

Examples :

(i) My father reached later than I expected.
(ii) The latter position was better than the former.

Use of some Important Adverbs

1. (a) Also, too, enough:

(i) He taught English. Also, he edited the school magazine
(ii) He is a writer and also he is a painter.
(iii) He is too obstinate to listen to any reason.
(iv) This is too difficult a piece for the junior students.
(v) Sarla was kind enough to help the poor.
(vi) He is brave enough to help the truth.

Note: 'Too' is used in a negative sense, but enough is used in a positive sense.

(b) Fairly and rather: Both suggest the meaning 'moderately'. But, mainly 'fairly' is used with the words that denote a positive meaning and rather is used with the words that denote a negative meaning:

(i) Rita did fairly well in that competition, but her performance was rather poor in sports.
(ii) Mona is fairly rich, but she is rather stingy.

Note: 'Rather' can also be used in a positive sense.

(i) This is a rather interesting job.
(ii) That boy is rather smart.

(c) Hardly, barely, scarcely: These words mostly convey the negative suggestions and are almost similar.

(i) I have hardly any strength now.
(ii) There was barely any supply to the township,
(iii) There were scarcely a hundred guests present.

Note: With slight variance in the meaning, the words given above convey the idea of 'very little', 'not enough', 'lack of quantity and number'.

(d) Yet, Still: These adverbs can often be used to connect the sentence units:

(i) He has been defeated many times in the contest; still he wants to be a competitor.
(ii) Mona was sick; yet she went on doing her work.

(e) Alone:

(i) He alone (none else) is capable of handling that fire,
(ii) He hunted all alone in the forest. (not in any company)

Special Note:

(a) Apart from their conventional positions the adverbs might be used in different positions with different meanings and angles.

(i) He had only four books.
(ii) John only contacted his friend in need.
(iii) He greeted me only.
(iv) Only he greeted me there.

(b) Inversion: Some adverbs can be inverted *i.e.* placed in the beginning of the sentence and then be followed by an interrogative form. The most common of these adverb are: so, seldom, never, nowhere, under no circumstances, hardly, scarcely etc.

(i) So big was the bus that it could not enter the narrow lane.
(ii) Hardly had he reached the station when he received the message.

Multiple Choice Questions

Directions: *In the following questions choose the correct options to fill the blanks.*

1. The girl whom you met is the .... sister of Ravi.
A. eldest B. elder
C. older D. oldest

2. The historical place is ....
A. seeing worth B. worthy of seeing
C. worth seeing D. worthy seeing

3. These flowers smell ....
A. sweet B. sweetly
C. more sweetly D. sweetest

4. .... aspirant cannot pass the entrance examination.
A. Each B. Every
C. All D. No

5. Harivansh Rai .... second Shakespeare.
A. is a B. is
C. is the D. is an

6. .... student in the class got prizes.
A. Each and every B. Every and each
C. Every D. Never

7. It is .... picture than the one we saw last Monday.
A. interesting B. much interesting
C. more interesting D. most interesting

8. She is clever ....
A. that her mother is B. as her mother is
C. to her mother is D. than her mother is

9. They will get ....
A. Red, green and black paper
B. Red, green black paper
C. Red and green and black paper
D. Red green black paper

10. Health is .... wealth.
A. preferable to B. more preferable than
C. more preferable to D. most preferable then

11. .... water that was in the jug evaporated.
A. Little B. The little
C. Small D. A small

12. He has not sung .... songs.
A. much B. most
C. more D. many

13. Srishti has searched .... office.
A. whole the B. the whole
C. a whole D. some whole

14. Premchand was .... best and .... famous writer.
A. a, the most B. the, a most
C. the, more D. the, the most

15. William Shakespeare is famous as ....
A. a poet and a dramatist
B. a poet and dramatist
C. the poet and the dramatist
D. a poet and the dramatist

16. What does .... leader suggest?
A. other B. another
C. others D. anothers

17. He .... money.
A. has few B. have few
C. has little D. have little

18. The .... boys are rewarded.
A. first two B. two first
C. firsts two D. two's first

19. He is .... brave.
A. stronger than B. stronger then
C. more strong then D. more strong than

20. No sooner said ....
A. so done B. and done
C. then done D. but done

21. She returned .... than I had thought.
A. quickly B. more quicker
C. more quickly D. quicker

22. He is .... foolish person.
A. rather the B. a rather
C. rather a D. rather

23. This pen .... rupees.
A. costs twenty B. twenty costs only
C. costs only twenty D. only costs twenty

24. It is .... pride.
A. nothing else but B. nothing else than
C. else nothing than D. but

25. This tea is .... to drink.
A. too hot B. very hot
C. enough hot D. much hot

Answers

1	2	3	4	5	6	7	8	9	10
A	C	A	B	A	C	C	C	A	A
11	**12**	**13**	**14**	**15**	**16**	**17**	**18**	**19**	**20**
B	D	B	D	B	B	C	A	D	C
21	**22**	**23**	**24**	**25**					
C	C	C	A	A					

DETERMINERS

Determiners are actually Adjectives. They are always followed by nouns. Determiners are of the following kinds:

1. **Demonstrative Determiners :** this, that, these, those
2. **Possessive Determiners :** my, our, your, his, her, its, their
3. **Quantitative Determiners :** some, any, much, enough, sufficient, whole, a little, the little, little, all, both
4. **Numerical Determiners:** a few, some, few, the few, any, several, many, no, etc.
   One, two, three ... (Cardinals)
   First, second, third ... (Ordinals)
5. **Distributive Determiners:** either, neither
6. **Articles: Indefinite:** a, an, **Definite:** the

Multiple Choice Questions

Directions: *In the following questions choose the correct options to fill the blanks.*

1. Give me .... rice.
   A. some B. few
   C. a few D. any
2. ..... sheep grazing on the slope of the hill had gone away.
   A. Any B. The few
   C. This D. Much
3. Have you got .... magazines to read?
   A. all B. much
   C. some D. little
4. I have .... money that I want to spend on shares.
   A. any B. much
   C. less D. some
5. There is .... owl on the branch of the tree.
   A. a B. the
   C. an D. some
6. My brother is .... MBA.
   A. a B. an
   C. the D. any
7. Have you got .... cheese?
   A. some B. many
   C. a few D. few
8. No, I have not got .... cheese.
   A. many B. few
   C. any D. some
9. There is only .... milk left in the bottle.
   A. enough B. few
   C. much D. a little
10. There is .... hope of his recovery.
    A. any B. little
    C. many D. few
11. .... dogs were barking at the strangers.
    A. Some B. Any
    C. Much D. Less
12. The girl bought her father .... juice.
    A. few B. some
    C. any D. many
13. You should take .... honey everyday.
    A. any B. many
    C. a little D. a few
14. .... boy was punished by the teacher.
    A. Either B. All
    C. Any D. Many
15. .... girl was asked to join the army.
    A. None B. Neither
    C. All D. Any
16. .... water in the jug has been drunk by Mohan.
    A. The little B. The few
    C. A few D. Few
17. I shall play .... piano at the party.
    A. some B. any
    C. the D. few
18. .... labourers were found dead in the mine.
    A. Any B. Fewer
    C. Many D. Less
19. Could I borrow .... umbrella?
    A. our B. your
    C. yours D. my
20. My brother is standing in the .... row.
    A. any B. many
    C. some D. first

ANSWERS

1	2	3	4	5	6	7	8	9	10
A	B	C	D	C	B	A	C	D	B
11	**12**	**13**	**14**	**15**	**16**	**17**	**18**	**19**	**20**
A	B	C	A	B	A	C	C	B	D

THE VERB

A Verb is a word that tells something about the action or state of or happenning to a person or thing.

A Verb tells the following:

1. What a person or thing does.
Sachin goes to school daily.
The bell *rang* loudly.
Many birds fly in the sky.
She *sang* a song.

2. What a person or thing is.
India *is* the biggest democracy in the world.
Ram Mehar *is* very rich.
They *are* happy.

3. What is done to a person or thing.
You *are liked* by all.
Two thieves *were arrested.*
Four students *were punished* by the teacher.

4. What happens to a person or thing.
His maternal uncle *died* last week.
Two ships *sank* yesterday.
Leaves *turn* yellow in autumn.

5. What a person or thing has, had, and so on.
I *have* a new car.
He *had* a scooter last year.
He *has* several cows and goats.

It goes without saying that a verb is the most important part of a sentence. No sentence is complete without a Verb.

Important Information

1. If two or more singular nouns are joined by 'and' the verb used will be plural.
Example:
(i) He and I were going to the market.
(ii) Ram and Mohan are friends.

2. If two singular nouns joined by 'and' points out to the same thing or person, the verb used must be singular.
Example:
(i) Rice and curry is the favourite food of the Punjabis.
(ii) The Collector and District Magistrate is away.

3. In case two subjects are joined by 'as well as' the verb agrees with the first subject.
Example :
(i) Kanta as well as her children is playing.
(ii) Children as well as their mother are playing.
In the case of first sentence the verb (is) agrees with Kanta and in the case of second sentence the verb (are) agrees with the children.

4. 'Neither', 'Either', 'Every', 'Each', 'Everyone', and 'Many a' are followed by a singular verb.
Example :
(i) Either of the plans is to be adopted.
(ii) Neither of the two brothers is sure to pass.
(iii) Every student is expected to be obedient.
(iv) Everyone of them desires this.
(v) Many a person is drowned in the sea.

5. If two subjects are joined by 'Either .... or' / 'Neither .... nor', the verb agrees with the subject near to it.
Example :
(i) Either my brother or I am to do this work.
(ii) Neither he nor they are prepared to do this work.

6. 'A great many' is always followed by a 'plural noun' and a 'plural verb'. For example :
A great many students have been declared successful.

7. Similarly if two subjects are joined by 'with', 'together with', 'no less than', in addition to 'and not', etc. the verb agrees with the first subject.
Example :
(i) The boy with his parents has arrived.
(ii) He, no less than I, is to blame.

8. Nouns, plural in form, but singular in meaning, take a singular verb.
Example :
This news was broadcast from television yesterday.

Multiple Choice Questions

Directions: *In the following questions choose the correct options to fill the blanks.*

1. The bus with all its passengers .... lost.
A. were B. was
C. are D. would

2. You as well as I .... responsible for this work.
A. am B. are
C. was D. is

3. Raghava like all his companions .... a spoiled child.
A. are B. were
C. is D. will be

4. Pen and ink .... required for me.
A. are B. were
C. is D. has required

5. Every girl and every boy .... attended the seminar.
A. have B. has
C. is D. are

6. Not only she but all her sisters .... been married.
A. has B. have
C. is D. are

7. There .... nothing but miseries in life.
A. is B. are
C. were D. will be

8. Neither prose nor poem .... given.
A. were B. was
C. has D. have

9. Either he or I .... wrong.
A. is B. are
C. am D. were

10. Either Sulekha or Rekha .... coming here.
A. are B. is
C. were D. have

11. .... the child or his parents to blame?
A. Is B. Are
C. Were D. Has

12. You and I .... neighbours.
A. am
B. are
C. was
D. has

13. The house with all its belongings ..... sold away.
A. were B. are
C. was D. must

14. Either water or juice .... required.
A. is B. are
C. were D. has

15. There were not as many tables as .... required.
A. was B. were
C. is D. are

16. They each .... a book.
A. have B. are
C. has D. is

17. He and I .... class friends.
A. is B. am
C. was D. are

18. She as well as I .... guilty.
A. is B. are
C. am D. must be

19. Purushottam ...... not read more on this chapter.
A. needs B. has been need
C. need D. had been need

20. He came .... to his aunt.
A. run B. running
C. to run D. in run

ANSWERS

1	2	3	4	5	6	7	8	9	10
B	B	C	C	B	B	A	B	C	B
11	**12**	**13**	**14**	**15**	**16**	**17**	**18**	**19**	**20**
A	B	C	A	B	A	D	A	C	B

CONJUNCTIONS

A conjunction is a word which connects words, clauses or sentences.

Look at the following sentences.

(i) He bought apples *and* mangoes.
(ii) God made the country *and* man made the town.
(iii) The door was open *but* there was no one in the house.
(iv) He knows that I am here *and* that I want to see him.

In the sentence (i), *and* connects two words—*apples* and *mangoes.*

In the sentence (ii), *and* connects two sentences—*God made the country* and *man made the town.*

In the sentence (iii), *but* connects two sentences— *The door was open* and *there was no one in the house.*

In the sentence (iv), *and* connects two clauses—*that I am here* and *that I want to see him.*

The main coordinating conjunctions are:

and, but, for, or, nor, also, either ..... or, neither ..... nor.

There are some conjunctions which are used in pairs. They are:

either .... or, ... neither .... nor, both .... and, though .... yet, whether .... or, not only .... but also.

Example: *Either* take it *or* leave it.

It is *neither* useful *nor* ornamental.

They *both* like *and* respect me.

Though he is suffering from high fever, *yet* he does not cry.

He does not care *whether* you go *or* stay.

He is *not only* doltish, *but also* obstinate.

The conjunctions which are used in pairs in this way, are called correlative conjunctions, or merely correlatives.

Use of Important Conjunctions

1. **As soon as :** As soon as denotes simultaneous time.
   Example : As soon as he saw his enemy, he took to his heels.
2. **No sooner .... than :**
   (a) 'No sooner' is always followed by 'than'.
   (b) Please remember that 'No sooner' is always followed by do/does/did. As such only first form of the verb should be used after the subject.
   Example :
   No sooner did he see his enemy than he took to his heels.
3. **Hardly :** Hardly is followed by when.
   Examples :
   (i) Hardly had I left the house when it started raining.
   (ii) We had hardly come into the room when his father began chastising him.
   Note :
   A. Hardly is never followed by than.
   B. 'Scarcely' can also be used in the sense and manner of 'Hardly'.
4. **Lest :** Lest is used in the sense of so that .... not. It is always followed by should. Lest is negative in sense. Hence 'not' should never be used with it.
   Example :
   Work hard lest you should fail.
   Note : 'Lest' is always followed by 'should' and not 'may'.
5. **Unless :** Unless expresses condition. It is also used in the negative sense. Use of 'not' is not allowed with unless because unless is already in the negative sense.
   Example :
   Unless you labour hard you will not pass.
6. **Until :** 'Until' expresses time. It means 'till not'.
   Example : Wait here until I return.
   Note : Until is in the negative sense. So 'not' should not be used with it. Example :
   Wait here until I do not return. (Incorrect)
   Wait here until I return. (Correct)
7. **As well as :** When two subjects are joined by 'as well as', the verb always agrees with the first subject.
   Examples :
   (i) The teacher as well as students is playing.
   (ii) Students as well as the teacher are playing.
   Note : 'Both' and 'as well as' cannot be used together in the same sentence.
   Examples :
   Both Sita as well as Kanta are beautiful. (Incorrect)
   Sita as well as Kanta is beautiful. (Correct)
   Both Sita and Kanta are beautiful. (Correct)
8. **As if :** 'As if' is used in the sense of pretension. While using 'as if' in a sentence, we should see that even the third person singular subject gets 'were'.
   Example : He talks as if he were mad.
9. **Till :** Till expresses time. Till is always used in the affirmative.
   Example :
   We did not come back till sunset.
10. **Rather than :** 'Rather than' is used in the sense of 'preference'. 'Rather' is always followed by 'than'.
    Example :
    I would rather die than submit.
11. **As long as/so long as :** Both express time during which an action or event takes place.
    Example :
    As long as there is life, there is hope.
12. **However :** It is both a subordinate and co-ordinate clause.
    Examples :
    (a) Mala worked hard, she however, failed.
    (b) However hard he may work, he cannot pass.
13. **Such as :** 'Such as' gives us the sense of 'like'. Such is always followed by 'as'.
    Example :
    Life is such a puzzle as cannot be solved.

Multiple Choice Questions

Directions: *In the following questions choose the correct options to fill the blanks.*

1. Neither he .... his friend is good.
   A. or B. and
   C. but D. nor
2. The officer asked the peon .... why he was late.
   A. that B. if
   C. but D. No word needed
3. Both Ajay .... Vijay are intelligent.
   A. or
   B. nor
   C. and
   D. No word needed
4. No Sooner did the thief see the public .... he ran away.
   A. then B. and
   C. but D. than

5. Abhinav .... his brothers was going to Mumbai.
A. but B. yet
C. No word needed D. together with

6. He behaves .... he were the captain of the team.
A. as if B. as
C. No word needed D. that

7. Either Rupali .... Sonali is going to attend the meeting.
A. and B. but
C. nor D. or

8. Neither Nirmal .... Ashwinee is going to listen the speech.
A. and B. but
C. nor D. or

9. Ravi .... Prakash are going to Kolkata.
A. or B. nor
C. but D. and

10. Rice .... curry is my usual breakfast.
A. and B. but
C. then D. than

11. Hardly had he left .... his brother came.
A. then B. than
C. when D. that

12. I would rather have a copy .... a book.
A. then B. than
C. when D. that

13. He is no other .... my friend.
A. then B. than
C. when D. but

14. He saw a snake ....he awoke.
A. then B. when
C. than D. No word needed

15. Ten years have passed .... my grandmother died.
A. since B. when
C. then D. than

16. She is .... good .... bad.
A. either, not B. neither, or
C. neither, nor D. neither, than

17. The cellphone is both cheap .... best.
A. than B. and
C. then D. or

18. No sooner did the rogue see the police .... he disappeared.
A. then B. than
C. so D. because

19. Srishti will go .... Sanju goes.
A. if B. than
C. then D. although

20. She is wise .... timid.
A. and B. yet
C. but D. however

21. Make hay .... the sun shines.
A. though B. while
C. after D. before

22. He is so weak .... he cannot walk.
A. but B. that
C. then D. so

23. Although he is rich, ... he is unhappy.
A. but B. yet
C. so D. still

24. Wait here ...... I come back.
A. till B. until
C. before D. after

25. He is my friend .... I shall help him.
A. so B. hence
C. that is why D. therefore

26. He must go away .... he will be beaten.
A. otherwise B. and
C. or D. else

27. God loves good men ....good men love God.
A. and B. or
C. that D. those

28. He was late .... he was not punished.
A. but B. yet
C. still D. therefore

29. Walk slowly ...., you may fall.
A. and B. or
C. so D. otherwise

30. Work hard, ... you will fail.
A. and B. or
C. otherwise D. else

ANSWERS

1	2	3	4	5	6	7	8	9	10
D	D	C	D	D	A	D	C	D	A
11	12	13	14	15	16	17	18	19	20
C	B	B	B	A	C	B	B	A	C
21	22	23	24	25	26	27	28	29	30
B	B	B	A	B	C	A	C	D	D

PREPOSITIONS

A *Preposition* is a word which is placed before a noun or a pronoun to show its relation to some other word in the sentence.

1. I saw a goat *in* the field.
2. I am fond *of* hot coffee.

In sentence 1, the word *in* shows the relation between two things—*goat* and *field.*

In sentence 2, the word *of* shows the relation between the attribute expressed by the adjective *found* and *tea.*

The words *in* and *of* are here used as prepositions.

The noun or pronoun which is used with a preposition is called its object. The noun or pronoun is in the objective case. It is governed by the preposition. Now it is absolutely clear that in sentence 1, the noun *field* is in the objective case. The word *field* is governed by the preposition *in.*

A preposition may have two or more objects.

The road runs over *hill* and *plain.*

Here, the words *hill* and *plain* are used as objects.

Use of Important Prepositions

1. Among, Between

'**Among**' is used for more than two persons or things; '**Between**' is used only for two.

Examples :

(i) Distribute these sweets *among* the poor students of the class.

(ii) Distribute these books *between* Ram and Shyam.

2. Among, In

'**Among**' is used before collective plural nouns. '**In**' is used before collective singular nouns.

Examples :

(i) I found him standing *among* the crowd.

(ii) I saw him in the crowd.

3. Beside, Besides

'**Beside**' means 'by the side of'. '**Besides**' means 'in addition to'.

Examples :

(i) The daughter was sitting *beside* her mother.

(ii) *Besides* his relatives, he invited his friends also.

4. In, Within

'**In**' means at the expiry of a period of time in future, '**Within**' means before the expiry of a period of time in any tense.

Examples :

(i) She will return *in* a week.

(ii) I shall finish my work *within* a weak.

5. On, Upon

'**On**' is used for things at rest; '**Upon**' is used for things in motion.

Examples :

(i) He is sitting *on* the floor.

(ii) The dog sprang *upon* the table.

6. By, With

'**By**' denotes the agent or doer, '**With**' denotes the instrument with which anything is done.

Examples :

(i) The bird was killed *by* the hunter with an arrow.

(ii) He beat the dog *with* a stick.

(iii) I shall reach here *by* five o'clock.

7. After, In

'**After**' means at the end of a period of time in the past. '**In**' means at the end of a period of time in future.

Examples :

(i) I shall return your book *in* a week.

(ii) He returned the book *after* a week.

8. For, From, Since

'**For**' is used before a noun denoting a period of time with all the tenses. '**From**' is used before a noun or phrase denoting a point of time, it is used in all the tenses. '**Since**' is used before a noun or phrase denoting some point of time and is always produced by a verb in the perfect continuous tense or third form of a verb.

Examples :

(i) We have been playing cards *for* two hours.

(ii) She stayed with her uncle *from* the 15th of March to the 15th of May.

(iii) I have been reading this book *since* morning.

9. Above, Over

'**Above**' means 'higher from', **Over** is used in the following four senses :

(i) In the sense of 'above' :
At noon, the sun is *over* our heads.

(ii) In the sense of 'beyond' :
I cannot get *over* my disappointment.

(iii) In the sense of 'Superiority' :
God *over* all blesses for ever more.

(iv) In the sense of 'Conclusion' :
It is all *over* with me.

10. At, Towards

'**At**' denotes the idea of aim, '**Towards**' denotes the idea of destination.

Examples :

(i) He threw the stone *at* the cat.

(ii) He went *towards* the house.

11. At, In, On

'At' is used as follows :

(i) '**At**' is used with small towns and villages. **Examples:**

(a) He was born *at* Sonepat.

(b) He lives *at* village Bangra. (Bangra is a village)

(ii) **'At'** is used before a noun denoting a definite point of time.

Example : He called on me *at* 9 p.m. yesterday.

'In' is used as follows :

(iii) **'In'** is used with the names of big cities, provinces and countries.

Examples :

(a) His father lives *in* England.

(b) His younger brother lives *in* Calcutta.

(iv) **'In'** is used before the names of months and years.

Example : His elder sister was born *in* 1972 *in* the month of May.

'On' is used with dates and names of days. **Examples:**

(a) I joined college *on* the 26th April.

(b) He will leave for Kolkata *on* Wednesday next.

Important Information

1. **'In'** is also used in the following phrases :
   In the morning; In the evening, In winter, In summer.
2. **'In'** also denotes a place inside anything.
   He travelled *in* a crowded bus.
3. **'At'** is used in the following phrases :
   At home, *At* the station, *At* work, *At* play.

12. Below, Beneath

Below means 'of lower level in position, dignity and expectation' etc. *Beneath* means 'under'.

Examples :

(i) It is *below* my dignity to talk to her.

(ii) They rested *beneath* the shade of a tree.

13. In, Into, To

'**In**' expresses Rest or Motion inside anything. '**Into**' expresses Motion towards the inside of anything or change from one medium to another. '**To**' denotes motion from one place to another.

Examples :

(i) The boys are *in* the room.

(ii) Translate this passage from English *into* Hindi.

(iii) Every morning he goes *to* the temple.

14. Till, By, Of, Off

- 'Till' means upto or not earlier than.
- 'By' means not later than.
- 'Of' shows cause, source, separation, quality, contents, possession, apposition, point of reference, space in time etc.
- 'Off' shows separation at a near distance, and detached condition.

Consider the following examples:

(i) I shall work *till* 5 a.m.

(ii) Madhu died *of* cancer.

(iii) The nib *of* the pen is made *of* gold.

(iv) He presented me a bottle *of* perfume.

(v) Our principal is a man *of* principle.

(vi) He lived in the house *of* his friend.

(vii) *By* this time tomorrow, I'll have finished my job.

(viii) My house is *off* the road.

(ix) The book fell *off* the table.

Multiple Choice Questions

Directions: *Tick the correct preposition for the blank in each of the following sentences.*

1. He applied ...... the manager.
A. for B. to
C. with D. by

2. Trust ...... God and do the right.
A. in B. for
C. to D. with

3. She is worthy ...... a prize.
A. with B. for
C. to D. of

4. Mr. Gomes has no taste ...... music.
A. of B. for
C. with D. to

5. You are hard ...... hearing.
A. at B. of
C. with D. for

6. He is sure ...... his success
A. for B. with
C. on D. of

7. Preeti was warned ...... the danger ahead.
A. for B. at
C. of D. about

8. I am thankful ...... you for a good advice.
A. for B. with
C. to D. of

9. Deepak would not surrender ...... the police.
A. with B. to
C. for D. on

10. The small plant in your lawn is very sensitive ...... touch.
A. on B. with
C. to D. about

11. Divya was sure to succeed ..... the examination.
A. for B. in
C. to D. with

12. Geeta was jealous ...... Ravina's beauty.
A. to
B. with
C. for
D. of

13. He was ignorant ..... what was happening there.
A. for B. of
C. to D. with

14. Your pen is inferior ...... mine.
A. than B. with
C. from D. to

15. Reenu is no match ...... Meenu.
A. to B. for
C. with D. upon

16. It is necessary ...... you to apply for this job.
A. on B. with
C. for D. to

17. Be loyal ...... your country.
A. for B. to
C. on D. with

18. Mukesh is junior ...... me.
A. than B. to
C. from D. of

19. Deepika was innocent ...... the crime.
A. of B. with
C. from D. to

20. I am desirous.... joining the Indian cricket team.
A. for B. of
C. to D. on

ANSWERS

1	2	3	4	5	6	7	8	9	10
B	A	D	B	B	D	D	D	B	D
11	**12**	**13**	**14**	**15**	**16**	**17**	**18**	**19**	**20**
B	D	B	D	B	D	B	B	A	B

SYNONYMS

A synonym is a word which conveys a meaning similar to the given word.

REMEMBER

Words	*Synonyms*
Add	Increase
Adequate	Enough
Adjust	Adapt
All	Aggregate
Allow	Permit
Abode	Dwelling
Apt	Proper
Assess	Appraise
Accuse	Calumniate
Abashed	Timid
Annoy	Displease
Ample	Enough, Sufficient
Amplify	Increase
Apathetic	Unenthusiastic
Accost	Address
Authentic	True
Adjust	Fit
Approve	Assent, Allow, Accept
Adapt	Conform
Adversary	Opponent, Rival, Competitor
Beat	Whack
Benign	Kind
Breeze	Zephyr
Baffle	Puzzle
Booty	Spoil
Beauty	Charm
Beast	Animal

Words	*Synonyms*
Bandit	Robber
Blaze	Shine
Bond	Tie
Bend	Twist
Bate	Diminish
Beg	Plead
Barbaric	Wild, Savage
Bashful	Shy, Reserved
Begin	Start
Blend	Mix, Mingle
Bizarre	Funny
Below	Under
Bedevil	Confuse
Bemoan	Lament
Babble	Nonsense
Blame	Fault
Behaviour	Demeanour
Call	Accost
Copy	Imitate
Close	Shut
Caress	Love
Camp	Stay
Connect	Attach
Cut	Injure, Curtail
Cling	Stick
Conical	Funny
Convey	Carry
Conspicuous	Prominent
Cheerful	Happy, Pleasant
Curtail	Decrease

Words	Synonyms
Cheerless	Sad, Dejected
Curious	Strange
Circumstance	Factor, Situation, Condition
Competent	Capable
Congruent	Overlapping
Cope	Deal, Endure
Confident	Sure
Complex	Intricate
Cajole	Coax, Flatter
Cunning	Crafty
Delectable	Joyful, Delightful
Devilish	Diabolical
Delicate	Soft
Devil	Fiend
Delay	Postpone
Dislike	Repugnance
Destroy	Ruin
Dwell	Live, Dilate
Declare	Pronounce
Drunk	Flushed
Deficient	Lacking
Damn	Condemn, Curse
Decrease	Diminish
Destruction	Devastation
Efficient	Competent
Ethnic	Racial
Enthral	Enslave
Earnest	Serious
Envious	Jealous
Ending	Final
Egg	Incite
Extempore	At once
Extensive	Far-ranging
Extra	Surplus
Existence	Life
Exceed	Overstep
Enormous	Vast
Excessive	Superfluous
Free	Unhindered
Frigid	Cold
Feed	Cater
Fame	Reputation
Frame	Make
First	Initial
Frighten	Terrorise, Intimidate
Fervent	Fervid
Fall	Decline
Feeble	Frail
Fickle	Changeable
Finish	Conclude
Fraud	Deception
Forgiving	Placable
Grow	Develop

Words	Synonyms
Greed	Avidity
Greet	Welcome
Grave	Serious
Group	Constellation
Given	Bestowed
Gratitude	Thankfulness
Have	Possess
Hire	Rent
Hit	Strike
Handsome	Beautiful
Hinder	Prevent
Heap	Pile
Hope	Expect
Hard	Harsh
Help	Aid
Hymn	Song
Henpecked	Enslaved
Hoodwink	Mystify, Cheat
Humble	Polite, Urbane, Modest
Harass	Vex, Trouble
Impart	Instil
Intact	Untouched
Instal	Establish
Indict	Impeach
Imitate	Ape
Instigate	Incite
Initiate	Start, Introduce
Inimical	Unfriendly
Insufferable	Intolerable
Impartiality	Justice
Jolly	Merry
Joyful	Delectable
Join	Conjoin
Kind	Benign
Kill	Murder
Kindred	Similar
Kinship	Relationship
Keen	Sharp
Knowledge	Scholarship
Lazy	Slothful
Large	Substantial, Gargantuan
Listless	Careless, Lackadaisical
Lax	Loose
Little	Small
Lifelike	Realistic
Lofty	High
Lenient	Soft, Gentle
Lacking	Deficient, Wanting
Lessen	Decrease
Middleclass	Bourgeois
Mitigate	Lessen, Abate
Modesty	Humility, Lowliness
Mix	Mingle, Blend

Words	*Synonyms*
Mixture	Mingling
Mixed	Assorted
Modify	Decrease
Mean	Imply
Multifarious	Varied
Miscarry	Abort
Note	Notice
Noble	Stately
Native	Indigenous
Needful	Necessary
Notify	Declare
Nervous	Shaky, Tremulous, Timid
Natural	Spontaneous
Near	Close
Normal	Natural
Offend	Displease
Oppress	Persecute, Tyrannize
Opponent	Adversary
Obstruct	Hinder, Check
Offence	Fault
Offender	Villain
Overstep	Exceed
Overlapping	Congruent
Occult	Mystic
Profane	Unholy
Patience	Forbearance
Pornographic	Obscene
Plenitude	Abundance
Prominent	Important
Prodigal	Spender
Procrastinate	Postpone
Promote	Develop, Honour
Persecute	Tyrannise
Profess	Claim
Pliant	Flexible
Plebian	Common
Polished	Sophisticated
Quake	Shake
Quit	Leave
Queer	Eccentric
Quell	Suppress
Quantify	Allot
Reply	Answer
Relinquish	Retire
Read	Peruse
Relation	Reference
Render	Do
Remainder	Residuals
Repeat	Reiterate
Repentant	Contrite
Retaliative	Retaliatory
Rumour	Hearsay
Reveal	Divulge
Ritualistic	Ceremonious
Soft	Delicate
Sort	Kind, Choose, Select
Selfish	Egoistic
Sensual	Earthly
Suppress	Quell, Check
Stimulate	Provoke
Tasteless	Insipid
Travel	Journey
True	Authentic, Faithful, Truthful
Turbulence	Turmoil
Tragedy	Calamity
Tasteful	Tasty, Delicious
Touching	Painful
Thankful	Grateful
Tremendous	Great, Huge
Tough	Strong
Terminate	Conclude, End
Theory	Doctrine
Tell	Relate
Tremble	Shake, Shiver
Urge	Spur
Unbeaten	Unsubdued
Use	Utilize, Practise
Underhand	Unfair, Undue
Unfair	Unjust
Unravel	Reveal, Divulge
Unimportant	Common
Unconcerned	Apathetic
Unimitated	Inimitable
Unfortunate	Unlucky
Understand	Perceive, Comprehend
Vain	Proud, Haughty, Conceited, Shameless
Vale	Valley, Dale, Dell
Virtue	Quality
Veracity	Reality
Value	Price, Prize
Vex	Tease
Vibrate	Quiver, Shake
Violent	Excessive
Vivid	Clear, Lucid
Victory	Triumph
Vulgar	Indecent
Virtuous	Honest
Variegated	Varied, Multifarious
Well	Good
Yell	Cry, Shout
Yonder	There
Yearn	Wish, Desire
Yoke	Slavery
Zest	Earnestness, Enthusiasm
Zealous	Earnest

ANTONYMS

A antonym is a word which conveys a meaning opposite to the given word.

REMEMBER

Words	*Antonyms*
Abhor	Love
Abnormal	Normal
Able	Unable
Acceptable	Unacceptable
Adequate	Inadequate
Amusing	Boring
Angry	Calm
Apex	Bottom
Attract	Repel
Bad	Good
Barren	Fertile
Beautiful	Ugly
Bitter	Sweet
Brave	Cowardly
Brief	Lengthy
Bright	Dull
Calm	Violent
Careful	Careless
Clear	Vague, Cloudy
Cold	Hot
Cruel	Kind
Dear	Cheap
Deep	Shallow
Difficult	Easy
Direct	Indirect
Dishonest	Honest
Disobey	Obey
Encourage	Discourage
Enormous	Tiny
Excellent	Bad
Expensive	Cheap
Eat	Fast
Fair	Unfair
Fake	Authentic
False	True
Famous	Notorious
Generous	Miserly
Genius	Fool
Genuine	Unauthentic
Gigantic	Tiny
Glad	Depressed
Good	Bad
Great	Little
Happy	Sad
Hard	Soft
Hate	Love
Honest	Dishonest
Idle	Busy

Words	*Antonyms*
Immoral	Moral
Include	Exclude
Incorrect	Correct
Intelligent	Unintelligent
Kind	Cruel
Like	Dislike
Long	Short
Lucid	Vague
Major	Minor
Naive	Experienced
Nadir	Apex
Neat	Clumsy
Obedient	Disobedient
Obscure	Clear
Oppose	Support
Optimistic	Pessimistic
Out	In
Patience	Impatience
Peaceful	Belligerent
Pious	Impious
Polite	Impolite
Prominent	Unimportant
Proper	Improper
Pure	Impure
Quick	Slow
Quiet	Disturbance
Real	False, Unreal
Reject	Select, Choose
Reliable	Unreliable
Respect	Disrespect
Right	Wrong
Robust	Feeble, Weak
Sad	Happy
Secret	Open
Sensible	Insensible
Sharp	Blunt
Simple	Complex
Sociable	Unsociable
Tall	Short
Tidy	Untidy
Uncanny	Canny
Violent	Calm
Vivid	Vague
Strong	Weak
Big	Small
Easy	Difficult
Fast	Slow
High	Low
Catchy	Unattractive
Ugly	Handsome, Beautiful, Tidy
Tasty	Insipid
Sonorous	Harsh

Multiple Choice Questions

Directions (Qs. 1 to 20): *In the following questions choose the word which best expresses the meaning of the given word.*

1. ABSURD
A. Foolish B. Simple
C. Courageous D. Silly

2. ABANDON
A. Lose B. Profit
C. Vacate D. Foil

3. CAJOLE
A. Pause B. Lenient
C. Blast D. Lure

4. COMBAT
A. Fight B. Conflict
C. Shoot D. Quarrel

5. LAMENT
A. Condone B. Console
C. Complain D. Contribution

6. DEBACLE
A. Disgrace B. Defeat
C. Collapse D. Decline

7. SHIVER
A. Fear B. Tremble
C. Shake D. Ache

8. TORTURE
A. Terror B. Harassment
C. Torment D. Tranquility

9. LAUDABLE
A. Lovable B. Commendable
C. Profitable D. Oblivious

10. FIXED
A. Sterile B. Static
C. Stubborn D. Parennial

11. QUEER
A. Unfamiliar B. Cute
C. Curious D. Strange

12. SUFFICIENT
A. Fit B. Proper
C. Adequate D. Vast

13. GLOSS
A. Brightness B. Soothing
C. Rubbing D. Miracle

14. LONGING
A. Prune B. Apathy
C. Curtail D. Craving

15. JEER
A. Applaud B. Magnanimity
C. Avoid D. Scoff

16. ZENITH
A. Minimum B. Nadir
C. Plant D. Peak

17. GARB
A. Distort B. Dress
C. Trivial D. Rage

18. ABHOR
A. Rude B. Reconcile
C. Crave D. Detest

19. YIELD
A. Shum B. Incisive
C. Retain D. Surrender

20. YOKE
A. Twist B. Release
C. Link D. Extra

Directions (Qs. 21 to 26): *In the following questions choose the word which best expresses the opposite of the given word.*

21. TRAGIC
A. Dramatic B. Strong
C. Gentle D. Comic

22. ORAL
A. Verbal B. Sane
C. Minor D. Written

23. ADMIRE
A. Hate B. Unlike
C. Dislike D. Enough

24. VIOLENT
A. Gentle B. Savage
C. Haughty D. Decline

25. ADVERSITY
A. Windfall B. Inprosperity
C. Prosperity D. Slave

26. GENUINE
A. Spurious B. Obscure
C. Countless D. Apathetic

ANSWERS

1	2	3	4	5	6	7	8	9	10
D	C	D	A	C	C	B	C	B	B
11	**12**	**13**	**14**	**15**	**16**	**17**	**18**	**19**	**20**
D	C	A	D	D	D	B	D	D	C
21	**22**	**23**	**24**	**25**	**26**				
D	D	C	A	C	A				

★ ★ ★

2 Sentence Completion

It is such an exercise which starts with the primary schools and continues in the highest level of competitive examinations. One must practise it regularly to score well.

Multiple Choice Questions

Directions (Qs. 1 to 15): *Pick out the most effective word(s) from the given words to fill in the blanks to make the sentence meaningfully complete.*

1. The student ...... that book from the library to study at home.
A. issued B. borrowed
C. hired D. lent

2. I wish I ...... a king.
A. was B. am
C. should be D. were

3. He .... to listen to my arguments and walked away.
A. denied B. disliked
C. objected D. refused

4. The flow of blood was so .... that the patient died.
A. intense B. adequate
C. profuse D. extensive

5. When I met her yesterday, it was the first time I ...... her since Christmas.
A. saw B. have seen
C. had seen D. have been seing

6. Can you pay ...... all these articles?
A. for B. of
C. off D. out

7. I ...... you to be at the party this evening.
A. expect B. hope
C. look forward to D. desire

8. ...... being a handicapped person, he is very cooperative and self-reliant.
A. Because B. Although
C. Since D. Despite

9. The child broke ...... from his mother and ran towards the painting.
A. away B. after
C. down D. with

10. With his ...... income, he finds it difficult to live a comfortable life.
A. brief B. sufficient
C. meagre D. huge

11. He could ...... a lot of money in such a short time by using his intelligence and working hard.
A. spend B. spoil
C. exchange D. accumulate

12. Though the brothers are twins, they look ......
A. alike B. handsome
C. indifferent D. different

13. Unfavourable weather conditions can ..... illness.
A. cure B. detect
C. treat D. enhance

14. No sooner did the bell ring, ... the actor started singing.
A. when B. than
C. after D. before

15. If I ...... realised it, I would not have acted on his advice.
A. was B. had
C. were D. have

Directions (Qs. 16 to 25): *In each question, an incomplete statement (Stem) followed by four fillers is given. Pick out the best one which can complete the incomplete stem correctly and meaningfully.*

16. Unless you work harder you will fail, means .....
A. if you fail you will work harder.
B. you must at least plan well than you will not fail.
C. hardly you will fail if you do not desire so.
D. if you do not put more efforts, then you will fail.

17. Even if it rains I shall come, means .....
A. if I come it will not rain.
B. if it rains I shall not come.
C. I will certainly come whether it rains or not.
D. whenever there is rain I shall come.

18. Dinesh is as stupid as he is lazy means .....
A. Dinesh is stupid because he is lazy.
B. Dinesh is lazy because he is stupid.
C. Dinesh is either stupid or lazy.
D. Dinesh is equally stupid and lazy.

19. He is so lazy that he .....
A. cannot depend on others for getting his work done.
B. cannot delay the schedule of completing the work.
C. can seldom complete his work on time.
D. dislike to postpone the work that he undertakes to do.

20. He always stammers in public meetings, but his today's speech .....
A. was fairly audible to everyone present in the hall.
B. was not received satisfactorily.
C. could not be understood properly.
D. was free from that defect.

21. In order to raise the company's profit, the employees.....
A. demanded two additional increments.
B. decided to go on paid holidays.
C. requested the management to implement new welfare schemes.
D. offered to work overtime without any compensation.

22. Although, he is reputed for making very candid statements, ...
A. his today's speech was not fairly audible.
B. his promises had always been realistic.
C. his speech was very interesting.
D. his today's statements were very ambiguous.

23. I felt somewhat more relaxed .....
A. but tense as compared to earlier.
B. and tense as compared to earlier.
C. as there was already no tension at all.
D. and tension-free as compared to earlier.

24. With great efforts his son succeeded in convincing him not to donate his entire wealth to an orphanage ....
A. and lead the life of a wealthy merchant.
B. but to a home for the forsaken children.
C. and make an orphan of himself.
D. as the orphanage needed a lot of donations.

25. Even though it is a very large house, ...
A. there is a lot of space available in it for children.
B. there is hardly any space available for children.
C. there is no dearth of space for children.
D. the servants take a long time to clean it.

ANSWERS

1	2	3	4	5	6	7	8	9	10
B	D	D	C	C	A	A	D	A	C
11	**12**	**13**	**14**	**15**	**16**	**17**	**18**	**19**	**20**
D	D	D	B	B	D	C	D	C	D
21	**22**	**23**	**24**	**25**					
D	D	D	C	B					

★★★

3 One Word Substitution

There are many single words in English language which can be perfectly used for a number of words. These words help in expressing ideas in a short and correct manner for the right occasion. Such words not only increase the vocabulary but also enable you to economise in the use of words to a great extent.

Multiple Word Expression	*Substitution*
One who always looks towards the bright side of things	Optimist
One who always looks towards the dark side of things	Pessimist
The time when one develops from a child into an adult	Adolescence
The process of growing more plants in order to form a forest.	Afforestation
The science which deals with farming	Agriculture
From some other country or place etc.	Alien
A term, etc. giving more than one meaning	Ambiguous
A vehicle which is used to carry sick persons	Ambulance
An animal which can live both in water and on land	Amphibian
A lawless situation when there is no government	Anarchy
Belonging to the history of thousands of years old	Ancient
Once a year	Annual
A very old object but still valuable	Antique
Words of opposite meanings	Antonyms
Words of similar meanings	Synonyms
Signatures of a famous person	Autograph
A government led by one person with absolute authority	Autocracy
A written work of one's own life history	Autobiography
A person who has never been married	Bachelor
A person usually having no hair on his head	Bald
A place where one can deposit money and get interest	Bank
A person who cuts our hair	Barber
A building/group of buildings where soldiers live	Barracks
A person who makes buns and biscuits	Baker
A person who lives by asking people for food and money without doing any useful job	Beggar
The crime of having married to two persons at the same time	Bigamy
The branch of science which deals with the study of plants	Botany
Able to speak two languages	Bilingual
Able to speak more than two languages	Polyglot
The branch of science which deals with the living organisms	Biology
A powerful snow storm	Blizzard
A great successful book or movie	Blockbuster
A short news on the radio or TV	Bulletin
A system in which the most important works are organised by the government officials	Bureaucracy
A page or a series of pages on which the information of days, weeks, months, etc. is given	Calendar
A person who eats human flesh	Cannibal
A complete list of items often arranged alphabetically	Catalogue
A sudden disaster	Catastrophe
A period of 100 years	Century

Multiple Word Expression	*Substitution*
A branch of science which deals with chemicals	Chemistry
A printed leaf usually issued by banks that we sign to carry certain financial deal	Cheque
A person who makes or mends shoes	Cobbler
A group of people who has been chosen by others to make decisions on their own	Committee
A building in which nuns live	Convent
An animal which feeds on other animals	Carnivorous
A person who does criticism	Critic
A person who cannot hear	Deaf
A condition in which one loses a lot of water from one's body because of vomiting, etc.	Dehydration
A system of government in which the people cast their votes to elect their leaders	Democracy
The study of skin problems	Dermatology
A long piece of land covered with sand	Desert
The art of managing relationships between countries	Diplomacy
A piece of information about the words in a book form	Dictionary
A piece of information about the telephone numbers of the people in a book from	Directory
A person in charge of a newspapers, magazine etc.	Editor
A person who thinks he is better than the others	Egoist
To leave your country and settle in some other country	Emigrate
A book or series of books giving almost all knowledge about an area or some persons etc.	Encyclopaedia
Study of insects	Entomology
Time when day and night are of the same duration	Equinox
To sell things out of the country	Export
To purchase things from some other country	Import
A plant or animal no longer in existence	Extinct
A situation when there is a shortage of food for a long period of time	Famine
An amount of money that we pay for some action or services	Fee
Related to women	Feminine
An animal strong and aggressive	Ferocious
A piece of land where plants grow easily from the soil that is favourable to them	Fertile
A work of literature having some imaginary events	Fiction
A large amount of water covering certain area	Flood
A person who sells flowers	Florist
A religious ceremony for burying or cremating a dead person	Funeral
A substance which kills fungus	Fungicide
A person studying or having studied the diseases and the related things of female reproductory system	Gynaecologist
The murder of the person of the same group race or country	Genocide
A substance which kills germs	Germicide
A situation in which many people die because of fire during war	Holocaust
The act of killing a person deliberately	Homicide
A word having the pronunciation as the other one does but it differs in meaning	Homophone
A word having the same spelling as the other one does but it is pronounced in some other way	Homonym
A person who is attracted towards the person of the same sex	Homosexual
Go across and parallel to the ground	Horizontal
A substance which kills the insects	Insecticide
That cannot be corrected	Incorrigible
That cannot be defeated	Invincible
That cannot be eaten	Inedible
That cannot be seen	Invisible
A place in a school or college where books are kept for the benefit of students, teachers etc.	Library
A place in a school or college where scientific experiments are performed	Laboratory

Multiple Word Expression	Substitution
An official who is a judge in the lowest court	Magistrate
A piece of music or a book before it is printed	Manuscript
Related to men	Masculine
One who believes in the existence of God	A theist
One who does not believe in the existence of good	An atheist
That can be believed	Credible
That cannot be believed	Incredible
That which dissolves in a solvent	Soluble
That which does not dissolves in a solvent	Insoluble
Hard writing that can be read	Legible
Hard writing that cannot be read	Illegible
A person who does jobs beneficial to mankind	Philanthropist
A person who goes on foot	Pedestrian
A person who fights for his own country	Patriot
An act of killing oneself	Suicide
A woman whose husband is dead	Widow
A person who eats vegetarian and non-vegetarian diets	Omnivorous
Something which is everywhere at the same time	Omnipresent
One who knows everything	Omniscient
A child who does not have parents	Orphan
An award etc. given after the death of the person	Posthumous
The place where animals are kept for amusement and to increase the knowledge of the public	Zoo
The science which deals with the study of animals	Zoology

Multiple Choice Questions

Directions: *In questions given below, out of the four alternatives, choose the one which can be substituted for the given words/sentences.*

1. Something that relates to everyone in the world
   A. General B. Common
   C. Usual D. Universal

2. An expression of mild disapproval
   A. Warning B. Denigration
   C. Impertinence D. Reproof

3. One who is not easily pleased by anything
   A. Maiden B. Medieval
   C. Precarious D. Fastidious

4. Murder of a king
   A. Infanticide B. Matricide
   C. Genocide D. Regicide

5. A remedy for all diseases
   A. Stoic B. Marvel
   C. Panacea D. Recompense

6. A dramatic performance
   A. Mask B. Mosque
   C. Masque D. Mascot

7. Study of birds
   A. Orology B. Optology
   C. Ophthalmology D. Ornithology

8. Ready to believe
   A. Credulous B. Credible
   C. Creditable D. Incredible

9. Incapable of being seen through
   A. Ductile B. Opaque
   C. Obsolete D. Potable

10. One who eats everything
    A. Omnivorous B. Omniscient
    C. Irresistible D. Insolvent

11. A place where bees are kept is called
    A. An apiary B. A mole
    C. A hive D. A sanctuary

12. One who cannot be corrected
    A. Incurable B. Incorrigible
    C. Hardened D. Invulnerable

13. One who is in charge of a museum
    A. Curator B. Supervisor
    C. Caretaker D. Warden

14. Continuing fight between parties, families, clans, etc.
    A. Enmity B. Feud
    C. Quarrel D. Skirmish

15. A voice loud enough to be heard
    A. Audible B. Applaudable
    C. Laudable D. Oral

16. A paper written by hand
A. Handicraft B. Manuscript
C. Handiwork D. Thesis

17. Habitually silent or talking little
A. Serville B. Unequivocal
C. Taciturn D. Synoptic

18. To slap with a flat object
A. Chop B. Hew
C. Gnaw D. Swat

19. A person who speaks many languages
A. Linguist B. Monolingual
C. Polyglot D. Bilingual

20. A light sailing-boat built specially for racing
A. Canoe B. Yacht
C. Frigate D. Dinghy

21. A fixed orbit in space in relation to earth
A. Geological B. Geo-synchronous
C. Geo-centric D. Geo-stationary

22. A style in which a writer makes a display of his knowledge
A. Pedantic B. Verbose
C. Pompous D. Ornate

23. A religious discourse
A. Preach B. Stanza
C. Sanctorum D. Sermon

24. A place that provides refuge
A. Asylum B. Sanatorium
C. Shelter D. Orphanage

25. Detailed plan of a journey
A. Travelogue B. Travelkit
C. Schedule D. Itinerary

26. A person who insists on something
A. Disciplinarian B. Stickler
C. Instantaneous D. Boaster

27. A drawing on transparent paper
A. Red print B. Blue print
C. Negative D. Transparency

28. One who believes that all things and events in life are predetermined is a
A. Fatalist B. Puritan
C. Egoist D. Tyrant

29. A school boy who cuts classes frequently is a
A. Defeatist B. Sycophant
C. Truant D. Martinet

30. The act of violating the sanctity of the church is
A. Blasphemy B. Heresy
C. Sacrilege D. Desecration

31. A place where monks live as a secluded community
A. Cathedral B. Diocese
C. Convent D. Monastery

32. One who is fond of fighting
A. Bellicose B. Aggressive
C. Belligerent D. Militant

33. Tending to move away from the centre or axis
A. Centrifugal B. Centripetal
C. Axiomatic D. Awry

34. Words inscribed on tomb
A. Epitome B. Epistle
C. Epilogue D. Epitaph

35. Leave or remove from a place considered dangerous
A. Evade B. Evacuate
C. Avoid D. Exterminate

36. Original inhabitants of a country
A. Abroge B. Aborger
C. Aborgory D. Aborigins

37. Government by the officials
A. Theocracy B. Plutocracy
C. Bureaucracy D. Democracy

38. Incapable of being exhausted
A. Inexhaustible B. Inaexhaustible
C. Exhaustable D. Non-tired

39. A person of good understanding, knowledge and reasoning power
A. Expert B. Intellectual
C. Snob D. Literate

40. One absorbed in his own thoughts and feelings rather than in things outside
A. Scholar B. Recluse
C. Introvert D. Intellectual

ANSWERS

1	2	3	4	5	6	7	8	9	10
D	D	D	D	C	C	D	A	B	A
11	12	13	14	15	16	17	18	19	20
A	B	A	B	A	B	C	D	A	B
21	22	23	24	25	26	27	28	29	30
D	A	D	A	D	B	D	A	C	C
31	32	33	34	35	36	37	38	39	40
D	A	A	D	B	B	C	A	B	C

★ ★ ★

4 Spelling Errors

There are thousands of words in English language. It is difficult to remember the spellings and meanings of all at once. Try to learn as many as you can. Use a dictionary regularly.

Multiple Choice Questions

Directions: *Find the correctly spelt words.*

1. A. Damage B. Dammage C. Damaige D. Dammege

2. A. Efficiant B. Effecient C. Efficient D. Eficient

3. A. Schedule B. Schdule C. Schedale D. Schedeule

4. A. Occurad B. Occurred C. Ocurred D. Occured

5. A. Grieff B. Grief C. Grieef D. Grrief

6. A. Guarantee B. Garuntee C. Guaruntee D. Gaurantee

7. A. Meddicine B. Medicine C. Medicene D. Medicinne

8. A. Benefeted B. Benefitted C. Benifited D. Benefited

9. A. Acommodation B. Acomodation C. Accomodation D. Accommodation

10. A. Querrelsome B. Quarrelsame C. Quarrelsome D. Querralsome

11. A. Sympathetic B. Smypathetic C. Sympothetic D. Sympethetic

12. A. Prograssive B. Progressive C. Progresive D. Prograsive

13. A. Uncivilized B. Uncevilized C. Uncivillized D. Uncevelized

14. A. Extravagant B. Extreragent C. Extreregant D. Extravegent

15. A. Missunderstood B. Miesunderstood C. Misunderstood D. Misunderstod

16. A. Belligerent B. Beligirent C. Belligarant D. Belligerrent

17. A. Astonished B. Astronished C. Astoneshed D. Asstonished

18. A. Sincerely B. Sencerely C. Sincerelly D. Sincerrely

19. A. Rigourous B. Rigerous C. Rigorous D. Regerous

20. A. Satellite B. Sattellite C. Satelite D. Sattelite

21. A. Pesanger B. Passenger C. Pessenger D. Pasanger

22. A. Humurous B. Humorous C. Humoreus D. Humorrous

23. A. Exeggerate B. Exaggerate C. Exadgerate D. Exagerate

24. A. Fariegn B. Forein C. Foriegn D. Foreign

25. A. Excesive B. Excessive C. Exccessive D. Exccesive

26. A. Forcaust B. Forcast C. Forecast D. Forecaste

27. A. Paralleted B. Paralelled C. Parralleled D. Parallelled

28. A. Ocasion B. Occassion C. Occasion D. Ocassion

29. A. Boquet B. Bouquet C. Bouquete D. Bouquette

30. A. Chettering B. Chaterring C. Chattering D. Chatering

31. A. Discourage B. Disscourage C. Discourege D. Discaurage

32. A. Curageous B. Courageous C. Courrageous D. Couregeous

33. A. Abandon B. Abanddon C. Abendon D. Abbandon

34. A. Embarassment B. Emberrassement C. Embarrassment D. Embbaresment

35. A. Eccintric B. Eccentrie C. Eccentric D. Eccintrie

36. A. Occasional B. Occassional C. Occesional D. Occessional

37. A. Querrel B. Querral C. Quarrel D. Quarel

38. A. Contrebution B. Contribution C. Contributtion D. Conterbution

39. A. Desgrace B. Disgrece C. Disgrice D. Disgrace

40. A. Harassment B. Herassment C. Harasment D. Harassmient

41. A. Imaginative B. Imeginative C. Imagenative D. Imaginetive

42. A. Suficient B. Suficiant C. Sufficient D. Sufficiant

43. A. Adequate B. Edequate C. Adaquete D. Edaquete

44. A. Exparienced B. Experianced C. Experienced D. Experrienced

45. A. Flatering B. Fletering C. Flattering D. Fletaring

46. A. Cuttiveted B. Culltrivated C. Cultivated D. Caltivated

47. A. Praiceworthy B. Peiseworthy C. Praiseworthy D. Praisaworthy

48. A. Profesional B. Professionel C. Professional D. Profissional

49. A. Ameteur B. Amateur C. Amataur D. Amateor

50. A. Unfevourable B. Unfevaurable C. Unfavourable D. Unfivourable

ANSWERS

1	2	3	4	5	6	7	8	9	10
A	C	A	B	B	A	B	B	D	C
11	**12**	**13**	**14**	**15**	**16**	**17**	**18**	**19**	**20**
A	B	A	A	C	A	A	A	C	A
21	**22**	**23**	**24**	**25**	**26**	**27**	**28**	**29**	**30**
B	B	B	D	B	C	A	C	B	C
31	**32**	**33**	**34**	**35**	**36**	**37**	**38**	**39**	**40**
A	B	A	C	C	A	C	B	D	A
41	**42**	**43**	**44**	**45**	**46**	**47**	**48**	**49**	**50**
A	C	A	C	A	C	C	C	B	C

★★★

5 Active and Passive Voice

A sentence in active voice focuses on the person or thing doing the action. A sentence in passive voice focuses on the person or thing affected by the action. *e.g.*,

The idol was built. (Active voice)
Someone built the idol. (Passive voice)

Transformation of Voice

- Voice and Tense are closely associated with each other.
- Tense plays an important role while transforming the voice.

  On the basis of following points, voice can be transformed from active to passive voice.

The Present Indefinite Tense

Active voice: Subject + V_1 + Object
Passive voice: Subject + is, am, are + V_3 + by + Object

- **Active voice:** He sings sweet songs.
  Passive voice: Sweet songs are sung by him.

The Present Continuous Tense

Active voice: Subject + is/am/are + V_1 + ing + Object.
Passive voice: Subject + is/am/are + being + V_3 + by + Object.

- **Active voice:** She is cooking food.
  Passive voice: Food is being cooked by her.

The Present Perfect Tense

Active voice: Subject + has/have + V_3 + Object.
Passive voice: Subject + has/have + been + V_3 + by + Object.

- **Active voice:** I have written an essay.
  Passive voice: An essay has been written by me.

The Past Indefinite Tense

Active voice: Subject + V_2 + Object
Passive voice: Subject + was/were + V_3 + by + Object

- **Active voice:** He composed a new song.
  Passive voice: A new song was composed by him.

The Past Continuous Tense

Active voice: Subject + was/were + V_1 + ing + Object
Passive voice: Subject + was/were + being + V_3 + by + Object

- **Active voice:** The farmers were ploughing the fields.
  Passive voice: The fields were being ploughed by the farmers.

The Past Perfect Tense

Active voice: Subject + had + V_3 + Object.
Passive voice: Subject + had + been + V_3 + by + Object

- **Active voice:** He had issued me an import licence.
  Passive voice: I had been issued an import licence.

The Future Indefinite Tense

Active voice: Subject + will/shall + V_1 + Object.
Passive voice: Subject + will/shall + be + V_3 + by + Object.

- **Active voice:** He will remove the dust from the shelf.
  Passive voice: The dust from the shelf will be removed by him.

The Future Perfect Tense

Active voice: Subject + will/shall + have + V_3 + Object.
Passive voice: Subject + will/shall + have + been + V_3 + by + Object.

- **Active voice:** They will have sold their house by then.
  Passive voice: Their house will have been sold by them by then.

Imperative Sentences

- **Active voice:** Open the window.
  Passive voice: You are ordered to open the window.

  Or

  Let the window be opened.

Infinitives

- **Active voice:** It is time to open the shop.
  Passive voice: It is time for the shop to be opened.

Prepositional Verb

- **Active voice:** She laughed at the beggar.
  Passive voice: The beggar was laughed at by her.

Double Object

- **Active voice:** He gave me a pen.
  Passive voice: A pen was given to me by him.

Use of Preposition other than 'by'

- **Active voice:** The jug contains juice.
  Passive voice: Juice is contained in the jug.

Implied Sentences

- **Active voice:** The driver drove the bus.
  Passive voice: The bus was driven.

Multiple Choice Questions

Directions (Qs. 1 to 16): *In the following questions, a sentence has been given in Active/Passive Voice. Out of the four alternatives suggested, select the one that Best Expresses the same sentence in Passive/Active Voice.*

1. Circumstances will oblige me to go.
A. I will oblige the circumstances and go.
B. I shall be obliged to go by the circumstances.
C. Under the circumstances, I should go.
D. I shall be obliged by the circumstances to go.

2. We waste much time on trifles.
A. Much time was wasted on trifles.
B. Much time will be wasted on trifles.
C. Much time is wasted by us on trifles.
D. Much time is wasted on trifles.

3. Mohan gave the beggar an old shirt.
A. An old shirt was given to Mohan by the beggar.
B. An old shirt was given to the beggar by Mohan
C. The begger was gave an old shirt by Mohan.
D. An old shirt was gave to the beggar by Mohan.

4. They have made him a king.
A. A king has been made by him.
B. He was made a king by them.
C. They have been made kings by him.
D. He has been made a king by them.

5. Who taught you English?
A. By whom English was taught to you?
B. By whom you were taught English?
C. By whom was English taught to you?
D. By whom are you taught English?

6. Was he knocking at the door?
A. Was the door being knocked at by him?
B. Was the door being knocked by him?
C. Was the door knocked by him?
D. Was the door knocking at him?

7. What was Rani doing?
A. What was done by Rani?
B. What was Rani being done?
C. What was being done by Rani?
D. What was being doing Rani?

8. Why were you wasting your time?
A. Why was your time being wasted?
B. Why was your time being wasted by you?
C. Why was your time wasted by you?
D. Why was your time wasted?

9. She has laid out a small garden.
A. A small garden has been laid by her.
B. A small garden has laid her.
C. A small garden being laid by her.
D. A small garden has been laid out by her.

10. She had already solved all the sums.
A. All the sums had already been solved by her.
B. All the sums have already been solved by her.
C. All the sums have been solved by her.
D. All the sums are solved by her.

11. He will have posted the letter.
A. The letter has been posted by him.
B. The letter will be posted by him.
C. The letter will have been posted by him.
D. The letter is posted by him.

12. They will have sold all the books by 4 P.M.
A. All the books will be sold by 4 P.M.
B. All the books will have been sold by 4 P.M.
C. All the books were being sold by 4 P.M.
D. All the books must be sold by 4 P.M.

13. Do you speak English?
A. Is English spoken by you?
B. Does English spoken by you?
C. Is English being spoken by you?
D. Does English being spoken by you?

14. Had they seen me before?
A. Had myself been seen by them before?
B. Had me being seen by them before?
C. Had I been seen by them before?
D. Had I being seen by them before?

15. May I take this pen?
A. May this pen will be taken by me?
B. May this pen shall be taken by me?
C. May this pen should be taken by me?
D. May this pen be taken by me?

16. Can we send it by air?
A. Can this be sent by air?
B. Can it be sent by air?
C. Can it go by air?
D. Can it be send by air?

Answers

1	2	3	4	5	6	7	8	9	10
D	C	B	D	C	A	C	B	D	A
11	**12**	**13**	**14**	**15**	**16**				
C	B	A	C	D	B				

★★★

6

Narration

The exact words spoken by the speaker are known as Direct Speech. The words spoken by somebody and expressed by someone else with some modification are known as Indirect Speech.

Multiple Choice Questions

Directions (Qs. 1 to 13): *Select the correct Indirect Speech for the following sentences:*

1. I said to him, "I shall help you."
A. I told him that I can help him.
B. I told him that I would help him.
C. I told him that I will help him.
D. I told him that I shall be helping him.

2. My Teacher said to me, "The earth revolves round the sun."
A. My teacher told me that the earth revolves round the sun.
B. My teacher told me that the earth revolve round the sun.
C. My teacher told me that the earth had been revolving round the sun.
D. My teacher told me that the earth has been revolving round the sun.

3. I said to my friend, "My father daily goes for a walk."
A. I told my friend that my father daily goes for a walk.
B. I told my friend that my father daily went for a walk.
C. I told my friend that my father has to go for a walk.
D. I told my friend that my father had gone for a walk.

4. He said to me, "May God bless you!"
A. He requested that God can bless me.
B. He prayed that God can bless me.
C. He prayed that God might bless me.
D. He prayed that God will bless me.

5. The patient said, "Thank you, doctor."
A. The patient thanked the doctor.
B. The patient requested the doctor with thanks.
C. The patient told the doctor thanks.
D. The patient suggested the doctor thanks.

6. Satish said, "No, I shall not talk to him."
A. Satish told that he should not talk to him.
B. Satish suggested that he would not have talked to him.
C. Satish exclaimed with sorrow that he would not talk with him.
D. Satish refused to talk to him.

7. The child said, "What a lovely place!"
A. The child exclaimed with sorrow that it was a lovely place.
B. The child thought that the place was lovely.
C. The child exclaimed with joy that the place was very lovely.
D. The child suggested that the place was lovely.

8. He said, "What a fool I have been!"
A. He told himself with sorrow that he was a fool.
B. He confessed with regret that he had been a great fool.
C. He said himself a fool.
D. He suggested that he could be a fool.

9. He said, "Alas! I am ruined."
A. He told me that he had been ruined.
B. He exclaimed with joy that he had been ruined.
C. He exclaimed with sorrow that he was ruined.
D. He told me that he should not be ruined.

10. The accused said, "I am not guilty."
A. The accused exclaimed with sorrow that I am not guilty.
B. The accused exclaimed with joy that he was not guilty.
C. The accused stated that he was not guilty.
D. The accused told me that he has not been guilty.

11. My teacher said, "The earth is round".
A. My teacher said that the earth was round.
B. My teacher says that the earth is round.
C. My teacher said that the earth is round.
D. My teacher ordered that the earth is round.

12. He said, "What a place it is!"
A. He said that it was a very fine place.
B. He said that is a very fine place.
C. He said that the place is fine.
D. He exclaimed with joy/surprise that it was a very fine place.

13. Ria said, "Shall I thread the needle?"
A. Ria asked if she should thread the needle.
B. Ria asked if she shall thread the needle.
C. Ria ordered if she should thread the needle.
D. Ria says that if she would thread the needle.

Directions (Qs. 14 to 25): *Pick out the correct alternative that completes the incomplete sentence which is changed into Indirect Narration.*

14. She said to me, "I shall see you as soon as I get time."
She told me:
A. that she will see me as soon as she will get time.
B. that she would see me as soon as she would get time.
C. she would see me whenever she got time.
D. that she would see me whenever she gets time.

15. My secretary said to me, "Your plane will leave if you do not go at once."
My secretary told me that:
A. her plane would leave if she did not go at that time.
B. her plane would leave if I do not go at once.
C. my plane would leave if I did not go at that very time.
D. my plane will leave if I did not go at that time.

16. My mother said to me, "Don't quarrel among yourselves".
My mother:
A. forbade me to quarrel among ourselves.
B. asked me not to quarrel among ourselves.
C. asked me that not to quarrel among ourselves.
D. asked me to quarrel not among ourselves.

17. Her father said to her mother, "Excuse the daughter."
Her father:
A. requested her mother to excuse the daughter.
B. asked her mother to excuse the daughter.
C. asked her mother to have excused the daughter.
D. asked her mother to have been excused.

18. He said to his friend, "Wait here till father comes."
He requested his friend:
A. to wait here till father had come.
B. that to wait there till his friend came.
C. to wait there till father came.
D. to wait here until his friend came.

19. She said to her maid, "Run and catch the thief."
She ordered her maid:
A. ran and catch the thief.
B. that to run and to catch the thief.
C. ran and caught the thief.
D. to run and catch the thief.

20. Anita said to Sunita, "What are you doing?"
Anita asked Sunita:
A. what she will be doing.
B. that what she is doing.
C. that what she was doing.
D. what she was, doing.

21. She said to me, "Are you meeting me today?"
She enquired of me:
A. whether I am meeting her that day.
B. whether I was meeting her today.
C. whether I was meeting her that day.
D. I was meeting her that day.

22. Nitish said to me, "When did you buy this pen?"
Nitish asked me:
A. when I was to buy that pen.
B. when I would buy that pen.
C. when I had bought that pen.
D. when I was buying that pen.

23. She said to me, "Are you going to market?"
She enquired of me:
A. I am going to market.
B. I was going to market.
C. if I was going to market.
D. if I had been going to the market.

24. Damini said, "Why did not you change your clothes?"
Damini asked me:
A. why I had not changed my clothes.
B. why I did not change my clothes.
C. why I would not change my clothes.
D. why I have not been changing my clothes.

25. Umesh said to me, "Have you read that novel?"
Umesh asked me:
A. if he was reading that novel.
B. if he had read that novel.
C. if I had read that novel.
D. if I was reading that novel.

ANSWERS

1	2	3	4	5	6	7	8	9	10
B	A	A	C	A	D	C	B	C	C
11	12	13	14	15	16	17	18	19	20
C	D	A	B	C	A	B	C	D	D
21	22	23	24	25					
C	C	C	A	C					

★★★

7 Homonyms & Homophones

Homonyms

Two words that share the same spellings and pronunciations but different meanings are called homonyms.

Homophones

Two words that share the same pronunciation, same or different spellings but different meanings are called homophones.

Some Examples and Usage of Homonyms:

- **Left** (*past tense of leave*): He has already left.
  Left (*opposite of right*): He is on the right side.
- **Row** (*propel with oars*): Row the boat fast.
  Row (*arguments*): He fell in a row with opponents.
- **Tire** (*car wheel*): Change the tire fast.
  Tire (*fatigue*): I was dead-tired.
- **Desert** (*arid region*): He was lost in the desert.
  Desert (*abandon*): He deserted his family.
- **Rose** (*a flower*): The rose is a beautiful flower.
  Rose (*past tense of rise*): He rose from his seat.
- **Bow** (*a weapon*): He shot an arrow with the bow.
  Bow (*to bend forward*): You should never bow down before the enemy.
- **March** (*a month*): March is the third month of the year.
  March (*an organised walk*): March forward and capture the enemy post.
- **Polish** (*from Poland*): He is a Polish citizen.
  Polish (*to make shiny*): Polish you shoes well.
- **Skate** (*glide on ice*): He is an expert in skating.
  Skate (*a fish*): He caught a skate in the net.
- **Mouth** (*of a river*): The mouth of Ganges is Gangotri.
  Mouth (*of an animal*): The lion opened its mouth wide open.
- **Bark** (*the sound of a dog*): The dog was barking.
  Bark (*the skin of a tree*): The bark of Neem tree is quite useful.

Some Examples and Usage of Homophones:

- **There** (*a position*): The book is kept there.
  Their (*relationship*): Their uncle is a judge.
- **Bow** (*to bend forward*): Bow and arrow complement each other.
  Bough (*a branch of a tree*): The bough of the tree was broken
- **Read** (*peruse*): Read the book well.
  Reed (*water side plant*): Several reeds were there on the river bank.
- **Two** (*a number*): Two and two make four.
  Too (*also*): He too is a human being.

Some More Examples of Homophones

Air	Heir	Check	Cheque	Meat	Meet	Root	Route
Ail	Ale	Cord	Chord	None	Nun	Rose	Rows
Allowed	Aloud	Dear	Deer	Oar	Ore	Sale	Sail
Arc	Ark	Die	Dye	One	Won	Scene	Seen
Ate	Eight	Ewe	You	Pail	Pale	Sea	See
Bad	Bade	Eye	I	Pain	Pane	Seam	Seem
Bail	Bale	Fair	Fare	Peace	Piece	Sew	Sow
Bare	Bear	Feat	Feet	Peal	Peel	Sight	Site
Bean	Been	Flea	Flee	Plain	Plane	Soar	Sore
Beat	Beet	Flour	Flower	Pore	Pour	Sole	Soul
Bee	Be	Fore	Four	Pray	Prey	Son	Sun
Birth	Berth	Forth	Fourth	Rap	Wrap	Soot	Suit
Blue	Blew	Foul	Fowl	Read	Reed	Steal	Steel
Boy	Buoy	Loan	Lone	Right	Write	Stile	Style
Brake	Break	Made	Maid	Ring	Wring	Suite	Sweet
Buy	By/Bye	Mail	Male	Road	Rode	Tail	Tale
Cell	Sell	Main	Mane	Role	Roll	Tear	Tier

Multiple Choice Questions

1. Choose the correct homonym of the word 'left'.
A. lift B. left
C. right D. theft

2. Choose the correct homonym of the word 'tire'.
A. tyre B. tear
C. tire D. wire

3. Choose the correct homonym of the word 'desert'.
A. dessert B. abandon
C. sands D. desert

4. Choose the correct homonym of the word 'rose'.
A. flower B. rise
C. rose D. pose

5. Choose the correct homonym of the word 'bank'.
A. bank B. savings
C. river D. tank

6. Choose the correct homophone for the word 'been'.
A. done B. being
C. bean D. covered

7. Choose the correct homophone for the word 'dose'.
A. doze B. does
C. douse D. dyes

8. Choose the correct homophone for the word 'would'.
A. could B. weed
C. wood D. hold

9. Choose the correct homophone for the word 'load'.
A. loud B. laud
C. lead D. lode

10. Choose the correct homophone for the word 'loan'.
A. lawn B. lean
C. lone D. long

11. Choose the correct homophone of the word 'Affect'.
A. Affection B. Affectionate
C. Effect D. Affectionately

12. Choose the correct homophone of the word 'Adapt'.
A. Adopt B. Adept
C. Adapted D. Adopted

13. Choose the correct homophone of the word 'Access'.
A. Excess B. Accessed
C. Excessive D. Assess

14. Choose the correct homophone of the word 'Arc'.
A. Archive B. Architect
C. Arch D. Ark

15. Choose the correct homophone of the word 'Aloud'.
A. Loud B. Allow
C. Allowed D. Allowance

16. Choose the correct homophone of the word 'Advice'.
A. Advertise B. Advise
C. Advised D. Advertised

17. Choose the correct homophone of the word 'Bale'.
A. Bell B. Ball
C. Bull D. Bail

18. Choose the correct homophone of the word 'Berth'.
A. Worth B. Birth
C. Dirth D. Earth

19. Choose the correct homophone of the word 'Bear'.
A. Wear B. Hear
C. Beer D. Deer

20. Choose the correct homophone of the word 'Borne'.
A. Bone B. Boon
C. Boom D. Born

21. Choose the correct homophone of the word 'By'.
A. Bay B. Buy
C. Buyer D. Bee

22. Choose the correct homophone of the word 'Cell'.
A. Sale B. Call
C. Sell D. Cull

23. Choose the correct homophone of the word 'Break'.
A. Brake B. Drake
C. Crack D. Wrack

24. Choose the correct homophone of the word 'Blue'.
A. Blow B. Glue
C. Blew D. Bow

25. Choose the correct homophone of the word 'Bite'.
A. Bit B. Byte
C. Bet D. Beat

26. Choose the correct homophone of the word 'Medal'.
A. Middle B. Meddle
C. Model D. Modal

27. Choose the correct homophone of the word 'Fool'.
A. Full B. Foal
C. File D. Feel

28. Choose the correct homophone of the word 'Pair'.
A. Pare B. Pear
C. Pyre D. Par

Answers

1	2	3	4	5	6	7	8	9	10
B	C	D	C	A	C	A	C	D	C
11	**12**	**13**	**14**	**15**	**16**	**17**	**18**	**19**	**20**
C	B	A	D	C	B	D	B	C	D
21	**22**	**23**	**24**	**25**	**26**	**27**	**28**		
B	C	A	C	B	B	A	A		

★ ★ ★

8

Tenses and Verbs

1. Tense indicates a point in time or period of time in the past, present, or future tense.

2. The verb may consist of a single word, or a main verb and one or more auxiliary words. The key point is that tense is related to the form of verb. There are normally three forms of the verb, say, V_1, V_2, V_3 and for convenience a fourth form V_4 as verb+ing may be assumed.

A Comparative Chart Regarding Tenses and Verbs

Simple Present	**Simple Past**	**Simple Future**
V_1	V_2	shall/will + V_1
Present Continuous	**Past Continuous**	**Future Continuous**
is/am/are + V_4	was/were + V_4	shall/will + be + V_4
Present Perfect	**Past Perfect**	**Future Perfect**
has/have + V_3	had + V_3	shall/will + have + V_3
Present Perfect Continuous	**Past Perfect Continuous**	**Future Perfect Continuous**
has/have + been + V_4	had + been + V_4	shall/will + have been + V_4

SIMPLE PRESENT:

A. A present state of affairs.
B. A general fact.
C. Habitual actions.
D. Future time-tables.

A. My sister lives in Nagpur.
B. The sun rises in the east.
C. I listen to the radio in the mornings.
D. My flight leaves at 10:00.

PRESENT CONTINUOUS:

A. A specific action that is occurring.
B. A general activity that takes.
C. Future arrangements.

A. Arvind is watching TV (right now).
B. These days, I'm taking it easy.
C. I'm inviting Hari to the party on Friday.

SIMPLE PAST:

A. An action that began and ended at a particular time in the past.
B. An action that occurred over a period of time but was completed in the past.
C. An activity that took place regularly in the past.

A. The mail came early this Morning.
B. Dad worked in advertising in the past.
C. We jogged every morning before class.

PAST CONTINUOUS:

A. Interrupted Actions.
B. A continuous state over a period of time but was completed in the past.
C. Events planned in the past.
D. Expressing a future intent.
E. Predicting an event.

A. I was sewing when the telephone rang.
B. She was looking very ill. I was meeting lots of people at that time.
C. Neetu was leaving for Kolkata but had to make a last minute change
D. Jyoti is going to bring her sister tonight.
E. You are going to pass the test. Don't worry.

SIMPLE FUTURE:

A. Making a future decision.
B. Predicting a future event.
C. Indicating willingness to do something.

A. I will call you after lunch.
B. You will pass the test. Don't worry.
C. If I don't feel better soon, I will go to to the doctor.

FUTURE CONTINUOUS:

A. An action that will be going at a particular time in the future.	A. At noon tomorrow, I will be taking the children to their piano lessons.
B. Future actions which have already been decided.	B. I will be wearing my black dress to the dinner.

PRESENT PERFECT:

A. An action that happened at an unspecified time.	A. She has never climbed a mountain. I'm sorry. I have forgotten your Name.
B. An action that has recently occurred.	B. He's just gone to sleep.
C. An action that began in the past and continues up to the present (often used with "for" or "since").	C. Jack has lived in Chennai all his life. I have been here since Monday. He has known her for two weeks.
D. An action that happened repeatedly before now.	D. We have flown across the Pacific four times. I've failed my driver's test twice.

PRESENT PERFECT CONTINUOUS:

A. An action that began in the past and has just recently ended.	A. Have you been ringing the Bell?
B. An action that began in the past and continues in the present.	B. Lokesh has been studying for two hours.
C. An action repeated over a period of time in the past and continuing in present.	C. Suresh has been smoking since he was fifteen.

PAST PERFECT:

A. An action that occurred before another past action.	A. Tarun had left hours before we got there.
B. An action that was expected to occur in the past.	B. I had hoped to know about the job before now.

PAST PERFECT CONTINUOUS:

A. An action that occurred before another past action.	A. His eyes hurt because he had been Reading for eight hours.
B. An action that was expected to occur in the past.	B. I had been expecting a change in his attitude.

FUTURE PERFECT:

A. An action that will be completed before a particular time in the future.	A. By next July, my parents will have been married for fifty years.

FUTURE PERFECT CONTINUOUS:

A. Emphasizing the length of time that has occurred before a specific time in the future.	A. By May, my father will have been working at the same job for thirty years.

AGREEMENT OF THE VERB WITH THE SUBJECT

It is very important that the verb in a sentence should obey the subject, otherwise the sentence will be considered wrong.

I. When the Subject is a Singular Noun

A singular noun takes a singular verb.

(i) Mohit **makes** a noise in the class.

(ii) The child is **crying** for a cake.

II. When two singular nouns are joined with 'and'

When two singular nouns are joined with 'and' and they refer to two different persons, the plural verb should be used, *e.g.*,

(i) The novelist and the poet **were** honoured by the government.

(ii) The black and the white dogs **bark** at the strangers.

Note: Article 'the' is used with both the subjects. If article is used only once, the singular verb should be used.

(i) The painter and singer is going abroad.

(ii) The white and black dog has a bushy tail.

III. When the subjects together give a single idea, singular verb is used:

(i) Slow and steady wins the race.

(ii) Rice and curry is my favourite dish.

IV. A collective noun takes a singular verb when it acts as a whole, but it takes a plural verb when the individual, of which it is composed are considered separately.

(i) The committee was unanimous on imposing the new law.

(ii) The committee have given their separate opinions in the matter.

V. When the subjects are joined by neither . . . nor, either . . . or, and 'or', the verb should obey the last subject.

(i) Rakesh or his friends have been selected for the match.

(ii) His friends or Rakesh has been selected for the match.

(iii) Neither Rohit nor his brothers are going abroad.

(iv) Neither his brothers nor Rohit is going abroad.

(v) Either Sohan or his sisters were dancing at the function.

(vi) Either his sisters or Sohan was dancing at the function.

VI. Either, neither, either of, neither of, takes singular verb.

(i) Either boy was honest.

(ii) Neither girl was allowed to leave the premises.

(iii) Either of the boys was ready to help the old man.

(iv) Neither of the girls was asked to join the extra classes.

VII. Some nouns are always used as plurals so, they take plural verbs.

(i) Where are your glasses?

(ii) His pants are attractive.

(iii) Cattle are grazing in the field.

(iv) Whose scissors are these?

VIII. Some nouns are always used as singulars, so, they take singular verbs.

(i) What is the latest news?

(ii) The furniture in the house is of a poor quality.

(iii) Mumps is not a fatal disease.

(vi) Physics is a tough subject.

IX. Nouns formed by alongwith, as well as, together with, accompanied by, etc., take verb according to the first subject.

(i) I as well as you am to blame.

(ii) You as well as I are going to see a movie.

(iii) John accompanied by his parents is going to visit the Taj.

(iv) His parents accompanied by John are going to visit the Taj.

(v) His brothers together with Vivek are ready to whitewash the fence.

X. To indicate something hypothetical or not factually true, plural verb 'were' with *as if* is used.

(i) He talks as if he were a king.

(ii) She dresses herself as if she were a princess.

Multiple Choice Questions

Directions: *Find the correct word(s) that correctly completes the sentence.*

1. A woman came in with a baby who, she said, ... a safety pin.

A. was just swallowing B. swallowed
C. had just swallowed D. just swallowed

2. The telephone ..... several times before I answered it.

A. was ringing B. has rung
C. had rung D. would ring

3. An employment advertisement should ..... the number of vacancies.

A. provide B. specify
C. contain D. declare

4. A crescendo of metallic thuds arose from the market, where the iron-smiths were ..... the pieces of metals.

A. flattening B. striking
C. hammering D. thrashing

5. Ambition is one of those ..... which are never satisfied.

A. ideas B. fancies
C. passions D. needs

6. The new education policy provides a useful ..... for the planners to remove illiteracy.

A. breakup B. breakthrough
C. breakaway D. break-in

7. The family gave father a gold watch on the ..... of his fiftieth birthday.

A. time B. event
C. occasion D. celebration

8. The passengers were afraid but the captain ..... them that there was no danger.

A. promised B. assured
C. advised D. counselled

9. It's very kind of you to .... to speak at the meeting.

A. accept B. agree
C. comply D. concur

10. The miser gazed ..... at the pile of gold coins in front of him.

A. avidly B. admiringly
C. thoughtfully D. earnestly

11. The pilot had been warned about the storm before he .....

A. took away B. took up
C. took over D. took off

12. On account of the dearth of grass on the arid plains the cattle became .....

A. flippant B. jubilant
C. agitated D. emaciated

13. I saw a ..... of cows in the field.
A. group B. herd
C. swarm D. flock

14. He was sent to the prison for his .....
A. sin B. vice
C. crime D. guilt

15. ..... of old paintings is a job for the experts.
A. Resurrection B. Retrieval
C. Restoration D. Resumption

16. Once he has signed the agreement, he won't be able to .....
A. back up B. back in
C. back at D. back out

17. She ..... a brief appearance at the end of the party.
A. put on B. put in
C. put across D. put up

18. The battalion operating from the mountain was able to ..... three enemy divisions.
A. tie up B. tie down
C. tie on D. tie with

19. Do you know ..... ?
A. where she comes from
B. where does she come from
C. where from she comes
D. from where does she come

20. ..... works of reference are so valuable as the Encyclopaedia Britannica.
A. A few B. Few
C. The few D. Fewer

21. The paths of glory lead ..... to the grave.
A. straight B. but
C. in D. directly

22. Walking at three o'clock, I heard the ..... of thunder.
A. crackle B. rumble
C. ripple D. clank

23. The thief ..... all the money.
A. made up B. made off with
C. made do with D. made good

24. Either Surendra or his friends ..... asked to pay a visit to the university.
A. has been B. have been
C. has D. have

25. Where ..... your spectacles?
A. is B. are
C. were D. have

26. Measles ..... not a fatal disease.
A. is B. are
C. has D. have

27. He walks as if he ..... a prince.
A. was B. were
C. have been D. has been

28. The captain alongwith his team mates ..... reached the ground.
A. have B. has
C. is D. are

29. The jury ..... given its opinion.
A. has B. have
C. is D. are

30. Slow and steady ..... the race.
A. win B. wins
C. has wins D. have win

31. The poet and the novelist ..... invited by the PM.
A. is B. are
C. has D. have

32. Mathematics ..... a tough subject.
A. is B. are
C. has D. have

33. Either girl ..... in a sad mood.
A. was B. were
C. has D. have

34. You should not avoid ..... him.
A. for meeting B. in meeting
C. to meet D. meeting

35. Are you ...... you lessons?
A. busy for preparing B. busy preparing
C. busy to prepare D. busy of preparing

ANSWERS

1	2	3	4	5	6	7	8	9	10
C	C	B	C	C	B	C	B	B	A
11	**12**	**13**	**14**	**15**	**16**	**17**	**18**	**19**	**20**
D	D	B	C	C	D	B	B	A	B
21	**22**	**23**	**24**	**25**	**26**	**27**	**28**	**29**	**30**
B	B	B	B	B	A	B	B	A	B
31	**32**	**33**	**34**	**35**					
B	A	A	D	B					

★★★

हिन्दी

1 भाषा और वर्ण विचार

भाषा

भाषा भाव या विचार की अभिव्यक्ति का अमूर्त माध्यम है। भाषा का शाब्दिक अर्थ है—कहना या व्यक्त करना। मनुष्य अपनी बातों को किसी से कहने के लिए या समझाने के लिए भाषा का प्रयोग करता है। मन के अन्दर जो विचार छिपे हुए हैं, आख़िरकार वे भाषा से ही प्रकट हो सकते हैं। मनुष्य क्या जीव-जन्तु , पशु-पक्षियों की भी अपनी भाषा होती है। भले ही उनकी भाषा हम नहीं समझ पाते हैं और मानवेतर प्राणी मनुष्य की भाँति अपने विचारों को लिखकर व्यक्त नहीं कर पाते हैं।

मनुष्य या अन्य प्राणी भी कुछ कहने या बोलने के समय अपने मुँह से कुछ ध्वनियाँ निकालते हैं। व्याकरण की भाषा में ध्वनि निकालने को ही उच्चारण करना कहा जाता है। मनुष्य एक बुद्धिमान प्राणी है इसलिए वह अपने मुँह से निकली हुई ध्वनियों का विशेष रूप से अर्थ निर्धारित कर लेता है। इस प्रकार, मनुष्य के मुँह से निकली हुई प्रत्येक ध्वनि के परस्पर योग से एक अर्थ व्यक्त होने लगता है, इसलिए मनुष्य अपने मन के विचारों या भावों को कहकर दूसरों को समझाता है या सुनकर स्वयं समझता है।

भाषा के भेद

भाषा के मुख्यतः तीन भेद होते हैं—

- **कथित भाषा :** कथित भाषा उसे कहते हैं, जो मुँह से बोली जाए और कान द्वारा सुनी जाए। जैसे—बातचीत, भाषण।
- **लिखित भाषा :** लिखित भाषा, भाषा का वह स्वरूप है जो हाथों से या अन्य माध्यमों से लिखी जाए, आँखों से देखी जाए और मुँह से पढ़ी जाए। जैसे— निबन्ध, उपन्यास, कविता आदि की भाषा।
- **सांकेतिक भाषा :** सांकेतिक भाषा का प्रयोग संकेत के रूप में होता है। जैसे—सेना, बालचर संस्थाओं, एन.सी.सी. आदि में सांकेतिक भाषा को व्यवहार में लाया जाता है। चोर, डाकुओं, व्यापारियों की भी अपनी सांकेतिक भाषा होती है। आजकल पुलिस महकमें में जो आशुलिपि (Short hand) व्यवहार में लायी जाती है, वह भी सांकेतिक भाषा का ही एक उदाहरण है।

वर्ण विचार

मौखिक भाषा की अंतिम इकाई ध्वनि है। लिखित भाषा की अंतिम इकाई वर्ण है। वर्ण शब्द की व्युत्पत्ति संस्कृत के 'वर्ण' धातु से हुई है, जिसका अर्थ है—वर्णन करना। वर्णों के समूह को **वर्णमाला** कहते हैं। अंग्रेजी में इसे ही Alphabet कहते हैं।

हिंदी वर्णमाला

स्वर	– अ आ इ ई उ ऊ ऋ ए ऐ ओ औ		→ 11
अयोगवाह	– अं अः		→ 2
व्यंजन	– क् ख् ग् घ् ङ् च् छ् ज् झ् ञ् ट् ठ् ड् ढ् ण् त् थ् द् ध् न् प् फ् ब् भ् म्	→ पंचम वर्ण	→ 25
अंतःस्थ	– य् र् ल् व्		→ 4
ऊष्म	– श् ष् स् ह		→ 4
संयुक्त व्यंजन	– क्ष त्र ज्ञ श्र		→ 4
अतिरिक्त व्यंजन	– ड़् ढ़्		→ 2

इस प्रकार हिंदी की संपूर्ण वर्णमाला में 52 वर्ण होते हैं।

वर्णों के भेद

हिंदी वर्णमाला में उच्चारण और प्रयोग के आधार पर वर्ण के दो भेद हैं—1. स्वर, 2. व्यंजन।

स्वर

स्वर मूल ध्वनि है। इन्हें किसी अन्य ध्वनि के बिना उच्चारित किया जा सकता है। इनका उच्चारण करते समय वायु मुख से बिना किसी रुकावट

के बाहर निकलती हैं, वे स्वतंत्र ध्वनियाँ होती हैं। स्वरों की संख्या 11 है, जो इस प्रकार हैं–अ, आ, इ, ई, उ, ऊ, ऋ, ए, ऐ, ओ, औ।

स्वरों के भेद : उच्चारण में लगने वाले समय के आधार पर स्वर के 3 भेद होते हैं–

(क) **ह्रस्व स्वर :** जिन स्वरों के उच्चारण में बहुत कम समय लगता है, उन्हें ह्रस्व स्वर कहते हैं। ये संख्या में 4 हैं–अ, इ, उ, ऋ।

(ख) **दीर्घ स्वर :** जिन स्वरों के उच्चारण में ह्रस्व स्वर से लगभग दोगुना समय लगता है, उन्हें दीर्घ स्वर कहते हैं। ये संख्या में 7 हैं–आ, ई, ऊ, ए, ऐ, ओ, औ।

(ग) **प्लुत स्वर :** जिन स्वरों के उच्चारण में दीर्घ स्वर से भी अधिक समय लगता है, उन्हें प्लुत स्वर कहते हैं; जैसे–ओ३म, राऽम आदि। प्लुत स्वर का चिह्न (ऽ) है।

स्वरों की मात्राएँ

जब स्वरों को व्यंजनों के साथ लिखने के लिए इनके चिह्नों का प्रयोग किया जाता है, तो स्वरों के ये चिह्न मात्रा कहलाते हैं। 'अ' को छोड़कर शेष सभी स्वरों की मात्राएँ होती हैं।

हिंदी में स्वरों की मात्राएँ इस प्रकार हैं–

स्वर :	अ	आ	इ	ई	उ	ऊ	ऋ	ए	ऐ	ओ	औ
मात्रा :	×	ा	ि	ी	ु	ू	ृ	े	ै	ो	ौ

अयोगवाह

हिंदी वर्णमाला में अं और अः दो वर्ण और होते हैं, जिन्हें अयोगवाह कहते हैं। व्याकरण की दृष्टि से 'अं' को अनुस्वार और 'अः' को विसर्ग कहते हैं। ये वर्ण स्वर और व्यंजन के अतिरिक्त होते हैं, उन्हें अयोगवाह कहते हैं।

1. **अनुस्वार (ं) :** अनुस्वार का उच्चारण करते समय वायु केवल नाक से बाहर आती है। इसका चिह्न शिरोरेखा के ऊपर बिंदु (ं) रूप में लगाया जाता है। इसे ही अनुस्वार कहते हैं; जैसे–शंकर, मंगल, बंदूक, संगम, हंस आदि। इसका प्रयोग पंचम वर्ण के स्थान पर किया जाता है; जैसे–ठण्डा-ठंडा आदि।

2. **अनुनासिक (ँ) :** अनुनासिक के उच्चारण के समय वायु नाक और मुख दोनों से बाहर आती है। इसका चिह्न शिरोरेखा के ऊपर चंद्रबिंदु (ँ) के रूप में लगाया जाता है। यह स्वतन्त्र ध्वनि नहीं है। इसका प्रयोग स्वरों के साथ होता है; जैसे–चाँद, आँख आदि।

विसर्ग (:) : इस ध्वनि का उच्चारण 'ह्' के समान होता है। यह स्वर नहीं है लेकिन इसे 'अ' के साथ जोड़कर 'अः' की तरह लिखा जाता है। इसका प्रयोग केवल तत्सम (संस्कृत) शब्दों में ही किया जाता है; जैसे–प्रातः, प्रायः आदि।

आगत ध्वनि (ॅ) : ऑ अंग्रेजी से हिंदी भाषा में आई ध्वनि है, जो स्वरों में गिनी जाती है। यह 'आ' और 'ओ' के बीच की ध्वनि है। इसका प्रयोग अंग्रेजी शब्दों को हिंदी में लिखते समय ही किया जाता है; जैसे–डॉक्टर, ऑफर आदि।

व्यंजन

जिन वर्णों के उच्चारण में स्वरों की सहायता ली जाती है, उन्हें व्यंजन कहते हैं। इनके उच्चारण में वायु थोड़ा रुककर मुख से बाहर निकलती है। हिंदी में व्यंजनों की संख्या 33 (क् से ह्) होती है। संयुक्त व्यंजनों और अतिरिक्त व्यंजनों को मिलाकर इनकी संख्या 39 होती है।

उच्चारण के आधार पर हिंदी वर्णमाला में व्यंजनों के निम्नलिखित तीन भेद होते हैं–

(क) **स्पर्श व्यंजन :** जिन व्यंजनों का उच्चारण करते समय जीभ मुख के विभिन्न भागों (कंठ, तालु, मूर्धा, दंत, ओष्ठ) को स्पर्श करती है, उन्हें स्पर्श व्यंजन कहते हैं। इन व्यंजनों की कुल संख्या 25 है। इन व्यंजनों को पाँच वर्गों में बाँटा गया है; जैसे–

वर्ग		**व्यंजन**	**उच्चारण स्थान**	**प्रकार**
कवर्ग	–	क ख ग घ ङ	कंठ	कंठ्य
चवर्ग	–	च छ ज झ ञ	तालु	तालव्य
टवर्ग	–	ट ठ ड ढ ण	मूर्धा	मूर्धन्य
तवर्ग	–	त थ द ध न	दंत	दंत्य
पवर्ग	–	प फ ब भ म	ओष्ठ	ओष्ठ्य

(ख) **अंतःस्थ व्यंजन :** जिन व्यंजनों का उच्चारण करते समय जीभ पूरी तरह मुख के किसी भाग को स्पर्श नहीं करती, वे अंतःस्थ व्यंजन कहलाते हैं। ये व्यंजन संख्या में 4 हैं–य, र, ल, व।

(ग) **ऊष्म व्यंजन :** ऊष्म का अर्थ है–गरम। जिन व्यंजनों के उच्चारण में वायु मुख के विभिन्न भागों से टकराकर ऊष्मा (गरमी) पैदा करती है, वे ऊष्म व्यंजन कहलाते हैं। ऊष्म व्यंजन संख्या भी 4 हैं–श, ष, स, ह।

संयुक्त व्यंजन : जब दो या दो से अधिक व्यंजन परस्पर मिलते हैं, तो उसे संयुक्त व्यंजन कहते हैं। उदाहरणार्थ–च्छ, क्क, क्ष, त्र आदि संयुक्त व्यंजन के उदाहरण हैं। संयुक्त व्यंजन को व्यंजन-गुच्छ भी कहते हैं। इन्हें निम्न रूपों में व्यक्त किया जा सकता है–

1. संयुक्त व्यंजनों के स्वतन्त्र प्रयोग में क्ष, त्र, ज्ञ एवं श्र चार ऐसे संयुक्त व्यंजन हैं, जिन्हें स्वतंत्र रूप में प्रयोग किया जाता है।

   क्ष = क् + ष, त्र = त् + र, ज्ञ = ज् + ञ, श्र = श् + र

   क्ष = अक्षर, क्षत्रिय

   त्र = मित्र, त्रिशूल

   ज्ञ = ज्ञाता, आज्ञा

   श्र = विश्राम, श्रमिक

2. द्विवत्व व्यंजन के रूप में–

   न् + न = प्रसन्न, द् + द = उद्देश्य

   ज् + ज = सज्जन

3. संयुक्ताक्षर रूप में–

   द् + य = उद्योग, त् + प = उत्पन्न,

   स् + थ = स्थल

आगत व्यंजन : हिंदी में उर्दू-फारसी, अरबी भाषाओं के शब्द प्रयुक्त होते हैं। इनके शुद्ध उदाहरण के कुछ वर्णों के नीचे नुक्ता (बिन्दु) लगाया जाता है।

जैसे—ज़मीन, तर्ज़ आदि।

'र' के विभिन्न रूप—ये निम्न प्रकार हैं :

(*i*) 'र' का स्वर रहित रूप किसी व्यंजन के पूर्व आने पर वह अगले वर्ण पर रेफ (ᕐ) के रूप में लगता है; जैसे—नर्म, गर्म आदि।

(*ii*) 'र' का स्वर सहित रूप किसी व्यंजन के बाद आने पर वह उस व्यंजन के निचले भाग में जुड़ जाता है। इसे 'पदेन' कहा जाता है; जैसे—प्रखर, प्रजा आदि।

(*iii*) 'र' का स्वर युक्त रूप 'ट' एवं 'ड' वर्णों के साथ अलग रूप धारण कर लेता है; जैसे—ट्रॉम, ट्रेन आदि।

(*iv*) 'त्' के साथ 'र' मिलकर 'त्र' और श् के साथ 'र' मिलकर 'श्र' बन जाता है; जैसे—तंत्र-मंत्र, श्रमिक आदि।

वस्तुनिष्ठ प्रश्न

1. विचारों के आदान-प्रदान का सबसे सरल एवं सफल साधन है :
A. शब्द B. भाषा
C. कविता D. संभाषण

2. भाषा शब्द की व्युत्पत्ति संस्कृत भाषा की इस धातु से हुई है :
A. भास B. भाष्
C. भाषा D. बोली

3. संस्कृत के भाष् शब्द का अर्थ है :
A. लिखना B. बातचीत करना
C. बोलना D. सुनना

4. भाषा है :
A. नेत्र ग्राह्य B. श्रोत ग्राह्य
C. स्पर्श ग्राह्य D. उपर्युक्त सभी

5. भाषा की प्रकृति का मूल संबंध है :
A. लिखित भाषा B. मौखिक भाषा
C. मातृभाषा D. राजभाषा

6. यास्क ने शब्दों के .... भेद किये।
A. तीन B. चार
C. पाँच D. छः

7. अंग्रेजी में भाषा के लिए Language शब्द का प्रयोग होता है। इसकी व्युत्पत्ति हुई है :
A. लैटिन भाषा से B. ग्रीक भाषा से
C. यूनानी भाषा से D. फ्रेंच भाषा से

8. बच्चे भाषा सीखते हैं :
A. रेखीय ढंग से B. चक्रीय ढंग से
C. वक्राकार ढंग से D. त्रिकोणीय ढंग से

9. मनोवैज्ञानिकों के अनुसार भाषा की लघुतम इकाई :
A. शब्द B. वर्ण
C. संदर्भ D. वाक्य

10. हर बच्चा अनुवांशिक रूप से सार्वभौमिक व्याकरण नामक भाषाई क्षमता/व्यवस्था के साथ जन्म लेता है। ऐसा मानना है :
A. चॉमस्की का B. वैगस्की का
C. रूसो का D. रायबर्न का

11. ध्वनि और वर्ण :
A. समानार्थी हैं B. भिन्नार्थी हैं
C. एकार्थी हैं D. उपर्युक्त सभी हैं

12. कौन-सा शब्द स्वर का समानार्थी है?
A. शब्द B. ध्वनि
C. अक्षर D. इनमें से कोई नहीं

13. वर्ण किसे कहते हैं?
A. अक्षर को B. शब्द को
C. ध्वनि के लिखित रूप को D. इनमें से किसी को नहीं

14. हिन्दी वर्णमाला में वर्णों की संख्या कितनी है?
A. 52 B. 45
C. 46 D. 38

15. हिन्दी वर्णमाला में कौन-से दो मुख्य वर्ण हैं?
A. स्वर - व्यंजन B. अनुस्वार - विसर्ग
C. संधि - समास D. विसर्ग - व्यंजन

16. हिन्दी वर्णमाला में ह्रस्व स्वरों की संख्या है :
A. चार B. पाँच
C. छः D. कोई नहीं

17. अनुस्वार क्या है?
A. स्वर है
B. व्यंजन है
C. स्वर और व्यंजन दोनों हैं
D. उपर्युक्त में से कोई नहीं

18. हिन्दी वर्णमाला के कौन-से स्वर अयोगवाह कहलाते हैं?
A. मूल स्वर B. दीर्घ स्वर
C. संध्यक्षर D. अनुस्वार और विसर्ग

19. क से म तक के व्यंजन कहलाते हैं :
A. स्पर्श B. स्पर्श संघर्षी
C. कंठ्य D. ओष्ठ्य

20. हल् चिह्न संकेतित करता है :
A. शुद्ध व्यंजन को B. शुद्ध स्वर को
C. शुद्ध अनुस्वार को D. किसी को नहीं

21. वर्गीय व्यंजनों में सघोष होते हैं :
A. प्रथम, द्वितीय, तृतीय, व्यंजन
B. द्वितीय, तृतीय, चतुर्थ, व्यंजन
C. तृतीय, चतुर्थ, पंचम, व्यंजन
D. उपर्युक्त में से कोई नहीं

22. श, ष, स, ह, वायु प्रक्षेप की दृष्टि से कैसे व्यंजन हैं?
A. अल्पप्राण B. महाप्राण
C. उपर्युक्त दोनों D. इनमें से कोई नहीं

23. वायु प्रक्षेप की दृष्टि से स्वर क्या होते हैं?
A. अल्पप्राण B. महाप्राण
C. उपर्युक्त दोनों D. इनमें से कोई नहीं

24. अधोलिखित में से अनुनासिक स्वर वाला शब्द चुनिए :
A. बंदर B. सुंदर
C. बंदरी D. नंदी

25. हिन्दी वर्णमाला के किन वर्णों का शब्द के आदि में प्रयोग नहीं होता?
A. ड़, ढ़, ण B. ड, ढ़, स्
C. र, ल, क्ष D. ड, ढ, ज्ञ

26. हिन्दी वर्णमाला के द्विस्पृष्ट व्यंजन कौन-से हैं?
A. न्ह, म्ह B. दूह, ल्ह
C. ड़, ढ़ D. कोई नहीं

27. नाद की दृष्टि से न्ह, म्ह, ल्ह, कैसे व्यंजन हैं?
A. अघोष B. सघोष
C. उत्क्षिप्त D. लुंठित

28. 'ह' व्यंजन उच्चारण की दृष्टि से क्या है?
A. कंठ्य B. कंठतालव्य
C. कण्ठोष्ठ D. इनमें से कोई नहीं

29. शब्द के बीच में या अंत में जब अ स्वर का उच्चारण पूरा नहीं होता तो इसके पूर्व स्वर पर :
A. व्यंजनाघात होता है। B. स्वराघात या बलाघात होता है।
C. मात्राघात होता है। D. वर्णाघात होता है।

30. संयोग की दृष्टि से क्या, क्यों अधोलिखित में से क्या हैं?
A. संयुक्त ध्वनि B. युग्मक ध्वनि
C. सामान्य संयुक्ताक्षर D. इनमें से कोई नहीं

31. 'ऐ' में कितने स्वर हैं?
A. एक B. दो
C. तीन D. एक भी नहीं

32. अधोलिखित में से कौन-सा स्वर स्वतंत्र रूप से उच्चरित होने वाला है?
A. ऐ B. आ
C. अं D. इ

33. अधोलिखित में तालव्य स्वर पहचानिए :
A. अ, आ B. इ, ई
C. ए, ऐ D. ओ, औ

34. वर्गीय व्यंजन किन्हें कहा गया है?
A. संयुक्त व्यंजनों को B. अंतःस्थ व्यंजनों को
C. ऊष्म व्यंजनों को D. स्पर्श व्यंजनों को

35. वर्णों के उच्चारण में प्राण शब्द का अर्थ है :
A. आत्मा B. श्वास
C. नाद D. ध्वनि

36. 'कमल' शब्द में बलाघात कहाँ है?
A. क पर B. म पर
C. ल पर D. किसी पर नहीं

37. 'चिल्लाना' शब्द में कितने वर्ण हैं?
A. सात B. छः
C. पाँच D. उपरोक्त कोई नहीं

38. 'संपन्न' शब्द में किस प्रकार की ध्वनियों का मेल है?
A. संयुक्त B. युग्मक
C. उपर्युक्त दोनों D. कोई नहीं

39. हिन्दी ध्वनियों का स्वरूप निर्धारण किस आधार पर होता है?
A. उच्चारण स्थान तथा प्रयत्न के आधार पर
B. नाद के आधार पर
C. महाप्राणता के आधार पर
D. किसी आधार पर नहीं

40. फारसी की ग़, ज़, फ़ ध्वनियाँ हिन्दी वर्णमाला में :
A. स्वीकृत हैं B. स्वीकृत नहीं हैं
C. विचाराधीन हैं D. इनमें से कोई नहीं

उत्तरमाला

1	2	3	4	5	6	7	8	9	10
B	B	C	D	B	B	A	B	D	A
11	**12**	**13**	**14**	**15**	**16**	**17**	**18**	**19**	**20**
B	C	C	A	A	A	C	D	A	A
21	**22**	**23**	**24**	**25**	**26**	**27**	**28**	**29**	**30**
C	B	A	C	A	C	B	A	B	C
31	**32**	**33**	**34**	**35**	**36**	**37**	**38**	**39**	**40**
B	D	B	D	B	B	A	B	A	B

★★★

2

शब्द विचार

एक अथवा एक से अधिक वर्णों के सार्थक समूह को शब्द कहते हैं, किन्तु केवल वर्णों का समूह ही शब्द नहीं होता, बल्कि उस वर्ण समूह का कोई-न-कोई अर्थ अवश्य होना चाहिए।

शब्द भेद

व्याकरण के अनुसार शब्दों को निम्नलिखित चार प्रकार से विभाजित कर सकते हैं :

- **अर्थ के आधार पर शब्द भेद :** अर्थ के आधार पर शब्दों के दो भेद हैं :
  - **सार्थक शब्द :** जिन वर्ण समूहों की ध्वनि सार्थक होती है अथवा वे शब्द जो एक निश्चित अर्थ को प्रकट करते हैं, सार्थक शब्द कहलाते हैं; जैसे–महल, पुस्तक, राजा आदि।
  - **निरर्थक शब्द :** जिन वर्ण समूहों की ध्वनि सार्थक नहीं होती अथवा शब्दों का कोई अर्थ नहीं निकलता, वे निरर्थक शब्द कहलाते हैं। ऐसे शब्दों का प्रयोग सार्थक शब्दों के जोड़े बनाने के लिए किया जाता है, जैसे–महल-वहल, पुस्तक-वुस्तक, राजा-वाजा आदि।
- **प्रयोग के आधार पर शब्द भेद :** प्रयोग के आधार पर शब्दों के दो भेद हैं :
  - **विकारी शब्द :** प्रयोग करते समय लिंग, वचन, कारक, काल आदि के कारण जिन शब्दों का रूप बदल जाता है, वे विकारी शब्द कहलाते हैं। विकारी शब्द चार प्रकार के होते हैं :
    - (*i*) **संज्ञा :** भारत, राधा, कानपुर, गंगा आदि।
    - (*ii*) **सर्वनाम :** मैं, तुम, आप, वे आदि।
    - (*iii*) **क्रिया :** पढ़ना, लिखना, खाना, सोना आदि।
    - (*iv*) **विशेषण :** चतुर, सुन्दर, मीठा, लम्बा आदि।
  - **अविकारी शब्द :** प्रयोग करते समय लिंग, वचन, कारक, काल आदि के कारण जिन शब्दों का रूप नहीं बदलता, वे अविकारी शब्द कहलाते हैं। अविकारी शब्द चार प्रकार के होते हैं :
    - (*i*) **क्रिया-विशेषण :** अचानक, ऊपर, यहाँ आदि।
    - (*ii*) **संबंधबोधक :** साथ, विरुद्ध, हेतु, मध्य आदि।
    - (*iii*) **समुच्चयबोधक :** चाहे, अथवा, और, परन्तु आदि।
    - (*iv*) **विस्मयादिबोधक :** हाय! अरे! हे! आदि।

व्युत्पत्ति के आधार पर शब्द भेद :

- **रूढ़ :** जो शब्द किसी दूसरे शब्द के योग से नहीं बनते और विशेष अर्थ को प्रकट करते हैं, रूढ़ शब्द कहलाते हैं, जैसे–घर, आँख, हाथी, मोर आदि।
- **यौगिक :** जो शब्द दो या दो से अधिक शब्दों के मेल से बनते हैं, यौगिक शब्द कहलाते हैं। इन्हें अलग-अलग करने पर उनका स्पष्ट अर्थ प्रतीत होता है, जैसे–हिमालय, विद्यार्थी आदि।
- **योगरूढ़ :** जो शब्द यौगिक होते हुए भी किसी विशेष अर्थ को स्पष्ट करते हैं, वे योगरूढ़ कहलाते हैं, जैसे–दशानन (दस हैं मुख जिसके अर्थात्–रावण), लम्बोदर (लम्बा है उदर (पेट) जिसका अर्थात्–गणेश)।

- **उत्पत्ति के आधार पर शब्द भेद :** उत्पत्ति के आधार पर शब्दों के चार भेद हैं :
  - **तत्सम शब्द :** जो शब्द संस्कृत भाषा से ज्यों-के-त्यों अर्थात् बिना किसी परिवर्तन के हिन्दी में ले लिए गए हैं अथवा जिन्हें संस्कृत के मूल शब्दों से संस्कृत के ही प्रत्यय लगाकर निर्मित किया गया है, वे तत्सम शब्द कहलाते हैं, जैसे–पुष्प, जल, नारी, कन्या, साधु, विद्वान, राजा, पृथ्वी, पुस्तक, बालक, नदी इत्यादि।
  - **तद्भव शब्द :** संस्कृत के जो शब्द प्राकृत, अपभ्रंश, पुरानी हिन्दी आदि से विकृत होकर हिन्दी भाषा में आए हैं, वे तद्भव शब्द कहलाते हैं, जैसे–अग्नि (संस्कृत) से आग (तद्भव), कुम्भकार (संस्कृत) से कुम्हार (तद्भव), हस्त (संस्कृत) से हाथ (तद्भव) इत्यादि।
  - **देशज शब्द :** वे शब्द जो संस्कृत या किसी और भाषा से हिन्दी भाषा में नहीं लिए गए हैं बल्कि आवश्यकतानुसार बोलियों द्वारा बना लिए गए हैं, देशज शब्द कहलाते हैं, जैसे–पेटी, शीशा, खाट आदि।
  - **विदेशज शब्द :** जो शब्द अंग्रेजी, फारसी, तुर्की आदि विदेशी भाषाओं से हिन्दी भाषा में आ गए हैं, विदेशज शब्द कहलाते हैं। हिन्दी भाषा में प्रयुक्त किए जाने वाले कुछ विदेशी शब्द निम्नलिखित हैं :
    - (*i*) **अंग्रेजी शब्द :** डॉक्टर, स्टेशन, पेन्सिल, टिकट, रजिस्टर, पेन, कॉलेज, पॉलिश, रेडियो, प्रेस, कमीशन, जज, गेट आदि।
    - (*ii*) **फ्रेंच शब्द :** पिकनिक, कूपन, लैम्प, बम, मीनू आदि।
    - (*iii*) **स्पेनिश शब्द :** सिगरेट, सिगार, कॉर्क आदि।
    - (*iv*) **अरबी शब्द :** अखबार, औलाद, उम्र, इलाज, मतलब, मुकदमा, जवाब, तकदीर, किला, दौलत, कातिल, दाखिल, इनाम, नकद आदि।
    - (*v*) **फारसी शब्द :** आमदनी, उम्मीद, सौदागर, तनख्वाह, खुराक, गवाह, गिरफ्तार, ताजा, पेशा, मुफ्त, दीवार, चिराग आदि।
    - (*vi*) **तुर्की शब्द :** डलिया, खंजर, लाश, कालीन, सराय, सौगात, चाकू, तमगा, बीबी, कैंची, दारोगा, बहादुर, लफंगा आदि।

वस्तुनिष्ठ प्रश्न

1. पंकज रचना की दृष्टि से कैसा शब्द है?
A. योगरूढ़ B. यौगिक
C. रूढ़ D. इनमें से कोई नहीं

2. व्याकरण में किस प्रकार के शब्दों का अध्ययन किया जाता है?
A. निरर्थक B. सार्थक
C. यौगिक D. रूढ़

3. शब्द की कौन-सी परिभाषा सही है?
A. एक या एक से अधिक सार्थक वर्ण समूह
B. एक या एक से अधिक निरर्थक वर्ण समूह
C. एक या एक से अधिक यौगिक वर्ण समूह
D. इनमें से कोई नहीं

4. शब्दों का वर्गीकरण किन आधारों पर किया जाता है?
A. रचना के आधार पर B. उद्गम के आधार पर
C. अर्थ के आधार पर D. उपर्युक्त सभी आधारों पर

5. तत्सम शब्द किस दृष्टि से शब्द का भेद है?
A. अर्थ की दृष्टि से B. उद्गम की दृष्टि से
C. व्युत्पत्ति की दृष्टि से D. इनमें से कोई नहीं

6. संकर शब्द ऐसे शब्दों को कहते हैं, जो :
A. दो भाषाओं के शब्दों के मेल से बनते हैं
B. संधि से बनते हैं
C. समास से बनते हैं
D. इनमें से कोई नहीं

7. आकाशवाणी कैसा शब्द है?
A. संकर B. तत्सम
C. देशी D. विदेशी

8. .... व्युत्पत्ति की दृष्टि से धरम कैसा शब्द है?
A. तत्सम B. अर्द्धतत्सम
C. देशी D. विदेशी

9. रचना के आधार पर शब्दों के प्रकार हैं :
A. सार्थक, निरर्थक
B. रूढ़, यौगिक, योगरूढ़
C. तत्सम, तद्भव, देशज, विदेशी
D. विकारी, अविकारी

10. शब्द रचना की कितनी विधियाँ हैं?
A. एक B. तीन
C. चार D. दो

11. 'संध्या' का तद्भव रूप है :
A. साँझ B. वंध्या
C. आराध्य D. त्रिज्या

12. 'आम्र' का तद्भव रूप है :
A. नाम B. ग्राम
C. आम D. वाम

13. 'मयूर' का तद्भव रूप है :
A. मोर B. यार
C. माया D. मरण

14. 'सावन' शब्द का तत्सम रूप है :
A. वन B. श्रावन
C. श्रावण D. श्रवण

15. 'खेत' शब्द का तत्सम रूप है :
A. क्षेत्र B. नेत्र
C. रेत D. श्वेत

16. <u>आइडिया</u> रेखांकित शब्द स्रोत की दृष्टि से है :
A. तद्भव B. तत्सम
C. विदेशी D. देशज

17. 'प्रभात' शब्द है :
A. तद्भव B. तत्सम
C. विदेशी D. देशज

18. 'गाँव' इस शब्द का तद्भव रूप है :
A. ग्राम B. काँव
C. छाँव D. शहर

19. <u>फरमाइश</u> रेखांकित शब्द स्रोत की दृष्टि से है :
A. तद्भव B. तत्सम
C. विदेशी D. देशज

20. 'अमृत' शब्द है :
A. तद्भव B. तत्सम
C. विदेशी D. देशज

उत्तरमाला

1	2	3	4	5	6	7	8	9	10
A	B	A	D	B	A	B	B	B	C
11	**12**	**13**	**14**	**15**	**16**	**17**	**18**	**19**	**20**
A	C	A	C	A	C	B	A	C	B

★★★

3 संज्ञा

संज्ञा का अर्थ नाम होता है। संसार में जितने भी व्यक्ति या वस्तुएँ हैं, उनका कोई-न-कोई नाम अवश्य होता है। ऐसी सभी वस्तुओं के नामों को 'संज्ञा' कहा जाता है, जैसे—विजय, विनय, भारत, पाकिस्तान, दूध, दही, सुन्दरता, मिठास, झुण्ड आदि।

संज्ञा के भेद

संज्ञा के निम्नलिखित पाँच भेद होते हैं :

- **जातिवाचक संज्ञा :** जातिवाचक संज्ञा किसी प्राणी या वस्तु की सम्पूर्ण जाति का बोध कराती है; जैसे—गाय, किसान, किताब, लेखक, लड़का आदि।
- **व्यक्तिवाचक संज्ञा :** व्यक्तिवाचक संज्ञा किसी एक विशेष व्यक्ति, वस्तु या स्थान का बोध कराती है; जैसे—कृष्ण, गंगा, पटना, मेरठ, दिल्ली आदि।
- **द्रव्यवाचक संज्ञा :** द्रव्यवाचक संज्ञा किसी धातु या द्रव (तरल) पदार्थ का बोध कराती है; जैसे—दूध, दही, सोना, चाँदी, लोहा आदि।
- **समूहवाचक संज्ञा :** समूहवाचक संज्ञा किसी समूह का बोध कराती है; जैसे—झुण्ड, भीड़, सभा, गुच्छा, सेना, जुलूस आदि।
- **भाववाचक संज्ञा :** भाववाचक संज्ञा किसी व्यक्ति या वस्तु के धर्म अथवा गुण का बोध कराती है; जैसे—बुढ़ापा, मिठास, अच्छाई, मित्रता, शत्रुता आदि।

भाववाचक संज्ञा का निर्माण

भाववाचक संज्ञाओं का निर्माण तद्धित और कृदन्त प्रत्ययों को विभिन्न शब्द भेदों में लगाकर किया जाता है।

जातिवाचक संज्ञा से

जातिवाचक संज्ञा	भाववाचक संज्ञा	जातिवाचक संज्ञा	भाववाचक संज्ञा
पशु	पशुता	विद्वान	विद्वता
मनुष्य	मनुष्यता	शत्रु	शत्रुता
लड़का	लड़कपन	बूढ़ा	बुढ़ापा
देहात	देहाती	बंधु	बंधुत्व
स्त्री	स्त्रीत्व	शहर	शहरी
साधु	साधुत्व	माता	मातृत्व
घर	घरेलू	मूर्ख	मूर्खता

विशेषण से

विशेषण	भाववाचक संज्ञा	विशेषण	भाववाचक संज्ञा
सुन्दर	सुन्दरता	ईमानदार	ईमानदारी
कठोर	कठोरता	निपुण	निपुणता
कुरूप	कुरूपता	वीर	वीरता
गर्म	गर्मी	शिष्ट	शिष्टता
सर्द	सर्दी	कायर	कायरता
चौड़ा	चौड़ाई	नीच	नीचता
काला	कालापन	सभ्य	सभ्यता

क्रिया से

क्रिया	भाववाचक संज्ञा	क्रिया	भाववाचक संज्ञा
पढ़ना	पढ़ाई	सजाना	सजावट
लड़ना	लड़ाई	लिखना	लिखावट
चढ़ना	चढ़ाई/चढ़ाव	बनाना	बनावट
विचारना	विचार	मिलाना	मिलावट
उठना	उठाव	निकलना	निकास
झुकना	झुकाव	लूटना	लूट

सर्वनाम से

सर्वनाम	भाववाचक संज्ञा	सर्वनाम	भाववाचक संज्ञा
मम	ममता	अहं	अहंकार
स्व	स्वत्व	पराया	परायापन
अपना	अपनत्व/अपनापन	सर्व	सर्वस्व
आप	आपा	निज	निजता
एक	एकता		

अव्यय से

अव्यय	भाववाचक संज्ञा	अव्यय	भाववाचक संज्ञा
निकट	निकटता	शाबाश	शाबाशी
समीप	समीपता/सामीप्य	वाह	वाहवाही
दूर	दूरी	धिक्	धिक्कार
अधिक	अधिकता	तेज	तेजी
सहज	सहजता	नित्य	नित्यता
नीचे	निचाई	बहुत	बहुतायत
मना	मनाही	शीघ्र	शीघ्रता

वस्तुनिष्ठ प्रश्न

1. संज्ञा बोध कराती है :
A. व्यक्तियों के नाम का B. वस्तुओं के नाम का
C. स्थानों के नाम का D. उपरोक्त सभी का

2. वस्तु अथवा व्यक्ति के नाम को कहते हैं :
A. प्रतीक B. चिह्न
C. संज्ञा D. पहचान

3. संज्ञा के भेद होते हैं :
A. चार B. पाँच
C. छः D. तीन

4. प्रधानमंत्री कौन-सी संज्ञा है?
A. व्यक्तिवाचक B. समूहवाचक
C. जातिवाचक D. भाववाचक

5. जातिवाचक संज्ञा बोध कराती है :
A. व्यक्ति या मनुष्य के जातिवर्ग का
B. व्यक्ति के संस्कार का
C. पशुओं के जाति गुण का
D. व्यक्ति के पद का

6. हिमालय कौन-सी संज्ञा है?
A. व्यक्तिवाचक B. स्थानवाचक
C. द्रव्यवाचक D. कोई नहीं

7. सोना, चाँदी, लोहा, पीतल किस संज्ञा से संबद्ध शब्द हैं?
A. जातिवाचक संज्ञा B. भाववाचक संज्ञा
C. द्रव्यवाचक संज्ञा D. किसी से नहीं

8. किन संज्ञा शब्दों का प्रयोग बहुवचन में होता है?
A. प्राण B. दर्शन
C. आँसू D. उपरोक्त सभी का

9. इनमें से कौन-सा संज्ञा का कार्य नहीं है?
A. समूहसूचक नामों का बोध कराना
B. धातु, द्रव्य और अनाजों के नाम का बोध कराना
C. दिनों, महीनों, ग्रह-नक्षत्रों का बोध कराना
D. व्यक्ति के भविष्य का बोध कराना

10. इनमें से क्या भाववाचक संज्ञा नहीं है?
A. ममता B. कृपा
C. क्षमा D. गुच्छा

11. 'जयचन्दों' ने ही देश का विनाश किया। यहाँ 'जयचन्द' क्या है?
A. व्यक्तिवाचक संज्ञा B. जातिवाचक संज्ञा
C. भाववाचक संज्ञा D. इनमें से कोई नहीं

12. 'कक्षा' कौन-सी संज्ञा है?
A. जातिवाचक B. भाववाचक
C. समूहवाचक D. व्यक्तिवाचक

13. 'पढ़ना' की भाववाचक संज्ञा क्या होगी?
A. पाठ B. पठनीय
C. पढ़ाई D. पाठक

14. 'पंडित' की भाववाचक संज्ञा है:
A. पंडित्व B. पंडिताइन
C. पंडिताऊ D. पांडित्य

15. डॉ. राजेन्द्र प्रसाद को देशरत्न कहा जाता है। रेखांकित शब्द में कौन-सी संज्ञा है?
A. जातिवाचक संज्ञा B. द्रव्यवाचक संज्ञा
C. व्यक्तिवाचक संज्ञा D. भाववाचक संज्ञा

16. स्वतंत्रता सबको प्यारी होती है। वाक्य के रेखांकित शब्द का संज्ञा भेद है।
A. जातिवाचक संज्ञा B. भाववाचक संज्ञा
C. समूहवाचक संज्ञा D. इनमें से कोई नहीं

17. निम्नलिखित में से कौन-सा शब्द भाववाचक संज्ञा को नहीं दर्शाता है?
A. सुन्दरता B. गंदगी
C. लड़की D. बचपन

18. आजकल हर शहर में रावण पैदा हो रहे हैं। रेखांकित शब्द में संज्ञा है:
A. जातिवाचक B. व्यक्तिवाचक
C. भाववाचक D. समुदायवाचक

19. 'लेखक' संज्ञा का कौन-सा प्रकार है?
A. भाववाचक संज्ञा B. समूहवाचक संज्ञा
C. व्यक्तिवाचक संज्ञा D. जातिवाचक संज्ञा

20. आजकल भारतीय पहनावे बदल गए हैं। इस वाक्य में 'पहनावे' में कौन-सी संज्ञा है?
A. जातिवाचक B. व्यक्तिवाचक
C. भाववाचक D. समूहवाचक

उत्तरमाला

1	2	3	4	5	6	7	8	9	10
D	C	B	C	A	A	C	D	D	D
11	12	13	14	15	16	17	18	19	20
B	C	C	D	C	B	C	A	D	A

★ ★ ★

4 सर्वनाम

संज्ञा शब्दों की पुनरुक्ति को दूर करने हेतु उनके स्थान पर जो शब्द प्रयुक्त किए जाते हैं, उन्हें सर्वनाम कहते हैं; जैसे—राम आज बीमार है, इसलिए वह आज विद्यालय नहीं आया। इस वाक्य में 'वह' शब्द राम के लिए प्रयुक्त हुआ है। यदि 'वह' शब्द का प्रयोग न होता तो 'राम' शब्द की पुनरुक्ति होती और वाक्य का सौन्दर्य नष्ट हो जाता।

हिन्दी के मूल सर्वनाम 11 हैं—मैं, तू, आप, यह, वह, जो, सो, कौन, क्या, कोई, कुछ।

सर्वनाम के भेद

सर्वनाम के निम्नलिखित छः भेद होते हैं :

- **पुरुषवाचक सर्वनाम :** जो सर्वनाम बोलने वाले या सुनने वाले या जिसके विषय में कुछ कहा जाए—इन तीनों पुरुषों का बोध कराते हैं, उन्हें पुरुषवाचक सर्वनाम कहा जाता है। 'पुरुषवाचक' सर्वनाम से पुरुष और स्त्री दोनों का बोध होता है।

  पुरुषवाचक सर्वनाम निम्न हैं :

  मैं, हम, तू, तुम, आप, यह, ये, वह, वे आदि।

  उदाहरणः उसने मुझे बोला था कि **तुम** पढ़ रही हो।

  उपर्युक्त वाक्य में तीन तरह के पुरुषवाचक शब्द आए हैं। उसने, मुझे और तुम— अतः स्पष्ट होता है कि पुरुषवाचक सर्वनाम के तीन भेद होते हैं।

  पुरुषवाचक सर्वनाम तीन प्रकार के होते हैं—

  1. **उत्तम पुरुषः** जिन शब्दों का प्रयोग बोलने वाला खुद (स्वयं) के लिए करता है। जैसे— मैं, मेरा, मुझे, मुझको, मेरी, हम, हमारा, हमारी, हम सब, हमलोग, आदि।
  2. **मध्यम पुरुषः** जिन शब्दों का प्रयोग सुनने वाले के लिए किया जाता है जैसे—तू, तुम, तुम्हें, तुम्हारा, तुमको, आप, आपको, आपलोग, आदि।
  3. **अन्य पुरुषः** जिन शब्दों का प्रयोग किसी तीसरे व्यक्ति के बारे में बात करने के लिए किया जाता है। जैसे— यह, वह, ये, वे, उन, उनको, उनसे, इन्हें, उन्हें, ये लोग, वे लोग, आदि।

- **निजवाचक सर्वनाम :** निजवाचक सर्वनाम से निज या अपने आप का बोध होता है; जैसे—आप, अपने-आप, खुद, निज, स्वतः, स्वयं, आदि।

  उदाहरणः मैं **अपनी** गाड़ी से जाऊँगा।

  मैं अपना काम **आप** ही कर लूंगी।

  उपर्युक्त वाक्यों में **अपनी** और **आप** निजवाचक सर्वनाम हैं।

- **निश्चयवाचक सर्वनाम :** निश्चयवाचक सर्वनाम से पास या दूर (उपस्थित या अनुपस्थित) की वस्तु का निश्चित रूप से बोध होता है; जैसे—यह, वे, वह, ये आदि।

  उदाहरणः यह मेरी गाड़ी है, **वह** राम की गाड़ी है।

- **अनिश्चयवाचक सर्वनाम :** अनिश्चयवाचक सर्वनाम से अज्ञात या अनिश्चित व्यक्तियों या वस्तुओं का बोध होता है; जैसे—कुछ, कुछ भी, सब कुछ, बहुत कुछ, कुछ-न-कुछ, जो कुछ, कोई, सब कोई, हर कोई, कोई भी और कोई-न-कोई आदि।

  उदाहरणः दरवाजे पर **कोई** खड़ा है।

  कोई आ रहा है।

- **प्रश्नवाचक सर्वनाम :** प्रश्नवाचक सर्वनाम का प्रयोग किसी व्यक्ति या वस्तु के विषय में कुछ पूछने के लिए होता है; जैसे—कौन, क्या आदि।

  उदाहरणः तुम **क्या** कर रहे हो?

- **संबंधवाचक सर्वनाम :** संबंधवाचक सर्वनाम से किसी संज्ञा या सर्वनाम के संबंध का ज्ञान होता है; जैसे—जो, सो... वह पुनरुक्त सर्वनाम के कुछ उदाहरण निम्न हैं—जो, सो, उसे, जिसकी, उसकी, जैसा, वैसा आदि।

  उदाहरणः जो सोएगा, सो खोएगा।

  जैसा कर्म करोगे, **वैसा** ही फल मिलेगा।

  उपर्युक्त वाक्यों में **जो,** और **सो** तथा **जैसा** और **वैसा** संबंध वाचक सर्वनाम हैं।

वस्तुनिष्ठ प्रश्न

1. वह सर्वनाम **वे** के रूप में कब व्यवहृत होता है?

A. आदर भाव में B. प्रश्न भाव में
C. संबंध भाव में D. अनिश्चय भाव में

2. इनमें से कौन शब्द पुरुषवाचक सर्वनाम नहीं है?

A. मैं B. तुम
C. आप D. सभी हैं

3. अधोलिखित में से कौन-सा प्रश्नवाचक सर्वनाम है?
A. कोई B. कौन
C. कभी D. कुछ

4. निम्नलिखित में कौन-सा शब्द अनिश्चयवाचक सर्वनाम है?
A. कौन B. क्या
C. वही D. कुछ

5. प्रश्नवाचक सर्वनाम में **कौन** का प्रयोग किसके लिए होता है?
A. व्यक्ति के लिए B. वस्तु के लिए
C. प्रश्न के लिए D. किसी के लिए नहीं

6. कोई आ रहा है– वाक्य में 'कोई' किस प्रकार का सर्वनाम है।
A. अनिश्चयवाचक B. निश्चयवाचक
C. निजवाचक D. संबंधवाचक

7. जैसा करोगे, वैसा भरोगे में कौन-सा सर्वनाम है?
A. पुरुषवाचक सर्वनाम
B. प्रश्नवाचक सर्वनाम
C. संबंधवाचक सर्वनाम
D. निजवाचक सर्वनाम

8. निम्न में सर्वनाम शब्द है:
A. नींद B. सफाई
C. रोग D. कौन

9. निम्न में कौन शब्द सर्वनाम है?
A. मोहन B. आप
C. कमला D. गुड़िया

10. शायद कमरे में <u>कोई</u> छिपा हुआ है। इस वाक्य में रेखांकित शब्द है।
A. प्रश्नवाचक सर्वनाम B. संबंधवाचक सर्वनाम
C. अनिश्चयवाचक सर्वनाम D. निजवाचक सर्वनाम

11. <u>जो</u> परिश्रम करेगा सो पास होगा। रेखांकित सर्वनाम का भेद बताइए।
A. निश्चयवाचक B. अनिश्चयवाचक
C. संबंधवाचक D. प्रश्नवाचक

12. निम्नलिखित वाक्य को उचित सर्वनाम के साथ पूर्ण कीजिए:
.... काम कर रहा है।
A. वह B. वेह
C. वे D. इनमें से कोई नहीं

13. बाहर कोई रो रहा है, इस वाक्य में कौन-सा शब्द सर्वनाम है?
A. बाहर B. रो रहा
C. कोई D. है

14. तुम <u>क्या</u> खोज रहे हो? रेखांकित शब्द में कौन-सा सर्वनाम है?
A. अनिश्चयवाचक B. प्रश्नवाचक
C. संबंधवाचक D. निश्चयवाचक

15. निम्नलिखित में सर्वनाम है:
A. राजेन्द्र B. पुस्तक
C. मैं D. सीता

16. निम्नलिखित में से निश्चयवाचक सर्वनाम है:
A. क्या B. कुछ
C. कौन D. यह

17. निम्नलिखित वाक्य को उचित सर्वनाम के साथ पूर्ण कीजिए:
.... बहुत बुद्धिमान हो।
A. मैं B. तू
C. तुम D. वह

18. किस वाक्य में प्रश्नवाचक सर्वनाम का प्रयोग हुआ है?
A. आपको यह काम करना है। B. वह पढ़ता-लिखता है न?
C. आप कहाँ रहते हो? D. वहाँ कौन पढ़ रहा था?

19. 'ऐसा भी हो सकता है।' वाक्य में कौन-सा शब्द सर्वनाम के रूप में प्रयोग किया गया है?
A. सकता B. ऐसा
C. भी D. हो

20. निम्नलिखित में से कौन-सा शब्द सर्वनाम नहीं है?
A. नदी B. यह
C. वह D. आप

उत्तरमाला

1	2	3	4	5	6	7	8	9	10
A	D	B	D	A	A	C	D	B	C
11	**12**	**13**	**14**	**15**	**16**	**17**	**18**	**19**	**20**
C	A	C	B	C	D	C	D	B	A

★ ★ ★

5 क्रिया और विशेषण

क्रिया

जिस शब्द से किसी काम का होना या करना समझा जाए, उसे क्रिया कहते हैं, जैसे—खाना, पीना, सोना, जागना, पढ़ना-लिखना आदि।

क्रिया तीन प्रकार के शब्दों से बनती है :

- धातु से—पढ़ना = पढ़ + ना
- संज्ञा से—हथियाना = हाथ + आ + ना
- विशेषण से—चिकनाना = चिकना + आ + ना

हिन्दी की बहुत-सी क्रियाएँ धातु से ही बनती हैं अर्थात् दूसरे शब्दों में हम कह सकते हैं कि जिस मूल शब्द से क्रिया का निर्माण होता है, उसे धातु कहते हैं। धातु में 'ना' जोड़ने से क्रिया का सामान्य रूप बनता है। इसका अर्थ यह है कि सामान्य क्रिया से 'ना' हटा देने पर, जो शब्द रह जाता है, उसे धातु कहते हैं : ● धातु + ना = सामान्य क्रिया; पढ़ + ना = पढ़ना।

क्रिया के भेद

क्रिया के दो प्रकार के भेद होते हैं:

1. **सकर्मक क्रियाः** जो क्रिया सदैव कर्म के साथ आती हो, तो उसे सकर्मक क्रिया कहा जाता है। जैसे—श्याम ने केला खाया। इस वाक्य में **श्याम कर्ता** है, **खाया क्रिया** है और केला यहाँ पर **कर्म** है।
2. **अकर्मक क्रियाः** जिन क्रियाओं में कर्म का बोध नहीं होता और क्रिया का प्रभाव कर्ता पर पड़ता है, उन्हें अकर्मक क्रिया कहते हैं। जैसे—रमेश गाता है। यहाँ **कर्म** का अभाव है तथा गाता है **क्रिया** का प्रभाव रमेश पर पड़ता है।

विशेषण

संज्ञा और सर्वनाम की विशेषता बताने वाले शब्द को विशेषण कहते हैं। जिस शब्द की विशेषता बताई जाए, उसे विशेष्य कहते हैं।

जैसे—उजली गाय मैदान में खड़ी है। इस वाक्य में 'उजली' विशेषण तथा गाय विशेष्य है।

विशेषण के भेद

विशेषण के मुख्य चार भेद निम्नलिखित हैं :

- **गुणवाचक विशेषण :** जिस विशेषण द्वारा विशेष्य के गुण अथवा दोष (भाव, रंग, आकार, स्थान, समय आदि) का बोध होता है, उसे 'गुणवाचक विशेषण' कहते हैं।
- **परिमाणबोधक/परिमाणवाचक विशेषण :** जो विशेषण किसी वस्तु की मात्रा वजन, माप-तोल को बताते हैं, उन्हें परिमाणबोधक या परिमाणवाचक विशेषण कहते हैं; जैसे—**बहुत** पानी, **कितना** सोना, **कितनी** चाँदी, **सब** कुछ, **और** दूध आदि।
- **सार्वनामिक विशेषण :** सर्वनाम जब किसी संज्ञा के पूर्व आते हैं, तो सार्वनामिक विशेषण कहलाते हैं; जैसे—यह कलम, वह थोड़ा, कौन आदमी, मेरा आदि।
- **संख्यावाचक विशेषण :** जिन विशेषणों द्वारा संख्या का बोध होता है, उसे संख्यावाचक विशेषण कहते हैं; जैसे—**पाँच** आदमी, **दो** विद्यार्थी, **एक** पुस्तक आदि।

वस्तुनिष्ठ प्रश्न

1. क्रिया के सही रूप से वाक्य पूरा कीजिएः
ट्रेन अचानक से ....।
A. रुका है B. रुक गई
C. रुक रही थी D. रुक चुकी है

2. अकर्मक क्रिया वाले वाक्य को चुनिएः
A. बच्चे पतंग उड़ाते हैं। B. चिड़ियाँ उड़ती हैं।
C. करीम ने दौड़ लगाई। D. उसने अपनी डायरी जला दी।

3. निम्नलिखित वाक्य में से क्रिया पहचानिएः
रमेश हर दिन बगीचे में खेलता है।
A. खेलता B. खिलौना
C. खिलाना D. इनमें से कोई नहीं

4. सही क्रिया चुनिएः
बच्चा कमरे में .... था।
A. सोना B. सो रहा
C. सोएगा D. सो रहा होगा

5. हम लोग आज बड़े मैदान में फुटबॉल मैच देखने जा रहे हैं। वाक्य में क्रिया क्या है?
A. देखने B. फुटबॉल मैच
C. बड़े D. रहे हैं

6. सही क्रिया चुनिएः बच्चा दो घंटे से ....।
A. सो रहा है B. सो रहे हैं
C. सो चुका है D. सोएगा

7. सही क्रिया चुनिए:
अशोक उसे कल ....।
A. मिलता है B. मिला
C. मिलेंगे D. मिल रहा है

8. सही क्रिया चुनिए:
भूमध्य रेखा के पास, सूर्य अधिक मात्रा में पानी ....।
A. वाष्पित कर रहा है B. वाष्पित करता है
C. वाष्पित कर चुका है D. वाष्पित करें

9. निम्न में से कौन-सी अकर्मक क्रिया है?
A. चुराना B. माँगना
C. लेना D. हँसना

10. निम्न में से कौन-सी सकर्मक क्रिया है?
A. सोना B. हँसना
C. रोना D. देखना

11. चिड़िया आकाश में उड़ रही है। इस वाक्य में 'उड़ रही' क्रिया किस प्रकार की है?
A. अकर्मक B. सकर्मक
C. सामान्य D. इनमें से कोई नहीं

12. किस वाक्य में पूर्वकालिक क्रिया का प्रयोग हुआ है?
A. रेलगाड़ी स्टेशन पर पहुँच चुकी थी।
B. थोड़ी देर पहले पानी बरस रहा था।
C. घंटा लगते ही वह चल पड़ा।
D. वह नहाकर पढ़ेगा।

13. निम्नलिखित में से सकर्मक क्रिया का चयन कीजिए।
A. डूब B. गाया
C. बैठ D. बह

14. जिस शब्द से काम के करने या होने का पता चले, उसे कहते हैं:
A. कर्म B. शब्द
C. क्रिया D. कर्ता

15. किस वाक्य में प्रेरणार्थक क्रिया है?
A. सूखे पत्ते हवा में उड़ रहे हैं।
B. सोहन तैरना जानता है।
C. पानी के बिना फसल सूख रही है।
D. मालिक नौकर से सफाई करवा रहा है।

16. विशेषण किसकी विशेषता बताता है?
A. संज्ञा की B. सर्वनाम की
C. संज्ञा, सर्वनाम दोनों की D. क्रिया की

17. जिस पद की विशेषता बतायी जाये, उसे कहते हैं :
A. विशेषण B. प्रविशेषण
C. विशेष्य D. प्रधानपद

18. यह किताब ठीक है। इस वाक्य में **यह** कौन-सा विशेषण है?
A. सार्वनामिक विशेषण
B. परिमाण बोधक विशेषण
C. गुणवाचक विशेषण
D. कोई नहीं

19. **पूजनीय** विशेषण पद बना है :
A. क्रिया में प्रत्यय लगाकर B. विशेषण में प्रत्यय लगाकर
C. संज्ञा में प्रत्यय लगाकर D. इनमें से कोई नहीं

20. तुलनात्मक विशेषण की कितनी अवस्थाएँ होती हैं?
A. दो B. तीन
C. चार D. पाँच

21. यह घोड़ा अच्छा है। वाक्य में यह कौन-सा विशेषण है?
A. गुणवाचक B. प्रविशेषण
C. क्रमवाचक D. सार्वनामिक

22. **मीठा** आम में मीठा कौन-सा विशेषण है?
A. गुणवाचक B. संख्यावाचक
C. परिमाणवाचक D. कोई नहीं

23. **चलता-फिरता, टेढ़ा-मेढ़ा** कैसा विशेषण हैं?
A. प्रत्यय लगने से विकारी विशेषण हैं
B. दो शब्दों के मेल से बने विकारी विशेषण हैं
C. दोनों के मेल से
D. कोई नहीं

24. दिए गए विकल्पों में से विशेषण पहचानिए:
A. ऊँचा B. पाया
C. चिड़ियाँ D. अवशेष

25. निम्नलिखित में से संकेतवाचक विशेषण को चुनिए:
A. वह मकान B. बीस मन अनाज
C. दस विद्यार्थी D. लंबी महिला

उत्तरमाला

1	2	3	4	5	6	7	8	9	10
B	B	A	B	A	A	B	B	D	D
11	**12**	**13**	**14**	**15**	**16**	**17**	**18**	**19**	**20**
A	D	B	C	D	C	C	A	A	B
21	**22**	**23**	**24**	**25**					
D	A	B	A	A					

★ ★ ★

6 लिंग, वचन और कारक

लिंग

'लिंग' शब्द संस्कृत भाषा का शब्द है, जिसका अर्थ चिह्न होता है। जिस चिह्न द्वारा यह जाना जाए कि अमुक शब्द पुरुष जाति का है या स्त्री जाति का है। संज्ञा के जिस रूप से पुरुषत्व या स्त्रीत्व का बोध हो, उसे लिंग कहते हैं। हिन्दी में सृष्टि के समस्त पदार्थ, चाहे वे सजीव हों या निर्जीव, दो लिंगों में ही विभक्त किए गए हैं वे हैं–

- **पुल्लिंग :** जिन संज्ञा शब्द से (यथार्थ व कल्पित) पुरुषत्व का बोध होता है, उन्हें पुल्लिंग कहते हैं, जैसे–लड़का, बैल, पेड़, नगर इत्यादि। इन उदाहरणों में 'लड़का' और 'बैल' यथार्थ पुरुषत्व सूचक हैं और 'पेड़' तथा 'नगर' से कल्पित पुरुषत्व का बोध होता है।
- **स्त्रीलिंग :** जिस संज्ञा से (यथार्थ व कल्पित) स्त्रीत्व का बोध होता है, उसे स्त्रीलिंग कहते हैं, जैसे–लड़की, गाय, लता, पुरी इत्यादि। इन उदाहरणों में 'लड़की' और 'गाय' यथार्थ स्त्रीत्व का और 'लता' और 'पुरी' से कल्पित स्त्रीत्व का बोध होता है।

वचन

शब्द के जिस रूप में एकत्व (एक संख्या) या अनेकत्व (अनेक संख्या) का बोध होता है, उसे वचन कहते हैं। वचन दो प्रकार के होते हैं :

- **एकवचन :** शब्द के जिस रूप में एक वस्तु का बोध होता है, उसे एकवचन कहते हैं, जैसे–कागज, कलम, घोड़ा, घड़ी इत्यादि।
- **बहुवचन :** शब्द के जिस रूप से अनेक वस्तुओं का बोध होता है, उसे बहुवचन कहते हैं, जैसे–कागजात, कलमें, घोड़े, घड़ियाँ इत्यादि।

कारक

"क्रिया के साथ जिसका सीधा संबंध हो, उसे कारक कहते हैं–क्रियान्वायित्वं कारकत्वं।" इस प्रकार वाक्य में जिस शब्द का संबंध क्रिया से होता है, कारक कहलाता है। कारक चिह्न अव्यय या संबंध के परिचायक होते हैं, इन्हें विभक्ति या परसर्ग (बाद में जुड़ने वाले) भी कहा जाता है। सामान्यतः ये स्वतंत्र होते हैं और संज्ञा या सर्वनाम के साथ प्रयुक्त होते हैं। हिन्दी के परसर्ग प्रत्ययों के विकसित रूप हैं। अतः इन्हें चरम कारक नहीं माना गया है, क्योंकि इनका क्रिया से कोई संबंध नहीं रहता है।

हिन्दी में 'संबंध' और 'संबोधन' को मिलाकर आठ कारक माने गए हैं। इनके नाम, विभक्तियाँ और विभक्तिबोधक चिह्न निम्नलिखित हैं–

विभक्ति	बोधक नाम	विभक्तिबोधक चिह्न
प्रथमा	कर्ता (कारक)	ने
द्वितीया	कर्म (कारक)	को
तृतीया	करण (कारक)	से, के द्वारा, द्वारा
चतुर्थी	सम्प्रदान (कारक)	को, के लिए, के वास्ते
पंचम	अपादान (कारक)	से
षष्ठी	संबंध	का, की, के, रा, री, रे
सप्तमी	अधिकरण (कारक)	में, पर
अष्टमी	सम्बोधन	ए, ऐ, हे, अजी, अरे, ओ

वस्तुनिष्ठ प्रश्न

1. 'आयुष्मान' का स्त्रीलिंग है:

A. श्रीमती B. आयुष्मती
C. आयुष्माती D. आयुमती

2. निम्न में से कौन-सा शब्द पुल्लिंग है?

A. दया B. घटना
C. जड़ता D. बुढ़ापा

3. निम्नलिखित में पुल्लिंग शब्द है:

A. नदी B. देवी
C. कविता D. चन्द्रमा

4. निम्नलिखित शब्द का स्त्रीलिंग रूप चुनिए :
जेठ

A. जैठिन B. जेठानी
C. जेठाइन D. जिठाइन

5. 'कवि' का स्त्रीलिंग है:

A. कवित्व B. कविता
C. कवयित्री D. कवियत्री

6. निम्न में से स्त्रीलिंग शब्द का चयन कीजिए:

A. वेग B. मौन
C. दही D. अहिंसा

7. 'मेहतरानी' का पुल्लिंग हैः
A. मेहतरी B. मेहतराइन
C. मेहतर D. मेहतरा

8. निम्नलिखित में से स्त्रीलिंग शब्द का चयन कीजिएः
A. धुआँ B. संध्या
C. भत्ता D. धावा

9. 'भिखारिन' का पुल्लिंग शब्द कौन-सा है?
A. सेवक B. भिखारी
C. मजदूर D. इनमें से कोई नहीं

10. 'अध्यक्षा' शब्द किस प्रत्यय के लगने से बना है?
A. आ B. इन
C. इया D. आइन

11. 'उसे' का बहुवचन हैः
A. उसको B. उससे
C. उन्हें D. उसका

12. 'हमें' का एकवचन हैः
A. हम B. हमको
C. मुझे D. मुझसे

13. निम्नलिखित पर्यायों में से 'भीड़' शब्द का बहुवचन क्या है?
A. भिड़े B. भिड़ें
C. भिड़ाएँ D. इनमें से कोई नहीं

14. 'भारतीय' शब्द का बहुवचन निम्नलिखित में से क्या होगा?
A. भारतीयों B. भारितीयों
C. भारतियों D. भारतिओं

15. 'लड़की' शब्द का बहुवचन रूप हैः
A. लड़कियाँ B. लड़की
C. लड़कियें D. लड़कीएं

16. 'चिड़िया' शब्द का बहुवचन रूप हैः
A. चिड़ी B. चिड़िया
C. चिड़ियाँ D. चिड़िये

17. 'देवता' का बहुवचन हैः
A. देवताएँ B. देवताओं
C. देवताइयों D. देवत्व

18. 'पक्षी' का बहुवचन हैः
A. पक्षियों B. पक्षीय
C. पक्षि D. पक्षी

19. 'फूल' का बहुवचन हैः
A. फुले B. फुल
C. फूल D. इनमें से कोई नहीं

20. इनमें से कौन-सा शब्द हमेशा बहुवचन के रूप में प्रयुक्त होता है?
A. माता B. प्राण
C. किताब D. भक्ति

21. कारक के कितने भेद होते हैं?
A. सात B. आठ
C. छः D. नौ

22. 'मैंने' कौन-सा कारक है?
A. कर्ता B. कर्म
C. करण D. सम्प्रदान

23. 'को' और 'के लिए' किस कारक के चिह्न हैं?
A. कर्म B. सम्प्रदान
C. संबंध D. करण

24. 'बालक ने पुस्तक पढ़ी होगी।' वाक्य में प्रयुक्त कारक चिह्न है।
A. कर्म कारक B. अधिकरण कारक
C. करण कारक D. कर्ता कारक

25. 'हे राम! रक्षा करो।' वाक्य में कौन-सा कारक है?
A. कर्ता B. अपादान
C. सम्बोधन D. अधिकरण

26. 'वह अगले साल आएगा।' इस वाक्य में कौन-सा कारक है?
A. कर्म कारक B. अपादान कारक
C. संबंध कारक D. अधिकरण कारक

27. 'रमेश जयपुर से दिल्ली जा रहा है।' इस वाक्य में कारक है।
A. संबंध B. अपादान
C. करण D. सम्प्रदान

28. 'भूखे को अन्न दो और प्यासे को पानी' वाक्य किस कारक का है?
A. सम्प्रदान B. संबंध
C. अपादन D. अधिकरण

29. कर्म कारक के लिए प्रयुक्त होने वाला चिह्न है।
A. ने B. के लिए
C. को D. से

30. 'मैं काम से जा रहा हूँ।' वाक्य में 'से' कारक है।
A. सम्प्रदान B. करण
C. अपादान D. अधिकरण

उत्तरमाला

1	2	3	4	5	6	7	8	9	10
B	D	D	B	C	D	C	B	B	A
11	12	13	14	15	16	17	18	19	20
C	C	D	A	A	C	B	A	C	B
21	22	23	24	25	26	27	28	29	30
B	A	B	D	C	D	B	A	C	B

★★★

7

अविकारी/अव्यय

जिन शब्दों में लिंग, वचन, कारक, काल, वाच्य आदि के कारण कोई विकार नहीं होता, उन्हें अविकारी अथवा अव्यय कहते हैं।

अविकारी के भेदः अविकारी के निम्नलिखित भेद हैं:

1. क्रिया-विशेषण

क्रिया की विशेषता बताने वाले शब्द क्रिया-विशेषण कहलाते हैं।

(*i*) **स्थानवाचक क्रिया-विशेषणः** जो शब्द क्रिया की स्थान संबंधी विशेषता का बोध कराते हैं, उन्हें स्थानवाचक क्रिया-विशेषण कहते हैं। जैसे—यहाँ, वहाँ, जहाँ, इधर-उधर, अंदर-बाहर, पास, दूर, उस ओर, इस ओर, दाएँ, बाएँ, ऊपर, नीचे आदि।

(*ii*) **कालवाचक क्रिया-विशेषणः** जो शब्द क्रिया की काल या समय संबंधी विशेषता का बोध कराते हैं, उन्हें कालवाचक क्रिया-विशेषण कहते हैं। जैसे—आज, सवेरे, अभी, तक, परसों, सदा, कब आदि।

(*iii*) **परिमाणवाचक क्रिया-विशेषणः** जो शब्द क्रिया की मात्रा या परिमाण बताए, उसे परिमाणवाचक क्रिया-विशेषण कहते हैं। जैसे—कितना, थोड़ा, बहुत, कम, अधिक, खूब आदि।

(*iv*) **रीतिवाचक क्रिया-विशेषणः** जो शब्द क्रिया के होने की रीति या विधि बताते हैं, उन्हें रीतिवाचक क्रिया-विशषण कहते हैं। जैसे—धीरे-धीरे, जोर-जोर, हाथों-हाथ, अचानक, तेज, झटपट आदि।

2. संबंध-बोधक (पूर्वसर्ग)

जो शब्द किसी संज्ञा या सर्वनाम के आगे-पीछे प्रयुक्त होकर उसका संबंध वाक्य के किसी अन्य शब्द से कराते हैं, उन्हें संबंध-बोधक कहते हैं। जैसे—पर, में, से, के, को, के पास, के ऊपर, से दूर, के कारण, के लिए, की ओर, की जगह, के अनुसार, के आगे, के साथ, के सामने आदि।

उदाहरणः

- विद्यालय के सामने बगीचा है।
- मैं कार्यालय से दूर पहुँच चुका था।
- तुम घर के भीतर जाओ।
- इसी जंगल के पीछे नदी बहती है।

3. समुच्चय-बोधक

जो अव्यय दो या दो से अधिक शब्दों, वाक्यांशों अथवा वाक्यों को जोड़ता या अलग करता है, उसे समुच्चय-बोधक या योजक कहते हैं। जहाँ पर कि, तब, और, वरना, किंतु, परन्तु, इसीलिए, बल्कि, ताकि, क्योंकि, या, अथवा, एवं, तथा, अन्यथा आदि शब्द जुड़ते हैं वहाँ पर समुच्चय-बोधक होता है। जैसे—'राम और लक्ष्मण वन गए।' यहाँ 'और' अव्यय दो वाक्यों 'राम वन गए', 'लक्ष्मण वन गए' को जोड़ता है। इस वाक्य में समुच्चय-बोधक है।

4. विस्मयादि-बोधक

जो शब्द हर्ष, शोक, आश्चर्य, घृणा, ग्लानि, भय आदि भावों को अचानक व्यक्त करते हैं, लेकिन उनका संबंध वाक्य या उसके किसी विशेष पद से नहीं होता है, उन्हें विस्मयादि-बोधक कहा जाता है। जैसे—हाय! अब वह नहीं रहा।

इस वाक्य में हाय विस्मयादि-बोधक अव्यय है। इसका संबंध न तो वाक्य से है और न किसी पद से।

वस्तुनिष्ठ प्रश्न

1. निम्न में से किस वाक्य में क्रिया-विशेषण का प्रयोग हुआ है?

A. गुंजन गाना गाती है। B. प्रशांत धीरे-धीरे चलता है।
C. वर्षा पत्र लिखती है। D. पेड़ पर पक्षी बैठा है।

2. निम्नलिखित वाक्य में कौन-सा शब्द क्रिया-विशेषण है?
अभिनव अपना काम फटाफट करता है।

A. करता B. फटाफट
C. काम D. अपना

3. निम्नलिखित वाक्य में उचित अव्यय शब्द चुनकर रिक्त स्थान भरिए।
.... बोलो, कोई सुन लेगा।

A. धीरे B. गाकर
C. जोर से D. चिल्लाकर

4. निम्नलिखित वाक्य में कौन-सा शब्द क्रिया-विशेषण है?
तुम जयपुर कल रात जाओगे।

A. जाओगे B. जयपुर
C. कल D. इनमें से कोई नहीं

5. निम्नलिखित में से कौन क्रिया-विशेषण है?

A. अविलंब B. जल्दी से
C. शीघ्रता D. शीघ्र

निर्देश (प्र.सं. 6 से 10): *निम्नलिखित प्रश्नों में दिए गए वाक्य में संबंधबोधक शब्द का चयन कीजिए।*

6. रोटी के लिए आदमी क्या नहीं करता?
A. रोटी B. आदमी
C. क्या D. के लिए

7. बगीचे के अन्दर माली काम कर रहा है।
A. काम कर B. बगीचे के
C. के अन्दर D. माली

8. रोहन के यहाँ टीचर पढ़ाने आएँगी।
A. आएँगी B. के यहाँ
C. पढ़ाने D. टीचर

9. चोर घर के भीतर घुस आए।
A. के भीतर B. आए
C. चोर D. घुस

10. दिनेश के द्वारा मुझे पत्र की प्राप्ति हुई।
A. मुझे B. पत्र की
C. के द्वारा D. दिनेश के

निर्देश (प्र.सं. 11 से 15): *निम्नलिखित प्रश्नों में दिए गए वाक्य को उचित पूर्वसर्ग की सहायता से पूरा कीजिए।*

11. वह परीक्षा .... डरता है।
A. में B. को
C. से D. पर

12. वह अपने माता-पिता .... बहुत प्यार करता है।
A. को B. में
C. से D. पर

13. छात्र कक्षा .... प्रवेश कर रहा है।
A. पर B. में
C. को D. से

14. पुस्तक मेज .... रखी है।
A. पर B. के
C. को D. से

15. उन्होंने मुझे मेरी गलती .... अवगत कराया।
A. को B. में
C. पर D. से

निर्देश (प्र.सं. 16 से 20): *निम्नलिखित प्रश्नों में दिए गए वाक्य को उचित समुच्चय-बोधक शब्द की सहायता से पूरा कीजिए।*

16. वह ईमानदार .... मेहनती है।
A. क्योंकि B. लेकिन
C. और D. या

17. या तो तुम पढ़ाई करो .... खेलो।
A. जबकि B. या
C. परन्तु D. और

18. वह सफल हुआ .... उसने कड़ी मेहनत की।
A. क्योंकि B. फिर भी
C. या D. जबकि

19. मैं वहाँ पहुँचा .... ट्रेन छूट चुकी थी।
A. या B. तो
C. जबकि D. जब

20. वह न केवल अच्छा गायक है .... अच्छा अभिनेता भी है।
A. परंतु B. या
C. और D. बल्कि

निर्देश (प्र.सं. 21 से 25): *निम्नलिखित प्रश्नों में दिए गए विकल्पों में से सही विस्मयादि-बोधक अव्यय प्रयुक्त वाक्य का चयन कीजिए।*

21. A. वाह? क्या नजारा है? B. वाह क्या नजारा है।
C. वाह! क्या नजारा है। D. वाह नजारा क्या है?

22. A. अरे! तुमने तो कमाल कर दिया।
B. ओहो! तुमने तो कमाल कर दिया।
C. अहा! तुमने तो कमाल कर दिया।
D. छिः छिः! तुमने तो कमाल कर दिया।

23. A. अरे! गंदी गलियों से मुझे घृणा है।
B. छिः छिः! गंदी गलियों से मुझे घृणा है।
C. वाह! गंदी गलियों से मुझे घृणा है।
D. हाय राम! गंदी गलियों से मुझे घृणा है।

24. A. वाह! तुम अचानक कैसे आ गए।
B. हाय! तुम अचानक कैसे आ गए।
C. अरे! तुम अचानक कैसे आ गए।
D. ओह! तुम अचानक कैसे आ गए।

25. ....! यह क्या अनर्थ कर दिया तुमने।
A. आह B. धिक्कार है
C. वाह D. हट

उत्तरमाला

1	2	3	4	5	6	7	8	9	10
B	B	A	C	B	D	C	B	A	C
11	**12**	**13**	**14**	**15**	**16**	**17**	**18**	**19**	**20**
C	A	B	A	D	C	B	A	B	D
21	**22**	**23**	**24**	**25**					
C	A	B	C	B					

★★★

8 विलोम शब्द

जब दो शब्दों के अर्थ एक-दूसरे के विपरीत हों तो उन्हें विलोम या विपरीतार्थी शब्द कहते हैं। शब्दों का सामर्थ्य बढ़ाने तथा भावों को स्पष्ट और सटीक अभिव्यक्ति में भी विलोम शब्द सहायक होते हैं। विलोम शब्दों की रचना प्रायः उपसर्ग और प्रत्यय की सहायता से होती है। जैसे—पुराना-नया, रुचि-अरुचि, आय-व्यय, आकर्षण-विकर्षण, उत्थान-पतन आदि।

वस्तुनिष्ठ प्रश्न

निर्देश (प्र.सं. 1 से 25 तक): *निम्नलिखित प्रश्नों में दिए गए शब्द का सही विलोम पहचानिए।*

1. नूतन
A. पुरातन B. प्राचीन
C. अर्वाचीन D. पुराना

2. कटु
A. मीठा B. मिठाई
C. मिष्ठान D. मधुर

3. संक्षिप्त
A. संक्षेप B. विस्तृत
C. व्यापक D. विस्तार

4. असुर
A. बेसुर B. नरकासुर
C. सुर D. रावनासुर

5. सार्थकता
A. निरर्थकता B. सफलता
C. प्रासंगिकता D. उपयोगिता

6. संयोग
A. प्रेम B. असहयोग
C. वियोग D. दुख

7. समाप्त
A. समीप B. अंत
C. मध्य D. आरंभ

8. धमकी
A. जोखिम B. विचारपूर्ण
C. सुरक्षा D. समृद्ध

9. क्षमाशीलता
A. जीर्णोद्धार B. ह्रास
C. प्रत्याहार D. प्रतिशोध

10. वास्तविक
A. पुरस्कार B. काल्पनिक
C. बुद्धिमान D. आधुनिक

11. राजा
A. प्रजा B. अधीनस्थ
C. रंक D. धनी

12. पुराना
A. खंडहर B. नया
C. नवनिर्मित D. सुसज्जित

13. खुशबू
A. महक B. बदबू
C. गंध D. दुर्गंध

14. कच्चा
A. पक्का B. पिलपिला
C. गलित D. इनमें से कोई नहीं

15. पास
A. लंबा B. दूर
C. बाहर D. अनिकट

16. विदेश
A. अदेश B. स्वदेश
C. अपना देश D. मातृभूमि

17. बुराई
A. निंदा B. भर्त्सना
C. अच्छाई D. प्रशंसा

18. स्त्री
A. सबला B. मर्द
C. पुरुष D. खाबिज

19. नित
A. अनित B. कभी-कभी
C. कभी नहीं D. इनमें से कोई नहीं

20. सुविधा
A. कष्ट B. असुविधा
C. दुःख D. विपत्ति

21. गुप्त
A. अगुप्त B. सुगुप्त
C. प्रकट D. स्पष्ट

22. सामने
A. पीछे B. आमने
C. पीठ की तरफ D. इनमें से कोई नहीं

23. क्षमा
A. कृपा B. दण्ड
C. दया D. इनमें से कोई नहीं

24. आसान
A. कठिन B. असंभव
C. मुश्किल D. अकठिन

25. सुख
A. कष्ट B. तकलीफ
C. अमुख D. दुःख

निर्देश (प्र.सं. 26 से 40 तक): *रेखांकित शब्दों पर ध्यान दीजिए और रिक्त स्थान में इनका विलोम शब्द भरिए।*

26. दुर्दिन के बाद निश्चित ही .... आता है।
A. सुदिन B. अच्छादिन
C. भलादिन D. लाभकारीदिन

27. मैंने यह पुस्तक अथ से .... तक पढ़ी।
A. समाप्ति B. इति
C. अंत D. पूरी

28. सभी निरक्षर .... बनें।
A. पढ़े-लिखे B. होशियार
C. साक्षर D. चतुर

29. सभी अमीर .... की सहायता करें।
A. अभावग्रस्त B. गरीब
C. दरिद्र D. भूखे

30. संतों के लिए छोटे .... एक समान होते हैं।
A. महान् B. समर्थ
C. बड़े D. धनी

31. व्यापारियों को आयात और .... पर एक समान ध्यान देना चाहिए।
A. बिक्री B. भंडारण
C. निर्यात D. फरोख्त

32. अंधे की दृष्टि में सीधा .... एक समान होता है।
A. टेढ़ा B. उल्टा
C. तिरछा D. गोल

33. चापलूस ने खूब नमक .... लगाकर अपनी बात कहीं।
A. चूना B. मिर्च
C. मीठा D. तीखा

34. पुण्य कमाओ .... से बचो।
A. हत्या B. चोरी
C. पाप D. धोखा

35. व्यवसाय में लाभ के साथ .... भी होती है।
A. नुकसान B. बरबादी
C. खराबी D. हानि

36. पक्ष .... दोनों ने ध्वनिमत से बिल पारित किया।
A. विरोधी B. विपक्ष
C. विपक्षी D. शत्रु

37. आजकल महात्मा और .... में पहचान करना असंभव है।
A. दुष्ट B. नीच
C. दुरात्मा D. पापी

38. राम को लिखित और .... दोनों परीक्षाओं में अच्छे अंक मिले।
A. अलिखित B. निर्धारित
C. वाचिक D. मौखिक

39. छात्रों! वीर बनो .... नहीं।
A. भगोड़े B. निरुत्साही
C. कायर D. आलसी

40. आज की राजनीति दोषी और .... में भेद नहीं करतीं।
A. अपराधी B. हत्यारे
C. भ्रष्टों D. निर्दोष

उत्तरमाला

1	2	3	4	5	6	7	8	9	10
A	D	B	C	A	C	D	C	D	B
11	**12**	**13**	**14**	**15**	**16**	**17**	**18**	**19**	**20**
C	B	B	A	B	B	C	C	B	B
21	**22**	**23**	**24**	**25**	**26**	**27**	**28**	**29**	**30**
C	A	B	C	D	A	B	C	B	C
31	**32**	**33**	**34**	**35**	**36**	**37**	**38**	**39**	**40**
C	B	B	C	D	B	C	D	C	D

★ ★ ★

9

पर्यायवाची शब्द

किसी शब्द के समान अर्थ के लिए जिन शब्दों को प्रयोग में लाया जाता है, उन्हें पर्यायवाची शब्द कहा जाता है। आशय यह है कि पर्याय का अभिप्राय 'बदले में आने वाला' से लिया गया है। पर्यायवाची शब्द को 'प्रतिशब्द' भी कहते हैं।

1. **अग्नि**—अनल, पावक, कृशानु, वहिन, हुताशन, धूमकेतु वैश्वानर।
2. **अनोखा**—अद्वितीय, अद्‌भुत, अनूठा, अनुपम, विचित्र, विलक्षण, निराला।
3. **अमृत**—पीयूष, सुधा, अमी।
4. **आकाश**-नभ, गगन, व्योम, अम्बर।
5. **आंख**—नेत्र, चक्षु, लोचन, दृग, नयन, अक्षि, अबंक।
6. **इच्छा**—आकांक्षा, स्पृहा, मनोरथ,चाह, कामना, अभिलाषा, वांछा।
7. **इन्द्र**—सुरपति, शचिपति, मधवा, पुरंदर, बासव, शक्र, पुरुहूत।
8. **ईश्वर**—भगवान, प्रभु, परमेश्वर, परमात्मा, जगदीश, विश्वम्भर, हरि।
9. **कपड़ा**—वस्त्र, पट, चीर, वसन, अम्बर, दुकूल, परिधान।
10. **कमल**—पंकज, सरोज, जलज, पद्‌म, अरविंद, राजीव, तामरस, नलिन, नीरज, अब्ज, कंज, उत्पल।
11. **कामदेव**—अनंग, कंदर्प पंचशर, मकरध्वज, मदन, मन्मथ, मार, रतिपति, स्मर, मनोज, शम्बरारि।
12. **किनारा**—तट, तीर, कूल।
13. **किरण**—अंशु, मरीचि, रश्मि, मयूख।
14. **केश**—कच, चिकुर, कुंतल, बाल, अलक।
15. **गणेश**—लम्बोदर, एकदन्त, गजवदन, विनायक, गणपति, गजानन।
16. **गंगा**—भागीरथी, जाह्नवी, सुरसरि, देवपगा, त्रिपथगा।
17. **घर**—गेह, निकेतन, सदन, भवन, गृह, धाम।
18. **घोड़ा**—तुरंग, घोटक, वाजि, हय, अश्व।
19. **चन्द्रमा**—शशि, विधु, निशाकर, इन्दु, मयंक, सुधाकर, उडपति, शशांक, सुधांशु, सोम, मृगांक, हिमकर, रजनीश, क्षपाकर।
20. **जल**—पानी, सलिल, उदक, वारि, नीर, अम्बु, तोय, पय।
21. **तलवार**—असि, करवाल, कृपाण, खड्ग।
22. **तालाब**—सर, सरोवर, तड़ाग, पुष्कर।
23. **दिन**—दिवस, वासर, दिवा, अहन्।
24. **दु:ख**—कष्ट, क्लेश, पीड़ा, विषाद, सन्ताप, व्यथा, वेदना, यातना, यन्त्रणा, व्याधि।
25. **देवता**—सुर, देव, विबुध, गोवणि, अमर।
26. **देह**—बपु, शरीर, तनु, काया, कलेवर, गात, विग्रह।
27. **धन**—द्रव्य, अर्थ, वित्त, सम्पत्ति, सम्पदा।
28. **नदी**—सरिता, तटिनी, सरि, आपत्रा, तरंगिणी, निर्सरिणी, धुनी।
29. **नौकर**—सेवक, अनुचर, किंकर, परिचारक, चाकर, भृत्य।
30. **पक्षी**—खग, नभग, द्विज, विहंग, परवेरु, गगनचर, अण्डज, पतंग।
31. **पति**—भर्ता, स्वामी, भरतार, कन्त, नाथ, वर।
32. **पत्नी**—भार्या, दारा, गृहिणी, वधू, कलत्र, अर्द्धांगिनी, कान्ता।
33. **पहाड़**—गिरि, अद्रि, शैल, कुधर, पर्वत, भूधर, महीधर नग।
34. **पार्वती**—गौरी, उमा, भवानी, गिरिजा, शिवा, अम्बिका, रुद्राणी।
35. **पुत्र**—तनय, सुत, आत्मज, नन्दन, पूता, बेटा, सुवन।

वस्तुनिष्ठ प्रश्न

निर्देश (प्र.सं. 1 से 30 तक): *निम्नलिखित शब्दों का सही पर्यायवाची लिखिए।*

1. आज्ञा
A. असाधारण B. असंभव
C. आदेश D. अनुदान

2. प्राचीन
A. पुराना B. पहला
C. समकालीन D. नया

3. बादल
A. अम्बर B. गगन
C. जलद D. नीरज

4. अद्वितीय
A. आश्चर्यजनक B. अनुपम
C. अपूर्व D. साधारण

5. कमल
A. नयन B. अगन
C. पंकज D. अनल

6. हाथी
A. मेघ B. बृहस्पति
C. गज D. महेश

7. तलवार
A. हलवार B. करवाल
C. घरवार D. धारदार

8. मोर
A. कलापी B. विलक्षण
C. विशिष्ट D. तड़ित

9. पय
A. दूध B. पाप
C. सोना D. तालाब

10. सरस्वती
A. लक्ष्मी B. दुर्गा
C. काली D. शारदा

11. यमुना
A. कालिन्दी B. उदधि
C. रत्नाकर D. रदीश

12. अनंग
A. अंगभंग B. शेषनाग
C. बंधन D. मदन

13. आह्लाद
A. सुख B. उत्सुकता
C. प्रसन्नता D. उत्साह

14. अग्नि
A. अनिल B. अनल
C. ज्वाला D. ताप

15. असि
A. तीर B. तमंचा
C. चाकू D. तलवार

16. आम्र
A. अंब B. अंबु
C. बाग D. वृक्ष

17. आँख
A. अक्षि B. कुक्षि
C. अंशु D. चमक

18. जलयान
A. हवाई जहाज B. पोत
C. बैलगाड़ी D. विमान

19. प्रज्ञ
A. प्रवीण B. दक्ष
C. पंडित D. आचार्य

20. उरोज
A. पुष्य B. कमल
C. स्तन D. नेत्र

21. परिणय
A. परिमाण B. पाणिग्रहण
C. प्रमाण D. प्रस्तुति

22. प्रसून
A. बेला B. चमेली
C. पुष्प D. आयु

23. तालाब
A. झील B. प्रपात
C. वन D. सर

24. पुत्र
A. आत्मजा B. अनुज
C. सुत D. सूत

25. अतिथि
A. आगंतुक B. आगत
C. अभ्यागत D. मेहमान

26. जल
A. सुधाकर B. हिमांशु
C. नीर D. चंद्रमा

27. चंद्रमा
A. दिवाकर B. सप्तर्षि
C. तारे D. हिमांशु

28. पर्वत
A. गिरी B. कानन
C. नग D. निर्झट

29. गणेश
A. खगपति B. पशुपति
C. लम्बोदर D. राकेश

30. गजानन
A. भूतनाथ B. गोरखनाथ
C. गणपति D. सुरपति

उत्तरमाला

1	2	3	4	5	6	7	8	9	10
C	A	C	B	C	C	B	A	A	D
11	**12**	**13**	**14**	**15**	**16**	**17**	**18**	**19**	**20**
A	D	C	B	D	A	A	B	C	C
21	**22**	**23**	**24**	**25**	**26**	**27**	**28**	**29**	**30**
B	C	D	C	A	C	D	C	C	C

★★★

10 अनेक शब्दों के लिए एक शब्द

अनेक शब्दों के स्थान पर एक सार्थक शब्द का प्रयोग कथन को अत्यंत प्रभावशाली और रोचक बना देता है। ऐसे शब्दों के प्रयोग से न केवल विचारों को संक्षेप में व्यक्त किया जा सकता है, बल्कि समय और स्थान की भी बचत होती है। अनेक शब्दों के स्थान पर एक शब्द का निर्माण समास बनाकर अथवा उपसर्ग या प्रत्यय जोड़कर किया जाता है।

वस्तुनिष्ठ प्रश्न

निर्देश (प्र.सं. 1 से 40 तक): *निम्नलिखित प्रश्नों में दिए गए वाक्य या शब्द समूह के लिए, दिए गए विकल्पों में से उचित शब्द का चयन कीजिए।*

1. जो जीता न जा सके:
A. अलौकिक B. अजेय
C. अभेद्य D. अनुकरणीय

2. जो पहले कभी नहीं हुआ:
A. अजर B. भूतपूर्व
C. अकथनीय D. अभूतपूर्व

3. जिसका पता न हो:
A. अज्ञात B. अजात
C. अजित D. अविस्मरणीय

4. जिसका विभाजन न किया जा सके:
A. विभाजित B. अनंत
C. अविभाज्य D. अनभिज्ञ

5. दूसरों की बातों में दखल देना:
A. अत्याचार B. हस्तक्षेप
C. अकिंचन D. हितैषी

6. जहाँ पहुँचा न जा सके:
A. उपकृत B. निराकार
C. अक्षम्य D. अगम्य

7. जो प्रशंसा के योग्य हो:
A. अप्रशंसक B. अप्रत्याशित
C. प्रशासक D. प्रशंसनीय

8. जो करने योग्य न हो:
A. अकरणीय B. सुकरणीय
C. करणीय D. विकरणीय

9. जो सबको समान दृष्टि से देखता हो:
A. सज्जन B. संन्यासी
C. समदर्शी D. परोपकारी

10. परीक्षा देने वाला:
A. परीक्षक B. विद्यार्थी
C. परीक्षार्थी D. शिक्षार्थी

11. जो कहने योग्य न हो:
A. अकथनीय B. अयोग्य
C. अवगुण D. अभावनात्मक

12. जो सहन न कर सके:
A. असहनीय B. असामाजिक
C. असहिष्णु D. असहाय

13. उच्चकुल में जन्म लेने वाला:
A. कुलीन B. धनी
C. रईस D. कुलिश

14. जो इन्द्रियों से परे हो:
A. इन्द्रहीन B. अगोचर
C. गोचर D. इष्टहीन

15. जिसे किसी बात का पता न हो:
A. अज्ञानी B. अल्पज्ञ
C. अनभिज्ञ D. मूर्ख

16. जिसके आर-पार देखा जा सके:
A. अतलदर्शी B. सूक्ष्मदर्शी
C. पारदर्शी D. दूरदर्शी

17. जो आँखों के सामने न हो:
A. प्रत्यक्ष B. परोक्ष
C. दूरस्थ D. अप्रत्यक्ष

18. जंगल में लगने वाली आग:
A. जठरानल
B. दावानल
C. कामानल
D. बड़वानल

19. जिसके पास कुछ भी न होः
A. अज्ञ
B. अकिंचन
C. गरीब
D. दीन

20. थोड़ा जानने वालाः
A. अलण्या
B. अल्पज्ञा
C. अल्पज्ञ
D. अल्प बुद्धि

21. जो लौकिक न होः
A. पारलौकिक
B. इहलौकिक
C. अलौकिक
D. ऐहिक

22. वह स्थान जहाँ पृथ्वी और आकाश मिलते हुए दिखाई पड़ते हैं:
A. क्षितिज
B. सरसिज
C. अन्तरिक्ष
D. नीहारिका

23. जो पुरुषों के अनुरूप होः
A. पुरुषोचित
B. पौरुषेय
C. पौरुष
D. पुरुष

24. जो ऊपर से मिलाया गया होः
A. प्रक्षिप्त
B. विक्षिप्त
C. संक्षिप्त
D. विलुप्त

25. किसी कथा के अन्तर्गत आने वाली कोई अन्य कथाः
A. दृष्टांत
B. अन्तर्कथा
C. अंतःकथा
D. अंतर्दृष्टांत

26. गुरु के समीप रहने वाला विद्यार्थीः
A. अंतेवासी
B. बटुक
C. ब्रह्मचारी
D. शिष्य

27. हाथी की पीठ पर रखी जाने वाली चौकीः
A. मचान
B. हौदा
C. तख्त
D. गद्दी

28. फाल्गुन की पूर्णिमा को होने वाला हिंदुओं का प्रसिद्ध त्योहारः
A. गुरु पूर्णिमा
B. वसंतोत्सव
C. दीपावली
D. होली

29. यज्ञ में आहुति देने वालाः
A. पुरोहित
B. हवि
C. होता
D. समिधा

30. फेंककर चलाया जाने वाला हथियारः
A. वाण
B. शस्त्र
C. अस्त्र
D. वर्म

31. काम से जी चुराने वालाः
A. कामचोर
B. बेकार
C. आलसी
D. निकम्मा

32. किसी बात को करने का निश्चयः
A. विकल्प
B. संकल्प
C. कल्प
D. अत्यल्प

33. जिस बीमारी का ठीक होना सम्भव न होः
A. असाध्य
B. विकट
C. भयानक
D. घातक

34. जिस पर विजय प्राप्त कर ली गई होः
A. आक्रान्त
B. अजेय
C. विजित
D. पराजित

35. सूर्य के उदय होने का स्थानः
A. उदयाचल
B. सूर्योदय
C. प्रभात स्थान
D. गंधमादन

36. जो कहा न जा सकेः
A. अकथित
B. अकथनीय
C. अकथ्य
D. नामुमकिन

37. जिसे बहुत बातें करनी आती होः
A. वाचाल
B. गम्भीर
C. समालोचक
D. मुनि

38. जो स्त्री के वशीभूत होः
A. स्त्रीदास
B. गुलाम
C. स्त्रैण
D. प्रेमी

39. जो समान न होः
A. बराबर
B. जटिल
C. अविषम
D. विषम

40. जिसे पढ़ना-लिखना आता होः
A. अल्पज्ञानी
B. शिक्षित
C. बुद्धिजीवी
D. साक्षर

उत्तरमाला

1	2	3	4	5	6	7	8	9	10
B	D	A	C	B	D	D	A	C	C
11	**12**	**13**	**14**	**15**	**16**	**17**	**18**	**19**	**20**
A	A	A	B	C	C	B	B	B	C
21	**22**	**23**	**24**	**25**	**26**	**27**	**28**	**29**	**30**
C	A	A	A	B	A	B	D	C	C
31	**32**	**33**	**34**	**35**	**36**	**37**	**38**	**39**	**40**
A	B	A	C	A	B	A	C	D	D

★ ★ ★

11 संधि

संधि का अर्थ होता है, दो वर्णों का मेल। जब दो स्वर या व्यंजन मिलकर तीसरे अक्षर (स्वर या व्यंजन) में बदल जाते हैं, तब इस रूप परिवर्तन को संधि कहते हैं। संधि के तीन प्रमुख भेद हैं :

- **स्वर संधि :** दो स्वरों के मेल से जो विकार उत्पन्न होता है, उसे स्वर संधि कहते हैं। स्वर संधि के पांच भेद होते हैं :
  - (*i*) **दीर्घ संधि :** जब दो समान स्वर चाहे वे दीर्घ हों या ह्रस्व, आमने-सामने आते हैं तो दोनों मिलकर दीर्घ हो जाते हैं, अर्थात् अ, इ, उ, ऋ या दीर्घ आ, ई, ऊ परस्पर मिलकर एक हो जाते हैं, तो उसे दीर्घ स्वर संधि कहते हैं। जैसे–अ + अ = आ (नर + अधम = नराधम)
  - (*ii*) **गुण संधि :** गुण संधि में 'अ' अथवा 'आ' के बाद यदि 'इ' अथवा 'ई' हो तो दोनों मिलकर 'ए' बन जाता है। यदि 'अ' अथवा 'आ' के बाद 'उ' अथवा 'ऊ' हो तो दोनों मिलकर 'ओ' बन जाता है। यदि 'अ' अथवा 'आ' के बाद 'ऋ' हो, तो दोनों मिलकर 'अर' बन जाता है तब गुण संधि होती है। जैसे–अ + इ = ए (नर + इन्द्र = नरेन्द्र)
  - (*iii*) **यण संधि :** 'इ', 'ई' के बाद विजातीय स्वर आने पर वह 'य' में 'उ', 'ऊ' के बाद विजातीय स्वर आने पर 'व' और 'ऋ' के बाद विजातीय स्वर आने पर 'र' में बदल जाता है तब यण संधि होती है। जैसे–इ + ए = ये (प्रति + एक = प्रत्येक)
  - (*iv*) **वृद्धि संधि :** जब 'अ' अथवा 'आ' के बाद 'ए' अथवा 'ऐ' स्वर आए तो वहाँ 'ऐ' 'अ' अथवा 'आ' के बाद 'ओ' अथवा 'औ' आए तो वहाँ 'औ' हो जाता है, तब वृद्धि संधि कहलाती है। जैसे–अ + ए = ऐ (एक + एक = एकैक)
  - (*v*) **अयादि संधि :** जब 'ए', 'ऐ', 'ओ', 'औ' के पश्चात् कोई विजातीय स्वर आए, तो ये क्रमशः अय, आय, अव और आव में परिवर्तित हो जाते हैं। जैसे–ए + अ = अय (न + अन = नयन)
- **व्यंजन संधि :** किसी व्यंजन के पश्चात् जब कोई व्यंजन अथवा स्वर आए तो व्यंजन + व्यंजन अथवा व्यंजन + स्वर के मेल से उत्पन्न विकार को व्यंजन संधि कहते हैं। जैसे–दिक् + अम्बर = दिगम्बर।
- **विसर्ग संधि :** जब विसर्ग के साथ किसी स्वर या व्यंजन का मेल होता है, तब उससे उत्पन्न होने वाले विकार को विसर्ग संधि कहते हैं। जैसे–निः + चल = निश्चल।

वस्तुनिष्ठ प्रश्न

निर्देश (प्र.सं. 1 से 8 तक) : *अधोलिखित प्रश्नों का सही विकल्प चुनिए।*

1. संधि कितने प्रकार की होती है?
A. दो B. तीन
C. चार D. पाँच

2. यण संधि कैसी संधि है?
A. स्वर संधि B. व्यंजन संधि
C. विसर्ग संधि D. हलू संधि

3. किस संधि में ए + अ = आय हो जाता है?
A. गुण संधि B. यण संधि
C. वृद्धि संधि D. अयादि संधि

4. व्यंजन संधि में मेल होता है :
A. व्यंजनों का B. व्यंजनों और स्वरों का
C. व्यंजन और विसर्ग का D. व्यंजनों और हलंत का

5. अ, आ कैसे स्वर हैं?
A. समान स्वर हैं B. असमान स्वर हैं
C. विषम स्वर हैं D. सम स्वर हैं

6. उ, ऊ, इ, ई का ....
A. सजातीय स्वर है B. विजातीय स्वर है
C. विरोधी स्वर है D. अवरोधी स्वर है

7. किस संधि में ऋ + ऋ = ॠ होता है?
A. दीर्घ संधि B. यण संधि
C. गुण संधि D. वृद्धि संधि

8. ॠ के प्रयोग की क्या स्थिति है?
A. प्रयुक्त होता है B. नहीं प्रयुक्त होता है
C. कभी-कभी प्रयुक्त होता है D. इनमें से कोई नहीं

निर्देश (प्र.सं. 9 से 14 तक) : *अधोलिखित शब्दों में कौन-सी संधि है?*

9. नायक
A. दीर्घ संधि B. वृद्धि संधि
C. अयादि संधि D. गुण संधि

10. मतैक्य
A. दीर्घ संधि B. वृद्धि संधि
C. गुण संधि D. इनमें से कोई नहीं

11. नाविक
A. अयादि संधि
B. वृद्धि संधि
C. गुण संधि
D. इनमें से कोई नहीं

12. तथैव
A. दीर्घ संधि
B. गुण संधि
C. वृद्धि संधि
D. अयादि संधि

13. स्वागत
A. यण संधि
B. गुण संधि
C. अयादि संधि
D. वृद्धि संधि

14. अत्यावश्यक
A. अयादि संधि
B. वृद्धि संधि
C. यण संधि
D. गुण संधि

निर्देश (प्र.सं. 15 से 24 तक) : *अधोलिखित प्रश्नों में दिये गये शब्द का सही संधि विच्छेद बताइए।*

15. गीतांजलि
A. गी + तांजलि
B. गीत + आंजलि
C. गीत + अंजलि
D. गीता + अंजलि

16. प्रत्येक
A. प्रत्य + एक
B. प्रति + एक
C. प्रती + एक
D. प्रत्य + इक

17. होतृकार
A. होता + त्र-टकार
B. होतृ + कार
C. होतृ + ऋ-कार
D. होतृ + रिकार

18. कृकार
A. कृ + कार
B. कृक + आर
C. कृ + ऋ कार
D. इनमें से कोई नहीं

19. महीश
A. मही + श
B. महि + इश
C. महि + ईश
D. मही + ईश

20. सप्तर्षि
A. सप्त + ऋषि
B. सप्तृ + षि
C. सप्त + रिषि
D. सप्त + अर्षि

21. नयन
A. नय + न
B. न + यन
C. ने + अन
D. ने + यन

22. महर्षि
A. महा + अर्षि
B. महा + ऋषि
C. महा + रिषि
D. महा + रिशि

23. महौषध
A. महा + ओषध
B. मह + औषध
C. महा + उषध
D. महा + औषध

24. पवन
A. प + वन
B. पव + न
C. पो + अन
D. पो + न

निर्देश (प्र.सं. 25 से 30 तक) : *अधोलिखित शब्दों की संधि के उदाहरणों में गलत उदाहरण का चयन करें।*

25. गुण संधि
A. अवधेश
B. दिनेश
C. सुरेश
D. धनाभाव

26. विसर्ग संधि
A. निराहार
B. निराशा
C. दुराचार
D. संसार

27. व्यंजन संधि
A. स्वच्छंद
B. उच्छ्वास
C. प्रतिच्छाया
D. अंत्योदय

28. गुण संधि
A. अधरोष्ठ
B. गणेश
C. मदेश
D. इत्यादि

29. विसर्ग संधि
A. दुर्मुख
B. निराशा
C. दुराशा
D. पुण्यात्मा

30. दीर्घ संधि
A. विद्यालय
B. अंतरात्मा
C. कृपांक
D. देवेन्द्र

उत्तरमाला

1	2	3	4	5	6	7	8	9	10
B	A	D	B	A	B	A	B	C	B
11	**12**	**13**	**14**	**15**	**16**	**17**	**18**	**19**	**20**
A	C	A	C	C	B	C	C	D	A
21	**22**	**23**	**24**	**25**	**26**	**27**	**28**	**29**	**30**
C	B	D	C	D	D	D	D	D	A

★ ★ ★

12

उपसर्ग एवं प्रत्यय

उपसर्ग

ऐसे शब्दांश जो किसी शब्द के पूर्व जोड़े जाने पर उसके अर्थ को परिवर्तित कर देते हैं, वे उपसर्ग कहलाते हैं। ये स्वयं सार्थक नहीं होते, लेकिन जिस शब्द से पहले जुड़ते हैं, उसके अर्थ में विशेषता उत्पन्न कर देते हैं। जैसे 'ज्ञान' में 'वि' जोड़ने पर 'विज्ञान' बनकर ज्ञान शब्द का अर्थ पूरी तरह बदल जाता है। इसी प्रकार 'ज्ञान' में 'अ' जोड़ने पर भी पूर्णतः भिन्न शब्द 'अज्ञान' बन जाता है।

उपसर्गों को पाँच भागों में विभक्त किया जा सकता है–

1. संस्कृत के उपसर्ग
2. अंग्रेजी के उपसर्ग
3. हिन्दी के उपसर्ग
4. उर्दू-फारसी के उपसर्ग
5. उपसर्ग के समान प्रयुक्त किए जाने वाले संस्कृत के अव्यय

प्रत्यय

ऐसे शब्द या शब्दांश जो किसी शब्द के अंत में लगकर उस शब्द के अर्थ में परिवर्तन कर देते हैं, वे प्रत्यय कहलाते हैं। जैसे– सज + आवट = सजावट, दुकान + दार = दुकानदार, पालन + हार = पालनहार।

प्रत्यय मुख्यतः दो प्रकार के होते हैं–

1. **कृत् प्रत्ययः** क्रिया अथवा धातु के बाद जो प्रत्यय लगाए जाते हैं, उन्हें कृत् प्रत्यय कहते हैं। कृत् प्रत्यय के मेल से बने शब्द को 'कृदंत' कहते हैं। जैसे–तैर + आक = तैराक, पठ + अनीय = पठनीय।
2. **तद्धित प्रत्ययः** क्रिया को छोड़कर संज्ञा, सर्वनाम, विशेषण आदि में जुड़कर नए शब्द बनाने वाले प्रत्यय तद्धित प्रत्यय कहलाते हैं। तद्धित प्रत्यय के मेल से बने शब्द को **'तद्धितांत'** कहते हैं।

वस्तुनिष्ठ प्रश्न

निर्देश (प्र.सं. 1 से 15 तक) : *निम्नलिखित प्रश्नों में दिए गए शब्दों में प्रयुक्त उपसर्ग के सही विकल्प का चयन कीजिए।*

1. संकलन
A. संक B. स
C. सम् D. सम

2. स्वभाव
A. स B. स्व
C. सर्व D. सा

3. निष्काम
A. निस् B. निर
C. निः D. निश

4. उपहार
A. उप् B. उप
C. उपा D. उ

5. पराजय
A. पर B. परा
C. जय D. प

6. अधिकार
A. अधि B. अ
C. कर D. कार

7. संयोग
A. सं B. सु
C. सम् D. सम

8. अनुमान
A. अव B. अनु
C. अन् D. आ

9. अपमान
A. मन B. अप
C. अ D. मान

10. आहार
A. आ B. हार
C. र D. इनमें से कोई नहीं

11. अतिव्याप्ति
A. अ B. अति
C. ति D. इनमें से कोई नहीं

12. अत्याचार

A. अति B. आ

C. अ D. ति

13. अध्यात्म

A. अ B. अधि

C. धि D. आ

14. अनुज

A. अनु B. अ

C. ज D. इनमें से कोई नहीं

15. निबंध

A. निः B. नि

C. निस् D. निर्

निर्देश (प्र.सं. 16 से 30 तक) : *निम्नलिखित प्रश्नों में दिए गए शब्दों में प्रयुक्त प्रत्यय के सही विकल्प का चयन कीजिए।*

16. विद्यालय

A. लय B. आलय

C. य D. अलय

17. वैज्ञानिक

A. इक B. क

C. आई D. ईक

18. चतुराई

A. आई B. राई

C. यी D. ई

19. मरियल

A. ईयल B. ल

C. रियल D. इयल

20. रसोइया

A. रस B. या

C. इया D. आ

21. गमन

A. अन B. मन

C. न D. उन

22. जानकार

A. कार B. अर

C. आर D. अकार

23. कहावत

A. हावत B. वत

C. आवत D. कह

24. पुजारिन

A. इन B. आइन

C. रिन D. पु

25. शैशव

A. व B. आव

C. अ D. अव

26. कवित्व

A. व B. त्व

C. तव D. इत्व

27. कविता

A. आ B. ता

C. त्व D. इता

28. पांडित्य

A. अ B. य

C. त्य D. इत्य

29. पार्थ

A. अ B. अर्थ

C. थ D. इनमें से कोई नहीं

30. गांगेय

A. य B. एय

C. गेय D. इनमें से कोई नहीं

उत्तरमाला

1	2	3	4	5	6	7	8	9	10
C	B	A	B	B	A	C	B	B	A
11	**12**	**13**	**14**	**15**	**16**	**17**	**18**	**19**	**20**
B	A	B	A	B	B	A	A	D	C
21	**22**	**23**	**24**	**25**	**26**	**27**	**28**	**29**	**30**
A	A	C	A	C	B	B	B	A	B

★★★

13

श्रुतिसम भिन्नार्थक शब्द

श्रुतिसम भिन्नार्थक शब्द वे शब्द होते हैं जो सुनने में लगभग एक समान लगते हैं, लेकिन उनके अर्थ और वर्तनी भिन्न-भिन्न होते हैं। इन्हें समोच्चारित भिन्नार्थक शब्द भी कहा जाता है। हिन्दी में ऐसे शब्दों की संख्या अत्यधिक है। ऐसे कुछ महत्वपूर्ण शब्द नीचे दिए जा रहे हैं।

- अंश – हिस्सा | अंस – कंधा
- अँगना – आँगन | अंगना – स्त्री
- अपेक्षा – आवश्यकता | उपेक्षा – निरादर
- अनल – आग | अनिल – हवा
- अभय – निडर | उभय – दोनों
- अलि – भ्रमर (भौंरा) | अली – सखी
- अथक – बिना थके हुए | अकथ – जो कहा नहीं जाए
- अन्न – अनाज | अन्य – दूसरा
- अणु – सूक्ष्म कण | अनु – पीछे
- अवधि – समय | अवधी – अवध की भाषा
- आवृत्त – घिरा हुआ | आवृत्ति – दुहराना
- इत्र – सुगन्धित पदार्थ | इतर – दूसरा
- उद्यत – तैयार, तत्पर | उद्धत – उद्दण्ड
- कुल – वंश | कूल – किनारा
- कलि – कलियुग | कली – अधखिला फूल
- कर्म – काम | क्रम – सिलसिला
- कृपण – कंजूस | कृपाण – छोटी तलवार
- खाद – उर्वरक | खाद्य – खाने की सामग्री
- गिरि – पर्वत | गिरी – बीज/गूदा
- गृह – घर | ग्रह – नक्षत्र
- चरण – पैर | चारण – भाट/सेवक
- चिर – पुराना | चीर – वस्त्र
- कुच – स्तर | कूच – प्रस्थान
- छत्र – छाता | छात्र – विद्यार्थी
- जलज – कमल | जलद – बादल
- तरणि – सूर्य | तरणी – नाव
- दिन – दिवस | दीन – गरीब
- द्विप – हाथी | द्वीप – टापू
- द्रव्य – धन | द्रव – तरल पदार्थ
- देव – देवता | दैव – भाग्य
- नग – पहाड़ | नाग – सर्प
- नगर – शहर | नागर – चतुर व्यक्ति
- नारी – स्त्री | नाड़ी – नब्ज
- नीर – जल | नीड़ – घोंसला
- नीम – एक पेड़ | नींव – आधार
- परिधान – वस्त्र | प्रधान – मुख्य

वस्तुनिष्ठ प्रश्न

निर्देश (प्र.सं. 1 से 30 तक): *निम्नलिखित प्रश्नों में दिए गए शब्द युग्म का सही अर्थ चुनिए।*

1. 'अब्ज - अब्द'
A. कमल - वर्ष B. सुन्दर - लगातार
C. चढ़ाई - घमण्ड D. मतलब - धन

2. 'अविरोध - अवरोध'
A. तुरंत - सहारा B. मेल - रुकावट
C. असमर्थ - आरम्भ D. मेल - तुरंत

3. 'तनु - तनू'
A. हल्का - तीक्ष्ण B. शरीर - प्रिय
C. पतला - शरीर, देह D. पुत्र - पतला

4. 'जरठ - जठर'
A. पेट - बूढ़ा B. पैर - गर्मी
C. युवा - पैर D. बूढ़ा - पेट

5. 'आय - आयु'
A. आमदनी - उम्र B. आना - आज्ञा
C. उम्र - आयु D. घर - अनादर

6. 'कुजन - कूजन'
A. पक्षियों की चहचहाहट - निपुणता
B. कुआँ - दुष्ट
C. निपुणता - बुरा
D. दुष्ट - पक्षियों की चहचहाहट

7. 'सम - शम'
A. शांति - चावल B. शांति - मोक्ष
C. चावल - शांति D. समान - मोक्ष

8. 'ग्रंथ - ग्रंथी'
A. पुस्तक - वेदपाठी B. किताब - सिखगुरु
C. पुस्तक - गाँठ D. किताब - लेखक

9. 'पृथा - प्रथा'
A. कुंती - रीति B. अलग - रिवाज
C. नाम - ढाल D. अलग - विलग

10. 'करण - कर्ण'
A. करण - साधन B. विषय - संसार
C. साधन - कान D. साधन - प्रगति

11. 'उद्धार - उधार'
A. चकवा पक्षी - रचना B. कष्ट से मुक्ति - कर्ज
C. कर्ज - उधार D. कंजूस - कल्याण

12. 'हय - हिय'
A. हृदय - घोड़ा B. अश्व - गौ
C. घोड़ा - हृदय D. कलेजा - धड़कन

13. 'इंदिरा - इंद्रा'
A. वैभव - सौंदर्य B. लक्ष्मी - इंद्र की पत्नी
C. इंद्रपत्नी - लक्ष्मी D. इंदीवर - कुमुद

14. 'अपमान - उपमान'
A. आदर - निरादर B. पहला - आदर
C. जिससे तुलना हो - पहला D. निरादर - जिससे तुलना हो

15. 'ब्याज - व्याज'
A. सूद - नृत्य B. सूद - बहाना
C. सहोदर - पंखा D. सागर - बहाना

16. 'प्राचीन - प्राचीर'
A. भूमि - दीवार B. पुराना - नतीजा
C. झांकी - दीवार D. पुराना - दीवार

17. 'शुल्क - शुक्ल'
A. फीस - टैक्स B. टैक्स - लय
C. टैक्स - रात D. फीस - उजाला

18. 'असन - आसन'
A. कपड़ा - भोजन B. भोजन - व्यायाम
C. कपड़ा - बैठने की वस्तु D. भोजन - बैठने की वस्तु

19. 'अजर - अजिर'
A. ऋण - चिन्ता B. देवता - आँगन
C. हृदय - दूसरा D. सेना - काँटा

20. 'धूरा - धुरा'
A. धात्री - दासी B. धूरा - अक्ष
C. लत - जल्दी D. शोक - ज्वाला

21. 'शूक - शुक'
A. जौ - सब B. सब - सुग्गा
C. जौ - सुग्गा D. चौटी - सिर

22. 'अनिष्ट - अनिष्ठ'
A. खान - बनावट B. बुरा - निष्ठावान
C. विराम - पूजा D. ढका हुआ - दोहराना

23. 'अकुल - आकुल'
A. बिना अंदाज - अभिप्राय B. बिना कुल के - व्याकुल
C. आज - बहुत ज्यादा D. पर्वत - संग्रह

24. 'नियत - नीयत'
A. भाग्य - निश्चित B. इरादा - निश्चित
C. निश्चित - इरादा D. इरादा - भाग्य

25. 'अलि - अली'
A. दसन - दर्शन B. दमन - दामन
C. कंधा - हिस्सा D. भौंरा - सखी

26. 'अभय - उभय'
A. निर्भय - दोनों B. पढ़ना - पढ़ाना
C. हवा - अग्नि D. दोनों - निर्भय

27. 'भवन - भुवन'
A. संसार - भावना B. मकान - संसार
C. दाव - घोड़ा D. इनमें से कोई नहीं

28. 'बद - बंद'
A. बुरा - जो खुला न हो B. हवा - जो खुला न हो
C. बातचीत - जो खुला न हो D. इनमें से कोई नहीं

29. 'नीरज - नीरद'
A. बादल - जल B. कमल - बादल
C. समुद्र - बादल D. समुद्र - कमल

30. 'चरम - चर्म'
A. टूटना - शाश्वत B. चमड़ा - अंतिम
C. अंतिम - चमड़ा D. श्रेष्ठ - शक्तिहीन

उत्तरमाला

1	2	3	4	5	6	7	8	9	10
A	B	C	D	A	D	D	B	A	C
11	12	13	14	15	16	17	18	19	20
B	C	B	D	B	D	D	D	B	B
21	22	23	24	25	26	27	28	29	30
C	B	B	C	D	A	B	A	B	C

★★★

14

शुद्ध वर्तनी

वर्तनी के अंतर्गत शब्द ध्वनियों को जिस क्रम से और जिस रूप में उच्चारित किया जाता है उन्हें उसी क्रम से और उसी रूप में लिखा भी जाता है। अतः शुद्ध वर्तनी के लिए शुद्ध उच्चारण करना आवश्यक है। जैसे–यदि हम 'अक्षर' का उच्चारण 'अच्छर' करेंगे तो 'अक्षर' की वर्तनी शुद्ध नहीं लिख सकते।

कुछ ऐसी अशुद्धियाँ दी जा रही हैं जो प्रायः हो जाती हैः

अशुद्ध	शुद्ध	अशुद्ध	शुद्ध
अगामी	आगामी	गृहणी	गृहिणी
अतिथी	अतिथि	शाबास	शाबाश
आधीन	अधीन	प्रशन	प्रश्न
अधार	आधार	गुरू	गुरु
ईकाई	इकाई	पती	पति
एरावत	ऐरावत	धोका	धोखा
उर्पयुक्त	उपर्युक्त	नर्क	नरक
दिवार	दीवार	पत्नि	पत्नी
जबाब	जवाब	नीती	नीति

अशुद्ध	शुद्ध	अशुद्ध	शुद्ध
उपर	ऊपर	कोसिस	कोशिश
वापिस	वापस	पूज्यनीय	पूजनीय
श्रीमति	श्रीमती	मूमर्ष	मुमूर्ष
दवाईयाँ	दवाइयाँ	क्षिती	क्षिति
समाजिक	सामाजिक	त्यौहार	त्योहार
सप्ताहिक	साप्ताहिक	गितांजली	गीतांजलि
कालीदास	कालिदास	त्रिपुरारी	त्रिपुरारि
इसलीए	इसलिए	प्रतिनिधी	प्रतिनिधि
नमश्कार	नमस्कार	रात्री	रात्रि
दिपावली	दीपावली	मूर्ती	मूर्ति
मँहगाई	महँगाई	जोत्सना	ज्योत्स्ना
बिमारी	बीमारी	उपलक्ष	उपलक्ष्य
प्रतिएक	प्रत्येक	व्यंग	व्यंग्य
स्वास्थ	स्वास्थ्य	सामर्थ	सामर्थ्य

वस्तुनिष्ठ प्रश्न

निर्देश (प्र.सं. 1 से 25 तक): *निम्नलिखित प्रश्नों में एक ही शब्द की चार अलग-अलग वर्तनियाँ दी गई हैं। इनमें से केवल एक वर्तनी सही है। उस विकल्प का चयन कीजिए।*

1. A. इकलौता B. एकलोता
C. ईकलोता D. ऐकलोता

2. A. संतुष्ट B. शंतुष्ट
C. शंतुशत D. स्न्तुष्ट

3. A. अतीथी B. अतिथि
C. आतिथी D. अथिति

4. A. आर्शीवाद B. आशिर्वाद
C. आर्शिवाद D. आशीर्वाद

5. A. समाजिक B. समाजीक
C. सामाजिक D. समजीक

6. A. संश्लेषण B. शंस्लेषण
C. षंश्लेसण D. संष्लेशण

7. A. वनवाश B. वनबास
C. बनवास D. वनवास

8. A. विशेस B. विशेष
C. विसेश D. विषेश

9. A. बाहिष्कार B. बइष्कार
C. बहिष्कार D. बहीष्कार

10. A. आकर्षक B. आक्रषक
C. अकार्षक D. आकर्शक

11. A. निरकार B. निर्कार
C. निराकार D. नीराकार

12. A. मोखिक B. मौखिक
C. मौकिख D. मौखीक

13. A. प्रतिवर्ष B. परतीवर्ष
C. प्रतिवर्श D. प्रतिबर्ष

14. A. अंर्तगत B. अंतर्गत
C. अर्न्तगत D. अन्तरगत

15. A. क्रष्ण B. कृषण
C. कृश्ण D. कृष्ण

16. A. शोणित B. शोनित
C. सोणित D. शोणीत

17. A. अधम्र B. अर्धम
C. अधर्म D. अधरम

18. A. अनूक्रम B. अनुक्रम
C. अनुकर्म D. अनुक्रम

19. A. क्रम B. कृम
C. कर्मृ D. कमृ

20. A. तटस्त B. तटस्थ
C. तटश्थ D. तटष्थ

21. A. अम्रत B. अर्मत
C. अमृर्त D. अमृत

22. A. फुर्तला B. फुर्तिला
C. फुर्तीला D. फुर्तीला

23. A. र्निजीव B. निर्जीव
C. निरजीव D. निर्ज्रीव

24. A. परिकर्मा B. परिक्रमा
C. परिकृमा D. प्ररिक्रमा

25. A. राशी B. राषि
C. राशि D. रासि

निर्देश (प्र.सं. 26 से 30 तक): *निम्नलिखित प्रश्नों में दिए गए विकल्पों में से अशुद्ध शब्द का चयन कीजिए।*

26. A. कौतूहल B. अनधिकार
C. निरपेक्ष D. पौराणीक

27. A. एकतारा B. जिजीविषा
C. कार्यकारणी D. अभ्यंतर

28. A. अनंग B. व्यंग
C. हास्य D. परिहास

29. A. नीती B. नदियाँ
C. कविता D. जीवित

30. A. आचार्य B. अवगुण
C. इष्ट D. उद्घोस

निर्देश (प्र.सं. 31 से 35 तक): *निम्नलिखित प्रश्नों में दिए गए विकल्पों में शुद्ध शब्द का चयन कीजिए।*

31. A. कृप्या B. चिह्न
C. आर्शीवाद D. उज्जवल

32. A. कोश्ठ B. परिशद
C. क्षुधा D. पाठसाला

33. A. प्रतिभूती B. कवयित्री
C. पड़ौसी D. बिमार

34. A. प्रसंशा B. परिस्थिती
C. प्रदर्शनी D. भगिरथी

35. A. आविष्कार B. निसब्द
C. जमाता D. देवार्षि

उत्तरमाला

1	2	3	4	5	6	7	8	9	10
A	A	B	D	C	A	D	B	C	A
11	**12**	**13**	**14**	**15**	**16**	**17**	**18**	**19**	**20**
C	B	A	B	D	A	C	B	A	B
21	**22**	**23**	**24**	**25**	**26**	**27**	**28**	**29**	**30**
D	C	B	B	C	D	C	B	A	D
31	**32**	**33**	**34**	**35**					
B	C	B	C	A					

★ ★ ★

15 मुहावरे एवं लोकोक्तियाँ

मुहावरा

मुहावरे हिन्दी भाषा का एक महत्वपूर्ण हिस्सा हैं, जो वाक्यांशों या वाक्यों के रूप में उपयोग होते हैं और जिनका अर्थ उनके शाब्दिक अर्थ से भिन्न होता है। वे भाषा को अधिक प्रभावशाली, आकर्षक और जीवंत बनाते हैं। **उदाहरणः** राम राजा दशरथ की आँखों के तारे थे। उपर्युक्त वाक्य में 'आँखों के तारे' ऐसा शब्द समूह है जो वाक्य में कुछ विशेष अर्थ प्रकट कर रहा है। इसका सामान्य अर्थ वाक्य में कोई महत्व नहीं रखता।

लोकोक्ति

लोकोक्ति शब्द लोक तथा उक्ति दो शब्दों के मेल से बना है। इसका अर्थ होता है कोई ऐसा पूर्ण या अपूर्ण वाक्य जिसमें कोई अनुभव, सारकथन अथवा कोई कथा छिपी होती है। जैसे–'का बरखा जब कृषि सुखाने' इसका अर्थ है कि यदि कोई काम समय पर नहीं हुआ तो असमय में उसके होने का कोई महत्व नहीं रह जाता।

लोकोक्तियों तथा मुहावरों का महत्व

भावों की अभिव्यक्ति के लिए जो भाषा हम प्रयोग करते हैं, उसमें यदि मुहावरों तथा लोकोक्तियों का मिश्रण हो जाता है तो वह कहीं अधिक प्रभावशाली, रोचक तथा ग्राह्य बन जाती है।

इनके प्रयोग से आशय स्पष्ट हो जाता है तथा मन्तव्य को संक्षेप में प्रकट करने के लिए कथन सशक्त बन जाता है।

यही कारण है कि प्रायः हर भाषा में लोकोक्तियों तथा मुहावरों का प्रयोग मिलता है।

वस्तुनिष्ठ प्रश्न

निर्देश (प्र.सं. 1 से 15 तक): *निम्नलिखित प्रश्नों में चार विकल्प दिए गए हैं। दिए गए मुहावरे का सही अर्थ व्यक्त करने वाले विकल्प का चयन कीजिए।*

1. आँखें बिछाना
A. बहुत इंतजार करना B. बहुत आदर करना
C. बहुत परेशान करना D. बहुत नींद आना

2. अँगुली उठाना
A. दोष सहना B. आदर करना
C. हार मानना D. दोष लगाना

3. अँगूठा दिखाना
A. झूठ बोलना B. अवसरवादी होना
C. मौके पर इनकार करना D. धोखा देना

4. अक्ल पर पत्थर पड़ना
A. मूर्ख बन जाना
B. बुद्धि समाप्त हो जाना
C. सोचने-विचारने की क्षमता न रहना
D. बड़ी चोट लग जाना

5. आँख में धूल झोंकना
A. कमजोर करना B. धोखा देना
C. झूठ बोलना D. भाग जाना

6. आग बबूला होना
A. क्रोधित होना B. परेशान होना
C. दुःखी होना D. खुश होना

7. छाती पीटना
A. परेशान होना B. खुशी मनाना
C. शोक मनाना D. नाराज होना

8. चिकना घड़ा होना
A. चिकना होना B. निर्लज्ज होना
C. चापलूसी करना D. समृद्ध होना

9. अंगारे उगलना
A. आग लगाना
B. क्रोध में कठोर वचन बोलना
C. आग बुझाना
D. जले हुए कोयले को इकट्ठा करना

10. इधर की दुनिया उधर करना
A. जिद पर अड़े रहना B. असम्भव को सम्भव करना
C. दहेज कम करना D. धनी व्यक्ति का निर्धन होना

11. ऊँचा-नीचा सुनाना
A. प्रेरक प्रसंग सुनाना B. उपदेश देना
C. भला बुरा कहना D. प्रवचन करना

12. काला नाग

A. विषधर सर्प
B. खोटा या घातक व्यक्ति
C. तीव्र बुद्धि वाला व्यक्ति
D. काला धन रखने वाला व्यक्ति

13. ठन-ठन गोपाल

A. बना ठना नवयुवक
B. खोखला
C. धनवान
D. शक्तिशाली

14. अंग-अंग ढीला होना

A. परेशान होना
B. शिथिल गात होना
C. पिटाई होना
D. बीमार होना

15. अंधे के हाथ बटेर लगना

A. किसी वस्तु का अनायास मिलना
B. अपात्र को बहुत बड़ी सफलता मिलना
C. अप्राप्य को प्राप्त करना
D. मुसीबत पर मुसीबत आना

निर्देश (प्र.सं. 16 से 25 तक): *निम्नलिखित प्रश्नों में चार विकल्प दिए गए हैं। दी गई लोकोक्ति का सही अर्थ व्यक्त करने वाले विकल्प का चयन कीजिए।*

16. अन्धा बाँटे रेवड़ी फिर-फिर अपनों को देय

A. उच्च पद पाकर अपने ही लोगों को लाभान्वित करना
B. न्याय की अवहेलना करके स्वजनों को लाभान्वित करना
C. अन्धा आदमी स्वजनों का ख्याल रखता है
D. स्वार्थी व्यक्ति पक्षपात करता है

17. अकल बड़ी कि भैंस

A. शारीरिक बल की अपेक्षा बौद्धिक बल श्रेष्ठ होता है
B. अक्ल अमूर्त और भैंस मूर्त रूप हैं
C. भैंस शारीरिक दृष्टि से बड़ी होती है
D. भैंस बुद्धिमान होती है

18. होनहार विरवान के होत चीकने पात

A. चिकने पत्तों वाला पौधा सुन्दर लगता है
B. बागवानी का शौक अच्छी बात है
C. होनहार बालक के लक्षण बचपन में ही प्रकट होने लगते हैं
D. चिकने पत्तों से पता लगता है कि यह पौधा वृक्ष बन जाएगा

19. सच्चे का बोलबाला, झूठे का मुँह काला

A. झूठ बोलना पाप है
B. झूठ बोलने वाला अपमानित होता है
C. असत्य बोलने वालों पर व्यंग्य
D. सत्य की सर्वत्र विजय होती है

20. शेर भूखा रह जाए, पर घास नहीं खाता

A. श्रेष्ठ व्यक्ति संकट में भी मर्यादा नहीं तोड़ता है
B. शेर केवल मांसाहारी होता है
C. शेर स्वयं शिकार होता है
D. स्वावलम्बी व्यक्ति किसी का सहारा नहीं लेता है

21. हथेली पर सरसों नहीं जमती

A. सरसों के लिए जमीन चाहिए हथेली नहीं
B. हर काम में मनमानी नहीं चल सकती
C. काम के लिए समय चाहिए, जब चाहो, तभी काम नहीं हो सकता
D. सफलता समय पर आती है

22. आग लगे पर पानी कहाँ

A. कलह में कभी सुख नहीं होता
B. मुसीबत आने पर सहज नहीं टलती
C. वक्त पर अभीष्ट वस्तु नहीं मिलती
D. इनमें से कोई नहीं

23. घर में नहीं दाने, अम्मा चली भुनाने

A. झूठा आडम्बर
B. अधिक दिखावा करना
C. डीगें हाँकना
D. मुश्किल से गुजारा करना

24. ऊँची दुकान फीका पकवान

A. ऊँचे पर बनी दुकान के पकवान मीठे नहीं होते
B. ऊँची दुकान महँगी होती है
C. दिखावटी वस्तु में गुणवत्ता कम होती है
D. दिखावट में आकर्षण अधिक रहता है

25. न ऊधो का लेन, न माधो का देन

A. दूसरे के झंझट में दखल देना
B. किसी झंझट में न पड़ना
C. किसी से उधार न लेना।
D. नगद लेन-देन करना

उत्तरमाला

1	2	3	4	5	6	7	8	9	10
B	D	C	C	B	A	C	B	B	B
11	**12**	**13**	**14**	**15**	**16**	**17**	**18**	**19**	**20**
C	B	B	B	A	D	A	C	D	A
21	**22**	**23**	**24**	**25**					
C	C	A	C	B					

★ ★ ★

16 समास

समास वह शब्द-रचना है जिसमें अर्थ की दृष्टि से परस्पर स्वतंत्र संबंध रखने वाले दो अथवा दो से अधिक शब्दों के बीच की विभक्ति हटाकर जब उन्हें मिलाकर एक शब्द बनाया जाता है, तो उसे समास कहते हैं अर्थात् समास में शब्दों का परस्पर मेल होने से नवीन सार्थक शब्द की रचना होती है। परस्पर मिले शब्दों के समस्त पद अर्थात् समास किया हुआ या सामासिक शब्द कहते हैं, जैसे—यथाशक्ति, आजन्म, विद्यालय आदि।

कुल मिलाकर हिन्दी में समास के छः भेद माने जाते हैं :

- **अव्ययीभाव समास :** जिस सामासिक शब्द में प्रथम पद प्रधान और पूरा पद अव्यय होता है, उसे अव्ययीभाव समास कहते हैं, जैसे—प्रतिदिन – दिन-दिन, आमरण – मरण तक।
- **तत्पुरुष समास :** जिस सामासिक शब्द में दूसरे पद की प्रधानता होती है तथा विभक्ति चिह्न लुप्त हो जाता है, उसे तत्पुरुष समास कहते हैं, जैसे—रचनाकार – रचना को करने वाला।
- **कर्मधारय समास :** जिस सामासिक शब्द में उत्तर पद प्रधान होता है, उसे कर्मधारय समास कहते हैं। इसमें पूर्व पद विशेषण और उत्तर पद विशेष्य होता है, जैसे—पीताम्बर – पीले हैं जो वस्त्र।
- **द्विगु समास :** जिस सामासिक शब्द में प्रथम पद संख्यावाची और अंतिम पद संज्ञा हो, उसे द्विगु समास कहते हैं, जैसे—तिरंगा – तीन रंगों वाला।
- **द्वन्द्व समास :** जिस सामासिक शब्द के दोनों पद प्रधान हों, दोनों पद संज्ञाएँ अथवा विशेषण हों, उसे द्वन्द्व समास कहते हैं, जैसे—राजा-रंक – राजा और रंक।
- **बहुव्रीहि समास :** जिस सामासिक पद में कोई भी शब्द प्रधान नहीं होता बल्कि दोनों शब्द मिलकर एक नया अर्थ प्रकट करते हैं, जैसे—नीलकण्ठ – नीला है कण्ठ जिसका अर्थात् शिव।

समास विग्रह

समास के उन सभी शब्दों, कारक चिह्नों को पुनः ले आना जिनका लोप कर समास बनाया गया हो 'समास-विग्रह' कहलाता है, जैसे—कमल के समान चरण (चरणकमल)।

समास विग्रह में निम्नलिखित बातों को ध्यान में रखना आवश्यक है :

- समास में विद्यमान शब्दों एवं लुप्त हुए शब्दों को इस प्रकार प्रस्तुत करना कि समास का वास्तविक अर्थ स्पष्ट हो सके।
- समास-विग्रह में यथासम्भव समास के मूल शब्दों का ही प्रयोग करना चाहिए, उनके समानार्थक शब्दों का नहीं, जैसे—'चरणकमल' का विग्रह 'कमल के समान पैर' या 'पंकज के समान चरण' नहीं किया जाना चाहिए।

वस्तुनिष्ठ प्रश्न

निर्देश (प्र.सं. 1 से 25 तक): *निम्नलिखित प्रश्नों में दिए गए शब्दों का सही समास बताने वाले विकल्प का चयन कीजिए।*

1. चन्द्रशेखर
A. तत्पुरुष B. कर्मधारय
C. बहुब्रीहि D. द्विगु

2. रात-दिन
A. द्वन्द्व B. द्विगु
C. कर्मधारय D. अव्ययी भाव

3. बहन-भाई
A. बहुब्रीहि B. तत्पुरुष
C. द्वन्द्व D. द्विगु

4. दशमुख
A. तत्पुरुष B. बहुब्रीहि
C. द्वन्द्व D. कर्मधारय

5. यथाशक्ति
A. द्विगु B. बहुब्रीहि
C. कर्मधारय D. अव्ययीभाव

6. देशभक्ति
A. तत्पुरुष B. बहुब्रीहि
C. द्विगु D. कर्मधारय

7. हस्तलिखित
A. कर्मधारय B. तत्पुरुष
C. बहुब्रीहि D. द्वन्द्व

8. त्रिनेत्र
A. तत्पुरुष B. बहुब्रीहि
C. द्विगु D. द्वन्द्व

9. भरपेट
A. अव्ययीभाव B. कर्मधारय
C. द्विगु D. द्वन्द्व

10. आनन्दमग्न
A. द्विगु
B. तत्पुरुष
C. बहुव्रीहि
D. कर्मधारय

11. आजन्म
A. तत्पुरुष
B. द्वन्द्व
C. अव्ययीभाव
D. कर्मधारय

12. नीलकमल
A. बहुव्रीहि
B. तत्पुरुष
C. कर्मधारय
D. द्विगु

13. चतुर्भुज
A. द्वन्द्व
B. द्विगु
C. तत्पुरुष
D. कर्मधारय

14. चौराहा
A. बहुव्रीहि
B. तत्पुरुष
C. द्विगु
D. कर्मधारय

15. दशानन
A. द्विगु
B. बहुव्रीहि
C. कर्मधारय
D. द्वन्द्व

16. रोग पीड़ित
A. कर्मधारय
B. द्वन्द्व
C. बहुव्रीहि
D. तत्पुरुष

17. प्रतिमान
A. कर्मधारय
B. अव्ययीभाव
C. बहुव्रीहि
D. तत्पुरुष

18. वीर पुरुष
A. बहुव्रीहि
B. तत्पुरुष
C. अव्ययीभाव
D. द्वन्द्व

19. नवयुवक
A. द्विगु
B. बहुव्रीहि
C. द्वन्द्व
D. कर्मधारय

20. पददलित
A. तत्पुरुष
B. कर्मधारय
C. बहुव्रीहि
D. द्विगु

21. दिनों-दिन
A. कर्मधारय
B. अव्ययीभाव
C. तत्पुरुष
D. द्विगु

22. लोकप्रिय
A. तत्पुरुष
B. अव्ययीभाव
C. कर्मधारय
D. बहुव्रीहि

23. वीणापाणि
A. बहुव्रीहि
B. द्विगु
C. तत्पुरुष
D. कर्मधारय

24. प्राप्तोदक
A. बहुव्रीहि
B. अव्ययीभाव
C. द्वन्द्व
D. तत्पुरुष

25. पाप-पुण्य
A. बहुव्रीहि
B. द्विगु
C. द्वन्द्व
D. अव्ययीभाब

26. 'मैं रामचन्द्र जी के <u>चरणकमल</u> की वन्दना करती हूँ।' रेखांकित शब्द किस समास का उदाहरण है?
A. द्विगु
B. कर्मधारय
C. द्वन्द्व
D. अव्ययीभाव

27. '<u>गंगातट</u> पर कुछ लोग भजन कर रहे थे।' रेखांकित शब्द में कौन-सा समास है?
A. द्वन्द्व
B. कर्मधारय
C. तत्पुरुष
D. अव्ययीभाव

28. निम्न में से कौन-सा समास-विग्रह सही नहीं है?
A. पंचानन – पाँच है जिसके आनन (शिव)
B. दाल-रोटी – दाल और रोटी
C. सुलोचना – सुन्दर है लोचन जिसके
D. पुस्तकालय – पुस्तक और आलय

29. इनमें से कौन-सा 'मालगोदाम' शब्द के समास विग्रह का सही रूप है?
A. माल से गादाम
B. माल के लिए गोदाम
C. माल और गोदाम
D. माल बनाने के लिए गोदाम

30. 'नीति-निपुण' शब्द का सही समास विग्रह है।
A. नीति से निपुण
B. नीति का निपुण
C. नीति में निपुण
D. नीति के लिए निपुण

उत्तरमाला

1	2	3	4	5	6	7	8	9	10
C	A	C	B	D	A	B	C	A	B
11	**12**	**13**	**14**	**15**	**16**	**17**	**18**	**19**	**20**
C	C	B	C	B	D	B	B	D	A
21	**22**	**23**	**24**	**25**	**26**	**27**	**28**	**29**	**30**
B	A	A	D	C	B	C	D	B	C

★ ★ ★

17

विराम चिह्न

'विराम' का अर्थ होता है–ठहरना या रुकना। लेखन को प्रभावी रूप देने के लिए लेखक द्वारा कई प्रकार के विराम चिह्नों का प्रयोग किया जाता है जो कि लेखन में भावों की अभिव्यक्ति, वाक्य का अर्थ स्पष्ट करने, उतार-चढ़ाव और ठहराव दर्शाने के लिए आवश्यक होते हैं। ऐसे ही विशेष चिह्नों को विराम चिह्न कहा जाता है।

विराम चिह्न का महत्व

विराम चिह्न एक वाक्य को दूसरे से अलग करते हैं। एक वाक्य के भीतर भी एक कोटि के कई शब्दों या वाक्यांशों या उपवाक्यों को वह अलग करता है। विराम चिह्नों के प्रयोग से भाषा में स्पष्टता आती है और भाव को समझने में सुविधा होती है।

विराम चिह्न के अभाव में वाक्य का ठीक अर्थ समझना असम्भव हो जाता है। जैसे–'उसे रोको मत जाने दो' इस वाक्य के दो सर्वथा विपरीत अर्थ हो सकते हैं।

1. उसे रोको, मत जाने दो। (यह वाक्य निषेधात्मक है)
2. उसे रोको मत, जाने दो। (यह वाक्य आज्ञावाचक है)

विराम चिह्न से ही ज्ञात हो सकता है कि वाक्य का वास्तविक अर्थ क्या है।

विराम चिह्न के प्रकार

हिन्दी में प्रचलित प्रमुख विराम चिह्न निम्न हैं :

विराम चिह्नों के नाम	चिह्न	वाक्य में प्रयोग
• अल्प विराम	,	मोहन, सोहन और अनिल आएंगे
• अर्द्धविराम	;	मैंने उससे कहा तो था; वो आया नहीं
• पूर्ण विराम	।	'संयुक्त राष्ट्र संघ' एक श्रेष्ठतम विश्वसनीय संस्था है।
• प्रश्न सूचक चिह्न	?	क्या वो आ गए?
• विस्मय या सम्बोधन सूचक	!	वाह! क्या सौंदर्य है
• उद्धरण चिह्न	' '	''कमजोर किसी को माफ नहीं कर सकते, माफ करना मजबूत लोगों की निशानी है''–महात्मा गांधी
• निर्देशन चिह्न	—	निम्नलिखित प्रश्नों का उत्तर दीजिए–
• विवरण चिह्न	:-	पार्सल में निम्नलिखित वस्तुएं हैं :-
• कोष्ठक चिह्न	( )	ग्लोबल वार्मिंग (वैश्विक ताप) मानव जीवन के लिए हानिकारक है।
• लाघव चिह्न	०	एम०ए० = मास्टर ऑफ आर्ट्स
• योजक चिह्न	-	'हम-तुम' साथ-साथ चलेंगे
• उपविराम या कोलन	:	हिन्दी निबंध : एक श्रेष्ठ पुस्तक

वस्तुनिष्ठ प्रश्न

1. भाषा में उलझाव न आने देने में सहायक हैं :
A. अर्द्धविराम B. मात्राएँ
C. ध्वनि D. विराम चिह्न

2. ' , ' यह कहलाता है :
A. अर्द्धविराम B. अल्पविराम
C. शुद्ध विराम D. पूर्ण विराम

3. '।' यह कहलाता है :
A. अर्द्धविराम B. अल्पविराम
C. उपपद D. पूर्ण विराम

4. '?' यह कहलाता है :
A. अल्पविराम B. प्रश्न चिह्न
C. पूर्ण विराम D. अर्द्धविराम

5. वाक्य को बोलने या पढ़ने में थोड़ी देर का ठहराव कहलाता है :
A. अल्पविराम B. उपपद
C. पूर्ण विराम D. अर्द्धविराम

6. ' ; ' यह कहलाता है :
A. अर्द्धविराम B. अल्पविराम
C. उपपद D. पूर्ण विराम

7. वाक्य में अल्प विराम से अधिक और पूर्णविराम से कम ठहराव आने पर लगता है :
A. अर्द्धविराम B. उपविराम
C. योजक चिह्न D. पूर्ण विराम

8. जहाँ प्रमुख वाक्य और अन्य वाक्य खंडों का कोई संबंध न हो, वहाँ कौन-सा विराम चिह्न लगता है?
A. पूर्ण विराम B. उपविराम
C. अल्पविराम D. अर्द्धविराम

9. '!' यह विराम चिह्न कहलाता है :
A. अर्द्धविराम B. अल्पविराम
C. विस्मयादि सूचक D. पूर्ण विराम

10. ':' यह विराम चिह्न कहलाता है :
A. उपविराम B. अल्पविराम
C. विस्मयादि सूचक D. पूर्ण विराम

11. '।' यह वाक्य की समाप्ति का बोधक चिह्न होता है :
A. उपविराम B. अल्पविराम
C. विस्मयादि सूचक D. पूर्ण विराम

12. निम्न में से किसे 'संक्षिप्त चिह्न' भी कहते हैं?
A. निर्देशन B. अल्पविराम
C. लाघव D. उद्धरण

13. पूर्ण अर्थ रखने वाले प्रश्नवाचक वाक्यों के अंत में यह लगता है :
A. , B. ।
C. : D. ?

14. निम्न में से किसे 'सामासिक चिह्न' भी कहते हैं?
A. संयोजक चिह्न B. पूर्णविराम चिह्न
C. अल्पविराम चिह्न D. समानार्थक चिह्न

15. आश्चर्य, घृणा, शोक, हर्ष, प्रसन्नता, उत्साह आदि भावों की अभिव्यक्ति करने वाले वाक्यों में विस्मयादि बोधक अव्ययों के बाद यह लगता है :
A. ! B. ।
C. , D. ?

16. अरे .... बदमाश जेल की चार-दीवारी फाँद गये। रिक्त स्थान में यह विराम चिह्न आएगा :
A. , B. ।
C. ! D. ?

17. निम्न में से योजक चिह्न है :
A. ! B. –
C. ? D. /

18. उद्धरण चिह्न है :
A. " " B. ।
C. : D. !

19. इनमें से कौन-सा विराम चिह्न है जो हिन्दी में अंग्रेजी भाषा से नहीं लिया गया है?
A. ? B. ।
C. . D. :

20. 'अहा!' विस्मयादि बोधक विभक्ति में कौन-सा भाव है?
A. शोक B. घृणा
C. हर्ष D. आश्चर्य

21. निम्न में से किसे 'निदेशक चिह्न' भी कहा जाता है?
A. " " B. ।
C. : D. !

22. किसी शब्द को स्पष्ट करने के लिए इस विराम चिह्न का प्रयोग होता है?
A. कोष्ठक B. अल्पविराम
C. शुद्ध विराम D. पूर्ण विराम

23. शब्दगत प्रयोग की भूल सुधारने या भूल को सही दिखाने में किस कोष्ठक का प्रयोग होता है?
A. वर्गाकार कोष्ठक B. सर्पाकार कोष्ठक
C. चौकोर कोष्ठक D. विपरीत कोष्ठक

24. एक ही विवरण को बार-बार लिखने से बचने के लिए इस चिह्न का प्रयोग होता है :
A. :- B. ,, ,,
C. " " D. ' '

25. यह अलग-अलग पंक्ति में लिखे ऐसे शब्दों को मिलाने के काम में आता है जिनका किसी एक साधारण पद से संबंध होता है :
A. वृत्ताकार कोष्ठक B. वर्गाकार कोष्ठक
C. लंबाकार कोष्ठक D. सर्पाकार कोष्ठक

उत्तरमाला

1	2	3	4	5	6	7	8	9	10
D	B	D	B	A	A	A	D	C	A
11	**12**	**13**	**14**	**15**	**16**	**17**	**18**	**19**	**20**
D	C	D	A	A	C	B	A	B	C
21	**22**	**23**	**24**	**25**					
A	A	A	B	D					

★ ★ ★

18 काल

समय, क्रिया के जिस रूप से उसके होने के समय का बोध होता है, तो उसे काल कहते हैं अथवा जिस समय जो क्रिया सम्पन्न होती है, वही उसका 'काल' कहा जाता है। इस प्रकार क्रिया के जिस रूप से क्रिया के होने का समय ज्ञात होता है, उसे ही काल कहते हैं।

काल के तीन भेद होते हैं:

1. वर्तमान काल 2. भूतकाल 3. भविष्यत् काल

वर्तमान काल

क्रिया के जिस रूप से कार्य के वर्तमान समय में सम्पन्न होने का बोध हो, उसे वर्तमान काल कहते हैं। जैसे—वह पढ़ता है।

मोहन पुस्तक पढ़ रहा है।

वर्तमान काल के चार भेद होते हैं—

(क) **सामान्य वर्तमानः** क्रिया का वह रूप जिससे क्रिया का वर्तमान में होना पाया जाए, सामान्य वर्तमान कहलाता है। जैसे—• मोहन जाता है। • राम पढ़ता है। • गीता देखती है।

(ख) **तात्कालिक/अपूर्ण वर्तमानः** क्रिया के जिस रूप से कार्य के होने या करने की निरन्तरता का बोध हो, उसे अपूर्ण वर्तमान कहते हैं। इसे तात्कालिक वर्तमान भी कहते हैं। जैसे—• मैं पत्र लिख रहा हूँ। • सुरेश गाना गा रहा है।

(ग) **पूर्ण वर्तमानः** क्रिया के जिस रूप से कार्य के वर्तमान में पूर्ण होने की जानकारी प्राप्त होती हो, उसे पूर्ण वर्तमान कहते हैं। जैसे—• राम गया है। • रमेश ने रोटी खायी है।

(घ) **संभाव्य वर्तमानः** इस काल में कार्य के पूर्ण होने की संभावना रहती है। जैसे—• राम खाया हो। • वह सोया हो।

भूतकाल

क्रिया के जिस रूप से कार्य के बीते हुए समय (अतीत) में सम्पन्न (पूर्ण) होने का बोध हो, उसे भूतकाल कहते हैं। जैसे—• राम खा चुका था। • गीता सो गई थी।

भूतकाल के छः भेद होते हैं—

(क) **सामान्य भूतः** क्रिया के जिस रूप से कार्य के बीते हुए समय में सम्पन्न होने का बोध हो, किन्तु ठीक समय का बोध न हो तो उसे सामान्य भूत कहते हैं। जैसे—• राम ने पत्र लिखा। • मोहन गया।

(ख) **आसन्न भूतः** क्रिया के जिस रूप से यह ज्ञात हो कि क्रिया अभी-अभी पूर्ण या समाप्त हुई है, उसे आसन्न भूत कहते हैं। जैसे—• राम पत्र लिख चुका है। • वह अभी आया था।

(ग) **पूर्ण भूतः** क्रिया के जिस रूप से यह स्पष्ट ज्ञात हो कि कार्य को समाप्त हुए बहुत समय बीत चुका है, उसे पूर्ण भूत कहते हैं। जैसे—• राम ने रावण को मारा था। • आशा ने गीत गाया था।

(घ) **अपूर्ण भूतः** क्रिया के जिस रूप से कार्य का बीते समय में होने का बोध हो किन्तु उसकी समाप्ति अर्थात् पूर्ण होने की जानकारी न प्राप्त हो, उसे अपूर्ण भूत कहते हैं। जैसे—• रमेश पुस्तक पढ़ रहा था। • सुरेश खाना खा रहा था।

(च) **संदिग्ध भूतः** संदिग्ध भूत में इस बात का सन्देह बना रहता है कि कार्य समाप्त हुआ या नहीं। जैसे—• तुमने लिखा होगा। • उसने चुराया होगा।

(छ) **हेतुहेतुमद् भूतः** इस काल में यह पता चलता है कि यद्यपि क्रिया का समापन भूतकाल में होना था परन्तु किसी कारणवश नहीं हो सका। दूसरे शब्दों में हम कह सकते हैं कि इस काल में कार्य के होने की शर्त लगी रहती है अर्थात् एक क्रिया की सिद्धि में दूसरी क्रिया शर्त बनकर प्रयुक्त होती है। जैसे—• यदि तुम पढ़ते तो परीक्षा पास करते। • यदि वर्षा होती तो पैदावार अच्छी होती।

भविष्यत् काल

क्रिया के जिस रूप से यह पता चले कि कार्य आने वाले समय (भविष्य) में होने वाला है, उसे भविष्यत काल कहते हैं। जैसे—• वह नौकरी करेगा। • रमेश व्यापार करेगा।

भविष्यत् काल के तीन भेद होते हैं—

(क) **सामान्य भविष्यत्ः** इस काल की क्रिया से यह पता चलता है कि कार्य स्वाभाविक रीति से भविष्य में पूरा होगा। जैसे—• मैं लिखूँगा। • वह गाँव जाएगा।

(ख) **संभाव्य भविष्यत्ः** इस काल की क्रिया से भविष्यत् काल में कार्य होने की संभावना का बोध होता है। जैसे—• संभव है, वह पत्र लिखे। • संभवतः वह कल आए।

(ग) **हेतुहेतुमद् भविष्यत्ः** इस काल की क्रिया से यह प्रकट होता है कि भविष्य में एक क्रिया का होना दूसरी क्रिया पर निर्भर करता है। जैसे—• अध्यापक आएं तो पढ़ाएं। • विद्यार्थी पढ़े तो परीक्षा उत्तीर्ण करे।

वस्तुनिष्ठ प्रश्न

1. वह दौड़ रहा है में कौन-सा काल है?
A. वर्तमानकाल B. भूतकाल
C. भविष्यकाल D. इनमें से कोई नहीं

2. हेतुहेतुमद् भेद किन कालों में होता है?
A. वर्तमान और भविष्य में B. वर्तमान और भूत में
C. भूत और भविष्य में D. इनमें से कोई नहीं

3. काल कितने होते हैं?
A. तीन B. चार
C. पाँच D. छः

4. कार्य व्यापार, समय और उसकी पूर्ण या अपूर्ण अवस्था का बोध कराने वाले क्रिया के रूपांतर को कहते हैं :
A. सकर्मक क्रिया B. हेतुहेतुमद् भूत
C. अकर्मक क्रिया D. काल

5. कालों का बोध किसके रूप से होता है?
A. संज्ञा B. विशेषण
C. क्रिया D. क्रिया-विशेषण

6. वह पाठशाला जाता है। काल पहचानिए।
A. संदिग्ध वर्तमान B. सामान्य वर्तमान
C. पूर्ण वर्तमान D. अपूर्ण वर्तमान

7. 'राम जाये तो श्याम आये।' काल पहचानिए।
A. संभाव्य भविष्यत् B. हेतुहेतुमद् भविष्यत्
C. अपूर्ण भविष्यत् D. सामान्य भविष्यत्

8. मैंने खाना खाया है। काल पहचानिए।
A. संभाव्य वर्तमान B. संदिग्ध वर्तमान
C. पूर्ण वर्तमान D. अपूर्ण वर्तमान

9. वह किताब पढ़ रहा होगा। काल पहचानिए।
A. सामान्य वर्तमान B. संदिग्ध वर्तमान
C. पूर्ण वर्तमान D. अपूर्ण वर्तमान

10. क्रिया की पूर्णता या अपूर्णता का बोध किसके द्वारा होता है?
A. कारक B. विशेषण
C. काल D. क्रिया-विशेषण

11. जहाँ भूतकाल में कार्य के पूरे होने में संदेह बना रहे, कहलाता है :
A. आसन्न भूतकाल B. हेतुहेतुमद् भूतकाल
C. अपूर्ण भूतकाल D. संदिग्ध भूतकाल

12. काल के भेद किस पर आधारित होते हैं?
A. क्रिया के रूपांतर पर B. सकर्मक क्रिया पर
C. अकर्मक क्रिया पर D. क्रिया-विशेषण पर

13. जिस वाक्य से क्रिया का वर्तमान काल में होना पता चले, वह वाक्य है :
A. सामान्य वर्तमान B. संभाव्य वर्तमान
C. संदिग्ध वर्तमान D. अपूर्ण वर्तमान

14. 'संभव है वे लड़के न आयें।' काल पहचानिए।
A. संभाव्य भविष्यत् B. हेतुहेतुमद् भविष्यत्
C. अपूर्ण भविष्यत् D. सामान्य भविष्यत्

15. भूतकाल के कितने भेद हैं?
A. तीन B. छह
C. पाँच D. चार

16. वर्तमान काल का यह भेद क्रिया के निरंतरण का द्योतक है :
A. सामान्य वर्तमान B. तात्कालिक वर्तमान
C. संदिग्ध वर्तमान D. पूर्ण वर्तमान

17. 'राधा आई है।' काल पहचानिए।
A. सामान्य भूतकाल B. संभाव्य भूतकाल
C. संदिग्ध भूतकाल D. आसन्न भूतकाल

18. 'मैं आता।' काल पहचानिए।
A. सामान्य भूतकाल B. हेतुहेतुमद् भूतकाल
C. संदिग्ध भूतकाल D. आसन्न भूतकाल

19. 'सीता ने खाना खाया था।' काल पहचानिए।
A. पूर्ण भूतकाल B. संभाव्य भूतकाल
C. हेतुहेतुमद् भूतकाल D. संदिग्ध भूतकाल

20. 'राधा आ रही है।' काल पहचानिए।
A. सामान्य वर्तमान B. संभाव्य वर्तमान
C. संदिग्ध वर्तमान D. तात्कालिक वर्तमान

उत्तरमाला

1	2	3	4	5	6	7	8	9	10
A	C	A	D	C	B	B	C	B	C
11	**12**	**13**	**14**	**15**	**16**	**17**	**18**	**19**	**20**
D	A	A	A	B	B	D	B	A	D

★ ★ ★

19

वाक्य/वाक्य विचार

वाक्य

सार्थक शब्दों का ऐसा समूह जो किसी विचार को पूर्ण करे या व्यक्त करे, उसे वाक्य कहते हैं। जैसे–मोहन अच्छा लिखता है।

वाक्य के अंग

1. **उद्देश्यः** वाक्य में जिस व्यक्ति या वस्तु के विषय में कुछ कहा जाता है, उसे उद्देश्य कहते हैं। **नोटः** कर्ता को ही उद्देश्य कहते हैं। **जैसे**–राम ध्यान से पढ़ता है। वाक्य में 'राम' शब्द उद्देश्य है।
2. **विधेयः** उद्देश्य के विषय में जो कुछ कहा जाता है, उसे विधेय कहते हैं। दूसरे शब्दों में, कर्ता के अलावा जो भी बात वाक्य में कही जाए, उसे विधेय कहते हैं। जैसे–मोहन धीरे-धीरे चलता है। वाक्य में 'धीरे-धीरे चलता है'–विधेय है।

वाक्य के भेद

1. रचना के आधार पर वाक्य भेदः

रचना के आधार पर वाक्य के तीन भेद होते हैं–

(i) **सरल या साधारण वाक्यः** जिन वाक्यों में एक उद्देश्य और एक ही विधेय होता है, उन्हें सरल या साधारण वाक्य कहते हैं। जैसे– • मुकेश पढ़ता है। • स्वाती खाना खा रही है।

(ii) **संयुक्त वाक्यः** जिन वाक्यों में दो या दो से अधिक सरल वाक्य समुच्चयबोधक शब्दों से जुड़े हों, उन्हें संयुक्त वाक्य कहते हैं। जैसे– • वह सुबह गया और शाम को लौट आया।
• मोर नाच रहा है परंतु मोरनी चुपचाप बैठी है।

(iii) **मिश्र या मिश्रित वाक्यः** जिन वाक्यों में एक मुख्य या प्रधान वाक्य हो और अन्य आश्रित उपवाक्य हों, उन्हें मिश्रित वाक्य कहते हैं। इनमें एक मुख्य उद्देश्य के अलावा एक से अधिक समापिका क्रियाएं होती हैं। जैसे–• जो कल घर आया था, वह बाहर खड़ा है। • राधा विद्यालय नहीं जा सकी, क्योंकि वह बीमार है।

2. अर्थ के आधार पर वाक्य भेद

अर्थ के आधार पर आठ प्रकार के वाक्य होते हैं–

(i) **विधिवाचक वाक्यः** जिससे किसी बात के होने का बोध हो, वह विधिवाचक वाक्य कहलाता है। जैसे–• राजेश व्यायाम कर रहा है। • सविता अपना कार्य कर रही है।

(ii) **निषेधवाचक वाक्यः** जिन वाक्यों से कार्य न होने का बोध हो, वह निषेधात्मक वाक्य कहलाता है। जैसे–• उसने खाना नहीं खाया। • कक्षा में शोर मत मचाओ।

(iii) **प्रश्नवाचक वाक्यः** वह वाक्य जिसके द्वारा किसी प्रकार के प्रश्न किये जाने का बोध हो, उसे प्रश्नवाचक वाक्य कहते हैं। जैसे–• तुम क्या खा रहे हो? • तुम क्या पढ़ रहे हो?

(iv) **आज्ञावाचक वाक्यः** जिन वाक्यों से आज्ञा, अनुमति, प्रार्थना आदि का बोध होता है, वह आज्ञावाचक वाक्य कहलाता है। जैसे–• कृपया बैठ जाइए। • सदा सत्य बोलो।

(v) **विस्मयादिवाचक वाक्यः** जिन वाक्यों के द्वारा विस्मय, हर्ष, शोक, घृणा, प्रशंसा आदि के भाव प्रकट किए जाते हैं, वह विस्मयादिवाचक वाक्य कहलाता है।
जैसे–• वाह! कया दृश्य है। • ओह! कितनी ठंडी रात है।

(vi) **इच्छावाचक वाक्यः** जिस वाक्य से दूसरों के लिए आशीर्वाद, कामना, इच्छा आदि का बोध हो, उसे इच्छावाचक वाक्य कहते हैं। जैसे–• भगवान तुम्हें दीर्घायु प्रदान करें। • नववर्ष मंगलमय हो।

(vii) **संकेतवाचक वाक्यः** जिन वाक्यों में किसी संकेत या शर्त का बोध हो, उन्हें संकेतवाचक वाक्य कहते हैं। जैसे–• राम का मकान उधर है। • यदि वर्षा होती तो फसल अच्छी होती।

(viii) **संदेहवाचक वाक्यः** जिन वाक्यों में किसी कार्य के होने के बारे में संदेह या संभावना प्रकट की जाती है, उन्हें संदेहवाचक वाक्य कहते हैं। जैसे–• पता नहीं श्याम आएगा या नहीं (संदेह) • आज पिताजी आ सकते हैं (संभावना)

वस्तुनिष्ठ प्रश्न

1. "अब इस दर्पण में देखकर बताओ कि तुम क्या देखते हो।" यह वाक्य हैः
A. विधिवाचक वाक्य B. सरल वाक्य
C. संयुक्त वाक्य D. मिश्र वाक्य

2. "राम आया, भाई से मिला और तुरंत लौट गया।" यह वाक्य हैः
A. सरल वाक्य B. मिश्र वाक्य
C. संयुक्त वाक्य D. संदेहवाचक वाक्य

3. "उसने परिश्रम तो बहुत किया, किंतु सफलता नहीं मिली।" यह वाक्य हैः
A. मिश्रित वाक्य B. सरल वाक्य
C. संयुक्त वाक्य D. अर्द्ध वाक्य

4. "पानी न बरसता तो धान सूख जाता।" किस प्रकार का वाक्य है?
A. इच्छावाचक वाक्य B. संदेहवाचक वाक्य
C. संकेतवाचक वाक्य D. आज्ञावाचक वाक्य

5. "मैं आज स्कूल नहीं जाऊँगा।" यह किस प्रकार का वाक्य है?
A. निषेधवाचक वाक्य B. संकेतवाचक वाक्य
C. विधिवाचक वाक्य D. प्रश्नवाचक वाक्य

6. "मजदूर मेहनत करता है, किन्तु उसके लाभ से वंचित रहता है।" यह किस प्रकार का वाक्य है?
A. सरल वाक्य B. मिश्र वाक्य
C. संयुक्त वाक्य D. इनमें से कोई नहीं

7. "व्यवहार में वह बिल्कुल वैसा ही है जैसे उसके पिताजी।" यह वाक्य है:
A. मिश्र वाक्य B. सरल वाक्य
C. संयुक्त वाक्य D. इनमें से कोई नहीं

8. "जब तक वह रेलवे स्टेशन पहुँचा तब तक उसके दादा जा चुके थे।" यह वाक्य किस प्रकार का वाक्य है?
A. सरल वाक्य B. मिश्रित वाक्य
C. संयुक्त वाक्य D. इनमें से कोई नहीं

9. "राम पढ़ता है।" यह वाक्य किस प्रकार का वाक्य है?
A. सरल वाक्य B. संयुक्त वाक्य
C. मिश्रित वाक्य D. इनमें से कोई नहीं

10. "यदि सही दिशा में परिश्रम करोगे तो अवश्य सफल हो जाओगे।" यह वाक्य है:
A. सरल वाक्य B. मिश्रित वाक्य
C. संयुक्त वाक्य D. इनमें से कोई नहीं

11. "ईश्वर तुम्हें सफलता दें।" यह वाक्य है:
A. प्रश्नवाचक वाक्य B. विस्मयवाचक वाक्य
C. निषेधवाचक वाक्य D. इच्छावाचक वाक्य

12. "संतोष से बढ़कर सुख नहीं।" यह वाक्य किस प्रकार का वाक्य है?
A. मिश्र वाक्य B. सरल वाक्य
C. संयुक्त वाक्य D. इनमें से कोई नहीं

13. "आज बहुत पानी गिरा।" यह वाक्य है:
A. सरल वाक्य B. संयुक्त वाक्य
C. मिश्र वाक्य D. उपवाक्य

14. "तुलसीदास ने कहा है कि विनाशकाल में मनुष्य की बुद्धि भ्रष्ट हो जाती है।" यह वाक्य है:
A. साधारण वाक्य B. संयुक्त वाक्य
C. मिश्र वाक्य D. इनमें से कोई नहीं

15. निम्न में से सरल वाक्य का चयन कीजिए:
A. उसने कहा कि कार्यालय बंद हो गया।
B. सुबह हुई और वह आ गया।
C. राहुल धीरे-धीरे लिखता है।
D. जो बड़े हैं, उन्हें सम्मान दो।

16. निम्न में से इच्छावाचक वाक्य का चयन कीजिए:
A. बच्चा देर तक रोता रहा। B. वह बाजार नहीं गया।
C. शायद वर्षा होगी। D. काश! गर्मी कम हो जाती।

17. किस विकल्प में मिश्रित वाक्य है?
A. राम ने चित्र बनाया।
B. साधना बाजार नहीं गई।
C. शिवांश आया पर यहाँ रुका नहीं।
D. माँ ने कहा कि विद्यालय से सीधे घर आना।

18. 'अब्दुल कलाम ने कहा कि पढ़ाई सभी के लिए अनिवार्य है।' में वाक्य का सही प्रकार चिह्नित कीजिए:
A. सरल वाक्य B. संयुक्त वाक्य
C. मिश्र वाक्य D. इनमें से कोई नहीं

19. "जिसने लाल कमीज पहनी है, वह मेरा मित्र है।" यह वाक्य किस प्रकार का वाक्य है?
A. सरल वाक्य B. मिश्र वाक्य
C. संयुक्त वाक्य D. इनमें से कोई नहीं

20. "मैं मेले में नहीं गया क्योंकि मेरी परीक्षा थी।" यह वाक्य है:
A. मिश्र वाक्य B. संयुक्त वाक्य
C. सरल वाक्य D. इनमें से कोई नहीं

21. "चूंकि मैं परेशान था इसलिए तुम्हारे बुलाने पर भी न आया।" यह वाक्य है:
A. मिश्र वाक्य B. संयुक्त वाक्य
C. सरल वाक्य D. इनमें से कोई नहीं

22. "आकाश में पक्षी विचरण कर रहे हैं।" यह वाक्य है:
A. संकेतवाचक वाक्य B. निषेधवाचक वाक्य
C. विधिवाचक वाक्य D. संदेहवाचक वाक्य

23. "इस रास्ते से मत जाओ।" यह वाक्य किस प्रकार का वाक्य है?
A. निषेधवाचक वाक्य B. प्रश्नवाचक वाक्य
C. विधिवाचक वाक्य D. संदेहवाचक वाक्य

24. "यदि लोग सोच-समझकर नेता चुनते तो सही सरकार बनती।" यह वाक्य है:
A. विधिवाचक वाक्य B. संदेहवाचक वाक्य
C. संकेतवाचक वाक्य D. प्रश्नवाचक वाक्य

25. "शायद आज मेरा परिणाम आ जाएगा।" में वाक्य का सही प्रकार पहचानिए:
A. विधिवाचक वाक्य B. संदेहवाचक वाक्य
C. विस्मयवाचक वाक्य D. संकेतवाचक वाक्य

उत्तरमाला

1	2	3	4	5	6	7	8	9	10
D	C	C	C	A	C	A	B	A	B
11	12	13	14	15	16	17	18	19	20
D	B	A	C	C	D	D	C	B	B
21	22	23	24	25					
A	C	A	C	B					

★★★

20 वाक्यगत अशुद्धियाँ

वाक्य रचना की अशुद्धियों का कारण है– व्याकरण के नियमों का सही ज्ञान न होना। वाक्य की शुद्धता के लिए वर्तनी, मात्रा, लिंग, वचन, विराम चिह्न और पदक्रम का पालन करना अनिवार्य है।

वस्तुनिष्ठ प्रश्न

1. निम्न में से कौन-सा शुद्ध वाक्य है?
A. मुझे बहुत आती है आनंद
B. मुझे बहुत आनंद आता है
C. मुझे आनंद आता है
D. इनमें से कोई नहीं

2. निम्न में से एक वाक्य अशुद्ध है:
A. गौतम ऋषि की पत्नी का नाम अहिल्या था।
B. इस कार्य में बहुत विलम्ब हो गया।
C. एक गुलाब की माला खरीद लेना।
D. रसगुल्ला बहुत स्वादिष्ट है।

3. शुद्ध वाक्य का चयन कीजिए।
A. आज घोड़ा दौड़ भी होगी।
B. मेरे लिए गणित कठोर विषय है।
C. बाण शस्त्र और बंदूक अस्त्र है।
D. गरीबों के लिए निःशुल्क शिक्षा की व्यवस्था है।

4. शुद्ध वाक्य चुनिए:
A. वाह! कितना सुंदर दृश्य हैं।
B. वाह! कितना सुंदर दृश्य है।
C. 'वाह' कितना सुंदर दृश्य है।
D. वाह? कितना सुंदर दृश्य है।

5. शुद्ध वाक्य का चयन कीजिए:
A. कृपया करके खुले पैसे दो।
B. कृपया खुले पैसे दें।
C. कृपया खुले पैसे देने की कृपा करें।
D. कृपया करके खुले पैसे देने की कृपा करें।

निर्देश (प्र.सं. 6 से 8 तक): *निम्नलिखित अशुद्ध वाक्यों के शुद्ध रूप का नीचे दिए गए विकल्पों में से चयन कीजिए।*

6. मैं तेरे को बता दूँगा।
A. मैं बता तुझको दूँगा। B. मैं तुम्हें बता दूँगा।
C. मैं तुझको बता दूँगा। D. सभी वाक्य सही हैं।

7. पेड़ों पर कोयल बोल रही थी।
A. पेड़ पर कोयलें बोल रही थीं।
B. पेड़ों पर कोयल थी।
C. पेड़ पर कोयल बोल रही थी।
D. सभी वाक्य सही हैं।

8. मुझे भारी दुःख हुआ।
A. मुझे बहुत दुःख हुआ। B. मुझे दुःखी हुआ।
C. मुझे ज्यादा दुःख हुआ। D. सभी वाक्य सही हैं।

निर्देश (प्र.सं. 9 से 15 तक): *निम्नलिखित प्रश्नों में दिए गए विकल्पों में से शुद्ध वाक्य का चयन कीजिए।*

9. A. एक गीतों की पुस्तक ला दो।
B. गीतों की एक पुस्तक ला दो।
C. पुस्तक एक गीतों की ला दो।
D. पुस्तक गीतों की एक ला दो।

10. A. बन्दर को काटकर चाकू से फल खिला दो।
B. चाकू से बन्दर को काटकर फल खिला दो।
C. चाकू से फल काटकर बन्दर को खिला दो।
D. फल काटकर चाकू से बन्दर को खिला दो।

11. A. मैं गाने की कसरत कर रहा हूँ।
B. मैं गाने का अभ्यास करता हूँ।
C. मैं गाना कर रहा हूँ।
D. मैं गाने का व्यायाम कर रहा हूँ।

12. A. उसे रोको मत, जाने दो।
B. उसे जाने दो, मत रोको।
C. मत रोको, उसे जाने दो।
D. उसे जाने ही दो, रोको नहीं।

13. A. दस बजे रात में गाड़ी आएगी।
B. गाड़ी रात में दस बजे आएगी।
C. रात को दस बजे गाड़ी आएगी।
D. रात में गाड़ी दस बजे आएगी।

14. A. मैं जाते-जाते रुक गया।
B. मैं जा रहा था पर रुक गया।
C. मैं जा रहा था और रुक गया।
D. अचानक जाते-जाते रुक गया।

15. A. मेरे को घर जाना चाहिए।
B. मुझे घर जाना चाहिए।
C. मैंने घर जाना चाहिए।
D. मुझको घर को जाना चाहिए।

निर्देश (प्र.सं. 16 से 30 तक): *सार्थक वाक्य बनाने के लिए शब्दों के निम्नलिखित शब्दों/समूहों को पुनर्व्यवस्थित करें। विकल्पों में दिए गए सही अनुक्रम का चयन कीजिए।*

16. गलतियों (A) / हमें अपनी (B) / चाहिए (C) / को सुधारना (D)
A. BADC B. ABCD
C. DCBA D. BACD

17. बाद भारतीय सेना के (A) / स्वतंत्रता प्राप्ति के (B) / वीरता पदकों की शुरुआत की गयी (C) / सभी रैंकों के लिए अनेक (D)
A. ABCD B. BADC
C. ACDB D. DCAB

18. व्यय (A) / मैं (B) / करता हूँ (C) / सोच-समझकर (D)
A. DCBA B. CDAB
C. BDAC D. ADCB

19. व्यक्ति की (A) / सुख-दुख का अहसास (B) / निर्भर करता है (C) / मनःस्थिति पर (D)
A. ABCD B. BADC
C. BCDA D. BDAC

20. गाय का (A) / ताजा (B) / दूध पीता हूँ (C) / मैं (D)
A. DBAC B. DABC
C. ABCD D. BCDA

21. नागरिक (A) / होना (B) / गर्व की बात है (C) / भारत का (D)
A. ABCD B. DBAC
C. DABC D. BCDA

22. पढ़ाई (A) / सफलता मिलती है (B) / नियमित (C) / से (D)
A. CADB B. BACD
C. ACDB D. ADCB

23. सफाई (A) / पर (B) / हमेशा (C) / ध्यान देना चाहिए (D)
A. BACD B. ABCD
C. CABD D. ACDB

24. मित्र (A) / हमारे (B) / हैं (C) / वृक्ष (D)
A. DABC B. ABCD
C. ADCB D. DBAC

25. एक (A) / देश है (B) / धार्मिक (C) / भारत (D)
A. ADCB B. DACB
C. CDAB D. ACDB

26. जीवन (A) / जल (B) / असंभव है (C) / के बिना (D)
A. BDAC B. ACBD
C. BADC D. ABCD

27. गंभीर (A) / समस्या है (B) / एक (C) / प्रदूषण (D)
A. CADB B. ABCD
C. DCAB D. CADB

28. बर्बादी (A) / की (B) / नहीं करनी चाहिए (C) / समय (D)
A. ADBC B. DBAC
C. DABC D. ABCD

29. विद्यार्थियों (A) / को (B) / कड़ी मेहनत (C) / करनी चाहिए (D)
A. ABCD B. CABD
C. ABDC D. CDAB

30. उद्‌गम (A) / गंगोत्री है (B) / स्थल (C) / गंगा का (D)
A. DCAB B. ACDB
C. DACB D. CDAB

उत्तरमाला

1	2	3	4	5	6	7	8	9	10
B	C	D	B	B	B	C	A	B	C
11	**12**	**13**	**14**	**15**	**16**	**17**	**18**	**19**	**20**
B	A	C	A	B	A	B	C	B	B
21	**22**	**23**	**24**	**25**	**26**	**27**	**28**	**29**	**30**
C	A	C	D	B	A	C	B	A	C

★★★

21 रस, छंद, अलंकार

अलंकार का शाब्दिक अर्थ है–आभूषण या गहना। जिस प्रकार शरीर की शोभा को बढ़ाने के लिए लोग आभूषण धारण करते हैं उसी प्रकार काव्य की शोभा को बढ़ाने के लिए जिस शब्द का प्रयोग किया जाता है, उसे अलंकार कहते हैं। किसी ने सच ही कहा है कि "काव्य शोभाकरान् धर्मान् अलंकान् प्रचक्षते!" अर्थात् काव्य की शोभा बढ़ाने वाले धर्म या गुण को अलंकार कहते हैं। इसके प्रयोग से काव्य में अर्थ व भाषा की दृष्टि से चार चाँद लग जाते हैं। वहीं दूसरी ओर कविता में रस का प्रयोग श्रोता या पाठक को आत्म-विभोर कर देता है। रस किसी पद्य में ऐसे तत्त्व का समावेश करता है जो पाठक के हृदय में ऐसे आनंद का संचरण करता है जिसे वह सिर्फ महसूस कर पाता है किन्तु मुँह से या शब्दों से उसकी व्याख्या नहीं कर पाता।

वस्तुनिष्ठ प्रश्न

निर्देश : *निम्नलिखित प्रश्नों में दिए गए वाक्यों में प्रयुक्त अलंकार के भेद का चयन उसके नीचे दिए विकल्पों में से कीजिए।*

1. कुन्द इन्दु सन देह, उमा रमन, करुणा 'अयन' में कौन-सा अलंकार है?
A. श्लेष B. उपमा
C. अनुप्रास D. रूपक

2. 'काली लहर कल्पना काली
मेरी काल कोठरी काली'
में कौन-सा अलंकार है?
A. अनुप्रास B. रूपक
C. श्लेष D. उपमा

3. "लाल चेहरा है नहीं, फिर, लाल किसके", में कौन-सा अलंकार है?
A. यमक B. रूपक
C. उपमा D. अनुप्रास

4. 'कनक-कनक ते सौ गुनी मादकता अधिकाय' में कौन-सा अलंकार है?
A. यमक B. श्लेष
C. अनुप्रास D. उपमा

5. 'हरिपद कोमल कमल से' में उपमा का कौन-सा भेद है?
A. लुप्तोपमा B. मालोपमा
C. पूर्णोपमा D. इनमें से कोई नहीं

6. रंग-रूप, गुण-धर्म की समानता के कारण किसी वस्तु में दूसरी वस्तु का सन्देह होने पर कौन-सा अलंकार होता है?
A. भ्रान्तिमान B. सन्देह
C. प्रतीप D. अतिशयोक्ति

7. संपत्ति चकई भरतु चक मुनि आयसु खेलवार
तेहि निसि आश्रम पिजराँ राखे भाभिनुसार।
सम्पत्ति चकई में अलंकार बताइए।
A. उपमा B. रूपक
C. संदेह D. कोई नहीं

8. बीती विभावरी जाग री
अम्बर-पनघट में डुबो रही तारा घट उषा-नागरी।।
प्रस्तुत पंक्तियों में कौन-सा अलंकार है?
A. उपमा B. रूपक
C. उत्प्रेक्षा D. यमक

9. 'रघुपति राघव राजा राम' में निम्नलिखित में से किस अलंकार का प्रयोग किया गया है?
A. यमक B. अनुप्रास
C. उपमा D. उत्प्रेक्षा

10. एक शब्द के अनेक अर्थ होने पर कौन-सा अलंकार होता है?
A. उपमा B. रूपक
C. श्लेष D. यमक

11. "मूक होई वाचाल पंगु चढ़ाई गिरिवर गहन।
जसु कृपा सो दयाल, द्रवहु सकल कलिमल दहन।।"
प्रस्तुत पंक्तियों में कौन-सा छंद है?
A. दोहा B. चौपाई
C. सोरठा D. बरवै

12. अनुराग तड़ाग में भानु उदै बिगसी मानो कंज कली में कौन सा रस है?
A. शृंगार रस B. भक्ति रस
C. शांत रस D. इनमें से कोई नहीं

13. किस रस का संचारी भाव उग्रता, गर्व, हर्ष आदि है?
A. शृंगार B. वीर
C. वात्सल्य D. रौद्र

14. 'मेरी भव बाधा हरौ,
राधा नागरि सोई।
जो तन की झाईं परत,
स्यामु हरित दुति होई।।'
उपरोक्त पद में कौन-सा अलंकार होता है
A. उपमा B. रूपक
C. यमक D. श्लेष

15. 'आशाओं की करवट
फिर सुप्त व्यथा का जगना'
इन पंक्तियों में अलंकार है
A. उपमा B. रूपक
C. उत्प्रेक्षा D. मानवीकरण

16. "बढ़त-बढ़त सम्पत्ति-सलिल मन-सरोज बढ़ जाए"
सम्पत्ति-सलिल में अलंकार है
A. रूपक B. उपमा
C. उत्प्रेक्षा D. श्लेष

17. "मेरे तो गिरिधर गोपाल दूसरो न कोई।
जाके सिर मोर मुकुट मेरो पति सोई।।"
में किस रस की अभिव्यक्ति है?
A. हास्य B. करुण
C. शृंगार D. शान्त

18. "राग है कि, रूप है कि
रस है कि, जल है कि
तन है कि, मन है कि
प्राण है कि, प्यारी है"
उपर्युक्त पंक्तियों में रस है
A. शृंगार B. वात्सल्य
C. अद्भुत D. शान्त

19. किस रस का संचारी उद्दीपन विभाव बादल की घटाएँ, कोयल का बोलना, बसन्त ऋतु आदि होते हैं?
A. शृंगार B. वात्सल्य
C. अद्भुत D. शान्त

20. "सोहत कर नवनीत लिए
घुटुरुन चलत रेनु तन मंडित
मुख दधि लेप किए।"
उपर्युक्त पंक्तियों में रस है
A. शृंगार B. रौद्र
C. शान्त D. वात्सल्य

21. 'दिनकर' किस रस के कवि माने जाते हैं?
A. शृंगार रस B. वीर रस
C. करुण रस D. रौद्र रस

22. चौपाई के चारों चरणों में कितनी मात्राएँ होती हैं?
A. तेरह B. सत्रह
C. चौदह D. सोलह

23. छंद कितने प्रकार के होते हैं?
A. तीन B. दो
C. पाँच D. चार

24. दोहा के प्रथम और तृतीय चरण में कितनी मात्राएँ होती हैं?
A. ग्यारह B. बारह
C. चौदह D. तेरह

25. दोहे और रोले को क्रम से मिलाने पर कौन-सा छंद बनता है?
A. हरिगीतिका B. कुण्डलियाँ
C. सवैया D. बरवै

26. "अवधि शिला का उर पर था गुरु भार।
तिल-तिल काट रही थी दृग जल धार।।"
प्रस्तुत पंक्तियों में कौन-सा छंद है?
A. दोहा B. सोरठा
C. रोला D. बरवै

27. 'कमल' शब्द का गण बताएं
A. नगण B. जगण
C. मगण D. रगण

28. आचार्य मम्मट के अनुसार रस कितने हैं?
A. नौ B. ग्यारह
C. दस D. बारह

29. किस छन्द में वर्ण या मात्रा की गणना नहीं की जाती है?
A. वर्णिक छन्द B. मात्रिक छन्द
C. मुक्त छन्द D. इनमें से कोई नहीं

30. मात्रिक छंद नहीं है
A. दोहा B. चौपाई
C. सोरठा D. सवैया

उत्तरमाला

1	2	3	4	5	6	7	8	9	10
B	B	A	A	C	B	B	B	B	D
11	12	13	14	15	16	17	18	19	20
C	A	B	D	D	A	C	C	A	D
21	22	23	24	25	26	27	28	29	30
B	D	A	D	B	D	A	A	C	D

★ ★ ★

कम्प्यूटर ज्ञान
(Computer Knowledge)

कम्प्यूटर : सामान्य परिचय
(Computer : General Introduction)

'कम्प्यूटर' शब्द की उत्पत्ति अंग्रेजी भाषा के शब्द 'कम्प्यूट' से हुई है, जिसका अर्थ है 'गणना करना'। यद्यपि प्रारंभ में कम्प्यूटर का उपयोग विशेषतः गणनात्मक कार्यों के लिए किया जाता था, परन्तु अब इसका कार्यक्षेत्र बहुत बढ़ गया है। अतः कम्प्यूटर एक ऐसी इलेक्ट्रॉनिक युक्ति (device) है, जो दिए गए निर्देशन-समूह. के आधार पर सूचना को संसाधित (process) करती है। इस निर्देशन-समूह को प्रोग्राम (Program) कहते हैं। 'Computer' में प्रयुक्त आठ अक्षरों का अर्थ इस प्रकार है–

C	—	Commonly (समरूपता)
O	—	Operator (चालक)
M	—	Machine (यंत्र)
P	—	Particular (मुख्य)
U	—	User (प्रयोग)
T	—	Trade (व्यवसाय)
E	—	Education (शिक्षा)
R	—	Research (अनुसंधान)

इस प्रकार कम्प्यूटर केवल एक गणक (कैलकुलेटर) ही नहीं है बल्कि यह गणितीय तथा अगणितीय, सभी प्रकार की सूचना को संसाधित करने वाला उपकरण है।

कम्प्यूटर एक इलेक्ट्रॉनिक डिवाइस है, जो इनपुट के माध्यम से आंकड़ों को ग्रहण करता है उन्हें प्रोसेस करता है एवं सूचनाओं को निर्धारित स्थान पर स्टोर करता है। कम्प्यूटर एक क्रमादेश्य मशीन है।

वर्तमान काल के कम्प्यूटर इलेक्ट्रॉनिक और डिजिटल हैं। इनमें मुख्य रूप से तार ट्रांजिस्टर एवं सर्किट का उपयोग किया जाता है जिसे हार्डवेयर कहा जाता है। निर्देश एवं डाटा को सॉफ्टवेयर कहा जाता है। कम्प्यूटर अपने कामकाज, प्रयोजन या उद्देश्य तथा रूप-आकार के आधार पर विभिन्न प्रकार के होते हैं। वस्तुतः इनका सीधे-सीधे अर्थात् प्रत्यक्षतः (Direct) वर्गीकरण करना कठिन है, इसलिए इन्हें हम निम्नलिखित तीन आधारों पर वर्गीकृत करते हैं :

1. अनुप्रयोग (Application)
2. उद्देश्य (Purpose)
3. आकार (Size)

1. **अनुप्रयोग के आधार पर कम्प्यूटरों के प्रकार (Types of Computers based on Application) :** यद्यपि कम्प्यूटर के अनेक अनुप्रयोग हैं जिनमें से तीन अनुप्रयोगों के आधार पर कम्प्यूटरों के तीन प्रकार होते हैं :
   (*a*) एनालॉग कम्प्यूटर (Analog Computer)
   (*b*) डिजिटल कम्प्यूटर (Digital Computer)
   (*c*) हाइब्रिड कम्प्यूटर (Hybrid Computer)
2. **उद्देश्य के आधार पर कम्प्यूटरों के प्रकार (Types of Computers based on Purpose) :** कम्प्यूटर को दो उद्देश्यों के लिए हम स्थापित कर सकते हैं–सामान्य और विशिष्ट। इस प्रकार कम्प्यूटर उद्देश्य के आधार पर निम्न दो प्रकार के होते हैं :
   (*a*) सामान्य-उद्देशीय कम्प्यूटर (General Purpose Computer)
   (*b*) विशिष्ट-उद्देशीय कम्प्यूटर (Special Purpose Computer)
3. **आकार के आधार पर कम्प्यूटरों के प्रकार (Types of Computers based on Size) :** आकार के आधार पर हम कम्प्यूटरों को निम्न श्रेणियाँ प्रदान कर सकते हैं :
   (*a*) माइक्रो कम्प्यूटर (Micro Computer)
   (*b*) वर्कस्टेशन (Work Station)
   (*c*) मिनी कम्प्यूटर (Mini Computer)
   (*d*) मेनफ्रेम कम्प्यूटर (Mainframe Computer)
   (*e*) सुपर कम्प्यूटर (Super Computer)

कम्प्यूटर संबंधी प्रारंभिक शब्द (Computer related word)

1. **डाटा (Data) :** यह अव्यवस्थित आँकड़ा या तथ्य है। यह प्रोसेस के पहले की अवस्था है। साधारणतः डाटा को दो भागों में विभाजित करते हैं–
   (*a*) **संख्यात्मक डाटा (Numerical Data) :** इस तरह के डाटा में 0 से 9 तक के अंकों का प्रयोग होता है; जैसे–कर्मचारियों का वेतन, परीक्षा में प्राप्त अंक, जनगणना, रोल नं., अंकगणितीय संख्याएँ आदि।
   (*b*) **अल्फान्यूमेरिक डाटा (Alphanumeric Data) :** इस तरह के डाटा में अंकों, अक्षरों तथा चिह्नों का प्रयोग किया जाता है; जैसे–पता (Address) आदि।
2. **सूचना (Information) :** यह अव्यवस्थित डाटा का प्रोसेस करने के बाद प्राप्त परिणाम है जो व्यवस्थित होता है।

कम्प्यूटर की विशेषताएँ (Properties of Computer)

- **उच्च गति (High Speed) :** कम्प्यूटर में मनुष्यों की अपेक्षा अधिक गति से दैनंदिन के कार्य पूरा करने की क्षमता है। वे जटिल गणनाओं को क्षणभर में कर सकते हैं।
- **परिशुद्धता (Accuracy) :** जब कोई कार्य मैन्युअल रूप से किया जाता है, तो हमेशा मानवीय त्रुटि की सम्भावना होती है। यदि डाटा इनपुट सही है तो कम्प्यूटर का उपयोग उस तरीके से कार्य करने के लिए किया जा सकता है जो परिशुद्धता सुनिश्चित करता है।
- **संग्रहण (Storage) :** कम्प्यूटर बड़ी मात्रा में जानकारी संग्रह कर सकता है। जानकारी का संग्रह करने के बाद, जैसी आवश्यकता हो उसे वापस लाया जा सकता है।
- **स्वचलन (Auto-calculation) :** कम्प्यूटर को जटिल कार्य स्वचालित रूप से करने के लिए कहा जा सकता है।
- **एकरूपता (Uniformality) :** कम्प्यूटर एक ही कार्य को बिना थके बार-बार उसी परिशुद्धता के साथ कर सकता है।
- **बहुविज्ञता (Versatility) :** कम्प्यूटर का उपयोग आसान और जटिल दोनों ही कार्यों को करने के लिए किया जाता है।
- **लागत-प्रभाविता :** कम्प्यूटर्स कागजी कार्यवाही और मानवीय प्रयास की मात्रा को घटाते हैं, इस तरह वे लागत में कटौती कर रहे हैं।

कम्प्यूटर की सीमाएँ (Limitations of the Computer)

1. **विद्युत पर निर्भरता (Depends on Electricity) :** कम्प्यूटर अपने कार्य के लिए विद्युत पर निर्भर करता है तथा इसके अभाव में कोई भी कार्य सम्पन्न कर पाने में सक्षम नहीं है।
2. **वायरस का खतरा (Immune to virus) :** कम्प्यूटर में वायरस का खतरा बना रहता है जो सूचना और निर्देशों को दूषित या समाप्त कर सकता है। ये वायरस कम्प्यूटर की भंडारण क्षमता को भी प्रभावित करते हैं। हालांकि एंटीवायरस सॉफ्टवेयर (Antivirus Software) का प्रयोग कर इससे बचा जा सकता है।
3. **खर्चीला (Expensive) :** कम्प्यूटर के हार्डवेयर तथा सॉफ्टवेयर काफी महंगे होते हैं तथा इन्हें समय-समय पर आवश्यकता अनुसार परिवर्तित भी करना पड़ता है।
4. **बुद्धिहीन (No mind) :** कम्प्यूटर में स्वयं की सोचने और निर्णय लेने की क्षमता नहीं होती। यह केवल दिए गए दिशा-निर्देशों के अंदर ही कार्य कर सकता है।

डेटा प्रोसेसिंग और इलेक्ट्रॉनिक डेटा प्रोसेसिंग (Data Processing & Electronic Data Processing)

कम्प्यूटर के निर्माण से पहले निश्चित लक्ष्य को प्राप्त करने के लिए डाटा का संकलन, संचयन संसाधन और निर्गमन हस्तचालित विधि (manual method) से होता था, जिसे डाटा प्रोसेसिंग कहते थे। जैसे-जैसे टेक्नॉलोजी का विकास हुआ इन सभी कार्यों के लिए कम्प्यूटर का उपयोग होने लगा। इसे इलेक्ट्रॉनिक डाटा प्रोसेसिंग (E.D.P.) कहते हैं।

डाटा प्रोसेसिंग का मुख्य लक्ष्य अव्यवस्थित डाटा (Raw Data) से व्यवस्थित डाटा (Information) प्राप्त करना है। जिसका उपयोग निर्णय लेने के लिए होता है।

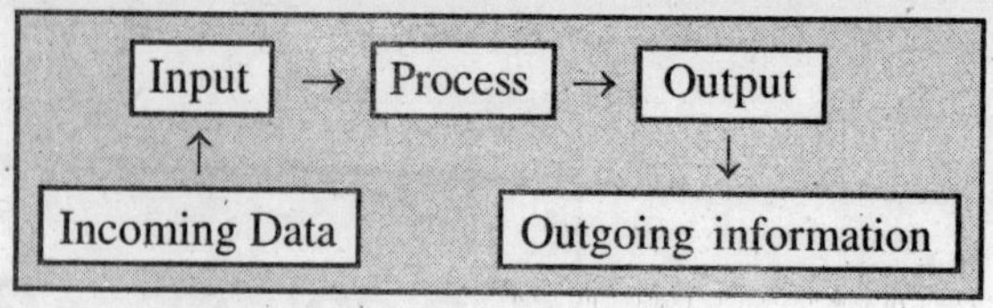

कम्प्यूटर सिस्टम (Computer System)

यह उपकरणों का एक समूह है जो एक साथ मिलकर डाटा प्रोसेस करते हैं। कम्प्यूटर सिस्टम में अनेक इकाइयाँ होती हैं जिनका उपयोग इलेक्ट्रॉनिक डाटा प्रोसेसिंग में होता है–

1. **इनपुट यूनिट (Input unit) :** वैसी इकाई जो यूजर (User) से डाटा प्राप्त कर सेन्ट्रल प्रोसेसिंग यूनिट को इलेक्ट्रॉनिक पल्स के रूप में प्रवाहित (transmit) करता है। जैसा कि ऑटोमेटिक टेलर मशीन (Automatic Teller Machine—ATM) में जब हम निकासी (Withdraw) के लिए जाते हैं तो हमें पिन नम्बर (Personal Identification Number) डालना होता है। उसके लिए इनपुट इकाई के रूप में क्रीपैड का उपयोग किया जाता है।
2. **सेन्ट्रल प्रोसेसिंग यूनिट (CPU) :** इसे प्रोसेसर भी कहते हैं। यह एक इलेक्ट्रॉनिक माइक्रोचिप है जो डाटा को इनफॉर्मेशन में बदलते हुए प्रोसेस करता है। इसे 'कम्प्यूटर का ब्रेन' कहा जाता है। यह कम्प्यूटर सिस्टम के सारे कार्यों को नियंत्रित करता है तथा यह इनपुट को आउटपुट में रूपान्तरित करता है। यह इनपुट यूनिट तथा आउटपुट यूनिट से मिलकर पूरा कम्प्यूटर सिस्टम बनाता है। इसके अग्रलिखित भाग होते हैं–

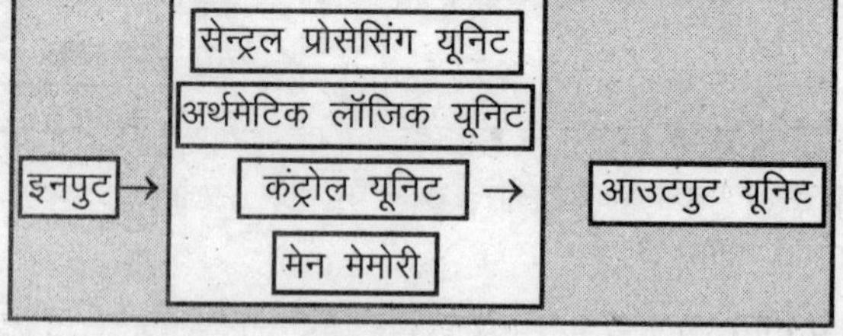

(*a*) **अर्थमेटिक लॉजिक यूनिट (Arithmetic Logic Unit या ALU) :** इसका उपयोग अंकगणितीय तथा तार्किक गणना में होता है। अंकगणितीय गणना के अन्तर्गत जोड़, घटाव, गुणा और भाग इत्यादि तथा तार्किक गणना के अन्तर्गत तुलनात्मक गणना जैसे, (<, > या =), हाँ या ना (Yes या No) इत्यादि आते हैं।

(*b*) **कंट्रोल यूनिट (Control Unit) :** यह कम्प्यूटर के सारे कार्यों को नियंत्रित करता है तथा कम्प्यूटर के सारे भागों जैसे; इनपुट, आउटपुट डिवाइसेज, प्रोसेसर इत्यादि की सारी गतिविधियों के बीच तालमेल बैठाता है।

(*c*) **मेमोरी यूनिट (Memory Unit) :** यह डाटा तथा निर्देशों के संग्रह करने में प्रयुक्त होता है। इसे मुख्यतः दो वर्गों प्राइमरी तथा सेकेंडरी मेमोरी में विभाजित करते हैं। जब कम्प्यूटर कार्यशील रहता है, अर्थात् वर्तमान में उपयोग हो रहे डाटा तथा निर्देशों का संग्रह प्राइमरी मेमोरी में होता है। सेकेंडरी मेमोरी का उपयोग बाद (later) में उपयोग होने वाले डाटा तथा निर्देशों को संग्रहीत करने में होता है।

3. **आउटपुट यूनिट (Output Unit) :** वैसी इकाई जो सेन्ट्रल प्रोसेसिंग यूनिट से डाटा लेकर उसे यूजर को समझने योग्य बनाता है। जैसा कि, जब हम सुपर मार्केट में बिल अदा करते हैं तो हमें रसीद प्राप्त होता है, जो आउटपुट का रूप है। यह आउटपुट उपकरण (output device) प्रिन्टर से प्राप्त होता है।

पर्सनल कम्प्यूटर (Personal Computer)

पर्सनल कम्प्यूटर माइक्रो कम्प्यूटर समानार्थक से जाने वाले वैसे कम्प्यूटर प्रणाली हैं जो विशेष रूप से व्यक्तिगत अथवा छोटे समूह के द्वारा प्रयोग में लाए जाते हैं। इन कम्प्यूटरों को बनाने में माइक्रोप्रोसेसर मुख्य रूप से सहायक होते हैं। पर्सनल कम्प्यूटर निर्माण विशेष क्षेत्र तथा कार्य को ध्यान में रखकर किया जाता है। उदाहरणार्थ-घरेलू कम्प्यूटर तथा कार्यालय में प्रयोग किए जाने वाले कम्प्यूटर। बाजार में, छोटे स्तर की कम्पनियाँ अपने कार्यालयों के कार्य के लिए पर्सनल कम्प्यूटर को प्राथमिकता देती हैं। पर्सनल कम्प्यूटर के मुख्य कार्यों में क्रीड़ा-करना, इंटरनेट का प्रयोग, शब्द-प्रक्रिया इत्यादि शामिल हैं। पर्सनल कम्प्यूटर के कुछ व्यावसायिक कार्य निम्नलिखित हैं–

1. कम्प्यूटर सहायक रूपरेखा तथा निर्माण
2. इन्वेन्ट्री तथा प्रोडक्शन कन्ट्रोल
3. स्प्रेडशीट कार्य
4. अकाउन्टिंग
5. सॉफ्टवेयर निर्माण
6. वेबसाइट डिजाइनिंग तथा निर्माण
7. सांख्यिकी गणना

पर्सनल कम्प्यूटर का मुख्य भाग (Important Parts of Personal Computer)

माइक्रोप्रोसेसर वह चिप होती है जिस पर कंट्रोल यूनिट और ए.एल.ए. एक परिपथ होता है। माइक्रोप्रोसेसर चिप तथा अन्य डिवाइस एक इकाई में लगे रहते हैं, जिसे सिस्टम यूनिट कहते हैं। पी.सी. में एक सिस्टम यूनिट, एक मॉनीटर या स्क्रीन, एक की-बोर्ड, एक माउस और अन्य आवश्यक डिवाइसेज, जैसे–प्रिंटर, मॉडम, स्पीकर, स्कैनर, प्लॉटर, ग्राफिक टेबलेट, लाइच पेन आदि होते हैं।

पर्सनल कम्प्यूटर का मूल सिद्धान्त (Fundamental Principle of P.C.)

पी.सी. एक प्रणाली है जिसमें डाटा और निर्देशों को इनपुट डिवाइस के माध्यम से स्वीकार किया जाता है। इस इनपुट किए गए डाटा व निर्देशों को आगे सिस्टम यूनिट में पहुँचाया जाता है, जहाँ निर्देशों के अनुसार सी.पी.यू. डाटा पर क्रिया या प्रोसेसिंग का कार्य करता है और परिचय को आउटपुट यूनिट मॉनीटर या स्क्रीन पर भेज देता है। यह प्राप्त परिणाम आउटपुट कहलाता है।

पी.सी. में इनपुट यूनिट में प्रायः की-बोर्ड और माउस काम आते हैं जबकि आउटपुट यूनिट के रूप में मॉनीटर और प्रिंटर काम आते हैं।

कम्प्यूटर का इतिहास (History of Computer)

विकास	वर्ष	मुख्य तथ्य
अबैकस	3000-2000 ई. पूर्व	प्रथम मशीनी कैलकुलेटर
पास्कल्स कैलकुलेटर	1642 ए.डी.	प्रथम मशीन जो जोड़, घटाव और गिनती करने में सक्षम था।
जैक्वार्ड विविंग लूम	1801	बुनाई के पैटर्न को कंट्रोल करने के लिए धातु प्लेट पंच होल के साथ उपयोग किया गया था।
बैवेज एनालिटिकल इंजन	1834-1871	प्रथम जनरल पर्पस कम्प्यूटर बनाने की कोशिश की; परन्तु बैवेज के जीवनकाल में ये संभव न हो सका।
हर्मन टैबुलेटिंग	1887-1896	डाटा को कार्ड में पंच करने तथा संग्रहीत डाटा को सारणीकृत (tabulate) करने हेतु कूट (code) और यंत्र (device) का निर्माण किया गया।
हावर्ड आइकेन मार्क 1	1937-1944	इलेक्ट्रोमैकेनिकल कम्प्यूटर का निर्माण हुआ, जिनमें डाटा संग्रह के लिए पंच पेपर टेप का प्रयोग हुआ।
इनियक (ENIAC)	1943-1950	प्रथम सम्पूर्ण इलेक्ट्रॉनिक गणना यंत्र जिसमें प्रोग्राम (Program) स्थायी रूप से समाहित था।
वॉन न्यूमेन स्टोर्ड प्रोग्राम कॉन्सेप्ट	1945-1942	कम्प्यूटर के मेमोरी में निर्देश और डाटा (Instruction and Data) स्टोर करने की अवधारणा (concept) का विकास हुआ। डाटा और निर्देश को बाइनरी में कूटबद्ध (Coding) करने की शुरूआत हुई।

विकास	वर्ष	मुख्य तथ्य
एडजैक (EDSAC)	1946-1952	प्रथम कम्प्यूटर जो सूचनाओं (Data) और निर्देशों (Instructions) को अपने मेमोरी में संग्रहीत करने में सक्षम था।
यूनिवैक-1 (UNIVAC-I)	1951-1954	प्रथम कम्प्यूटर जो व्यवसायिक रूप से उपलब्ध था।

कम्प्यूटर की पीढ़ियाँ (Computer's Generations)

पीढ़ी	हार्डवेयर	सॉफ्टवेयर	उदाहरण	विशेषताएँ
प्रथम (1942-1955)	निर्वात, ट्यूब, पंचकार्ड, विद्युत और यांत्रिक मशीन	मशीनी भाषा, असेम्बली भाषा, स्टोर प्रोग्राम	एनियक; इडवैक; यूनीवैक-1	बड़ा आकार, खर्चीला, केवल वैज्ञानिक अनुप्रयोग
द्वितीय (1955-1964)	ट्रांजिस्टर, चुम्बकीय मेमोरी	उच्च स्तरीय भाषा; बैच ऑपरेटिंग सिस्टम	आईबीएम; यूनीवैक	अपेक्षाकृत छोटा, तीव्र, खर्चीला, वैज्ञानिक और व्यावसायिक उपयोग
तृतीय (1964-1975)	इंटीग्रेटेड चिप, SSI व MSI; चुम्बकीय भंडारण क्षमता में वृद्धि	उच्च स्तरीय भाषा का मानकीकरण; टाइम शेयरिंग ऑपरेटिंग सिस्टम' हार्डवेयर व सॉफ्टवेयर की अलग-अलग बिक्री	आईबीएम-360; पीडीपी-8	तीव्र, छोटे, सस्ते, विश्वसनीय, उपयोग में आसान
चतुर्थ (1975-1989)	VLSI, माइक्रोप्रोसेसर सेमीकंडक्टर मेमोरी; पीसी; उच्च क्षमता वाले नेटवर्क	पीसी के लिए ऑपरेटिंग सिस्टम, ग्राफिकल यूजर, इंटरफेस, यूनिक्स, 'C' प्रोग्राम भाषा; एक साथ कई कार्य करने की क्षमता	आईबीएम-पीसी एप्पल-II	सस्ते, उच्च क्षमतायुक्त उपयोग में आसान, व्यावसायिक उत्पादन तथा व्यक्तिगत उपयोग
पंचम (1989-अब तक)	ULSI; ऑप्टीकल डिस्क; कम जगह में अधिक भंडारण, नोटबुक, कम्प्यूटर, इंटरनेट, मल्टीमीडिया	इंटरनेट तथा मल्टीमीडिया सॉफ्टवेयर www	आईबीएम नोटबुक पेंटियम पीसी, सुपर कम्प्यूटर	अति छोटे, अति तीव्र उपयोग में आसान; प्लग और प्ले

कम्प्यूटर की कार्यप्रणाली (Working of Computer)

कम्प्यूटर की अपनी कोई बुद्धिमता नहीं होती है, न ही इसमें कोई सोचने-विचारने की समझ या निर्णय लेने या तर्क करने की शक्ति होती है। यह शक्ति तो उसे मानव द्वारा ही प्रोग्राम के रूप में प्रदान की जाती है। यद्यपि कम्प्यूटर की तुलना मस्तिष्क से की जाती है परन्तु कम्प्यूटर मानव की ही कृति है, इसलिए यह मानव से श्रेष्ठ कार्य करने के लिए अभिकल्पित तो किया ही जा सकता है क्योंकि उसमें समस्त मानव सभ्यता की सबसे अधिक श्रेष्ठ एवं परिष्कृत तथा आधुनिकतम अभियान्त्रिकी एवं प्रतिभा का उपयोग किया जा रहा है।

कम्प्यूटर की कार्य प्रणाली के चार मुख्य अवयव होते हैं। इन्हें कम्प्यूटर का रचना-शिल्प भी कहते हैं। इनके नाम हैं–

1. निवेश (Input)
2. केन्द्रीय संसाधन एकक (CPU)
3. बाह्य स्मृति (External Memory)
4. निर्गम (Output)

निवेश एवं निर्गम एककों (Input and output units) के द्वारा कम्प्यूटर एवं मानव के बीच सम्पर्क स्थापित होता है। चूँकि ये एकक कम्प्यूटर को चारों तरफ घेरे हुए होती हैं, इसलिए इन्हें परिधीय युक्तियाँ (Peripheral devices) भी कहा जाता है।

इनपुट डिवाइसेज (Input Devices)

एक कम्प्यूटर में इनपुट तथा आउटपुट दोनों उपकरण होते हैं। जिन यंत्रों के द्वारा डाटा इनपुट किया जाता है अर्थात् जिन यंत्रों से आँकड़ें, शब्द या निर्देश मेमोरी में डाले जाते हैं, इनपुट डिवाइसेस कहलाते हैं। दूसरे शब्दों में ये ऐसे यंत्र हैं जिनके द्वारा हम कम्प्यूटर को निर्देश देते हैं और कम्प्यूटर उन पर प्रोग्राम के अनुरूप कार्य करता है। जैसे कि की-बोर्ड, माउस आदि।

कुछ प्रमुख इनपुट डिवाइसेस निम्नलिखित हैं :

1. की-बोर्ड (Key-Board)
2. माउस (Mouse)
3. ट्रैकबॉल (Trackball)
4. जॉयस्टिक (Joystick)
5. स्कैनर (Scanner)
6. माइक्रोफोन (Microphone)
7. वेब कैम (Web Cam)
8. बार कोड रीडर (Bar Code Reader)
9. ओ.सी.आर. (OCR–Optical Character Reader)
10. एम.आई.सी.आर. (MICR–Magnetic Ink Character Reader)
11. ओ.एम.आर. (OMR–Optical Mark Reader)
12. किमबॉल टैग रीडर (Kimball Tag Reader)
13. स्पीच रेकग्निशन सिस्टम (Speech Recognition System)
14. लाइट पेन (Light Pen)
15. टच स्क्रीन (Touch Screen)

आउटपुट डिवाइस (Output Devices)

ये ऐसे उपकरण हैं जो प्रोसेस के उपरांत रिजल्ट देते या प्रदर्शित करते हैं। इसके द्वारा कम्प्यूटर द्वारा प्रोसेस्ड जानकारी को देखते या ग्रहण करते हैं।

कुछ आउटपुट डिवाइस निम्नलिखित हैं–

1. मॉनीटर (Monitor)
2. प्रिन्टर (Printer)
3. स्पीकर (Speaker)
4. प्लॉटर (Plotter)
5. स्क्रीन इमेज प्रोजेक्टर (Screen Image Projector)

मेमोरी यूनिट (Memory Unit)

मेमोरी कम्प्यूटर का बुनियादी घटक है। यह कम्प्यूटर का आंतरिक भंडारण (Internal storage) क्षेत्र है। केन्द्रीय प्रोसेसिंग इकाई (CPU) को प्रोसेस करने के लिए इनपुट डाटा एवं निर्देश (Instruction) चाहिए, जो कि मेमोरी में संग्रहीत रहता है।

मेमोरी में ही संग्रहीत डाटा तथा निर्देश का प्रोसेस होता है, तथा आउटपुट प्राप्त होता है। अतः मेमोरी कम्प्यूटर का एक आवश्यक अंग है।

मेमोरी के प्रकार (Types of Memory)

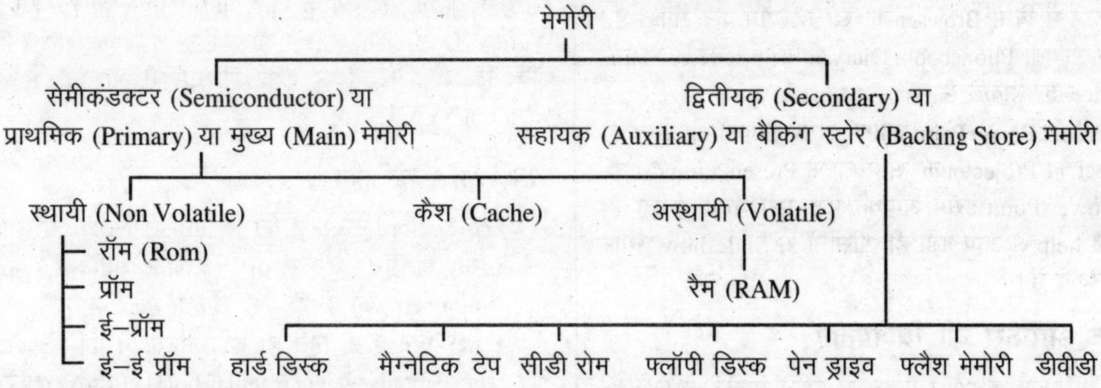

प्रोग्रामिंग भाषाएँ (Programming Languages)

परिचय (Introduction)

प्रोग्रामिंग भाषा कम्प्यूटर को निर्देश देने तथा इच्छानुसार कार्य करवाने का एक माध्यम है। यह एक कृत्रिम भाषा है जिसे कम्प्यूटर को एक निश्चित क्रमानुसार चलाने या काम करने के लिए प्रयोग में लाया जाता है। यह की-बोर्ड, सिंवाल्स का एक सेट और स्टेटमेंट कन्स्ट्रक्ट करने के लिए नियमों का एक सेट है, जिसके द्वारा मानव कम्प्यूटर द्वारा निष्पादित किए जाने वाले अनुदेशों को संप्रेषित कर सकता है।

मुख्यतः प्रोग्रामिंग भाषा दो प्रकार के होते हैं–

(*a*) निम्न स्तरीय भाषा (Low Level Language)

(*b*) उच्च स्तरीय भाषा (High Level Language)

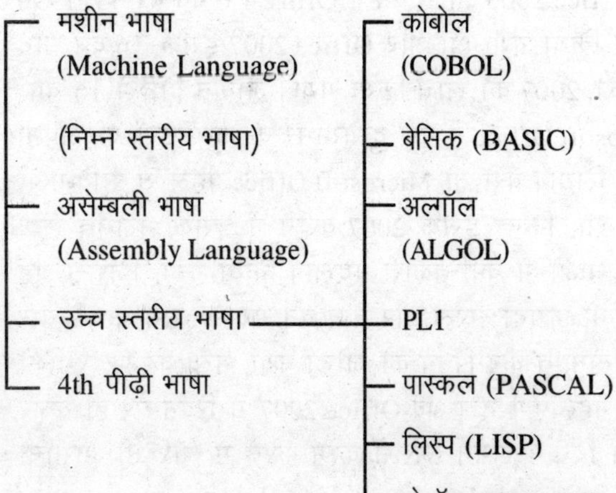

माइक्रोसॉफ्ट ऑफिस (Microsoft Office)

Microsoft Office, 2007, Office से जुड़ी हुई तमाम तरह के कामों में आने वाली एप्लीकेशन और औजारों का एक पैकेज है, इसमें आपको Microsoft Word 2007, Microsoft Excel 2007, Microsoft Outlook 2007, Microsoft Power Point 2007, Microsoft Publisher 2007 आदि एप्लीकेशन प्राप्त होती है, जो आपके ऑफिस और घर के साधारण और विशिष्ट कार्यों को करने के काम आते हैं।

कौन-सी एप्लीकेशन किस काम में आती है?

- **Microsoft Word 2007 :** यह कोई भी Letter, School Project आदि बनाने के लिए डिजाइन किया गया है।
- **Microsoft Excel 2007 :** किसी भी प्रकार के कठिन हिसाब–किताब Book keeping को करने के लिए, टेबल आदि बनाने के लिए Excel से बेहतर एप्लीकेशन नहीं है।
- **Microsoft Access 2007 :** इसका प्रयोग Database applications बनाने के लिए किया जाता है, अगर आप Access जानते हैं, तो आप प्रतिदिन के एक जैसे कार्यों के लिए अपना खुद का Program बना सकते हैं।
- **Microsoft Outlook 2007 :** आउटलुक के प्रयोग से आप अपने कई सारे E-mail account को एक ही जगह अपने कम्प्यूटर में बिना Browser को खोले प्रयोग कर सकते हैं। इसके अलावा Phonebook, Diary आदि का Office Maintenance कर सकते हैं।
- **Microsoft PowerPoint 2007 :** अगर आपको अपने किसी Project का Projector की सहायता से Presentation देना है, तो Power Point इसमें आपकी पूरी–पूरी मदद करता है, इसकी help से आप बड़ी ही आसानी से Slideshow तैयार कर सकते हैं।

माइक्रोसॉफ्ट ऑफिस की विशेषताएँ

माइक्रोसॉफ्ट ऑफिस के 2007 वर्जन से पहले मार्केट में Office 1.0 से Office 2003 आ चुके हैं। Office 1.0 नवम्बर 19, 1990 को लांच किया गया था और Office 2007 इसके 16 वर्ष बाद 30 जनवरी, 2007 को लांच किया गया। लेकिन पिछले 16 वर्षों में Microsoft Office ने पूरी दुनियाभर के कम्प्यूटरों पर अपना राज कर लिया। वैसे तो Microsoft Office पहले से सुविधाओं से युक्त था, किन्तु इसके 2007 वर्जन में इसके मूलभूत लुक और सुविधाओं में क्रान्तिकारी बदलाव किया गया, जिससे यह पहले से भी ज्यादा सरल और तेज बन गया। इसमें पहली बार मेन्यू को समाप्त कर रिबन को जोड़ा गया, मेन्यू के अन्दर छिपे हुए सारे महत्वपूर्ण टूल अब Office 2007 में रिबन पर ही यूजर के सामने दिखने लगे। जिससे काम करने में और भी आसानी हो गई।

माइक्रोसॉफ्ट वर्ड (MS-Word)

Microsoft word, Microsoft office का एक part है और यह माइक्रोसॉफ्ट ऑफिस का सबसे बड़े पैमाने पर इस्तेमाल होने वाले Computer के एक अनुप्रयोगों में से एक है।

यह माइक्रोसॉफ्ट कम्पनी द्वारा बनाया गया। यह सबसे पहले सन् 1983 में पहली बार Multi-Word tool के नाम से xenix system से जारी किया गया था। बाद में DOS (1983) व Apple Macintosh (1984) के सहित कई अन्य प्लेटफार्म के लिए इसे लिखा गया था। Windows Operating System के लिए MS-Word का first version 1989 में आया।

Microsoft word को शॉर्ट रूप में MS-Word कहा जाता है। इसके जरिए हम कम्प्यूटर में एक टेक्स्ट फाइल बना सकते हैं जिसमें हम राइटिंग का, एडिटिंग का और ड्राइंग का काम कर सकते हैं। MS-Word के Document को हम आसानी से शेयर कर सकते हैं। इसके डॉक्यूमेंट को सिस्टम से दूसरे सिस्टम में आसानी से ले जाया जा सकता है।

MS-Word के लाभ

- MS-Word में टेक्स्ट को आसानी से लिखा जा सकता है।
- यह आसान और लगभग तत्काल शाब्दिक (alphabets, numbers) को इनपुट कर सकता है।
- MS-Word में बहुत ही बड़ी संख्या में फॉर्मेटिंग टूल्स हैं। जैसे–Fonts weight (regular/bold) से टेक्स्ट को रेगूलर या बोल्ड में बदलने की क्षमता टेक्स्ट के नीचे अंडरलाइन खींचना आदि सहित स्वरूप विकल्पों की एक विशाल रेंज इसमें है।
- MS–Word में images को मेन्युअली डाला जा सकता है या फिर इसको वर्ड आर्ट गैलरी से आयात भी किया जा सकता है।
- इसमें सूचियों को आसानी से बनाया और प्रारूपित किया जा सकता है।
- MS-Word में सामग्री (content), Standard मानक HTML में होते हैं जिनको हम आसानी से नियंत्रित कर सकते हैं।
- इसमें Self-Explanatory dialogue boxes और Menu option हैं।
- MS-Word में हम आसानी से ग्राफिक वर्क भी कर सकते हैं।
- इसमें टेबल बना सकते हैं और डाटा को टेबल फॉर्म में रख सकते हैं।

सारणी-1 : स्टैंडर्ड टूलबार (Standard Toolbar)

टूल्स का नाम	की-बोर्ड ऑपरेशन	विवरण
New Blank Document	Ctrl + N	एक नई फाइल या टेम्पलेट आधारित फाइल बनाता है।
Open (File menu)	Ctrl + O	चयनित (selected) फाइल को खोलता है।
Save (File menu)	Ctrl + S	सक्रिय फाइल को इसके वर्तमान फाइल नाम, स्थान तथा स्वरूप (Format) के साथ सेव (Save) है।
Mail Recipient		दस्तावेज को (Content of Document) को ई-मेल संदेश के ढाँचे (Body) के रूप में भेजता है।
Print (File menu)	Ctrl + P	सक्रिय फाइल या चयन करने के लिए फाइल मेन्यू में प्रिंट करता है। प्रिंट विकल्प का चयन करने के लिए फाइल मेन्यू में प्रिंट विकल्प पर क्लिक करते हैं।
Print Preview (File Menu)	Ctrl + F2	जब हम फाइल प्रिंट करने में हों तो यह कैसा दिखेगा यह बताता है।
Spelling and Grammar (Tools menu)	F7	सक्रिय दस्तावेज में वर्तनी तथा व्याकरण जाँच तथा लेखन शैली त्रुटियाँ बताता है। उन्हें ठीक करने के लिए सुझाव देता है।
Cut (Edit Menu)	Ctrl + X	सक्रिय दस्तावेज से चयनित चित्र या टेक्स्ट को हटाकर क्लिपबोर्ड में रखता है।
Copy (Edit Menu)	Ctrl + C	क्लिपबोर्ड में चयनित चित्र या टेक्स्ट की प्रतिलिपि (Copy) बनाकर रखता है।
Paste (Edit Menu)	Ctrl + V	क्लिपबोर्ड के सामग्री को प्रविष्टि बिन्दु (Insertion Point) पर पेस्ट करता है।
Undo (Edit Menu)	Ctrl + Z	अंतिम आदेश को विफल करता है तथा अंतिम में टाइप किए गए टेक्स्ट को हटा देता है।
Redo (Edit menu)	Ctrl + Y	Undo आदेश के क्रिया (action) को विफल करता है।
Hyperlink	Ctrl + K	नए हाइपरलिंक को डालता है या चयनित हाइपरलिंक को एडिट (Edit) करता है।
Tables and Borders		टेबल और बॉर्डर (Tables and Borders) टूलबार प्रदर्शित करता है।
Insert Table		टेबल बनाता है।
Insert Excel Worksheet		दस्तावेज में एक्सल स्प्रेडशीट जोड़ता है।
Zoom		सक्रिय दस्तावेज के प्रदर्शन (Display) को 10% से 400% तक बढ़ा-घटा सकता है।
Office Assistant	F1	यह हेल्प टॉपिक और युक्तियाँ (Help Topic and Tips) प्रदान करता है जिसकी सहायता से हम अपने कार्य को पूरा करते हैं।

सारणी-2 : फार्मेटिंग टूलबार (Formating Toolbar)

टूल्स का नाम	की-बोर्ड ऑपरेशन	विवरण
Style	Ctrl + Shift + S	चयनित टेक्स्ट की शैली (Style) में परिवर्तन कर उसे अपने अनुरूप शैली में ढालना संभव करता है।
Font	Ctrl + Shift + F	चयनित टेक्स्ट के लिखावट (Font) में परिवर्तन करता है।
Font size	Ctrl + Shift + P	चयनित टेक्स्ट के फॉन्ट के आकार में परिवर्तन करना संभव करता है।
Bold.	Ctrl + B	चयनित टेक्स्ट को बोल्ड अर्थात् थोड़ा मोटे अक्षरों में परिवर्तित करता है।
Italic	Ctrl + I	चयनित टेक्स्ट को तिरछे टाइप (Italics) में परिवर्तित करता है।
Underline	Ctrl + U	चयनित टेक्स्ट को लगातार अंडरलाइन करता है।

टूल्स का नाम	की-बोर्ड ऑपरेशन	विवरण
Align Left	Ctrl + L	टेक्स्ट या पैराग्राफ को बाएं हाशिये (Margin) से भरता है या लिखना शुरू करता है।
Centre	Ctrl + E	टेक्स्ट या पैराग्राफ को दायें तथा बायें हाशिये के बीच रखता है।
Align Right	Ctrl + R	टेक्स्ट या पैराग्राफ को दायें हाशिये से भरता है या लिखना शुरू करता है।
Justify	Ctrl + J	टेक्स्ट को बायें तथा दाहिने हाशिये के बीच हर शब्दों के बीच की जगह को बढ़ा या घटाकर समान रूप से फैलाता है।
Numbering		वर्तमान डिफाल्ट के आधार पर संख्यात्मक लिस्ट बनाता है अर्थात् हर पंक्ति या पैराग्राफ को श्रेणीबद्ध संख्या देता है। जैसे–1, 2, 3 आदि।
Bullets		वर्तमान डिफाल्ट बुलेट के आधार पर बुलेटेड सूची बनाता है।
Decrease Indents		यह बायें हाशिये (Left Margin) को घटाता है।
Increase Indents		यह बायें हाशिये को बढ़ाता है।
Outside Borders		चयनित टेक्स्ट, पैराग्राफ, चित्र या दूसरे वस्तु के चारों ओर बॉर्डर बनाता या हटाता है।
Highlight		चयनित टेक्स्ट के टुकड़े को अपने अनुरूप चुने हुए रंग से हाइलाइट करता है।
Font Colour		टेक्स्ट के लिखावट के रंग को परिवर्तित करना संभव करता है।

सारणी-3 : टेबल्स एंड बॉर्डर्स टूलबार (Tables and Boarders Toolbar)

टूल्स का नाम	विवरण
Draw Table	दस्तावेज में जहाँ भी चाहें टेबल बना सकते हैं, उसके बाद रो तथा कॉलम माउस ड्रैग कर बना सकते हैं।
Eraser	टेबल के खानों के लाइन को हटाता है तथा उन खानों की सारी सामग्री को मिला (Merge) देता है।
Line Weight	टेबल के रेखाओं को मोटा या पतला (Thick or Thin) करना संभव करता है।
Line Style	भिन्न–भिन्न तरह की रेखा खींचना (Draw Line) संभव करता है।
Border Colour	टेबल के बॉर्डर के रंग को परिवर्तन करने में सक्षम बनाता है।
Outside Border	चयनित टेक्स्ट, पैराग्राफ या चित्र इत्यादि के चारों ओर बॉर्डर बनाता तथा हटाता है।
Fill Colour	चयनित वस्तु पर रंग भरता है तथा पहले से भरे हुए रंग को हटाना, बदलना संभव करता है।
Insert Table	दस्तावेज में रो तथा कॉलम की संख्या पूछकर टेबल बनाता है।
Merge Cells	दो लगातार चयनित खानों के सामग्री को संयुक्त कर देता है।
Split Cells	चयनित टेबल के खानों को रो तथा कॉलम में विभक्त कर देता है।
Align Top Left	टेबल के खानों की सामग्री बायें ऊपर से लिखना शुरू करता है।
Distribute Rows Evently	चयनित रो तथा खानों को समान ऊँचाई में परिवर्तित करता है।
Distribute Columns Evently	चयनित सारे कॉलम या खानों को समान चौड़ाई में बदल देता है।
Table Auto	पूर्व निर्धारित बॉर्डर फार्मेट तथा शेडिंग का उपयोग कर टेबल बनाता है। टेबल के खाने सामग्री (Content) के अनुसार स्वतः परिवर्तित हो जाते हैं।
Change Text Direction	टेक्स्ट की दिशा में परिवर्तन करने में सक्षम बनाता है।
Sort Ascending	चयनित चीजों (Selected items) को बढ़ते हुए क्रम में या A से Z के रूप में श्रेणीबद्ध करता है।
Sort Descending	चयनित चीजों को घटते हुए क्रम में या Z से A के रूप में श्रेणीबद्ध करता है।
Auto Sum	एक सूत्र क्षेत्र बनाता है जो टेबल के खानों के मान को जोड़कर प्रदर्शित करता है।

सारणी-4 : ड्राइंग टूलबार (Drawing Toolbar)

टूल्स का नाम	विवरण
Draw	ड्राइंग में कोई परिवर्तन करने में सक्षम बनाता है। जैसे–फ्लिप (Flip), घुमाना (Rotate), टेक्स्ट रैपिंग (Text wrapping) etc.
Select Objects	किसी विशेष ड्राइंग वस्तु को चयन करने में सक्षम बनाता है।
Free Rotate Auto Shapes	Autoshapes बटन पर Click करने पर कई आकारों की सूची प्राप्त होती है। सूची से एक सेट का चयन कर माउस Drag कर प्राप्त सूची से एक आकार का चयन करते हैं।
Line	यह रेखा खींचने (Draw) के लिए उपयोग होता है।
Arrow	यह भी रेखा खींचने में प्रयुक्त होता है परन्तु खींची गई रेखा के एक ओर तीर का निशान बन जाता है। (Arrow head Line)
Rectangle	आयत (Rectangle) बनाने में प्रयुक्त होता है।
Oval	अंडाकार वृत्त (Oval) या वृत्त (Circle) बनाने में प्रयुक्त होता है।
Text Box	एक टेक्स्ट बॉक्स बनाने में प्रयोग होता है, जिनके अंदर हम कोई टेक्स्ट लिख सकते हैं।
Word Art	Word Art डालने में प्रयुक्त होता है।
Fill Colour	ड्राइंग किए गए चित्र या आकार में रंग भरने में प्रयुक्त होता है।
Clip Art	क्लिप आर्ट डालने में प्रयुक्त होता है।
Font Colour	चयनित (Selected) टेक्स्ट को हमारे द्वारा चुने गए रंग में परिवर्तित करता है।
Line Colour	बनाए गए वस्तु (Draw Object) के लाइन का रंग में परिवर्तन करने में प्रयुक्त होता है।
Line Style	इसके द्वारा ड्राइंग में प्रयोग किए गए रेखा (Line) के रूप, (जैसे–रेखा की मोटाई, डबल रेखा आदि) में परिवर्तन किया जा सकता है।
Dash Style	इसके प्रयोग से रेखा को भिन्न–भिन्न बिन्दु (Dotted) स्टाइल में परिवर्तित किया जा सकता है।
Arrow Style	Arrow युक्त लाइन के स्टाइल में परिवर्तन करने में प्रयुक्त होता है।
Shadow	चयनित (Selected) वस्तु को छाया शैली (Shadow Style) में परिवर्तन करने में प्रयुक्त होता है।
3-D	चयनित वस्तु (Selected Object) को 3-D शैली में परिवर्तन करने में प्रयुक्त होता है।

एम.एस. एक्सल (M.S. Excel)

माइक्रोसॉफ्ट एक्सल एक इलेक्ट्रॉनिक स्प्रेडशीट है, जो सांख्यिक गणना करने तथा चार्ट बनाने में सहायता करता है। स्प्रेडशीट सांख्यिकी विश्लेषण के लिए एक युक्ति (Tool) है तथा विश्लेषण क्या कहता है, यह बताने के लिए रिपोर्ट और प्रेजेन्टेशन तैयार करता है। जिन लोगों को संख्या का विश्लेषण, रिकॉर्ड तथा व्यवस्थित करने की आवश्यकता होती है, वे लोग स्प्रेडशीट का प्रयोग करते हैं।

स्प्रेडशीट रो तथा कॉलम के हर वर्ग या खाने (cell) को एक सेल एड्रेस (address) देता है तथा प्रयोक्ता को सूचना डालने की अनुमति देता है। कॉलम में टेक्स्ट प्रायः लेफ्ट अलाइन होता है। यह सेल एड्रेस का कॉलम तथा रो लेबल है। यह जल्द सांख्यिक गणना करने, वार्षिक या मासिक आँकड़े संग्रहीत करने, वित्तीय विवरण (statement) तैयार करने के लिए तथा कर (Tax) वर्कशीट तैयार करने इत्यादि के लिए उपयोग होता है।

इलेक्ट्रॉनिक स्प्रेडशीट कम्प्यूटर मेमोरी में तार्किक वर्कशीट है जो कॉलम तथा रो में बँटा है। यह यूटिलिटी सॉफ्टवेयर पैकेज है। एक बार सूत्र (Formula) का निर्धारण करने के बाद गणना स्वतः होती रहती है तथा परिणाम उपयोगकर्ता को दिखता रहता है। एम.एस. एक्सल वर्क बुक (Work book) चार्टों का संग्रह है।

एम.एस. पॉवर प्वाइंट (MS-Power Point)

यह माइक्रोसॉफ्ट द्वारा विकसित, एम.एस. ऑफिस (MS-Office) का एक भाग है। यह प्रस्तुतीकरण तथा स्लाइड शो (Presentation and slide show) को तैयार करने के लिए शक्तिशाली उपकरण है।

पॉवर प्वाइंट के उपयोग (Use of Power Point)

1. व्यवसाय अनुप्रयोग प्रस्तुतीकरण (Business Application Presentation) का स्लाइड तैयार करना।
2. एनिमेशन के द्वारा ग्राफिकल चीजों (Graphical Object) को तैयार करना।

3. सामान्य उपयोग के लिए आर्ट गैलरी के द्वारा कलात्मक स्लाइड तैयार करना।

4. व्यवसाय जगत में ट्रेनिंग देने के लिए।

एम.एस. एक्सेस (MS-Access)

माइक्रोसॉफ्ट एक्सेस डाटाबेस बनाने तथा प्रबंधन के लिए शक्तिशाली प्रोग्राम है। इनमें डाटा को देखने तथा निर्माण में सहायता करने के लिए कई सुविधाएँ हैं।

सर्वप्रथम हमें यह पता होना चाहिए कि MS-एक्सेस का डाटाबेस को तोड़ने में कैसे उपयोग होता है।

डाटाबेस फाइल : यह मुख्य फाइल है जो संपूर्ण डाटाबेस है तथा हार्ड ड्राइव या फ्लॉपी डिस्क में सुरक्षित है। जैसे–Student database.mdb.

टेबल : रिलेशनल डाटाबेस में टेबल एक डाटा स्ट्रक्चर है जो सूचनाओं को कॉलम तथा रो में व्यवस्थित करता है। यह एक विशिष्ट विषय (Specific Topic) के डाटा का संग्रह है। एक डाटाबेस में कई टेबल हो सकते हैं। टेबल डाटा को रो (Rows) तथा कॉलम (Fields) में व्यवस्थित करता है। जैसे–1. छात्र, 2. शिक्षक।

फील्ड : एक टेबल में फील्ड की विभिन्न श्रेणियाँ हैं। जैसे–1. छात्र Last Name, 2. छात्र First Name।

डाटा टाइप : यह हर फील्ड का गुण है। एक फील्ड एक ही डाटा टाइप के हो सकते हैं। जैसे–फील्ड-छात्र (Last Name), डाटा टाइप-टेक्स्ट।

डाटा संचार एवं नेटवर्किंग (Data Communication and Networking)

डाटा संचार (Data Communication)

डाटा संचार दो या दो से अधिक कम्प्यूटर केन्द्रों के बीच डिजिटल (ऐसी प्रणाली जिसमें मुख्यता से डाटा आदान–प्रदान के लिए अंक का उपयोग किया जाता है) या एनालॉग (ऐसी प्रणाली जिसमें विद्युत संकेतों का प्रयोग डाटा आदान–प्रदान के लिए किया जाता है) डाटा का स्थानान्तरण है, जो आपस में संचार चैनल से जुड़ा होता है।

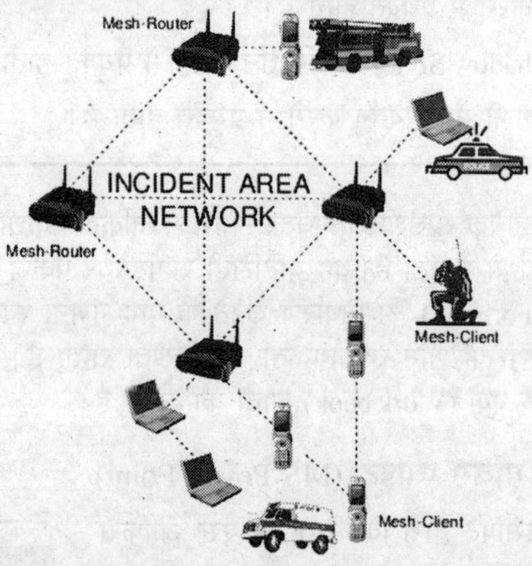

डाटा संचार के लाभ

- डाटा को भौतिक रूप से भेजने में तथा सेट तैयार करने में लगने वाले समय की बचत।
- आधुनिक कम्प्यूटर के प्रोसेसिंग शक्ति तथा संग्रहण क्षमता का पूर्ण उपयोग।
- फाइल से सूचनाओं की तीव्र प्राप्ति।
- फाइलों के नकल से बचाव।
- कम खर्च में डाटा का आदान–प्रदान।

संचार चैनल के प्रकार

1. सिम्पलेक्स चैनल (Simplex Channel) :

A ⟶ B

इसमें डाटा का प्रवाह बस एक ही दिशा में होता है। जैसे–रेडियो स्टेशन से रेडियो सिग्नल श्रोताओं के पास पहुँचता है, पर श्रोता वापस उस सिग्नल को रेडियो स्टेशन नहीं भेज सकता। इसमें सिग्नल बस A से B की दिशा में ही जाता है।

2. अर्द्ध डुप्लेक्स चैनल (Half Duplex Channel) :

⟶
A B
⟵

इस चैनल में डाटा का प्रवाह दोनों दिशाओं में होता है। परन्तु एक समय में किसी एक ही दिशा में डाटा का प्रवाह होता है। अर्थात् A से B की ओर या फिर B से A की ओर। जैसा टेलीफोन में होता है।

3. पूर्ण डुप्लेक्स चैनल (Full Duplex Channel) :

⟶
A ⟵ B
⟶
B ⟵ A

इस चैनल में डाटा का प्रवाह दोनों दिशाओं में एक साथ होता है। एक ही समय में डाटा A या B की ओर या B से A की ओर भेजा जाता है। जैसा कि कम्प्यूटर इन्टरनेट सेवा में होता है।

डाटा कम्युनिकेशन माध्यम

डाटा कम्युनिकेशन माध्यम (Data Communication Medium)–एक कम्प्यूटर से टर्मिनल या टर्मिनल से कम्प्यूटर तक डाटा के प्रवाह के

लिए किसी माध्यम की आवश्यकता होती हैं जिसे कम्युनिकेशन लाइन या डाटा लिंक कहते हैं। ये निम्न प्रकार के होते हैं–

- स्टैंडर्ड टेलीफोन लाइन (Standard Telephone Line)
- को–एक्सेल केबल (Coaxial-Cable)
- माइक्रोवेव ट्रांसमिशन (Microwave Transmission)
- उपग्रह संचार (Satellite Communication)
- प्रकाशीय तंतु (Optical Fiber)

कम्प्यूटर नेटवर्क

आज के युग में उपयोगकर्ता को इलेक्ट्रॉनिक संचार की आवश्यकता है। लोगों के परस्पर सूचना के संचार के लिए तकनीक की आवश्यकता है। एक अच्छी सूचना संचार पद्धति प्रत्येक संस्थानों के लिए आवश्यक है। संस्थाएँ सूचना की प्रक्रिया के लिए परस्पर जुड़े हुए कम्प्यूटर पर निर्भर रहती हैं। इलेक्ट्रॉनिकी की सहायता से एक स्थान से दूसरे स्थान पर सूचना प्रेषित करने की क्रिया को दूरसंचार कहते हैं। एक या एक से अधिक कम्प्यूटर और विविध प्रकार के टर्मिनलों के बीच आंकड़ों को भेजना या प्राप्त करना डाटा संचार कहलाता है।

कम्प्यूटर नेटवर्क के प्रकार

कम्प्यूटर नेटवर्क आपस में जुड़े कम्प्यूटरों का समूह है जो एक-दूसरे से संचार स्थापित करने तथा सूचनाओं, संसाधनों को साझा इस्तेमाल करने में सक्षम होते हैं।

नेटवर्क के निम्नलिखित प्रकार होते हैं–

लोकल एरिया नेटवर्क (LAN–Local Area Network) : यह एक कम्प्यूटर नेटवर्क है जिसके अंदर भौगोलिक परिधि सीमित होती है। जैसे–घर, ऑफिस, भवनों का छोटा समूह आदि का कम्प्यूटर नेटवर्क। वर्तमान लेन इथरनेट तकनीक पर आधारित होता है। इस नेटवर्क का आकार छोटा परन्तु डाटा संचारण की तीव्र गति होती है।

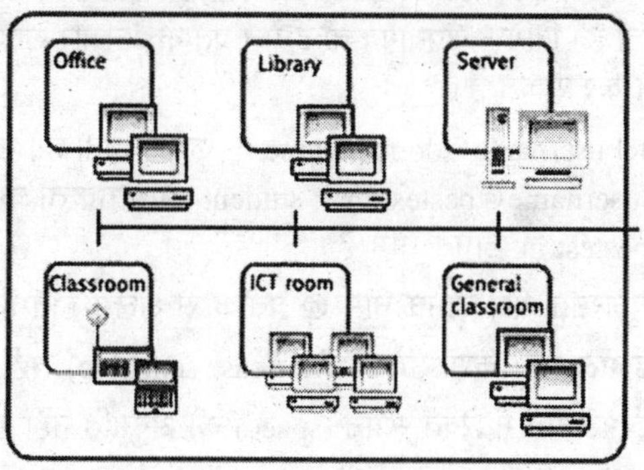

वाइड एरिया नेटवर्क (WAN–Wide Area Network) : इस नेटवर्क में कम्प्यूटर आपस में लीज्ड लाइन या स्विच सर्किट के द्वारा जुड़े रहते हैं। इस नेटवर्क की भौगोलिक परिधि बड़ी होती है जैसे पूरा शहर, देश या महादेश में फैला नेटवर्क का जाल। इंटरनेट इसका एक अच्छा उदाहरण है। बैंकों की ATM सुविधा वाइड एरिया नेटवर्क का उदाहरण है।

मेट्रोपोलिटन एरिया नेटवर्क (MAN–Metropolitan Area Network) : इसके अंतर्गत दो या दो से अधिक लोकल एरिया नेटवर्क एक साथ जुड़े होते हैं। यह एक शहर की सीमाओं के भीतर स्थित कम्प्यूटर नेटवर्क होता है। राउटर, स्विच और हब्स मिलकर एक मेट्रोपोलिटन एरिया नेटवर्क का निर्माण करता है।

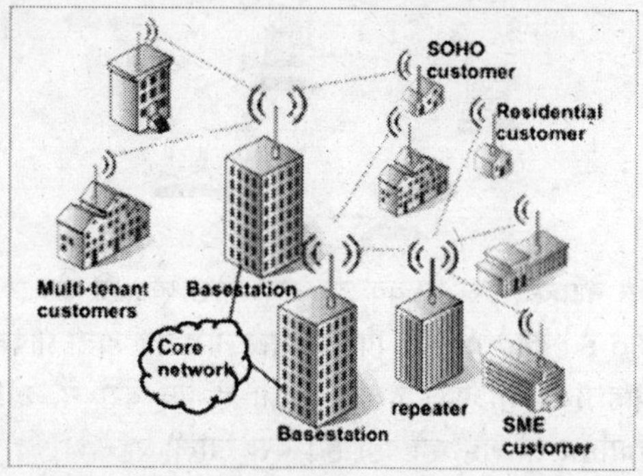

नेटवर्क टोपोलॉजी

नेटवर्क टोपोलॉजी विभिन्न नोड्स या टर्मिनल (कम्प्यूटर) को आपस में जोड़ने का तरीका है। यह विभिन्न नोड्स के बीच भौतिक संरचना को दर्शाता है।

नेटवर्क टोपोलॉजी निम्नलिखित प्रकार के होते हैं–

1. **मेस नेटवर्क :** यह नेटवर्क उच्च ट्रैफिक स्थिति में मार्ग को ध्यान में रखकर उपयोग किया जाता है। इसमें किसी भी स्रोत से कई मार्गों से संदेश भेजा जा सकता है। पूर्णतः इंटरकनेक्टेड मेस नेटवर्क खर्चीला है, क्योंकि इसमें ज्यादा केबल और हर नोड पर इंटेलीजेंस की आवश्यकता होती है। इस नेटवर्क में उच्च सुरक्षा अनुप्रयोग में डाटा प्रेषित किया जाता है।

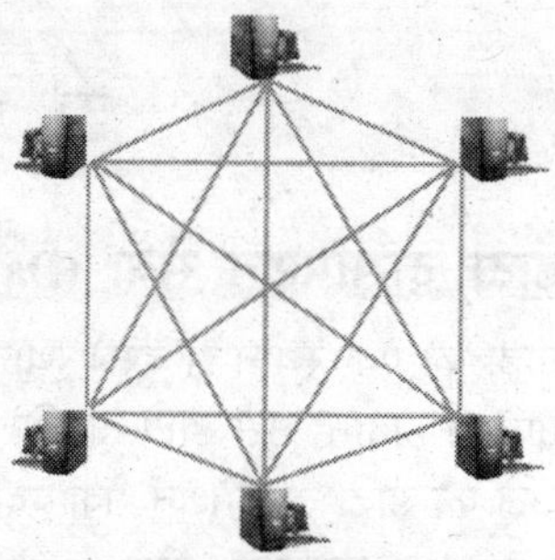

2. **स्टार नेटवर्क :** इस नेटवर्क में एक केन्द्रीय नोड होता है जो इंटेलीजेंस से युक्त होता है। बाकी नोड्स इससे जुड़ा होता है। इस केन्द्रीय नोड को हब कहा जाता है। कोई एक केबल में कोई समस्या आने पर नोड विफल होता है। परन्तु हब में कोई समस्या आने पर सारा नेटवर्क विफल हो जाता है। इसका स्वरूप तारे के समान होने के कारण इसे स्टार नेटवर्क के नाम से जाना जाता है।

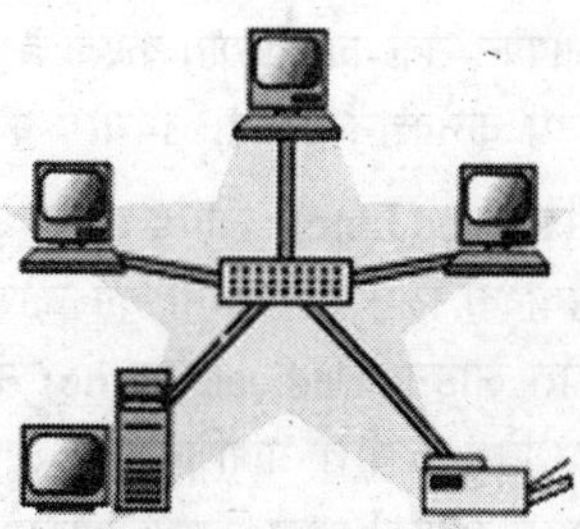

3. **रिंग नेटवर्क :** इस नेटवर्क में सभी नोड्स में इंटेलीजेंस होता है। डाटा का प्रवाह हमेशा एक ही दिशा में होता है परन्तु किसी भी एक केबल या नोड में समस्या आने पर दूसरी दिशा में डाटा का प्रवाह संभव है। इसका स्वरूप रिंग (गोले) के समान होने के कारण इसे रिंग नेटवर्क के नाम से जाना जाता है।

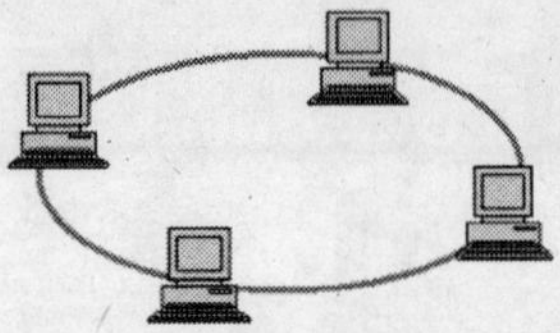

4. **बस नेटवर्क :** इस नेटवर्क के सभी नोड एक ही केबल से जुड़े होते हैं। कोई भी नोड किसी दूसरे नोड को डाटा प्रेषित करना चाहता है तो उसे देखना होता है कि बस में कोई डाटा प्रवाहित तो नहीं हो रहा है। बस खाली रहने पर नोड डाटा प्रेषित कर सकता है। डाटा प्राप्त करने के लिए हर नोड के पास इतनी इंटेलीजेंस होनी चाहिए कि बस से अपने पता ज्ञात कर डाटा प्राप्त कर सके। इसमें कम केबल की आवश्यकता होती है तथा कोई नया नोड जोड़ना आसान होता है।

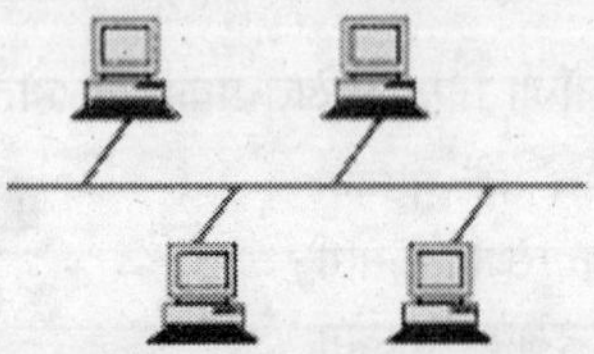

डाटा ट्रांसमिशन सेवा (Data Transmission Service)

डाटा को एक स्थान से दूसरे स्थान पर भेजने के लिए जिस सेवा का उपयोग होता है उसे डाटा ट्रांसमिशन सेवा कहते हैं। इस सेवा को देने वाले को डाटा ट्रांसमिशन सेवा प्रदाता (Data Transmission Service Provider) कहते हैं। जैसे–

1. VSNL–विदेश संचार निगम लिमिटेड
2. BSNL–भारत संचार निगम लिमिटेड
3. MTNL–महानगर टेलीफोन निगम लिमिटेड

डाटा ट्रांसमिशन सेवा निम्नलिखित हैं–

1. **डायल अप लाइन (Dialup Line) :** डायल अप लाइन टेलीफोन कनेक्शन से सम्बन्धित हैं जो एक सिस्टम में बहुत सारे लाइनों तथा यूजर्स से जुड़ा होता है। इसका उपयोग टेलीफोन की तरह नंबर डायल कर संचार स्थापित करने में किया जाता है। इसे कभी–कभी स्विच लाइन भी कहा जाता है। यह पहले से विद्यमान टेलीफोन सेवा का उपयोग करता है। ब्रॉडबैंड तकनीक भी डायल उप कनेक्शन का ही उपयोग करता है।
2. **लीज्ड लाइन (Leased Line) :** लीज्ड लाइन आवाज और डाटा दूरसंचार सेवा के लिए दो स्थानों को जोड़ती हैं। यह एक सिर्फ, समर्पित लाइन (Dedicated Line) नहीं हैं, बल्कि यह वास्तव में दो बिंदु के बीच आरक्षित सर्किट है। इसका सबसे ज्यादा उपयोग उद्योगों द्वारा अपनी शाखाओं को जोड़ने के लिए किया जाता है क्योंकि यह नेटवर्क ट्रैफिक के लिए बैंडविड्थ की गारंटी देता है।
3. **एकत्रित सेवा डिजिटल नेटवर्क (ISDN–Integrated Services Digital Network) :** एकत्रित सेवा डिजिटल नेटवर्क सर्किट स्विच टेलीफोन नेटवर्क के माध्यम से आवाज, डाटा और इमेज का स्थानान्तरण है। इस सेवा के अंतर्गत आवाज, डाटा और इमेज को डिजिटल रूप में भेजा जाता है और जरूरत के अनुरूप इस्तेमाल किया जाता है। इस सेवा में मोडेम की जरूरत नहीं होती क्योंकि डाटा का आदान–प्रदान केवल डिजिटल रूप में होता है।

इलेक्ट्रॉनिक मेल (Email)

ई-मेल एक सेवा है, जो हमें इंटरनेट पर इलेक्ट्रॉनिक मोड में संदेश भेजने के लिए अनुमति देता है। यह एक ऐसा इलेक्ट्रॉनिक संदेश होता है, जो किसी नेटवर्क से जुड़े विभिन्न कंप्यूटरों के बीच भेजा व प्राप्त किया जाता है, जो कि भौगोलिक रूप से हजारों मील दूर भी हो सकते हैं। ई-मेल का मेल सर्वर के माध्यम से भेजा जाता और प्राप्त किया जाता है। मेल सर्वर ऐसा कंप्यूटर होता है, जिसका कार्य ई-मेल का प्रोसेस करके उचित क्लाइंट कंप्यूटर तक भेजना होता है।

वेब पते की तरह हमारे ई-मेल पते भी होते हैं, जिस पर ई-मेल भेजी जाती है। ब्राउज़र प्रोग्राम की तरह ई-मेल भेजने और प्राप्त करने के लिए विशेष ई-मेल प्रोग्राम या सॉफ्टवेयर होते हैं, जैसे–माइक्रोसॉफ्ट आउटलुक तथा आउटलुक एक्सप्रेस, आदि। हम कुछ वेबसाइट की सहायता से भी अपना ई-मेल भेज तथा प्राप्त कर सकते हैं।

ई-मेल की संरचना (Email Structure)

ई-मेल पता (Email Address)

ई-मेल के प्रत्येक उपयोगकर्त्ता को अपने ई-मेल खाते के लिए एक अनूठा नाम मिलता है। इस नाम को ई-मेल पते (Email address) के रूप में जाना जाता है। विभिन्न उपयोगकर्त्ता ई-मेल पते के अनुसार संदेश भेजने और प्राप्त कर सकते हैं।

ई-मेल username@domainname के रूप में होता है। उदाहरण के लिए, username@bestest.in में student उपयोगकर्त्ता के रूप में है तथा bestest.in डोमेन नाम है।

1. यूज़रनेम और डोमेन नाम @ प्रतीक से अलग होते हैं।
2. ई-मेल पता केस संवेदनशील (case sensitive) नहीं है।
3. ई-मेल पते में रिक्त स्थान (space) की अनुमति नहीं होती है।

ई-मेल संदेश अवयव

इन घटकों को निम्न आरेख में वर्णित किया गया है:

ई-मेल हैडर (Email Header)

ई-मेल संदेश की पहली पाँच या छः पंक्तियों को ई-मेल हैडर कहा जाता है। इसमें निम्नलिखित फील्ड होते हैं:

- From: प्रेषक का पता
- Date: तिथि/दिनांक
- To: संदेश प्राप्तकर्त्ता

- Subject: विषय, यह ई-मेल के सटीक उद्देश्य को इंगित करता है
- CC: इसका अर्थ है– Carbon Copy, इसमें वे प्राप्तकर्त्ता होते हैं जिनको भी हम जानकारी देना चाहते हैं, लेकिन वह लक्षित प्राप्तकर्त्ता नहीं है।
- BCC: Black Carbon Copy— वे लोग जो संदेश प्राप्त कर पाते हैं, लेकिन इसकी जानकारी संदेश प्रेषक दूसरों को नहीं देना चाहता।
- Greeting—अभिवादन
- Text—पत्र संदेश
- Signature—हस्ताक्षर, यह एक ई-मेल संदेश का अंतिम भाग है। इसमें प्रेषक का नाम, पदवी, भौतिक पता और संपर्क नंबर, आदि हैं।

ई-मेल के लाभ (Benefits of Email)

ई-मेल संचार का एक शक्तिशाली और विश्वसनीय माध्यम प्रमाणित हुआ है। ई-मेल के निम्नलिखित लाभ हैं:

1. **विश्वसनीय :** यह सुरक्षित है। इसमें संदेश उसी व्यक्ति तक पहुँचता है, जिस तक हम पहुँचाना चाहते हैं।
2. **सुविधाजनक :** इसमें, स्टेशनरी या स्टैम्प्स की आवश्यकता नहीं होती।
3. **गति :** यह नेटवर्क पर भी निर्भर करती है।
4. **सस्ता :** इसके लिए सिर्फ नेटवर्क कनेक्शन की आवश्यकता होती है।
5. **छापने योग्य :** संदेश का प्रिंट भी लिया जा सकता है।
6. **व्यापकता :** इससे विश्व के किसी भी भाग में बैठे व्यक्ति को कुछ भी सेकंडों में संदेश भेजा जा सकता है।

इंटरनेट एवं वेब ब्राउजर (Internet and Web Browser)

इंटरनेट शब्द को अगर दो भागों में बाँट दिया जाए तो इंटरनेशनल + नेटवर्क दो शब्द बनते हैं और दोनों शब्दों का मतलब निकाला जाए तो इसका अर्थ आता है अन्तर्राष्ट्रीय जाल अर्थात् ऐसा जाल जिसमें सम्पूर्ण संसार शामिल हो। इंटरनेट दुनियाभर में सार्वजनिक रूप से सुलभ कम्प्यूटर का सुपर नेटवर्क है। इंटरनेट नेटवर्क में हजारों की संख्या में पूरी दुनिया के कम्प्यूटर जुड़े हुए हैं।

इंटरनेट का सफर, 1970 के दशक में, विंट सर्फ (Vint Cerf) और बॉब काहन् (Bob Kanh) ने शुरू किया। उन्होंने एक ऐसे तरीके का आविष्कार किया, जिसके द्वारा कम्प्यूटर पर किसी सूचना को छोटे-छोटे पैकेट में तोड़ा जा सकता था और दूसरे कम्प्यूटर में इस प्रकार से भेजा जा सकता था कि वे पैकेट दूसरे कम्प्यूटर पर पहुँच कर पुनः उस सूचना की प्रतिलिपि बना सकें–अर्थात् कम्प्यूटरों के बीच संवाद करने का तरीका निकाला। इस तरीके को ट्रांसमिशन कंट्रोल प्रोटोकॉल {Transmission Control Protocol (TCP)} कहा गया।

सूचना का इस तरह से आदान-प्रदान करना तब भी दुहराया जा सकता है जब किसी भी नेटवर्क में दो से अधिक कम्प्यूटर हों। क्योंकि किसी भी नेटवर्क में हर कम्प्यूटर का खास पता होता है। इस पते को इंटरनेट प्रोटोकॉल पता [Internet Protocol (I.P.) Address] कहा जाता है। इंटरनेट प्रोटोकॉल (I.P.) पता वास्तव में कुछ नम्बर होते हैं जो एक–दूसरे से एक बिंदु के द्वारा अलग-अलग किए गए हैं।

सूचना को जब छोटे-छोटे पैकेटों में तोड़कर दूसरे कम्प्यूटर में भेजा जाता है तो यह पैकेट एक तरह से एक चिट्ठी होती है जिसमें भेजने वाले कम्प्यूटर का पता और पाने वाले कम्प्यूटर का पता लिखा होता है। जब वह पैकेट किसी भी नेटवर्क कम्प्यूटर के पास पहुँचता है तो कम्प्यूटर देखता है कि वह पैकेट उसके लिए भेजा गया है या नहीं। यदि वह पैकेट उसके लिए नहीं भेजा गया है तो वह उसे आगे उस दिशा में बढ़ा देता है जिस दिशा में वह कम्प्यूटर है जिसके लिए वह पैकेट भेजा गया है। इस तरह से पैकेट को एक जगह से दूसरी जगह भेजने को इंटरनेट प्रोटोकॉल [Internet Protocol (I.P.)] कहा जाता है।

अक्सर कार्यालयों के सारे कम्प्यूटर आपस में एक-दूसरे से जुड़े रहते हैं और वे एक-दूसरे से संवाद कर सकते हैं। इसको Local Area Network (LAN) लेन कहते हैं। लेन में जुड़ा कोई कम्प्यूटर या कोई अकेला कम्प्यूटर, दूसरे कम्प्यूटरों के साथ टेलीफोन लाइन या सेटेलाइट से जुड़ा रहता है। अर्थात् दुनियाभर के कम्प्यूटर एक-दूसरे से जुड़े हैं। इंटरनेट, दुनियाभर के कम्प्यूटर का ऐसा नेटवर्क है जो एक-दूसरे से संवाद कर सकता है।

मोडेम (MODEM–Modulator Demodulator)

जब इंटरनेट को टेलीफोन लाइन के माध्यम से कनेक्ट करते हैं तो मोडेम की आवश्यकता होती है। यह कम्प्यूटर में चल रहे इंटरनेट ब्रोजर और इंटरनेट सर्विस प्रदाता के बीच आवश्यक लिंक हैं। टेलीफोन लाइन पर एनालोग सिग्नल भेजा जा सकता हैं, जबकि कम्प्यूटर डिजिटल सिग्नल देता है। अतः इन दोनों के बीच सामंजस्य

स्थापित करने के लिए मोडेम की आवश्यकता होती है, जो डिजिटल सिग्नल को एनालॉग में और एनालॉग सिग्नल को डिजिटल सिग्नल में रूपांतरित करता है। मोडेम के दोनों ओर कम्प्यूटर और टेलीफोन लाइन से जुड़ा होना आवश्यक होता है। मोडेम से स्पीड को Bit Per Second (BPS), Kilobyte Per Second (KBPS), Megabyte Per Second (MBPS) में मापा जाता है।

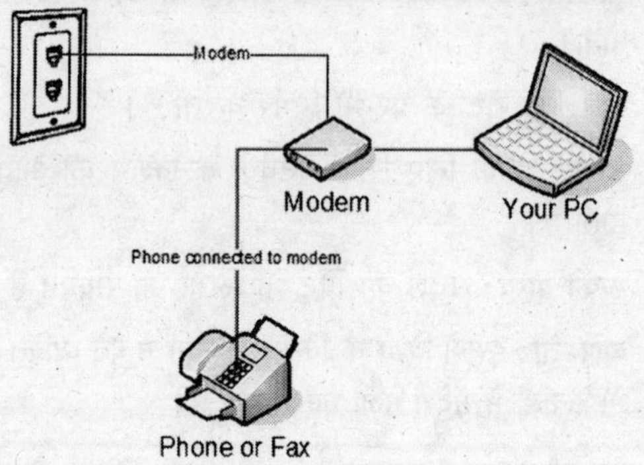

मोडेम मुख्यतः दो प्रकार के होते हैं–

(*a*) **इंटरनल (आंतरिक) मोडेम :** ऐसा मोडेम जो डेस्कटॉप या लैपटॉप में अंदर से ही लगा होता है। ऐसा मोबाइल जिसमें हम इंटरनेट का प्रयोग करते हैं, उसमें इसी प्रकार के मोडेम का इस्तेमाल किया जाता है।

(*b*) **एक्स्टर्नल (बाह्य) मोडेम :** ऐसा मोडेम जिसे डेस्कटॉप या लैपटॉप में बाहर से लगाना पड़ता है। डाटा कार्ड (Photon, IDIA etc) या PCMCI में इस प्रकार के मोडेम का उपयोग किया जाता है।

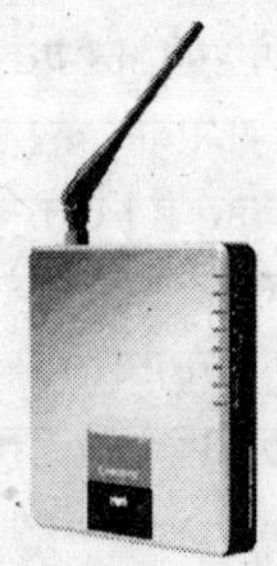

अतः मोडेम एक ऐसा डिवाइस है जो डाटा को पल्स में परिवर्तित करता है तथा उन्हें टेलीफोन लाइन पर संप्रेषित करता है।

इंटरनेट सॉफ्टवेयर या वेब ब्राउजर

वेब एक विशाल पुस्तक की तरह है तथा वेब ब्राउजर एक सॉफ्टवेयर है जो कम्प्यूटर को इंटरनेट से जोड़ता है। कुछ वेब ब्राउजर निम्नलिखित हैं–

1. नेटस्केप नेविगेटर
2. माइक्रोसॉफ्ट इंटरनेट एक्सप्लोरर
3. मोजिला फायरफोक्स
4. गूगल क्रोम
5. ओपेरा आदि

इन सॉफ्टवेयर का उपयोग कर हम लोग इंटरनेट से जुड़ सकते हैं तथा वेब से अपनी पसंद की जानकारियाँ प्राप्त कर सकते हैं। वेब ब्राउजर का प्रयोग कर हम लोग किसी विशेष पेज या लोकेशन पर उसके पता (Address) को टाइप कर जा सकते हैं। URL (Universal Resources Locater) में प्रयुक्त हो रहे टूल्स और इंटरनेट पता दोनों रहते हैं। जैसे–URL http://www.samidhafoundation.co.cc में टूल्स http (hypertext transfer protocol, यह एक प्रोटोकॉल अर्थात् एक पूर्व से निर्धारित नियम है जिसका काम संकेत को दिए गए इंटरनेट पता पर भेजना है) है और इंटरनेट पता www.samidhafoundation.co.cc है।

इंटरनेट के लिए आवश्यक उपकरण

हम देखेंगे कि कम्प्यूटर पर इंटरनेट शुरू करने सें पहले हमें किन-किन चीजों की आवश्यकता होती हैं–

- कम्प्यूटर या मोबाइल (जो G.P.R.S. सपोर्ट करता हो)
- टेलीफोन या मोबाइल सिम कार्ड
- मोडेम
- सॉफ्टवेयर जिसकी मदद से इंटरनेट पर काम किया जाता है।

कम्प्यूटर या मोबाइल (जो G.P.R.S. सपोर्ट करता हो)–बाजार में मिलने वाले घरेलू उपयोग वाले सभी कम्प्यूटर को इंटरनेट से जोड़ा जा सकता है। अगर आप अपने मोबाइल में इंटरनेट का उपयोग करना चाहते हैं तो मोबाइल लेने से पहले यह सुनिश्चित कर लेना जरूरी है कि वह मोबाइल फोन G.P.R.S. सपोर्ट करता है या नहीं। जो फोन G.P.R.S. सपोर्ट कर सकता है उसी में इंटरनेट का उपयोग किया जा सकता है।

टेलीफोन या मोबाइल सिम कार्ड : कम्प्यूटर द्वारा बनने वाले डिजिटल सिग्नल को टेलीफोन लाइन वाले एनालॉग सिग्नल के माध्यम से ही एक जगह से दूसरी जगह भेजा जाता है। इस कारण इंटरनेट के इस्तेमाल के लिए एक फोन लाइन का होना अति आवश्यक होता है। नया फोन लेते वक्त कुछ खास बातों पर ध्यान देना होता है।

- हम जिस कंपनी का फोन लेने जा रहे हैं वह इंटरनेट सेवा प्रदान करता है या नहीं।
- कंपनी स्वयं मोडेम प्रदान करता है या नहीं।
- कंपनी किस प्रकार की सेवा मुहैया करवाता है, जैसे ब्रॉडबैंड, डायलअप, लीज्ड लाइन आदि।

- फोन प्रदाता कम्पनी किस प्रकार अपना बिल लेता है। मसलन मासिक चार्ज कितना लेती है, उसमें कितना डाउनलोड्स मुफ्त मिलता है। अतिरिक्त डाउनलोड होने पर चार्ज कितना लिया जाता है आदि।

मोबाइल में डिजिटल सिग्नल को टेलीफोन लाइन वाले एनालॉग सिग्नल के माध्यम से एक जगह से दूसरी जगह भेजने के लिए सिम कार्ड का उपयोग किया जाता है। मोबाइल में सिम कार्ड लेते वक्त ये जानकारी प्राप्त करना जरूरी होता है कि सिम कार्ड वाली कंपनी इंटरनेट सेवा देती है या नहीं और देती है तो उसके चार्ज कितने होते हैं।

मोडेम : अगर फोन प्रदाता कंपनी आपको मोडेम प्रदान नहीं कर रही हैं तो आपको बाजार से मोडेम खरीदना होगा। यहाँ आपको इस बात पर ध्यान देना होगा कि फोन सेवा देने वाली कंपनी अधिकतम कितने स्पीड का इंटरनेट सेवा प्रदान करती है। उसी के आधार पर आपको मोडेम लेना पड़ता है।

मोबाइल फोन जिसमें G.P.R.S. सुविधा होती है मोडेम आंतरिक तौर पर ही लगा होता है। इस कारण हम मोबाइल में तो इंटरनेट उपयोग कर ही सकते हैं इसके साथ ही हम मोबाइल को कम्प्यूटर से जोड़कर फोन और मोडेम जैसा भी उपयोग कर सकते हैं।

इसके साथ ही बाजार में बहुत डाटा कार्ड भी उपलब्ध है जिसका उपयोग हम सीधे तौर पर मोडेम और टेलीफोन जैसा कर सकते हैं। इसमें भी मोबाइल जैसे टेलीफोन और मोडेम दोनों का एक साथ उपयोग करने के लिए सिम कार्ड की जरूरत होती है। डाटा कार्ड भी मोबाइल जैसा मुख्यतः दो प्रकार का होता है।

(*a*) GSM (ग्रुप स्पेशल मोबाइल)

(*b*) CDMA (कोड डिवीजन मल्टीपल एक्सेस)

सॉफ्टवेयर जिसकी मदद से इंटरनेट पर काम किया जाता है–

इंटरनेट पर काम करने के लिए एक विशेष प्रकार के एप्लीकेशन सॉफ्टवेयर की आवश्यकता होती है। जिसके उपयोग से ही हम इंटरनेट पर काम कर सकते हैं। जब उपरोक्त सभी सामग्री उपलब्ध हो जाए तब ही इंटरनेट प्रारम्भ करना सम्भव हो सकता है।

इंटरनेट का उपयोग (Use of Internet)

1. वर्ल्ड वाइट वेव (World Wide Web)
2. ई–कॉमर्स (E-Commerce)
3. ऑनलाइन शॉपिंग (Online Shopping)
4. इलेक्ट्रॉनिक मेल (Electronic mail)
5. बातचीत करना (Chatting)
6. यूजनेट (Usenet)
7. फाइल ट्रांसफर प्रोटोकॉल (FTP–File Transfer Protocol)
8. वीडियो कॉन्फरेंसिंग (Video Conferencing)
9. टेलीनेट (Telenet)
10. मनोरंजन (Entertainment)

इंटरनेट संबंधित प्रोटोकॉल (Internet Related Protocols)

किसी नेटवर्क पर सूचनाओं का आदान-प्रदान करने के लिए कुछ निश्चित नियम होते हैं, जिन्हें प्रोटोकॉल (Protocol) कहा जाता है। इंटरनेट भी इसका अपवाद नहीं है, क्योंकि यह संसार का सबसे बड़ा नेटवर्क है। इसका भी अपना एक प्रोटोकॉल है, जिसको TCP/IP कहा जाता है, जिसका पूरा नाम Transmission Control Protocol/Internet Protocol है।

TCP/IP एक डाक विभाग की तरह कार्य करता है। कंप्यूटरों का परस्पर त्रुटिहीन संचार सुनिश्चित करने के लिए दो प्रकार की आवश्यकताएँ होती हैः (1) पता, (2) सूचना पहुँचाने या प्राप्त करने के लिए एक सुरक्षित माध्यम। TCP मूलतः सूचना के आदान-प्रदान के लिए उसको छोटे-छोटे पैकेट्स में विभाजित करने, उनके पुनः संयोजन (reassemble) और सुरक्षित पहुँचाने के लिए नियम है।

IP उस पर गंतव्य स्थान का पता लिखने की औपचारिकता को पूरा करता है। पते को हम मानकीकृत रूप में use@host.domain के रूप में लिखते हैं। इसमें इन्टरनेट से जुड़े सभी कंप्यूटर्स अथवा websites का एक Main Adress दिया जाता है, जिसकों IP address कहते हैं। यह कंप्यूटर की पहचान है।

इसके चार भाग होते हैं, तथा ये दशमलव से अलग होते हैं, जिसमें सभी भाग में 0 से 255 तक की एक संख्या होती है। उदाहरण के लिए, 192.168.210.15. किसी भी दो कंप्यूटर्स या वेबसाइटों का IP पता एक जैसा नहीं हो सकता है। यह सभी प्रकार के हार्डवेयर एवं सॉफ्टवेयर पर लागू होता है। प्रत्येक डिवाइस (जैसे, कंप्यूटर, सर्वर, प्रिंटर, स्मार्टफोन) का एक यूनिक एड्रेस होता है और कम्युनिकेशन के लिए वे इंटरनेट प्रोटोकॉल का उपयोग करते हैं।

TCP/IP के डिजाइनर ने IP ऐड्रेस को एक 32 बिट नम्बर के रूप में परिभाषित किया और इंटरनेट प्रोटोकॉल वर्जन 4 या IPv4 के नाम से जानी जाने वाली यह प्रणाली, आज भी उपयोग में है। बाद में इंटरनेट के व्यापक विकास और इसके परिणामस्वरूप उपलब्ध पतों की कमी के कारण, 1995 में एड्रेस के लिए 128 बिट का उपयोग करके एक नया परिचयन सिस्टम (IPv6) विकसित किया गया।

TCP के स्थान पर User Datagram Protocol (UDP) का भी प्रयोग किया जा सकता है। IP एवं UDP को कनेक्शनलेस प्रोटोकॉल्स भी कहा जाता है।

अन्य महत्त्वपूर्ण प्रोटोकॉल्स

- **HTTP (HyperText Transfer Protocol) :** वेब ब्राउजर और वेबसर्वर के मध्य संचार को स्थापित करने हेतु।
- **IMAP (Internet Message Access Protocol) :** ई-मेल सर्वर और उपभोगकर्त्ता के मध्य संचार हेतु। इसके स्थान पर कई जगह Post Office प्रोटोकॉल का भी प्रयोग किया जाता है।
- **SSL (Secure Sockets Layer) :** इंटरनेट के द्वारा निजी दस्तावेजों को सम्प्रेषित करने हेतु।

- **FTP (File Transfer Protocol) :** डेटा फाइलों को एक कंप्यूटर से दूसरे कंप्यूटर पर भेजने हेतु।
- **TFTP (Trivial File Transfer Protocol) :** नेटवर्क यंत्रों के बीच डेटा फाइलों को स्थानान्तरित करने हेतु।
- **SMTP (Simple Mail Transfer Protocol) :** नेटवर्क आधारित ई–मेल को पहले APRANET पर FTP की सहायता से प्रेषित किया जाता था, अब यही कार्य SMTP के द्वारा किया जाता है।
- **SGML (Standardised General Markup Language) :** इसको एक भाषा कहना ठीक नहीं है। वस्तुतः यह एक मेटा भाषा है, जो कि एक दस्तावेज के आयोजन और टैगिंग के लिए दिशा निर्देश के बारे में है। SGML को वर्ष 1986 में International Organization for Standards (ISO) ने विकसित किया था। यह किसी विशेष फॉर्मेटिंग को परिभाषित नहीं करता। यह टैगिंग तत्वों के लिए नियमों को निर्दिष्ट करता है।

टेलनेट (TelNet) : इस सुविधा से कोई व्यक्ति इंटरनेट से जुड़े दूरस्थ दूसरे कंप्यूटर से डेटा प्राप्त कर सकता है। इसको 'रिमोट लॉग इन' भी कहा जाता है।

यूजनेट (UseNet) : इस सेवा का प्रयोग लोगों के समूह द्वारा अपनी पसन्द के किसी विषय पर अपनी राय या सूचना देने के लिए किया जा सकता है। इस संबंध में हम न्यूज ग्रुप तथा न्यूज सर्वर शब्दों का प्रयोग करते हैं।

पुश नेट (Push Net) : इससे संदेश इलेक्ट्रॉनिक बुलेटिन बोर्ड पर भेजा जा सकता है, जहाँ पर वह सबके लिए उपलब्ध रहता है।

सर्च इंजन (Search Engine)

सर्च इंजन एक ऐसा प्रोग्राम है, जो इंटरनेट पर उपलब्ध सूचनाओं में से किसी विशेष सूचना को ढूँढकर कंप्यूटर स्क्रीन पर प्रदर्शित करता है। हमें किसी संस्थान, वस्तु, व्यक्ति, विषय आदि किसी के बारे में कुछ भी सूचना प्राप्त करनी है, तो हम इस सर्च टूल का प्रयोग करते हैं। गूगल, याहू, अल्टाविस्टा, लाइकोस, होटबोट, आदि अनेक उदाहरण हैं।

मेटासर्च इंजन (Metasearch engine) जिसको एग्रीगेटर (aggregator) भी कहते हैं, एक ऐसा सर्च उपकरण है जो अपने स्वयं के परिणाम दर्शाने के लिए दूसरे सर्च इंजन के डेटा का उपयोग करता है। मेटाक्रॉलेर, हॉटबोट, डॉगपाइल, आदि मेटा सर्च इंजन के उदाहरण हैं।

वेबसाइट (Website)

यह वेब पेज और अन्य जानकारी (चित्र, ध्वनि और वीडियो फाइल, आदि) का समूह है, जो कि एकल वेब सर्वर के माध्यम से हमें उपलब्ध होती हुई प्रतीत होती है। दूसरी तरफ यूआरएल, इंटरनेट पर किसी संसाधन का पता है। वर्ल्ड वाइड वेब URL की शुरुआत http:// से होती है।

पोर्टल (Portal)

इसका अर्थ Gateway होता है, जो कि एक वेब ब्राउजिंग का प्रारम्भिक चरण है। प्रायः ऐसे सर्च इंजन या वेबसाइटों की बड़ी डायरेक्टरियाँ होती हैं।

पोर्टल का मुख्य कार्य यूजर को उसकी रुचि अनुसार कुछ वेबसाइटों की सूची प्रदान करना है, परन्तु आजकल ये बहुत सारी सूचनाएँ एवं सेवाएँ भी उपलब्ध कराते हैं।

पोर्टल्स के प्रकार

1. Web Searching Portals
2. E-Commerce Portals
3. E-Learning Portals
4. Government Portals, आदि

ब्लॉग (Blog)

ब्लॉग शब्द का उद्गम लॉग अर्थात डायरी है। ब्लॉग एक तरह की वेबसाइट होती है, हम अपने विचार, अनुभव और सुझाव दूसरों के समक्ष ब्लॉग के माध्यम से क्रमिक रूप से रख सकते हैं।

आप अगर ब्लॉग में काम करते हैं, तो उसे ब्लॉगिंग (blogging) कहते हैं और जो ब्लॉग लिखता है उसे ब्लॉगर (blogger) कहते हैं। ब्लॉगस्पॉट (blogspot) गूगल के द्वारा ही जारी किया गया एक प्लेटफार्म है। गूगल आपको फ्री में ब्लॉग डालने की अनुमति देता है।

ब्लॉग के माध्यम से तत्काल प्रतिपुष्टि एवं सहभागिता सुनिश्चित की जा सकती है।

एक शिक्षक एडुबलोग्स के माध्यम से शिक्षण अधिगम प्रक्रिया को और प्रभावी बना सकता है, इसमें शिक्षा के नीति निर्धारकों का भी योगदान हो सकता है। इससे विद्यार्थी परस्पर चर्चा कर सकते हैं जिसमें शिक्षक की भूमिका एक सुगमकर्त्ता की बन जाती है। कुछ ब्लॉग सबके लिए मुक्त (open) है, कुछ को पासवर्ड से सुरक्षित किया जा सकता है।

फ्री ब्लॉग होस्टिंग (Free Blog Hosting) : wordpress selva, blogger, tumblr

ब्लॉग होस्ट्स विद फीस (Blog Hosting with Fees) : GoDaddy, Bluehost, Hostgator, hostmonster

आरएसएस (RSS) : इस वेब उपकरण की सहायता से आप सूचना को दूसरी कुछ वेबसाइटों से एकत्रित कर अपनी वेबसाइट पर दिखा सकते हैं। इससे शिक्षक और विद्यार्थी के पास कई विषय–वस्तुओं के बारे में विस्तृत जानकारी इकट्ठी हो जाती है, विशेषतया समसामयिक घटनाओं के बारे में।

यह एक प्रकार से किसी विषय–वस्तु पर अनुसन्धान जैसा बन जाता है, जिसमें कई पहलू कवर किए जा सकते हैं। आप इसके बारे में और अधिक जानकारी प्राप्त करने हेतु rssfeedreader.com पर जा सकते हैं।

इंटरनेट चैटिंग (Internet Chatting)

चैटिंग इंटरनेट पर की जाने वाली एक रोचक क्रिया है। यह टेलीफोन पर बात करने के समान है। अंतर केवल यह है कि बोलने की जगह हम अपनी बात या संदेश की बोर्ड पर टाइप करते हैं, तो तत्काल ही प्राप्तकर्ता के मॉनीटर की स्क्रीन पर तुरंत ही दिया जाता है। तब प्राप्तकर्त्ता अपने कीबोर्ड पर उसका उत्तर टाइप करता है, जो हमारे मॉनीटर की स्क्रीन पर तुरंत ही दिखा दिया जाता है। इस प्रकार बातचीत तब तक चलती रहती है जब तक आप चाहते हैं। इस तरह चैटिंग को टेक्स्ट चैट कहा जाता है।

चैटिंग चैट समूहों में की जाती है। किसी चैट समूह को चैनल भी कहा जाता है। चैनल सामान्यतः विशेष विषयों पर केन्द्रित होते हैं जैसे– राजनीति, खेल, संगीत, फिल्म आदि। प्रत्येक चैनल का नाम '#' चिन्ह से प्रारंभ होता है। उदाहरण के लिये #politics एक चैनल भी हो सकता है, जो राजनीति पर केन्द्रित हो। यदि कोई उपनाम '@' चिन्ह से प्रारंभ हो रहा हो, जैसे– @robotman, तो वह किसी व्यक्ति के बजाय उस प्रोग्राम का नाम होता है, जो उस चैट समूह को संचालित या व्यवस्थित करता है।

वीडियो कॉन्फ्रेंसिंग (Video Conferencing)

वीडियो कॉन्फ्रेंसिंग के द्वारा दो या दो से अधिक व्यक्ति विश्व के किसी भी भाग में बैठकर audio-video रूप में आपस में Interaction कर सकते हैं, अर्थात् आसानी से एक–दूसरे से बातचीत कर सकते हैं। वीडियो कॉन्फ्रेंसिंग कम्युनिकेशन की एक आधुनिक एवं नई टेक्नोलोजी है। इसमें कई दूर सम्प्रेषण (Remote communication) तकनीकियों का उपयोग किया जाता है। वीडियो कॉन्फ्रेंसिंग अन्य दूर सम्प्रेषण विधियों से अलग है क्योंकि जहाँ दूर सम्प्रेषण तकनीकों में केवल ध्वनि को ही एक स्थान से दूसरे स्थान पर संचारित किया जाता है वहीं वीडियो कॉन्फ्रेंसिंग से आवाज के साथ चित्र भी दिखाई देते हैं। वीडियो कॉन्फ्रेंसिंग में ऐसा लगता है कि जैसे दो व्यक्ति आमने–सामने बैठकर ही बातें कर रहे हैं।

वीडियो कॉन्फ्रेंसिंग के लाभ

(Advantages of Video Conferencing):

वीडियो कॉन्फ्रेंसिंग के मुख्य लाभ निम्न हैं:

1. Teleseminars
2. Teacher's Conference
3. E-Learning
4. Help From Experts
5. Guest Lectures
6. Study during Vacations
7. E-Tutor
8. Helpful in Research
9. Directing and consulting

वीडियो कॉन्फ्रेंसिंग के दोष

(Disadvantages of Video Conferencing):

वीडियो कॉन्फ्रेंसिंग के उपर्युक्त कई लाभ हैं लेकिन फिर भी तकनीक के कुछ दोष हैं जो निम्न हैं–

1. Costly technique
2. Complex process
3. Use of Internet
4. Proper training requirement

ई–बैंकिंग (e-Banking)

ई-बैंकिंग एक अदृश्य है जो किसी को नजर नहीं आता है। परंतु यह बहुत काम की चीज है। जिस प्रकार भूत किसी को नजर नहीं आता है। जब भी किसी को भी डरा देता है। बिल्कुल ई-बैंकिंग भी ठीक वैसा ही है। किसी को नजर नहीं आता है, जब भी यह पूरा काम कर देता है। किसी भी बैंक द्वारा प्रदान की जा रही सेवाओं को किसी भी स्थान से कंप्यूटर, मोबाइल के द्वारा इन्टरनेट के माध्यम से प्रयोग करना ई-बैंकिंग कहलाता है। इस ई-बैंकिग को कई नामों से जानते हैं जैसे ई-बैंकिंग, इंटरनेट बैंकिंग, मोबाइल बैंकिंग।

बैंकिंग के प्रकार

बैंकिंग के निम्नलिखित प्रकार होते हैं–

- **इंटरनेट बैंकिंग :** यह बैंकिंग इंटरनेट के माध्यम से होती है इसलिए इसे इंटरनेट बैंकिंग कहते हैं। इसे ई-बैंकिंग के नाम से भी जानते हैं।
- **मोबाइल बैंकिंग :** बैंकिंग कार्य को किसी मोबाइल एप पर करते हैं तो इस बैंकिंग को मोबाइल बैंकिंग कहते हैं। मोबाइल बैंकिंग को बढ़ावा देने के लिये सभी बैंक अपना-अपना एप निकालते हैं। जिससे मोबाइल बैंकिंग बहुत तेजी से आगे बढ़ रहा है।
- **टेलीफोन बैंकिंग :** यह भी बैंकिंग का एक रूप है। परंतु यह एक पुराना तरीका है। इसका इस्तेमाल बहुत कम होता है। यह बैंकिंग टेलीफोन पर होता था।
- **एसएमएस बैंकिंग :** जिस बैंकिंग कार्य को एसएमएस के द्वारा किया जाता है, उसे एसएमएस बैंकिंग कहते हैं।

ई-बैंकिग के कार्यः

- ई-बैंकिंग से एक खाते से किसी अन्य के खाते में पैसे भेज सकते हैं।
- ई-बैंकिंग से अपने खाते की शेष राशि की जानकारी प्राप्त कर सकते हैं।
- ई-बैंकिंग की मदद से आप अपने बैंक खाते के लेन–देन के स्टेटमेंट देख सकते हैं।
- शेयर बाजार और अन्य विभिन्न निवेश ऑनलाइन कर सकते हैं।
- बस, रेल व अन्य टिकट इंटरनेट से बुक करवा सकते हैं।
- ऑनलाइन DD डिमांड ड्राफ्ट के लिये फॉर्म भर सकते हैं।
- अपने लोन और अन्य खातों का विवरण देख सकते हैं।

सूचना प्रौद्योगिकी और समाज – भारतीय आईटी अधिनियम (Information Technology and Society – Indian IT Act)

सूचना प्रौद्योगिकी (Information Technology – IT) ने हमारे जीवन को बहुत ही प्रभावशाली ढंग से बदल दिया है। आज की डिजिटल दुनिया में कम्प्यूटर (Computer), इंटरनेट (Internet), मोबाइल एप्लिकेशन (Mobile Applications) और सोशल मीडिया (Social Media) समाज के हर क्षेत्र में प्रवेश कर चुके हैं। सूचना प्रौद्योगिकी ने शिक्षा, स्वास्थ्य, व्यापार, प्रशासन और मनोरंजन जैसे क्षेत्रों को बदल दिया है।

समाज पर प्रभाव (Impact on Society)

1. **संचार (Communication) :** ईमेल (Email), सोशल नेटवर्किंग (Social Networking) और मोबाइल एप्स (Mobile Apps) के माध्यम से लोग तेजी से संवाद कर सकते हैं।
2. **शिक्षा (Education) :** ई-लर्निंग (E-Learning) और डिजिटल लाइब्रेरी (Digital Library) ने शिक्षा को कहीं भी और कभी भी सुलभ बना दिया है।
3. **व्यवसाय (Business) :** ई-कॉमर्स (E-Commerce) और ऑनलाइन बैंकिंग (Online Banking) ने व्यापार को तेज और सरल बना दिया है।
4. **सुरक्षा और गोपनीयता (Security & Privacy) :** डिजिटल दुनिया में डेटा (Data) की सुरक्षा महत्वपूर्ण हो गई है।

भारतीय सूचना प्रौद्योगिकी अधिनियम, 2000 (Indian IT Act, 2000)

भारतीय आईटी अधिनियम (Indian IT Act) 2000, भारत सरकार द्वारा पारित कानून है, जो इलेक्ट्रॉनिक व्यापार, इलेक्ट्रॉनिक रिकॉर्ड और डिजिटल हस्ताक्षर (Digital Signatures) के वैधता को मान्यता देता है और साइबर अपराध (Cyber Crime) से निपटने के लिए कानूनी प्रावधान प्रदान करता है।

उद्देश्य (Objectives)

1. इलेक्ट्रॉनिक लेन-देन (Electronic Transactions) को कानूनी मान्यता देना।
2. साइबर अपराध और डिजिटल धोखाधड़ी (Fraud) को रोकना।
3. डिजिटल साक्ष्य (Digital Evidence) को कानूनी मान्यता प्रदान करना।

मुख्य प्रावधान (Key Provisions)

1. **डिजिटल सिग्नेचर (Digital Signature) :** डिजिटल सिग्नेचर इलेक्ट्रॉनिक दस्तावेज की प्रमाणिकता (Authenticity) और अखंडता (Integrity) सुनिश्चित करता है। इसका प्रयोग ई-गवर्नेंस (E-Governance) और ऑनलाइन लेन-देन में किया जाता है।
2. **साइबर अपराध (Cyber Crimes) :** आईटी एक्ट के तहत अपराधों में शामिल हैं :
   - हैकिंग (Hacking)
   - डेटा चोरी (Data Theft)
   - ऑनलाइन फ्रॉड (Online Fraud)
   - साइबर धमकी (Cyber Threats)
   - पोर्नोग्राफी और डिजिटल छेड़छाड़ (Digital Obscenity & Harassment)
3. **विदेशी डेटा प्रोसेसिंग (Foreign Data Processing) :** अधिनियम विदेशी कम्पनियों और उनके डेटा संचालन को नियंत्रित करता है।
4. **ई-गवर्नेंस (E-Governance) :** सरकार अपने डिजिटल सेवा मंच (Digital Service Platforms) के माध्यम से नागरिकों को ऑनलाइन सेवाएँ प्रदान कर सकती है, जैसे कि :
   - पासपोर्ट आवेदन (Passport Application)
   - टैक्स रिटर्न (Tax Returns)
   - भूमि रिकॉर्ड और राशन कार्ड

संशोधन (Amendments)

भारतीय आईटी अधिनियम में 2008 और बाद में अन्य वर्षों में कई संशोधन किए गए हैं, जो साइबर अपराध और डेटा सुरक्षा को और सख्त बनाते हैं।

समाज में आईटी अधिनियम का प्रभाव (Impact of IT Act on Society)

1. **सुरक्षित ऑनलाइन लेन-देन (Secure Online Transactions) :** डिजिटल हस्ताक्षर और कानूनी मान्यता के कारण ई-कॉमर्स और ऑनलाइन बैंकिंग सुरक्षित हुई हैं।
2. **साइबर सुरक्षा (Cyber Security) :** आईटी अधिनियम साइबर अपराधियों के खिलाफ कड़ी सजा का प्रावधान करता है, जिससे नागरिकों की सुरक्षा बढ़ी है।
3. **ई-गवर्नेंस का विस्तार (Expansion of E-Governance) :** सरकारी सेवाओं का डिजिटलीकरण (Digitization) नागरिकों के लिए सुविधाजनक और पारदर्शी (Transparent) बना है।
4. **शिक्षा और जागरूकता (Education & Awareness) :** लोगों में डिजिटल साक्षरता (Digital Literacy) और साइबर सुरक्षा (Cyber Security) जागरूकता बढ़ी है।

निष्कर्ष (Conclusion)

सूचना प्रौद्योगिकी और भारतीय आईटी अधिनियम ने समाज को डिजिटल युग में सुरक्षित और विकसित बनाने में महत्वपूर्ण भूमिका निभाई है। डिजिटल हस्ताक्षर, ई–गवर्नेंस और साइबर सुरक्षा जैसे प्रावधानों के माध्यम से नागरिकों का विश्वास और सुविधा बढ़ी है। भविष्य में आईटी अधिनियम और साइबर सुरक्षा नीतियाँ समाज को और डिजिटल, सुरक्षित और स्मार्ट बनाने में योगदान देंगी।

डिजिटल सिग्नेचर (Digital Signature)

डिजिटल सिग्नेचर (Digital Signature) एक प्रकार का इलेक्ट्रॉनिक हस्ताक्षर (Electronic Signature) है, जो इलेक्ट्रॉनिक दस्तावेजों (Electronic Documents) की प्रामाणिकता (Authenticity), अखंडता (Integrity) और गैर–इंकार (Non-repudiation) सुनिश्चित करता है

यह पारंपरिक हस्ताक्षर (Handwritten Signature) का डिजिटल रूप है, जो ऑनलाइन लेन–देन (Online Transactions) और ई–गवर्नेंस (E-Governance) में कानूनी मान्यता प्राप्त है।

मुख्य विशेषताएँ (Key Features)

1. **प्रामाणिकता (Authenticity) :** यह प्रमाणित करता है कि दस्तावेज किसने भेजा।
2. **अखंडता (Integrity) :** दस्तावेज में कोई परितर्वन नहीं हुआ है।
3. **गैर-इंकार (Non-repudiation) :** दस्तावेज भेजने वाला व्यक्ति बाद में इंकार नहीं कर सकता।

डिजिटल सिग्नेचर का कार्य (Functions of Digital Signature)

1. **सत्यापन (Verification) :** डिजिटल सिग्नेचर यह सत्यापित करता है कि दस्तावेज वास्तविक और प्रामाणिक है।
2. **सुरक्षा (Security) :** डेटा को एन्क्रिप्शन (Encryption) के माध्यम से सुरक्षित करता है।
3. **कानूनी मान्यता (Legal Recognition) :** भारतीय IT एक्ट, 2000 (Indian IT Act, 2000) के तहत डिजिटल सिग्नेचर को कानूनी मान्यता प्राप्त है।

डिजिटल सिग्नेचर कैसे काम करता है? (How Digital Signature Works)

डिजिटल सिग्नेचर पब्लिक कुंजी (Public Key) और प्राइवेट कुंजी (Private Key) पर आधारित पद्धति है, जिसे पब्लिक कुंजी बुनियादी ढ़ांचा (Public Key Infrastructure – PKI) कहा जाता है।

प्रक्रिया (Process)

1. **हस्ताक्षर निर्माण (Signature Generation) :** प्राइवेट कुंजी (Private Key) का उपयोग करके दस्तावेज को एन्क्रिप्ट किया जाता है।
2. **हस्ताक्षर सत्यापन (Signature Verification)**–प्राप्तकर्ता पब्लिक कुंजी (Public Key) का उपयोग करके दस्तावेज की प्रामाणिकता जांचता है।

लाभ (Benefits)

- ऑनलाइन लेन–देन में सुरक्षा बढ़ती है।
- दस्तावेज के परिवर्तन का पता तुरंत चलता है।
- कानूनी विवादों में प्रमाण के रूप में इस्तेमाल किया जा सकता है।

डिजिटल सिग्नेचर के प्रकार (Types of Digital Signature)

1. **सिंपल डिजिटल सिग्नेचर (Simple Digital Signature) :**
   - केवल दस्तावेज की पहचान सुनिश्चित करता है।
   - छोटे और कम संवेदनशील डेटा के लिए उपयुक्त।
2. **एडवांस डिजिटल सिग्नेचर (Advanced Digital Signature) :**
   - दस्तावेज की प्रामाणिकता, अखंडता और गैर–इंकार सुनिश्चित करता है।
   - बैंकिंग, ई–कामर्स और सरकारी सेवाओं में प्रयुक्त।
3. **क्वालिफाइड डिजिटल सिग्नेचर (Qualified Digital Signature) :**
   - सरकारी प्रमाणपत्र (Government Certifcated) के साथ आता है।
   - सरकारी अधिक सुरक्षित और कानूनी रूप से मान्य।

डिजिटल सिग्नेचर का उपयोग (Application of Digital Signature)

1. **ई-गवर्नेंस (E-Governance) :** पासपोर्ट आवेदन, टैक्स रिटर्न, पैन कार्ड और भूमि रिकॉर्ड के दस्तावेज।
2. **ई-कॉमर्स और ऑनलाइन बैंकिंग (E-Commerce & Online Banking) :** ऑनलाइन बिल भुगतान, लेन-देन और अनुबंध।
3. **डिजिटल कॉन्ट्रैक्ट और समझौते (Digital Contracts & Agreements) :** कंपनी दस्तावेज और कानूनी अनुबंध।
4. **साइबर सुरक्षा (Cyber Security) :** डेटा की सुरक्षा और साइबर अपराध रोकने में मदद।

भारतीय कानून में डिजिटल सिग्नेचर
(Digital Signature in Indian Law)

भारतीय सूचना प्रौद्योगिकी अधिनियम, 2000 के तहतः

- डिजिटल सिग्नेचर कानूनी रूप से मान्य है।
- डिजिटल हस्ताक्षर के बिना भी दस्तावेज वैध हो सकता है, लेकिन सुरक्षा और प्रामाणिकता कम होती है।
- सरकार और गैर-सरकारी संगठनों द्वारा डिजिटल हस्ताक्षर का उपयोग बढ़ रहा है।

सूचना प्रौद्योगिकी का सरकारी कार्यों में प्रयोग – ई–गवर्नेंस (Application of Information Technology in Government for E-Governance)

सूचना प्रौद्योगिकी (Information Technology - IT) ने सरकारी प्रशासन (Government Administration) और नागरिक सेवाओं (Citizen Services) को डिजिटल युग (Digital Era) में बदल दिया है। ई–गवर्नेंस (E-Governance) का उद्देश्य सरकारी सेवाओं को अधिक पारदर्शी (Transparent), त्वरित (Efficient) और नागरिक–केंद्रित (Citizen-Centric) बनाना है।

इसमें कंप्यूटर (Computer), इंटरनेट (Internet), मोबाइल एप्लिकेशन (Mobile Applications) और क्लाउड कंप्यूटिंग (Cloud Computing) का प्रयोग होता है।

ई–गवर्नेंस के उद्देश्य (Objectives of E-Governance)

1. **सेवाओं में पारदर्शिता (Transparency in Services) :** सरकारी कामकाज में भ्रष्टाचार (Corruption) कम करना और सभी प्रक्रियाओं का सार्वजनिक ज्ञान सुनिश्चित करना।
2. **सेवाओं की त्वरित उपलब्धता (Efficient Service Delivery) :** नागरिकों को बिना लंबी प्रतीक्षा (Waiting) के सेवाएँ उपलब्ध कराना।
3. **नागरिक सहभागिता (Citizen Participation) :** डिजिटल प्लेटफॉर्म के माध्यम से लोगों को सरकारी नीतियों और योजनाओं में शामिल करना।
4. **लागत में कमी (Cost Reduction) :** कागजी कार्रवाई (Paper Work) कम करके समय और धन की बचत करना।

सूचना प्रौद्योगिकी के माध्यम से सरकारी सेवाएँ (Government Services Through IT)

1. **डिजिटल पोर्टल और वेबसाइड (Digital Portals & Websites):**
   - सरकारी योजनाओं की जानकारी, ऑनलाइन आवेदन और शिकायत निवारण (Grievance Redressal) के लिए।
   - उदाहरणः www.india.gov.in
2. **ऑनलाइन भुगतान (Online Payments):**
   - टैक्स (Tax), बिजली बिल (Electricity Bill), पानी का बिल (Water Bill) और अन्य शुल्क ऑनलाइन जमा करना।
   - लाभः सुविधा, सुरक्षा और समय की बचत।
3. **इलेक्ट्रॉनिक रिकॉर्ड और दस्तावेज (Electronic Records & Documents):**
   - भूमि रिकॉर्ड (Land Records), जन्म-प्रमाणपत्र (Birth Certificate), राशन कार्ड (Ration Card) डिजिटल रूप में।
   - लाभः दस्तावेजों का सुरक्षित भंडारण (Secure Storage) और आसानी से उपलब्धता।
4. **मोबाइल एप्लिकेशन (Mobile Applications):**
   - नागरिक सेवाओं, आपातकालीन सूचनाओं (Emergency Alerts) और शिकायत निवारण के लिए।
   - उदाहरणः UMANG App (Unified Mobile Application for New-age Governance)
5. **ई-शासन और ई-नीति (E-Governance & E-Policy):**
   - सरकारी विभागों में डिजिटल प्रक्रियाओं (Digital Process) का निर्माण और उनका मानकीकरण (Standardization)।

ई-गवर्नेंस में सूचना प्रौद्योगिकी के लाभ (Benefits of IT in E-Governance)

1. **पारदर्शिता (Transparency) :** सभी सरकारी कामकाज ऑनलाइन होने से भ्रष्टाचार कम होता है।
2. **सुविधा और समय की बचत (Convenience & Time-Saving) :** नागरिक घर बैठे सरकारी सेवाओं का लाभ उठा सकते हैं।
3. **नागरिक केंद्रित सेवाएँ (Citizen-Centric Services) :** ऑनलाइन फीडबैक (Online Feedback) और शिकायत निवारण प्रणाली।
4. **बेहतर निर्णय और योजना (Better Decision-Making & Planning)**–डिजिटल डेटा (Digital Data) का विश्लेषण (Analysis) करके नीतियाँ और योजनाएँ सुधारना।
5. **सुरक्षा और गोपनीयता (Security & Privacy) :** डेटा एन्क्रिप्शन (Data Encryption) और डिजिटल सिग्नेचर (Digital Signature) के माध्यम से सुरक्षित लेन-देन।

भारत में ई-गवर्नेंस के उदाहरण (Examples of E-Governance in India)

1. **DIGILOCKER :** डिजिटल दस्तावेजों का भंडारण और साझा करने का प्लेटफॉर्म।
2. **UMANG App :** केंद्रीय और राज्य सरकार की सेवाओं का मोबाइल प्लेटफॉर्म।
3. **E-Hospital Services :** अस्पतालों में डिजिटल रोगी रिकॉर्ड और ऑनलाइन अपॉइंटमेंट।
4. **GST Portal :** वस्तु एवं सेवा कर (Good and Services Tax) का ऑनलाइन आवेदन और भुगतान।
5. **Land Record Management :** भूमि रिकॉर्ड का डिजिटल रूपांतरण और ऑनलाइन सत्यापन।

चुनौतियाँ (Challenges)

1. **डिजिटल साक्षरता की कमी (Lack of Digital Literacy) :** सभी नागरिक डिजिटल सेवाओं का उपयोग नहीं कर पाते।
2. **साइबर सुरक्षा (Cyber Security) :** डेटा चोरी (Data Theft), हैकिंग (Hacking) और ऑनलाइन फ्रॉड (Fraud) का खतरा।
3. **इन्फ्रास्ट्रक्चर की कमी (Infrastructure Constraints) :** ग्रामीण और दूरदराज क्षेत्रों में इंटरनेट की पहुँच सीमित।
4. **नागरिक विश्वास (Citizen Trust) :** ऑनलाइन लेन-देन और डिजिटल सेवाओं पर भरोसा विकसित करना।
5. **प्रोजेक्ट कार्यान्वयन में देरी (Delay in Implementation) :** कई ई-गवर्नेंस प्रोजेक्ट समय पर पूरे नहीं हो पाते। योजनाओं और जमीनी कार्यान्वयन में समन्वय की कमी देखी जाती है।

मोबाइल/स्मार्टफोन का उपयोग और अनुप्रयोग (Application of Mobile/Smartphones)

मोबाइल और स्मार्टफोन (Mobile & Smartphones) आज हमारे जीवन का अभिन्न हिस्सा बन गए हैं। ये सिर्फ संचार (Communication) का साधन नहीं रह गए हैं, बल्कि शिक्षा (Education), स्वास्थ्य (Health), व्यापार (Business), बैंकिंग (Banking) और मनोरंजन (Entertainment) जैसे क्षेत्रों में भी महत्वपूर्ण भूमिका निभा रहे हैं।

स्मार्टफोन इंटरनेट (Internet), एप्लिकेशन (Applications/Apps) और डिजिटल सेवाओं (Digital Services) के माध्यम से हमारे दैनिक जीवन को आसान और तेज बनाते हैं।

मोबाइल/स्मार्टफोन के मुख्य अनुप्रयोग (Key Applications of Mobile/Smartphones)

1. **संचार (Communication):**
   - कॉल (Call), मैसेज (SMS), ई-मेल (Email) और व्हाट्सएप (WhatsApp) जैसे मैसेजिंग ऐप्स के माध्यम से तुरंत संपर्क।
   - वीडियो कॉल (Video Call) के माध्यम से दूरी की बाधाएँ कम।
2. **शिक्षा (Education):**
   - ऑनलाइन क्लासेज (Online Classes) और ई–लर्निंग प्लेटफॉर्म (E-Learning Platforms) जैसे BYJU's, Khan Academy।
   - नोट्स, ई-बुक्स (E-Books) और वीडियो ट्यूटोरियल।
3. **स्वास्थ्य (Healthcare):**
   - हेल्थ ऐप्स (Health Apps) और फिटनेस ट्रैकर (Fitness Tracker) में स्वास्थ्य निगरानी।
   - डॉक्टर से ऑनलाइन परामर्श (Online Consultation) और मेडिकल रिपोर्ट्स का डिजिटल भंडारण।
4. **व्यवसाय और बैंकिंग (Business & Banking):**
   - ई–कॉमर्स (E-Commerce) ऐप्स जैसे Amazon, Flipkart।
   - मोबाइल बैंकिंग (Mobile Banking), यूपीआई (UPI) और डिजिटल भुगतान (Digital Payments)।
5. **मनोरंजन (Entertainment):**
   - वीडियो स्ट्रीमिंग (Video Streaming) – YouTube, Netflix।
   - संगीत (Music) – Spotify, Gaana।
   - गेमिंग (Gaming) और सोशल मीडिया (Social Media) – Facebook, Instagram।
6. **सामाजिक सेवा और सरकारी सेवाएँ (Social & Government Services):**
   - सरकारी एप्लिकेशन जैसे UMANG, DigiLocker।
   - ऑनलाइन आवेदन (Online Applications) और शिकायत निवारण (Grievance Redressal)।
7. **नवाचार और उत्पादकता (Innovation & Productivity):**
   - कैलेंडर (Calendar), नोट्स (Notes), टू–डू लिस्ट (To-Do List) और ऑफिस ऐप्स (Office Apps) जैसे MS Office, Google Docs।
   - रिमोट वर्क (Remote Work) और ऑनलाइन मीटिंग (Online Meeting) प्लेटफॉर्म – Zoom, Google Meet।

मोबाइल/स्मार्टफोन के लाभ
(Benefits of Mobile/Smartphones)

1. **सुविधा (Convenience) :** किसी भी समय, कहीं भी इंटरनेट और सेवाओं तक पहुँच।
2. **सूचना तक त्वरित पहुँच (Quick Access to Information) :** समाचार (News), मौसम (Weather) और सरकारी सूचना।
3. **समय और संसाधन की बचत (Time & Resource Saving) :** डिजिटल लेन–देन और ऑनलाइन सेवाओं से यात्रा और प्रतीक्षा में कमी।
4. **सुरक्षा और स्वास्थ्य निगरानी (Safety & Health Monitoring) :** GPS और हेल्थ ऐप्स से सुरक्षित यात्रा और स्वास्थ्य मॉनिटरिंग।
5. **शिक्षा और कौशल विकास (Education & Skill Development) :** ऑनलाइन कोर्स, ट्यूटोरियल और डिजिटल लाइब्रेरी तक आसान पहुँच।

मोबाइल/स्मार्टफोन के उपयोग में चुनौतियाँ
(Challenges in Smartphone Usage)

1. **अत्यधिक उपयोग और स्वास्थ्य प्रभाव (Overuse & Health Effects) :** आंख की समस्या (Eye Strain), नींद में कमी (Sleep Deprivation)।
2. **साइबर सुरक्षा और गोपनीयता (Cyber Security & Privacy) :** हैकिंग (Hacking), डेटा चोरी (Data Theft), ऑनलाइन फ्रॉड (Fraud)।
3. **सामाजिक प्रभाव (Social Impact) :** अत्यधिक सोशल मीडिया उपयोग से मानसिक स्वास्थ्य पर प्रभाव।
4. **डिजिटल असमानता (Digital Divide) :** ग्रामीण और गरीब वर्ग में स्मार्टफोन और इंटरनेट की पहुँच सीमित।

सूचना कियोस्क और उनके अनुप्रयोग
(Applications of Information Kiosks)

सूचना कियोस्क (Information Kiosks) ऐसे डिजिटल उपकरण (Digital Devices) हैं, जो नागरिकों, ग्राहकों या आगंतुकों को आवश्यक जानकारी (Information) उपलब्ध कराते हैं। ये आमतौर पर टच स्क्रीन (Touch Screen) और इंटरनेट कनेक्शन (Internet Connection) से लैस होते हैं।

कियोस्क सार्वजनिक स्थानों (Public Places) जैसे रेलवे स्टेशन, हवाई अड्डा, सरकारी कार्यालय और शॉपिंग मॉल में नागरिकों और उपयोगकर्ताओं की सुविधा (Convenience) के लिए लगाए जाते हैं।

मुख्य उद्देश्य (Main Objectives)

1. जानकारी का त्वरित और सरल प्रसार (Quick & Easy Information Access)
2. नागरिकों और ग्राहकों की सुविधा बढ़ाना (Enhancing Citizen/Customer Convenience)
3. प्रशासनिक कार्यों में दक्षता (Efficiency in Administrative Tasks)

सूचना कियोस्क के प्रकार
(Types of Information Kiosks)

1. **सरकारी कियोस्क (Government Kiosks) :** सरकारी योजनाओं, सेवाओं और प्रमाणपत्रों (Certificates) के लिए।
   उदाहरणः डिजिटल इंडिया योजना के तहत नागरिक सुविधा केंद्र (Citizen Facilitation Centers)।
2. **व्यापारिक/कॉमर्शियल (Commercial Kiosks) :** होटल, शॉपिंग मॉल और बैंक में ग्राहक जानकारी, भुगतान (Payment) और प्रमोशन (Promotion) के लिए।
3. **शिक्षा और स्वास्थ्य कियोस्क (Education & Healthcare Kiosks) :** स्कूल, कॉलेज और अस्पताल में जानकारी, रजिस्ट्रेशन (Registration) और रिपोर्ट्स की सुविधा।
4. **परिवहन कियोस्क (Transport Kiosks) :** रेलवे, बस और हवाई अड्डों में टिकट बुकिंग (Ticket Booking), यात्रा जानकारी (Travel Information) और मार्गदर्शन (Guidance) के लिए।

सूचना कियोस्क के अनुप्रयोग
(Applications of Information Kiosks)

1. **सरकारी सेवाएँ (Government Services):**
   - डिजिटल सर्टिफिकेट (Birth, Death, Caste Certificate) का आवेदन।
   - ई–गवर्नेंस पोर्टल्स और नागरिक शिकायत निवारण (Grievance Redressal)।
   - उदाहरणः CSC (Common Service Centers)
2. **स्वास्थ्य सेवाएँ (Healthcare Services):**
   - रोगी पंजीकरण (Patient Registration) और मेडिकल रिपोर्ट की जानकारी।
   - हेल्थ कैम्प और टीकाकरण (Vaccination) जानकारी।

3. **शिक्षा और सूचना (Education & Information):**
   - स्कूल/कॉलेज की जानकारी, परीक्षा-परिणाम और प्रवेश प्रक्रिया।
   - डिजिटल लाइब्रेरी और ई-बुक्स का उपयोग।
4. **परिवहन और यात्रा (Transport & Travel):**
   - बस, रेलवे और हवाई टिकट बुकिंग।
   - रूट मैप, समय सारणी और लाइव ट्रैफिक अपडेट।
5. **व्यापार और ग्राहक सेवा (Business & Customer Service):**
   - बैंकिंग लेन–देन, भुगतान और खाता जानकारी।
   - शॉपिंग मॉल में उत्पाद जानकारी और प्रमोशन।
6. **सार्वजनिक सूचना (Public Information):**
   - पर्यटन स्थल, नगर निगम और नागरिक जागरूकता (Citizen Awareness) सूचना
   - मौसम अपडेट, इमरजेंसी अलर्ट और स्थानीय खबरें।

सूचना कियोस्क के लाभ (Benefits of Information Kiosks)

1. **तत्काल जानकारी (Immediate Access to Information) :** नागरिक या ग्राहक बिना किसी प्रतीक्षा के जानकारी प्राप्त कर सकते हैं।
2. **समय और संसाधन की बचत (Time & Resource Saving) :** प्रशासनिक कार्यालय में लंबी कतारों (Long Queues) से बचाव।
3. **सेवाओं में पारदर्शिता (Transparency in Services) :** सरकारी और व्यापारिक सेवाओं में भ्रष्टाचार कम होता है।
4. **सुविधा और पहुँच (Conveniene & Accessibility) :** सार्वजनिक स्थानों पर किसी भी समय जानकारी और सेवाएँ उपलब्ध।
5. **ई-गवर्नेंस का समर्थन (Support to E-Governance)**– डिजिटल इंडिया और स्मार्ट सिटी (Smart City) पहल में मदद।

चुनौतियाँ (Challenges)

1. **तकनीकी समस्याएँ (Technical Issues) :** इंटरनेट कनेक्शन, हार्डवेयर या सॉफ्टवेयर खराब होने की स्थिति।
2. **डिजिटल साक्षरता (Digital Literacy) :** सभी नागरिक कियोस्क का उपयोग नहीं कर सकते।
3. **सुरक्षा और गोपनीयता (Security & Privacy) :** डेटा चोरी (Data Theft) और साइबर हमले (Cyber Attacks) का खतरा।
4. **रख-रखाव और लागत (Maintenance & Cost) :** कियोस्क इंस्टॉलेशन और रख-रखाव महंगा हो सकता है।

गूगल अर्थ और समान एप्लिकेशन (Google Earth and Similar Applications)

गूगल अर्थ (Google Earth) एक डिजिटल ग्लोब (Digital Globe) और भू-सूचना प्रणाली (Geographic Information System – GIS) आधारित एप्लिकेशन है। यह सैटेलाइट इमेजरी (Satellite Imagery), एरियल फोटोग्राफी (Aerial Photography) और डिजिटल मैपिंग (Digital Mapping) का उपयोग करके पृथ्वी (Earth) का विस्तृत और इंटरैक्टिव (Interactive) दृश्य प्रस्तुत करता है।

समान एप्लिकेशन में Google Maps, Bing Maps और OpenStreet Map शामिल हैं। ये एप्लिकेशन शिक्षा, प्रशासन, कृषि, पर्यावरण और पर्यटन में व्यापक रूप से उपयोग किए जाते हैं।

गूगल अर्थ की मुख्य विशेषताएँ (Key Features of Google Earth)

1. **3D दृश्य और सैटेलाइट इमेजरी (3D View & Satellite Imagery) :** शहर, भवन, पर्वत और जल स्रोतों का त्रिआयामी (3D) दृश्य।
2. **मार्ग और दूरी मापन (Route & Distance Measurement) :** किसी भी स्थान के बीच दूरी और समय का निर्धारण।
3. **स्थानिक विश्लेषण (Spatial Analysis) :** भू–स्थानिक डेटा (Geospatial Data) का विश्लेषण और योजना निर्माण।
4. **इतिहास और समय-सीमा (Historical & Time Layer) :** किसी स्थान का ऐतिहासिक दृश्य और परिवर्तन ट्रैक करना।

गूगल अर्थ और समान एप्लिकेशन के अनुप्रयोग (Applications of Google Earth & Similar Applications)

1. **शिक्षा और अनुसंधान (Education & Research):**
   - भूगोल (Geography), पर्यावरण विज्ञान (Environmental Science) और इतिहास (History) में शिक्षा।
   - छात्रों और शोधकर्ताओं के लिए डिजिटल मानचित्र और विश्लेषण।
2. **शहरी योजना और स्मार्ट सिटी (Urban Planning & Smart Cities):**
   - शहरों के नक्शे, भवनों का डिजाइन और बुनियादी ढांचे (Infrastructure) की योजना।

- यातायात (Traffic) और भूमि उपयोग (Land Use) की निगरानी।

3. **पर्यावरण संरक्षण और प्राकृतिक संसाधन (Environmental Conservation & Natural Resources):**
   - वनों, नदियों और जल स्रोतों की डिजिटल ट्रैकिंग।
   - प्रदूषण (Pollution) और आपदा प्रबंधन (Disaster Management)।
4. **कृषि और कृषि प्रबंधन (Agriculture & Farm Management):**
   - फसलों की निगरानी (Crop Monitoring) और भूमि की उपजाऊ क्षमता (Soil tility Analysis)।
   - सिंचाई योजना (Irrigation Planning) और प्राकृतिक आपदाओं से बचाव।
5. **सैन्य और सुरक्षा (Military & Security):**
   - सीमाओं, रणनीतिक क्षेत्रों और निगरानी (Surveillance) के लिए भू-स्थानिक डेटा।
   - आपदा प्रबंधन और बचाव अभियान (Rescue Operations) में सहायता।
6. **पर्यटन और नेविगेशन (Tourism & Navigation):**
   - पर्यटम स्थलों का वर्चुअल टूर (Virtual Tour)।
   - मार्गदर्शन और नेविगेशन (Route Guidance) में सहायता।
7. **आपदा प्रबंधन (Disaster Management):**
   - बाढ़, भूकंप और तूफान जैसी प्राकृतिक आपदाओं का पूर्वानुमान (Prediction) और प्रभाव का आकलन।
   - राहत कार्यों (Relief Operations) के लिए स्थानिक डेटा प्रदान करना।

गूगल अर्थ के लाभ (Benefits of Google Earth)

1. **दृश्य और जानकारी का संयोजन (Visual & Information Integration) :** सैटेलाइट इमेज और भू-स्थानिक जानकारी का ऑनलाइन दृश्य।
2. **व्यापक पहुंच (Wide Accessibility) :** इंटरनेट के माध्यम से किसी भी स्थान का ऑनलाइन दृश्य।
3. **समय और लागत की बचत (Time & Cost Saving) :** भौतिक यात्रा या क्षेत्र सर्वेक्षण की आवश्यकता कम।
4. **सटीक योजना और निर्णय (Accurate Planning & Decision Making) :** शहरी विकास, कृषि योजना और आपदा प्रबंधन में सही निर्णय।
5. **शैक्षिक और शोध उपकरण (Educational & Research Tool) :** छात्रों और शोधकर्ताओं के लिए भू-स्थानिक अध्ययन का सरल और सटीक माध्यम।

चुनौतियाँ (Challenges)

1. **डेटा की सटीकता (Accuracy of Data) :** सभी सैटेलाइट इमेज और हमेशा अद्यतन नहीं होते।
2. **इंटरनेट और तकनीकी अवसंरचना (Internet & Technical Infrastructure) :** उच्च गुणवत्ता वाली इमेज और डेटा के लिए तेज इंटरनेट आवश्यक।
3. **गोपनीयता और सुरक्षा (Privacy & Security) :** संवेदनशील स्थानों की जानकारी के दुरुपयोग का जोखिम।
4. **तकनीकी ज्ञान की आवश्यकता (Need for Technical Knowledge) :** उपयोगकर्ता का एप्लिकेशन का सही प्रयोग करने के लिए तकनीकी ज्ञान होना आवश्यक।

वस्तुनिष्ठ प्रश्नोत्तर

1. कम्प्यूटर क्या है?
   A. इलेक्ट्रॉनिक मशीन B. पावर मशीन
   C. मानव मशीन D. विद्युत् मशीन
2. कम्प्यूटर की विशेषताएँ या कार्य निम्नलिखित में से एक नहीं है–
   A. डाटा-संकलन B. डाटा संचयन
   C. डाटा संसाधन D. डाटा-निर्गमन
3. A.L.U. का पूरा नाम क्या है?
   A. अरिथमैटिक लॉजिक यूनिट (Arithmetic Logic Unit)
   B. अरिथमैटिक लार्ज यूनिट (Arithmetic large unit)
   C. अरिथमैटिक लांग यूनिट (Arithmetic long unit)
   D. उपर्युक्त सभी
4. कम्प्यूटर का दिमाग कहलाता है–
   A. सीपीयू B. मॉनिटर
   C. मोडेम D. सॉफ्टवेयर
5. माइक्रोप्रोसेसर जो कम्प्यूटर का मस्तिष्क होता है, उसे .... भी कहा जाता है।
   A. माइक्रोचिप B. मैक्रोचिप
   C. माइक्रोप्रोसेसर D. कैलक्युलेटर
6. सीपीयू (CPU) का प्रमुख कार्य है ....
   A. प्रोग्राम अनुदेशों पर अमल करना
   B. डाटा/जानकारी भावी प्रयोग हेतु स्टोर करना
   C. डाटा और जानकारी प्रोसेस करना
   D. इनमें से कोई नहीं

7. माइक्रोप्रोसेसर के लिए निम्नलिखित सही है–

A. वह चिप होती है जिस पर कंट्रोल यूनिट और ए.एल.यू. व एक परिपथ होता है

B. माइक्रोप्रोसेसर चिप तथा अन्य उपकरण एक इकाई में लगे रहते हैं, जिसे सिस्टम यूनिट कहते हैं

C. उपर्युक्त दोनों सही हैं

D. कोई सही नहीं है

8. कम्प्यूटर–

1. आँकड़ों के भंडारण करनेवाली एक सक्षम युक्ति है।
2. आँकड़ों के विश्लेषण करने के लिए सक्षम है।
3. पूर्ण गोपनीयता बनाए रखने में सक्षम है।
4. कभी-कभी वायरस द्वारा संक्रमित होता है।

नीचे दिए गए कूट में से सही उत्तर का चयन कीजिए–

A. 1 और 2 B. 1, 2 और 3

C. 1, 2 और 4 D. सभी चारों

9. ATM क्या होते हैं?

A. बैंकों की शाखाएँ

B. बैंकों के स्टाफ-युक्त काउंटर

C. बिना स्टाफ के, नकदी देने वाला

D. ये सभी

10. सी.पी.यू. के कार्य हैं–

A. इनपुट तथा आउटपुट डिवाइस को नियंत्रित करना

B. डाटा को तात्कालिक रूप से स्टोर करना

C. निर्देशों को पढ़ना और आदेश देना

D. ये सभी

11. इनपुट का आउटपुट में रूपान्तरण किया जाता है–

A. मेमोरी द्वारा B. पेरिफेरल्स द्वारा

C. सी.पी.यू. द्वारा D. इनपुट तथा आउटपुट द्वारा

12. निम्नलिखित में से कम्प्यूटर का जनक किसे कहा जाता है?

A. मारकोनी B. एडीसन

C. चार्ल्स बैबेज D. हर्मन होलेरिथ

13. भारत में निर्मित प्रथम कम्प्यूटर का क्या नाम है?

A. आर्यभट्ट B. सिद्धार्थ

C. बुद्ध D. अशोक

14. माइक्रोप्रोसेसर किस पीढ़ी का कम्प्यूटर है?

A. प्रथम B. द्वितीय

C. तृतीय D. चतुर्थ

15. तृतीय पीढ़ी के कम्प्यूटर में मुख्य घटक हैं–

A. इलेक्ट्रॉन ट्यूब B. ट्रांजिस्टर

C. इंटिग्रेटेड सर्किट D. एल.आई.सी.

16. आधुनिक डिजिटल कम्प्यूटर में किस पद्धति का उपयोग किया जाता है?

A. द्विआधारी अंक पद्धति B. दशमलव अंक पद्धति

C. अनुरूप गणना पद्धति D. उपर्युक्त तीनों

17. ऑपरेटिंग सिस्टम का प्रयोग हुआ–

A. प्रथम पीढ़ी कम्प्यूटर B. द्वितीय पीढ़ी कम्प्यूटर

C. तृतीय पीढ़ी कम्प्यूटर D. चतुर्थ पीढ़ी कम्प्यूटर

18. सुपर कम्प्यूटर–

A. एक साथ बहुत सारे प्रयोक्ता के डाटा प्रोसेस करता है

B. यह तीव्र तथा महंगी कम्प्यूटर सिस्टम है

C. बड़े संगठनों में उपयोग होता है

D. ये सभी

19. CRAY क्या है?

A. मिनी कम्प्यूटर B. माइक्रो कम्प्यूटर

C. मेनफ्रेम कम्प्यूटर D. सुपर कम्प्यूटर

20. प्रथम पीढ़ी के कम्प्यूटर में मुख्य इलेक्ट्रॉनिक घटक .... है।

A. ट्रांजिस्टर B. वृहद् एकीकृत सर्किट

C. बॉल (निर्वात ट्यूब) D. इंटिग्रेटेड सर्किट

21. सबसे पहला संग्रहित प्रोग्राम कम्प्यूटर था–

A. EDSAC B. ENIAC

C. MARK – I D. EDRAC

22. आस्की (ASCII) कोड क्या है?

A. कम्प्यूटर का कंट्रोल कोड

B. स्पीड मेजरमेंट कोड

C. सूचनाओं का आदान-प्रदान करने का मानक कोड

D. ए.एल.यू. (ALU) कोड

23. .... संपूर्ण कम्प्यूटर प्रणाली के लिए संप्रेषण नियंत्रण करता है।

A. अंकगणित तार्किक यूनिट

B. सेमी कंडक्टर

C. मदरबोर्ड

D. कोप्रोसेसर

24. बाइट है–

A. यह कम्प्यूटर की स्मृति की मानक इकाई है

B. 8 बिट मिलकर 1 बाइट बनती है

C. उपर्युक्त दोनों गलत हैं

D. A तथा B दोनों सही हैं

25. द्वि-अंकीय प्रणाली–

A. इस प्रणाली के अन्तर्गत आँकड़ों को मुख्य रूप से केवल दो अंकों के संयोजन द्वारा दर्शाया जाता है

B. ये दो अंक उपर्युक्त '0' तथा '1' होते हैं

C. उपर्युक्त दोनों गलत हैं

D. A तथा B दोनों सही हैं

26. मदरबोर्ड के कंपोनेन्ट्स के बीच इन्फार्मेशन .... के माध्यम से ट्रेवल करता है।

A. फ्लैश मेमोरी B. CMOS

C. बेज D. बसेज (Bus)

27. MICR में C का पूरा रूप क्या है?
A. कोड B. कलर
C. कम्प्यूटर D. कैरेक्टर

28. कम्प्यूटर प्रिंटर किस प्रकार का डिवाइस है?
A. इनपुट B. आउटपुट
C. सॉफ्टवेयर D. स्टोरेज

29. OCR का पूर्ण रूप क्या है?
A. Optical Character Recognition
B. Optical CPU Recognition
C. Optimal Character Rendering
D. Other Character Restoration

30. .... और .... सर्वाधिक सामान्य इनपुट डिवाइस हैं।
A. माइक्रोफोन, प्रिन्टर
B. स्कैनर, मॉनीटर
C. डिजिटल कैमरा, स्पीकर्स
D. की-बोर्ड, माउस

31. बाई डिफॉल्ट डॉक्यूमेंट .... मोड में प्रिंट होता है।
A. लैंडस्केप B. पोर्ट्रेट
C. पेज सेटअप D. प्रिंट व्यू

32. वर्ड प्रोसेसिंग प्रोग्रामों से किस प्रकार की फाइल बनाई जा सकती है?
A. डाटाबेस फाइल B. स्टोरेज फाइल
C. वर्कशीट फाइल D. डॉक्यूमेंट फाइल

33. प्रयोक्ता डॉक्यूमेंट को जो नाम देता है उसे क्या कहते हैं?
A. फाइलनेम B. प्रोग्राम
C. रिकॉर्ड D. डाटा

34. मौजूदा डॉक्यूमेंट को भिन्न नाम से सेव करना हो तो क्या करना होगा?
A. डॉक्यूमेंट को फिर से टाइप करें और भिन्न नाम दें
B. सेव ऐज कमांड का प्रयोग करें
C. मूल डॉक्यूमेंट को नए डॉक्यूमेंट में कॉपी व पेस्ट करें और फिर सेव करें
D. डॉक्यूमेंट को भिन्न लोकेशन पर कॉपी करने के लिए विंडोज एक्सप्लोरर का प्रयोग करें और फिर इसे रीनेम करें

35. जब आपको कोई पाठ (Text) एक पृष्ठ से अलग पृष्ठ पर ले जाना हो, तब सबसे अच्छा तरीका है :
A. ड्रैग और ड्रॉप करें
B. कट और पेस्ट करें
C. डिलीट और री टाइप करें
D. फाइंड और रिप्लेस करें

36. सेविंग एक प्रक्रिया है :
A. मेमोरी से स्टोरेज माध्यम तक दस्तावेज कॉपी करना
B. दस्तावेज की वर्तमान स्थिति में बदलाव लाना
C. दस्तावेज का चेहरा अथवा समग्र स्वरूप को बदल देना
D. कुंजी पटल के प्रयोग से पाठ/टेक्स्ट को दर्ज करके दस्तावेज विकसित करना

37. डायरेक्टरी में डायरेक्टरी को .... कहा जाता है।
A. मिनि डायरेक्टरी B. जूनियर डायरेक्टरी
C. पार्ट डायरेक्टरी D. सब डायरेक्टरी

38. जूम आज्ञा/कमांड चयनित किए जाने से :
A. अलग दर्शन (व्यू) में दस्तावेज की कॉपी खोलता है
B. प्रदर्शित दस्तावेज की कॉपी प्रिंट करता है
C. प्रदर्शित दस्तावेज को विस्तारण में बदलाव लाता है
D. प्रदर्शित दस्तावेज की कापी सेव करता है

39. यदि पहले सेव किया गया फाइल एडिट किया जाए, तब :
A. परिवर्तन को स्टोर करने हेतु फाइल फिर से सेव करना जरूरी है
B. परिवर्तन अपने आप फाइल में सेव किए जाएंगे
C. एक पेज से ज्यादा लंबाई हो जाने पर ही फाइल सेव करनी होगी
D. इसका नाम बदलना होगा

40. बजट सृजित किए जाने हेतु इस्तेमाल किए जानेवाले सॉफ्टवेयर को .... कहा जाता है।
A. वर्ड प्रोसेसिंग सॉफ्टवेयर B. ग्राफिक सॉफ्टवेयर
C. यूटिलिटी सॉफ्टवेयर D. स्प्रेडशीट सॉफ्टवेयर

41. सेल में दर्ज किए गए अंकों और सूत्रों/फार्मूलों को .... कहा जाता है।
A. लेबल्स
B. आंकिक प्रविष्टियां/न्यूमेरिक एंट्रीज
C. इंटरसेक्शन/छेदन
D. टेक्स्ट/पाठ

42. माइक्रोसॉफ्ट ऑफिस .... का उदाहरण है।
A. क्लोज–सोर्स सॉफ्टवेयर
B. ओपन–सोर्स सॉफ्टवेयर
C. क्षैतिज समानांतर मार्केट सॉफ्टवेयर
D. वर्टिकल मार्केट सॉफ्टवेयर

43. कुंजी .... का प्रयोग चयनित पाठ/टैक्स्ट को कापी करने और .... का प्रयोग दस्तावेज में पेस्ट करने हेतु होता है।
A. Ctrl + C, Ctrl + V B. Ctrl + C, Ctrl + P
C. Ctrl + S, Ctrl + S D. Ctrl + D, Ctrl + A

44. माइक्रोसॉफ्ट ऑफिस है–
A. डेस्कटॉप अनुप्रयोग B. ऑपरेटिंग सिस्टम
C. विंडो कमांड D. इनमें से कोई नहीं

45. माइक्रोसॉफ्ट ऑफिस बनाया गया है–
A. माइक्रोसॉफ्ट Windows ऑपरेटिंग सिस्टम
B. मैक ओएस एक्स ऑपरेटिंग सिस्टम
C. A और B दोनों सही हैं
D. कोई भी सत्य नहीं है

46. माइक्रोसॉफ्ट Word, माइक्रोसॉफ्ट Excel और माइक्रोसॉफ्ट Power Point हिस्सा हैं–
A. माइक्रोसॉफ्ट ऑफिस सूट B. माइक्रोसॉफ्ट Windows
C. मैक ओएस एक्स D. इनमें से कोई नहीं

47. इस संस्करण के लिए पहले माइक्रोसॉफ्ट ऑफिस जारी किया गया था–
A. विंडोज ऑपरेटिंग सिस्टम B. Apple Macintosh OS
C. Unix D. इनमें से कोई नहीं

48. MS ऑफिस का पहला संस्करण किस माइक्रोसॉफ्ट Windows ऑपरेटिंग सिस्टम के लिए है।
A. माइक्रोसॉफ्ट ऑफिस 3.0
B. माइक्रोसॉफ्ट ऑफिस 2003
C. माइक्रोसॉफ्ट ऑफिस 2007
D. माइक्रोसॉफ्ट XP

49. MS ऑफिस का हिस्सा है–
A. माइक्रोसॉफ्ट Word
B. माइक्रोसॉफ्ट Excel
C. माइक्रोसॉफ्ट Power Point
D. उपरोक्त सभी

50. माइक्रोसॉफ्ट वर्ड में शब्द संसाधक का प्रारूप है–
A. .doc B. .pdf
C. .txt D. इनमें से कोई नहीं

51. माइक्रोसॉफ्ट ऑफिस सूट का स्प्रेडशीट प्रोग्राम है–
A. माइक्रोसॉफ्ट Excel
B. माइक्रोसॉफ्ट Word
C. माइक्रोसॉफ्ट Power Point
D. इनमें से कोई नहीं

52. एक प्रमुख प्रतिस्पर्धी लोटस 1–2–3 का है–
A. माइक्रोसॉफ्ट Excel
B. माइक्रोसॉफ्ट Word
C. माइक्रोसॉफ्ट Power Point
D. इनमें से कोई नहीं

53. एक व्यक्तिगत जानकारी प्रबन्धक और ई–मेल से संचार में MS ऑफिस सॉफ्टवेयर है–
A. माइक्रोसॉफ्ट Outlook B. माइक्रोसॉफ्ट Word
C. MS-Power Point D. इनमें से कोई नहीं

54. स्लाइड–शो चलाने के बनाने के लिए पाठ, ग्राफिक्स, फिल्मों और अन्य वस्तुओं, जो दिखाया जा सकता है और Navigated के माध्यम से परदे पर प्रस्तुतकर्ता द्वारा या मुद्रित या transparencies स्लाइड पर एक का उपयोग करता है–
A. माइक्रोसॉफ्ट Word B. माइक्रोसॉफ्ट Power Point
C. माइक्रोसॉफ्ट Access D. इनमें से कोई नहीं

55. डाटाबेस के प्रबन्धन के लिए उपयोग करते हैं–
A. माइक्रोसॉफ्ट Access B. माइक्रोसॉफ्ट Power point
C. माइक्रोसॉफ्ट Word D. इनमें से कोई नहीं

56. यह सॉफ्टवेयर समाचार–पत्र, व्यवसाय कार्डस्, flyers ग्रीटिंग कार्ड या पोस्टकार्डों को बनाने के लिए काम आता है–
A. माइक्रोसॉफ्ट प्रकाशक B. माइक्रोसॉफ्ट Power Point
C. माइक्रोसॉफ्ट Access D. इनमें से कोई नहीं

57. प्राइमरी-की है–
A. यूनिक-की B. कॉमन-की
C. Tuples D. उपरोक्त सभी

58. MS-Access किस language को integrate करता है?
A. Java B. Visual Basic
C. C++ D. C

59. MS-Access में टेबल तैयार करने के लिये कौन-कौन सी पद्धतियां हैं?
A. Data table
B. Create table by design view
C. Wizard
D. उपरोक्त सभी

60. MS-Access निम्न में किस सुविधा को नहीं देता है?
A. Report B. Firm
C. Table D. Programme

61. व्यापक क्षेत्र नेटवर्किंग निम्नांकित किसके लिए उपयोगी नहीं है?
A. विदेश मंत्रालय B. नगर विमानन विभाग
C. विदेशी बैंक D. नगर निगम

62. .... एक सेन्ट्रल कम्प्यूटर है जो बहुत से PCs, वर्क–स्टेशन और अन्य कम्प्यूटरों के लिए डाटा और प्रोग्रामों के संग्रह को होल्ड करता है।
A. सुपर कम्प्यूटर B. मिनी कम्प्यूटर
C. लैपटॉप D. सर्वर

63. .... एक बहुत ही सीमित भौगोलिक क्षेत्र, सामान्यतः एक ही बिल्डिंग में पर्सनल कम्प्यूटरों को टिपिकली कनेक्ट करता है।
A. LAN B. BAN
C. TAN D. NAN

64. प्रथम नेटवर्क जिससे इंटरनेट की नींव पड़ी–
A. ARPA NET B. NSF NET
C. V NET D. I NET

65. जब कई कम्प्यूटरों को एक ही जगह पर जोड़ना होता है, तो उसे क्या कहा जाता है?
A. LAN B. WAN
C. INFINET D. WON

66. डम्ब टर्मिनल क्या है?
A. माइक्रो कम्प्यूटर
B. नगण्य इंटेलिजेंस वाला टर्मिनल
C. सेंट्रल कम्प्यूटर
D. CPU के साथ टर्मिनल

67. बैंकों द्वारा उपलब्ध कराई गई एटीएम की सुविधा किस नेटवर्किंग का उदाहरण है?

A. स्थानीय नेटवर्किंग B. व्यापक क्षेत्रीय नेटवर्किंग
C. मिश्रित नेटवर्किंग D. बहुउद्देशीय नेटवर्किंग

68. कम्प्यूटर नेटवर्क में कौन–से प्रकार का संसाधन सामान्यतः शेयर किया जाता है?

A. प्रिंटर्स B. स्पिकर्स
C. फ्लॉपी डिस्क ड्राइव D. कुंजीपटल

69. निम्नांकित में से कौन समान समूह का नहीं है?

A. इंटरनेट B. एप्पल टॉक
C. बस D. रिंग

70. .... नियमों का एक सैट है।

A. संसाधन/रिसोर्स लोकेटर
B. डोमेन
C. हाइपरटेक्स्ट
D. प्रोटोकॉल

71. मेनफ्रेम या सुपर कम्प्यूटर में एक्सेस के लिए यूजर्स अक्सर .... का उपयोग करते हैं।

A. टर्मिनल B. नोड
C. डेस्कटॉप D. हैंडहेल्ड

72. पर्सनल कम्प्यूटर .... बनाने के लिए साथ कनेक्ट किए जा सकते हैं।

A. सर्वर B. सुपर कम्प्यूटर
C. इंटरप्राइज D. नेटवर्क

73. टिपिकल नेटवर्क में सबसे महत्वपूर्ण या शक्तिशाली कम्प्यूटर कौन–सा है?

A. डेस्कटॉप B. नेटवर्क क्लाइंट
C. नेटवर्क सर्वर D. नेटवर्क स्टेशन

74. .... हार्डवेयर और सॉफ्टवेयर का एक कांबिनेशन है जो कम्प्यूटिंग डिवाइसों के बीच सूचना के आदान–प्रदान की सुविधा प्रदान करता है।

A. नेटवर्क B. पेरिफरल
C. एक्सपैंशन बोर्ड D. डिजिटल डिवाइस

75. सर्वर्स वे कम्प्यूटर हैं जो .... से कनेक्टेड दूसरे कम्प्यूटरों को रिसोर्सेस प्रोवाइड करते हैं।

A. नेटवर्क B. मेनफ्रेम
C. सुपरकम्प्यूटर D. क्लाइंट

76. डायल–अप इंटरनेट एक्सेस का एक लाभ निम्नलिखित है–

A. यह ब्रॉडबैंड टेक्नोलॉजी का उपयोग करता है
B. यह विद्यमान टेलीफोन सेवा का उपयोग करता है
C. यह सुरक्षा के लिए राऊटर का उपयोग करता है
D. मॉडेम स्पीड बहुत तेज होती है

77. .... टोपोलोजी में नेटवर्क कम्पोनेन्ट एक ही केबल से कनेक्ट किए जाते हैं।

A. स्टार B. रिंग
C. बस D. मेश

78. सूचना शेयर करने के लिए एक–दूसरे से कनेक्टेड दो या अधिक कम्प्यूटर से .... बनता है।

A. नेटवर्क B. राऊटर
C. सर्वर D. टनल

79. बड़े पैमाने पर भौगोलिक रूप से अलग–अलग फैले हुए ऑफिस LANs एक कॉर्पोरेट .... के उपयोग से कनेक्ट किए जा सकते हैं।

A. CAN B. LAN
C. DAN D. WAN

80. निम्नलिखित में से कौन–सा एक छोटा सिंगल–साइट नेटवर्क है?

A. LAN B. DSL
C. RAM D. USB

81. टर्मिनल क्या है?

A. कम्प्यूटर को पावर सप्लाई देने वाला उपकरण
B. वह बिंदु जिस पर डाटा कम्प्यूटर में प्रवेश करता है या निकलता है
C. किसी प्रोग्राम का अंतिम अनुदेश
D. कोई भी इनपुट/आउटपुट उपकरण

82. उस डिवाइस को क्या कहते हैं जो केबल के प्रयोग के बिना नेटवर्क से कनेक्ट कर देती है?

A. डिस्ट्रीब्यूटिड B. वायरलेस
C. सेंट्रलाइज्ड D. ओपन सोर्स

83. कम्प्यूटर .... में दो या अधिक कम्प्यूटर और अन्य डिवाइसेस होते हैं जो डाटा और प्रोग्राम शेयर करने के लिए कनेक्टेड होते हैं।

A. नेटवर्क B. सिस्टम
C. वर्क स्टेशन D. डिवाइस

84. इलेक्ट्रॉनिक्स की सहायता से एक स्थान से दूसरे स्थान पर सूचना प्रेषित करने की क्रिया को .... कहते हैं।

A. दूरसंचार B. डाटा संचार
C. सुगम संचार D. कोई भी नहीं

85. एक या एक से अधिक कम्प्यूटर और विविध प्रकार के टर्मिनलों के बीच आँकड़ों को भेजना या प्राप्त करना .... कहलाता है।

A. दूरसंचार B. डाटा संचार
C. सुगम संचार D. कोई भी नहीं

86. किसी भी नेटवर्क के मूल अंग हैं–

A. टर्मिनल
B. दूरसंचार प्रोसेसर
C. दूरसंचार चैनल एवं माध्यम
D. उपर्युक्त तीनों

87. निम्नलिखित कथन सही है–
A. टर्मिनल मुख्य रूप से वीडियो टर्मिनल एवं वर्क–स्टेशन का समावेश होता है
B. इनपुट एवं आउटपुट उपकरण नेटवर्क में डाटा भेजने एवं प्राप्त करने का कार्य करते हैं
C. उपर्युक्त दोनों गलत
D. A तथा B दोनों सही

88. निम्नलिखित में से कौन–सा कथन दूरसंचार प्रोसेसर के लिए सही है?
A. यह टर्मिनल और कम्प्यूटर के बीच रहते हैं
B. ये डाटा भेजने एवं प्राप्त करने में सहायता करते हैं
C. उपर्युक्त दोनों गलत
D. A तथा B दोनों सही

89. दूरसंचार प्रोसेसर है–
A. मोडेम मल्टीप्लेक्सर B. फ्रन्ट एंड प्रोसेसर
C. उपर्युक्त दोनों D. कोई भी नहीं

90. दूरसंचार चैनल एवं माध्यम के लिए सही है–
A. वे माध्यम जिनके ऊपर डाटा प्रेषित एवं प्राप्त किया जाता है
B. दूरसंचार नेटवर्क के विभिन्न अंगों को जोड़ने के लिए इनका उपयोग करते हैं
C. उपर्युक्त दोनों गलत
D. A तथा B दोनों सही

91. w.w.w. से शुरू होने वाला पता किससे सम्बन्ध रखता है?
A. मोडेम से B. इंटरनेट से
C. टेलीफोन से D. वेबसाइट से

92. दूर बैठे व्यक्ति इंटरनेट के द्वारा सम्पर्क कर वस्तुओं एवं सेवाओं की खरीद–बिक्री तथा लेन–देन का कार्य किस तरह से करते हैं?
A. ई–कॉमर्स के माध्यम से B. इंटरनेट के माध्यम से
C. ई–मेल के माध्यम से D. वेबसाइट के माध्यम से

93. वेबसाइट का address निम्नलिखित में से कहलाता है–
A. User ID B. URL
C. Time Stamp D. उपर्युक्त सभी

94. एक कम्प्यूटर का डाटा दूर स्थित किसी अन्य कम्प्यूटर पर इंटरनेट से भेजने के लिए निम्न में किसका प्रयोग किया जाता है?
A. टैलेक्स B. मॉडेम
C. फैक्स D. टेलीग्राफ

95. भारत में इंटरनेट की सेवाएँ किसके द्वारा उपलब्ध हो रही हैं?
A. BSNL के द्वारा B. MTNL के द्वारा
C. उपर्युक्त दोनों के द्वारा D. WLL के द्वारा

96. मोडेम का पूरा नाम क्या है?
A. मोडूलेटर डिमोडूलेटर B. मोडूलेटर डिमोडूलेशन
C. मोडूलेटर डिस्कशन D. उपर्युक्त सभी

97. ई–मेल का पूरा नाम क्या है?
A. इंग्लिश मेल B. इलेक्ट्रिक मेल
C. इलेक्ट्रॉनिक मेल D. इसेन्सियल मेल

98. इंटरनेट का पूरा नाम है–
A. इंटरकांटिनेंटल नेटवर्क B. इंटरनेशनल नेटवर्क
C. इंटरनल नेटवर्क D. इंटरकॉम नेटवर्क

99. वह युक्ति जिसके द्वारा आंकड़ों को टेलीफोन के माध्यम से बाइनरी सिग्नलों की सहायता से भेजा जाता है, कहलाता है–
A. मोडेम B. मॉनीटर
C. माउस D. O.C.R.

100. 'सूचना राजपथ' किसे कहते हैं?
A. ई–मेल को B. पेजर को
C. सेल्यूलर फोन को D. इंटरनेट को

101. ई–मेल (E-Mail) का जन्मदाता किसे माना जाता है?
A. बिल गेट्स B. टिमोथी बिल
C. लिंकन गोलिटसबर्ग D. रे टॉमलिंसन

102. www. का पूर्ण रूप है–
A. वेब वर्किंग विंडो B. विंडो वर्ल्ड वाइड
C. वर्ल्ड वाइड वेब D. वर्ल्ड वर्किंग वेब

103. www. के आविष्कारक तथा प्रवर्तक हैं–
A. बिल गेट्स B. ली.एन. फियोंग
C. एन रसेल D. टिमबर्नर्स ली

104. याहू, गूगल एवं MSN हैं–
A. इंटरनेट साइट्स
B. कम्प्यूटर ब्राण्ड
C. स्विट्जरलैंड निर्मित घड़ियाँ
D. शनि ग्रह के छल्ले

105. निम्नलिखित में कौन–सी सूचना प्रौद्योगिकी शब्दावली नहीं है?
A. साइबर स्पेस B. अपलोड
C. प्रकाश भण्डारण D. मोडेम

106. वेब पेज / पृष्ठ को रीलोड करने हेतु .... बटन दबाएं।
A. रीडू B. रीलोड
C. रिस्टोर D. सीटीआरएल (Ctrl)

107. इंटरनेट के जरिये लिंकों के संग्रहण से एक इंटर कनेक्टेड नेटवर्क सृजित हो जाता है, उसे .... कहा जाता है।
A. डब्ल्यू डब्ल्यू डब्ल्यू B. वेब
C. वर्ल्डवाइड वेब D. उपर्युक्त सभी

108. .... में कई कम्प्यूटर्स का समावेश है जो संसाधन और डाटा शेयर करने हेतु एकत्रित जोड़े जाते हैं।
A. इंटरनेट B. नेटवर्क
C. बैंकबोन D. हाइपरलिंक

109. क्लासरूम में न जाते हुए कम्प्यूटरों के विषय में अध्ययन के लोकप्रिय तरीके को .... कहा जाता है।

A. आइ–लर्निंग B. आइसोलेटेड लर्निंग
C. ई–लर्निंग D. क्लोज लर्निंग

110. एक व्यक्ति जिसकी विशेषज्ञता अन्य व्यक्तियों के कम्प्यूटर्स से जानकारी गैरकानूनी तरीके से या उसे डैमेज करने हेतु .... से एक्सेस प्राप्त किया जाता है।

A. स्पैमर B. हैकर
C. तत्काल संदेशवाहक D. प्रोग्रामर

111. .... फोल्डर संदेशों की कापियाँ रखता है जिन्हें आपने आरंभ किया है तथापि भेजने हेतु तैयार नहीं है–

A. इन बॉक्स B. आउट बॉक्स
C. ड्रॉफ्ट्स D. सेंट/भेजे गए आइटम्स

112. उनकी पहचान/आइडेंटिटी को गलत दिखलाने/ झुठलाने के जरिए व्यक्तियों द्वारा किया गया प्रयास .... है, ताकि आपसे गोपनीय सूचनाएं प्राप्त की जा सकें।

A. फिशिंग ट्रिप्स B. कम्प्यूटर वायरस्पेस
C. स्पायवेयर स्कैम्स D. फिशिंग स्कैन्स

113. निम्न में से कौन–सा सत्य नहीं है?

A. चैटिंग ई–मेल के समान है
B. चैटिंग केवल एक व्यक्ति के साथ की जा सकती है
C. चैटिंग में बहुत से लोग शामिल हो सकते हैं
D. चैटिंग इलेक्ट्रॉनिक संवाद है

114. ई–मेल पते के दो भाग कौन–से हैं?

A. यूजर नाम और गली का नाम
B. विधिक नाम और फोन नंबर
C. इनीशियल और पासवर्ड
D. यूजर नाम और डोमेन नाम

115. ई–मेल भेजना किसके समान है?

A. पत्र लिखना B. तस्वीर बनाना
C. फोन पर बात करना D. पैकेज भेजना

116. ब्राउजर क्या करता है?

A. पुस्तकालय में पत्रिकाओं और किताबों में ढूँढता है
B. सामग्री को वास्तव में तेजी से पढ़ता है
C. आपका समय बर्बाद करता है
D. यह वेब पेज देखने के लिए प्रयुक्त एक सॉफ्टवेयर है

117. अधिकांश वेबसाइट में मेन पेज, ... होता है जो शेष वेब साइट पेजेज के डोरवे का काम करता है।

A. सर्च इंजन B. होम पेज
C. ब्राउजर D. URL

118. ई–मेल अकाउंट में एक स्टोरेज एरिया होता है जिसे अक्सर .... कहते हैं।

A. अटैचमेंट B. हाइपरलिंक
C. मेल–बॉक्स D. IP एड्रेस

119. मॉडेम किससे जुड़ा होता है?

A. प्रोसेसर B. मदर बोर्ड
C. प्रिंटर D. फोन लाइन

120. आप इंटरनेट से ....

A. इलेक्ट्रॉनिक मेल भेज सकते हैं
B. वेब पेज देख सकते हैं
C. पूरे विश्व में सर्वर से जुड़ जाते हैं
D. उपरोक्त सभी

121. 'स्पैम' (Spam) किस विषय से सम्बन्धित शब्द है?

A. कम्प्यूटर B. कला
C. संगीत D. खेल

122. निम्नांकित में से कौन–सी सूचना प्रौद्योगिकी पारिभाषिकीय नहीं है?

A. लॉग इन B. मोडेम
C. पासवर्ड D. पिनाका

123. भारत में सर्वप्रथम दिखाई देने वाला कम्प्यूटर वायरस है–

A. सी–ब्रेन B. कोलम्बस
C. मैक बग D. इनमें से कोई नहीं

124. जब इंटरनेट का उपयोग संदेश प्रेषित करने में किया जाता है तो यह सुविधा कहलाती है–

A. साइबर स्पेस B. निकनेट
C. ई–मेल D. आईनेट

125. इनमें से कौन–से कम्प्यूटर में वायरस नहीं है?

A. बनहाफ B. मंकी
C. चंगू–मंगू D. मनोज

126. .... में माइकेल एंजेलो नामक वायरस विश्व में चिन्ता का कारण बना हुआ था।

A. 1999 B. 1992
C. 1994 D. 1993

127. ई–मेल क्या है?

A. एक इंटरनेट स्टैण्डर्ड जो यूजर को फाइल्स अपलोड और डाउनलोड करने देता है
B. एक ऑनलाइन एरिया जिसमें यूजर किसी खास विषय के बारे में लिखित रूप से चर्चा करता है
C. कम्प्यूटर नेटवर्क के माध्यम से संदेशों तथा फाइलों का ट्रांसमिशन
D. एक रियल टाइम टाइप्ड कनवर्सेसन

128. चैट क्या है?

A. एक इंटरनेट स्टैण्डर्ड जो यूजर को फाइल्स अपलोड और डाउनलोड करने देता है
B. एक ऑनलाइन एरिया जिसमें यूजर किसी खास विषय के बारे में लिखित रूप से चर्चा करता है
C. कम्प्यूटर नेटवर्क के माध्यम से संदेशों तथा फाइलों का ट्रांसमिशन
D. एक रियल टाइम टाइप्ड कन्वर्सेशन

129. गोपनीय कोड जो कुछ प्रोग्रामों में प्रविष्टि प्रतिबंधित करता है ....

A. पासवर्ड B. पासपोर्ट
C. एन्ट्रीकोड D. एक्सेस कोड

130. इंटरनेट पर सर्वर से सूचना पाने के कम्प्यूटर के प्रोसेस को .... कहते हैं।

A. पुलिंग B. पुशिंग
C. डाउनलोडिंग D. ट्रांसफरिंग

131. भारतीय सूचना प्रौद्योगिकी अधिनियम (IT Act) कब लागू किया गया था?

A. 1998 B. 2000
C. 2002 D. 2005

132. भारतीय सूचना प्रौद्योगिकी अधिनियम, 2000 का मुख्य उद्देश्य क्या है?

A. केवल ई–कॉमर्स को बढ़ावा देना
B. इलेक्ट्रॉनिक लेन–देन और डिजिटल सिग्नेचर को कानूनी मान्यता देना
C. दूरसंचार सेवाओं का नियंत्रण करना
D. सभी नागरिकों को इंटरनेट एक्सेस प्रदान करना

133. निम्नलिखित में से IT Act, 2000 के तहत कानूनी रूप से मान्यता प्राप्त है :

A. केवल कागजी अनुबंध B. डिजिटल सिग्नेचर
C. मौखिक समझौते D. उपरोक्त में से कोई नहीं

134. भारत में डिजिटल सिग्नेचर सर्टिफिकेट (DSC) कौन जारी करता है?

A. इलेक्ट्रॉनिक्स और IT मंत्रालय
B. Certifying Authorities (CA)
C. भारतीय रिजर्व बैंक
D. भारतीय दूरसंचार नियामक प्राधिकरण

135. इलेक्ट्रॉनिक रिकॉर्ड की कानूनी मान्यता IT Act के किस सेक्शन में दी गई है?

A. सेक्शन 3 B. सेक्शन 4
C. सेक्शन 10 D. सेक्शन 12

136. IT Act, 2000 किन अपराधों के लिए दंड प्रदान करता है?

A. साइबर क्राइम B. हैकिंग
C. पहचान चोरी D. उपरोक्त सभी

137. निम्नलिखित में से कौन IT Act, 2000 के तहत कवर नहीं है?

A. डिजिटल सिग्नेचर
B. ई–कॉमर्स अनुबंध
C. साइबर अपराध
D. ऑफलाइन आपराधिक मानहानि

138. भारत में Electronic Governance (E-Gocernance) की अवधारणा को किसने समर्थित किया है?

A. IT Act, 2000 B. भारतीय दंड संहिता
C. कंपनी अधिनियम D. भारतीय साक्ष्य अधिनियम

139. IT Act, 2000 की एक मुख्य विशेषता कौन–सी है?

A. ईमेल को कोर्ट में साक्ष्य के रूप में मान्यता देना
B. मोबाइल फोन टैरिफ का नियंत्रण
C. समाचार प्रकाशन का नियंत्रण
D. रेडियो स्टेशन का लाइसेंसिंग

140. IT Act, 2000 में Cyber Terrorism और Data Protection की प्रावधान जोड़ना Amendment कौन–सा है?

A. IT Act संशोधन 2002 B. IT Act संशोधन 2008
C. IT Act संशोधन 2010 D. IT Act संशोधन 2015

141. Digital Signature क्या है?

A. दस्तावेज पर हस्ताक्षर का स्कैन
B. किसी इलेक्ट्रॉनिक दस्तावेज की प्रमाणीकरण सुनिश्चित करने वाला कोड
C. ऑनलाइन बैंकिंग का पासवर्ड
D. ईमेल सत्यापन लिंक

142. भारत में Digital Signature को कानूनी मान्यता किस Act प्राप्त है?

A. भारतीय दंड संहिता B. IT Act, 2000क
C. कंपनी अधिनियम D. भारतीय साक्ष्य अधिनियम

143. Digital Signature Certificates (DSC) भारत में कौन जारी है?

A. वित्त मंत्रालय
B. Certifying Authorities (CA)
C. भारतीय रिजर्व बैंक
D. दूरसंचार नियामक प्राधिकरण

144. Digital Signature में कौन–सा Key Pair उपयोग होता है?

A. Secret Key और PIN
B. Public Key और Private Key
C. Username और Password
D. OTP और Token

145. Digital Signature द्वारा क्या सुनिश्चित किया जाता है?

A. प्रमाणीकरण B. अखंडता
C. नॉन–रेप्यूडिएशन D. उपरोक्त सभी

146. IT Act, 2000 का कौन–सा सेक्शन Digital Signatures से संबंधित है?

A. सेक्शन 3 B. सेक्शन 5
C. सेक्शन 17 D. सेक्शन 66

147. Digital Signatures किस तकनीक पर आधारित हैं?

A. Blockchain B. Cryptography
C. क्लाउंड कंप्यूटिंग D. आर्टिफिशियल इंटेलिजेंस

148. भारत में Digital Signatures के कितने Classes हैं?

A. Class 1 B. Class 2
C. Class 3 D. Class 4

149. Digital Signatures कोर्ट में किस प्रकार के साक्ष्य के रूप में मान्य हैं?

A. मौखिक साक्ष्य B. लिखित साक्ष्य
C. इलेक्ट्रॉनिक साक्ष्य D. कोई नहीं

150. भारत में Certifying Authorities को नियंत्रित और लाइसेंस कौन करता है?

A. वित्त मंत्रालय
B. Controller of Certifying Authorities (CCA)
C. TRAI
D. RBI

151. E-Governance में G2C का क्या अर्थ है?

A. सरकार से निगम B. सरकार से नागरिक
C. सरकार से समुदाय D. सरकार से समिति

152. कौन–सी पहली नागरिकों को Common Service Centres (CSCs) के माध्यम से डिजिटल सेवाएं प्रदान करती है?

A. Digital India B. Make in India
C. Skill India D. Startup India

153. भारत में Online Tax Filling के लिए कौन–सा IT Platform उपयोग किया जाता है?

A. MCA21 B. GSTN
C. DigitLocker D. UMANG

154. निम्नलिखित में से कौन G2B E-Governance का उदाहरण है?

A. Online Passport Application
B. e-Procurement
C. DigiLocker
D. Online Voter Registration

155. UMANG App का उद्देश्य क्या है?

A. बैंकिंग सेवाएं
B. Unified Mobile Application for New-age Governance
C. दूरसंचार विनियमन
D. डिजिटल शिक्षा

156. भारत में E-Governance Initiatives का संचालन कौन करता है?

A. वित्त मंत्रालय
B. Ministry of Electronics and IT
C. गृह मंत्रालय
D. वाणिज्य मंत्रालय

157. कौन–सी सेवा नागरिकों को सरकारी दस्तावेज Digitally स्टोर करने की सुविधा देती है?

A. DigiLocker B. UMANG
C. Aadhaar Portal D. e-Office

158. Online Corporate Filings और Company Services के लिए कौन–सा सिस्टम उपयोग होता है?

A. e-Procurement B. MCA21
C. GSTN D. e-Office

159. E-Office का मुख्य उपयोग क्या है?

A. नागरिक दस्तावेज संग्रहण
B. सरकारी आंतरिक कार्यालय कार्यप्रवाह और फाइल प्रबंधन
C. ऑनलाइन बैंकिंग
D. कर संग्रह

160. E-Governance का मुख्य लाभ क्या है?

A. भ्रष्टाचार में वृद्धि
B. पारदर्शिता और दक्षता
C. नागरिकों की पहुंच में कमी
D. केवल कागजी कार्य

161. निम्नलिखित में से कौन–सा शैक्षिक (Educational) अनुप्रयोग है?

A. व्हाट्सएप B. बायजूस (BYJU'S)
C. इंस्टाग्राम D. यूटयूब म्यूजिक

162. Mobile Banking Smartphones पर किसका उदाहरण है?

A. ई-कॉमर्स B. ई–गवर्नेंस
C. वित्तीय अनुप्रयोग D. सोशल नेटवर्किंग

163. निम्नलिखित में से कौन–सा स्वास्थ्य और फिटनेस (Health & Fitness) अनुप्रयोग है?

A. गूगल मैप्स B. गूगल फिट (Google Fit)
C. फेसबुक D. लिंक्डइन

164. Navigation के लिए Smartphone को कौन–सी सुविधा उपयोग होती है?

A. जीपीएस (GPS) B. एनएफसी (NFC)
C. ब्लूटूथ D. वाई–फाई

165. WhatsApp और Telegram मुख्य रूप से किसके लिए उपयोग होते हैं?

A. वित्तीय लेन–देन B. संचार
C. स्वास्थ्य निगरानी D. नेविगेशन

166. नागरिकों के लिए सरकारी सेवा Apps में कौन–सा Smartphone App शामिल है?

A. उमंग (UMANG) B. इंस्टाग्राम
C. टिकटोक D. जूम

167. Online Shopping के लिए कौन–सा SmartPhone App उपयोग होता है?

A. फिलपकार्ट B. गूगल फिट
C. जूम D. लिंक्डइन

168. Contactless Payments के लिए कौन–सी Smartphone सुविधा उपयोग होती है?

A. जीपीएस B. एनएफसी (NFC)
C. वाई–फाई D. ब्लूटूथ

169. Telemedicine Services Smartphones पर किसके लिए उपयोगी हैं?

A. ऑनलाइन शॉपिंग
B. वर्चुअल मेडिकल परामर्श
C. ऑनलाइन बैंकिंग
D. सोशल नेटवर्किंग

170. निम्नलिखित में से कौन–सा मनोरंजन (Entertainment) अनुप्रयोग है?

A. नेटफ्लिक्स
B. डिजीलॉकर
C. उमंग
D. जीएसटीएन

171. Information Kiosk क्या है?

A. स्वयं–सेवा डिजिटल टर्मिनल जो जानकारी और सेवाएं प्रदान करता है
B. भौतिक पुस्तकालय
C. बैंक काउंटर
D. सरकारी कार्यालय डेस्क

172. भारत में नागरिक सेवाओं के लिए कौन–सा सेक्टर कियोस्क का उपयोग करता है?

A. ई–गवर्नेंस
B. निर्माण
C. केवल कृषि
D. मनोरंजन

173. सरकारी संबंधित कियोस्क का उदाहरण क्या है?

A. ई–सेवा (Utility Bill भुगतान के लिए)
B. ऑनलाइन शॉपिंग
C. मूवी टिकट बुकिंग
D. फिटनेस ट्रैकिंग

174. कियोस्क को सार्वजनिक स्थानों में उपयोग कौन बनाता है?

A. स्वयं–सेवा और वास्तविक समय की जानकारी
B. सभी सेवाओं के लिए कर्मचारी सहायता की आवश्यकता
C. केवल मुद्रित जानकारी प्रदान करता है
D. केवल ऑफलाइन भुगतान के लिए उपयोग किया जा सकता है

175. Hospitals में कियोस्क मुख्य रूप से किस कार्य के लिए उपयोग में लाया जाता है?

A. रोगी पंजीकरण और अपॉइंटमेंट शेड्यूलिंग
B. मूवी टिकट बुकिंग
C. ऑनलाइन शॉपिंग
D. बैंकिंग लेन–देन

176. Airport और Railway Stations में कौन–से कियोस्क उपयोग होते हैं?

A. यात्रा सूचना कियोस्क
B. ई–कॉमर्स कियोस्क
C. रेस्टोरेंट ऑर्डरिंग कियोस्क
D. फिटनेस ट्रैकिंग कियोस्क

177. सरकारी कार्यालयों में कियोस्क का लाभ क्या है?

A. मानव हस्तक्षेप कम करता है और दक्षता बढ़ाता है
B. प्रतीक्षा समय बढ़ाता है
C. नागरिकों की जानकारी तक पहुंच कम करता है
D. कागजी कार्य बढ़ाता है

178. रिटेल और वाणिज्यिक (Commercial) क्षेत्र कियोस्क का उपयोग किसके लिए करते हैं?

A. सेल्फ–चेकआउट और उत्पाद जानकारी
B. केवल सरकारी सेवाओं के लिए
C. केवल अस्पतालों में
D. केवल शिक्षा क्षेत्र में

179. Information Kiosks को बेहतर सेवा के लिए किस तकनीक के साथ जोड़ा जा सकता है?

A. इंटरनेट और वास्तविक समय डेटाबेस
B. टाइपराइटर
C. लैंडलाइन फोन
D. कागज आधारित फाइलिंग सिस्टम

180. कियोस्क का एक सीमितता (Limitation) क्या है?

A. तकनीकी रखरखाव और नेटवर्क कनेक्टिविटी की आवश्यकता
B. हमेशा बिना रखरखाव के काम करता है
C. डिजिटल साक्षरता की कोई आवश्यकता नहीं
D. बिजली के बिना चलता है

181. Google Earth का मुख्य उपयोग क्या है?

A. वास्तविक समय में पृथ्वी का मानचित्र देखना
B. केवल गेम खेलना
C. केवल सोशल नेटवर्किंग के लिए
D. केवल ऑनलाइन शॉपिंग के लिए

182. निम्नलिखित में से कौन–सा Google Earth का अनुप्रयोग है?

A. भौगोलिक स्थानों की खोज और नेविगेशन
B. ई–कॉमर्स
C. मोबाइल गेमिंग
D. सोशल मीडिया पोस्टिंग

183. Google Earth का उपयोग किस क्षेत्र में किया जा सकता है?

A. शहरी योजना
B. कृषि और पर्यावरण निगरानी
C. शिक्षा और शोध
D. उपरोक्त सभी

184. निम्नलिखित में से कौन–सा Google Earth की विशेषता है?

A. 3D सैटेलाइट इमेजरी
B. केवल 2D नक्शा
C. केवल टेक्स्ट–आधारित डेटा
D. केवल स्थीय फोटो

185. Disaster Management में Google Earth का उपयोग कैसे किया जाता है?

A. प्रभावित क्षेत्रों का मानचित्र और निगरानी
B. केवल मनोरंजन के लिए
C. केवल बैंकिंग सेवाओं के लिए
D. केवल सोशल मीडिया ट्रैकिंग

186. शिक्षा और शोध में Google Earth का उपयोग किसलिए होता है?
A. भौगोलिक अध्ययन और पर्यावरण अनुसंधान
B. केवल गेमिंग
C. केवल ई–कॉमर्स
D. केवल समाचार पढ़ने के लिए

187. Google Earth की कौन–सी विशेषता उपयोगकर्ताओं को सटीक स्थानों का पता लगाने में मदद करती है?
A. GPS इंटिग्रेशन B. केवल इंटरनेट ब्राउजिंग
C. केवल कैमरा फिल्टर D. केवल दस्तावेज स्कैनिंग

188. निम्नलिखित में से कौन–सा व्यवसायिक उपयोग है Google Earth का?
A. संपत्ति मूल्यांकन और भूमि प्रबंधन
B. केवल मनोरंजन
C. केवल सोशल नेटवर्किंग
D. केवल वित्तीय लेन–देन

189. पर्यावरण निगरानी में Google Earth कैसे मदद करता है?
A. वनस्पति और जल स्रोत की स्थिति का विश्लेषण
B. केवल मोबाइल गेमिंग
C. केवल वीडियो स्ट्रीमिंग
D. केवल बैंकिंग

190. Google Earth या समान अनुप्रयोग के लिए मुख्य आवश्यकता क्या है?
A. इंटरनेट कनेक्शन और कंप्यूटर या स्मार्टफोन डिवाइस
B. केवल ऑफलाइन कागजी मैप
C. केवल प्रिंटेड फोटो
D. केवल मोबाइल कैमरा

191. मोबाइल फोन में GPS तकनीक का मुख्य उपयोग क्या है?
A. संदेश भेजने के लिए
B. स्थान (Location) का पता लगाने के लिए
C. गेम खेलने के लिए
D. संगीत सुनने के लिए

192. Mobile Banking का प्रयोग किस कार्य में होता है?
A. पैसे निकालने क लिए
B. ऑनलाइन लेन–देन (Transaction) के लिए
C. टिकट खरीदने के लिए
D. फोटो लेने के लिए

193. स्मार्ट फोन में कौन–सा सेंसर दिशा (Direction) बताने में सहायक होता है?
A. Gyroscope B. Accelerometer
C. Magnetometer D. Barometer

194. m-Governance का क्या अर्थ है?
A. Manual Governance
B. Mobile आधारित शासन
C. Machine Governance
D. Modern Governance

195. शिक्षा क्षेत्र में मोबाइल ऐप्स का मुख्य लाभ क्या है?
A. परीक्षा रद्द करना
B. ऑनलाइन सीखने (E-learning) की सुविधा
C. पुस्तकों की कीमत बढ़ाना
D. शिक्षा का निजीकरण

196. स्वास्थ्य सेवाओं में मोबाइल ऐप्स का उपयोग किस नाम से जाना जाता है?
A. e-Health B. m-Health
C. i-Health D. Smart Health

197. कौन–सा ऐप सरकारी शिकायत दर्ज कराने के लिए बनाया गया है?
A. Instagram B. Twitter
C. MyGov D. TikTok

198. QR Code मुख्यतः किस कार्य में उपयोग होता है?
A. मोबाइल चार्ज करने में
B. सूचना साझा करने में
C. भुगतान (Payment) करने में
D. गेम खेलने में

199. स्मार्टफोन में "Cloud Storage" का उपयोग किसलिए होता है?
A. फोटो एडिट करने में
B. डेटा को ऑनलाइन सहेजने में
C. वीडियो डाउनलोड करने में
D. नेटवर्क बढ़ाने में

200. मोबाइल में "Two Factor Authentication" का उद्देश्य क्या है?
A. फोन की स्पीड बढ़ाना
B. सुरक्षा (Security) बढ़ाना
C. कैमरा की गुणवत्ता सुधारना
D. इंटरनेट स्पीड घटाना

201. Information Kiosk क्या होता है?
A. कंप्यूटर लैब
B. स्वचालित सूचना देने वाली मशीन
C. इंटरनेट कैफे
D. कार्यालय फाइल

202. भारत में सार्वजनिक सूचना कियोस्क (Public Information Kiosk) का उपयोग सबसे पहले कहाँ हुआ?
A. दिल्ली B. हैदराबाद
C. बेंगलुरु D. पुणे

203. ग्रामीण क्षेत्रों में सूचना कियोस्क का मुख्य उद्देश्य क्या है?
A. मनोरंजन देना
B. सरकारी योजनाओं की जानकारी देना
C. कंप्यूटर बेचना
D. मोबाइल सर्विस देना

204. Railway Enquiry Kiosk का प्रयोग किसलिए किया जाता है?
A. ट्रेन का समय जानने के लिए
B. टिकट चेक करने के लिए
C. पुलिस रिपोर्ट करने के लिए
D. विज्ञापन दिखाने के लिए

205. "Touch Screen Technology" किस प्रकार के कियोस्क में प्रयोग होती है?
A. Manual Kiosk B. Automatic Kiosk
C. Smart Kiosk D. Digital Kiosk

206. सूचना कियोस्क में Internet का प्रयोग क्यों किया जाता है?
A. गेम खेलने के लिए
B. डेटा प्राप्त करने और भेजने के लिए
C. वीडियो देखने के लिए
D. सोशल मीडिया के लिए

207. सरकारी सेवाओं के लिए उपयोग किए जाने वाले कियोस्क का एक उदाहरण है
A. ATM B. e-Seva Kiosk
C. Selfie Booth D. Ticket Counter

208. Smart City Mission में कियोस्क का उपयोग किसलिए किया जाता है?
A. विज्ञापन
B. नागरिक सूचना (Citizen Information) और शिकायतें दर्ज करने के लिए
C. बिजली नियंत्रण
D. पुलिस रिपोर्ट

209. Information Kiosk का मुख्य लाभ क्या है?
A. कम मानव हस्तक्षेप (Human Intervention)
B. महँगी सेवा
C. धीमी प्रक्रिया
D. जटिल संचालन

210. पर्यटन स्थलों पर स्थापित कियोस्क किस प्रकार की जानकारी देते हैं?
A. मौसम
B. स्थानीय स्थल, नक्शा और मार्गदर्शन
C. खेल समाचार
D. सोशल मीडिया अपडेट

211. Google Earth कौन–सी तकनीक का उपयोग करता है?
A. Cloud Computing
B. Satellite Imagery (उपग्रह चित्रण)
C. Artificial Intelligence
D. Blockchain

212. Google Earth Pro का उपयोग कौन कर सकता है?
A. केवल विद्यार्थी B. कोई भी व्यक्ति (Anyone)
C. केवल वैज्ञानिक D. केवल सरकारी अधिकारी

213. Google Earth की सहायता से क्या देखा जा सकता है?
A. तारे
B. ग्रह
C. पृथ्वी का 3D दृश्य (3D View)
D. सोशल मीडिया प्रोफाइल

214. कौन–सा एप Google Earth के समान कार्य करता है?
A. Google Maps
B. WhatApp
C. Telegram
D. Twitter

215. Google Earth में "Street View" सुविधा का उपयोग किसके लिए किया जाता है?
A. सड़क का 3D दृश्य देखने के लिए
B. संगीत सुनने के लिए
C. समाचार पढ़ने के लिए
D. वीडियो बनाने के लिए

216. Google Earth किसके लिए उपयोगी है?
A. पर्यटक और शोधकर्ता दोनों के लिए
B. केवल डॉक्टरों के लिए
C. केवल वकीलों के लिए
D. केवल छात्रों के लिए

217. कृषि क्षेत्र में Google Earth का उपयोग कैसे किया जा सकता है?
A. मिट्टी और फसल क्षेत्र (Crop Area) का विश्लेषण करने में
B. बीज बेचने में
C. फसल काटने में
D. ट्रैक्टर चलाने में

218. Disaster Management में Google Earth की क्या भूमिका है?
A. भूकंप या बाढ़ के क्षेत्रों की पहचान
B. मौसम समाचार दिखाना
C. जनगणना करना
D. अपराध रिपोर्ट करना

219. Google Earth का "Timeline Feature" क्या दिखाता है?
A. पुराने उपग्रह चित्र (Historical Satellite Images)
B. मोबाइल लोकेशन
C. सोशल मीडिया पोस्ट
D. मौसम रिपोर्ट

220. निम्नलिखित में से कौन वेब ब्राउजर का उदाहरण नहीं है?
A. फेसबुक
B. एप्पल सफारी
C. ओपेरा
D. गूगल क्रोम

उत्तरमाला

1	2	3	4	5	6	7	8	9	10
A	D	A	A	A	D	C	D	C	D
11	12	13	14	15	16	17	18	19	20
C	C	B	D	C	A	C	D	D	C
21	22	23	24	25	26	27	28	29	30
A	B	C	D	D	D	D	B	A	D
31	32	33	34	35	36	37	38	39	40
B	D	A	B	B	A	D	C	A	D
41	42	43	44	45	46	47	48	49	50
B	C	A	A	C	A	B	A	D	A
51	52	53	54	55	56	57	58	59	60
A	A	A	B	A	A	A	B	D	D
61	62	63	64	65	66	67	68	69	70
D	B	A	A	A	B	B	A	B	D
71	72	73	74	75	76	77	78	79	80
A	D	C	A	A	A	C	A	D	A
81	82	83	84	85	86	87	88	89	90
B	B	A	A	B	D	D	D	C	D
91	92	93	94	95	96	97	98	99	100
D	A	B	B	C	A	C	B	A	D
101	102	103	104	105	106	107	108	109	110
D	C	D	A	C	B	D	A	C	B
111	112	113	114	115	116	117	118	119	120
C	D	B	D	A	D	B	C	D	D
121	122	123	124	125	126	127	128	129	130
A	D	D	C	D	D	C	B	A	C
131	132	133	134	135	136	137	138	139	140
B	B	B	B	B	D	D	A	A	B
141	142	143	144	145	146	147	148	149	150
B	B	B	B	D	A	B	D	C	B
151	152	153	154	155	156	157	158	159	160
B	A	B	B	B	B	A	B	B	B
161	162	163	164	165	166	167	168	169	170
B	C	B	A	B	A	A	B	B	A
171	172	173	174	175	176	177	178	179	180
A	A	A	A	A	A	A	A	A	A
181	182	183	184	185	186	187	188	189	190
A	A	D	A	A	A	A	A	A	A
191	192	193	194	195	196	197	198	199	200
B	B	C	B	B	B	C	C	B	B
201	202	203	204	205	206	207	208	209	210
B	C	B	A	D	B	B	B	A	B
211	212	213	214	215	216	217	218	219	220
B	B	C	A	A	A	A	A	A	A

सामान्य अध्ययन
(GENERAL STUDIES)

1

भारत का इतिहास

प्राचीन भारत

सिंधु घाटी सभ्यता

- सिंधु सभ्यता की खोज 1921 ई. में दयाराम साहनी ने की।
- सिंधु घाटी की सभ्यता का नामकरण, हड़प्पा नामक स्थान, जहाँ यह संस्कृति पहली बार खोजी गई थी, के नाम पर हड़प्पा संस्कृति भी किया गया है।
- हड़प्पा संस्कृति का काल निर्धारण लगभग 2600 और 1900 ई.पू. के बीच किया गया है।
- हड़प्पा सभ्यता प्राक्ऐतिहासिक अथवा कांस्ययुगीन थी। इस सभ्यता के मुख्य निवासी भूमध्यसागरीय एवं द्रविड़ थे।
- हड़प्पा संस्कृति का भौगोलिक विस्तार वृहद था। यह उत्तर में कश्मीर के माण्डा से दक्षिण में ताप्ती नदी के मुहाने पर स्थित भगतराव तथा पश्चिम में बलूचिस्तान के सुत्कागेंडोर से पूर्व में पश्चिमी उत्तर प्रदेश के आलमगीरपुर तक विस्तृत है।
- भारत में हड़प्पा सभ्यता के सर्वाधिक क्षेत्र गुजरात, राजस्थान, हरियाणा तथा पंजाब में प्राप्त हुए हैं।

नगर योजना

- हड़प्पा सभ्यता नगरीय सभ्यता थी जहाँ नियोजित जल–निकास प्रणाली भी विकसित थी।
- नगर दो भागों में विभाजित हैं–ऊपरी तथा निम्न भाग। ऊपरी भाग दुर्गीकृत है जिसमें राजकीय इमारतें, खाद्य भंडार गृह एवं स्नानागार आदि निर्मित हैं तथा निम्न भाग में सामान्य बस्ती अवस्थित थी।
- भवनों का निर्माण पक्की ईंटों से हुआ है। प्रत्येक घर के अंदर स्नानागार भी होता था।
- मोहनजोदड़ो से एक विशाल स्नानागार भी मिला है।
- मोहनजोदड़ो सिंधु नदी के किनारे जबकि हड़प्पा रावी नदी के तट पर अवस्थित है।
- मोहनजोदड़ो से प्राप्त अन्नागार संभवतः हड़प्पा सभ्यता की सबसे बड़ी इमारत है।

धार्मिक व्यवस्था

- हड़प्पाई मुहर संभवतः हड़प्पा अथवा सिंधु घाटी सभ्यता की सबसे विशिष्ट पुरावस्तु है। सेलखड़ी नामक पत्थर से बनाई गई इन मुहरों पर सामान्य रूप से जानवरों के चित्र तथा चित्राक्षर लिपि प्राप्त होती है। लिपि प्रायः बाईं से दाईं ओर है।
- मोहनजोदड़ो से कांसे की नर्तकी की मूर्ति मिली है।
- मोहनजोदड़ो से प्राप्त एक मुहर पर तीन मुख वाले देवता की मूर्ति मिली है। उनके चारों ओर हाथी, गैंडा, चीता एवं भैंसे की आकृति मिलती है। देवता की पहचान 'पशुपतिनाथ' के रूप में हुई है।
- हड़प्पा की मुहरों पर सबसे अधिक एकशृंगी पशु का अंकन मिलता है।
- मनका निर्माण की कर्मशाला चन्हुदड़ो और लोथल में प्राप्त हुई है।
- हड़प्पा सभ्यता से मातृदेवी की मृण्मूर्तियां अधिक संख्या में मिली हैं। लिंग पूजा की प्रथा भी प्रचलित थी। सिंधु सभ्यता में मंदिर के अवशेष नहीं मिले हैं।

आर्थिक जीवन

- कृषि के प्राचीनतम साक्ष्य मेहरगढ़ से प्राप्त हुए हैं।
- कोल्डीहवा (बेलन घाटी) से चावल की कृषि का साक्ष्य मिला है।
- हड़प्पा सभ्यता की प्रमुख खाद्य फसल गेहूँ और जौ थी।
- लोथल एवं रंगपुर से चावल के साक्ष्य मिले हैं।
- हड़प्पा संस्कृति के लोग काले रंग के चित्रित लाल मिट्टी के बर्तन प्रयोग करते थे।

वैदिक काल

- आर्यों की सामाजिक–सांस्कृतिक तथा आर्थिक व्यवस्था वैदिक संस्कृति के रूप में जानी जाती है। आर्यों के बारे में जानकारी मुख्यतः वेदों–ऋग्वेद, यजुर्वेद, सामवेद एवं अथर्ववेद से मिलती है।

- वैदिक काल को दो भागों में विभाजित किया जाता है– ऋग्वैदिक काल (1500–1000 ई.पू.) और उत्तर वैदिक काल (1000–600 ई.पू.)।

ऋग्वैदिक काल (1500–1000 ई.पू.)

- आर्यों के निवास के विस्तृत क्षेत्र को 'सप्तसैन्धव' प्रदेश कहा गया। इस क्षेत्र में सात प्रमुख नदियाँ प्रवाहित हैं। ये नदियाँ हैं–सिंधु, सतलज, रावी, चिनाब, झेलम, व्यास तथा सरस्वती।
- सप्तसैन्धव प्रदेश को ब्रह्मावर्त भी कहा गया है।
- ऋग्वैदिक समाज ग्रामीण कबीलाई समाज था; सामाजिक संरचना समतावादी तथा वर्णविहीन थी।
- परिवार पितृसत्तात्मक था परन्तु महिलाओं को उचित सम्मान प्राप्त था।
- परिवार के मुखिया को कुलप कहा जाता था।
- आर्यों की प्रशासनिक इकाई आरोही क्रम से निम्नलिखित पाँच भागों में बंटी थी–कुल, ग्राम, विश, जन, राष्ट्र।
- जन के अधिपति को राजा कहा जाता था।
- ग्राम के प्रधान को ग्रामणी कहा जाता था।
- राज्याधिकारियों में पुरोहित एवं सेनानी प्रमुख थे।
- सभा, समिति तथा विदथ जनप्रतिनिधि संस्थाएँ थीं। इन संस्थाओं में राजनीतिक, सामाजिक, धार्मिक तथा आर्थिक प्रश्नों पर विचार किया जाता था।
- राजा युद्ध में कबीले का नेतृत्व करता था। युद्ध के लिए गविष्ठि (गायों की खोज) का प्रयोग किया गया है।
- राजा का चयन किया जाता था।
- ऋग्वेद में दाशराज्ञ युद्ध का वर्णन है जिसमें भरत जन के स्वामी सुदास ने रावी नदी के तट पर दश राजाओं के संघ को हराया था।
- इन्द्र ऋग्वैदिक आर्यों का सबसे महत्वपूर्ण देवता था जिसे पुरन्दर कहा गया है। वरुण, सूर्य, मित्र, अग्नि, इत्यादि अन्य प्रमुख देवता थे।
- ऋग्वेद में सर्वाधिक पवित्र नदी के रूप में 'सरस्वती' का वर्णन हुआ है।
- गायत्री–मंत्र का उल्लेख ऋग्वेद के तृतीय मंडल में मिलता है।
- ऋग्वेद के 10वें मंडल के पुरुषसूत्र में चतुर्वर्ण– ब्राह्मण, क्षत्रिय, वैश्य और शूद्र की उत्पत्ति के उल्लेख मिलते हैं।
- आर्यों का मुख्य व्यवसाय कृषि एवं पशुपालन था।

उत्तर वैदिक काल (1000–600 ई.पू.)

- उत्तर वैदिक काल में आर्यों ने स्थायी जीवन व्यतीत करना प्रारंभ कर दिया था। इस समय आर्य मुख्य रूप से गंगा–यमुना दोआब में फैल गए थे।
- आर्यों ने पशुपालन की जगह कृषि कार्य को जीवन का प्रमुख आधार बनाया।
- चित्रित धूसर–मृद्भाण्ड तथा धातुओं में लोहा इस काल की प्रमुख विशिष्टताएँ हैं।
- उत्तर वैदिक काल में राजा का पद वंशानुगत होने लगा। शासकों ने राजसूय, वाजपेय तथा अश्वमेध यज्ञों के माध्यम से अपनी शक्ति में वृद्धि की।
- इस काल में इन्द्र के स्थान पर प्रजापति सर्वाधिक महत्वपूर्ण देवता हो गए थे। विभिन्न कर्मकाण्डों तथा अंधविश्वासों का विस्तार हुआ जिनका उल्लेख अथर्ववेद में मिलता है।
- पूषण जो ऋग्वैदिक काल में पशुओं के देवता थे अब शूद्रों के देवता के रूप में प्रचलित हो गए।
- उत्तर वैदिक काल में वर्ण विभाजन कर्म मूलक ही था परन्तु धीरे–धीरे यह जन्म मूलक बन रहा था।
- गोत्र नामक संस्था का उदय उत्तर वैदिक काल में हुआ।
- अथर्ववेद में 'सभा' एवं 'समिति' को प्रजापति की दो पुत्रियां कहा गया है। अथर्ववेद के मंत्रों का उच्चारण करने वाले पुरोहित को 'ब्रह्मा' कहा जाता था।
- अथर्ववेद में मगध एवं अंग महाजनपद का उल्लेख है।
- उपनिषदों एवं दर्शनों की रचना शुरू हो गई थी।

धार्मिक आन्दोलन

जैन धर्म

- जैन धर्म के संस्थापक तथा प्रथम तीर्थंकर ऋषभदेव थे।
- जैन परंपरा के अनुसार जैन धर्म में कुल 24 तीर्थंकर हुए।
- जैन धर्म के 23वें तीर्थंकर पार्श्वनाथ थे।
- जैन धर्म के मुख्य प्रवर्तक तथा 24वें एवं अंतिम तीर्थंकर महावीर स्वामी थे।

महावीर स्वामी

जन्म	: 540 ई.पूर्व
जन्म स्थान	: वैशाली के निकट कुण्ड ग्राम
पिता	: सिद्धार्थ (ज्ञातृक क्षत्रिय कुल)
माता	: त्रिशला (लिच्छिवी नरेश चेटक की बहन)
पत्नी	: यशोदा
संन्यास ग्रहण	: 30 वर्ष की आयु में (गृह त्याग)
मृत्यु	: 468 ई.पूर्व; 72 वर्ष की आयु, पावापुरी

- वर्द्धमान महावीर ने तीस वर्ष की अवस्था में गृह त्याग दिया तथा 12 वर्षों की कठिन तपस्या के बाद ऋजुपालिका नदी के तट पर श्रम्भिक ग्राम में उन्हें ज्ञान प्राप्त हुआ, जिसके बाद उन्हें 'जिन', निर्ग्रंथ, अर्हत तथा केवलिन कहा गया।
- महावीर से पहले पार्श्वनाथ ने चार जैन–सिद्धांत दिए थे। ये हैं–सत्य, अहिंसा, अपरिग्रह तथा अस्तेय। महावीर ने इसमें पाँचवाँ सिद्धांत 'ब्रह्मचर्य' जोड़ा।
- महावीर की मृत्यु के बाद जैन संघ दो भागों में विभाजित हुआ–**दिगम्बर** (भद्रबाहु के समर्थक) तथा **श्वेताम्बर** (स्थूलभद्र के समर्थक)। श्वेताम्बर श्वेत वस्त्र धारण करते हैं, जबकि दिगम्बर पन्थ को मानने वाले वस्त्रों का परित्याग करते हैं।

- जैन धर्म ग्रंथों की रचना प्राकृत भाषा में हुई।
- जैन ग्रंथों को पूर्व या आगम कहा जाता है। इनकी संख्या 12 है।
- जैन धर्म के अनुसार मोक्ष के लिए तीन तत्वों का होना जरूरी है। ये हैं–
  - ❑ सम्यक दर्शन
  - ❑ सम्यक ज्ञान
  - ❑ सम्यक कर्म या सम्यक आचरण
- जैन धर्म में ईश्वर की मान्यता नहीं है।

बौद्ध धर्म

- महात्मा बुद्ध का जन्म 563 ई.पू. में कपिलवस्तु के निकट लुम्बिनी में हुआ था।
- बुद्ध के पिता शुद्धोधन शाक्य गणराज्य के शासक थे। उनकी माता का नाम महामाया था। माता की मृत्यु के बाद मौसी महाप्रजापति ने उनका पालन–पोषण किया।
- बुद्ध के बचपन का नाम सिद्धार्थ था।
- गौतम बुद्ध का विवाह 16 वर्ष की आयु में यशोधरा से हुआ था। इनके पुत्र का नाम राहुल था।
- पुत्र जन्म के कुछ समय पश्चात् ही 29 वर्ष की अवस्था में उन्होंने गृह त्याग दिया।
- आलार कलाम बुद्ध के प्रथम गुरू थे।

महात्मा बुद्ध

जन्म	:	563 ई.पूर्व
जन्म स्थान	:	लुम्बिनी (कपिलवस्तु)
गृह त्याग	:	महाभिनिष्क्रमण
ज्ञान प्राप्ति	:	उरूवेला (बोधगया) (सम्बोधि)
प्रथम उपदेश	:	सारनाथ (धर्म चक्र प्रवर्तन)
मृत्यु	:	483 ई.पूर्व; कुशीनारा (महापरिनिर्वाण)
त्रिरत्न	:	बुद्ध, धम्म एवं संघ

- निरंजना नदी (गया) के तट पर उरूवेला नामक स्थान पर वैशाख पूर्णिमा के दिन सिद्धार्थ को ज्ञान की प्राप्ति हुई जिसके बाद वे बुद्ध कहलाए।
- बौद्ध धर्म के सिद्धांत चार सत्यों पर आधारित हैं जिन्हें **'चार आर्यसत्य'** कहा जाता है, जो निम्नलिखित हैं–
  - ❑ जीवन दुखमय है।
  - ❑ तृष्णा, लालसा, मोह आदि सांसारिक जीवन के कारण हैं।
  - ❑ तृष्णा, लालसा, मोह आदि को समाप्त कर सांसारिक जीवन से मुक्ति पाई जा सकती है।
  - ❑ इसके लिए अष्टांगिक मार्ग का अनुसरण करना चाहिए।
- बुद्ध ने निर्वाण (मोक्ष) प्राप्ति के लिए निम्न **अष्टांगिक मार्ग** बताए–

1. सम्यक दृष्टि	2. सम्यक संकल्प
3. सम्यक वाणी	4. सम्यक कर्म
5. सम्यक आजीविका	6. सम्यक व्यायाम
7. सम्यक स्मृति	8. सम्यक समाधि

त्रिपिटक

- ❑ **सुत्तपिटक**–इसमें बौद्ध धर्म के सिद्धांतों का उल्लेख है।
- ❑ **विनयपिटक**–इसमें बौद्ध संघ के नियमों की व्याख्या की गई है।
- ❑ **अभिधम्मपिटक**–इसमें बौद्ध दर्शन पर प्रकाश डाला गया है।

- महात्मा बुद्ध के महापरिनिर्वाण के बाद बौध धर्म कई सम्प्रदायों में विभक्त हो गया। इनमें प्रमुख हैं–हीनयान तथा महायान।

बौद्ध संगीतियाँ

संगीति	*काल*	*स्थान*	*शासक*	*अध्यक्ष*
प्रथम संगीति	483 ई.पू.	राजगृह	अजातशत्रु	महाकस्यप
द्वितीय संगीति	383 ई.पू.	वैशाली	कालाशोक	साबकमीर
तृतीय संगीति	250 ई.पू.	पाटलिपुत्र	अशोक	मोग्गलिपुत्र तिस्स
चतुर्थ संगीति		कुण्डलवन (कश्मीर)	कनिष्क	वसुमित्र

शैव धर्म

- **लकुलिश** ने पाशुपत शैव सम्प्रदाय की स्थापना की थी।
- शैव धर्म पांच सिद्धांतों पर आधारित है। ये हैं–कार्य, कारण, योग, विधि तथा दुखान्त।
- कश्मीरी शैव सम्प्रदाय के संस्थापक **वसुगुप्त** तथा दक्षिण के लिंगायत सम्प्रदाय के संस्थापक वासवराज थे।
- लिंग पूजा का वर्णन **मत्स्य पुराण** में मिलता है।

वैष्णव धर्म

- वैष्णव धर्म के संस्थापक वासुदेव कृष्ण थे।
- वैष्णव धर्म को पहले भागवत धर्म कहा जाता था।
- मेगास्थनीज ने कृष्ण को हेराक्लीज कहा है।
- अवतारवाद वैष्णव धर्म का आधारभूत सिद्धान्त है।
- विष्णु एवं कृष्ण का एकीकरण नारायण से हुआ है। नारायण के उपासक **पंचरात्रिक** कहलाए।

महाजनपद काल

- आरंभिक भारतीय इतिहास में छठी शताब्दी ई.पू. में 16 महाजनपदों का उदय हुआ। बौद्ध ग्रंथ अंगुत्तर निकाय में पहली बार 16 महाजनपदों की चर्चा मिलती है।
- जनपद का अर्थ एक ऐसा भूखंड है जहाँ कोई 'जन' अपना पाँव रखता है अथवा बस जाता है। इस शब्द का प्रयोग संस्कृत और प्राकृत दोनों में मिलता है।
- अधिकांश महाजनपदों पर राजा का शासन होता था लेकिन गण और संघ के नाम से प्रसिद्ध राज्यों में कई लोगों का समूह शासन करता था, इस समूह का प्रत्येक व्यक्ति राजा कहलाता था। भगवान महावीर और भगवान बुद्ध इन्हीं गणों से सम्बन्धित थे।

महाजनपदों की स्थिति

क्र.स.	महाजनपद	राजधानी	क्र.स.	महाजनपद	राजधानी
1.	मगध	राजगृह	9.	वत्स	कौशाम्बी
2.	अवन्ति	उज्जयिनी	10.	कुरू	हस्तिनापुर
3.	वज्जि	वैशाली	11.	मत्स्य	विराटनगर
4.	कोसल	श्रावस्ती	12.	पांचाल	अहिच्छत्र
5.	काशी	वाराणसी	13.	शूरसेन	मथुरा
6.	अंग	चम्पा	14.	गान्धार	तक्षशिला
7.	मल्ल	कुशीनारा	15.	कम्बोज	राजपुर
8.	चेदि	शुक्तिमती	16.	अश्मक	पोतन

- छठी से चौथी शताब्दी ई.पू. में मगध सबसे शक्तिशाली महाजनपद बन गया।
- मगध पर शासन करने वाला शासकीय वंश हर्यक वंश था। इसके बाद शिशुनाग तथा नन्द वंश ने शासन किया। नन्दों को समाप्त कर मौर्य वंश ने शासन आरंभ किया।
- प्रारंभ में, राजगाह (राजगीर) मगध की राजधानी थी। इस शब्द का अर्थ है 'राजाओं का घर'।
- बिम्बिसार हर्यक वंश का पहला साम्राज्यवादी शासक था। उसकी राजधानी गिरिव्रज (राजगृह) थी।
- बिम्बिसार की हत्या कर उसका पुत्र अजातशत्रु शासक बना।
- अजातशत्रु के बाद उसका पुत्र उदयिन शासक बना। उसने पाटलिपुत्र नगर की स्थापना की तथा उसे अपनी राजधानी बनाया।
- हर्यक वंश के अंतिम शासक नागदासक की हत्या कर शिशुनाग ने शिशुनाग वंश की स्थापना की।
- शिशुनाग का उत्तराधिकारी कालाशोक था। उसके समय में द्वितीय बौद्ध संगीति का आयोजन वैशाली में हुआ था।
- शिशुनाग वंश के अंतिम शासक नंदिवर्धन की हत्या कर महापद्मनंद ने 'नंद वंश' की नींव रखी।
- धनानंद के शासन के दौरान जनता के असन्तोष का लाभ उठाकर चन्द्रगुप्त मौर्य ने चाणक्य की सहायता से मगध पर आधिपत्य कायम किया।

मौर्य साम्राज्य

चन्द्रगुप्त मौर्य

- 322 ई.पू. में चंद्रगुप्त मौर्य ने मौर्य साम्राज्य की स्थापना की।
- चंद्रगुप्त ने 305 ई.पू. में यूनानी शासक सेल्यूकस के साथ संधि की। संधि शर्तों के अनुसार सेल्यूकस ने 500 हाथियों के बदले चार प्रांत काबुल, कन्धार, हेरात एवं मकरान चंद्रगुप्त को दिए।
- सेल्यूकस ने चन्द्रगुप्त के दरबार में अपने राजदूत मेगस्थनीज की नियुक्ति की।
- मेगस्थनीज ने पाटलिपुत्र में रहते हुए इण्डिका की रचना की।
- स्ट्रैबो तथा जस्टिन की रचनाओं में चंद्रगुप्त मौर्य को 'सैण्ड्रोकोट्स' कहा गया है। जबकि एरियन तथा प्लूटार्क ने उसे 'एण्ड्रोकोट्स' कहा है।
- चन्द्रगुप्त मौर्य के मंत्री चाणक्य (कौटिल्य) ने अर्थशास्त्र की रचना की थी।

बिन्दुसार

- चन्द्रगुप्त का उत्तराधिकारी बिन्दुसार बना।
- बिंदुसार के शासनकाल में तक्षशिला में दो विद्रोह हुए प्रथम को अशोक ने दबाया तथा दूसरे विद्रोह को सुसीम ने दबाया।
- सीरिया के शासक एण्टीओकस ने डायमेकस को बिंदुसार के दरबार में अपना राजदूत बनाया।

अशोक

- बिंदुसार का उत्तराधिकारी अशोक था जो 272 ई.पू. में मगध का शासक बना।
- अशोक शासक बनने से पूर्व उज्जयिनी तथा तक्षशिला का गवर्नर था।
- राज्याभिषेक के कई वर्षों बाद 261 ई.पू. में अशोक ने कलिंग पर आक्रमण किया। कलिंग युद्ध में व्यापक हिंसा से उसका मन द्रवित हो गया एवं उसने युद्ध विजय की जगह धम्म विजय की नीति अपनाई।
- अशोक बौद्ध धर्म का अनुयायी बन गया तथा उसके प्रचार–प्रसार में लग गया। अशोक ने अपने पुत्र महेंद्र तथा पुत्री संघमित्रा को बौद्ध धर्म के प्रचार के लिए श्रीलंका भेजा।
- जेम्स प्रिंसेप ने 1837 ई. में अशोक के शिलालेखों को पढ़ने में सफलता प्राप्त की।

शुंग वंश

- मौर्य सेनापति पुष्यमित्र शुंग ने अंतिम मौर्य शासक वृहद्रथ की हत्या कर 184 ई.पू. में शुंग वंश की स्थापना की।
- पुष्यमित्र ब्राह्मण धर्म का समर्थक था तथा उसने दो बार अश्वमेध यज्ञ किए।
- शुंग वंश का अन्तिम शासक देवभूति था, जिसकी हत्या कर उसके सेनापति वसुदेव ने कण्व वंश की स्थापना की।
- कण्व वंश के अंतिम शासक सुशर्मा को सातवाहन शासक सिमुक ने पराजित किया।

हिन्द–यूनानी शासक

- बैक्ट्रिया के शासक डेमेट्रियस ने भारत पर 190 ई.पू. में आक्रमण कर अफगानिस्तान, पंजाब, सिंध के बड़े भूभाग पर अधिकार कर शाकल को अपनी राजधानी बनाया। इसे हिन्द–यवन राज्य कहा गया।
- हिन्द–यूनानी शासकों में मिनान्डर का नाम प्रमुख है जिसने नागसेन से बौद्ध धर्म की दीक्षा ली जो मिलिन्दपन्हों ग्रंथ में संकलित है।
- भारत में सोने के सिक्के सर्वप्रथम 'हिन्द–यूनानी' शासकों ने ही जारी किए।

शक

- यूनानियों के बाद शक आए। शकों की पांच शाखाएं थीं और हर शाखा की राजधानी भारत और अफगानिस्तान में अलग–अलग भागों में थी।

- शक मूलतः मध्य एशिया के निवासी थे और चरागाह की खोज में भारत आए।
- शकों का सबसे प्रतापी शासक रूद्रदामन प्रथम (130–150 ई.) था जिसका शासन गुजरात के बड़े भाग पर था। इसने काठियावाड़ की अर्धशुष्क सुदर्शन झील (मौर्यों द्वारा निर्मित) की मरम्मत करवाई।

कुषाण

- कुषाण वंश का संस्थापक कुजुल कडफिसस था। इसका उत्तराधिकारी विम कडफिसस था।
- इस वंश का सबसे प्रसिद्ध शासक कनिष्क था। कुषाणों की एक राजधानी पुरूषपुर या पेशावर थी और दूसरी राजधानी मथुरा थी।
- कनिष्क ने 78 ई. अर्थात् अपने राज्याभिषेक के वर्ष में एक संवत् चलाया, जो शक संवत् कहलाता है, जिसे भारत सरकार द्वारा प्रयोग में लाया जाता है।

गुप्त साम्राज्य

- गुप्त साम्राज्य के शासनकाल को प्राचीन भारतीय इतिहास का स्वर्णकाल कहा जाता है।
- गुप्त वंश का संस्थापक श्रीगुप्त (240–280 ई.) को माना जाता है।

चन्द्रगुप्त प्रथम

- चंद्रगुप्त प्रथम ने गुप्त सम्वत् की स्थापना 319–320 ई. में की थी।
- चंद्रगुप्त प्रथम गुप्त वंश का प्रथम महान सम्राट था। इसने 'महाराजधिराज' की उपाधि धारण की।
- गुप्त वंश में सर्वप्रथम चंद्रगुप्त प्रथम ने ही चांदी के सिक्कों का प्रचलन करवाया था।

समुद्रगुप्त

- चंद्रगुप्त प्रथम के पश्चात् उसका पुत्र समुद्रगुप्त शासक बना। उसने स्वयं को लिच्छवी दौहित्र कहा।
- समुद्रगुप्त ने आर्यावर्त के 9 शासकों को और दक्षिणावर्त के 12 शासकों को पराजित किया। इन्हीं विजयों के कारण इसे भारत का नेपोलियन कहा जाता है।
- हरिषेण रचित प्रयाग प्रशस्ति से समुद्रगुप्त की विजयों की विस्तृत जानकारी मिलती है।
- समुद्रगुप्त ने 'कविराज' नाम से कई उच्च कोटि की कविताएं भी लिखीं। एक सिक्के पर उसे वीणा बजाते दिखाया गया है।

चन्द्रगुप्त द्वितीय

- चंद्रगुप्त द्वितीय को देवराज और देवगुप्त दोनों नामों से भी जाना जाता है। इसने 'देवश्री', 'विक्रम', 'विक्रमादित्य', 'प्रतिरथ', 'सिंहविक्रम', 'परमभागवत', 'विक्रमांक' आदि उपाधियां धारण कीं।
- चंद्रगुप्त द्वितीय का काल साहित्य और कला का स्वर्णकाल भी कहा जाता है।
- चंद्रगुप्त द्वितीय के शासनकाल में चीनी बौद्ध यात्री फाहयान भारत आया था।
- चंद्रगुप्त द्वितीय के दरबार में नौरत्न थे–कालिदास, धनवन्तरि, क्षपणक, अमरसिंह, शंकु, बैताल भट्ट, घटकर्पर, वराहमिहिर और वररूचि।

कुमारगुप्त प्रथम

- चंद्रगुप्त द्वितीय का उत्तराधिकारी कुमारगुप्त प्रथम था।
- कुमारगुप्त प्रथम (412–454 ई.) ने नालंदा विश्वविद्यालय की स्थापना की थी।

स्कन्दगुप्त

- स्कन्दगुप्त (454–467 ई.) गुप्त वंश का अंतिम महान शासक था। इसने देवराज, विक्रमादित्य, क्रमादिव्य आदि उपाधियां ग्रहण की।
- स्कन्दगुप्त ने मौर्यों द्वारा निर्मित सुदर्शन झील का पुनरुद्धार करवाया था।
- स्कन्दगुप्त ने पर्णदत्त को सौराष्ट्र का गवर्नर नियुक्त किया था।

गुप्तकाल में प्रशासन

- गुप्त साम्राज्य की सबसे बड़ी प्रादेशिक इकाई 'देश' थी, जिसके शासक को गोप्ता कहा जाता था। 'भुक्ति' एक दूसरी प्रादेशिक इकाई थी, जिसके शासक उपरिक कहलाते थे।
- भुक्ति के बाद विषय नामक प्रशासनिक इकाई होती थी, जिसके प्रमुख विषयपति कहलाते थे।
- पुलिस विभाग का मुख्य अधिकारी 'दण्डपाशिक' कहलाता था।
- कालिदास, हरिषेण, वीरसेन, विशाखदत्त आदि इस युग के प्रसिद्ध विद्वान थे। बौद्ध विद्वानों में असंग, वसुबन्धु, दिग्ङनाग तथा धर्मपाल आदि प्रमुख थे।

गुप्तकाल में सामाजिक-आर्थिक-धार्मिक विकास

- गुप्तकाल में स्त्रियों की दशा पहले से निम्न हो गई। सती–प्रथा की प्रथम घटना का उल्लेख इसी काल में मिलता है।
- गुप्त शासक वैष्णव धर्म के अनुयायी थे।
- गुप्तकाल में मंदिरों तथा मूर्तियों का निर्माण आरंभ हो गया था।
- सारनाथ की बुद्ध मूर्ति, मथुरा की वर्धमान महावीर की मूर्ति, झांसी की शेषशायी विष्णु की मूर्ति, विदिशा की वराह अवतार की मूर्ति, काशी की गोवर्धनधारी कृष्ण की मूर्ति आदि इस युग की मूर्तिकला के प्रमुख उदाहरण हैं।

विज्ञान

- गुप्तकाल में गणित, भौतिक विज्ञान, रसायन विज्ञान, धातु विज्ञान, ज्योतिष एवं चिकित्सा विज्ञान की बहुत उन्नति हुई।
- दशमलव तथा शून्य का अन्वेषण गुप्तकाल में ही हुआ।
- आर्यभट्ट इस युग के प्रख्यात गणितज्ञ एवं खगोलशास्त्री थे। आर्यभट्टीयम इनकी सुप्रसिद्ध रचना है, जिसमें अंकगणित, बीजगणित तथा रेखागणित की विवेचना की गई है। आर्यभट्ट ने सूर्य सिद्धांत नामक ग्रंथ में यह प्रमाणित किया कि पृथ्वी सूर्य का चक्कर लगाती है।
- सुश्रुत और धनवन्तरि इस युग के प्रख्यात वैद्य थे।

गुप्तोत्तर काल

- गुप्त वंश के पतन के बाद कई नये राजवंशों का उद्‌भव हुआ, उनमें मैत्रक, मौखरि, पुष्यभूति, परवर्ती गुप्त और गौड़ प्रमुख हैं। इन राजवंशों में पुष्यभूति सबसे प्रमुख थे।

हर्षवर्द्धन

- पुष्यभूति वंश का संस्थापक पुष्यभूति था। इनकी राजधानी थानेश्वर थी।
- राज्यवर्द्धन की मृत्यु के बाद 606 ई. में 16 वर्ष की अवस्था में हर्षवर्द्धन थानेश्वर का शासक बना। इसने 'परमभट्टारक' की उपाधि धारण की। हर्ष को शिलादित्य के नाम से भी जाना जाता है।
- हर्षवर्द्धन के शासन की जानकारी बाणभट्ट की रचना हर्षचरित से मिलती है।
- हर्ष और पुलकेशिन–II के बीच नर्मदा नदी के तट पर युद्ध हुआ जिसमें हर्ष की पराजय हुई। इस युद्ध का वर्णन पुलकेशिन–II के एहोल अभिलेख में मिलता है।
- चीनी यात्री ह्वेनसांग हर्षवर्द्धन के शासनकाल में भारत आया।

ह्वेनसांग को यात्रियों में राजकुमार, नीति का पंडित एवं वर्तमान शाक्यमुनि कहा जाता है। वह नालंदा विश्वविद्यालय में पढ़ने एवं बौद्ध ग्रंथ संग्रह करने के उद्देश्य से हर्ष के काल में भारत आया था।

दक्षिण एवं उत्तर भारत के प्रमुख राजवंश

पल्लव वंश

- पल्लव वंश का संस्थापक **सिंहविष्णु** (575–600 ई.) था। इनकी राजधानी कांची थी।
- प्रसिद्ध लेखक भारवि जिन्होंने किरातार्जुनीयम की रचना की थी, सिंहविष्णु के दरबार में रहते थे।
- महाबलीपुरम के एकाश्म मंदिर जिन्हें रथ कहा जाता है का निर्माण पल्लव राजा नरसिंहवर्मन प्रथम के द्वारा करवाया गया था। रथ मंदिरों की संख्या सात है। रथ मंदिरों में सबसे छोटा द्रौपदी रथ है।

चालुक्य वंश (वातापी)

- जयसिंह ने वातापी के चालुक्य–वंश की स्थापना की जिसकी राजधानी वातापी थी।
- वातापी के चालुक्य वंश के प्रमुख शासक थे–पुलकेशिन प्रथम, कीर्तिवर्मन, पुलकेशिन द्वितीय, विक्रमादित्य, विनयादित्य एवं विजयादित्य। इनमें सबसे प्रतापी राजा पुलकेशिन द्वितीय था।

चालुक्य वंश (कल्याणी)

- कल्याणी के चालुक्य वंश की स्थापना **तैलप द्वितीय** ने की थी। इस वंश का सबसे प्रतापी शासक विक्रमादित्य–VI था।
- विल्हण एवं विज्ञानेश्वर विक्रमादित्य–VI के दरबार में ही रहते थे। विज्ञानेश्वर ने मिताक्षरा की रचना की थी।
- विल्हण ने विक्रमांकदेवचरित की रचना की थी। इसमें विक्रमादित्य–VI के जीवन पर प्रकाश डाला गया है।

राष्ट्रकूट

- राष्ट्रकूट राजवंश का संस्थापक दन्तिदुर्ग (752 ई.) था। इसकी राजधानी मान्यखेत थी।
- राष्ट्रकूट वंश के प्रमुख शासक थे : कृष्ण प्रथम, ध्रुव, गोविन्द तृतीय, अमोघवर्ष, कृष्ण द्वितीय, इन्द्र तृतीय एवं कृष्ण तृतीय।
- कृष्ण प्रथम प्रसिद्ध राष्ट्रकूट शासक था, जिसने एलोरा में कैलाशनाथ मंदिर का निर्माण करवाया।
- एलोरा एवं ऐलिफेंटा में गुहामंदिरों का निर्माण राष्ट्रकूटों के समय में हुआ। ध्रुव राष्ट्रकूट वंश का पहला शासक था, जिसने कन्नौज पर अधिकार करने हेतु त्रिपक्षीय संघर्ष में भाग लिया और प्रतिहार नरेश वत्सराज एवं पाल नरेश धर्मपाल को पराजित किया।

चोल

- चोल वंश का संस्थापक विजयालय था। इसकी राजधानी तंजौर थी। विजयालय ने नरकेसरी की उपाधि धारण की।
- राजराज प्रथम ने श्रीलंका पर आक्रमण किया। वहाँ के राजा को पराजित कर एक नया प्रांत 'मुम्मिडचोलमंडलम' बनाया और पोलन्नरूवा को इसकी राजधानी बनाया।
- राजराज प्रथम शैव धर्म का अनुयायी था। इसने तंजौर में राजराजेश्वर शिव मंदिर बनवाया।
- स्थानीय स्वशासन चोल प्रशासन की मुख्य विशेषता थी।

पाल वंश

- आठवीं शताब्दी के मध्य में बंगाल में पाल राजवंश की स्थापना हुई। पाल वंश का संस्थापक गोपाल था।
- गोपाल बौद्ध धर्म का अनुयायी था। इसने ओदन्तपुरी विश्वविद्यालय की स्थापना की।
- पालवंश का सबसे महान शासक धर्मपाल था जिसने विक्रमशिला विश्वविद्यालय की स्थापना की थी।

सेन वंश

- बंगाल में सेनवंश की स्थापना सामन्त सेन ने राढ़ में की थी। सेन वंश की राजधानी नदिया (लखनौती) थी।
- सेन वंश के प्रमुख शासक विजय सेन, बल्लालसेन एवं लक्ष्मण सेन थे।
- लक्ष्मणसेन की राजसभा में गीतगोविन्द के लेखक जयदेव रहते थे।

कश्मीर के राजवंश

- कश्मीर पर विभिन्न शासक वंशों ने क्रमानुसार शासन किया–कार्कोट वंश, उत्पल वंश, लोहार वंश।
- दुर्लभवर्द्धन ने 627 ई. में कश्मीर में कार्कोट वंश (हिंदू वंश) की स्थापना की।
- कश्मीर के मार्तण्ड मंदिर का निर्माण ललितादित्य ने करवाया था।

राजपूत राजवंश

- अग्निकुल सिद्धान्त के अनुसार प्रतिहार, चालुक्य, चौहान तथा परमार की उत्पत्ति आबू पर्वत पर वशिष्ठ के अग्नि कुंड से हुई। यह सिद्धान्त चन्दबरदाई की पृथ्वीराज रासो पर आधारित है।

गुर्जर प्रतिहार वंश

- नागभट्ट प्रथम मालवा के गुर्जर प्रतिहार वंश का संस्थापक था।
- मिहिरभोज प्रतिहार वंश का सर्वाधिक शक्तिशाली एवं प्रतापी शासक था। इसने आदिवाराह की उपाधि धारण की।
- मिहिरभोज की राजधानी कन्नौज थी।
- प्रसिद्ध कवि राजशेखर, प्रतिहार शासक महेन्द्रपाल के दरबार में रहते थे।
- राजशेखर ने काव्य मीमांसा लिखी थी।

चौहान वंश

- चौहान वंश का संस्थापक वासुदेव था। इनकी प्रारंभिक राजधानी अहिच्छत्र थी।
- अजयराज द्वितीय ने अजमेर नगर की स्थापना की और उसे राजधानी बनाया।
- पृथ्वीराज तृतीय इस वंश का अंतिम शासक था।
- चन्दबरदाई पृथ्वीराज तृतीय का राजकवि था, जिसकी रचना पृथ्वीराजरासो है।
- तराइन का प्रथम युद्ध 1191 में हुआ जिसमें पृथ्वीराज तृतीय की विजय एवं मुहम्मद गोरी की हार हुई।
- तराइन का द्वितीय युद्ध 1192 में हुआ, जिसमें गोरी की विजय एवं पृथ्वीराज तृतीय की हार हुई।

परमार वंश

- परमार वंश की स्थापना 9वीं शताब्दी में उपेन्द्र कृष्णराज ने की। इसकी राजधानी धारा नगरी (उज्जैन) थी।
- परमार वंश का सर्वाधिक शक्तिशाली शासक राजा भोज था।
- भोज ने चिकित्सा, गणित एवं व्याकरण पर अनेक ग्रंथ लिखे। भोजकृत युक्तिकल्पतरू में वास्तुशास्त्र के साथ–साथ विविध वैज्ञानिक यंत्रों व उनके उपयोग का उल्लेख है। इसने कविराज की उपाधि ग्रहण की थी।

चंदेल वंश

- 831 ई. में नन्नुक ने बुंदेलखंड में चंदेल वंश की स्थापना की थी। इसकी प्रारंभिक राजधानी कालिंजर (महोबा) थी।
- राजा धंग ने अपनी राजधानी कालिंजर से खजुराहो में स्थानान्तरित की थी। कंदरिया महादेव मंदिर का निर्माण धंग ने ही करवाया।
- चंदेल वंश का सबसे प्रतापी राजा यशोवर्मन था।

मध्यकालीन भारत

- भारत पर आक्रमण करने वाला प्रथम मुस्लिम शासक मुहम्मद बिन कासिम था।
- मुहम्मद बिन कासिम के आक्रमण के समय सिन्ध का शासक दाहिर था। कासिम ने 712 ई. में सिंध पर विजय प्राप्त की। इसने मुल्तान को भी जीता।

महमूद गजनवी

- महमूद गजनवी खुरासान का शासक था।
- महमूद ने 1001 से 1027 ई. तक भारत पर 17 बार आक्रमण किया। उसके आक्रमण का उद्देश्य धन लूटना था।
- महमूद गजनवी ने भारत पर पहला आक्रमण 1001 ई. में शाही राजा जयपाल के विरुद्ध किया था। इस युद्ध में जयपाल पराजित हुआ था।
- महमूद गजनवी ने 1025 ई. में सोमनाथ मंदिर पर आक्रमण किया तथा वहां से प्रचुर मात्रा में संपत्ति को लूटा।
- महमूद गजनवी का अंतिम आक्रमण 1027 ई. में जाटों के विरुद्ध था।

मुहम्मद गोरी

- शिहाबुद्दीन मुहम्मद गोरी ने 1175 ई. में भारत में मुल्तान के विरुद्ध पहला आक्रमण किया।
- मुहम्मद गोरी का दूसरा आक्रमण 1178 ई. में पाटन पर हुआ। यहां के शासक भीम द्वितीय ने गोरी को पराजित किया था।
- तराइन का प्रथम युद्ध 1191 में हुआ जिसमें मुहम्मद गोरी पृथ्वीराज चौहान से पराजित हुआ था।
- तराइन का द्वितीय युद्ध 1192 में हुआ, जिसमें मुहम्मद गोरी ने पृथ्वीराज चौहान को पराजित किया था।
- 1206 ई. में खोखरों के साथ युद्ध में मुहम्मद गोरी मारा गया।
- मुहम्मद गोरी को भारत में तुर्की राज्य का संस्थापक माना जाता है।

दिल्ली सल्तनत

- 1206 से 1526 ई. तक भारत पर दिल्ली सल्तनत के शासकों ने शासन किया।

दिल्ली सल्तनत के राजवंश

गुलाम वंश	1206–1290 ई.
खिलजी वंश	1290–1320 ई.
तुगलक वंश	1320–1414 ई.
सैयद वंश	1414–1451 ई.
लोदी वंश	1451–1526 ई.

गुलाम वंश

- गुलाम वंश की स्थापना 1206 ई. में कुतुबुद्दीन ऐबक ने की। उसने लाहौर को अपनी राजधानी बनाया।
- कुतुबुद्दीन को अपनी उदारता के कारण **लाखबक्श** कहा जाता था।
- कुतुबमीनार की नींव कुतुबुद्दीन ऐबक ने डाली थी।

- ऐबक ने दिल्ली का कुव्वत–उल–इस्लाम मस्जिद एवं अजमेर का ढाई दिन का झोंपड़ा नामक मस्जिद का निर्माण करवाया था।
- 1210 ई. में चौगान खेलते हुए, कुतुबुद्दीन ऐबक की मृत्यु हो गई थी। ऐबक का मकबरा लाहौर में स्थित है।

इल्तुतमिश

- आरामशाह की हत्या करके इल्तुतमिश 1211 ई. में दिल्ली की गद्दी पर बैठा।
- इल्तुतमिश पहला शासक था, जिसने 1229 ई. में बगदाद के खलीफा से सुल्तान पद की वैधानिक स्वीकृति प्राप्त की।
- इल्तुतमिश ने कुतुबमीनार का निर्माण कार्य पूरा करवाया।

रजिया सुल्तान

- इल्तुतमिश ने अपनी पुत्री रजिया को अपना उत्तराधिकारी नियुक्त किया था।
- रजिया दिल्ली सल्तनत की प्रथम तथा अंतिम महिला शासिका थी। 1236 ई. में तुर्की अमीरों ने रूक्नुद्दीन फिरोज को गद्दी से हटाकर रजिया को शासक बनाया।
- रजिया एक योग्य शासक थी परन्तु गैर तुर्कों को सामंत बनाने के रजिया के प्रयासों से तुर्की अमीर उसके विरुद्ध हो गए तथा उसे सत्ता से हटा दिया गया।
- रजिया की हत्या 13 अक्टूबर, 1240 ई. को डाकुओं के द्वारा कैथल के पास कर दी गई।

बलबन

- रजिया के बाद बहरामशाह, मसूदशाह तथा नासिरूद्दीन महमूद शासक बने।
- 1266 ई. में ग्यासुद्दीन बलबन दिल्ली की गद्दी पर बैठा। अपने विरोधियों के प्रति इसने 'लौह एवं रक्त' की नीति अपनाई।
- बलबन ने मंगोलों के आक्रमण से भारत की सफलतापूर्वक रक्षा की।
- सिजदा एवं पैबोस प्रथा की शुरुआत बलबन ने की।
- बलबन ने फारसी रीति–रिवाज पर आधारित नवरोज उत्सव को प्रारंभ करवाया।

खिलजी वंश

- गुलाम वंश के शासन को समाप्त कर 1290 ई. में जलालुद्दीन फिरोज खिलजी ने खिलजी वंश की नींव डाली।
- जलालुद्दीन की हत्या कर 1296 ई. में अलाउद्दीन खिलजी ने शासन पर अधिकार कर लिया।
- अलाउद्दीन अपनी बाजार नियंत्रण प्रणाली के लिए जाना जाता है। उसने मूल्य नियंत्रण के लिए 'दीवान–ए–रियासत', एवं 'शहना–ए–मण्डी' की नियुक्ति की। 'बरीद' तथा 'मुनहिस' गुप्तचर विभाग से संबंधित थे।
- अलाउद्दीन खिलजी ने जमैयत खाना मस्जिद, दिल्ली में अलाई दरवाजा, हौजखास, सीरी का किला इत्यादि का निर्माण करवाया।

तुगलक वंश

गयासुद्दीन तुगलक

- गाजी मलिक उर्फ गयासुद्दीन तुगलक ने 1320 ई. में दिल्ली में तुगलक वंश की स्थापना की।
- उसने दिल्ली के निकट तुगलकाबाद नामक नगर की स्थापना की।
- ग्यासुद्दीन प्रथम सुल्तान था जिसने नहरों का निर्माण करवाया।

मुहम्मद–बिन तुगलक

- गयासुद्दीन की मृत्यु के बाद उसका पुत्र 'जूना खां' मुहम्मद–बिन–तुगलक' के नाम से सुल्तान बना।
- मुहम्मद–बिन–तुगलक ने अपनी राजधानी दिल्ली से देवगिरि में स्थानांतरित की तथा इसका नाम दौलताबाद रखा।
- सांकेतिक मुद्रा के अंतर्गत तांबे के सिक्के चलवाए गए जिनका मूल्य चांदी के रुपए टंका के बराबर था। यह प्रयोग विफल रहा।
- इब्नबतूता नामक अफ्रीकी यात्री लगभग 1333 ई. में भारत आया। मुहम्मद–बिन–तुगलक ने इसे दिल्ली का काजी नियुक्त किया। 1342 ई. में सुल्तान ने इसे अपने राजदूत के रूप में चीन भेजा।
- जियाउद्दीन बरनी मुहम्मद बिन तुगलक के दरबार में था।

फिरोजशाह तुगलक

- मुहम्मद–बिन–तुगलक की मृत्यु के बाद तुर्की सरदारों ने फिरोजशाह तुगलक को सुल्तान बनाया।
- फिरोज ने शरीयत के अनुसार स्वीकृत चार कर लगाए–खराज, खुम्स, जजिया तथा जकात।
- फिरोज ने ब्राह्मणों पर सर्वप्रथम जजिया कर लगवाया।
- उसने गरीबों की सहायता के लिए दीवान–ए–खैरात नामक दान विभाग की स्थापना की।
- फिरोज तुगलक ने लगभग 300 नये नगरों की स्थापना की जिनमें हिसार, फिरोजाबाद (दिल्ली), फतेहाबाद, फिरोजपुर आदि प्रमुख हैं।
- तैमूरलंग ने तुगलक शासक नासिरूद्दीन महमूद तुगलक के समय 1398 ई. में दिल्ली पर आक्रमण किया।

सैय्यद वंश

- सैय्यद वंश का संस्थापक खिज्र खाँ था। इसने 1414 ई. में 'रैयत–ए–आला' की उपाधि के साथ शासन संभाला।
- मुबारक शाह के दरबार में याह्या अहमद सरहिन्दी रहते थे जिन्होंने तारीख–ए–मुबारक शाही की रचना की।
- सैय्यद वंश का अंतिम शासक अलाउद्दीन आलमशाह था।

लोदी वंश

- बहलोल लोदी ने 1451 ई. में लोदी वंश की स्थापना की। इसने गाजी की उपाधि ग्रहण की।

- बहलोल लोदी को दिल्ली में प्रथम अफगान राज्य की स्थापना का श्रेय दिया जाता है।

सिकंदर लोदी

- बहलोल का पुत्र निजाम खाँ सिकन्दर लोदी के नाम से 1489 ई. में शासक बना।
- सिकन्दर लोदी ने 1504 ई. में आगरा शहर की स्थापना की।
- इसने आगरा को अपनी राजधानी बनाया।
- इसने भूमि की पैमाइश के लिए प्रामाणिक पैमाना 'गजे सिकन्दरी' का प्रचलन करवाया।

इब्राहिम लोदी

- 1517 ई. में सिकन्दर लोदी की मृत्यु के पश्चात् इब्राहिम लोदी शासक बना। वह दिल्ली सल्तनत का अंतिम शासक था।
- 21 अप्रैल, 1526 ई. में पानीपत की प्रथम लड़ाई में इब्राहिम लोदी बाबर से पराजित हुआ, जिसके पश्चात् लोदी वंश एवं दिल्ली सल्तनत का अंत हुआ।

प्रान्तीय राज्यों का उदय

जौनपुर

- जौनपुर की स्थापना फिरोजशाह तुगलक ने अपने भाई जौना खाँ की स्मृति में की थी।
- जौनपुर स्थापत्य की शर्की कला के लिए जाना जाता है। इसे भारत का सिराज कहा जाता है।

गुजरात

- जफरखाँ ने 1407 में सुल्तान मुजफ्फरशाह की उपाधि धारण कर स्वतन्त्र राज्य की स्थापना की।
- अहमदशाह ने 'अहमदाबाद' नगर बसाया एवं इसे अपनी राजधानी बनाया।

विजयनगर (1335–1614 ई.)

- विजयनगर साम्राज्य की स्थापना हरिहर तथा बुक्का नामक दो भाइयों ने अपने गुरू विद्यारण्य की सहायता से की।
- हम्पी विजयनगर की राजधानी थी।
- विजयनगर पर चार वंशों ने शासन किया। ये हैं–संगम, सालुव, तुलुव तथा आरविडु।

विजयनगर आने वाले प्रमुख विदेशी यात्री

यात्री	वर्ष	देश	शासक
निकोलो कोण्टी	1420 ई.	इटली	देवराय प्रथम
अब्दुर्रज्जाक	1442 ई.	फारस	देवराय द्वितीय
नूनीज	1450 ई.	पुर्तगाल	मल्लिकार्जुन
डोमिंगो पायस	1515 ई.	पुर्तगाल	कृष्णदेव राय

- कृष्णदेव राय विजयनगर का सर्वाधिक प्रसिद्ध एवं सफल शासक था। वह 1509 ई. में शासक बना।

बहमनी साम्राज्य

- 1347 ई. में अलाउद्दीन बहमनशाह ने बहमनी साम्राज्य की स्थापना की तथा गुलबर्गा को अपनी राजधानी बनाया।
- अहमदशाह ने बीदर को बहमनी साम्राज्य की राजधानी बनाया।
- मुहम्मद तृतीय के शासनकाल में रूसी यात्री निकितिन बहमनी राज्य की यात्रा की थी।
- कालान्तर में बहमनी राज्य पांच स्वतंत्र राज्यों में विभक्त हो गया था जो निम्नलिखित हैं–

राज्य	स्थापना वर्ष	वंश	संस्थापक
बीजापुर	1489 ई.	आदिलशाही	युसुफ आदिलशाह
अहमदनगर	1490 ई.	निजामशाही	मलिक अहमद
बरार	1490 ई.	इमादशाही	फतेहउल्लाह इमादशाह
गोलकुण्डा	1512 ई.	कुतुबशाही	कुली कुतुबशाह
बीदर	1526 ई.	बरीदशाही	अमीर अली बरीद

धार्मिक आंदोलन

सूफी आंदोलन

- सूफी दर्शन एकेश्वरवाद में विश्वास करता था। यह एक प्रकार का रहस्यवादी दर्शन था। अजमेर के ख्वाजा मुइनुद्दीन चिश्ती, दिल्ली के शेख निजामुद्दीन औलिया और नासिरुद्दीन, फतेहपुर सीकरी के शेख सलीम चिश्ती तथा फरीदुद्दीन गंजशकर प्रसिद्ध सूफी सन्त थे।

सूफी सम्प्रदाय एवं उनके संस्थापक

सम्प्रदाय	संस्थापक	भारत में प्रचारक
चिश्ती	अबू अब्दाल चिश्ती	ख्वाजा मुइनुद्दीन चिश्ती
सुहारावर्दी	जियाउद्दीन अबुलजीव	बहाउद्दीन जकारिया
कादिरी	अब्दुल कादिर	शाह नियामतुल्ला
नक्शबन्दी	बहाउद्दीन	मखदूम जिलानी
शत्तारिया	अब्दुल शत्तार	ख्वाजा बाकीबिल्लाह

भक्ति आंदोलन

- छठी शताब्दी में भक्ति आन्दोलन की शुरूआत तमिल क्षेत्र से हुई, जो कर्नाटक और महाराष्ट्र में फैल गई। भक्ति आंदोलन का विकास 12 अलवार (वैष्णव सन्त) तथा 63 नयनार (शैव सन्त) ने किया।
- दक्षिण में रामानुज, उत्तर में रामानन्द और कबीर, महाराष्ट्र में नामदेव, बंगाल में चैतन्य एवं पंजाब में गुरु नानक भक्ति आन्दोलन के प्रमुख सन्त थे।
- कबीर की शिक्षाएँ बीजक में संगृहीत हैं।

मुगल साम्राज्य

बाबर

- भारत में मुगल वंश की स्थापना बाबर ने 1526 ई. में की। बाबर का जन्म 1483 में फरगना में हुआ था।
- बाबर को अपनी उदारता के लिए 'कलन्दर' की उपाधि दी गई।

- बाबर ने पानीपत के प्रथम युद्ध में तोपखाना का प्रयोग किया तथा युद्ध में 'तुलुगमा' नीति अपनाई।
- बाबर ने तुर्की भाषा में अपनी आत्मकथा 'तुजुक-ए-बाबरी' (बाबरनामा) लिखी।
- बाबर की मृत्यु 1530 ई. में आगरा में हुई।

बाबर द्वारा लड़े गए प्रमुख युद्ध

युद्ध	वर्ष	युद्धरत पक्ष	परिणाम
पानीपत का प्रथम युद्ध	21 अप्रैल, 1526 ई.	इब्राहिम लोदी एवं बाबर	बाबर की विजय
खानवा का युद्ध	17 मार्च, 1527 ई.	राणा सांगा एवं बाबर	बाबर की विजय
चन्देरी का युद्ध	29 जनवरी, 1528 ई.	मेदनी राय एवं बाबर	बाबर की विजय
घाघरा का युद्ध	6 मई, 1529 ई.	अफगान एवं बाबर	बाबर की विजय

हुमायूँ

- हुमायूँ 29 दिसम्बर, 1530 ई. को आगरा में सिंहासन पर बैठा।
- 1533 ई. में हुमायूँ ने दीनपनाह नामक नगर की स्थापना दिल्ली में की।
- अफगान सरदार शेरशाह सूरी ने उसे चौसा (1539 ई.) एवं कन्नौज (बिलग्राम) के युद्ध में 1540 ई. में पराजित कर दिया। परिणामस्वरूप उसे भारत से बाहर शरण लेनी पड़ी।
- शेरशाह की मृत्यु के पश्चात् वह पुनः भारत आया और 1555 ई. में दिल्ली की सत्ता हासिल की।
- 1556 ई. में पुस्तकालय की सीढ़ियों से गिरने के कारण हुमायूँ की मृत्यु हो गई।
- हाजी बेगम ने दिल्ली में हुमायूँ का मकबरा बनवाया।
- हुमायूँ की बहन गुलबदन बेगम ने हुमायूँनामा की रचना की।

शेरशाह

- शेरशाह ने **बिलग्राम युद्ध (1540)** में हुमायूँ को पराजित कर सूर साम्राज्य की स्थापना की।
- शेरशाह की मृत्यु कलिंजर के किले को जीतने के क्रम में 22 मई, 1545 ई. को हो गई।
- शेरशाह का मकबरा **सासाराम** में है।
- डाक प्रथा का प्रचलन शेरशाह द्वारा किया गया।
- पद्मावत की रचना करने वाले मालिक मुहम्मद जायसी शेरशाह के समकालीन थे।
- शेरशाह ने 'ग्रैंड ट्रंक रोड' बनवाई।

अकबर

- अकबर का जन्म 1542 ई. में हुमायूँ के निर्वासन के दौरान, अमरकोट में राणा बीरसाल के महल में हुआ। अकबर की माँ का नाम हमीदाबानो बेगम था।
- अकबर का राज्याभिषेक 14 फरवरी, 1556 ई. को पंजाब के कलानौर नामक स्थान पर हुआ। 1556 ई. में ही पानीपत के द्वितीय युद्ध में हेमू विक्रमादित्य को पराजित किया।
- बैरम खाँ 1556 से 1560 ई. तक अकबर का संरक्षक रहा।
- 1580 ई. में अकबर ने भू-राजस्व के लिए आइन-ए-दहशाला पद्धति लागू की। इसमें उसे राजा टोडरमल का सहयोग मिला।
- अकबर ने मनसबदारी प्रथा लागू की।
- 1605 ई. में अकबर की मृत्यु हो गई।
- अकबर का मकबरा सिकन्दरा में है।
- अकबर के दरबार का प्रसिद्ध संगीतकार तानसेन था।
- अकबर के दरबार का प्रसिद्ध चित्रकार अब्दुस्समद था।
- दसवंत एवं बसावन अकबर के दरबार के चित्रकार थे।
- अकबर प्रसिद्ध सूफी सन्त शेख सलीम चिश्ती का भक्त था।
- स्थापत्य कला के क्षेत्र में अकबर की महत्वपूर्ण कृतियां हैं–दिल्ली में हुमायूँ का मकबरा, आगरा का लाल किला, फतेहपुर सीकरी में शाहीमहल, दीवान-ए-खास, पंचमहल, बुलंद दरवाजा, जोधाबाई का महल, इबादतखाना, इलाहाबाद का किला और लाहौर का किला।
- अबुल फजल दीन-ए-इलाही धर्म का मुख्य पुरोहित था। इसने अकबरनामा ग्रंथ की रचना की।

जहाँगीर

- अकबर का उत्तराधिकारी जहाँगीर था जो 24 अक्टूबर, 1605 ई. को शासक बना।
- जहाँगीर को न्याय की जंजीर के लिए जाना जाता है।
- जहाँगीर ने सिखों के पांचवें गुरु, गुरु अर्जुनदेव को शाहजादा खुसरो की सहायता करने के कारण मृत्युदंड दिया।
- जहाँगीर ने फारसी में अपनी आत्मकथा तुजुक-ए-जहाँगीरी की रचना की।
- जहाँगीर के शासनकाल में प्रथम अंग्रेज मिशन कैप्टन हॉकिंस के नेतृत्व में मुगल दरबार में आया जिसे व्यापारिक अनुमति नहीं मिली।
- जहाँगीर के शासनकाल में 1613 ई. में अंग्रेजों ने सूरत में प्रथम व्यापार केन्द्र की स्थापना की।
- जहाँगीर के समय को चित्रकला का स्वर्णकाल कहा जाता है।
- जहाँगीर के दरबार के प्रमुख चित्रकार थे–आगा रजा, अबुल हसन, मुहम्मद नासिर, मुहम्मद मुराद, उस्ताद मंसूर, बिशनदास, मनोहर एवं गोवर्धन आदि।
- नूरजहाँ का वास्तविक नाम मेहरुन्निसा था।
- नूरजहाँ की मां अस्मत बेगम ने गुलाब से इत्र निकालने की विधि खोजी थी।

शाहजहाँ

- शाहजहाँ 4 फरवरी, 1628 ई. को आगरा में सिंहासन पर बैठा।
- शाहजहाँ के शासनकाल को स्थापत्यकला का स्वर्णयुग कहा जाता है।
- शाहजहाँ द्वारा बनवायी गई प्रमुख इमारतें हैं–दिल्ली का लालकिला, दिल्ली की जामा मस्जिद, आगरा की मोती मस्जिद, ताजमहल इत्यादि।
- शाहजहाँ ने दिल्ली के निकट शाहजहाँनाबाद नगर की स्थापना की और आगरा से राजधानी को यहाँ स्थानांतरित किया।
- शाहजहाँ के पुत्रों में दारा शिकोह सर्वाधिक विद्वान था। इसने भगवद्गीता, योगवशिष्ट, उपनिषद् एवं रामायण का अनुवाद फारसी में करवाया।
- 1658 में औरंगजेब ने शाहजहाँ को बन्दी बना लिया, 1666 में उसकी मृत्यु हो गई।

मुगलकालीन महत्वपूर्ण शासकों के मकबरे

शासक		मकबरा
बाबर	–	काबुल
हुमायूँ	–	दिल्ली
अकबर	–	सिकन्दरा
जहाँगीर	–	शाहदरा (लाहौर)
शाहजहाँ	–	आगरा
औरंगजेब	–	दौलताबाद

औरंगजेब

- औरंगजेब ने आलमगीर की उपाधि से 31 जुलाई, 1658 को आगरा में प्रथम बार तथा 5 जून, 1659 को दिल्ली में दूसरी बार अपना राज्याभिषेक करवाया।
- औरंगजेब ने उलेमा वर्ग की सलाह के अनुसार इस्लामी ढंग से राज किया। इसने गैर मुस्लिम जनता पर (1679 ई.) जजिया कर लगा दिया।
- औरंगजेब को व्यक्तिगत चारित्रिक गुणों के कारण जिन्दापीर के नाम से जाना जाता है।
- इस्लाम नहीं स्वीकार करने के कारण सिक्खों के 9वें गुरु, गुरु तेग बहादुर की 1675 ई. में दिल्ली में हत्या करवा दी।
- औरंगजेब ने दरबार में संगीत पर पाबन्दी लगा दी। इसने नौरोज, झरोखा दर्शन एवं तुलादान पर भी रोक लगा दी।
- औरंगजेब ने **बीबी का मकबरा** का निर्माण 1679 ई. में औरंगाबाद (महाराष्ट्र) में करवाया।

उत्तर मुगल शासक

- बहादुर शाह को **शाहे बेखबर** के नाम से जाना जाता है।
- मुहम्मदशाह के शासनकाल में 1739 ई. में ईरानी आक्रमणकारी नादिरशाह ने दिल्ली पर आक्रमण किया। नादिरशाह मयूर सिंहासन और कोहिनूर हीरा भारत से ले गया।
- शाह आलम द्वितीय के समय अहमदशाह अब्दाली एवं मराठों के बीच पानीपत का तीसरा युद्ध (1761 ई.) हुआ। इस युद्ध में मराठों की हार हुई।
- अंतिम मुगल सम्राट बहादुरशाह जफर ने 1857 ई. के विद्रोह का नेतृत्व किया। गह विद्रोह असफल रहा और उन्हें बर्मा निर्वासित कर दिया गया।

मराठा साम्राज्य

- शिवाजी मराठा साम्राज्य के संस्थापक थे।
- शिवाजी के पिता शाहजी भोंसले और माता जीजाबाई थीं।
- शिवाजी के आध्यात्मिक गुरु समर्थ रामदास थे।
- शिवाजी ने 1656 ई. में रायगढ़ को अपनी राजधानी बनाया।
- औरंगजेब के सेनापति जयसिंह ने शिवाजी को पुरन्दर की संधि (1664 ई.) करने के लिए विवश किया जिसमें शिवाजी के काफी दुर्ग मुगलों के पास चले गए।
- 1674 ई. में शिवाजी ने रायगढ़ के दुर्ग में स्वतंत्र मराठा शासक के रूप में अपना राज्याभिषेक कराया और छत्रपति की उपाधि ली।
- 12 अप्रैल, 1680 ई. को शिवाजी की मृत्यु हो गई।
- शिवाजी के प्रशासन की प्रमुख विशेषता उनके आठ मंत्री थे जिन्हें 'अष्ट प्रधान' कहा जाता था।
- पानीपत का तृतीय युद्ध (1761 ई॰) बालाजी बाजीराव के समय ही लड़ा गया था जिसमें अहमदशाह अब्दाली के द्वारा मराठे बुरी तरह पराजित हुए।

सिख शक्ति

सिख गुरु एवं उनसे संबंधित तथ्य

गुरु नानक (1469-1539): सिख धर्म की स्थापना, आदिग्रन्थ की रचना।
गुरु अंगद (1539-1552): गुरुमुखी लिपि के जनक।
गुरु अमरदास (1552-1574): 22 गद्दियों की स्थापना।
गुरु रामदास (1574-1581): अमृतसर की स्थापना।
गुरु अर्जुन देव (1581-1606): हरमन्दिर साहब (स्वर्ण मन्दिर) का निर्माण।
गुरु हरगोविन्द (1606-1645): अकालतख्त की स्थापना।
गुरु हरराय (1645-1661): मुगलों से युद्ध।
गुरु हरकिशन (1661-1664): कम आयु में निधन।
गुरु तेगबहादुर (1664-1675): मुगलों से संघर्ष।
गुरु गोविन्द सिंह (1675-1708): खालसा पंथ की स्थापना।

मैसूर राज्य

- 1761 ई. में हैदर अली मैसूर का शासक बना। इसने डिंडिगुल में आधुनिक शस्त्रागार की स्थापना की।
- हैदर अली ने प्रथम आंग्ल-मैसूर युद्ध (1767-1769 ई.) में अंग्रेजों को पराजित किया एवं मद्रास की संधि की।
- द्वितीय आंग्ल-मैसूर युद्ध में हैदर अली की लड़ते हुए मृत्यु हो गई।
- तृतीय आंग्ल-मैसूर युद्ध (1789-1792 ई॰) में अंग्रेज, निजाम और मराठों ने मिलकर टीपू को हरा दिया और उसे श्रीरंगपट्टनम की संधि करनी पड़ी।
- चतुर्थ आंग्ल-मैसूर युद्ध (1799 ई॰) के दौरान टीपू सुल्तान की मृत्यु हुई और अंग्रेजों ने मैसूर पर नियंत्रण स्थापित कर लिया।

बंगाल

- मुर्शीद कुली खाँ ने बंगाल के स्वतंत्र राज्य की स्थापना की थी। इसने 1717 ई. में बंगाल की राजधानी ढाका से स्थानांतरित कर मुर्शिदाबाद कर दी।
- 1739 ई. में अलीवर्दी खाँ शासक बना।
- 1757 ई. में प्लासी के युद्ध में अंग्रेजों ने क्लाइव के नेतृत्व में बंगाल के नवाब सिराजुद्दौला को पराजित कर दिया।
- 1764 ई. में बक्सर के युद्ध में मीर कासिम अंग्रेजों से पराजित हुआ।
- 1765 ई. में इलाहाबाद की संधि के साथ बंगाल पर ईस्ट इंडिया कम्पनी का प्रभुत्व हो गया।

आधुनिक भारत

यूरोपीय कम्पनियों का भारत आगमन

- 1498 ई. में वास्को–डि–गामा ने भारत के समुद्री मार्ग की खोज की और कालीकट के समुद्र तट पर उतरा।
- पुर्तगालियों का पहला गवर्नर द् अल्मीडा (1505–1509 ई.) था।
- नौसैनिक शक्ति के आधार पर पुर्तगालियों ने भारत में घोड़े के आयात पर एकाधिकार कायम किया था।
- पुर्तगालियों ने भारत में तम्बाकू की खेती तथा प्रिंटिंग प्रेस का काम आरंभ किया।
- पुर्तगालियों ने अपनी पहली व्यापारिक कोठी कोचीन में खोली।
- डचों ने 1605 ई. में मसुलीपट्टनम में अपनी पहली फैक्ट्री स्थापित की। इसके बाद पुलीकट, चिनसुरा, पटना, सूरत, नागपट्टनम, बालासोर तथा कासिम बाजार में डचों ने अपनी फैक्ट्री स्थापित की।
- 1759 ई. में बेदरा की लड़ाई में अंग्रेजों के हाथों पराजित होने के बाद डच कम्पनी का नियन्त्रण भारतीय क्षेत्रों से समाप्त हो गया।

भारत में यूरोपीय कम्पनियां

कम्पनी	स्थापना वर्ष
पुर्तगाली ईस्ट इण्डिया कम्पनी	1498 ई.
अंग्रेजी ईस्ट इण्डिया कम्पनी	1600 ई.
डच ईस्ट इण्डिया कम्पनी	1602 ई.
डैनिश ईस्ट इण्डिया कम्पनी	1616 ई.
फ्रांसीसी ईस्ट इण्डिया कम्पनी	1664 ई.

- इंग्लिश ईस्ट इण्डिया कम्पनी की स्थापना 1600 ई. में हुई थी। 1611 ई. में दक्षिण–पश्चिम में मसुलीपट्टम में व्यापारिक कोठी की स्थापना की।
- अंग्रेजों ने 1608 ई. में अपनी पहली फैक्ट्री सूरत में स्थापित की।
- 1664 ई. में फ्रेंच ईस्ट इंडिया कम्पनी की स्थापना हुई।

1857 की क्रांति

- 1857 की क्रान्ति को प्रथम स्वतंत्रता संग्राम कहा जाता है। 1857 की क्रांति का प्रारंभ 29 मार्च, 1857 को मंगल पांडे ने बैरकपुर छावनी में किया।
- विद्रोहियों ने 11 मई, 1857 को बहादुरशाह जफर को भारत का बादशाह घोषित किया। इस क्रांति के समय ब्रिटिश प्रधानमंत्री पामर्स्टन था।
- 1857 का विद्रोह असफल रहा परन्तु इसका प्रभाव यह हुआ कि कम्पनी का शासन समाप्त करके ब्रिटिश सरकार ने भारत का शासन प्रत्यक्ष रूप से अपने हाथ में ले लिया। इसके लिए भारत शासन अधिनियम, 1858 पारित हुआ।

1857 के विद्रोह के प्रमुख केन्द्र

केन्द्र	विद्रोही नायक	विद्रोह की तिथि	ब्रिटिश सेनापति
दिल्ली	बहादुरशाह द्वितीय, बख्त खाँ	11 मई, 1857	निकलसन, हडसन
कानपुर	नाना साहब, तात्याँ टोपे	5 जून, 1857	कॉलिन कैम्पबेल
लखनऊ	बेगम हजरत महल, बिरजिस कादर	4 जून, 1857	कॉलिन कैम्पबेल
झाँसी	रानी लक्ष्मीबाई	4 जून, 1857	जनरल ह्यूरोज
जगदीशपुर	कुँवर सिंह	12 जून, 1857	विलियम टेलर, विंसेट आयर
फैजाबाद	मौलवी अहमदुल्ला	जून 1857	जनरल रेनॉर्ड
इलाहाबाद	लियाकत अली	जून 1857	कर्नल नील
बरेली	खान बहादुर	जून 1857	विंसेंट आयर

सामाजिक-धार्मिक आंदोलन

थियोसोफिकल सोसायटी

- इस सोसायटी की स्थापना 1875 ई. में मैडम ब्लावात्सकी एवं कर्नल अल्काट ने न्यूयॉर्क (यू.एस.ए.) में की थी।
- 1882 ई. में इसका अन्तर्राष्ट्रीय कार्यालय मद्रास के निकट अड्यार में स्थापित हुआ। 1893 ई. में एनी बेसेन्ट भारत आई और थियोसोफिकल आन्दोलन का नेतृत्व सम्भाला।

अलीगढ़ आन्दोलन

- इस आन्दोलन का नेतृत्व सैयद अहमद खान ने किया। 1877 ई. में उन्होंने आंग्ल–मुस्लिम स्कूल की स्थापना अलीगढ़ में की। यह 1920 ई. में अलीगढ़ मुस्लिम विश्वविद्यालय बना।

यंग–बंगाल आन्दोलन

- इस आन्दोलन की स्थापना बंगाल में 1828 ई. में हेनरी विवियन डेरोजियो नामक एंग्लो इण्डियन ने की।

अहमदिया आन्दोलन

- इस आन्दोलन का नेतृत्व गुलाम अहमद ने 1889 ई. में किया।

राष्ट्रीय आन्दोलन

भारतीय राष्ट्रीय कांग्रेस (1885 ई.)

- भारतीय राष्ट्रीय कांग्रेस की स्थापना 1885 ई. में **ए.ओ. ह्यूम** ने बम्बई में की।
- मुंबई में पहले अधिवेशन में 72 प्रतिनिधियों ने भाग लिया था। इसके प्रथम अध्यक्ष व्योमेशचन्द्र बनर्जी थे।
- 1885–1907 ई. के बीच कांग्रेस में उदारवादी नेताओं का प्रभाव रहा, लेकिन आगे गरमपंथी नेताओं की प्रमुखता रही।
- दादाभाई नौरोजी, सुरेन्द्रनाथ बनर्जी, फिरोजशाह मेहता, गोविन्द रानाडे, गोपाल कृष्ण गोखले आदि उदारवादी कांग्रेसी नेता थे।
- बाल गंगाधर तिलक, विपिन चन्द्र पाल तथा लाला लाजपत राय आदि गरमपंथी नेता थे।

बंगाल विभाजन (1905 ई.)

- राष्ट्रीय चेतना का दमन, करने के लिए लॉर्ड कर्जन ने 20 जुलाई, 1905 को बंगाल विभाजन की घोषणा की, जो 16 अगस्त, 1905 से प्रभावी हुई।
- 1905 में बंगाल के विभाजन के विरोध में स्वदेशी आंदोलन प्रारंभ हुआ।

मुस्लिम लीग की स्थापना (1906 ई.)

- मुस्लिम लीग की स्थापना 30 दिसम्बर, 1906 को ढाका में नवाब सलीमुल्ला खाँ एवं आगा खाँ के नेतृत्व में हुई।
- मुस्लिम लीग ने अमृतसर अधिवेशन (1908 ई.) में मुसलमानों के लिए पृथक् निर्वाचन मण्डल की मांग की, जिसे 1909 में मार्ले–मिण्टो सुधारों में मान लिया गया।

दिल्ली दरबार (1911 ई.)

- इंग्लैण्ड के सम्राट जॉर्ज पंचम एवं महारानी मेरी के स्वागत में 1911 ई. में दिल्ली में एक भव्य दरबार का आयोजन किया गया।
- इसमें बंगाल का विभाजन रद्द करने तथा भारत की राजधानी को कलकत्ता से दिल्ली स्थानान्तरित करने की घोषणा हुई।

होमरूल आंदोलन (1916 ई.)

- बाल गंगाधर तिलक ने 28 अप्रैल, 1916 को पूना में होमरूल लीग की स्थापना की।
- सितम्बर 1916 में एनी बेसेण्ट ने भी होमरूल लीग की मद्रास में स्थापना की।

गाँधी युग (महात्मा गांधी)

- महात्मा गाँधी का जन्म 2 अक्टूबर, 1869 को गुजरात के पोरबन्दर में हुआ था।
- गाँधी जी 1893 ई. में दक्षिण अफ्रीका गए तथा रंगभेद नीति के खिलाफ आवाज उठाई।
- गाँधी जी 1915 में भारत लौटे तथा 1916 ई. में अहमदाबाद के निकट साबरमती आश्रम की स्थापना की।
- गाँधी जी ने सन् 1917 में बिहार के **चम्पारन** के नील किसानों के समर्थन में सर्वप्रथम 'सत्याग्रह' का प्रयोग किया।
- गाँधी जी ने 1918 में अहमदाबाद मिल हड़ताल के मुद्दे पर हस्तक्षेप किया।
- गाँधी जी ने 1918 में गुजरात के खेड़ा में लगान अदायगी के विरुद्ध आन्दोलन चलाया।

जलियाँवाला बाग हत्याकांड (1919 ई.)

- 13 अप्रैल, 1919 को बैसाखी के दिन अमृतसर के जलियाँवाला बाग में डॉ. सत्यपाल एवं सैफुद्दीन किचलू की गिरफ्तारी के विरोध में एक सार्वजनिक सभा का आयोजन किया गया।
- जनरल ओ डायर ने बिना किसी पूर्व सूचना के हजारों की संख्या में मौजूद लोगों पर गोलियाँ चलवा दी, जिसमें लगभग 1000 लोग मारे गए।
- इस हत्याकांड के विरोध स्वरूप रवीन्द्रनाथ टैगोर ने **नाइट हुड**, महात्मा गाँधी **कैसर–ए–हिन्द** तथा जमना लाल बजाज ने **राय बहादुर** की उपाधि त्याग दी।

खिलाफत आंदोलन (1919 ई.)

- 1919 ई. में मोहम्मद अली तथा शौकत अली ने अखिल भारतीय खिलाफत कमेटी का गठन किया।
- 31 अगस्त 1920 को खिलाफत दिवस मनाया गया।

असहयोग आंदोलन (1920 ई.)

- 1920 ई. में लाला लाजपत राय की अध्यक्षता में हुए कलकत्ता अधिवेशन में असहयोग आंदोलन का प्रस्ताव पारित किया गया।
- अगस्त, 1920 में गाँधी जी ने असहयोग आन्दोलन की शुरुआत की।
- 5 फरवरी, 1922 को चौरी–चौरा की घटना के बाद गाांधीजी ने असहयोग आंदोलन स्थगित करने की घोषणा की।

साइमन कमीशन (1927 ई.)

- साइमन कमीशन का गठन 1927 में हुआ तथा 3 फरवरी, 1928 को यह भारत पहुँचा। इस कमीशन के सभी सदस्य ब्रिटिश थे परिणामस्वरूप भारत में इसका व्यापक विरोध हुआ।
- साइमन कमीशन के विरोध में आयोजित आंदोलन का नेतृत्व करते हुए लाला लाजपत राय को पुलिस की लाठियां लगीं और वह गम्भीर रूप से घायल हो गए। बाद में उनकी मृत्यु हो गई।

नेहरू रिपोर्ट (1928 ई.)

- भारतीय संविधान के प्रारूप को तैयार करने के लिए 11 मई, 1928 को पण्डित मोतीलाल नेहरू की अध्यक्षता में 8 सदस्यीय समिति गठित की गई।
- इस समिति ने अगस्त, 1928 में संविधान का प्रारूप तैयार किया। इस प्रारूप को **नेहरू रिपोर्ट** कहते हैं।
- नेहरू रिपोर्ट में भारत को **डोमिनियन स्टेट्स** का समर्थन किया गया था।

पूर्ण स्वराज की घोषणा (1929 ई.)

- दिसम्बर 1929 में हुए कांग्रेस के लाहौर अधिवेशन में **पूर्ण स्वराज** की मांग की गई।
- इस अधिवेशन की अध्यक्षता **जवाहरलाल नेहरू** ने की थी।
- 26 जनवरी, 1930 को पूरे देश में स्वतंत्रता दिवस के रूप में मनाने का निर्णय लिया गया।

सविनय अवज्ञा आंदोलन (1930 ई.)

- गाँधी जी ने वायसराय इरविन के समक्ष 13 जनवरी, 1930 को 11 सूत्रीय प्रस्ताव रखा।
- 5 अप्रैल, 1930 को नमक कानून तोड़कर गांधी जी सविनय अवज्ञा आंदोलन आरंभ किया।
- 12 मार्च, 1930 को गाँधी जी ने 79 स्वयंसेवकों के साथ साबरमती आश्रम से 322 किमी. दाण्डी तट की यात्रा आरंभ की। इस यात्रा का उद्देश्य नमक कानून का उल्लंघन करना था।

प्रथम गोलमेज सम्मेलन (1930–31 ई.)

- प्रथम गोलमेज सम्मेलन का आयोजन 12 नवम्बर, 1930 से 13 जनवरी, 1931 तक लन्दन में हुआ।
- इस सम्मेलन में कांग्रेस ने भाग नहीं लिया परन्तु बी.आर. अम्बेडकर ने दलित वर्ग का प्रतिनिधित्व किया।

गांधी–इर्विन समझौता (1931 ई.)

- 5 मार्च, 1931 को गाधीजी तथा वायसराय इर्विन के मध्य एक समझौता हुआ। इसे **गांधी–इर्विन समझौता** कहा जाता है। समझौते के परिणामस्वरूप कांग्रेस ने सविनय अवज्ञा आंदोलन वापस ले लिया तथा गांधीजी ने द्वितीय गोलमेज सम्मेलन में भाग लेने का प्रस्ताव मान लिया।

द्वितीय गोलमेज सम्मेलन (1931 ई.)

- द्वितीय गोलमेज सम्मेलन का आयोजन दिसम्बर, 1931 में लन्दन में हुआ। गांधीजी ने कांग्रेस के प्रतिनिधि के रूप में इस सम्मेलन में भाग लिया। यह सम्मेलन विफल रहा।

तृतीय गोलमेज सम्मेलन (1932 ई.)

- 17 नवम्बर, 1932 से आरम्भ तृतीय गोलमेज सम्मेलन में कांग्रेस ने भाग नहीं लिया।
- तीनों गोलमेज सम्मेलनों के दौरान इंग्लैंड के प्रधानमंत्री रैम्जे मैकडोनाल्ड थे।
- इस सम्मेलन में भारत सरकार अधिनियम, 1935 को अंतिम रूप दिया गया।

कम्युनल अवॉर्ड (1932 ई.)

- 16 अगस्त, 1932 को तत्कालीन ब्रिटिश प्रधानमंत्री रैम्जे मैक्डोनाल्ड ने 'कम्युनल अवार्ड' जारी किया। इसमें मुसलमानों, सिखों, ईसाइयों के साथ दलित वर्गों के लिए भी पृथक निर्वाचन पद्धति लागू की गई।
- 'कम्युनल अवार्ड' का विरोध करने के लिए 20 सितम्बर, 1932 को गांधीजी ने यरवदा जेल में आमरण अनशन आरंभ किया। मदन मोहन मालवीय के प्रयासों से 25 सितम्बर, 1932 को बी.आर. अम्बेडकर तथा गाँधीजी के बीच एक समझौता हुआ, जिसमें संयुक्त निर्वाचक मण्डल के अन्तर्गत दलितों के लिए सुरक्षित स्थानों की संख्या बढ़ाकर 148 करने की बात कही गई। इस समझौते को पूना पैक्ट कहा गया।

अगस्त प्रस्ताव (1940 ई.)

- 8 अगस्त, 1940 को तत्कालीन वायसराय लॉर्ड लिनलिथगो ने अगस्त प्रस्ताव की घोषणा की। अगस्त प्रस्ताव के अन्तर्गत भारतीयों को वायसराय की कार्यकारिणी में प्रतिनिधित्व देने की बात कही गई।
- कांग्रेस ने अगस्त प्रस्ताव को अस्वीकार कर दिया।

क्रिप्स मिशन (1942 ई.)

- क्रिप्स मिशन 1942 ई. में भारत आया। इसने युद्ध के उपरान्त भारत को डोमिनियन स्टेटस देने की बात प्रस्तावित की थी।

भारत छोड़ो आंदोलन (1942 ई.)

- गांधीजी के भारत छोड़ो प्रस्ताव को कांग्रेस कार्यसमिति ने 8 अगस्त, 1942 ई. को स्वीकार कर लिया। भारत छोड़ो आंदोलन की शुरुआत 9 अगस्त, 1942 ई. को हुई। इसी आंदोलन में गांधीजी ने **'करो या मरो'** का नारा दिया।
- मुस्लिम लीग ने 'भारत छोड़ो आन्दोलन का विरोध किया। 23 मार्च, 1943 को पाकिस्तान दिवस मनाया गया।

वेवेल योजना (1945 ई.)

- 4 जून, 1945 को वेवेल योजना का प्रस्ताव रखा गया। वेवेल योजना के अन्तर्गत वायसराय की कार्यकारिणी परिषद् को पुनर्गठित करने एवं इसमें सभी दलों को प्रतिनिधित्व देने का प्रस्ताव था तथा युद्ध के उपरान्त भारत को स्वयं संविधान बनाने की जिम्मेदारी दी जानी थी।

कैबिनेट मिशन (1946 ई.)

- 15 फरवरी, 1946 को कैबिनेट मिशन भारत आया। जुलाई 1946 में कैबिनेट मिशन योजना के अन्तर्गत संविधान सभा के सदस्यों का चुनाव हुआ।
- मुस्लिम लीग ने कैबिनेट मिशन योजना को अस्वीकार कर दिया तथा 16 अगस्त, 1946 को प्रत्यक्ष कार्रवाई दिवस की घोषणा की।

माउण्टबेटन योजना (3 जून, 1947 ई.)

- 22 मार्च, 1947 को भारत के अन्तिम ब्रिटिश वायसराय लॉर्ड माउण्टबेटन भारत आए।
- उनके द्वारा 3 जून, 1947 को एक योजना की घोषणा की गई, जिसे 'माउण्टबेटन योजना' के नाम से जाना जाता है।
- माउण्टबेटन योजना के आधार पर ही 'भारतीय स्वतंत्रता विधेयक' ब्रिटिश संसद में 4 जुलाई, 1947 को प्रस्तुत किया गया, जिसे 18 जुलाई को मंजूरी मिली।
- 15 अगस्त, 1947 को भारत को स्वतंत्रता दे दी गई।

❑❑❑

2

भारतीय राजव्यवस्था

भारत का संविधान

- संविधान का निर्माण भारतीय जनता द्वारा चुने गए प्रतिनिधियों की संविधान सभा द्वारा किया गया।
- संविधान सभा का प्रथम अधिवेशन 9 दिसम्बर, 1946 को दिल्ली में हुआ जिसकी अध्यक्षता डॉ. सच्चिदानंद सिन्हा ने की थी।
- 11 दिसम्बर, 1946 को डॉ. राजेन्द्र प्रसाद को संविधान सभा का स्थायी अध्यक्ष नियुक्त किया गया।
- डॉ. भीमराव अम्बेडकर की अध्यक्षता में सात सदस्यों वाली प्रारूप समिति ने संविधान का अन्तिम रूप से निर्माण किया।
- 26 नवम्बर, 1949 को संविधान अंगीकृत किया गया तथा 26 जनवरी, 1950 से इसे सम्पूर्ण भारत में लागू किया गया। इसी कारण 26 जनवरी को गणतंत्र दिवस मनाया जाता है।
- 26 नवम्बर, 1949 को पारित भारतीय संविधान में 22 भाग, 395 अनुच्छेद तथा 8 अनुसूचियां थी।
- वर्तमान में इसमें 12 अनुसूचियां हैं।
- भारतीय संविधान का लगभग दो-तिहाई भाग 'भारत शासन अधिनियम 1935' से लिया गया था।
- संविधान की प्रस्तावना को संविधान की कुंजी कहा जाता है।
- संविधान के 42वें संशोधन अधिनियम 1976 के द्वारा इसमें 'पन्थ निरपेक्ष' तथा 'समाजवादी' एवं 'अखंडता' शब्द जोड़े गए।
- भारतीय संविधान के निर्माण में विभिन्न देशों के संविधान से उनके महत्वपूर्ण तत्व समावेशित किए गए थे।

भारतीय संविधान के स्रोत

राष्ट्र	विविध स्रोत
• संयुक्त राज्य अमेरिका	मौलिक अधिकार, न्यायिक पुनर्विलोकन, संविधान की सर्वोच्चता, न्यायपालिका की स्वतंत्रता, निर्वाचित राष्ट्रपति एवं उस पर महाभियोग, उपराष्ट्रपति का पद, उच्चतम एवं उच्च न्यायालयों के न्यायाधीशों को हटाने की विधि एवं वित्तीय आपात।
• ब्रिटेन	संसदीय शासन प्रणाली; एकल नागरिकता व विधि निर्माण प्रक्रिया।
• आयरलैंड	नीति निर्देशक तत्व, राष्ट्रपति के निर्वाचक मंडल की व्यवस्था, आपातकालीन उपबंध।
• ऑस्ट्रेलिया	प्रस्तावना की भाषा, समवर्ती सूची का प्रावधान, केन्द्र व राज्यों के बीच संबंध तथा शक्तियों का विभाजन।
• सोवियत संघ (रूस)	मौलिक कर्त्तव्य।
• जापान	विधि द्वारा स्थापित प्रक्रिया।
• फ्रांस	गणतंत्रात्मक शासन पद्धति।
• कनाडा	संघात्मक शासन व्यवस्था एवं अवशिष्ट शक्तियों का केन्द्र के पास होना।
• द० अफ्रीका	संविधान संशोधन की प्रक्रिया का प्रावधान।
• जर्मनी	आपातकाल के प्रवर्तन के दौरान राष्ट्रपति को मौलिक अधिकारों से संबंधित शक्तियां।

भारतीय संविधान की प्रस्तावना

"हम भारत के लोग, भारत को एक सम्पूर्ण प्रभुत्व सम्पन्न समाजवादी', पंथ निरपेक्ष', लोकतांत्रिक गणराज्य बनाने के लिए तथा उसके समस्त नागरिकों को सामाजिक, आर्थिक और राजनीतिक न्याय, विचार, अभिव्यक्ति, विश्वास, धर्म और उपासना की स्वतंत्रता, प्रतिष्ठा और अवसर की समता प्राप्त करने के लिए तथा उन सब में व्यक्ति की गरिमा और राष्ट्र की एकता और अखण्डता सुनिश्चित करने वाली बंधुता बढ़ाने के लिए, दृढ़ संकल्प होकर इस संविधान सभा में आज दिनांक 26 नवम्बर, 1949 ई. को एतद् द्वारा इस संविधान को अंगीकृत, अधिनियमित और आत्मार्पित करते हैं।"

नागरिकता

- भारत में एकल नागरिकता का प्रावधान किया गया है।
- भारतीय नागरिकता अधिनियम, 1955 के अनुसार निम्नलिखित में से किसी एक आधार पर नागरिकता प्राप्त की जा सकती है
  1. जन्मजातः इसके अन्तर्गत 26 ज़नवरी, 1950 तथा उसके बाद भारत में जन्म लेने वाला व्यक्ति भारत का जन्मजात नागरिक होगा।
  2. वंशानुगत, **3.** देशीयकरण द्वारा, **4.** पंजीकरण द्वारा, **5.** भूमि विस्तार द्वारा।

भारतीय नागरिकता का अंत

- नागरिकता का परित्याग करने पर, किसी अन्य देश की नागरिकता स्वीकार कर लेने पर या सरकार द्वारा इसे छीनने पर नागरिकता का अंत हो जाता है।

मौलिक अधिकार

- जब संविधान का प्रवर्तन किया गया, उस समय मूल अधिकारों की संख्या 7 थी। लेकिन 44वें संविधान संशोधन, 1976 के द्वारा सम्पत्ति के मूल अधिकार को समाप्त करके इस अधिकार को विधिक अधिकार बना दिया गया।
- भारतीय नागरिकों को निम्नलिखित छः प्रकार के मौलिक अधिकार प्राप्त हैं–

1. समता का अधिकार (अनुच्छेद 14-18)

- **अनुच्छेद 14:** विधि के समक्ष समता का अधिकार।
- **अनुच्छेद 15:** धर्म, नस्ल, जाति, लिंग या जन्म–स्थान के आधार पर भेदभाव का निषेध।
- **अनुच्छेद 16:** लोक नियोजन के विषय में अवसर की समता।
- **अनुच्छेद 17:** अस्पृश्यता का अंत।
- **अनुच्छेद 18:** उपाधियों का अंत।

2. स्वतंत्रता का अधिकार (अनुच्छेद 19-22)

- **अनुच्छेद 19:** इसके अंतर्गत ये अधिकार सम्मिलित हैं:
  (*i*) बोलने की स्वतंत्रता,
  (*ii*) शांतिपूर्वक बिना हथियारों के एकत्रित होने और सभा करने की स्वतंत्रता,
  (*iii*) संघ बनाने की स्वतंत्रता,
  (*iv*) देश के किसी भी क्षेत्र में आवागमन की स्वतंत्रता,
  (*v*) देश के किसी भी क्षेत्र में निवास करने और बसने की स्वतंत्रता,
  (*vi*) अपनी पसंद की वृत्ति, व्यवसाय की स्वतंत्रता।
- **अनुच्छेद 20:** अपराधों के लिए दोष–सिद्धि के संबंध में संरक्षण।
- **अनुच्छेद 21:** प्राण एवं दैहिक स्वतंत्रता का संरक्षण।
- **अनुच्छेद 21 (क):** राज्य 6 से 14 वर्ष की आयु के समस्त बच्चों को इस ढंग से जैसा कि राज्य, विधि द्वारा अवधारित करें, निःशुल्क तथा अनिवार्य शिक्षा उपलब्ध करेगा। (86वाँ संशोधन–2002 के द्वारा।)
- **अनुच्छेद 22:** कुछ दशाओं में गिरफ्तारी और निरोध में संरक्षण।

3. शोषण के विरूद्ध अधिकार (अनुच्छेद 23-24)

- **अनुच्छेद 23:** मानव के दुर्व्यापार और बलात् श्रम का प्रतिषेध।
- **अनुच्छेद 24:** बालकों के नियोजन का प्रतिषेध।

4. धार्मिक स्वतंत्रता का अधिकार (अनुच्छेद 25-28)

- **अनुच्छेद 25:** अंतःकरण की और धर्म के अबाध रूप से मानने, आचरण और प्रचार करने की स्वतंत्रता।
- **अनुच्छेद 26:** धार्मिक कार्यों के प्रबंध की स्वतंत्रता।
- **अनुच्छेद 27:** राज्य किसी भी व्यक्ति को ऐसे कर देने के लिए बाध्य नहीं कर सकता है, जिसकी आय किसी विशेष धर्म अथवा धार्मिक सम्प्रदाय की उन्नति या पोषण में व्यय करने के लिए विशेष रूप से निश्चित कर दी गई है।
- **अनुच्छेद 28:** राज्य–विधि से पूर्णतः पोषित किसी शिक्षा संस्था में कोई धार्मिक शिक्षा नहीं दी जाएगी।

5. संस्कृति एवं शिक्षा संबंधी अधिकार (अनुच्छेद 29-30)

- **अनुच्छेद 29:** अल्पसंख्यक वर्गों के हितों का संरक्षण।
- **अनुच्छेद 30:** शिक्षा संस्थाओं की स्थापना और प्रशासन करने का अल्पसंख्यक वर्गों को अधिकार।

6. संवैधानिक उपचारों का अधिकार

- **अनुच्छेद 32:** इसके अन्तर्गत मौलिक अधिकारों को प्रवर्तित कराने के लिए समुचित कार्रवाइयों द्वारा उच्चतम न्यायालय में आवेदन करने का अधिकार प्रदान किया गया है। इस सन्दर्भ में सर्वोच्च न्यायालय को पाँच तरह के रिट (writ) निकालने की शक्ति प्रदान की गयी है। ये रिट निम्नलिखित हैं–
- **बन्दी प्रत्यक्षीकरण:** जब किसी व्यक्ति को अवैध रूप से बन्दी बनाया जाता है, तो सर्वोच्च न्यायालय उस बन्दी बनाने वाले अधिकारी को आदेश देता है कि वह बन्दी बनाए गए व्यक्ति को 24 घण्टे के भीतर न्यायालय में पेश करे। यह आपराधिक जुर्म के मामलों में जारी नहीं किया जा सकता।
- **परमादेश:** यह उस समय जारी किया जाता है, जब कोई पदाधिकारी अपने सार्वजनिक कर्त्तव्य का निर्वाह नहीं करता है।
- **प्रतिषेध:** यह निचली अदालत को ऐसा कार्य करने से रोकता है, जो उसके अधिकार क्षेत्र से बाहर है।
- **अधिकार–पृच्छा:** यह एक व्यक्ति को एक जन कार्यालय में काम करने से मना करता है, जिसका उसे अधिकार नहीं है।
- **उत्प्रेषण:** यह तभी जारी किया जाता है जब एक अदालत या न्यायालय अपने न्याय क्षेत्र से बाहर कार्य करता है। यह 'निषेध' से अलग है और यह कार्य सम्पादित होने के बाद ही जारी किया जाता है।

राज्य के नीति निदेशक सिद्धांत (भाग-4, अनुच्छेद 36 से 51 तक)

- नीति निदेशक सिद्धांत राष्ट्र के प्रशासकों के लिए एक आचार संहिता है।
- इसे न्यायालय द्वारा लागू नहीं किया जा सकता अर्थात् इसे वैधानिक शक्ति प्राप्त नहीं है।

- राज्य के नीति निर्देशक सिद्धांत निम्न हैं–
  - **अनुच्छेद 38:** राज्य लोक कल्याण की अभिवृद्धि के लिए सामाजिक व्यवस्था बनायेगा।
  - **अनुच्छेद 39:** राज्य का यह कर्त्तव्य है कि वह समान कार्य के लिए समान वेतन प्रदान करे।
  - **अनुच्छेद 40:** ग्राम पंचायतों का गठन।
  - **अनुच्छेद 41:** कुछ दशाओं में काम, शिक्षा और लोक सहायता पाने का अधिकार।
  - **अनुच्छेद 42:** काम की न्याय संगत और मानवोचित दशाओं तथा प्रसूति सहायता का उपबंध।
  - **अनुच्छेद 43:** कर्मकारों के लिए निर्वाचन मजदूरी एवं कुटीर उद्योग को प्रोत्साहन।
  - **अनुच्छेद 44:** नागरिकों के लिए एक समान सिविल संहिता।
  - **अनुच्छेद 45:** बालकों के लिए निःशुल्क और अनिवार्य शिक्षा का उपबन्ध।
  - **अनुच्छेद 46:** राज्य की अनुसूचित जातियों, अनुसूचित जनजातियों और अन्य दुर्बल वर्गों की शिक्षा और अर्थ संबंधी हितों की अभिवृद्धि।
  - **अनुच्छेद 47:** पोषाहार स्तर और जीवन स्तर को ऊंचा करने तथा लोक स्वास्थ्य का सुधार करने का राज्य कर्त्तव्य।
  - **अनुच्छेद 48:** कृषि और पशुपालन का संगठन।
  - **अनुच्छेद 48 (क):** पर्यावरण का संरक्षण तथा संवर्धन और वन्य जीवों की रक्षा का प्रयास करेगा।
  - **अनुच्छेद 49:** राष्ट्रीय महत्व के संस्मारकों, स्थानों और वस्तुओं का संरक्षण।
  - **अनुच्छेद 50:** कार्यपालिका से न्यायपालिका का पृथक्करण।
  - **अनुच्छेद 51:** अन्तर्राष्ट्रीय शांति और सुरक्षा की अभिवृद्धि।

मौलिक कर्त्तव्य (भाग–4 (क) में), अनुच्छेद 51 (क)

- मौलिक कर्त्तव्य सरदार स्वर्ण सिंह समिति की अनुशंसा पर संविधान के 42वें संशोधन अधिनियम द्वारा अनुच्छेद 51 (क) के अन्तर्गत अंतःस्थापित किये गये हैं।
- ये न्यायालय के माध्यम से प्रवृत्त तो नहीं कराए जा सकते, किन्तु संविधान के निर्वचन में दिशा दर्शन के रूप में महत्वपूर्ण हैं।
- वर्तमान में मौलिक कर्त्तव्यों की संख्या 11 है, जो इस प्रकार हैं: प्रत्येक नागरिक का यह कर्त्तव्य होगा कि–

1. संविधान का पालन करे और उसके आदर्शों, संस्थाओं, राष्ट्रध्वज और राष्ट्रगान का आदर करें।
2. स्वतंत्रता के लिए हमारे राष्ट्रीय आन्दोलन को प्रेरित करने वाले उच्च आदर्शों को हृदय में संजोये रखे और उनका पालन करे।
3. भारत की प्रभुता, एकता और अखण्डता की रक्षा करे और उसे अक्षुण्ण रखे।
4. देश की रक्षा करें और आहवान किये जाने पर राष्ट्र की सेवा करे।
5. भारत के सभी लोगों में समरसता और समान भ्रातृत्व की भावना का निर्माण करे।
6. हमारी सामाजिक संस्कृति की गौरवशाली परंपरा का महत्व समझें और उसका परिरक्षण करे।
7. प्राकृतिक पर्यावरण की रक्षा और उसका संवर्द्धन करे।
8. वैज्ञानिक दृष्टिकोण और ज्ञानार्जन की भावना का विकास करे।
9. सार्वजनिक संपत्ति को सुरक्षित रखें।
10. व्यक्तिगत और सामूहिक गतिविधियों के सभी क्षेत्रों में उत्कर्ष की ओर बढ़ने का सतत् प्रयास करें।
11. 6 से 14 साल तक की आयु के बच्चे के माता–पिता या अभिभावक अपने बच्चे को शिक्षा दिलाने के लिए अवसर उपलब्ध कराने का प्रयास करेंगे।

संघीय कार्यपालिका

- भारत में संसदीय शासन प्रणाली को अपनाया गया है। संसद के अन्तर्गत राष्ट्रपति, राज्य सभा और लोक सभा आते हैं।

राष्ट्रपति

- राष्ट्रपति देश का संवैधानिक प्रधान होता है। भारतीय संघ की कार्यपालिका शक्तियाँ उसी में निहित हैं। उसका कार्यकाल पांच वर्ष का होता है।

योग्यताएँ

- अनुच्छेद 58 के अनुसार कोई व्यक्ति राष्ट्रपति होने योग्य तब होगा, जब वह–
  1. भारत का नागरिक हो।
  2. 35 वर्ष की आयु पूरी कर चुका हो।
  3. लोक सभा का सदस्य निर्वाचित किए जाने योग्य हो।
  4. चुनाव के समय लाभ का पद धारण नहीं किया हो।

राष्ट्रपति का चुनाव

- राष्ट्रपति का निर्वाचन एक निर्वाचक मंडल के द्वारा होता है।
- निर्वाचक मंडल में राज्य सभा, लोक सभा और राज्यों की विधानसभाओं में निर्वाचित सदस्य शामिल होते हैं।
- राष्ट्रपति का निर्वाचन समानुपातिक प्रतिनिधित्व प्रणाली और एकल संक्रमणीय मत पद्धति के द्वारा होता है।
- राष्ट्रपति के निर्वाचन से संबंधित विवादों का निपटारा उच्चतम न्यायालय द्वारा किया जाता है।
- उच्चतम न्यायालय का प्रधान न्यायाधीश राष्ट्रपति को शपथ दिलाता है।

पद त्याग

- राष्ट्रपति अपना पदत्याग उपराष्ट्रपति को संबोधित अपने त्यागपत्र के द्वारा कर सकता है।
- राष्ट्रपति द्वारा संविधान के प्रावधानों के उल्लंघन पर संसद में उस पर महाभियोग चलाया जा सकता है।

कार्य एवं शक्तियाँ

- **कार्यपालिका सम्बन्धी शक्तियाँ :** महत्त्वपूर्ण अधिकारियों की नियुक्ति व पदच्युति, शासन संचालन सम्बन्धी शक्ति, सैनिक क्षेत्र में शक्ति, इत्यादि।
- **विधायी शक्तियाँ :** विधायी क्षेत्रों का प्रशासन, सदस्यों का मनोनयन, अध्यादेश जारी करने की शक्ति, आदि।
- **आपातकालीन शक्तियाँ :** संविधान में अनुच्छेद 352 से अनुच्छेद 360 तक आपातकालीन उपबंध किए गए हैं। केन्द्रीय मंत्रिपरिषद् के परामर्श से राष्ट्रपति तीन प्रकार के आपात लागू कर सकता है–

(*i*) युद्ध या बाह्य आक्रमण या सशस्त्र विद्रोह के कारण लगाया गया आपात (अनु॰ 352)। (*ii*) राज्यों में सांविधानिक तंत्र के विफल होने से उत्पन्न आपात (अनु॰ 356)। (*iii*) वित्तीय आपात (अनु॰ 360)।

प्रमुख तथ्य

- भारत के प्रथम राष्ट्रपति डॉ. राजेन्द्र प्रसाद थे। वह लगातार दो बार राष्ट्रपति निर्वाचित हुए।
- नीलम संजीव रेड्डी निर्विरोध चुने जाने वाले एकमात्र राष्ट्रपति थे।
- डॉ. एस. राधाकृष्णन लगातार दो बार उपराष्ट्रपति तथा एक बार राष्ट्रपति रहे।
- भारत की प्रथम महिला राष्ट्रपति प्रतिभा पाटिल थीं।
- राष्ट्रपति का पद खाली होने के बाद छः महीने के अन्दर भरा जाना अनिवार्य है।
- राष्ट्रपति का वेतन संचित निधि पर भारित तथा आयकर से मुक्त होता है।

उपराष्ट्रपति

- संविधान के अनुच्छेद 63 के अनुसार, भारत का एक उपराष्ट्रपति होगा। इसका कार्यकाल 5 वर्षों का होता है।
- उपराष्ट्रपति राज्य सभा का पदेन सभापति होता है।
- उपराष्ट्रपति का निर्वाचन संसद के दोनों सदनों के सदस्यों से मिलकर बनने वाले निर्वाचक मंडल द्वारा आनुपातिक प्रतिनिधित्व पद्धति के अनुसार एकल संक्रमणीय मत द्वारा होगा तथा ऐसा निर्वाचन गुप्त होगा। कोई व्यक्ति उपराष्ट्रपति निर्वाचित होने का पात्र तभी होगा जब वह–
  (*i*) भारत का नागरिक हो,
  (*ii*) पैंतीस वर्ष की आयु पूरी कर चुका हो,
- डॉ. एस. राधाकृष्णन भारत के पहले उपराष्ट्रपति थे।
- उप–राष्ट्रपति के चुनाव से संबंधित कोई भी विवाद सर्वोच्च न्यायालय द्वारा निपटाया जाता है।

प्रधानमंत्री एवं मंत्रिपरिषद्

- अनु॰ 74 के अनुसार, राष्ट्रपति को सहायता और सलाह देने के लिए मंत्रिपरिषद् होगी, जिसका प्रमुख **प्रधानमंत्री** होगा।
- प्रधानमंत्री की नियुक्ति राष्ट्रपति करता है तथा अन्य मंत्रियों की नियुक्ति राष्ट्रपति प्रधानमंत्री की सलाह पर करता है।
- मंत्री राष्ट्रपति के प्रसादपर्यंत अपने–अपने पद धारण करते हैं।
- मंत्रिपरिषद् लोक सभा के प्रति सामूहिक रूप से उत्तरदायी होती है।
- राष्ट्रपति मंत्रियों को पद एवं गोपनीयता की शपथ दिलाता है।
- किसी भी गैर संसद सदस्य को मंत्री बनाया जा सकता है, लेकिन उसे 6 मास की अवधि तक संसद का सदस्य हो जाना चाहिए।
- प्रधानमंत्री नीति (NITI) आयोग का पदेन अध्यक्ष होता है।
- संवैधानिक रूप से देश की समस्त शक्तियाँ राष्ट्रपति के हाथों में होती हैं किन्तु उसकी समस्त शक्तियों का उपयोग मंत्रिपरिषद् प्रधानमंत्री के नेतृत्व में संचालित करती है।

विधायिका

संसद

- भारत की केन्द्रीय व्यवस्थापिका को संसद कहा जाता है। भारतीय संसद के तीन अंग हैं–राष्ट्रपति, राज्य सभा और लोक सभा।
- संसद के **उच्च सदन** को राज्य सभा तथा निम्न सदन को **लोक सभा** कहा जाता है।

राज्य सभा

- संविधान के अनुच्छेद 80 के अनुसार, राज्य सभा का गठन 250 सदस्यों द्वारा होता है। इनमें 12 सदस्य राष्ट्रपति द्वारा नाम निर्देशित किये जाते हैं तथा शेष 238 का चुनाव राज्य तथा संघ राज्य क्षेत्रों की विधानसभाओं द्वारा किया जाता है। वर्तमान में राज्य सभा सदस्यों की संख्या 245 है।
- राज्य सभा का कभी विघटन नहीं होता, लेकिन इसके एक तिहाई सदस्य हर दो वर्ष बाद सेवानिवृत्त हो जाते हैं।
- राज्य सभा के सदस्य 6 वर्ष की अवधि के लिए निर्वाचित किए जाते हैं।
- राज्य सभा में उत्तर प्रदेश की सबसे अधिक सीटें (31) हैं।
- राज्य सभा पहली बार 3 अगस्त, 1952 को विधिवत गठित हुई थी।
- राज्य सभा का कोई सदस्य यदि सदन की अनुमति के बिना सदन से 60 दिनों से अधिक अनुपस्थित रहता है, तो सदन में उसका स्थान समाप्त हो सकता है।
- राज्य सभा के सदस्यों का चुनाव अप्रत्यक्ष रूप से होता है।

राज्य सभा का सदस्य होने के लिए अर्हता

1. वह भारत का नागरिक हो।
2. उसकी आयु सीमा 30 वर्ष या उससे अधिक हो।
3. संसदीय विधि द्वारा निर्धारित सभी योग्यताएँ रखता हो।

शक्तियाँ एवं कार्य

- राज्य सभा को यह अधिकार प्राप्त है कि वह संविधान के अनुच्छेद 249 के तहत राज्य सूची के किसी विषय को राष्ट्रीय महत्व का घोषित कर सके।
- केवल राज्य सभा को यह अधिकार प्राप्त है कि वह संविधान के अनुच्छेद 312 के तहत अखिल भारतीय सेवाओं का सृजन कर सके।
- किसी भी धन विधेयक को राज्य सभा में पेश नहीं किया जा सकता।
- लोकसभा द्वारा पारित धन विधेयक को राज्यसभा केवल 14 दिनों के लिए रोककर रख सकती है। वह विधेयक को रद्द नहीं कर सकती।

लोकसभा

- अनुच्छेद 81 के अनुसार, लोक सभा का गठन 5 वर्ष के लिए किया जाता है। वर्तमान में लोकसभा की सदस्य संख्या 543 है। ये सदस्य राज्यों तथा केन्द्र शासित प्रदेशों से निर्वाचित होते हैं। लोकसभा में आंग्ल भारतीय वर्ग के दो सदस्यों के राष्ट्रपति द्वारा मनोनयन की व्यवस्था को 104वें संविधान संशोधन अधिनियम, 2019 द्वारा समाप्त कर दिया गया है।

- लोक सभा के सदस्यों का चुनाव गुप्त मतदान के द्वारा वयस्क मताधिकार (18 वर्ष) के आधार पर होता है।

लोकसभा की सदस्यता के लिए योग्यताएँ

(*i*) भारत का नागरिक हो,

(*ii*) उसकी आयु 25 वर्ष या इससे अधिक हो,

(*iii*) भारत सरकार अथवा किसी राज्य सरकार के अन्तर्गत वह कोई लाभ के पद पर नहीं हो,

(*iv*) वह पागल तथा दिवालिया न हो।

- आपातकाल की घोषणा लागू होने पर विधि द्वारा संसद लोक सभा के कार्यकाल में वृद्धि कर सकती है, जो एक बार में एक वर्ष से अधिक नहीं होगी।
- लोक सभा की दो बैठकों में 6 माह से अधिक का अन्तर नहीं होना चाहिए। लोक सभा की गणपूर्ति या कोरम कुल सदस्य संख्या का दसवाँ भाग होता है।
- संविधान के अनुच्छेद 108 में संसद के संयुक्त अधिवेशन की व्यवस्था है। संयुक्त अधिवेशन की अध्यक्षता लोक सभा अध्यक्ष करता है।
- धन विधेयक के सम्बन्ध में लोक सभा का निर्णय अंतिम होता है। इस संबंध में संयुक्त अधिवेशन की व्यवस्था नहीं है।

लोकसभा अध्यक्ष

- संविधान के अनुच्छेद 93 के अनुसार, लोक सभा स्वयं ही अपने सदस्यों में से एक अध्यक्ष और एक उपाध्यक्ष का निर्वाचन करेगी। लोकसभा अध्यक्ष को **स्पीकर** भी कहा जाता है।
- प्रथम लोक सभा अध्यक्ष **जी.वी. मावलंकर** एवं उपाध्यक्ष **श्री अनंतशयनम आयंगर** थे।
- लोकसभा अध्यक्ष यह निर्णय करता है कि कोई विधेयक धन विधेयक है या नहीं और उसका निर्णय अन्तिम होता है।
- देश की पहली महिला लोकसभा अध्यक्ष मीरा कुमार थीं।

न्यायपालिका

उच्चतम न्यायालय

- अनुच्छेद 124 में उच्चतम न्यायालय के गठन संबंधी प्रावधान किये गये हैं।
- उच्चतम न्यायालय में एक मुख्य न्यायाधीश तथा 33 अन्य न्यायाधीश होते हैं।
- उच्चतम न्यायालय के मुख्य न्यायाधीश तथा अन्य न्यायाधीशों की नियुक्ति राष्ट्रपति द्वारा की जाती है।

योग्यताएँ

(*i*) वह भारत का नागरिक हो।

(*ii*) वह किसी उच्च न्यायालय अथवा दो या दो से अधिक न्यायालयों में लगातार कम–से–कम 5 वर्षों तक न्यायाधीश के रूप में कार्य कर चुका हो।

या

किसी उच्च न्यायालय या न्यायालयों में लगातार 10 वर्षों तक अधिवक्ता रह चुका हो।

या

राष्ट्रपति की राय में पारंगत विधिवेत्ता हो।

न्यायाधीश को हटाया जाना

- उच्चतम न्यायालय का प्रत्येक न्यायाधीश तब तक पद धारण करेगा जब तक वह 65 वर्ष की आयु प्राप्त नहीं कर लेता। इससे पूर्व उसे उसके पद से साबित कदाचार या असमर्थता के आधार पर हटाया जा सकता है।
- कदाचार या असमर्थता के आधार पर हटाये जाने के लिए संसद के प्रत्येक सदन द्वारा अपनी कुल सदस्य संख्या के बहुमत द्वारा तथा उपस्थित और मत देने वाले सदस्यों के कम–से–कम दो–तिहाई बहुमत द्वारा पारित प्रस्ताव को राष्ट्रपति के समक्ष उसी सत्र में रखा जाता है, तब राष्ट्रपति के आदेश से न्यायाधीश को हटाया जा सकताहै।

उच्चतम न्यायालय का क्षेत्राधिकार

- प्रारंभिक क्षेत्राधिकार के अन्तर्गत उच्चतम न्यायालय उसी विवाद को निर्णय के लिए स्वीकार करेगा, जिसमें किसी तथ्य या विधि का प्रश्न शामिल है।
- **अपीलीय क्षेत्राधिकार:** देश का सबसे बड़ा अपीलीय न्यायालय उच्चतम न्यायालय है। भारत के राज्य क्षेत्र के किसी उच्च न्यायालय के निर्णय के विरुद्ध अपील सुनने का उसे अधिकार है।
- **न्यायिक पुनरीक्षण:** उच्चतम न्यायालय को अमेरिका के उच्चतम न्यायालय के समान न्यायिक पुनरीक्षण के रूप में व्यापक शक्तियाँ प्रदान की गई हैं।

उच्च न्यायालय

- संविधान के अनुच्छेद 214 में यह उपबंध है कि प्रत्येक राज्य में एक उच्च न्यायालय होगा।
- प्रत्येक उच्च न्यायालय में एक मुख्य न्यायाधीश सहित अन्य अनेक न्यायाधीश होते हैं जो समय–समय पर राष्ट्रपति द्वारा नियुक्त किये जाते हैं।

योग्यताएँ

(*i*) वह भारत का नागरिक हो।

(*ii*) भारत में कम–से–कम 10 वर्ष तक न्यायाधीश के पद पर कार्य कर चुका हो अथवा किसी उच्च न्यायालय अथवा दो या दो से अधिक न्यायालयों में लगातार कम–से–कम 10 वर्ष तक अधिवक्ता रहा हो।

या

राष्ट्रपति की दृष्टि में प्रतिष्ठित विधिवेत्ता हो।

(*iii*) जिसकी आयु 62 वर्ष से अधिक न हो।

(*iv*) उच्च न्यायालय के न्यायाधीशों की अवकाश ग्रहण करने की अधिकतम आयु सीमा 62 वर्ष है।

उच्च न्यायालय के कार्य एवं क्षेत्राधिकार

1. प्रारंभिक क्षेत्राधिकार
2. अपीलीय क्षेत्राधिकार
3. रिट जारी करने का अधिकार
4. अधीनस्थ न्यायालयों पर नियंत्रण

राज्य की कार्यपालिका

राज्यपाल

- राज्य की कार्यपालिका का प्रधान राज्यपाल होता है, जो मंत्रिपरिषद् की सलाह के अनुसार कार्य करता है।
- राज्यपाल की नियुक्ति राष्ट्रपति करता है।
- राज्यपाल की नियुक्ति 5 वर्षों के लिए होती है। पाँच वर्ष की अवधि से पूर्व भी उसे राष्ट्रपति के द्वारा हटाया जा सकता है।
- राज्यपाल अपने कार्यकाल की समाप्ति के पूर्व भी राष्ट्रपति को अपना त्यागपत्र भेज सकता है।

राज्यपाल के कार्य तथा अधिकार

कार्यपालिका संबंधी

- राज्य के समस्त कार्यपालिका संबंधी कार्य राज्यपाल के नाम से किए जाते हैं।
- राज्यपाल मुख्यमंत्री की नियुक्ति करता है तथा मुख्यमंत्री की सलाह पर मंत्रिपरिषद् के अन्य सदस्यों की नियुक्ति करता है।

विधायी शक्तियां

- राज्यपाल राज्य विधान मंडल का अंग होता है।
- राज्य विधान मंडल का सत्रावसान करने, सत्र बुलाने तथा विधान सभा को विघटित करने का अधिकार है।

राज्यपाल की न्यायिक शक्तियां

- राज्यपाल को उस विषय संबंधी, जिस विषय पर उस राज्य की कार्यपालिका शक्ति का विस्तार है, किसी विधि के विरुद्ध, किसी अपराध के लिए सिद्ध दोष ठहराये गए किसी व्यक्ति के दंड को क्षमा, उसका प्रविलंबन, लघुकरण या परिहार कर सकता है।

राज्य मंत्रिपरिषद्/मुख्यमंत्री

- अनुच्छेद 163 के अन्तर्गत राज्यपाल की सहायता और सलाह देने के लिए एक मंत्रिपरिषद् होती है जिसका प्रधान **मुख्यमंत्री** होता है।
- अनुच्छेद 164 के अनुसार, मुख्यमंत्री की नियुक्ति राज्यपाल करता है तथा अन्य मंत्रियों की नियुक्ति राज्यपाल, मुख्यमंत्री की सलाह पर करता है।
- मंत्रिपरिषद् राज्य की विधान सभा के प्रति सामूहिक रूप से उत्तरदायी होता है। सामान्यतः मुख्यमंत्री अपने पद पर तब तक बना रहता है जब तक उसे विधान सभा का विश्वास प्राप्त होता है।

राज्य विधायिका

विधानपरिषद्

- विधान परिषद् राज्य विधानमण्डल का उच्च सदन होता है।
- विधान परिषद् का सदस्य बनने के लिए न्यूनतम आयु सीमा 30 वर्ष है।
- विधान परिषद् एक स्थायी सदन है। इसका विघटन नहीं होता।
- इसके सदस्यों का कार्यकाल 6 वर्ष का होता है। इसके 1/3 सदस्य प्रत्येक दो वर्ष की समाप्ति पर अपना पद त्याग करते हैं और उनके स्थान पर नए सदस्यों का चुनाव होता है।
- निम्नलिखित छह राज्यों में विधान परिषद् विद्यमान हैं– 1. उत्तर प्रदेश, 2. कर्नाटक, 3. महाराष्ट्र, 4. आंध्र प्रदेश, 5. बिहार, 6. तेलंगाना
- संविधान में विधान परिषद् के लिए एक सभापति (chairman) तथा उप-सभापति (Vice-chairman) की व्यवस्था की गई है।

विधानसभा

- अनुच्छेद 170 के अनुसार, विधान सभा के सदस्यों की संख्या अधिकतम 500 और न्यूनतम 60 होगी। अपवादस्वरूप सिक्किम (32), गोवा (40) एवं मिजोरम (40) हैं।
- विधान सभा में निर्वाचित होने के लिए न्यूनतम आयु सीमा 25 वर्ष है।
- विधान सभा का कार्यकाल 5 वर्ष है, किन्तु राज्य मंत्रिपरिषद् की सिफारिश पर इसे समय से पूर्व भी भंग किया जा सकता है।
- राज्य विधान सभा का सदस्य बनने के लिए आवश्यक है कि व्यक्ति भारत का नागरिक हो तथा उसमें ऐसी अन्य योग्यताएं हों, जो संसद निर्धारित करे।
- संविधान में विधानसभा के लिए अध्यक्ष (Speaker) तथा उपाध्यक्ष (Deputy-Speaker) की व्यवस्था की गई है।

स्थानीय प्रशासन

पंचायती राज

- पंचायती राज का शुभारंभ 2 अक्टूबर, 1959 को नागौर, राजस्थान में हुआ। बाद में इसे आन्ध्र प्रदेश में लागू किया गया।
- पंचायती राज का लक्ष्य लोगों को विकास और योजनाओं से जोड़ना है, ताकि अफसरशाही पर निर्भरता को कम किया जा सके।
- 73वाँ संविधान संशोधन पंचायती राज से संबंधित है। इसके मुख्य प्रावधान निम्नलिखित हैं–
  1. पंचायती राज का ढाँचा त्रिस्तरीय होगा। ग्राम स्तर पर ग्राम पंचायत, प्रखण्ड स्तर पर पंचायत समिति तथा जिला स्तर पर जिला परिषद् के गठन की व्यवस्था की गई है।
  2. इसका निर्वाचन पाँच वर्षों के लिए होता है। समय पूर्व पंचायत के भंग होने पर 6 माह के अन्दर निर्वाचन होंगे।
  3. पंचायती राज संस्था के प्रत्येक स्तर में महिलाओं को एक–तिहाई स्थानों पर आरक्षण का प्रावधान है।

नगरपालिकाएँ

- 74वां संविधान संशोधन अधिनियम, 1993 के तहत भारतीय संविधान के अनुच्छेद 243(त) से 243(य)(छ) तक इसका विशेष उल्लेख है।
- इसके अन्तर्गत तीन प्रकार की नगरीय व्यवस्था का उल्लेख है–
  (1) नगर पंचायत
  (2) नगरपालिका परिषद्
  (3) नगर निगम
- नगरपालिकाओं में महिलाओं के लिए एक–तिहाई स्थान आरक्षित है।
- नगरीय संस्थाओं का कार्यकाल पाँच वर्ष का होता है। विघटन की स्थिति में छह माह के अन्दर चुनाव अनिवार्य होते हैं।

❑❑❑

3

भारतीय अर्थव्यवस्था

- अर्थव्यवस्था एक ऐसा तंत्र या ढाँचा है जिसके अन्तर्गत विभिन्न प्रकार की आर्थिक क्रियाएँ सम्पादित की जाती हैं, जैसे–कृषि, उद्योग, व्यापार, बैंकिंग, बीमा, परिवहन तथा संचार आदि। दूसरे शब्दों में, अर्थव्यवस्था आर्थिक क्रियाओं का एक ऐसा संगठन है जिसके अन्तर्गत लोग कार्य करके अपनी आजीविका चलाते हैं।

भारतीय अर्थव्यवस्था की संरचना

आर्थिक क्रियाओं को तीन भागों में बाँटा जाता है–

(i) **प्राथमिक क्षेत्र** (Primary Sector): प्राथमिक क्षेत्र को कृषि क्षेत्र भी कहा जाता है। इसके अन्तर्गत कृषि, पशु पालन, मछली पालन, जंगलों से वस्तुओं को प्राप्त करना जैसे व्यवसाय आते हैं।

(ii) **द्वितीयक क्षेत्र** (Secondary Sector): द्वितीयक क्षेत्र को औद्योगिक क्षेत्र भी कहा जाता है। इसके अन्तर्गत खनिज व्यवसाय, निर्माण कार्य, जनोपयोगी सेवाएँ, जैसे–गैस और बिजली आदि के उत्पादन आते हैं।

(iii) **तृतीयक क्षेत्र** (Tertiary Sector): तृतीयक क्षेत्र को सेवा क्षेत्र भी कहा जाता है। इसके अन्तर्गत बैंक एवं बीमा, परिवहन, संचार एवं व्यापार आदि क्रियाएँ सम्मिलित होती हैं। ये क्रियाएँ प्राथमिक एवं द्वितीयक क्षेत्रों की क्रियाओं को सहायता प्रदान करती हैं। इसलिए इसे सेवा क्षेत्र कहा जाता है।

अर्थव्यवस्था के प्रकार

विश्व में तीन प्रकार की अर्थव्यवस्था पाई जाती है–

1. **पूँजीवादी अर्थव्यवस्था** (Capitalist Economy): पूँजीवादी अर्थव्यवस्था वह अर्थव्यवस्था है जहाँ उत्पादन के साधनों का स्वामित्व निजी व्यक्तियों के पास होता है जो इसका उपयोग अपने निजी लाभ के लिए करते हैं। जैसे–अमेरिका, जापान, फ्रांस आदि।
2. **समाजवादी अर्थव्यवस्था** (Socialist Economy): समाजवादी अर्थव्यवस्था वह अर्थव्यवस्था है जहाँ उत्पादन के साधनों का स्वामित्व एवं संचालन देश की सरकार के पास होता है जिसका उपयोग सामाजिक कल्याण के लिए किया जाता है। चीन, क्यूबा, रूस आदि देशों में समाजवादी अर्थव्यवस्था है।
3. **मिश्रित अर्थव्यवस्था** (Mixed Economy): मिश्रित अर्थव्यवस्था पूँजीवादी तथा समाजवादी अर्थव्यवस्था का मिश्रण है। मिश्रित अर्थव्यवस्था वह अर्थव्यवस्था है जहाँ उत्पादन के साधनों का स्वामित्व सरकार तथा निजी व्यक्तियों के पास होता है। भारत में मिश्रित अर्थव्यवस्था है।

भारत में आर्थिक नियोजन

- **योजना आयोग** की स्थापना 15 मार्च, 1950 को नियोगी समिति की सिफारिश पर हुई थी। यह एक गैर-संवैधानिक संस्था है। 1 जनवरी 2015 को योजना आयोग को समाप्त कर उसकी जगह नीति (NITI) आयोग का गठन किया गया।
- **राष्ट्रीय विकास परिषद्** (National Development Council) का गठन 6 अगस्त, 1952 को किया गया था। यह योजनाओं को अन्तिम रूप से अनुमोदन प्रदान करती है।

भारतीय अर्थव्यवस्था के लक्षण

भारतीय अर्थव्यवस्था के निम्नलिखित लक्षण हैं–1. प्रति व्यक्ति आय का कम होना; 2. जनसंख्या के एक बड़े भाग का अर्थव्यवस्था के प्राथमिक क्षेत्र में संलग्न होना; 3. तकनीकी पिछड़ापन; 4. पर्याप्त पूँजी का अभाव; 5. त्रुटिपूर्ण सम्पत्ति वितरण; 6. बेरोजगारी की समस्या; 7. अर्थव्यवस्था पर जनसंख्या का बढ़ता प्रभाव

राष्ट्रीय आय

- राष्ट्रीय आय द्वारा किसी अर्थव्यवस्था में प्रतिवर्ष वस्तुओं और सेवाओं के प्रवाह का अनुमान लगाया जाता है।
- एक वर्ष में जो अंतिम वस्तुएं तथा सेवाएं उत्पन्न होती हैं, उनके बाजार मूल्य के जोड़ को राष्ट्रीय आय कहा जाता है।
- स्वतंत्रता के पश्चात् 1949 में भारत सरकार ने प्रोफेसर महालनोविस की अध्यक्षता में राष्ट्रीय आय समिति गठित की थी। इस समिति ने अपनी पहली रिपोर्ट 1951 में तथा अन्तिम रिपोर्ट 1954 में प्रस्तुत की थी।
- उसके बाद से राष्ट्रीय आय का अनुमान केन्द्रीय सांख्यिकी संगठन (CSO) लगा रहा है।
- **सकल घरेलू उत्पाद** (Gross Domestic Product): किसी देश की सीमा के अन्दर किसी भी दी गई समयावधि, प्रायः एक वर्ष में उत्पादित

समस्त अंतिम वस्तुओं तथा सेवाओं का कुल बाजार या मौद्रिक मूल्य उस देश का सकल घरेलू उत्पाद (GDP) कहा जाता है।

- **सकल राष्ट्रीय उत्पाद** (Gross National Product): किसी देश में एक साल के अन्तर्गत जितनी वस्तुओं तथा सेवाओं का उत्पादन होता है उनके मौद्रिक मूल्य को कुल राष्ट्रीय उत्पाद कहते हैं। कुल राष्ट्रीय उत्पाद को निकालने के लिए सकल घरेलू उत्पादन में देशवासियों द्वारा विदेशों में उत्पादित वस्तुओं और सेवाओं के मूल्य को जोड़ दिया जाता है तथा विदेशियों द्वारा देश में उत्पादित वस्तुओं के मूल्य को घटा दिया जाता है।
- **शुद्ध राष्ट्रीय उत्पाद** (Net National Product): सकल राष्ट्रीय उत्पाद में से मूल्य ह्रास की राशि घटा देने के उपरान्त शुद्ध राष्ट्रीय उत्पाद ज्ञात किया जाता है।
- **प्रति व्यक्ति आय** (Per Capita Income): राष्ट्रीय आय में देश की कुल जनसंख्या से भाग देने पर जो राशि प्राप्त होती है उसे प्रतिव्यक्ति आय कहते हैं।

पंचवर्षीय योजनाएँ

- 1 अप्रैल, 1951 से भारत की प्रथम पंचवर्षीय योजना की शुरुआत की गई। तत्पश्चात् वर्ष 2017 तक 12 पंचवर्षीय योजनाएँ लागू की गईं। 31 मार्च, 2017 को 12वीं पंचवर्षीय योजना के पूरी होने के साथ ही देश में पंचवर्षीय योजनाओं की व्यवस्था समाप्त हो गई है। इसके स्थान पर 15 वर्षीय दृष्टिकोण, सात वर्षीय रणनीति व तीन वर्षीय कार्य योजना नीति आयोग द्वारा तैयार की गई है।
- पंचवर्षीय योजनाओं के अतिरिक्त सात वार्षिक योजनाएँ भी बनीं। ये वार्षिक योजनाएँ 1966–67, 67–68, 68–69, 78–79, 79–80 तथा 90–91, 91–92 के लिए बनी थीं।
- 1978–83 के लिए जनता सरकार ने अनवरत–योजना बनायीं थी, परन्तु कांग्रेस सरकार ने 1980 ई॰ में छठी पंचवर्षीय योजना प्रारंभ की।

नीति (NITI) आयोग

केन्द्र सरकार ने 1 जनवरी, 2015 को 65 साल पुराने योजना आयोग को समाप्त करके उसके स्थान पर नीति आयोग का गठन कर दिया है। नीति (NITI) का मतलब नैशनल इंस्टिट्यूट फॉर ट्रांसफॉर्मिंग इंडिया है। आयोग का काम अब सिर्फ नीति बनाने तक सीमित रहेगा। पहली बार मुख्यमंत्रियों को भी इससे जोड़ा गया है। केंद्र और राज्य मिलकर ऐसी नीतियां बनाएंगे, जिन्हें सबसे निचले स्तर तक लागू किया जा सकेगा।

प्रधानमंत्री नरेन्द्र मोदी ने स्वतंत्राता दिवस पर लालकिले से अपने पहले भाषण में योजना आयोग को खत्म करने की घोषणा की थी। 1950 से देश और राज्यों की योजनाओं को रूप देने वाला योजना आयोग अब इतिहास के पन्नों में दर्ज हो गया है। नीति आयोग का काम अब केंद्र और राज्यों के विकास की नीति बनाने, इनोवेशन लाने और मॉनिटरिंग तक ही सीमित रहेगा।

योजना आयोग का सबसे महत्वपूर्ण काम पंचवर्षीय योजना बनाना या हर साल की योजना के लिए रकम आवंटित करने का काम नीति आयोग के जिम्मे नहीं रहेगा। नए नीति आयोग में तीन विभाग होंगे। पहला इंटर–स्टेट काउंसिल की तर्ज पर होगा। दूसरा लम्बे समय की योजना बनाने और उसकी निगरानी का काम करेगा। तीसरा विभाग डायरेक्ट बेनिफिट ट्रांसफर व यूआइडीएआइ को मिलाकर बनेगा। एडीबी वेफ मुख्य अर्थशास्त्री रह चुके अरविंद पनगढ़िया को नीति आयोग का पहला उपाध्यक्ष बनाया गया था।

भारत सरकार की प्रमुख कल्याणकारी योजनाएँ

कार्यक्रम का नाम	*वर्ष*	*उद्देश्य*
• मिड-डे-मील योजना	1995	स्कूली बच्चों को दोपहर का भोजन उपलब्ध कराना।
• स्वर्ण जयंती शहरी रोजगार योजना	1997	शहरी क्षेत्रों में निर्धनता निवारण योजना।
• स्वर्ण जयन्ती ग्राम स्वरोजगार	1999	सामूहिक प्रयास पर बल। सहायता प्राप्त गरीब व्यक्ति को 3 वर्ष में BPL के ऊपर लाना। इसमें छः कार्यक्रमों का विलय कर दिया गया। *(i)* IRDP *(ii)* TRYSEM *(iii)* DWCRA *(iv)* SITRA *(v)* MWS *(vi)* GKY
• कृषि श्रमिक सामाजिक सुरक्षा योजना	2001	कृषि श्रमिकों को जीवन बीमा निगम के सहयोग से सामाजिक सुरक्षा उपलब्ध कराना।
• वाल्मीकि अम्बेडकर आवास योजना	2001	शहरी स्लम आबादी को स्वच्छ आवास उपलब्ध कराने हेतु।
• प्रधानमंत्री स्वास्थ्य सुरक्षा योजना	2003	देश के पिछड़े राज्यों में 6 नए AIIMS अस्पतालों को स्थापित करने हेतु।
• भारत निर्माण योजना	2006	ग्रामीण अवस्थापना, सर्वांगीण तथा व्यापक विकास योजना।
• आम आदमी बीमा योजना	2007-08	भूमि रहित ग्रामीण परिवार के मुखिया या आयअर्जक व्यक्ति की बीमा योजना।
• राजीव आवास योजना	2010	भारत को अगले पाँच वर्षों में स्लम मुक्त बनाना।
• राजीव खाद्य सुरक्षा योजना	2013	देश की 67% जनसंख्या को भोजन की गारंटी का अधिकार देना।
• प्रधानमंत्री जन-धन योजना	2014	ऐसे लोगों का खाता खोलना जिनका पहले से किसी बैंक में खाता न हो।
• अटल पेंशन योजना	2015	असंगठित क्षेत्र के लोगों के लिए मासिक पेंशन।
• दीनदयाल उपाध्याय ग्राम ज्योति योजना	2015	इस कार्यक्रम का उद्देश्य ग्रामीण भारत में सभी घरों को 24 × 7 निर्बाध विद्युत आपूर्ति उपलब्ध कराने है।

कार्यक्रम का नाम	वर्ष	उद्देश्य
• डिजिटल भारत कार्यक्रम	2015	सरकारी सेवाओं को इलेक्ट्रॉनिक रूप में नागरिकों के लिए उपलब्ध कराना हैं और लोगों को नवीनतम सूचना और संचार प्रौद्योगिक से लाभ सुनिश्चित करना है।
• प्रधानमंत्री सुरक्षा बीमा योजना	2015	₹ 20 के वार्षिक प्रीमियम के साथ दुर्घटना बीमा।
• प्रधानमंत्री जीवन ज्योति बीमा योजना	2015	यह मूल रूप से एक वार्षिक आधार पर या समय की एक लम्बी अवधि के लिए होता है। यह पॉलिसी धारक के मृत्यु पर जीवन बीमा कवरेज प्रदान करता है।
• प्रधानमंत्री उज्ज्वला योजना	2016	ऐसी महिलाएँ जो गरीबी रेखा से नीचे जीवनयापन करती हैं, उन्हें मुफ्त एलपीजी कनेक्शन प्रदान करना है।
• प्रधानमंत्री गरीब कल्याण योजना	2020	'कोरोना वायरस' के खिलाफ लड़ाई लड़ने में मदद करना।
• SMILE (मुस्कान) योजना	2022	ट्रांसजेंडर समुदाय और भिखारियों के कल्याण के लिए।
• पीएम विश्वकर्मा योजना	2023	सुनार, लोहार, बढ़ई, राजमिस्त्री, कुम्हार व चर्मकार आदि पारम्परिक कारीगरों के हितार्थ।
• प्रधानमंत्री धन-धान्य कृषि योजना	2025	कृषि उत्पादकता को बढ़ाना, फसल विविधीकरण और टिकाऊ कृषि पद्धतियों को अपनाना।

मुद्रा एवं बैंकिंग

मुद्रा

- भारत की मुद्रा प्रणाली में धात्विक मुद्रा और कागजी मुद्रा दोनों शामिल हैं।
- धात्विक मुद्रा का नियंत्रण भारत सरकार द्वारा किया जाता है और कागजी मुद्रा का नियंत्रण रिजर्व बैंक ऑफ इण्डिया (आरबीआई) द्वारा किया जाता है।
- सिक्के (धात्विक मुद्रा) भारत की टकसालों में ढाले जाते हैं। कागजी मुद्रा में एक रुपए के नोट के अतिरिक्त अन्य सभी नोट आरबीआई जारी करता है।
- भारत में सिक्कों की दाशमिक प्रणाली 1 अप्रैल, 1957 से लागू हुई।
- रुपया '₹' प्रामाणिक मुद्रा (standard money) है।

बैंकिंग

- बैंकिंग पद्धति पर भारत में विदेशी पूंजी से खुलने वाला पहला बैंक 'बैंक ऑफ हिन्दुस्तान था, जो 1770 में खोला गया था।
- 1806 में बैंक ऑफ बंगाल, 1840 में बैंक ऑफ बम्बई और 1843 में बैंक ऑफ मद्रास की स्थापना हुई।
- इन्हीं तीनों बैंकों को मिलाकर 1921 में इम्पीरियल बैंक ऑफ इण्डिया बनाया गया। इसका राष्ट्रीयकरण 1 जुलाई, 1955 को किया गया और तब इसका नाम बदलकर स्टेट बैंक ऑफ इण्डिया कर दिया गया।
- स्टेट बैंक ऑफ इण्डिया के राष्ट्रीयकरण के समय इसके सहयोगी बैंकों का भी राष्ट्रीयकरण किया गया था, परन्तु बाद में सरकार ने स्टेट बैंक ऑफ सौराष्ट्र तथा स्टेट बैंक ऑफ इन्दौर का स्टेट बैंक ऑफ इण्डिया में विलय कर दिया।
- 1 अप्रैल, 2017 को SBI के सभी 5 सहयोगी बैंकों–स्टेट बैंक ऑफ हैदराबाद; स्टेट बैंक ऑफ बीकानेर एण्ड जयपुर; स्टेट बैंक ऑफ त्रावणकोर; स्टेट बैंक ऑफ पटियाला; स्टेट बैंक ऑफ मैसूर एवं भारतीय महिला बैंक का SBI में विलय कर दिया गया।

बैंकों का राष्ट्रीयकरण

- 50 करोड़ से अधिक पूँजी वाले 14 बड़े व्यावसायिक बैंकों का राष्ट्रीयकरण 19 जुलाई, 1969 को किया गया था।
- 200 करोड़ से अधिक पूँजी वाले 6 अनुसूचित बैंकों का राष्ट्रीयकरण 15 अप्रैल, 1980 को किया गया था।
- न्यू बैंक ऑफ इण्डिया का विलय पंजाब नेशनल बैंक में 4 सितम्बर, 1993 को हुआ था।
- देना बैंक और विजया बैंक का 1 अप्रैल, 2019 को बैंक ऑफ बड़ौदा में विलय हो गया है।
- वर्ष 2020 में ओरिएंटल बैंक ऑफ कॉमर्स और यूनाइटेड बैंक ऑफ इंडिया का पंजाब नेशनल बैंक में, सिंडीकेट बैंक का केनरा बैंक में, आंध्र बैंक और कॉर्पोरेशन बैंक का यूनियन बैंक ऑफ इंडिया में और इलाहाबाद बैंक का इंडियन बैंक में विलय हो गया है। यह विलय 1 अप्रैल, 2020 से प्रभावी हुआ। इसके फलस्वरूप देश में सार्वजनिक क्षेत्र के बैंकों की संख्या घटकर 12 रह गई है।
- भारतीय रुपए का प्रतीक चिह्न '₹' है।

भारतीय रिजर्व बैंक

- भारतीय रिजर्व बैंक की स्थापना 1 अप्रैल, 1935 को 5 करोड़ रुपए की अधिकृत पूंजी से की गई थी। इसका राष्ट्रीयकरण 1 जनवरी, 1949 को किया गया था। इसका मुख्यालय मुम्बई में स्थित है।
- भारत में वित्तीय वर्ष 1 अप्रैल से 31 मार्च तक होता है।
- 10, 20, 50, 100 तथा 500 रुपए के करेन्सी नोट भारतीय रिजर्व बैंक निर्गत करता है।

भारतीय रिजर्व बैंक के कार्य

1. करेंसी नोटों का निर्गमन
2. सरकारी बैंकर का काम
3. बैंकों के बैंक का काम
4. विदेशी विनिमय को नियंत्रित करना
5. साख नियंत्रण का कार्य
6. आंकड़ों का संग्रहण और प्रकाशन

कृषि

- कृषि भारतीय अर्थव्यवस्था का एक प्रमुख आधार स्तंभ है। निजी क्षेत्र का यह सबसे प्रमुख व्यवसाय है।
- भारत में हरित क्रांति को डॉ. एम.एस. स्वामीनाथन ने सफल बनाया।
- गेहूँ, चना, जौ, सरसों, तोरिया, मटर, रबी की प्रमुख फसलें हैं।
- धान, ज्वार, बाजरा, मक्का, कपास, गन्ना, सोयाबीन, अरहर, खरीफ की प्रमुख फसलें हैं।
- तिलहन, गन्ना, चुकन्दर, चाय, कपास, जूट, मेस्टा, कहवा, तम्बाकू, दलहन, प्रमुख नकदी फसलें हैं।

कृषि के प्रकार

• एपीकल्चर	–	मधुमक्खी पालन
• हॉर्टीकल्चर	–	बागवानी
• फ्लोरीकल्चर	–	फलों की कृषि
• विटीकल्चर	–	अंगूर की कृषि
• वर्मीकल्चर	–	केंचुआ पालन
• पिसीकल्चर	–	मत्स्य पालन
• मैरीकल्चर	–	समुद्री जीवों का उत्पादन
• आर्वरीकल्चर	–	वृक्षों तथा झाड़ियों की कृषि

कृषि क्षेत्र की विभिन्न क्रांतियाँ

• श्वेत क्रांति	दुग्ध उत्पादन
• नीली क्रांति	मछली उत्पादन
• पीली क्रांति	तिलहन उत्पादन
• ग्रे क्रांति	ऊन उत्पादन
• इन्द्रधनुषी क्रांति	समग्र कृषि उत्पादन
• सिल्वर क्रांति	अण्डा एवं पोल्ट्री उत्पादन
• सुनहरी क्रांति	बागवानी उत्पादन

उद्योग

- देश में पहला लौह–इस्पात कारखाना 1874 ई. में कुल्टी (पश्चिम बंगाल) नामक स्थान पर खुला था।
- देश में सबसे प्रथम बड़े स्तर का कारखाना वर्ष 1907 में तत्कालीन बिहार राज्य में स्वर्ण रेखा नदी की घाटी में साकची नामक स्थान पर जमशेदजी टाटा द्वारा स्थापित किया गया था।
- सन् 1948 में प्रथम, 1956 में द्वितीय तथा 1991 में तृतीय औद्योगिक नीति घोषित की गई थी।
- सार्वजनिक क्षेत्र के उपक्रमों को वाणिज्य एवं प्रबंधन की स्वायत्तता देने के लिए नवरत्न एवं मिनीरत्न की संकल्पना सन् 1997 में शुरू की गई थी। यह दर्जा 'केन्द्रीय लोक उद्यम विभाग' द्वारा दिया जाता है। जून 2025 तक कुल 26 कंपनियों को नदरत्न का दर्जा प्राप्त है।
- 21 दिसम्बर, 2009 को सार्वजनिक क्षेत्र की कंपनियों के लिए महारत्न क्षेत्रों का सृजन किया गया। यह कम्पनियाँ अपने कुल निवल मूल्य के 25% तक का निवेश करने के लिए स्वतंत्र हैं। जून 2025 तक कुल 14 कंपनियों को महारत्न का दर्जा प्राप्त है।

भारत का विदेश व्यापार

- भारत का विश्व व्यापार में कुल हिस्सा मात्र 1.4% है।
- भारत के आयात में सर्वाधिक हिस्सा पेट्रोलियम उत्पादों का है।
- भारत का प्रथम निर्यात संवर्धन औद्योगिक पार्क सीतापुर (जयपुर) में स्थापित किया गया है।
- एशिया का प्रथम निर्यात प्रसंस्करण केन्द्र काण्डला में 1965 ई॰ में स्थापित किया गया था।

प्रमुख निर्यात विकास केन्द्र

• तिरुपुर : हौजरी एवं बुनाई उद्योग; • मुरादाबाद : ब्रासवेयर हैण्डीक्राफ्ट; • लुधियाना : भारी मशीनरी तथा हौजरी; • सूरत : रत्न और आभूषण; • पानीपत : हथकरघा; • अलेप्पी : नारियल के रेशे और इससे निर्मित सामान; • जालन्धर : खेल का सामान; • रानीपत (अम्बूर): चमड़ा; • नागपुर : हस्त उपकरण; • मेरठ : खेल का सामान; • अलीगढ़ : पीतल के ताले; • आगरा : चमड़ा फुटवियर; • खुर्जा : मिट्टी के बर्तन; • कांचीपुरम : रेशम; • शिवाकाशी : माचिस; • अम्बाला : वैज्ञानिक उपकरण; • जामनगर : ब्रास पार्टस्; • बटाला : मशीन उपकरण।

भारत की जनगणना 2011

भारत में जनगणना का विधिवत् कार्य 1881 में आरम्भ हुआ। 2011 की जनगणना के अनुसार भारत की कुल जनसंख्या 121,08,54,977 थी। जबकि 10 वर्ष पूर्व 2001 में कुल जनसंख्या 102,70,15,247 थी। वर्ष 2011 की जनगणना के प्रमुख तथ्य निम्नलिखित हैं:–

• कुल जनसंख्या	–	121,08,54,977
• पुरुष	–	62,32,70,258
• महिला	–	58,75,84,719
• कुल जनसंख्या में पुरुषों का प्रतिशत	–	51.53%
• कुल जनसंख्या में महिलाओं का प्रतिशत	–	48.46%
• भारत की जनसंख्या का विश्व जनसंख्या में भाग	–	17.5%
• दशकीय वृद्धि दर (2001-2011)	–	17.7%
• सर्वाधिक वृद्धि दर	–	मेघालय 27.9%
• न्यूनतम वृद्धि दर	–	नगालैंड –0.6%
• सर्वाधिक जनसंख्या वाला राज्य	–	उत्तर प्रदेश (19,98,12,341)
• न्यूनतम जनसंख्या वाला राज्य	–	सिक्किम (6,10,577)
• स्त्री-पुरुष अनुपात	–	943 : 1000
• सर्वाधिक लिंगानुपात	–	केरल, 1084 : 1000
• न्यूनतम लिंगानुपात	–	हरियाणा 879 : 1000
• जनसंख्या घनत्व	–	382 व्यक्ति प्रति वर्ग किलोमीटर
• सर्वाधिक घनत्व	–	बिहार (1,106)
• न्यूनतम घनत्व	–	अरुणाचल प्रदेश (17)
• केन्द्रशासित प्रदेशों में सर्वाधिक घनत्व	–	दिल्ली (11,320)
• केन्द्रशासित प्रदेशों में न्यूनतम घनत्व	–	अण्डमान निकोबार द्वीप समूह (46)
• साक्षरता प्रतिशत	–	73%
• पुरुष साक्षरता	–	80.9%
• महिला साक्षरता	–	64.6%
• सर्वाधिक साक्षरता	–	केरल (94%)
• न्यूनतम साक्षरता	–	बिहार (61.8%)

❑❑❑

4

भूगोल

हमारी पृथ्वी

पृथ्वी : तथ्य और आँकड़े

• पृथ्वी का द्रव्यमान	5.882×10^{21} टन
• पृथ्वी का घनत्व	पानी की अपेक्षा 5.517 गुणा
• पृथ्वी का आयतन	1.083×10^{11} घन किमी.
• भूमध्यरेखीय परिधि	4.007×10^{4} किमी.
• ध्रुवीय व्यास	12,714 किमी.
• विषुवतीय व्यास	12,756 किमी.
• ध्रुवीय परिधि	4.0×10^{4} किमी.
• अनुमानित आयु	लगभग 4600 करोड़ वर्ष
• भू-पृष्ठ	148,951,000 वर्ग किमी.
• जलीय सतह	361,150,000 वर्ग किमी.
• भू-सतह का सबसे उच्च बिन्दु	माउंट एवरेस्ट (8,848 मीटर)
• भू-सतह का सबसे निम्न बिन्दु	मृत सागर का तट (समुद्र तल से 396 मीटर नीचे)
• महासागर की सर्वाधिक गहराई	फिलीपींस के पूर्व में मेरियाना ट्रेंच (समुद्र तल से 11,033 मीटर नीचे)

सौरमण्डल

• सबसे बड़ा ग्रह	बृहस्पति (Jupiter)	• रात्रि में लाल दिखाई देने वाला ग्रह	मंगल (Mars)
• सबसे छोटा ग्रह	बुध (Mercury)	• सबसे बड़ा उपग्रह	गैनीमेड (Gannymede)
• पृथ्वी का उपग्रह	चन्द्रमा (Moon)		
• सूर्य के सबसे निकट ग्रह	बुध (Mercury)	• सबसे छोटा उपग्रह	डिमोस (Deimos)
• सूर्य से सबसे दूर स्थित ग्रह	वरुण (Neptune)	• नीला ग्रह	पृथ्वी (Earth)
• पृथ्वी के सबसे निकट स्थित ग्रह	शुक्र (Venus)	• भोर का तारा	शुक्र (Venus)
• सबसे अधिक चमकीला ग्रह	शुक्र (Venus)	• साँझ का तारा	शुक्र (Venus)
• सबसे अधिक चमकीला तारा	साइरस (Dog Star)	• पृथ्वी की बहन	शुक्र (Venus)
• सबसे अधिक ठण्डा ग्रह	वरुण (Neptune)	• हरा ग्रह	वरुण (Neptune)
• सबसे अधिक गर्म ग्रह	शुक्र (Venus)	• विशाल लाल धब्बे वाला ग्रह	बृहस्पति (Jupiter)

विश्व का भूगोल

विभिन्न देशों के राष्ट्रीय प्रतीक

देश	प्रतीक	देश	प्रतीक	देश	प्रतीक
ऑस्ट्रेलिया	कंगारू	कनाडा	सफेद लिली	डेनमार्क	वुलिन
फ्रांस	लिली	जर्मनी	कार्न फ्लावर	भारत	सिंह स्तम्भ
ईरान	गुलाब	आयरलैंड	तीन पत्ती वाली घास	इटली	सफेद लिली
जापान	गुलदाउदी	पाकिस्तान	अर्द्धचंद्र	स्पेन	बाज
यूनाइटेट किंगडम	गुलाब	यू.एस.ए.	सुनहरी छड़ी		

महत्त्वपूर्ण सीमा रेखाएं

- **डूरंड लाइन** : यह भारत और अफगानिस्तान के बीच सीमा के विभाजन को परिलक्षित करती थी। इसका सीमांकन सर मोर्टीमर डूरंड ने 1896 में किया था। अब यह पाकिस्तान और अफगानिस्तान के बीच की सीमा रेखा है।
- **हिंडेनवर्ग लाइन** : यह वह रेखा है जहां से विश्व युद्ध के दौरान जर्मनी की सेना वापस लौट गई थी। यह रेखा पोलैण्ड और जर्मनी के बीच की सीमा रेखा है।
- **मैकमोहन रेखा** : यह भारत और चीन के बीच सीमा रेखा है जिसका सीमांकन सर हेनरी मैकमोहन ने किया था।
- **मैगिनोट रेखा** : यह फ्रांस और जर्मनी के बीच सीमा रेखा है।
- **रेडक्लिफ रेखा** : यह भारत और पाकिस्तान के बीच सीमा रेखा है जिसका सीमांकन सर सिरिल रेडक्लिफ ने किया था।
- **17वां पैरेलल** : यह उत्तरी एवं दक्षिणी वियतनाम के बीच की सीमा रेखा है।
- **38वां पैरलल** : यह उत्तर और दक्षिण कोरिया के बीच सीमा रेखा है।
- **49वां पैरलल** : यह यू.एस. और कनाडा के बीच सीमा रेखा है।
- **अदूर निसे रेखा** : यह रेखा पोलैण्ड और पूर्वी जर्मनी के बीच की सीमा रेखा है जो द्वितीय विश्व युद्ध में खींची गई थी।
- **सिंगफ्रेड रेखा** : प्रथम विश्व युद्ध में फ्रांस और जर्मनी के बीच की सीमा रेखा।

विश्व की प्रमुख नदियाँ

नाम	उद्गम स्थल	गिरने का स्थान	लम्बाई (किमी)	प्रमुख स्थान
नील (विश्व की सबसे लम्बी नदी)	विक्टोरिया झील	भूमध्य सागर	6670	आस्वान बाँध व नासिर झील स्थित है।
अमेजन (आयतन की दृष्टि से विश्व की सबसे बड़ी नदी)	एण्डीज पर्वत	अटलांटिक महासागर	6448	
मिसीसिपी मिसौरी	अलास्का झील	मैक्सिको की खाड़ी	6300	पक्षीपाद डेल्टा बनाती है।
यांग्टिसीक्यांग	तिब्बत का पठार	चीन सागर	5494	
ह्वांग हो	कुललुन पर्वत	चीन की खाड़ी	4840	
कांगो/जायरे	लुआलिया और लुआपुआ का संगम	अटलाण्टिक महासागर	4800	विषुवत् रेखा को दो बार काटती है।
अमूर	शिल्का रूस, आरगून का संगम	टार्टइ स्ट्रेट	4510	चीन और रूस की सीमा बनाती है।
वोल्गा	बल्डाई पठार	कैस्पियन सागर	3700	यूरोप की सबसे लम्बी नदी
डेन्यूब	ब्लैक फॉरेस्ट	काला सागर	2820	बेलग्रेड, बुखारेस्ट, बुडापेस्ट और वियना शहर स्थित है।
सेंट लारेंस	आण्टेरियो झील	सेंट-लॉरेंस की खाड़ी	3058	नियाग्रा जल प्रपात स्थित है।
कोलोरेडो	ग्रैण्ड कंट्री	कैलीफोर्निया की खाड़ी	2333	ह्यूबर बाँध स्थित
नाइजर	गिनी	गिनी की खाड़ी	4800	तेल नदी कहलाती है।
मेकांग	तिब्बत का पठार	दक्षिण चीन सागर	4023	द.पू. एशिया की सबसे लम्बी नदी।
सिन्धु	मानसरोवर झील के पास	अरब सागर	3180	
ब्रह्मपुत्र	मानसरोवर झील	बंगाल की खाड़ी	2900	
डार्लिंग-मर्रे	ऑस्ट्रेलिया आल्पस	हिन्द महासागर	3720	ऑस्ट्रेलिया की सबसे बड़ी नदी।

विश्व की प्रमुख झीलें

झील का नाम	भौगोलिक क्षेत्र	क्षेत्रफल (वर्ग.किमी.)	विशेष तथ्य
कैस्पियन सागर	पूर्व सोवियत संघ तथा ईरान	3,94,299	खारे पानी की सबसे बड़ी झील
सुपीरियर झील	संयुक्त राज्य अमेरिका एवं कनाडा	82,414	ताजे पानी की सबसे बड़ी झील
विक्टोरिया झील	केन्या, युगाण्डा तथा तंजानिया	69,485	
अरल सागर झील	कजाकिस्तान एवं उज्बेकिस्तान	64,457	
ह्यूरन झील	संयुक्त राज्य अमेरिका तथा कनाडा	59,600	
मिशीगन झील	संयुक्त राज्य अमेरिका	57,800	
बैकाल झील	रूस	31,500	यह सबसे गहरी (1940 मी॰) झील है।
ग्रेट बेरियर झील	कनाडा	31,080	
ग्रेट स्लेव झील	कनाडा	28,438	
विनीपेग झील	कनाडा	24,341	
ओण्टेरियो झील	सं.रा. अमेरिका तथा कनाडा	19,529	
टिटिकाका	पेरू-बोलीविया	9,065	यह विश्व की सबसे ऊँची (3811 मी॰) झील है।
आयर झील	ऑस्ट्रेलिया	9,583	

नदियों के तट पर बसे विश्व के प्रमुख नगर

नगर	नदी	नगर	नदी	नगर	नदी
लन्दन (इंग्लैंड)	टेम्स	कैन्टन (चीन)	सीक्यांग	मास्को (रूस)	मस्कोवा
न्यूयार्क (सं.रा.अ.)	हडसन	बर्लिन (जर्मनी)	स्प्री	बेलग्रेड	डेन्यूब
पेरिस (फ्रांस)	सीन	बुडापेस्ट (हंगरी)	डेन्यूब	पर्थ (ऑस्ट्रेलिया)	स्वान
वाशिंगटन	पोटोमेक	बगदाद (इराक)	टाइग्रिस	वियाना (ऑस्ट्रिया)	डेन्यूब
आस्वान (मिस्र)	नील	टोकियो (जापान)	अराकावा	सेंट लुईस (अमेरिका)	मिसिसिपी
शंघाई (चीन)	यांग्टिसीक्यांग	रोम (इटली)	टाइबर	यंगून (म्यांमार)	इरावदी
प्राग	विंतावा	ओटावा (कनाडा)	सेंट लारेंस	सिडनी (ऑस्ट्रेलिया)	डार्लिंग
मैड्रिड (स्पेन)	मैजेनसेस	लिस्बन	टेगस	लिस्बन (पुर्तगाल)	टंगस
अंकारा (तुर्की)	किजिल	लाहौर (पाकिस्तान)	रावी	मॉण्ट्रियल (कनाडा)	सेंट लारेंस
कराची (पाकिस्तान)	सिंधु	बोन (जर्मनी)	राइन	डबलिन (आयरलैंड)	लीफें
काहिरा (मिस्र)	नील	दिल्ली (भारत)	यमुना	ब्यूनस आयर्स (अर्जेंटीना)	लाप्लाटा
शिकागो (सं.रा.अ.)	शिकागो	लिवरपुल (इंग्लैंड)	मर्सी	ब्रिस्टल (इंग्लैंड)	एवन्
बसरा (इराक)	दजला एवं फरात	कीव (यूक्रेन)	नीपर		

विश्व के प्रमुख औद्योगिक नगर

नगर	उद्योग	नगर	उद्योग	नगर	उद्योग
बेलफास्ट	जहाज निर्माण	चेलियाबिंस्क	लोहा इस्पात	बर्मिंघम	लोहा इस्पात
डेट्रायट	ऑटोमोबाइल	एसेन (जर्मनी)	लोहा इस्पात	ग्लासगो	जहाज निर्माण
हवाना	सिगार	हॉलीवुड	फिल्म उद्योग	लॉस एंजिल्स	पेट्रोलियम, फिल्म
कंशास	मांस उद्योग	कोबे	लोहा इस्पात	कीव	इंजीनियरिंग उद्योग
लियोन्स (फ्रांस)	सिल्क उद्योग	मैनचेस्टर	सूती वस्त्र उद्योग	मिलान	सिल्क वस्त्र उद्योग
फिलाडेल्फिया	लोकोमोटिव	प्लेमाउथ	जहाज निर्माण	पिट्सबर्ग	लोहा एवं इस्पात
शेफील्ड (ब्रिटेन)	कैंची, छुरी	सिएटल	वायुयान निर्माण	वेनिस	काँच उद्योग
ब्लाडीवोस्टक	जहाज निर्माण	बेलिंगटन	डेयरी उद्योग	मुल्तान	मिट्टी के बर्तन
ढाका	कालीन उद्योग	म्युनिख (जर्मनी)	लेंस निर्माण	नागोया	जहाज निर्माण

भारत का भूगोल

प्रसिद्ध पर्वत शिखर

पर्वत शिखर	समुद्र तल से ऊंचाई (मीटर में)	पर्वत शिखर	समुद्र तल से ऊंचाई (मीटर में)
1. K_2	8,611 पाकिस्तान के कब्जे में	6. डिस्तगिल सर	7,885 पाकिस्तान के कब्जे में
2. कंचनजंगा	8,598	7. माशेर ब्रुम (पूर्वी)	7,821
3. नंगा पर्वत	8,126	8. नंदा देवी	7,817
4. गशेर ब्रुम	8,068 पाकिस्तान के कब्जे में	9. माशेर ब्रुम (पश्चिम)	7,806 पाकिस्तान के कब्जे में
5. ब्रॉड पीक	8,047 पाकिस्तान के कब्जे में	10. राकापोशी	7,788 पाकिस्तान के कब्जे में

भारत के प्रमुख दर्रे

दर्रे	राज्य/(के. शा. प्र.)	दर्रे	राज्य/(के. शा. प्र.)	दर्रे	राज्य/(के. शा. प्र.)
काराकोरम	लद्दाख	माना	उत्तराखण्ड	जोजिला	लद्दाख
नीति	उत्तराखण्ड	पीरपंजाल	जम्मू-कश्मीर	नाथूला	सिक्किम
बनिहाल	जम्मू-कश्मीर	जैलेप्ला	सिक्किम	बुर्जिल	जम्मू-कश्मीर
बोम्डिला	अरुणाचल प्रदेश	शिपकी	हिमाचल प्रदेश	यांग्याप	अरुणाचल प्रदेश
रोहतांग	हिमाचल प्रदेश	दिफू	अरुणाचल प्रदेश	बड़ालाचा	हिमाचल प्रदेश
तुजु	मणिपुर	लिपुलेख	उत्तराखण्ड		

भारत की प्रमुख नदियाँ

नदी	उद्गम	मुहाना	लम्बाई (किमी.)
सिन्धु	मानसरोवर झील (तिब्बत)	अरब सागर	3100 (भारत में 1114)
सतलज	राक्षसताल	चिनाब	1450 (भारत में 1050)
गंगा	गंगोत्री के पास गोमुख से	बंगाल की खाड़ी	2525
यमुना	यमुनोत्री के पास बंदरपूंछ से	गंगा	1376
चम्बल	महूँ (जानपाव पहाड़ी)	यमुना	1050
गण्डक	धौलाधार पर्वत	गंगा	300
सोन	अमरकंटक पहाड़ी	गंगा	784
ब्रह्मपुत्र	मानसरोवर झील (तिब्बत)	बंगाल की खाड़ी	2900 (भारत में 916)
नर्मदा	अमरकंटक	अरब सागर	1290
ताप्ती	मुलताई (बैतूल)	खम्भात की खाड़ी	720
महानदी	सिहावा के समीप	बंगाल की खाड़ी	890
कृष्णा	पश्चिमी घाट की पहाड़ी (महाबलेश्वर के पास)	बंगाल की खाड़ी	1290
गोदावरी	त्रयम्बक गाँव की पहाड़ी	बंगाल की खाड़ी	1450
कावेरी	ब्रह्मगिरि की पहाड़ी	बंगाल की खाड़ी	760
तुंगभद्रा	कर्नाटक के पश्चिमी घाट	कृष्णा	331
माही	विन्ध्याचल पर्वत	खम्भात की खाड़ी	533

प्रमुख बहुउद्देशीय नदी घाटी परियोजनाएँ

परियोजना का नाम	नदी	लाभान्वित राज्य/केन्द्र शासित प्रदेश
दामोदर घाटी परियोजना	दामोदर	झारखंड, पश्चिम बंगाल
टिहरी बाँध परियोजना	भागीरथी	उत्तराखंड
नागार्जुन सागर परियोजना	कृष्णा	आन्ध्र प्रदेश
कोसी परियोजना	कोसी	बिहार तथा नेपाल
हीराकुड बाँध परियोजना	महानदी	ओडिशा
व्यास परियोजना	व्यास	राजस्थान, पंजाब, हरियाणा, हिमाचल प्रदेश
चम्बल परियोजना	चम्बल	राजस्थान, मध्य प्रदेश
मयूराक्षी परियोजना	मयूराक्षी	पश्चिम बंगाल

परियोजना का नाम	नदी	लाभान्वित राज्य/केन्द्र शासित प्रदेश
तुंगभद्रा परियोजना	तुंगभद्रा	आन्ध्र प्रदेश, कर्नाटक
गण्डक परियोजना	गण्डक	बिहार, नेपाल
फरक्का परियोजना	गंगा, भागीरथी	पश्चिम बंगाल
काकरापारा परियोजना	ताप्ती	गुजरात
नागपुर शक्तिगृह परियोजना	कोराडी	महाराष्ट्र
इन्दिरा गाँधी नहर परियोजना	सतलज	राजस्थान, पंजाब तथा हरियाणा
रिहन्द परियोजना	रिहन्द	उत्तर प्रदेश
महानदी डेल्टा परियोजना	महानदी	ओडिशा
कुण्डा परियोजना	कुंण्डा	तमिलनाडु
इडुक्की परियोजना	पेरियार	केरल
कोयना परियोजना	कोयना	महाराष्ट्र
सतलज परियोजना	चिनाब	जम्मू-कश्मीर
रंजीत सागर बाँध परियोजना	रावी	पंजाब
नाथपा-झाकरी परियोजना	सतलज	हिमाचल प्रदेश
शरावती परियोजना	शरावती	कर्नाटक
नर्मदा सागर परियोजना	नर्मदा	मध्य प्रदेश, गुजरात
जवाहर सागर परियोजना	चम्बल	राजस्थान
तुलबुल परियोजना	झेलम	जम्मू कश्मीर
सरदार सरोवर परियोजना	नर्मदा	गुजरात, मध्य प्रदेश, महाराष्ट्र एवं राजस्थान
दुलहस्ती परियोजना	चिनाब	जम्मू-कश्मीर
तिलैया परियोजना	बराकर	झारखंड

राष्ट्रीय उद्यान और अभयारण्य

कुछ महत्त्वपूर्ण अभयारण्यों और उद्यानों के नाम नीचे दिए गए हैं।

- कान्हा राष्ट्रीय उद्यान (म.प्र.)
- जलदापाड़ा अभयारण्य (प. बंगाल)
- मानस अभयारण्य (असम)
- पलामू राष्ट्रीय उद्यान (झारखंड)
- सेमलीपाल राष्ट्रीय पार्क (ओडिशा)
- भरतपुर वन्य जीव अभयारण्य (राजस्थान)
- कॉर्बेट राष्ट्रीय उद्यान (उत्तराखंड)
- डाचीगाम अभयारण्य (जम्मू-कश्मीर)
- नन्दा देवी कस्तूरी मृग वन (उत्तराखंड)
- रणथम्भौर वन्य जीव अभयारण्य (राजस्थान)
- रंगथिट्टू पक्षी अभयारण्य (कर्नाटक)
- डंडेली अभयारण्य (कर्नाटक)
- पेरियार अभयारण्य (केरल)
- गिरि वन (गुजरात)
- मोलेम क्रीड़ा अभयारण्य (गोवा)
- नागजीरा वन्य जीव अभयारण्य (महाराष्ट्र)
- घाट प्रभा पक्षी अभयारण्य (कर्नाटक)
- पेंच राष्ट्रीय उद्यान (महाराष्ट्र)
- सुल्तानपुर सरोवर पक्षी अभयारण्य (हरियाणा)
- मुदमलाई अभयारण्य (तमिलनाडु)
- नाल सरोवर पक्षी अभयारण्य (गुजरात)
- तनसा झील वन्य जीव अभयारण्य (महाराष्ट्र)
- ईराविकुलम राजमल्ली राष्ट्रीय उद्यान (केरल)
- शिवपुरी राष्ट्रीय उद्यान (म.प्र.)
- काजीरंगा अभयारण्य (असम)
- हजारीबाग राष्ट्रीय उद्यान (झारखंड)
- डालमा वन्य जीव अभयारण्य (झारखंड)
- वनकटना वन्य जीव अभयारण्य (उ.प्र.)
- डर्राह वन्य जीव अभयारण्य (राजस्थान)
- चन्द्रप्रभा अभयारण्य (उ.प्र.)
- दुधवा राष्ट्रीय उद्यान (उ.प्र.)
- माउंट आबू वन्य जीव अभयारण्य (राजस्थान)
- सरिस्का क्रीड़ा अभयारण्य (राजस्थान)
- बांदीपुर अभयारण्य (कर्नाटक)
- महावीर अभयारण्य (गोवा-कर्नाटक सीमा)
- वेदान्त-गाल पक्षी अभयारण्य (तमिलनाडु)
- बोरीवल्ली राष्ट्रीय उद्यान (महाराष्ट्र)
- कोट्टीगांव क्रीड़ा अभयारण्य (गोवा)
- वान्धवगढ़ राष्ट्रीय उद्यान (मध्य प्रदेश)
- खगचन्दजेन्दा राष्ट्रीय उद्यान (सिक्किम)
- रोहिया राष्ट्रीय उद्यान (हिमाचल प्रदेश)
- तोदोवा राष्ट्रीय उद्यान (महाराष्ट्र)
- नगर होल अभयारण्य (कर्नाटक)
- बोंडला क्रीड़ा अभयारण्य (गोवा)
- बनारघट्टा राष्ट्रीय उद्यान (कर्नाटक)

परिवहन

रेलवे

महत्वपूर्ण तथ्य

- रेलवे भारत का सबसे बड़ा उपक्रम है।
- भारत में पहली रेलगाड़ी 16 अप्रैल, 1853 को मुंबई और ठाणे के बीच (34 कि॰मी॰) चली।
- स्वतंत्रता मिलने के बाद भाप से चलने वाले रेल इंजन बनाने का कारखाना चितरंजन में स्थापित किया गया (26 जनवरी, 1950)। लेकिन अब इस कारखाने में बिजली से चलने वाले रेल इंजन बनाए जाते हैं।
- मार्च 2024 तक देश में रेलवे स्टेशनों की संख्या 7,461 है।
- मार्च 2024 तक भारतीय रेल मार्गों की कुल लंबाई 69,181 कि॰मी॰ है।
- मार्च 2024 तक भारतीय रेल के पास 15,110 इंजन, 91,948 यात्री डिब्बे तथा 3,27,991 माल के डिब्बे हैं।
- मार्च 2024 तक भारतीय रेलवे के कुल रेलमार्ग के 90% भाग का विद्युतीकरण हो चुका है।
- रेल वित्त को 1924-25 से सामान्य राजस्व से अलग रखा जाता था, लेकिन वर्ष 2017-2018 से इसे पुनः सामान्य राजस्व में मिला दिया गया है।
- देश का एकमात्र सबसे पुराना चालू हालत इंजन 'फेयरी क्वीन' है।
- भारतीय रेल की पहली विद्युत चालित गाड़ी 3 फरवरी, 1925 को मुंबई और कुर्ला के बीच चली।
- कोलकाता मैट्रो देश की सबसे पहली और एकमात्र भूमिगत रेलवे है।
- दिल्ली में मैट्रो रेल का चालन 24 दिसम्बर, 2002 को, बेंगलुरु में 20 अक्टूबर, 2011 को, मुंबई में 8 जून, 2014 को, जयपुर में 3 जून, 2015 को तथा चेन्नई में 29 जून, 2015 को शुरू हुआ।
- भारतीय रेल की सबसे लम्बी रेल यात्रा डिब्रूगढ़ से कन्या कुमारी के बीच 4,286 किमी. की है। इस दूरी को तय करने में 82.30 घंटे का समय लगता है।
- श्री सिद्धारूढ़ा स्वामी जी रेलवे स्टेशन हुब्बल्लि, कर्नाटक का प्लेटफार्म विश्व का सबसे लम्बा प्लेटफॉर्म है। इसकी लम्बाई 1507 मीटर है।
- भारतीय रेल की सबसे लम्बी सुरंग जम्मू–कश्मीर में खारी और सम्बेर सेक्शन के मध्य स्थित T-50 सुरंग है, जो 12.77 किमी. लम्बी है।
- भारतीय रेलवे बोर्ड की स्थापना 1905 में हुई थी।
- भारतीय रेलों के तीन गेज हैं–ब्रॉड गेज, मीटर गेज, और नैरो गेज।
- रेलवे में वातानुकूलित, प्रथम श्रेणी और द्वितीय श्रेणी हैं। तृतीय श्रेणी 1974 से समाप्त कर दी गई।
- देश में कुल 95% स्थानों पर कम्प्यूटर रिजर्वेशन की व्यवस्था है।
- देश में सबसे लम्बा रेल पुल वेम्बानद रेल पुल है। यह केरल में स्थित है।

भारतीय रेलवे के जोन एवं मुख्यालय

जोन	मुख्यालय
1. दक्षिण रेलवे	चेन्नई
2. पश्चिमी रेलवे	मुंबई-चर्चगेट
3. मध्य रेलवे	मुंबई वी.टी.
4. उत्तर रेलवे	नई दिल्ली
5. पूर्वी रेलवे	कोलकाता
6. दक्षिण-पूर्वी रेलवे	कोलकाता
7. उत्तर-पूर्वी रेलवे	गोरखपुर
8. दक्षिण-मध्य रेलवे	सिकंदराबाद
9. उत्तर-पूर्वी सीमान्त	मालेगांव (गुवाहाटी)
10. पूर्व-मध्य रेलवे	हाजीपुर
11. उत्तरी-पश्चिमी रेलवे	जयपुर
12. पूर्वी तटीय रेलवे	भुवनेश्वर
13. पश्चिमी-मध्य रेलवे	जबलपुर
14. दक्षिणी-पश्चिमी रेलवे	हुबली
15. दक्षिण-पूर्व मध्य रेलवे	बिलासपुर
16. उत्तर-मध्य रेलवे	प्रयागराज
17. कोलकाता मैट्रो रेलवे	कोलकाता
18. दक्षिण तटीय रेलवे	विशाखापत्तनम (प्रस्तावित)

सड़क परिवहन

महत्वपूर्ण तथ्य

- भारत दुनिया की सबसे बड़ी सड़क प्रणाली वाले देशों में से एक है।
- मार्च 2024 तक देश में सड़कों की कुल लंबाई 66.71 लाख किलोमीटर है।
- देश के सड़क नेटवर्क में राष्ट्रीय राजमार्ग, राज्यों के राजमार्ग, प्रमुख / अन्य जिला सड़कें और ग्रामीण / देहाती सड़कें शामिल हैं।
- देश में 1,46,195 कि॰मी॰ (मार्च 2024 तक) लम्बे राष्ट्रीय राजमार्ग की जिम्मेदारी केन्द्र सरकार पर है।
- सीमा सड़क संगठन का गठन 1960 में किया गया था।
- देश में राष्ट्रीय राजमार्गों की लंबाई, सड़कों की कुल लंबाई का मात्र दो प्रतिशत है, मगर 40 प्रतिशत सड़क यातायात इनसे होकर गुजरता है।
- देश में महाराष्ट्र में सड़कों की लम्बाई सबसे ज्यादा और सबसे कम लक्षद्वीप में है।
- देश के चारों कोनों को चार या छह लेन के राजमार्ग के एक नेटवर्क से जोड़ने हेतु राष्ट्रीय राजमार्ग विकास परियोजना बनाई गई है। जिसके अन्तर्गत चार महानगरों कोलकाता, दिल्ली, चेन्नई और मुम्बई को 5,882 कि॰मी॰ लम्बे स्वर्ण चतुर्भुज से जोड़ा जाएगा।

जहाजरानी

महत्वपूर्ण तथ्य

- परिवहन क्षेत्र में देश की अर्थव्यवस्था को मजबूत करने में जहाजरानी की प्रमुख भूमिका है। लगभग 95 प्रतिशत माल समुद्री रास्ते से ही ढोया जाता है।
- भारत के संपूर्ण समुद्र तट की लंबाई 7,517 किलोमीटर है।
- विकासशील देशों में भारत के पास व्यापारिक जहाजों का सबसे बड़ा बेड़ा है। भारत व्यापारिक जहाजरानी बेड़े की दृष्टि से विश्व में 16वें स्थान पर है।
- सार्वजनिक क्षेत्र की सरकारी जहाजरानी कंपनी, शिपिंग कारपोरेशन ऑफ इंडिया लिमिटेड की स्थापना 2 अक्टूबर, 1961 को हुई थी।
- भारत में 12 बड़े और 200 अन्य बंदरगाह हैं। बड़े बंदरगाह केन्द्र सरकार के अधीन आते हैं, जबकि अन्य बंदरगाह सम्बद्ध राज्य सरकारों के क्षेत्राधिकार में आते हैं।

देश के बड़े बंदरगाह

1. श्यामा प्रसाद मुखर्जी (कोलकाता), 2. मुंबई, 3. जवाहर लाल नेहरू (न्हावासेवा), 4. वी.ओ. चिदंबरनार (तूतीकोरिन), 5. चेन्नई, 6. मझगांव, 7. न्यू मंगलौर, 8. पारा द्वीप, 9. दीनदयाल (कांडला), 10. विशाखापट्टनम, 11. कोच्चि, 12. कामराजार (एन्नौर)

प्रमुख राष्ट्रीय जलमार्ग

जलमार्ग	लम्बाई	विस्तार	नदी
एन डब्ल्यू-1	1629 किमी	प्रयागराज से हल्दिया तक	गंगा
एन डब्ल्यू-2	819 किमी	सादिया से धुबरी पट्टी तक	ब्रह्मपुत्र
एन डब्ल्यू-3	186 किमी	कोल्लम से कोट्टापुरम तक	चम्पाक्कारा
एन डब्ल्यू-4	1100 किमी	काकीनाडा से मरक्कानम तक	कृष्णा-गोदावरी

वायु परिवहन

सार्वजनिक क्षेत्र की इकलौती विमान सेवा कम्पनी एयर इंडिया का जनवरी 2022 में पूर्ण निजीकरण कर दिया गया है। इस हेतु मार्ग अक्टूबर 2021 में उस समय प्रशस्त हो गया था जब इसके लिए टाटा संस की ₹ 18,000 करोड़ की उच्चतम बोली को सरकार ने स्वीकार कर लिया था तथा इसके 100 प्रतिशत शेयरों की टाटा समूह को बिक्री के लिए शेयर परचेज एग्रीमेंट पर हस्ताक्षर 26 अक्टूबर, 2021 को सम्पन्न किए थे। इससे एयर इंडिया का स्वामित्व एक बार पुनः अब टाटा संस के हाथ में आ गया है। भारी घाटे में चल रही इस एयरलाइंस में अपनी 100 प्रतिशत हिस्सेदारी निजी क्षेत्र को बेचने के लिए इच्छुक निवेशकों से अभिरुचि पत्र (Expression of interest) सरकार ने वर्ष 2020 में आमंत्रित किए थे। देश की अन्य प्राइवेट एयरलाइन्स इंडिगो, स्पाइस जेट और गो एयर आदि हैं।

देश के प्रमुख हवाई अड्डे

नाम	स्थान	नाम	स्थान
वीर सावरकर अन्तर्राष्ट्रीय हवाई अड्डा	श्री विजय पुरम (पोर्ट ब्लेयर)	छत्रपति शिवाजी अन्तर्राष्ट्रीय हवाई अड्डा	मुम्बई
		डॉ. बाबा साहेब अम्बेडकर अन्तर्राष्ट्रीय हवाई अड्डा	नागपुर
राजीव गांधी अन्तर्राष्ट्रीय हवाई अड्डा	हैदराबाद	श्री गुरु रामदासजी अन्तर्राष्ट्रीय हवाई अड्डा	अमृतसर
लोकप्रिय गोपीनाथ बोरदोलोई अन्तर्राष्ट्रीय हवाई अड्डा	गुवाहाटी	जयपुर अन्तर्राष्ट्रीय हवाई अड्डा	जयपुर
इन्दिरा गांधी अन्तर्राष्ट्रीय हवाई अड्डा	नई दिल्ली	अन्ना अन्तर्राष्ट्रीय हवाई अड्डा	चेन्नई
दाबोलिम हवाई अड्डा	गोवा	कोयम्बटूर अन्तर्राष्ट्रीय हवाई अड्डा	कोयम्बटूर
सरदार वल्लभभाई पटेल अन्तर्राष्ट्रीय हवाई अड्डा	अहमदाबाद	चौधरी चरण सिंह अन्तर्राष्ट्रीय हवाई अड्डा	लखनऊ
श्रीनगर हवाई अड्डा	श्रीनगर	लाल बहादुर शास्त्री अन्तर्राष्ट्रीय हवाई अड्डा	वाराणसी
बेंगलुरू अन्तर्राष्ट्रीय हवाई अड्डा	बेंगलुरू	नेताजी सुभाषचन्द्र बोस अन्तर्राष्ट्रीय हवाई अड्डा	कोलकाता
मंगलुरू अन्तर्राष्ट्रीय हवाई अड्डा	मंगलुरू	बीजू पटनायक अन्तर्राष्ट्रीय हवाई अड्डा	भुवनेश्वर
कोचीन अन्तर्राष्ट्रीय हवाई अड्डा	कोच्चि	गया हवाई अड्डा	गया
त्रिवेन्द्रम अन्तर्राष्ट्रीय हवाई अड्डा	तिरुवनंतपुरम	पुणे हवाई अड्डा	पुणे
देवी अहिल्याबाई होल्कर अन्तर्राष्ट्रीय हवाई अड्डा	इन्दौर		

❑❑❑

5

सामान्य विज्ञान

विज्ञान की विविध शाखाएं

नाम	अध्ययन	नाम	अध्ययन
एरोनॉटिक्स	वैमानिकी का अध्ययन	एन्टोमोलॉजी	कीट-पतंगों का अध्ययन
एनाटोमी	मानव शरीर की रचना	फिलाटेली	टिकट संग्रह कला
आर्कियोलॉजी	पुरातत्व अध्ययन	हार्टीकल्चर	बागवानी
एकॉस्टिक	ध्वनि से संबंधित अध्ययन	सीस्मोलॉजी	भूकंप का अध्ययन
		ऑस्टोलॉजी	हड्डियों का अध्ययन
एस्ट्रोनामी	खगोल अध्ययन	जेनेटिक्स	आनुवंशिकी का अध्ययन
एण्टोमोलॉजी	कीटाणुओं का अध्ययन	जूलॉजी	जन्तु विज्ञान
एस्ट्रोफिजिक्स	ग्रह-मंडल का अध्ययन	बायलॉजी	प्राणी विज्ञान
कैलिस्थेनिक्स	व्यायाम विद्या का अध्ययन	जिओलॉजी	भूगर्भ की बनावट का अध्ययन
क्रोनोलॉजी	ऐतिहासिक क्रम का अध्ययन	पैथॉलाजी	रोगों का-अध्ययन
बॉटनी	वनस्पति का अध्ययन	फिजिक्स	भौतिक विज्ञान
केमिस्ट्री	रसायन का अध्ययन	बायोकेमिस्ट्री	प्राणी का रासायनिक अध्ययन
सेरामिक्स	चीनी के बर्तनों के निर्माण का अध्ययन	युजेनिक्स	नस्ल सुधार का अध्ययन
इकोलॉजी	जीव एवं पर्यावरण संबंधों का अध्ययन	एटिमोलॉजी	शब्द व्युत्पत्ति का अध्ययन

आविष्कार और आविष्कारक

आविष्कार	आविष्कारक	देश	सन्
वायुयान	ओरविल और विलबर राइट	अमेरिका	1903
बॉल-पाइंट	जॉन जे. लाउड	अमेरिका	1888
बैरोमीटर	इवेंजलिस्ता टौरीसेली	इटली	1644
बाईसिकिल	कर्कपैट्रिक मैकमिलन	इंग्लैंड	1839-40
बाईफोकल लेंस	बेन्जामिन फ्रैंकलिन	अमेरिका	1780
बनसेन बर्नर	आर. विल्हेम वोन बनसेन	जर्मनी	1855
कार (पेट्रोल)	कार्ल बेन्ज	जर्मनी	1888
सीमेंट (पोर्टलैंड)	जोसेफ एस्पडिन	इंग्लैंड	1824
सिनेमा	निकोलस और जीन लूमियर	फ्रांस	1895
क्लॉक (मैकेनिकल)	आई.सिंग और लियांग लिंग-तसान	चीन	1725
डीजल इंजन	रूडोल्फ डीजल	जर्मनी	1895
डायनेमो	हाइपोलाइट पिक्सी	फ्रांस	1832
इलैक्ट्रिक लैम्प	थॉमस अल्वा एडिसन	अमेरिका	1879
सेफ्टी पिन	वाल्टर हन्ट	अमेरिका	1849

आविष्कार	आविष्कारक	देश	सन्
सिलाई मशीन	बार्थलेमी थिम्मोनियर	फ्रांस	1829
जहाज (भाप)	जे.सी. पेरियर	फ्रांस	1775
जहाज (टरबाइन)	होन. सर सी. पारसंस	इंग्लैंड	1894
स्लाइड रूल	विलियम ऑग्ट्रेड	इंग्लैंड	1621
भाप का इंजन	जेम्स वॉट	इंग्लैंड	1765
स्टेनलेस स्टील	हेरि ब्रियरले	इंग्लैंड	1913
समुद्री जहाज	डेविड बुशनेल	अमेरिका	1776
टैंक	सर अर्नस्ट स्विनटन	इंग्लैंड	1914
टेलीग्राफ	एम. लम्मोंड	फ्रांस	1787
टेलीग्राफ कोड	सैमुअल एफ. बी. मोर्स	अमेरिका	1837
टेलीफोन (परफैक्टेड)	अलेक्जैण्डर ग्राहम बेल	अमेरिका	1876
टेलीस्कोप	हेन्स लिप्परशे	नीदरलैंड्स	1608
टेलीविजन (मैकेनिकल)	जे.एल. बेयर्ड	इंग्लैंड	1926
टेलीविजन (इलेक्ट्रॉनिक)	पी.टी. फार्न्सवर्थ	अमेरिका	1927
थर्मामीटर	गैलिलियो गैलिली	इटली	1593
ट्रांसफार्मर	माइकल फैराडे	इंग्लैंड	1831
ट्रांजिस्टर	बरडीन, शोकले तथा ब्राट्टेन	अमेरिका	1948
टाइपराइटर	पेलेग्रिन टेरी	इटली	1808
कपड़ा धोने की मशीन (विद्युत)	हर्ले मशीन कम्पनी	अमेरिका	1907
घड़ी	बारथोलोम्यू मैनफ्रेडी	इटली	1462

विटामिन की कमी से होने वाले रोग

विटामिन	रोग	स्रोत	विटामिन	रोग	स्रोत
विटामिन A	रतौंधी	गाजर, दूध, अंडा	विटामिन B_{12}	अरक्तता	कलेजी, अंडा
विटामिन B_1	बेरी-बेरी	दाल, अंडा, मूंगफली	विटामिन C	स्कर्वी	संतरा, टमाटर
विटामिन B_2	मुँह की त्वचा	कलेजी, दूध, मांस	विटामिन D	सूखा रोग	सूर्य का प्रकाश, मछली का तेल
विटामिन B_6	एनीमिया और होंठ फटना	कलेजी, दूध, मांस	विटामिन E	बांझपन	हरी सब्जियाँ, दूध, कलेजी
विटामिन B_7	पेलाग्रा	मछली, अंडा	विटामिन K	रक्त का थक्का जमने में कमी	हरी सब्जी

प्रमुख बीमारियों द्वारा प्रभावित अंग

बीमारी	प्रभावित अंग	बीमारी	प्रभावित अंग
निमोनिया	फेफड़े	टायफाइड	आँत
डिफ्थीरिया	श्वसन नलिका	सिफलिस	जनन अंग
मेनिंनजाइटिस	मस्तिष्क	आर्थाइटिस	जोड़ों की सूजन
एग्जीमा	चमड़ी	पीलिया	यकृत
अतिसार	आँत का अग्रभाग	सुजाक, श्वेत प्रदर	मूत्र मार्ग
प्लूरिसी	छाती	पायरिया	दाँत तथा मसूड़े
गठिया या ट्यूमैटिज्म	जोड़ों में	टिटनेस	तंत्रिका तंत्र, मांसपेशी
कुष्ठ	त्वचा, तंत्रिकाएं	हैजा	आँत, आहार नाल
रिकेट्स	हड्डियाँ	गोइटर (गण्डमाला)	थाइराइड ग्रंथि
काली खाँसी	श्वसन तंत्र	बॉट्यूलिज्म	तंत्रिका-तंत्र
एड्स	सम्पूर्ण शरीर	प्लेग	फेफड़े, लाल रक्त कणिकाएं
रेबीज या हाइड्रोफोबिया	तंत्रिका तंत्र	खसरा	सम्पूर्ण शरीर
कालाजार	रुधिर, प्लीहा व अस्थि मज्जा	हरपीस	त्वचा, श्लेष्मकला
केटेरेक्ट, ग्लाइकोमा, ट्रेकोमा, मायोपिया	आँख	क्षय रोग	शरीर का कोई भी अंग, विशेषकर फेफड़े
		चेचक	सम्पूर्ण शरीर, विशेषकर चेहरा तथा हाथ-पैर

परमाणु शक्ति एवं अंतरिक्ष अनुसंधान

- **परमाणु शक्तिः** अगस्त, 1948 में परमाणु-शक्ति आयोग की स्थापना की गयी। यह परमाणु-शक्ति के शांतिपूर्ण उपयोग पर बल देता है। परमाणु-शक्ति की खोज और विकास के लिए मुंबई के निकट ट्राम्बे (महाराष्ट्र) में भाभा परमाणु-शक्ति अनुसंधान केंद्र (बी०ए०आर०सी०) की स्थापना की गई है। ट्राम्बे में छः परमाणु भट्टियाँ हैं–(1) 'अप्सरा', (2) 'साइरस', (3) 'जरलीना', (4) 'पूर्णिमा' I, (5) 'पूर्णिमा' II, (6) ध्रुव। देश के सबसे बड़े परमाणु केन्द्र ध्रुव ने 8 अगस्त, 1985 से काम करना शुरू कर दिया है। देश में सात परमाणु विद्युत केन्द्र हैं–(1) कलपक्कम (तमिलनाडु), (2) रावतभाटा (राजस्थान), (3) तारापुर (महाराष्ट्र), (4) नरौरा (उ०प्र०), (5) काकरापारा (गुजरात), (6) कैगा (कर्नाटक) और (7) कुडनकुलम (तमिलनाडु)।
- **भारत द्वारा परमाणु विस्फोटः** भारत ने 18 मई, 1974 को प्रातः 8 बजकर 5 मिनट पर राजस्थान के रेगिस्तानी इलाके के पोखरण क्षेत्र में जमीन के 100 मीटर नीचे एक आणविक विस्फोट किया। यह पहला भारतीय परमाणु विस्फोट प्लूटोनियम पर आधारित 100% भारतीय सामग्री, तकनीक व कौशल का प्रमाण था। विशुद्ध अनुसंधान व अध्ययन के लिए किए गए इस विस्फोट ने, जिसका उद्देश्य शांति-कार्यों के लिए अणु शक्ति का प्रयोग करना है, भारत को विश्व की छठी अणु-शक्ति बना दिया। अन्य पाँच देश हैं–संयुक्त राज्य अमेरिका, रूस, इंग्लैंड, फ्राँस व चीन। भारत ने पोखरण में ही पांच परमाणु परीक्षण क्रमशः 11 मई और 13 मई 1998 को किए। भारत ने अभी तक NPT और CTBT पर हस्ताक्षर नहीं किए हैं।
- **अंतरिक्ष अनुसंधानः** भारत में अंतरिक्ष अनुसंधान का कार्य 1969 में स्थापित 'भारतीय अंतरिक्ष अनुसंधान संगठन' (Indian Space Research Organisation—ISRO) के अधीन है। जून, 1972 में अंतरिक्ष आयोग (Space Commission) की स्थापना की गई। थुम्बा इक्वेटोरियल राकेट लांचिंग स्टेशन (केरल में थुम्बा नामक स्थान पर) से बहुत से राकेट सफलतापूर्वक छोड़े जा चुके हैं। इस केंद्र को 1968 में अंतर्राष्ट्रीय सहयोग के लिए राष्ट्र संघ को समर्पित कर दिया गया था। आंध्र प्रदेश में श्रीहरिकोटा नामक स्थान पर सैटेलाइट लांचिंग स्टेशन स्थापित किया गया है।

अन्तरिक्ष में प्रथम

• अन्तरिक्ष उड़ानों से सम्बन्धित नियमों का प्रथम प्रणेता	आइजक न्यूटन
• अन्तरिक्ष में भेजा गया प्रथम कृत्रिम उपग्रह	स्पूतनिक-1 (1957)
• अन्तरिक्ष में जाने वाला प्रथम जीव	'लाइका', एक कुत्ता
• मानव चालित प्रथम अन्तरिक्ष यात्रा	वास्टोक-1 (1961)
• अन्तरिक्ष में प्रथम व्यक्ति	यूरी गैगरिन, सोवियत संघ, (1961)
• प्रथम महिला अन्तरिक्ष यात्री	वेलेन्तीना तेरेश्कोवा (सोवियत संघ, जून 1963)
• अन्तरिक्ष में यान से बाहर विचरण करने वाला प्रथम व्यक्ति	एलेक्सी लियोनोव (सोवियत संघ, जून 1965)
• चाँद पर कदम रखने वाला प्रथम मानव	नील आर्मस्ट्रांग (अमेरिका, 21 जुलाई, 1969)
• चाँद पर प्रथम मानवरहित बग्घी	ल्यूनोखेव-1 (सोवियत संघ, 1970)
• कक्षा में प्रथम अन्तरिक्ष प्रयोगशाला	स्काईलैब (अमेरिका, 1973)
• प्रथम अन्तरिक्ष शटल	कोलम्बिया (अमेरिका, 1981)
• अन्तरिक्ष में प्रथम भारतीय (पुरुष)	स्क्वाड्रन लीडर राकेश शर्मा (13 अप्रैल, 1984)
• अन्तरिक्ष में प्रथम भारतीय (महिला)	कल्पना चावला (19 नवम्बर, 1997)
• प्रथम अमेरिकी महिला अन्तरिक्ष यात्री	सैलीराइड (1983)
• मंगल ग्रह पर पहला अन्तरिक्ष यान	पाथफाइंडर (6 जुलाई, 1997)
• प्रथम महिला जिसने अन्तरिक्ष यान का नेतृत्व किया	एलीन कोलिस (अमेरिका)
• प्रथम मानव रहित अन्तरिक्ष यान	शेन्जू (चीन) 20 नवम्बर, 1999

❑❑❑

6

विविध

भारत एक दृष्टि में

• राजधानी	–	नई दिल्ली
• क्षेत्रफल	–	32,87,263 वर्ग कि.मी.
• क्षेत्रफल की दृष्टि से विश्व में स्थान	–	सातवां
• स्थित	–	भूमध्य रेखा के उत्तर में 8°4′ और 37°6′ उत्तरी अक्षांश और 68°7′ तथा 97°25′ पूर्वी देशांतर के मध्य
• विस्तार	–	उत्तर से दक्षिण तक 3,214 किमी. पूर्व से पश्चिम तक 2,933 किमी.
• भूमि सीमा	–	15,200 किमी.
• समुद्री तट	–	7,516.6 किमी.
• सीमावर्ती देश	–	उत्तर-पश्चिम में पाकिस्तान और अफगानिस्तान, उत्तर में चीन, नेपाल और भूटान, पूर्व में म्यांमार और बंगलादेश, दक्षिण में मन्नार की खाड़ी और पाक-जलडमरूमध्य श्रीलंका से अलग करते हैं।
• प्राकृतिक संरचना	–	मुख्य भूमि चार भागों में विभक्त–विस्तृत पर्वतीय क्षेत्र, सिंधु और गंगा के मैदान, रेगिस्तानी क्षेत्र, दक्षिणी प्रायद्वीप
• प्रमुख नदियाँ	–	(क) **हिमालय समूह** : गंगा, यमुना, सिन्धु तथा ब्रह्मपुत्र; (ख) **दक्षिणी नदियाँ** : कृष्णा, कावेरी, गोदावरी, महानदी, दामोदर, नर्मदा, ताप्ती, पम्बा, पेरियार, पेण्णार, शरावती, नेत्रवती
• जलवायु	–	ऊष्ण कटिबंधीय चार ऋतुएँ–शीत ऋतु, ग्रीष्म ऋतु, वर्षा ऋतु, शरद ऋतु
• जीव-जंतु	–	लगभग 89,451 किस्म के
• जनसंख्या (2011)	–	121,08,54,977
• साक्षरता (2011)	–	73.0%
• राजभाषा	–	हिन्दी
• मान्य भाषाएं	–	22
• उच्च न्यायालयों की संख्या	–	25

भारतीय संघ : राज्य व संघीय प्रदेश

संघ राज्य एवं संघीय प्रदेश	राजधानी	क्षेत्रफल (वर्ग कि॰मी॰)	भाषा
भारत	नई दिल्ली	32,87,263	हिन्दी-राजभाषा
आंध्र प्रदेश	अमरावती	1,60,229	तेलुगू
असम	दिसपुर	78,438	असमिया
ओडिशा	भुवनेश्वर	1,55,707	ओडिया
उत्तर प्रदेश	लखनऊ	2,40,928	हिन्दी
केरल	तिरुवनन्तपुरम्	38,863	मलयालम
गुजरात	गांधीनगर	1,96,024	गुजराती
तमिलनाडु	चेन्नई	1,30,058	तमिल
त्रिपुरा	अगरतला	10,492	त्रिपुरी, बंगला
नगालैण्ड	कोहिमा	16,579	अंग्रेजी, सेमा
पंजाब	चण्डीगढ़	50,362	पंजाबी
प. बंगाल	कोलकाता	88,752	बांग्ला
बिहार	पटना	94,163	हिन्दी, मैथिली, भोजपुरी, मगही
मध्य प्रदेश	भोपाल	3,08,000	हिन्दी
महाराष्ट्र	मुम्बई	3,07,713	मराठी
मेघालय	शिलांग	22,429	खासा भारा
मणिपुर	इम्फाल	22,327	मणिपुरी, अंग्रेजी
राजस्थान	जयपुर	3,42,239	हिन्दी, मारवाड़ी
हरियाणा	चण्डीगढ़	44,212	हिन्दी
हिमाचल प्रदेश	शिमला	55,673	हिन्दी, पहाड़ी
कर्नाटक	बेंगलुरू	1,91,791	कन्नड़
सिक्किम	गंगटोक	7,096	लेपचा, नेपाली, हिन्दी
मिजोरम	आईजॉल	20,987	मिजो, अंग्रेजी
अरुणाचल प्रदेश	ईटानगर	83,743	बिस्सी, वांची
गोवा	पणजी	3,702	कोंकणी, मराठी
छत्तीसगढ़	रायपुर	1,35,191	हिन्दी
झारखण्ड	रांची	79,714	हिन्दी, संथाली, बांग्ला तथा ओडिया
उत्तराखंड	देहरादून	53,483	हिन्दी, गढ़वाली, कुमायुँनी
तेलंगाना	हैदराबाद	1,14,840	तेलुगू
अण्डमान निकोबार द्वीप समूह	श्री विजय पुरम	8,249	निकोबारी, हिन्दी
चण्डीगढ़	चण्डीगढ़	114	हिन्दी, पंजाबी
दिल्ली	दिल्ली	1,483	हिन्दी, पंजाबी
दादरा और नागर हवेली और दमन और दीव	दमन	603	भीली, गुजराती
पुडुचेरी	पुडुचेरी	480	तमिल, हिन्दी
लक्षद्वीप	कवारत्ती	32	मलयालम
जम्मू और कश्मीर	श्रीनगर (ग्रीष्मकाल में) जम्मू (शीतकाल में)	2,22,236*	कश्मीरी, उर्दू, डोगरी
लद्दाख	लेह	–	लद्दाखी

* पाकिस्तान और चीन द्वारा अवैध रूप से कब्जा किए गए क्षेत्र तथा केन्द्रशासित प्रदेश लद्दाख के क्षेत्रफल सहित।

राष्ट्रीय प्रतीक

- **राष्ट्रीय ध्वज :** भारत का राष्ट्रीय ध्वज **तिरंगा** है। यह आयताकार तीन पट्टियों से बना है। इसमें सबसे ऊपर केसरिया, मध्य में श्वेत और नीचे हरा रंग है। केसरिया शक्ति, श्वेत शांति और हरा समृद्धि का प्रतीक माना जाता है। झण्डे की लम्बाई-चौड़ाई का अनुपात 3 : 2 है। श्वेत पट्टी के मध्य नीले रंग का एक चक्र है। चक्र में 24 तीलियाँ हैं। झण्डा फहराने के संबंध में भारत सरकार ने कुछ नियम बनाए हैं जिनका पालन करना अति आवश्यक है। संविधान सभा ने इसे 22 जुलाई 1947 को अंगीकार किया था।
- **राजचिह्न :** भारत का राजचिह्न सारनाथ में अशोक निर्मित सिंह स्तम्भ की अनुकृति है। इस चिह्न में चार सिंह हैं, जो एक दूसरे के विपरीत दिशा में घूम कर बैठे हुए हैं। इन चार में से केवल तीन सिंह दिखाई देते हैं, चौथा पीछे की ओर छिपा हुआ है और दिखाई नहीं देता। नीचे चौरस पट्टी के मध्य में उभरी हुई नक्काशी में एक चक्र है, जिसके दाईं ओर एक सांड़ और बाईं ओर एक घोड़ा है। नीचे मुण्डकोपनिषद से लिया गया सूत्र 'सत्यमेव जयते' देवनागरी लिपि में लिखा गया है। इसका अर्थ है 'सत्य की ही विजय होती है'। सरकार ने राजचिह्न को 26 जनवरी 1950 को स्वीकृत किया।
- **राष्ट्र गीत :** श्री बंकिम चन्द्र चटर्जी द्वारा रचित गीत 'वन्दे मातरम्' को राष्ट्र गान के समकक्ष स्थान दिया गया है। उनके विख्यात उपन्यास 'आनन्द मठ' से उद्धृत यह गीत राष्ट्रीय आन्दोलन में एक महान प्रेरणा-स्रोत रहा है। इस गीत को सबसे पहले 1896 में भारतीय राष्ट्रीय कांग्रेस के अधिवेशन में गाया गया था।
- **राष्ट्र गान :** रवीन्द्र नाथ टैगोर के गीत 'जन गण मन' को 24 जनवरी, 1950 को राष्ट्र गान के रूप में स्वीकार किया गया। यह गीत 'भारत-विधाता' शीर्षक से सर्वप्रथम 'तत्व-बोधिनी' पत्रिका के जनवरी 1912 के अंक में प्रकाशित हुआ था। यह गीत पहली बार 27 दिसम्बर 1911 को भारतीय कांग्रेस के कलकत्ता (कोलकाता) अधिवेशन में गाया गया था। पूरे गीत के 5 पद हैं। इसमें से प्रथम पद को राष्ट्र गान स्वीकार किया गया है। इसे गाने का निर्धारित समय लगभग 52 सेकण्ड है।
- **राष्ट्रीय पंचांग :** सरकारी कार्यों में प्रयोग हेतु राष्ट्रीय पंचांग 22 मार्च, 1957 से अपनाया गया है। यह पंचांग शक संवत् पर आधारित है। 78 ई. में प्रारम्भ हुए शक संवत् का पहला महीना चैत्र है और वर्ष 365 दिन का है। इस पंचांग के दिन स्थायी रूप से ग्रेगेरियन कैलेंडर से सम्बद्ध दिनों के अनुरूप बैठते हैं। इस प्रकार सामान्य वर्षों में इस पंचांग का पहला दिन 22 मार्च के दिन आता है और लौंद (लीप) वर्ष में 21 मार्च के दिन।
  राष्ट्रीय पंचांग के माह इस प्रकार हैं: 1. चैत्र, 2. बैशाख, 3. ज्येष्ठ, 4. आषाढ़, 5. श्रावण, 6. भाद्रपद, 7. आश्विन, 8. कार्तिक, 9. मार्गशीर्ष, 10. पौष, 11. माघ, 12. फाल्गुन।
- **राष्ट्रीय पशु :** बाघ (पैंथरा टाइग्रिस-लिन्नायस); **राष्ट्रीय पक्षी :** मोर (पावो क्रिस्टेटस); **राष्ट्रीय पुष्प :** कमल।

संयुक्त राष्ट्र

• **स्थापना**	: 24 अक्टूबर, 1945
• **संस्थापक सदस्य**	: 50
• **मुख्यालय**	: न्यूयार्क
• **वर्तमान सदस्य संख्या**	: 193 (इस संगठन का सदस्य बनने वाला अन्तिम देश दक्षिण सूडान है)।
• **ध्वज**	: ध्वज की पृष्ठभूमि हल्की नीली है और उस पर श्वेत रंग से राष्ट्र संघ का प्रतीक बना हुआ है।
• **कार्यकारी भाषाएँ**	: अंग्रेजी तथा फ्रेंच
• **अन्य मान्यता प्राप्त भाषाएँ**	: रशियन, अरबी, स्पेनिश तथा चीनी।

संयुक्त राष्ट्र के लक्ष्य और उद्देश्य

संयुक्त राष्ट्र के कार्यों को तीन भागों में विभाजित किया जा सकता है, यथा–सुरक्षा, कल्याण और मानव अधिकार। संयुक्त राष्ट्र के सदस्य राष्ट्रों से चार कर्त्तव्यों के पालन की अपेक्षा की जाती है कि–(क) वे अपने विवादों को शांतिपूर्वक ढंग से निपटायेंगे, (ख) वे सैन्यबल का प्रयोग नहीं करेंगे, (ग) घोषणा-पत्र के पालन में सहायता करेंगे और (घ) आक्रामक की सहायता नहीं करेंगे। संयुक्त राष्ट्र–जाति, भाषा, लिंग और धर्म का विचार किए बिना सब मनुष्यों के मानवीय अधिकारों को मान्यता देता है।

संयुक्त राष्ट्र के प्रमुख अंग

प्रमुख अंग 6 हैं–**1.** साधारण महासभा, **2.** सुरक्षा परिषद्, **3.** आर्थिक व सामाजिक परिषद्, **4.** अंतर्राष्ट्रीय न्यायालय, **5.** प्रन्यास परिषद्, **6.** सचिवालय

प्रमुख अंतर्राष्ट्रीय संगठन और उनके मुख्यालय

अंतर्राष्ट्रीय संगठन	मुख्यालय
संयुक्त राष्ट्र (UN)	न्यूयार्क
अंतर्राष्ट्रीय मुद्रा कोष (IMF)	वाशिंगटन डी.सी.
विश्व स्वास्थ्य संगठन (WHO)	जेनेवा
खाद्य एवं कृषि संगठन (FAO)	रोम
अंतर्राष्ट्रीय श्रम संगठन (ILO)	जेनेवा
यूनेस्को (UNESCO)	पेरिस
अंतर्राष्ट्रीय न्यायालय	हेग
विश्व डाक संघ (UPU)	बर्न
अंतर्राष्ट्रीय नागरिक उड्डयन संगठन (ICAO)	मांट्रियल
सं॰ रा॰ औद्यो॰ विकास संगठन (UNIDO)	वियना
अंतर्राष्ट्रीय परमाणु ऊर्जा अभिकरण (IAEA)	वियना
अंतर्राष्ट्रीय वित्त निगम (IFC)	वाशिंगटन डी.सी.
सं॰ रा॰ विकास कार्यक्रम (UNDP)	न्यूयॉर्क
यूनिसेफ (UNICEF)	न्यूयॉर्क
अंतर्राष्ट्रीय समुद्री संगठन (IMO)	लंदन
विश्व मौसम विज्ञान संगठन (WMO)	जेनेवा
अंतर्राष्ट्रीय दूर संचार संघ (ITU)	जेनेवा

अंतर्राष्ट्रीय संगठन	मुख्यालय
अरब लीग	काहिरा
राष्ट्रमंडल (Commonwealth)	लंदन
विश्व व्यापार संगठन (WTO)	जेनेवा
अंतर्राष्ट्रीय विकास संघ (IDA)	वाशिंगटन डी.सी.
अंतर्राष्ट्रीय पुनर्निर्माण एवं विकास बैंक (विश्व बैंक) (IBRD)	वाशिंगटन डी.सी.
विश्व बौद्धिक संपदा संगठन (WIPO)	जेनेवा
मुस्लिम राष्ट्रों का संघ (OIC)	जेद्दा
यूरोपियन संघ	ब्रुसेल्स
रेडक्रास	जेनेवा
इंटरपोल (INTERPOL)	लियोन
एशियाई विकास बैंक (ADB)	मनीला
उत्तरी अटलांटिक संधि संगठन (NATO)	ब्रुसेल्स
आसियान (ASEAN)	जकार्ता
BRICS बैंक	शंघाई
संयुक्त राष्ट्र व्यापार एवं विकास सम्मेलन (UNCTAD)	जेनेवा
जी-15	जेनेवा
दक्षेस (SAARC)	काठमांडू

रक्षा

भारत की रक्षा सेनाओं का सर्वोच्च कमाण्डर भारत का राष्ट्रपति होता है। भारत की सशस्त्र सेनाओं में तीन मुख्य सेवाएं हैं–थल सेना, नौ सेना और वायु सेना। तीनों सेनाओं के प्रमुख क्रमशः थल सेनाध्यक्ष, नौ सेनाध्यक्ष और वायु सेनाध्यक्ष होते हैं।

सेना में कमीशंड पद
(Commissioned Ranks)

थल सेना	नौ सेना	वायु सेना
जनरल	एडमिरल	एयर चीफ मार्शल
लेफ्टिनेन्ट-जनरल	वाइस-एडमिरल	एयर मार्शल
मेजर जनरल	रियर-एडमिरल	एयर वाइस मार्शल
ब्रिगेडियर	कमोडोर	एयर कमोडोर
कर्नल	कैप्टेन	ग्रुप कैप्टेन
लेफ्टिनेंट कर्नल	कमाण्डर	विंग कमाण्डर
मेजर	लेफ्टिनेंट कमाण्डर	स्क्वाड्रन लीडर
कैप्टेन	लेफ्टिनेंट	फ्लाइट लेफ्टिनेंट
लेफ्टिनेंट	सब-लेफ्टिनेंट	फ्लाइंग ऑफिसर

थल सेना कमाण्ड :

कमाण्ड	मुख्यालय
पश्चिमी कमाण्ड	चांडी मंदिर (चंडीगढ़)
पूर्वी कमाण्ड	कोलकाता
उत्तरी कमाण्ड	ऊधमपुर
दक्षिणी कमाण्ड	पुणे
मध्य कमाण्ड	लखनऊ
द.प. कमाण्ड	जयपुर
ट्रेनिंग कमाण्ड	शिमला

नौ सेना कमाण्ड :

कमाण्ड	मुख्यालय
पूर्वी कमाण्ड	विशाखापट्टनम
दक्षिणी कमाण्ड	कोच्चि
पश्चिमी कमाण्ड	मुम्बई

वायु सेना कमाण्ड :

कमाण्ड	मुख्यालय
पूर्वी कमाण्ड	शिलांग
पश्चिमी कमाण्ड	नई दिल्ली
केन्द्रीय कमाण्ड	प्रयागराज
दक्षिणी कमाण्ड	तिरुअनंतपुरम
द.-प. कमाण्ड	गांधीनगर
ट्रेनिंग कमाण्ड	बेंगलुरु
मेन्टेनेन्स कमाण्ड	नागपुर

थल सेना प्रशिक्षण संस्थान :

संस्थान	मुख्यालय
नेशनल डिफेन्स एकेडमी (NDA)	खड़कवासला
नेशनल डिफेन्स कॉलिज	नई दिल्ली
इंडियन मिलिट्री एकेडमी (IMA)	देहरादून
डिफेन्स सर्विस स्टाफ कॉलिज	विलिंग्टन
इन्फेनटरी स्कूल	महू
आर्म्ड सेण्टर	अहमदनगर
आर्टीलरी स्कूल	देवलाली

वायु सेना प्रशिक्षण संस्थान :

संस्थान	मुख्यालय
एयर फोर्स एडमिनिस्ट्रेटिव कॉलिज	कोयम्बटूर
एयर फोर्स एकेडमी	हैदराबाद
पैराटूपर ट्रेनिंग स्कूल	आगरा
एयर फोर्स टेक्निकल कॉलिज	जलाहली (बेंगलुरु)
एलीमेन्ट्री फ्लाइंग स्कूल	बिदर

नौ सेना प्रशिक्षण संस्थान :

संस्थान	मुख्यालय
आइ.एन.एस. चिल्का	भुवनेश्वर
आइ.एन., बेन्दुरथी	कोच्चि
आइ.एन.एस. तसिरकार्स	विशाखापट्टनम
इण्डियन नेवल एकेडमी	कोच्चि
आइ.एन.एस. शिवाजी	लोनावाला

आंतरिक सुरक्षा के संगठन

संगठन	स्थापना वर्ष	मुख्यालय
असम राइफल्स	1835	शिलांग
केन्द्रीय रिजर्व पुलिस बल	1939	नई दिल्ली
भारत-तिब्बत सीमा पुलिस	1962	नई दिल्ली
सीमा सुरक्षा बल (BSF)	1965	नई दिल्ली
केन्द्रीय औद्योगिक सुरक्षा बल	1969	नई दिल्ली
तट रक्षक बल	1978	नई दिल्ली
राष्ट्रीय सुरक्षा गार्ड	1984	नई दिल्ली

रक्षा स्टाफ प्रमुख (सीडीएस)

देश में उच्चतर रक्षा प्रबंधन में सुधार लाने के लिए सेवा प्रमुख समतुल्य वेतन और अतिरिक्त सुविधाओं वाले रक्षा स्टाफ प्रमुख (सीडीएस) का पद गठित किया गया है जो फोर स्टार वाले जनरल रैंक का है। रक्षा स्टाफ प्रमुख (चीफ ऑफ डिफेंस स्टाफ) रक्षा मंत्रालय में बनाये जाने वाले सैन्य मामलों के विभाग (डीएमए) के भी मुखिया होंगे और इसके सचिव के रूप में कार्य करेंगे। जनरल विपिन रावत ने 1 जनवरी, 2020 से 08 दिसम्बर, 2021 तक देश के प्रथम सीडीएस के रूप में कार्य किया।

कला एवं संस्कृति

भारत में कला और संस्कृति की समृद्ध परंपरा रही है। भारतीय राजे-महाराजे कला और संस्कृति के बड़े पारखी और हितैषी थे। उन्होंने न सिर्फ कला की विविध शाखाओं को आश्रय दिया, उनके फलने-फूलने में मदद की बल्कि कलाकारों, फनकारों को भी भरपूर समर्थन एवं पुरस्कार प्रदान किया। संस्कृति विचारने और क्रिया करने की पद्धति है जो सीखी जाती है अपनायी जाती है। इनमें मूल्य, रहन-सहन के तौर-तरीके, विचारने की पद्धतियां, भाषा, शिक्षा, कलाकारिता, सामाजिक संरचना की संस्थाएँ आदि शामिल हैं।

ललित कला

विजुअल आर्ट के जरिए चित्रों को उकेरने, कर्मकांडों को सामने रखने और भावनाओं को अभिव्यक्त करने की परंपराएं उतनी ही पुरानी हैं जितनी कि प्राचीन भारत की सभ्यता। पत्थरों पर नक्काशी करने और चिकनी मिट्टी के नमूने तैयार करने का कार्य आरंभिक दिनों में विकसित हुआ। बाद में धातु की मूर्तियाँ बनाने, धातु की वस्तुएँ बनाने, चित्रकारी करने और बेल-बूटों की कढ़ाई करने का कार्य विकसित हुआ।

भारत के प्रमुख चित्रकार एवं उनकी कृतियां

अवनीन्द्र नाथ टैगोर	शाहजहाँ का ताज को देखना, बुद्ध और सुजाता, वन साम्राज्ञी, औरंगजेब का बुढ़ापा, भारतमाता आदि।
गगनेन्द्र नाथ टैगोर	माँ से विदा लेते चैतन्य, कल्कि अवतार आदि।
राजा रवि वर्मा	दुष्यन्त को प्रेम-पत्र लिखती शकुन्तला, नायर लेडी, शकुन्तला वियोग आदि।

नन्द लाल बोस	उमा की तपस्या, घायल बकरी को ले जाते भगवान बुद्ध, कृष्णार्जुन, प्रणाम, बसन्त, गोपिनी आदि।
के॰ वेंकटप्पा	हनुमान द्वारा लंका दहन, स्वर्ण मृग, राम और मृग तृष्णा आदि।
जॉर्ज कीट	कृष्ण जन्म, कर्ण जन्म, यम मार्कण्डेय, निराभरण गोपियाँ आदि।
भवेश चन्द्र सन्याल	आश्रयहीन लड़की, गोल मार्केट के भिखारी आदि।
मनीषी डे	नारी-शृंगार, पनघट की ओर, बंगाली शरणार्थी।
अमृता शेरगिल	एलिफेन्ट्स बाथिंग इन ग्रीन पुल, हिल साईड, भारतीय लड़कियाँ आदि।
नारायण श्रीधर बेन्द्रे	स्टेशन पर यात्री, बुद्ध पूजा आदि।
देवी प्रसाद राय चौधरी	लेपचा कुमारी, भौटिया आदि।
शोभा सिंह	हीर-रांझा
सतीश गुजराल	काला चांद

संगीत

भारत में चार प्रकार के संगीत-साज मिलते हैं—तंतु या तार वाले, समीर या वायु वाले, अवनाद अथवा थाप से संचालित होने वाले और घन जिसमें घंटियाँ, मंजीरे, घड़ियाल आदि शामिल हैं। तंतु या तार वाले सामान्य साज हैं जैसे—वीणा, सितार, सारंगी, सरोद, दिलरुबा, इसराज, एकतारा, तानपुरा और मयूरी। वायु संचालित साज हैं शहनाई, बाँसुरी, नादस्वरम, निनकिर्नस और पोंगी। थाप अथवा संघात से संचालित होने वाले साज हैं: तबला, मृदंग, ढोलक, पखावज, घटाम तथा कंजीरा-मंजीरा। करतल, जल तरंग आदि अन्य भारतीय साज हैं।

गायन के क्षेत्र में विष्णु नारायण भातखण्डे, बेगम अख्तर, बड़े गुलाम अली, हीराबाई बरोडकर, भीमसेन जोशी, केसरभाई केलकर, ओंकारनाथ ठाकुर, सिद्धेश्वरी देवी, त्यागराज, विष्णु दिगंबर पलुसकर, पंकज मलिक, एम.एस. सुब्बालक्ष्मी, पंडित जसराज, गंगूभाई हंगल, मल्लिकार्जुन मंसूर, डागर बंधु, डी.के. जयरामन, के.जे. यशुदास, गुलाम मुस्तफा खान, कुमार गंधर्व, के.एल. वसंधा कुमारी, किशोरी अमोनकर, गिरिजा देवी, वी.के. नारायण स्वामी दीक्षित, तानसेन, श्यामा शास्त्री, स्वाति तिरूनल आदि साजपरक संगीत के कुछ दिग्गज कलाकार रहे हैं।

पुस्तकें और उनके लेखक

पुस्तकें	लेखक	पुस्तकें	लेखक
आधे-अधूरे	मोहन राकेश	गीतांजलि	रवीन्द्रनाथ टैगोर
आग का दरिया	कुर्रतुल-एन-हैदर	ग्लिम्पसेज ऑफ वर्ल्ड हिस्ट्री	जवाहरलाल नेहरू
ए मिलियन म्युटिनीज नाऊ	वी.एस. नायपॉल	गोदान	मुंशी प्रेमचंद
ए सूटेबल ब्वाय	विक्रम सेठ	द गॉड ऑफ स्माल थिंग्स	अरुंधति राय
ए पैसेज टू इंग्लैंड	नीरद सी-चौधरी	गोल्डन गेट	विक्रम सेठ
ए वॉयस ऑफ फ्रीडम	नयनतारा सहगल	गोरा	रवीन्द्र नाथ टैगोर
एक्सेशन टू इंस्टिंक्शन	डॉ. आर. मनेकर	द गाइड	आर.के. नारायण
आदि ग्रंथ	गुरु अर्जुन देव	हर्ष चरित	बाणभट्ट
बिट्विन द लाइंस	कुलदीप नैयर	हिंदू व्यू ऑफ लाइफ	राधाकृष्णन
भगवत गीता, महाभारत	वेदव्यास	हितोपदेश	नारायण भट्ट
भारत भारती	मैथिलीशरण गुप्त	हंग्री स्टोन्स	रवीन्द्र नाथ टैगोर
विसर्जन	रवीन्द्रनाथ टैगोर	आई एम नॉट एन आइलैंड	ख्वाजा अहमद अब्बास
ब्रोकन विंग	सरोजिनी नायडू	आईडोल्स	सुनील गावस्कर
बुद्ध चरित	अश्वघोष	लौरिंगन	वी.के. भट्टाचार्य
बाय गाड्स डिक्री	कपिल देव	जूही की कली	सूर्यकांत त्रिपाठी ''निराला''
चंडालिका	रवीन्द्रनाथ टैगोर	जुग बदल गया	सोहन सिंह शीतल
चैमिन	शिवशंकर पिल्लई	जाब्स फॉर मिलियंस	वी.वी. गिरि
चिदंबरा	सुमित्रानंदन पंत	कादंबरी	बाणभट्ट
देवदास	शरत चंद्र	कामसूत्र	वात्स्यायन
डिस्कवरी ऑफ इंडिया	जवाहरलाल नेहरू	कामायनी	जयशंकर प्रसाद
डिवाइन लाइफ	शिवानंद	कपाल-कुंडला	बंकिम चंद्र चटर्जी
गीत गोविन्द	जयदेव	कर्पूर मंजरी	राजशेखर
घासीराम कोतवाल	विजय तेंदुलकर	खाक-ए-दिल	जां निसार अख्तर

शब्द संक्षेप

ABC	ऑडिट ब्यूरो ऑफ सरकुलेशन्स	**INSAT**	इण्डियन नेशनल सैटेलाइट
ADB	एशियन डेवलपमेण्ट बैंक	**ISD**	इण्टरनेशनल सब्सक्राइबर डायलिंग
AIDS	एक्वायर्ड इम्यूनो डेफिसियेन्सी सिण्ड्रोम	**JPC**	ज्वाइंट पार्लियामेण्टरी कमेटी
AIIMS	ऑल इण्डिया इन्स्टीट्यूट ऑफ मेडिकल साइंसेज	**Lbw**	लेग बिफोर विकेट
BBC	ब्रिटिश ब्रॉडकास्टिंग कॉरपोरेशन	**NCC**	नेशनल कैडेट कार्पर्स
BP	ब्लड प्रेशर	**NCERT**	नेशनल काउन्सिल ऑफ एजूकेशन रिसर्च एण्ड ट्रेनिंग
BSF	बॉर्डर सिक्योरिटी फोर्स	**PIN**	पोस्टल इण्डेक्स नम्बर
CA	चार्टर्ड एकाउण्टेण्ट	**RBI**	रिजर्व बैंक ऑफ इण्डिया
CAG	कॉम्पट्रोलर एण्ड ऑडिटर जनरल	**SSC**	स्टाफ सलेक्शन कमीशन
CBI	सेण्ट्रल ब्यूरो ऑफ इन्वेस्टीगेशन	**SSP**	सीनियर सुपरिन्टेण्डेन्ड ऑफ पुलिस
CTBT	कम्प्रेहेन्सिव टेस्ट बैन ट्रीटी	**VAT**	वैल्यू एडेड टैक्स
GIC	जनरल इंश्योरेन्स कॉरपोरेशन	**WHO**	वर्ल्ड हेल्थ ऑर्गेनाइजेशन
HIV	ह्यूमेन इम्युनो-डेफिशिएंसी वाइरस	**GST**	गुड्स एंड सर्विसेज टैक्स

महत्वपूर्ण दिवस

तिथि	दिवस	तिथि	दिवस
9 जनवरी	प्रवासी दिवस	21 जून	अन्तर्राष्ट्रीय योग दिवस
15 जनवरी	थल सेना दिवस	11 जुलाई	विश्व जनसंख्या दिवस
25 जनवरी	भारतीय पर्यटन दिवस	6 अगस्त	विश्व शांति दिवस, हिरोशिमा दिवस
26 जनवरी	भारतीय गणतंत्र दिवस	10 अगस्त	अंतर्राष्ट्रीय युवा दिवस
30 जनवरी	शहीद दिवस, विश्व कुष्ठ निवारण दिवस (महात्मा गाँधी की पुण्य तिथि)	29 अगस्त	राष्ट्रीय खेल दिवस
		5 सितम्बर	शिक्षक दिवस
1 फरवरी	तटरक्षक दिवस, डाक जीवन बीमा दिवस	8 सितम्बर	विश्व साक्षरता दिवस
4 फरवरी	विश्व कैंसर दिवस	14 सितम्बर	हिन्दी दिवस
22 फरवरी	पल्स पोलियो दिवस	21 सितम्बर	अन्तर्राष्ट्रीय शांति दिवस
8 मार्च	अन्तर्राष्ट्रीय महिला दिवस	27 सितम्बर	विश्व पर्यटन दिवस
15 मार्च	विश्व उपभोक्ता अधिकार दिवस, विश्व विकलांगता दिवस	2 अक्टूबर	गाँधी जयन्ती / अन्तर्राष्ट्रीय अहिंसा दिवस
		3 अक्टूबर	विश्व पर्यावास दिवस
22 मार्च	विश्व जल दिवस	5 अक्टूबर	विश्व आवास दिवस
23 मार्च	शहीद दिवस, विश्व मौसम विज्ञान दिवस	9 अक्टूबर	विश्व डाक दिवस
24 मार्च	विश्व तपेदिक दिवस	16 अक्टूबर	विश्व खाद्य दिवस
7 अप्रैल	विश्व स्वास्थ्य दिवस	17 अक्टूबर	विश्व गरीबी उन्मूलन दिवस
22 अप्रैल	विश्व पृथ्वी दिवस	24 अक्टूबर	संयुक्त राष्ट्र दिवस
1 मई	मई दिवस (अन्तर्राष्ट्रीय श्रम दिवस)	14 नवम्बर	बाल दिवस
8 मई	विश्व रेडक्रॉस दिवस	19 नवम्बर	अन्तर्राष्ट्रीय नागरिक दिवस
24 मई	कॉमनवेल्थ दिवस	26 नवम्बर	विश्व पर्यावरण संरक्षण दिवस
31 मई	धूम्रपान विरोध दिवस	1 दिसम्बर	विश्व एड्स दिवस
5 जून	विश्व पर्यावरण दिवस	10 दिसम्बर	अन्तर्राष्ट्रीय मानवाधिकार दिवस

खेल जगत

खेलों से जुड़ी शब्दावली

- **बेसबॉल (Baseball):** बेस, टैपर, पिचर, कैचर, डायमंड, पुलआउट, पुटइन, स्ट्राइक, हिटर, पिंच, प्लेट, इन फिल्ड।
- **बास्केटबॉल (Basketball):** बॉल, ब्लाकिंग, शिफ्टिंग, होल्डिंग, हेल्ड बॉल, जम्प बॉल।
- **बैडमिंटन (Badminton):** ड्यूस, ड्रॉप, लेट, स्मैश, लव ऑल, डबल फाल्ट, मिक्सड डबल।
- **बिलियर्ड्स (Billiards):** क्यू, जिगर, पॉट, इनऑफ, इन बॉक, कैनन, ब्रेक, स्कैच, पोस्टमैन नॉक, बॉल लाइन।
- **शतरंज (Chess):** किंग, क्वीन, नाईट, पॉन, रूक, कैशल, बिशप, गैमबिट, चेकमेट, स्टेलमेट।
- **क्रिकेट (Cricket):** क्रीज, एल.बी.डब्लू., ब्रेक, बाई, लेगबाई, नो बॉल, सिली प्वाइंट, सिली मीडऑन, हिट विकेट।
- **हॉकी (Hockey):** बुली, कैरी, कॉर्नर, ड्रिब्बल, हैट्रिक, ऑफसाइड, स्कूप, शार्ट, कॉर्नर, स्ट्रिक, स्ट्राइकिंग।
- **फुटबॉल (Football):** कॉर्नर, किक, डायरेक्ट फ्री कीक, ड्रिब्बल, गोल किक, हैट्रिक, ऑफ साइड, पेनाल्टी किक।
- **गोल्फ (Golf):** पुट, बंकर, कैडी, बॉगी, टी पार, निब्लिक, लिंक्स, बेस्टबॉल, फेरसाम, प्रीमस, ग्रीडहोल्स।
- **वॉलीबॉल (Volleyball):** लव, हीव, बॉली प्वाईंट, सर्विस, ब्लैकिंग, होल्डिंग, डब्बलिंग, बुस्टर, स्पाइकर, ड्यूस।
- **लॉन टेनिस (Lawn Tennis):** ड्यूस, फॉल्ट, डबल फॉल्ट, लेट स्मैश, वॉली, हाफ वॉली, ग्राउण्ड स्ट्रोक।
- **नौकायन (Rowing):** बो, बुकेट, काऊ, फीदर, पैडल, रेगेटा, कॉक्स, ईर्गेमीटर।
- **तैराकी (Swimming):** क्रॉल, ब्रेस्ट स्ट्रॉक।
- **कुश्ती (Wrestling):** हेड लॉक, हीव होल्ड, रीबाउट्स, ए हॉफ नेशेस, ए फुल नेल्सन सीजर।
- **पोलो (Polo):** बंकर, चुकर, मैलेट।
- **वाटर पोलो (Water Polo):** दो एवं चार मीटर लाईन, गोल लाईन, होल्ड, सिंकपुल, बॉलअंडर।
- **निशानेबाजी (Shooting):** मजल, प्लग, बैग, टारगेट, बुल्स आई।
- **खो-खो (Kho-Kho):** क्रॉसलेन, फ्रीजो, पोल, चेज, एक्टिव, चेजर, रनर्स।
- **कबड्डी (Kabaddi):** मार्च लाईन, वकलाईन, बैटिंग ब्लॉक, लाबी, रेडर, एण्टीरेडर।
- **तलवारबाजी (Fencing):** टच

ओलंपिक

- प्राचीन काल में अपने नागरिकों को स्वस्थ एवं फिट बनाए रखने के लिए यूनानवासी प्रतियोगी खेल स्पर्द्धाओं का आयोजन करते थे। जौस देवता के सम्मान में प्रथम ओलम्पिक खेलों का आयोजन ओलम्पस माउंट में ईसा पूर्व 776 में किया गया था। इसके बाद 394 ईस्वी जबकि यूनानी सभ्यता का पतन हो गया, प्रत्येक 4 वर्षों के अंतराल के बाद ओलम्पिक खेलों का आयोजन किया जाता रहा।
- आधुनिक समय में फ्रांस के धनकुबेर पियरे डी कुबर्टिन ने आधुनिक खेलों को पुनर्जीवित किया। प्रथम आधुनिक ओलम्पिक खेल का आयोजन 1896 में एथेंस (यूनान) में किया गया। इसके बाद से विश्व युद्धों को छोड़कर प्रत्येक 4 वर्ष के अंतराल पर ओलम्पिक खेलों का आयोजन होता रहा है। ओलम्पिक खेलों का ध्वज श्वेत रंग का है जिस पर 5 रंगीन छल्ले बने हैं। प्रत्येक रिंग एक महादेश का प्रतिनिधित्व करता है। एक ही वर्ष में ग्रीष्मकालीन और शीतकालीन ओलंपिक खेलों का आयोजन किया जाता है।

एशियाई खेल

- द्वितीय विश्व युद्ध के पश्चात् अनेकों एशियाई देशों ने स्वतंत्रता प्राप्त की। ओलंपिक खेलों की तर्ज पर प्रत्येक चार वर्षों बाद एशियाई खेलों के आयोजन की योजना बनायी गई। भारत ने 1951 में नई दिल्ली में प्रथम एशियाई खेलों का आयोजन किया।

राष्ट्रमंडल खेल

- राष्ट्रमंडल खेल भी प्रत्येक चार वर्ष बाद आयोजित किए जाते हैं उसी वर्ष में जिसमें एशियाई खेल आयोजित होते हैं।
- सभी राष्ट्रमंडल देश (ब्रिटेन के पूर्व उपनिवेश) इसमें भाग ले सकते हैं। प्रथम राष्ट्रमंडल खेल 1930 में हैमिल्टन (कनाडा) में आयोजित हुआ।
- पहले राष्ट्रमंडल खेल, जो 1930 में कनाडा के हैमिल्टन में आयोजित किये गये थे, को ''ब्रिटिश अम्पायर गेम'' के नाम से जाना गया। 1954 में इनका नाम बदलकर ''ब्रिटिश अम्पायर एण्ड कॉमनवेल्थ गेम्स'' कर दिया गया। 1970 में एक बार फिर इनका नाम परिवर्तन कर 'ब्रिटिश कॉमनवेल्थ गेम्स' किया गया। वर्ष 1978 से इन्हें कामनवेल्थ गेम्स अथवा राष्ट्रमंडल खेलों के नाम से जाना जा रहा है।

विश्व के प्रसिद्ध कप और ट्राफियाँ

• अमेरिकन कप	याच रेसिंग
• एशेज	क्रिकेट (इंग्लैंड बनाम आस्ट्रेलिया)
• कनाडा कप	गोल्फ (विश्व चैम्पियनशिप)
• कोलम्बो कप	सॉकर
• चैम्पियन ट्रॉफी	हॉकी (पुरुष) विश्व की 6 श्रेष्ठ टीमों के मध्य
• कोरबिलन कप	टेबल टेनिस (महिला) विश्व कप
• डेविस कप	लॉन टेनिस (पुरुष)
• डर्बी	घुड़ दौड़ (इंग्लैंड)
• जुल्स रिमेट कप	सॉकर—विश्व कप (पुरुष)

- किंग्स कप — एयर रेसेज (इंग्लैंड)
- मर्डेका कप — सॉकर (पुरुष) (मलेशिया)
- प्रिंस ऑफ वेल्स कप — गोल्फ (इंग्लैंड)
- रोथमेंस कप — क्रिकेट
- रायडर कप — गोल्फ (इंग्लैंड)
- स्वेथलिंग कप — विश्व टेबल टेनिस (पुरुष)
- थॉमस कप — विश्व बैडमिंटन (पुरुष)
- टुंकु अब्दुल रहमान कप — बैडमिंटन
- उबेर कप — विश्व बैडमिंटन (महिला)
- वाकर कप — गोल्फ (इंग्लैंड)
- विटमैन कप — लॉन टेनिस (महिला)
- विम्बलडन कप — लॉन टेनिस (इंग्लैंड)

प्रसिद्ध खेल मैदान एवं उनसे सम्बन्धित खेल

खेल-मैदान	खेल	स्थान
नरेन्द्र मोदी स्टेडियम	क्रिकेट	अहमदाबाद
इंदिरा गांधी स्टेडियम	इन्डोर गेम	दिल्ली
जवाहरलाल नेहरू स्टेडियम	एथलेटिक्स	दिल्ली
अरुण जेटली स्टेडियम	क्रिकेट	दिल्ली
अम्बेडकर स्टेडियम	फुटबॉल	दिल्ली
शिवाजी स्टेडियम	हॉकी	दिल्ली
नेशनल स्टेडियम	हॉकी	दिल्ली
हेनले स्टेडियम	रेगाटा	इंग्लैंड
नेशनल स्टेडियम	हॉकी	मुम्बई
वानखेडे स्टेडियम	क्रिकेट	मुम्बई
ब्रेबोर्न स्टेडियम	क्रिकेट	मुम्बई
ईडन गार्डन	क्रिकेट	कोलकाता
ग्रीन पार्क स्टेडियम	क्रिकेट	कानपुर
कीनन स्टेडियम	क्रिकेट	जमशेदपुर
नेहरू (चेपक) स्टेडियम	क्रिकेट	चेन्नई
वाराबती स्टेडियम	क्रिकेट	कटक
हेडिंग्ले मानचेस्टर	क्रिकेट	ब्रिटेन
लार्ड्स, ओवल, लीड्स	क्रिकेट	ब्रिटेन
ब्लैक हीथ	रग्बी फुटबॉल	लन्दन
विम्बलडन	लॉन टेनिस	लन्दन
वेम्बले स्टेडियम	फुटबॉल	लन्दन
ब्रुकलैण्ड	फुटबॉल	इंग्लैंड
टिबंकहम	रग्बी फुटबॉल	इंग्लैंड
टेंट ब्रिज	क्रिकेट	इंग्लैंड
एण्ट्री	घुड़दौड़	इंग्लैंड
हरलिघम	पोलो	इंग्लैंड
पर्थ, ब्रिस्बेन, मेलबोर्न	क्रिकेट	आस्ट्रेलिया
यांकी स्टेडियम	बॉक्सिंग	न्यूयार्क
ब्रूकलिन	बेसबॉल	न्यूयार्क
फोरस्ट हिल	टेनिस	न्यूयार्क

पुरस्कार एवं सम्मान

राष्ट्रीय पुरस्कार

- **भारत रत्नः** यह भारत का सर्वोच्च असैनिक सम्मान है। यह कला, साहित्य, विज्ञान एवं खेलकूद के क्षेत्र में अतिविशिष्ट सेवाओं तथा सार्वजनिक क्षेत्र में उत्कृष्टतम योगदान के लिए प्रदान किया जाता है। सरकारी सेवाओं में लगे व्यक्तियों को यह पुरस्कार नहीं दिया जाता।
- **पद्म विभूषणः** यह अलंकरण सभी क्षेत्रों में उल्लेखनीय योगदान के लिए दिया जाता है। सरकारी सेवाओं में लगे व्यक्ति भी इसके पात्र माने जाते हैं।
- **पद्म भूषणः** सभी क्षेत्रों में उल्लेखनीय योगदान के लिए यह उपाधि प्रदान की जाती है। सरकारी सेवाओं में रत व्यक्ति भी इसे पाने के हकदार हैं।
- **पद्म श्रीः** विविध क्षेत्रों में उत्तम कार्य करने के उपलक्ष्य में यह उपाधि प्रदान की जाती है। सरकारी सेवा में लगे लोगों को भी इस उपाधि से अलंकृत किया जा सकता है।

शौर्य पदक

- **परमवीर चक्रः** शत्रु के समक्ष दृढ़ता से वीरता-प्रदर्शन के फलस्वरूप दिया जाने वाला यह सबसे बड़ा पुरस्कार है। यह अत्यन्त वीरतापूर्ण कार्य जल, थल तथा नभ में से किसी भी सेना के कर्मचारी द्वारा किये जाने पर दिया जाता है।
- **महावीर चक्रः** यह दूसरा सर्वोच्च पदक है जो शत्रु के समक्ष अद्वितीय शौर्य प्रदर्शन के फलस्वरूप प्रदान किया जाता है। इस प्रकार का वीरतापूर्ण कार्य थल, जल एवं नभ सेनाओं में से किसी के भी द्वारा किया गया हो सकता है।
- **वीर चक्रः** यह तीसरी श्रेणी का सेना पदक है जो शत्रु के समक्ष वीरता-प्रदर्शन करने के उपलक्ष्य में प्रदान किया जाता है। यह पदक जल, थल और नभ सेना के किसी भी वर्ग के कर्मचारी को वीरतापूर्ण कार्य के लिए प्राप्त हो सकता है।
- **अशोक चक्रः** यह ऐसा पदक है जो जल, थल और नभ कहीं पर भी उत्कृष्ट वीरतापूर्ण कार्य करने अथवा आत्म-बलिदान होने के फलस्वरूप प्रदान किया जाता है। लेकिन इस प्रकार का काम शत्रु के समक्ष होना आवश्यक नहीं। गुणों के आधार पर इस पदक के तीन वर्ग हैं—प्रथम, द्वितीय तथा तृतीय। द्वितीय पदक का नाम कीर्ति चक्र तथा तृतीय पदक का नाम शौर्य चक्र है।

अन्य राष्ट्रीय पुरस्कार/सम्मान

- **ज्ञानपीठ पुरस्कारः** यह पुरस्कार सांस्कृतिक एवं साहित्यिक संस्था 'भारतीय ज्ञानपीठ' द्वारा वर्ष 1965 से प्रदान किया जाता है। प्रत्येक वर्ष यह पुरस्कार संविधान की आठवीं अनुसूची में सम्मिलित 22 भारतीय भाषाओं और अंग्रेजी में से चयनित भारतीय लेखकों को प्रदान किया जाता है। इस पुरस्कार से पुरस्कृत साहित्यकार को 21 लाख रुपए नकद, एक स्मृति चिह्न, एक प्रशस्ति-पत्र तथा वाग्देवी (सरस्वती) की प्रतिमा प्रदान की जाती है।
- **दादा साहब फाल्के पुरस्कारः** इस पुरस्कार की स्थापना भारतीय फिल्म उद्योग के संस्थापक दादा साहब फाल्के की याद में भारत सरकार के सूचना एवं प्रसारण मंत्रालय द्वारा की गई है। इस पुरस्कार की धनराशि 15 लाख रुपए है।
- **जमनालाल बजाज पुरस्कारः** यह पुरस्कार रचनात्मक सामाजिक कार्य क्षेत्र में महत्त्वपूर्ण योगदान, ग्रामीण विकास हेतु विज्ञान एवं प्रौद्योगिकी के उपयोग तथा महिलाओं एवं बच्चों के उत्थान व कल्याण कार्यों हेतु प्रदान किया जाता है।
- **मेजर ध्यानचंद खेल रत्न पुरस्कारः** 1992 में स्थापित यह पुरस्कार भारत सरकार द्वारा खेलों में सराहनीय प्रदर्शन करने वाले खिलाड़ियों को प्रदान किया जाता है। इसमें 25 लाख रुपये की धनराशि, एक पदक और एक प्रशस्ति पत्र प्रदान किया जाता है। पहले इस पुरस्कार का नाम राजीव गांधी खेल रत्न पुरस्कार था।
- **अर्जुन पुरस्कारः** 1961 में स्थापित यह पुरस्कार भारत सरकार द्वारा विभिन्न खेलों में विशेष उपलब्धि प्राप्त करने वाले खिलाड़ियों को प्रदान किया जाता है। इसमें अर्जुन की काँस्य प्रतिमा, प्रशस्ति–पत्र तथा 15 लाख रुपये की धनराशि और समारोह परिधान प्रदान किया जाता है।
- **द्रोणाचार्य पुरस्कारः** 1985 में स्थापित यह पुरस्कार भारत सरकार द्वारा खेल प्रशिक्षकों द्वारा की गयी उत्कृष्ट सेवाओं के लिए प्रदान किया जाता है। यह पुरस्कार दो वर्गों आजीवन और नियमित में प्रदान किया जाता है। द्रोणाचार्य (आजीवन) में 15 लाख रुपए और द्रोणाचार्य (नियमित) में 10 लाख रुपए गुरु द्रोणाचार्य की प्रतिमा, प्रशस्ति–पत्र, तथा समारोह परिधान प्रदान किया जाता है।

अंतर्राष्ट्रीय पुरस्कार

- **नोबेल पुरस्कारः** इस पुरस्कार का प्रवर्तन सन् 1901 में डाइनामाइट के आविष्कारक अल्फ्रेड बर्नहर्ड नोबेल (1833-1896 ई॰) द्वारा व्यक्त की गई इच्छा के परिणामस्वरूप किया गया था। नौबेल पुरस्कार प्रति वर्ष रसायन शास्त्र, भौतिकी, साहित्य, चिकित्सा, शान्ति-प्रोत्साहन और अर्थशास्त्र (अर्थशास्त्र के लिए यह पुरस्कार 1969 से दिया जाना शुरू किया गया) के क्षेत्र में दिये जाते हैं।
- **रेमन मैग्सेसे पुरस्कारः** एशिया महाद्वीप का सबसे बड़ा पुरस्कार फिलीपीन्स के भूतपूर्व राष्ट्रपति की स्मृति में वर्ष 1957 से प्रदान किया जाता है। इसमें एक स्वर्ण पदक तथा नगद पुरस्कार प्रदान किये जाते हैं। इसे एशिया का नोबेल पुरस्कार भी कहा जाता है।
- **शान्ति, निःशस्त्रीकरण व विकास के लिए इन्दिरा गांधी पुरस्कारः** 1986 में स्थापित यह पुरस्कार अन्तर्राष्ट्रीय शान्ति, निरस्त्रीकरण एवं विकास के क्षेत्र में उल्लेखनीय योगदान हेतु प्रदान किया जाता है। इसमें नगद पुरस्कार व साथ में एक स्मृति-चिन्ह दिया जाता है।
- **महात्मा गांधी अन्तर्राष्ट्रीय शांति पुरस्कारः** एक करोड़ रु॰ की राशि का यह पुरस्कार भारत सरकार का सर्वोच्च असैनिक अन्तर्राष्ट्रीय पुरस्कार है जो 1995 में शुरू किया गया था। यह पुरस्कार अहिंसा के जरिए सामाजिक, आर्थिक और राजनीतिक परिवर्तन के लिए काम करने वाले व्यक्ति को दिया जाता है।
- **मैन बुकर पुरस्कारः** ब्रिटेन की संस्था बुकर मैकोनल कंपनी एंड पब्लिशर्स एसोसियेशन के द्वारा यह पुरस्कार 1969 में स्थापित हुआ। यह प्रतिवर्ष दुनियाभर के देशों के किसी लेखक को अंग्रेजी भाषा की उत्कृष्ट रचना हेतु प्रदान किया जाता है।
- **ऑस्कर पुरस्कारः** संयुक्त राज्य अमेरिका की 'नेशनल एकेडमी ऑफ मोशन पिक्चर आर्ट्स एण्ड साइंसेज' द्वारा फिल्म जगत का अत्यन्त प्रतिष्ठित यह पुरस्कार प्रतिवर्ष प्रदान किया जाता है।
- **अन्तर्राष्ट्रीय नेहरू पुरस्कारः** भारत सरकार द्वारा 1964 में स्थापित यह पुरस्कार प्रत्येक वर्ष ऐसे व्यक्ति को प्रदान किया जाता है, जिसने विश्व में अन्तर्राष्ट्रीय सद्भावना और मित्रता का प्रसार करने में उल्लेखनीय भूमिका अदा की हो। वर्ष 1965 में पहला नेहरू सद्भावना पुरस्कार यू थांट (संयुक्त राष्ट्र संघ के तृतीय महासचिव) को प्रदान किया गया था।

❑❑❑

7

वस्तुनिष्ठ प्रश्न

1. भारत के संविधान को कब अपनाया गया था?
A. 15 अगस्त, 1947 B. 26 जनवरी, 1950
C. 26 नवंबर, 1949 D. 15 अगस्त, 1950

2. उपराष्ट्रपति को पद व गोपनीयता की शपथ कौन दिलाता है?
A. भारत का मुख्य न्यायाधीश
B. भारत का राष्ट्रपति
C. लोकसभा का अध्यक्ष
D. भारत का महाधिवक्ता

3. निम्नलिखित में से किसकी नियुक्ति राष्ट्रपति द्वारा नहीं की जाती है?
A. संघ लोकसेवा आयोग के अध्यक्ष
B. राज्य के राज्यपाल
C. उच्च न्यायालय के न्यायाधीश
D. उपराष्ट्रपति

4. राष्ट्रपति किसकी सलाह पर लोकसभा को समयपूर्व भंग कर सकता है?
A. प्रधानमंत्री B. स्पीकर
C. उपराष्ट्रपति D. निर्वाचन आयुक्त

5. मौलिक कर्तव्यों का विचार कहां के संविधान से लिया गया है?
A. रूस के संविधान
B. ब्रिटेन के संविधान
C. अमेरिका के संविधान
D. जर्मनी के संविधान

6. निम्नलिखित में से किसकी अध्यक्षता एक गैर-सदस्य करता है?
A. लोकसभा
B. राज्यसभा
C. विधानसभा
D. लोकसभा और राज्यसभा की संयुक्त बैठक

7. निम्नलिखित में किसमें कानून बनाने की शक्ति है?
A. राष्ट्रपति B. प्रधानमंत्री
C. संसद D. गवर्नर

8. राज्यसभा की सदस्यता के लिए निर्धारित न्यूनतम आयु सीमा है :
A. 18 वर्ष B. 21 वर्ष
C. 25 वर्ष D. 30 वर्ष

9. राष्ट्रपति पद के लिए निर्धारित न्यूनतम आयु सीमा है :
A. 21 वर्ष B. 25 वर्ष
C. 30 वर्ष D. 35 वर्ष

10. राष्ट्रपति और उपराष्ट्रपति की अनुपलब्धता की स्थिति में राष्ट्रपति का कार्य निर्वहन कौन करता है?
A. प्रधानमंत्री
B. लोकसभा का अध्यक्ष
C. वरिष्ठ कैबिनेट मंत्री
D. भारत का मुख्य न्यायाधीश

11. किस मौलिक अधिकार की व्याख्या 'संविधान की आत्मा और उसके हृदय' के रूप में की जाती है?
A. समानता की अधिकार
B. समृद्धि का अधिकार
C. संवैधानिक उपचारों का अधिकार
D. भाषण की स्वतंत्रता का अधिकार

12. अध्यादेश कौन लागू करता है?
A. प्रधानमंत्री B. लोकसभा का अध्यक्ष
C. राष्ट्रपति D. राज्यसभा का अध्यक्ष

13. भारतीय राज्य मुख्यत: किस आधार पर गठित किए गए हैं?
A. भौगोलिक स्थिति B. भाषा
C. प्रशासन की सहूलियत D. आर्थिक स्थिति

14. मुख्य निर्वाचन आयुक्त को किसके द्वारा हटाया जा सकता है?
A. प्रधानमंत्री
B. राष्ट्रपति
C. सर्वोच्च न्यायालय का मुख्य न्यायाधीश
D. संसद

15. राज्य विधान सभा के सदस्यों की संख्या कितनी हो सकती है?
A. 30 से 300 B. 40 से 400
C. 50 से 600 D. 60 से 500

16. उच्चतम न्यायालय के न्यायाधीशों के लिए अवकाश प्राप्ति की उम्र है :
A. 58 वर्ष B. 60 वर्ष
C. 62 वर्ष D. 65 वर्ष

17. राष्ट्रपति राज्यसभा के लिए कुल कितने सदस्यों को मनोनीत कर सकता है?
A. 6 B. 12
C. 15 D. 18

18. संघीय कार्यपालिका किसके प्रति उत्तरादायी होती है?
A. लोकसभा B. राज्यसभा
C. राष्ट्रपति D. उच्चतम न्यायालय

19. भारत के महान्यायवादी की नियुक्ति किसके द्वारा होती है?
A. यूपीएससी B. राष्ट्रपति
C. प्रधानमंत्री D. लोकसभा अध्यक्ष

20. संसद के दो सत्रों के बीच कितने से अधिक की अवधि नहीं होनी चाहिए?
A. 3 माह B. 6 माह
C. 1 वर्ष D. कोई तय अवधि नहीं

21. सुरक्षा बलों का सर्वोच्च कमाण्डर कौन होता है?
A. सेना प्रमुख B. रक्षामंत्री
C. प्रधानमंत्री D. राष्ट्रपति

22. निम्नलिखित में कौन एक पूर्ण राज्य नहीं है?
A. मिजोरम B. मणिपुर
C. पुडुचेरी D. अरुणाचल प्रदेश

23. एकमात्र राष्ट्रपति, जिन्हें दोबारा राष्ट्रपति चुना गया :
A. राजेन्द्र प्रसाद
B. राधाकृष्णन
C. वी.वी. गिरि
D. नीलम संजीवा रेड्डी

24. उपराष्ट्रपति अपना त्यागपत्र किसे दे सकता है?
A. राष्ट्रपति को
B. प्रधानमंत्री को
C. भारत के मुख्य न्यायाधीश को
D. राज्यसभा के उपसभापति को

25. संविधान के प्रारूप समिति के अध्यक्ष कौन थे?
A. राजेन्द्र प्रसाद
B. जवाहरलाल नेहरू
C. बी.आर. अम्बेडकर
D. सरदार पटेल

26. राष्ट्रपति निम्नलिखित में से किसकी नियुक्ति नहीं करता?
A. प्रधानमंत्री
B. लोकसभा अध्यक्ष
C. निर्वाचन आयुक्त
D. नियंत्रक और महालेखा परीक्षक

27. उपराष्ट्रपति होता है :
A. राज्यसभा का सदस्य
B. राज्यसभा का सभापति
C. लोकसभा का सदस्य
D. लोकसभा का अध्यक्ष

28. भारत की अधिकारिक भाषा है :
A. देवनागरी लिपि में हिन्दी
B. रोमन लिपि में हिन्दी
C. रोमन लिपि में अंग्रेजी
D. हिन्दी और अंग्रेजी

29. संविधान में मौजूद अनुसूचियों की संख्या — है।
A. 395 B. 100
C. 12 D. 8

30. वित्त आयोग का गठन कौन करता है?
A. संसद B. राष्ट्रपति
C. प्रधानमंत्री D. लोकसभा अध्यक्ष

31. भारत में पहली महिला राष्ट्रपति बनने का श्रेय किसे प्राप्त है?
A. प्रतिभा पाटिल B. ममता बनर्जी
C. जयललिता D. सुषमा स्वराज

32. चार वेदों में से पहला वेद है :
A. ऋग्वेद B. सामवेद
C. यजुर्वेद D. अथर्ववेद

33. रामायण के रचनाकार हैं :
A. वेद व्यास B. तुलसीदास
C. द्रोणाचार्य D. वाल्मीकि

34. वर्द्धमान महावीर जैन धर्म के कौन से तीर्थंकर थे?
A. प्रथम B. द्वितीय
C. तृतीय D. चौबीसवें

35. सिकंदर और पोरस की सेनाओं ने किस नदी के तट पर लड़ाई लड़ी थी?
A. रावी B. झेलम
C. सतलज D. सिंधु

36. सिकंदर के आक्रमण के समय मगध पर किसका शासन था?
A. नंद राजाओं का B. गुप्त राजाओं का
C. मौर्य राजाओं का D. वर्द्धमान राजाओं का

37. सातवाहनों ने मुख्य रूप से किस पर शासन किया?

A. अवध B. आंध्र

C. मध्य भारत D. मगध

38. अशोक संबंधित था :

A. गुप्त वंश से B. मौर्य वंश से

C. कुषाण वंश से D. शक वंश से

39. विक्रमादित्य का नाम निम्न में से किसे दिया गया था?

A. चंद्रगुप्त मौर्य B. बिंदुसार

C. चंद्रगुप्त द्वितीय D. समुद्रगुप्त

40. उत्तर भारत के अंतिम महान् हिंदू शासक हर्षवर्द्धन ने कब शासन किया?

A. दूसरी शताब्दी में B. चौथी शताब्दी में

C. सातवीं शताब्दी में D. दसवीं शताब्दी में

41. गुलाम वंश की स्थापना निम्न में से किसने की?

A. बलवन ने B. इल्तुतमिश ने

C. रजिया बेगम ने D. कुतुबुद्दीन ऐबक ने

42. रजिया बेगम बेटी थी :

A. इल्तुतमिस B. बलवन

C. अलाउद्दीन खिलजी D. गयासुद्दीन तुगलक

43. तुगलक राजवंश ने किस वंश के पतन के बाद दिल्ली का तख्त संभाला?

A. लोदी वंश B. खिलजी वंश

C. गुलाम वंश D. सूरी वंश

44. अपनी राजधानी को दिल्ली से हटाकर दौलताबाद ले जाने वाला राजा कौन था?

A. फिरोज तुगलक

B. गयासुद्दीन तुगलक

C. मोहम्मद तुगलक

D. मुहम्मद बिन कासिम

45. पानीपत के प्रथम युद्ध में बाबर ने किसके खिलाफ लड़ाई लड़ी थी?

A. शेरशाह सूरी B. फिरोज तुगलक

C. हुमायूं D. इब्राहिम लोदी

46. फतेहपुर सीकरी का निर्माण किसने करवाया?

A. बाबर B. औरंगजेब

C. अकबर D. जहांगीर

47. खुर्रम का वास्तविक नाम था :

A. अकबर B. जहांगीर

C. शाहजहां D. शाह आलम

48. दीन-ए-इलाही की शुरुआत किसने की?

A. अकबर B. हुमायूं

C. बाबर D. जहांगीर

49. शेरशाह ने किस मुगल शासक को पराजित किया?

A. बाबर B. हुमायूं

C. अकबर D. औरंगजेब

50. अंतिम मुगल शासक था :

A. शाह आलम B. मुहम्मद शाह रंगीला

C. बहादुरशाह जफर D. दोस्त मुहम्मद

51. भारत में अंग्रेजों के पांव जमाने की दृष्टि से कौन-सी लड़ाई निर्णायक साबित हुई?

A. प्लासी की लड़ाई

B. बक्सर की लड़ाई

C. पानीपत की तीसरी लड़ाई

D. मैसूर की लड़ाई

52. सती प्रथा की समाप्ति किसने की थी?

A. लार्ड कार्नवालिस B. लार्ड क्लाइव

C. लार्ड वेलेजली D. लार्ड बैंटिक

53. बंगाल का विभाजन किसने कराया था?

A. लार्ड मिंटो B. लार्ड कर्जन

C. लार्ड कैनिंग D. लार्ड रिपन

54. स्वतंत्रता प्राप्ति के समय भारत के गवर्नर जनरल थे :

A. लार्ड माऊंटबेटन B. लार्ड वेवेल

C. राजगोपालाचारी D. लार्ड लिंगलिथगो

55. कृष्णदेव राय महान् थे :

A. चोल राजा

B. पल्लव राजा

C. राष्ट्रकूट राजा

D. विजय नगर साम्राज्य के राजा

56. औरंगजेब ने किस गुरु की हत्या करवा दी थी?

A. गुरु गोविंद सिंह का B. गुरु तेगबहादुर का

C. गुरु अंगद देव का D. गुरु अर्जुन देव का

57. 1857 के विद्रोह में निम्न में से कौन शामिल नहीं था?

A. नाना साहब B. कुंवर सिंह

C. रणजीत सिंह D. रानी झांसी

58. ओंग जनजाति कहां रहती है?

A. अंडमान द्वीप B. बिहार

C. नीलगिरि पहाड़ी D. मेघालय

59. राजपूत राजा राणा प्रताप ने किस लड़ाई में मुगल सेना से युद्ध किया था?

A. खानवा की लड़ाई

B. हल्दीघाटी संग्राम

C. थानेसर की लड़ाई

D. वंडीवास की लड़ाई

60. चांद बीबी जानी जाती हैं :
A. 1857 के विद्रोह में भाग लेने के लिए
B. सामाजिक धार्मिक सुधार के लिए
C. मुगल शासकों के खिलाफ बहादुरी से लड़ने के लिए
D. उपर्युक्त में से कोई नहीं

61. साइमन कमीशन किस वर्ष में भारत आया ?
A. 1927 B. 1928
C. 1929 D. 1930

62. कांग्रेस किस वर्ष में चरमपंथियों और नरमपंथियों के बीच विभाजित हो गई ?
A. 1906 B. 1917
C. 1907 D. 1927

63. चौरा-चौरी कांड के बाद किस आंदोलन को वापस ले लिया गया ?
A. सविनय अवज्ञा आंदोलन
B. भारत छोड़ो आंदोलन
C. खिलाफत आंदोलन
D. असहयोग आंदोलन

64. कांग्रेस ने किस गोलमेज सम्मेलन में भाग लिया ?
A. केवल प्रथम B. केवल दूसरे
C. प्रथम और तीसरे D. सभी तीनों में

65. भारत की स्वतंत्रता के समय ब्रिटेन पर किसका शासन था ?
A. लेबर पार्टी B. कंजर्वेटिव पार्टी
C. लिबरल पार्टी D. राष्ट्रीय सरकार

66. ब्रिटिश सरकार ने दिल्ली को किस वर्ष में राजधानी बनाया ?
A. 1892 B. 1905
C. 1911 D. 1927

67. बंगाल में कब स्थायी बंदोबस्त की शुरुआत हुई ?
A. 1757 B. 1763
C. 1793 D. 1858

68. कांग्रेस के प्रथम अध्यक्ष थे :
A. ए.ओ. ह्यूम B. एस.एन. बनर्जी
C. डी.बी. नौरोजी D. डब्ल्यू.सी. बनर्जी

69. ग्रैंड ट्रंक रोड का निर्माण किसने करवाया था ?
A. चंद्रगुप्त B. शेरशाह सूरी
C. जहांगीर D. लार्ड बैंटिक

70. बलबन संबद्ध था :
A. खिलजी वंश B. तुगलक वंश
C. गुलाम वंश D. सूरी वंश

71. निम्नलिखित में से कौन राजपूत राजवंश नहीं था ?
A. सोलंकी B. राष्ट्रकूट
C. चौहान D. चंदेल

72. आर्यभट्ट किस रूप में प्रसिद्ध थे ?
A. गुप्त राजा
B. खगोलविद् और गणितज्ञ
C. कवि
D. जासूस

73. ह्वेनसांग किसके शासनकाल में भारत आया था ?
A. अशोक B. चंद्रगुप्त
C. स्कंदगुप्त D. हर्षवर्द्धन

74. निम्नलिखित में से कौन औषधियों का विशेषज्ञ था ?
A. बाणभट्ट B. अश्वघोष
C. चरक D. सतकरणी

75. पूर्ववर्ती आर्यों की फुर्सतकालीन गतिविधि थी :
A. रथों की दौड़ B. पांसे खेलना
C. चित्रकारी D. नृत्य और संगीत

76. कवि अमीर खुसरो किसके समकालीन थे ?
A. बलवन B. कुतुबुद्दीन एबक
C. इल्तुतमिश D. अलाउद्दीन खिलजी

77. चीनी तीर्थयात्री फाहियान कब भारत में आया था ?
A. ईसापूर्व तीसरी शताब्दी
B. ईसापूर्व चौथी शताब्दी
C. ईस्वी सन् पांचवीं शताब्दी
D. ईस्वी सन् चौथी शताब्दी

78. अधिकांश सूफी संत संबंधित थे :
A. इस्लाम धर्म B. हिन्दू धर्म
C. ईसाई धर्म D. बौद्ध धर्म

79. निम्नलिखित में से किसे भारत का नेपोलियन कहा जाता है ?
A. चंद्रगुप्त मौर्य B. समुद्रगुप्त
C. चंद्रगुप्त विक्रमादित्य D. बिंदुसार

80. बहमनी साम्राज्य किस शताब्दी में मौजूद था ?
A. 13वीं शताब्दी B. 14वीं शताब्दी
C. 15वीं शताब्दी D. 16वीं शताब्दी

81. निम्नलिखित में से कौन सार्वजनिक क्षेत्र के अंतर्गत नहीं आता ?
A. टिस्को B. इस्को
C. सेल D. ऑर्डिनेंस फैक्टरी

82. कुडनकुलम नाभिकीय विद्युत परियोजना किस राज्य में स्थित है?
A. कर्नाटक B. केरल
C. तमिलनाडु D. आंध्र प्रदेश

83. निम्नलिखित इस्पात संयंत्रों में से कौन रूस की सहायता से निर्मित हुआ है ?
A. राऊरकेला B. भिलाई
C. दुर्गापुर D. कोथागुडम

84. 'नीली क्रान्ति' का सम्बन्ध निम्नलिखित में से किससे है?
A. नील की खेती
B. मुर्गी पालन
C. पीने योग्य जल की आपूर्ति
D. मत्स्यपालन

85. 'काला सोना' के नाम से किसे जाना जाता है?
A. नरम लोहा B. कोयला
C. खनिज तेल D. यूरेनियम

86. मुद्रास्फीति किस वजह से उत्पन्न होती है?
A. साधारण ब्याज में कमी से
B. धन की आपूर्ति में कमी से
C. औद्योगिक और कृषि उत्पादन में वृद्धि से
D. सामान्य व्यय में बढ़ोतरी या धन आपूर्ति में वृद्धि से

87. मनरेगा कार्यक्रम किस वर्ष लागू हुआ?
A. 2006 B. 2005
C. 2004 D. 1998

88. भारत में गुड्स एंड सर्विसेज टैक्स (GST) किस वर्ष लागू किया गया?
A. 2017 में B. 2018 में
C. 2019 में D. 2020 में

89. श्वेत क्रांति किसका संकेत करती है?
A. सीमेंट उद्योग
B. डेरी फार्मिंग
C. कपास और टैक्सटाइल उद्योग
D. संगमरमर उद्योग

90. भारत में सिंचाई का सर्वप्रमुख माध्यम है :
A. कुएं एवं नलकूप
B. नहरें
C. तालाब
D. पशु द्वारा खींचा गया जल

91. भारतीय खाद्य निगम का मुख्य कार्य है :
A. उच्च उत्पादकता वाले बीजों का वितरण
B. किसानों को ऋण उपलब्ध कराना
C. खाद्यान्नों की मांग पर नियंत्रण करना
D. आपूर्ति को नियंत्रित कर खाद्यान्नों के मूल्यों में उतार-चढ़ाव को नियंत्रित करना

92. राज्यों में से सर्वाधिक जनसंख्या किस राज्य की है?
A. बिहार B. पश्चिम बंगाल
C. उत्तर प्रदेश D. मध्य प्रदेश

93. निम्नलिखित में से किसे 'सनराइज इंडस्ट्री' का नाम दिया जाता है?
A. कॉफी B. उच्च प्रौद्योगिकी
C. लघु उद्योग D. भारी उद्योग

94. निम्नलिखित में से कौन आर्थिक संवृद्धि का माप नहीं है?
A. प्रतिव्यक्ति आय
B. सकल राष्ट्रीय उत्पाद
C. कुल घरेलू उत्पाद
D. प्रसारित मुद्रा

95. एच-1बी वीजा का संबंध किस देश से है?
A. ब्रिटेन B. ऑस्ट्रेलिया
C. जर्मनी D. अमेरिका

96. एक ब्लू चिप कंपनी को इसलिए यह संज्ञा दी जाती है क्योंकि :
A. यह कंप्यूटर हार्डवेयर का उत्पादन करता है
B. यह कंप्यूटर सॉफ्टवेयर का उत्पादन करता है
C. यह उच्च लाभ देता है और इसमें कम जोखिम होता है
D. यह अपने अधिकांश उत्पादों का निर्यात करता है

97. निर्धनता रेखा का निर्धारण किस के आधार पर किया जाता है?
A. लोगों की जीवन दशा
B. प्रत्येक परिवार पर बच्चों की संख्या
C. प्रति परिवार आय
D. प्रति व्यक्ति हेतु कैलोरी की आवश्यकता

98. निम्नलिखित में से किस दिन को विश्व उपभोक्ता अधिकार दिवस के रूप में प्रतिवर्ष मनाया जाता है?
A. 15 मार्च B. 15 जनवरी
C. 15 फरवरी D. 15 अप्रैल

99. भारत में सबसे प्राचीन वृहद् उद्योग किस क्षेत्र में है?
A. लोहा और इस्पात क्षेत्र
B. जूट क्षेत्र
C. कॉटन टैक्सटाइल क्षेत्र
D. चीनी क्षेत्र

100. मौसमी बेरोजगारी किस क्षेत्र में सर्वाधिक है?
A. उद्योग क्षेत्र B. कृषि क्षेत्र
C. सेवा क्षेत्र D. हथकरघा क्षेत्र

101. भारत में सबसे पुराना ट्रेड यूनियन संगठन है :
A. हिन्द मजदूर सभा
B. भारतीय राष्ट्रीय ट्रेड यूनियन कांग्रेस
C. अखिल भारतीय ट्रेड यूनियन कांग्रेस
D. केन्द्रीय औद्योगिक ट्रेड यूनियन

102. सिन्दरी, हल्दिया और पारादीप में क्या है?
A. बंदरगाह
B. इस्पात संयंत्र
C. विशाल बहुद्देशीय जलाशय
D. उर्वरक संयंत्र

103. आयात-निर्यात बैंक की स्थापना कब हुई?
A. 1969 B. 1980
C. 1982 D. 1985

104. 'बुल' एवं 'बीयर' वाक्यांश का संबंध किससे है?
A. आयकर विभाग से
B. मुद्रा बाजार से
C. स्टॉक एक्सचेंज से
D. बिक्री से

105. बैंक दर कौन निश्चित करता है?
A. भारत सरकार B. वित्त मंत्रालय
C. नीति आयोग D. रिजर्व बैंक

106. निम्नलिखित में से किसकी भारतीय निर्यात में सबसे बड़ी हिस्सेदारी है?
A. इंजीनियरिंग उत्पाद B. रत्न एवं आभूषण
C. समुद्री उत्पाद D. खाद्य तेल

107. दीनदयाल (कांडला) बन्दरगाह किस राज्य में स्थित है?
A. महाराष्ट्र B. गुजरात
C. आन्ध्र प्रदेश D. तमिलनाडु

108. ब्याज दर नीति निम्नलिखित में से किसके अन्तर्गत आती है?
A. राजकोषीय नीति B. औद्योगिक नीति
C. मौद्रिक नीति D. इनमें से कोई नहीं

109. विश्व में चाय का सबसे बड़ा उत्पादक देश कौन-सा है?
A. केन्या B. इंडोनेशिया
C. चीन D. भारत

110. रुपए को कब चालू खाते में परिवर्तनीय बना दिया गया?
A. 1991 B. 1994
C. 1995 D. 1997

111. योजना आयोग के स्थान पर नीति आयोग की स्थापना कब हुई?
A. जनवरी 2013 B. जनवरी 2014
C. जनवरी 2015 D. जनवरी 2011

112. 'STEP' .... की सहायतार्थ कल्याण कार्यक्रम का संक्षिप्त नाम है।
A. बच्चों B. किसानों
C. वरिष्ठ नागरिकों D. महिलाओं

113. खाद्यान्नों का उत्पादन ..... में सर्वाधिक होता है :
A. खरीफ मौसम
B. रबी मौसम
C. खरीफ और रबी मौसम के मध्य
D. कोई तय मौसम नहीं

114. मोनो कल्चर एक विशिष्ट लक्षण है :
A. आजीविका कृषि का
B. स्थानान्तरित कृषि व्यवस्था का
C. व्यापारिक अनाज की कृषि
D. विशिष्ट बागवानी

115. उर्वरकों के इस्तेमाल हेतु एनपीके का आदर्श अनुपात है :
A. 2 : 4 : 1 B. 2 : 1 : 4
C. 4 : 2 : 1 D. 1 : 2 : 4

116. राजकोषीय नीति का निर्माण करता है :
A. भारत सरकार B. रिजर्व बैंक
C. नाबार्ड D. व्यापारिक बैंक

117. 2001-2011 में जनसंख्या की दशकीय प्रतिशत वृद्धि दर थी :
A. 18.2 प्रतिशत B. 20.34 प्रतिशत
C. 17.7 प्रतिशत D. 14.46 प्रतिशत

118. सबसे निम्न साक्षरता वाला राज्य है :
A. अरुणाचल प्रदेश B. राजस्थान
C. बिहार D. उत्तर प्रदेश

119. भारत में बैंकों का बैंक है :
A. रिजर्व बैंक B. मुद्रा कोष
C. विश्व बैंक D. औद्योगिक बैंक

120. एक रुपये के नोट पर किसके हस्ताक्षर होते हैं?
A. रिजर्व बैंक के गवर्नर के
B. वित्त मंत्री के
C. सचिव, वित्त मंत्रालय के
D. उप-वित्तमंत्री के

121. राष्ट्रीय विकास परिषद् की स्थापना किस वर्ष हुई थी?
A. 1949 B. 1950
C. 1951 D. 1952

122. बैंक कार्यालयों की सर्वाधिक संख्या किस राज्य में है?
A. महाराष्ट्र B. आंध्र प्रदेश
C. उत्तर प्रदेश D. दिल्ली

123. लद्दाख को किस वर्ष एक केन्द्रशासित प्रदेश बनाया गया?
A. 2018 में B. 2019 में
C. 2016 में D. 2017 में

124. निम्नलिखित में से किस प्रदेश को 'भारत का सिलिकॉन राज्य' कहा जाता है?
A. गोवा B. आन्ध्र प्रदेश
C. केरल D. कर्नाटक

125. किस पंचवर्षीय योजना का मुख्य उद्देश्य 'गरीबी हटाओ' रखा गया था?
A. पांचवीं पंचवर्षीय योजना
B. चौथी पंचवर्षीय योजना
C. छठी पंचवर्षीय योजना
D. सातवीं पंचवर्षीय योजना

126. भारत में सबसे अधिक ईंधन रिजर्व किसका है?
A. तेल B. गैस
C. कोयला D. जल

127. ऑपरेशन कुटीर ज्योति किससे संबंधित है ?
A. प्रौढ़ साक्षरता B. स्वरोजगार
C. गरीबी उतन D. ग्रामीण विद्युतीकरण

128. 'मुद्रा प्रसार' (Inflation) का क्या परिणाम होता है?
A. कीमतों में बहुत अधिक वृद्धि
B. कीमतों में बेहद गिरावट
C. कीमतों का स्थिर हो जाना
D. कीमतों में अस्थिरता

129. ग्रामीण विद्युतीकरण निगम की स्थापना कब की गई थी ?
A. 1979 में B. 1989 में
C. 1959 में D. 1969 में

130. ओ.एन.जी.सी. का सम्बन्ध निम्नलिखित में से किससे है ?
A. अणु ऊर्जा B. खनिज तेल एवं गैस
C. जल ऊर्जा D. तापीय ऊर्जा

131. सबसे बड़ा ग्रह कौन-सा है ?
A. शनि B. मंगल
C. बुध D. बृहस्पति

132. विश्व का सबसे छोटा महाद्वीप कौन-सा है ?
A. ग्रीनलैंड B. आस्ट्रेलिया
C. दक्षिण अमेरिका D. यूरोप

133. विश्व का सबसे निम्नतम जल भंडार है ?
A. काला सागर B. मृत सागर
C. एड्रियाटिक सागर D. लाल सागर

134. बांग्लादेश का स्वाधीन देश के रूप में उदय किस वर्ष हुआ?
A. 1968 B. 1969
C. 1970 D. 1971

135. विश्व का सबसे ठंडा प्रायद्वीप सागर है ?
A. कैरेबियन सागर B. मेडीटेरियन सागर
C. लाल सागर D. ब्योफोर्ट सागर

136. विश्व का सबसे बड़ा महाद्वीप है ?
A. एशिया B. अफ्रीका
C. आस्ट्रेलिया D. उत्तर अमेरिका

137. भारतीय उप-महाद्वीप की सबसे ऊंची चोटी का नाम :
A. नंदादेवी B. एवरेस्ट
C. त्रिशूल D. कंचनजंगा

138. विश्व का सबसे बड़ा द्वीप है ?
A. न्यू गुयाना B. बर्नियो
C. मेडागास्कर D. ग्रीनलैंड

139. मानचित्रों की पुस्तक को क्या कहते हैं?
A. एटलस B. विश्वकोश
C. शब्दकोश D. डायरी

140. सबसे बड़ा महासागर है ?
A. प्रशांत महासागर
B. अटलांटिक महासागर
C. अंटार्कटिक महासागर
D. हिन्द महासागर

141. विश्व का सबसे बड़ा प्रायद्वीप है ?
A. प्रशांत B. अरब
C. बांग्लादेश D. अफ्रीका

142. विश्व का सबसे बड़ा द्वीप समूह है ?
A. इंडोनेशिया B. मलेशिया
C. न्यूजीलैंड D. माल्टा

143. विश्व का सबसे गहरा महासागर है ?
A. आर्कटिक B. अटलांटिक
C. प्रशांत D. हिन्द

144. किस पर्वतमाला को नीला पर्वत कहते हैं ?
A. नीलगिरि पर्वत B. आल्पस
C. माउंट एवरेस्ट D. हिमालय

145. 'अंध महाद्वीप' किसे कहते हैं ?
A. अफ्रीका B. ऑस्ट्रेलिया
C. ग्रीनलैंड D. दक्षिण अमेरिका

146. एशिया माइनर स्थित है :
A. इराक में B. तुर्की में
C. जार्डन में D. ईरान में

147. उत्तर का वेनिस किस शहर को कहा जाता है?
A. पेरिस B. इस्तांबुल
C. स्टॉकहोम D. मैड्रिड

148. पेरिस किस नदी के किनारे बसा है ?
A. तिबिया B. सीन
C. डेन्यूब D. उपर्युक्त में से कोई नहीं

149. ऑस्ट्रेलिया है :
A. दक्षिणी गोलार्द्ध का एकमात्र देश
B. द्वीपीय महाद्वीप
C. सबसे छोटा महाद्वीप
D. उपर्युक्त सभी बिंदु सत्य हैं

150. कांगों (डेमोक्रेटिक रिपब्लिक) किस महाद्वीप में स्थित है ?
A. यूरोपीय B. ऑस्ट्रेलियाई
C. एशियाई D. अफ्रीकी

151. चीन का शोक है :
A. लिन पियाओ B. सिकियांग
C. ह्वांगहो D. सैंग हो

152. विश्व का चीनी का कटोरा किसे कहा जाता है?
A. मनीला B. जापान
C. क्यूबा D. हवाना

153. उगते हुए सूरज की भूमि है :
A. जापान B. नार्वे
C. असम D. म्यांमार

154. विश्व का सबसे बड़ा कोयला उत्पादक है :
A. अमेरिका B. चीन
C. भारत D. फ्रांस

155. विश्व की सबसे लंबी नदी है :
A. नील B. अमेजन
C. यांग्त्ज D. मिसीसिपी-मिसौरी

156. मानसून वाली भूमि में लोगों का मुख्य धंधा है :
A. वानिकी B. कृषि
C. उद्योग D. खनन

157. क्षेत्रफल की दृष्टि से विश्व का सबसे बड़ा देश कौन-सा है ?
A. यूएसए B. रूस
C. चीन D. कनाडा

158. भारत में थोक मूल्य सूचकांक का आधार वर्ष अब क्या है?
A. 2011-12 B. 2004-05
C. 2009-10 D. 2010-11

159. कोरबा—के लिए प्रसिद्ध है।
II. ताप ऊर्जा संयंत्र
II. अल्युमिनियम संयंत्र
III. हाइड्रो इलेक्ट्रिक ऊर्जा संयंत्र
IV. इनमें से सही उत्तर है
A. I और II B. केवल II
C. केवल I D. I, II और III

160. झारखंड का छोटा नागपुर क्षेत्र किसलिए प्रसिद्ध है?
A. तेल परिशोधनशाला B. उपजाऊ भूमि
C. लाख उद्योग D. टेक्सटाइल

161. निम्नलिखित में से कौन-सा युग्म सही है?
A. भिलाई-बिहार B. बोकारो-मध्य प्रदेश
C. दुर्गापुर-कर्नाटक D. राउरकेला-ओडिशा

162. खेतड़ी प्रसिद्ध है :
A. तांबा काम्प्लेक्स
B. सोने के क्षेत्र
C. अल्युमिनियम काम्प्लेक्स
D. उर्वरक

163. भारत के किस राज्य का क्षेत्रफल सबसे बड़ा है ?
A. असम B. उत्तर प्रदेश
C. पश्चिम बंगाल D. राजस्थान

164. जादूगोड़ा किस लिए प्रसिद्ध है?
A. यूरेनियम B. तांबा
C. कोयला D. सैंडस्टोन

165. ब्राजील की राजधानी है :
A. साओ पोलो B. ब्राजीलिया
C. पोर्ट लुइस D. सेन सल्वाडोर

166. हीराकुड बांध किस नदी पर बना हुआ है ?
A. गोदावरी B. महानदी
C. सतलंज D. कृष्णा

167. भारत का ज्वारीय बंदरगाह है :
A. मुम्बई B. कांडला
C. मंगलुरु D. कोच्चि

168. महात्मा गांधी सेतु किस नदी पर बना है ?
A. ब्रह्मपुत्र B. गोदावरी
C. गंगा D. कावेरी

169. पिम्परी किस लिए विख्यात है ?
A. उर्वरक कारखाना
B. सीमेंट कारखाना
C. रसायन फैक्टरी
D. एंटीबायोटिक फैक्टरी

170. भारत की सबसे बड़ी नदी है ?
A. ब्रह्मपुत्र B. गंगा
C. गोदावरी D. कृष्णा

171. 'तिस्ता जल' का भारत और किसके बीच बंटवारा होता है ?
A. नेपाल B. भूटान
C. चीन D. बांग्लादेश

172. कार्बेट नेशनल पार्क कहां स्थित है ?
A. गुजरात B. उत्तराखंड
C. मध्य प्रदेश D. असम

173. मैंगनीज पाया जाता है :
A. पंजाब में B. जम्मू-कश्मीर में
C. मध्य प्रदेश में D. उपर्युक्त सभी में

174. नागार्जुन सागर परियोजना किस नदी पर चलाई जा रही है ?
A. कावेरी B. कृष्णा
C. गोदावरी D. तुंगभद्रा

175. निम्नलिखित में से कौन खरीफ फसल है ?
A. चना B. जौ
C. गेहूं D. चावल

176. प्रसिद्ध पर्वतीय स्थल 'मसूरी' किस राज्य में स्थित है?
A. हिमाचल प्रदेश B. मेघालय
C. महाराष्ट्र D. उत्तराखंड

177. भारतीय संघ का क्षेत्रफल है ?
A. 32,87,263 वर्ग किमी.
B. 55,26,892 वर्ग किमी.
C. 32,00,000 वर्ग किमी.
D. 35,00,000 वर्ग किमी.

178. संपूर्ण भारतवर्ष के लिए औसत वार्षिक वर्षा है :
A. 180 सेमी. B. 105 सेमी.
C. 70 सेमी. D. 120 सेमी.

179. भारत इनके बीच स्थित है :
A. 8°4' उ. से 37°6' उ. अक्षांश और 60°7' पूर्व से 98°25' पूर्वी देशांतर
B. 8° उ. से 37° उ. अक्षांश और 68° पूर्वी और 97° पूर्वी देशांतर
C. 8° उ. से 38° उ. अक्षांश और 60° पूर्वी और 90° पूर्वी देशांतर
D. 9° उ. से 38° उ. अक्षांश और 64° पूर्वी से 100° पूर्वी देशांतर

180. भारत में सुशासन दिवस कब मनाया जाता है?
A. 25 सितम्बर B. 14 नवम्बर
C. 25 दिसम्बर D. 19 नवम्बर

181. किस विटामिन की कमी से रिकेट्स रोग होता है ?
A. A B. B
C. C D. D

182. घेंघा रोग किसकी कमी से होता है ?
A. साधारण नमक B. आयोडीन
C. चीनी D. शुद्ध जल

183. साइकिल के ट्यूब सबसे अधिक किस समय फटते हैं ?
A. जाड़े में B. गर्मी में
C. बरसात में D. वर्ष भर

184. हैपेटाइटिस रोग से मनुष्य के शरीर का कौन सा अंग प्रभावित होता है ?
A. यकृत B. फेफड़ा
C. हृदय D. मस्तिष्क

185. मलेरिया रोग निम्नलिखित में से किस मच्छर के काटने से होता है ?
A. नर क्यूलेक्स B. मादा एनोफ्लीज
C. नर एनोफ्लीज D. मादा क्यूलेक्स

186. ऑक्सीजन की आपूर्ति .... के द्वारा होती है।
A. श्वेत रक्त कण
B. लाल रक्त कण
C. प्लाज्मा
D. सभी के द्वारा

187. 'कैटेरेक्ट' बीमारी शरीर के किस अंग से संबंधित है?
A. यकृत B. फेफड़े
C. आँख D. नांक

188. निकट दृष्टि दोष में उपयोग में लाया जाने वाला लैंस है—
A. उत्तल लैंस B. अवतल लैंस
C. बेलनाकार लैंस D. बायोफोकस लैंस

189. बरसात में कपड़े के देर से सूखने का क्या कारण है ?
A. वायुमंडल में अधिक आर्द्रता के कारण
B. गर्मी के कारण
C. बादल के कारण
D. इनमें से कोई नहीं

190. 'निमोनिया' किस अंग की बीमारी है?
A. फेफड़े B. आँत
C. मस्तिष्क D. दांत

191. 'डिप्थीरिया' रोग से प्रभावित होने वाला अंग है—
A. छाती B. पेट
C. आंख D. श्वास नली

192. वयस्क मानव में रुधिर की रचना किसके द्वारा की जाती है ?
A. हृदय B. तिल्ली
C. लाल अस्थिमज्जा D. पीत अस्थिमज्जा

193. सर्वदाता वह व्यक्ति है जिसका रुधिर वर्ग होता है—
A. B B. A
C. AB D. O

194. एक हॉर्स पावर (Horse Power) का मान होता है—
A. 576 वॉट B. 646 वॉट
C. 814 वॉट D. 746 वॉट

195. क्षयरोग (तपेदिक) से बचाव के लिए कौन-सा टीका लगाया जाता है ?
A. डी.पी.टी. B. बी.सी.जी.
C. ए.टी.एस. D. इनमें से कोई नहीं

196. अरक्तता (एनीमिया) किसकी कमी से होता है ?
A. आयोडीन B. लोहा
C. कैल्सियम D. फॉस्फोरस

197. शरीर को सबसे अधिक कैलोरी ऊर्जा प्रदान करता है—
A. कार्बोहाइड्रेट B. प्रोटीन
C. वसा D. खनिज लवण

198. कागज का आविष्कार सर्वप्रथम कहां हुआ ?
A. थाईलैंड में B. चीन में
C. भारत में D. जापान में

199. किसी वयस्क व्यक्ति का सामान्य रक्तचाप होता है—
A. 120/80 B. 90/60
C. 160/20 D. 140/100

200. कैलोरी किसकी इकाई है ?
A. कार्य B. ऊष्मा
C. ऊर्जा D. प्रकाश

201. जल का सबसे शुद्ध रूप है—
A. नदी का जल B. वर्षा का जल
C. झील का जल D. हिम नदी का जल

202. रक्त के थक्के जमने का कारण है—
A. थ्राम्बिन B. हीमोग्लोबिन
C. पेक्टिन D. उपरोक्त सभी

203. ध्वनि की तीव्रता नापी जाती है—
A. डेसीबल से B. डेसीमीटर से
C. ईकोबल से D. उपर्युक्त सभी से

204. पृथ्वी के पलायन वेग का मान है :
A. 11.2 किमी./से. B. 11.2 मी./से.
C. 7.0 किमी./से. D. 1.5 किमी./से.

205. टायफॉयड में शरीर का कौन-सा अंग प्रभावित होता है ?
A. श्वासनली B. फेफड़ा
C. आंत D. यकृत (लीवर)

206. सौरमंडल का सबसे बड़ा और भारी ग्रह कौन-सा है ?
A. पृथ्वी B. बृहस्पति
C. शनि D. वरुण

207. कुनैन कहां से प्राप्त होता है ?
A. सिनकोना के छाल से B. पेड़ के रस से
C. पेड़ की जड़ से D. पशुओं से

208. विटामिन 'सी' क्या कहलाता है ?
A. एस्कॉर्बिक एसिड
B. टारटारिक एसिड
C. अमीनो एसिड
D. ग्लाइकोलिक एसिड

209. किलोवाट किसकी इकाई है ?
A. शक्ति की B. कार्य की
C. ऊर्जा की D. विद्युतधारा की

210. 'फैदम' किसकी माप की इकाई है ?
A. समय B. गहराई
C. ध्वनि D. ऊर्जा

211. दूध में सबसे कम पाया जाता है—
A. लोहा B. कैल्शियम
C. प्रोटीन D. विटामिन

212. सबसे अधिक मात्रा में प्रोटीन प्रति ग्राम किसमें पाया जाता है ?
A. मूंगफली B. सोयाबीन
C. गेहूं D. मक्का

213. सूर्य से सबसे अधिक दूरी पर स्थित ग्रह है—
A. यूरेनस B. शनि ग्रह
C. नेप्चून D. बुध

214. निम्नलिखित में कौन-सा रोग वंशानुगत है ?
A. रतौंधी B. रक्ताल्पता
C. वृक्कशोध D. मधुमेह

215. शरीर की सरंचना का अध्ययन विज्ञान की किस शाखा में किया जाता है?
A. ऑटोमेशन B. एनाटोमी
C. बायोमेट्री D. बायोनिक्स

216. किसकी कमी के कारण भोजन का पाचन नहीं हो सकता ?
A. एंजाइम B. हॉरमोन
C. विटामिन D. उपर्युक्त (B) और (C)

217. एलिसा नामक परीक्षण किस रोग से निदान के लिए किया जाता है?
A. एड्स B. टी.बी.
C. हेपेटाइटिस D. डिप्थीरिया

218. 'ग्लूकोमा' मानव शरीर के किस अंग से संबंधित बीमारी है ?
A. फेफड़ा B. हृदय
C. कान D. आंख

219. 'जेट इंजन' का आविष्कारक कौन था ?
A. जेम्स वाट
B. चार्ल्स पारसन्स
C. आर्विल और विल्टर राइट
D. फ्रेंक व्हीटल

220. विटामिन डी का उत्तम स्रोत है—
A. अंडा B. दूध
C. सूर्य की किरणें D. पालक

221. किस मच्छर के काटने से डेंगू बुखार होता है ?
A. एनाफिलीज B. एडीज
C. बुचेरिया D. बाटफलाई

222. निम्नलिखित में कौन-सा सुमेलित नहीं है ?
A. विटामिन ए - मलेरिया B. विटामिन बी - बेरीबेरी
C. विटामिन सी - स्कर्वी D. विटामिन ई - बांझपन

223. पेस मेकर का क्या कार्य है ?
A. पाचन क्रिया का नियमन
B. मूत्र बनाने का नियमन
C. दिल की धड़कन प्रारम्भ करना
D. श्वास क्रिया प्रारम्भ करना

224. 'हीलियम गैस' को गुब्बारों में क्यों भरा जाता है ?
A. वह एक उत्कृष्ट गैस है
B. वह वायु से हल्का है
C. उसका परमाणु क्रमांक 2 है
D. वह जल के अवयवों में से एक है

225. मोटर वाहनों में किस दर्पण का उपयोग होता है ?

A. उत्तल दर्पण B. अवतल दर्पण
C. समतल दर्पण D. गोलीय दर्पण

226. प्रकाश संश्लेण होता है—

A. रात्रि में B. दिन व रात्रि में
C. दिन में अथवा रात्रि में D. केवल दिन में.

227. कौन-सा पेड़ सबसे शीघ्र बढ़ता है ?

A. पीपल B. नीम
C. बरगद D. युक्लिप्टिस

228. विटामिन सी सबसे अधिक किसमें पाया जाता है ?

A. संतरा B. आम
C. गाजर D. अमरूद

229. थायराइड भोजन में .... की कमी से होता है ?

A. कैल्शियम B. आयरन
C. क्लोरीन D. आयोडीन

230. रक्त-स्कन्दन में कौन-सा विटामिन क्रियाशील होता है ?

A. डी B. ए
C. सी D. के

231. पेड़-पौधों के पत्तों का रंग हरा किस तत्त्व के कारण होता है ?

A. हीमोग्लोबिन B. क्लोरोफिल
C. लेटिन फ्लू D. पेयरीक्लीफ

232. निम्नलिखित में से किस ग्रह को लालतारा की संज्ञा दी जाती है ?

A. शनि B. मंगल
C. शुक्र D. बुध

233. एक स्वस्थ वयस्क व्यक्ति का हृदय एक मिनट में औसतन कितनी बार धड़कता है ?

A. 86 B. 98
C. 72 D. 64

234. बॉक्साइट किसका अयस्क है ?

A. जस्ता B. तांबा
C. ऐल्युमिनियम D. मैंगनीज

235. हॉर्स पावर क्या है ?

A. घोड़े की शक्ति B. बल का मात्रक
C. शक्ति का मात्रक D. इनमें से कोई नहीं

236. ग्रैंड स्लेम निम्नलिखित में से किस खेल से संबंधित है?

A. फुटबॉल B. टेनिस
C. हॉकी D. पोलो

237. वायु में कौन सी गैस सर्वाधिक मात्रा में उपस्थित है ?

A. ऑक्सीजन
B. नाइट्रोजन
C. कार्बन डाइ आक्साइड
D. हाइड्रोजन

238. वायुमंडलीय दाब ...... से नापा जाता है ?

A. हाइड्रोमीटर (द्रवमापी)
B. बैरोमीटर (दाबमापी)
C. हाइग्रोमीटर (आर्द्रतामापी)
D. एल्टीमीटर (ऊंचाई मापी)

239. विटामिन D किसमें पाया जाता है ?

A. मक्खन B. यकृत
C. अण्डा D. उपर्युक्त सभी में

240. प्रकाश वर्ष........की इकाई है।

A. दूरी B. समय
C. वजन D. प्रकाश की तीव्रता

241. भारतीय ज्ञानपीठ पुरस्कार किसे प्रदान किया जाता है?

A. उत्कृष्ट हिन्दी कविता के लिए
B. भारतीय साहित्य में उत्कृष्ट योगदान के लिए
C. हिन्दी साहित्य में उत्कृष्ट योगदान के लिए
D. भारतीय दर्शन की उत्कृष्ट समीक्षा के लिए

242. अध्यापकों के लिए राष्ट्रीय पुरस्कारों की घोषणा कब की जाती है?

A. 14 नवम्बर B. 5 सितम्बर
C. 30 जनवरी D. 26 जनवरी

243. निम्नलिखित में से किस विषय पर नोबेल पुरस्कार नहीं दिया जाता है?

A. चिकित्सा B. गणित
C. अर्थशास्त्र D. रसायन शास्त्र

244. बुकर पुरस्कार किस क्षेत्र में प्रदान किया जाता है?

A. कल्पना साहित्य लेखन
B. औषधि
C. साहस के कार्य
D. विज्ञान

245. गांधी शान्ति पुरस्कार में कितनी धनराशि प्रदान की जाती है?

A. 50 लाख B. 2 करोड़
C. 1 करोड़ D. 10 लाख

246. सर्वोच्च शौर्य पुरस्कार 'परमवीर चक्र' के प्रथम विजेता कौन थे?

A. मेजर ध्यान सिंह
B. के. गुरुवचन सिंह
C. मेजर शैतान सिंह
D. मेजर सोमनाथ शर्मा

247. धन्वन्तरि पुरस्कार किस क्षेत्र में विशिष्ट योगदान के लिए दिया जाता है?

A. संगीत B. नृत्य
C. दर्शन D. चिकित्सा

248. कलिंग पुरस्कार किस क्षेत्र में दिया जाता है?
A. साहित्य के क्षेत्र में
B. विज्ञान के क्षेत्र में
C. सामाजिक कल्याण के लिए किये गए कार्य के लिए
D. अन्तर्राष्ट्रीय शान्ति एवं सदभावना के लिए

249. नोबेल पुरस्कार का आरम्भ कब से हुआ?
A. सन् 1901 से B. सन् 1905 से
C. सन् 1896 से D. सन् 1934 से

250. अर्थशास्त्र के लिए नोबेल पुरस्कार कब से आरम्भ हुआ?
A. सन् 1969 ई० से
B. सन् 1939 ई० से
C. सन् 1901 ई० से
D. सन् 1935 ई० से

251. ग्रेमी पुरस्कार किस क्षेत्र में अभूतपूर्व उपलब्धियों के लिए दिए जाते हैं?
A. खेल B. कृषि
C. विज्ञान D. संगीत

252. होमी भाभा पुरस्कार किस क्षेत्र में विशेष योगदान के लिए दिया जाता है?
A. सैद्धान्तिक भौतिकी
B. नाभिकीय ऊर्जा
C. लेसर भौतिकी
D. अन्तरिक्ष अनुसन्धान

253. नेहरू पुरस्कार कौन-सी संस्था प्रदान करती है?
A. इंडियन कौंसिल ऑफ कल्चरल रिलेशन्स
B. इंडो-सोवियत कल्चरल सोसाइटी
C. भारतीय राष्ट्रीय कांग्रेस
D. भारतीय ज्ञानपीठ

254. वीरता का सर्वोच्च सम्मान सूचक पदक जो शत्रु के सामने असीम शौर्य और अदम्य साहस दिखाने या आत्म-बलिदान करने पर भेंट किया जाता है, उसका क्या नाम है?
A. चक्रव्यूह B. अशोक चक्र
C. महावीर चक्र D. परमवीर चक्र

255. प्रथम मरणोपरान्त 'भारत-रत्न' अलंकरण किसे प्रदान किया गया था?
A. के० कामराज नाडार
B. आचार्य विनोबा भावे
C. लाल बहादुर शास्त्री
D. एम०जी० रामचन्द्रन

256. निम्नलिखित में से कौन-सा पुरस्कार केवल एशियावासियों को दिया जाता है?
A. नेहरू सदभावना पुरस्कार
B. पुलित्ज़र पुरस्कार
C. इन्दिरा गांधी शान्ति पुरस्कार
D. मैग्सेसे पुरस्कार

257. अर्जुन पुरस्कार कब से प्रारम्भ हुए?
A. 1961 ई० से B. 1962 ई० से
C. 1963 ई० से D. 1964 ई० से

258. लोक संस्कृति के विकास के लिए 'तुलसी पुरस्कार' किस राज्य ने स्थापित किया है?
A. उत्तर प्रदेश ने B. बिहार ने
C. राजस्थान ने D. मध्य प्रदेश ने

259. ऑस्कर में नामित प्रथम भारतीय फिल्म कौन थी?
A. मदर इंडिया B. सलाम बॉम्बे
C. लगान D. पहेली

260. ललित कला के विभिन्न क्षेत्रों में उत्कृष्ट योगदान के लिए कालिदास सम्मान किस सरकार की ओर से प्रदान किया जाता है?
A. उत्तर प्रदेश B. राजस्थान
C. मध्य प्रदेश D. पश्चिम बंगाल

261. निम्नलिखित में से किसे सबसे पहले 'दादा साहेब फाल्के पुरस्कार से सम्मानित किया गया था?
A. शोभना समर्थ B. दुर्गा खोटे
C. देविका रानी D. कानन देवी

262. कृषि अनुसंधान के क्षेत्र में उत्कृष्ट योगदान के लिए एक पुरस्कार दिया जाता है, उसका नाम क्या है?
A. कृषि पंडित पुरस्कार
B. कालिंजर पुरस्कार
C. अर्जुन पुरस्कार
D. बोरलॉग पुरस्कार

263. रुइया ट्रॉफी निम्नलिखित में से किस खेल से संबंधित भारत की सर्वाधिक प्रतिष्ठित ट्रॉफी है?
A. स्क्वैश B. तैराकी
C. ब्रिज D. शतरंज

264. ओलंपिक पदक विजेता नीरज चोपड़ा का संबंध किस खेल से है?
A. भाला फेंक B. टेनिस
C. कुश्ती D. हॉकी

265. सर्वप्रथम क्रिकेट टैस्ट मैच किस देश में खेला गया था?
A. न्यूज़ीलैण्ड में B. भारत में
C. इंग्लैण्ड में D. ऑस्ट्रेलिया में

266. आधुनिक ओलंपिक खेलों में विजेताओं को स्वर्ण पदक देने की प्रथा कब से आरम्भ हुई?

A. 1908 से B. 1912 से
C. 1918 से D. 1922 से

267. ओवल (क्रिकेट) स्टेडियम विश्व के किस देश में है?
A. ऑस्ट्रेलिया B. भारत
C. न्यूज़ीलैंड D. इंग्लैंड

268. भारत ने पहली बार विश्व कप हॉकी स्पर्धा कब जीती थी?
A. 1975 B. 1971
C. 1979 D. 1967

269. किस खेल में प्रत्येक पक्ष में खिलाड़ियों की संख्या सर्वाधिक होती है?
A. फुटबॉल B. रग्बी फुटबॉल
C. हॉकी D. आइस हॉकी

270. 'ददा' के नाम से किसे जाना जाता है?
A. मेजर ध्यानचंद B. रूप सिंह
C. के. डी. सिंह D. उधम सिंह

271. निम्नलिखित में से कौन-सा कप / ट्रॉफी फुटबॉल से सम्बन्धित नहीं है?
A. मर्डेका कप B. डूरण्ड कप
C. सन्तोष ट्रॉफी D. दिलीप ट्रॉफी

272. सन् 1975 में प्रथम क्रिकेट विश्व कप किस देश में आयोजित किया गया था?
A. ऑस्ट्रेलिया B. इंग्लैंड
C. वेस्टइंडीज D. न्यूजीलैंड

273. मारिया शारापोवा किस देश की महिला टेनिस खिलाड़ी है?
A. स्पेन B. बेल्जियम
C. रूस D. सं. रा. अ.

274. निम्नलिखित में से कौन-सी अन्तर्राष्ट्रीय टेनिस खेल प्रतियोगिता घास के मैदान में खेली जाती है?
A. यू॰एस॰ ओपन B. फ्रेंच ओपन
C. विम्बलडन D. ऑस्ट्रेलियाई ओपन

275. 'विम्बलडन ट्रॉफी' का सम्बन्ध किस खेल से है?
A. पोलो (इंग्लैंड) से B. समुद्री दौड़ से
C. घुड़दौड़ से D. टेनिस से

276. निम्न में से किस पदक का सम्बन्ध हॉकी से नहीं है?
A. आगा खां कप B. वर्दवान ट्रॉफी
C. ध्यानचन्द ट्रॉफी D. बम्बई गोल्ड कप

277. 'रिवर्स स्विंग' एवं 'बीमर' नामक शब्दावलियां किस खेल से संबंधित हैं?
A. नौकायन B. क्रिकेट
C. फुटबॉल D. हॉकी

278. 'बोगी' शब्द किस खेल से जुड़ा हुआ है?
A. गोल्फ B. बेसबॉल
C. तैराकी D. मुक्केबाजी

279. 'ज्यूल्स रिमेट ट्रॉफी' का सम्बन्ध किस खेल से है?
A. फुटबॉल (विश्व) से
B. गोल्फ से
C. हॉकी (भारत) से
D. लॉन टेनिस (विश्व) से

280. 'मर्डेका' कप का सम्बन्ध किस खेल से है?
A. टेनिस B. बैडमिंटन
C. फुटबॉल D. क्रिकेट

281. प्रथम ओलम्पिक खेल ओलम्पिया (ग्रीस) में कब खेले गए थे?
A. 233 ई॰पू॰ में B. 1500 ई॰पू॰ में
C. 500 ई॰पू॰ में D. 776 ई॰पू॰ में

282. 394 ई॰ में रोम के बाद एक सम्राट् ने ओलम्पिक खेलों को बंद कर दिया था। इसको पुनः किसने शुरू किया?
A. मि॰ स्पोर्टर्समैन ने
B. बैरन पीयरे डी कोबर्टिन ने
C. जनरल फ्रेंको ने
D. अब्राहम लिंकन ने

283. 'थर्ड आई' शब्द किस खेल से संबंधित है?
A. तीरंदाजी B. बिलियर्ड्स
C. क्रिकेट D. हॉकी

284. ग्रैंड स्लेम (Grand Slam) निम्नलिखित में से किस खेल से संबंधित है?
A. फुटबॉल B. टेनिस
C. हॉकी D. पोलो

285. निम्नलिखित पुस्तकों में से कौन-सी पुस्तक महादेवी वर्मा द्वारा लिखित है?
A. यशोधरा B. यामा
C. ययाति D. उर्वशी

286. 'मेरी इक्यावन कवितायें' किसकी पुस्तक है?
A. धर्मवीर भारती
B. आशापूर्णा देवी
C. अटल बिहारी वाजपेयी
D. कुंवर नारायण

287. 'इण्डिया डिवाइडेड' किसकी रचना है?
A. आचार्य कृपलानी
B. डॉ॰ राजेन्द्र प्रसाद
C. मौलाना अबुल कलाम आजाद
D. डॉ॰ अम्बेडकर

288. 'सैटनिक वर्सेज़' किस लेखक की पुस्तक है?
A. मुल्कराज आनंद B. सलमान रुश्दी
C. आर॰के॰ नारायण D. तस्लीमा नसरीन

289. 'क्रिकेट माई स्टाइल' पुस्तक का लेखक कौन है?
A. सुनील गावस्कर B. इमरान खान
C. मो. अजहरुद्दीन D. कपिल देव

290. 'ए सूटेबल ब्वाय' पुस्तक का लेखक कौन है?
A. खुशवंत सिंह B. अरुण शोरी
C. विक्रम सेठ D. इनमें कोई नहीं

291. 'कैन्टरबरी टेल्स' पुस्तक का लेखक कौन है?
A. ज्योफरी चॉसर
B. लियो टॉलस्टाय
C. गुन्नार मिर्डल
D. विलियम शेक्सपियर

292. निम्नलिखित में से कौन-सी पुस्तक प्रेमचन्द द्वारा रचित नहीं है?
A. गोदान B. गबन
C. प्रेम पचीसी D. आनंदमठ

293. बांग्लादेश की लेखिका तस्लीमा नसरीन को किस पुस्तक से ख्याति मिली?
A. शर्म B. लज्जा
C. नारी स्वातन्त्र्य D. अबला

294. 'पावर्टी एण्ड अन-ब्रिटिश रूल इन इण्डिया' का लेखक कौन है?
A. लाला लाजपत राय
B. लाला हरदयाल
C. विनायक दामोदर सावरकर
D. दादाभाई नौरोजी

295. 'मुद्राराक्षस' ग्रंथ का लेखक कौन है?
A. विशाखदत्त B. कालिदास
C. भारवि D. माघ

296. 'माई प्रेसिडेंशल ईयर्स' पुस्तक का लेखक कौन है?
A. ज्ञानी जैल सिंह
B. वी॰वी॰ गिरि
C. आर॰ वेंकटरमन
D. डॉ॰ शंकर दयाल शर्मा

297. 'माई कंट्री माई लाइफ' किस राजनेता द्वारा लिखी पुस्तक है?
A. एल.के. आडवाणी B. एम.एम. जोशी
C. सीताराम येचुरी D. नरेंद्र मोदी

298. वर्शिपिंग फाल्स गॉड्स (Worshiping False Gods) पुस्तक के लेखक हैं–
A. विक्रम सेठ B. अरुण शौरी
C. सलमान रुश्दी D. खुशवन्त सिंह

299. निम्नलिखित पुस्तकों में से कौन-सी पुस्तक सलमान रुश्दी की है?
A. दि वर्ल्ड ऑफ फतवाज़
B. दि मूर्स लास्ट साई
C. दि अदर हाफ
D. फूल्स पैराडाइज़

300. 'एस अगेंस्ट ऑड' किस खिलाड़ी की आत्मकथा है?
A. सायना नेहवाल B. सानिया मिर्जा
C. सचिन तेन्दुलकर D. एम.एस. धोनी

301. 'फ्रीडम एट मिडनाइट' के लेखक कौन हैं?
A. जवाहरलाल नेहरू तथा डॉ॰ राजेन्द्र प्रसाद
B. एम॰ओ॰ मथाई तथा फ्रैंक मोरेस
C. मैक्सिम गोर्की तथा दोस्तोवस्की
D. लैरी कॉलिन्स और डोमिनिक लापियर

302. 'अंकल टॉम्स केबिन' के लेखक का क्या नाम है?
A. एच॰बी॰ स्टोव B. एडम स्मिथ
C. टॉलस्टाय D. थॉमस मूर

303. 'वार एण्ड पीस' और 'अन्ना कैरेनिना' दोनों एक ही अन्तर्राष्ट्रीय ख्यातिप्राप्त लेखक की कृतियां हैं। उस लेखक का क्या नाम है?
A. ओलीवर गोल्डस्मिथ B. स्वेतलाना
C. लुई ब्रोमफील्ड D. लियो टॉलस्टाय

304. 'कोर्ट मार्शल' क्या होता है?
A. सैनिक कानूनों के तहत सैनिक अदालत में एक व्यक्ति के खिलाफ कानूनी कार्रवाई
B. कोर्ट में व्यवस्था बनाने वाला व्यक्ति
C. साधारण कोर्ट में किसी व्यक्ति के खिलाफ मुकदमा
D. इनमें से कोई नहीं

305. 'कैलिग्राफी' क्या होता है?
A. सुन्दर दिखने की कला
B. सुन्दर लिखने की कला
C. साहित्य अथवा कला के क्षेत्र में किया गया सर्वोत्कृष्ट कार्य
D. अच्छा गाने की कला

306. 'हॉटलाइन' का क्या अर्थ है?
A. दो व्यक्तियों के बीच एकल लाइन के रूप में सीधी टेलीफोन सेवा
B. बिजली के करंट दौड़ते हुए तार
C. ऐसी सीमा रेखा जहाँ गर्मी पड़ती है
D. गर्म प्रदेशों के बीच सीमा रेखा

307. 'शून्य काल' का क्या अर्थ होता है?
A. रात्रि और दिन के मिलने का समय
B. संसद के दोनों सदनों में प्रश्नकाल के ठीक बाद का समय

C. जिस समय कोई लाभ देने वाला काम नहीं हुआ हो

D. इनमें से कोई नहीं

308. 'काकस' का क्या अर्थ होता है?

A. किसी राजनीतिक दल अथवा गुट के प्रमुख सदस्यों की बैठक

B. बजट तैयार करने की प्रक्रिया

C. अनुदान मांगों में कटौती का प्रस्ताव

D. किसी मंत्री द्वारा सदन को दी गई जानकारी

309. 'रिसेशन' का क्या अर्थ होता है?

A. एक शासन पद्धति

B. एक आर्थिक प्रक्रिया जहाँ मांग उत्पादन से कम होती है

C. समाज सुधार की एक प्रक्रिया

D. खेल की एक विधि

310. 'बार्टर' क्या है?

A. व्यापार की एक प्राचीन प्रथा

B. जापान की चित्रकला

C. गाने की एक विधा

D. एक नृत्य रूपक

311. 'ब्लैक होल' क्या होता है?

A. चन्द्रमा पर पाए जाने वाले काले धब्बे

B. पृथ्वी पर स्थित गहरे काले धब्बे

C. प्राणी में मौजूद संरचनाएं

D. अंतरिक्ष में स्थित एक अदृश्य क्षेत्र

312. 'एंटीडॉट' क्या होता है?

A. एक ऐसा तत्व जो विष के प्रभाव का शमन करता है

B. सड़न रोकने वाला रसायन

C. फलों को पकाने वाला रसायन

D. कार्य स्थगन प्रस्ताव

313. 'हिंटरलैंड' से क्या तात्पर्य है?

A. महासागर के वह हिस्से जो तटों से काफी दूर होते हैं

B. वनस्पति अथवा प्राणी के लिए अनुकूल उनका प्राकृतिक परिवेश

C. एक समुद्री बंदरगाह का भीतरी क्षेत्र जो बंदरगाह की सुविधा का सर्वाधिक उपयोग करता है

D. इनमें से कोई नहीं

314. कम्प्यूटर–

A. एक उपकरण है, जो गणितीय और तार्किक संक्रियायें सम्पन्न करता है

B. एक उपकरण है, जो केवल गणितीय संक्रियायें सम्पन्न करता है

C. एक स्मृति उपकरण है

D. एक गणना उपकरण है

315. 'PC' का अर्थ है–

A. प्राइवेट कम्प्यूटर B. पर्सनल कैल्कुलेटर

C. पर्सनल कम्प्यूटर D. प्रोफेशनल कम्प्यूटर

316. 'बाइनरी अंक प्रणाली' में अधिकतम अंक (Digit) कितने होते हैं?

A. 1 B. 10

C. 2 D. 4

317. निम्नलिखित में से कौन-सा 'इनपुट' उपकरण है?

A. मॉनीटर B. प्रिंटर

C. प्लॉटर D. माउस

318. CPU का पूरा नाम है–

A. सेन्ट्रल प्रोग्रामिंग यूनिट

B. सेन्ट्रल प्रोसेसिंग यूनिट

C. सेन्ट्रल प्रोग्रामिंग अण्डरस्टैंडिंग

D. सेन्ट्रल प्रोसेसिंग अण्डरस्टैंडिंग

319. गणना हेतु प्रयोग में लाया गया पहला उपकरण था–

A. ENIAC B. ABACUS

C. एनालिटिकल इंजन D. EDSAC

320. ABACUS का प्रयोग कब शुरू हुआ था?

A. 250 ई॰ में B. 450 ई॰पू॰ में

C. 1200 ई॰पू॰ में D. 1200 ई॰ में

321. किस अंग्रेज को 'कम्प्यूटर का जनक' कहा जाता है?

A. ब्लेज़ पास्कल B. लेबनित्ज़

C. चार्ल्स बैबेज D. जे॰पी॰ एकर्ट

322. निम्नलिखित में से कौन-सी कम्प्यूटर की सेकेण्डरी मेमोरी है?

A. RAM B. ROM

C. रजिस्टर्स D. फ्लॉपी

323. निम्नलिखित में से कौन पैकेज नहीं है?

A. BASIC B. dBASE

C. वर्ड परफेक्ट D. पेज मेकर

324. कौन-सा बेमेल है?

A. वर्ड स्टार B. वर्ड परफेक्ट

C. DOS Editor D. विण्डो

325. डाटा के समुच्चय (Set) को क्या कहते हैं?

A. फील्ड B. रेकार्ड

C. फाइल D. इनमें से कोई नहीं

326. IBM का पूरा नाम क्या है?

A. इण्टरनेशनल बिजनेस मशीन

B. इण्टर बिजनेस मैकनिज्म

C. इण्टरनल बिजनेस मैनेजमेंट

D. उपरोक्त में से कोई भी नहीं

327. प्रिन्टर–

A. आउटपुट यूनिट है B. इनपुट यूनिट है

C. उपरोक्त दोनों हैं D. इनमें से कोई नहीं

328. फ्लॉपी–
A. इनपुट यूनिट है
B. आउटपुट यूनिट है
C. इनपुट यूनिट और आउटपुट यूनिट दोनों है
D. उपरोक्त में से कोई भी नहीं है

329. कम्प्यूटर की विशेषतायें हैं–
1. तेज रफ्तार 2. स्वचालन
3. कार्यशीलता 4. परिवर्तनशीलता
निम्नलिखित में से कौन-सी विशेषता सही है?
A. 1 और 2 सही हैं B. 1, 2 और 4 सही हैं
C. 1, 2 और 3 सही हैं D. उपरोक्त सभी सही हैं

330. 1 बाइट किसके बराबर है?
A. 8 बिट B. 16 बिट
C. 36 बिट D. 64 बिट

331. असंसाधित (Unprocessed) तथ्य को क्या कहा जाता है?
A. डाटा B. डाटम
C. फाइल D. फील्ड

332. कम्प्यूटर–
A. सूचना ग्रहण करता है
B. सूचना को निर्दिष्ट प्रयोजन के लिए अनुकूल बनाता है
C. परिणाम प्रदर्शित करता है
D. उपरोक्त सभी बातें सही हैं

333. भारत के राष्ट्रीय ध्वज में केसरिया, सफेद और हरे रंग की तीन–
A. आड़ी पट्टियाँ हैं
B. खड़ी पट्टियाँ हैं
C. एक दूसरे को काटती हुई पट्टियाँ हैं
D. तिरछी पट्टियाँ हैं

334. हमारे राष्ट्रीय ध्वज की लम्बाई और चौड़ाई का अनुपात–
A. 2 : 3 है B. 3 : 4 है
C. 4 : 3 है D. 3 : 2 है

335. भारत के राष्ट्रीय ध्वज के बीच में एक गोल चक्र है; यह चक्र–
A. तीनों रंग की पट्टियों पर है
B. केसरिया रंग की पट्टी पर है
C. सफेद रंग की पट्टी पर है
D. हरे रंग की पट्टी पर है

336. किसी भाषा को किसी राज्य की राजभाषा के रूप में अंगीकार करने का अधिकार किसे है?
A. राष्ट्रपति B. संसद
C. राज्य विधान सभा D. राजभाषा आयोग

337. हमारे राष्ट्रीय ध्वज में तीन पट्टियाँ हैं; उनमें सबसे नीचे वाली पट्टी किस रंग की है?
A. केसरिया B. सफेद
C. हरे D. इनमें से कोई नहीं

338. हमारे राष्ट्रगान 'जन–गण–मन' में कुल कितने पद हैं?
A. तीन B. पाँच
C. चार D. दो

339. राष्ट्रीय गीत 'वन्देमातरम्', 'आनन्दमठ' नामक ग्रंथ से लिया गया है, जिसके लेखक हैं–
A. बंकिम चन्द्र चटर्जी B. रवीन्द्र नाथ टैगोर
C. व्योमेश चन्द्र बनर्जी D. सुरेन्द्रनाथ बनर्जी

340. हमारे राष्ट्रीय चिन्ह में ऊपर तीन सिंह बने हैं और उनके नीचे देवनागरी लिपि में 'सत्यमेव जयते' लिखा है। यह 'सत्यमेव जयते' कहाँ से उद्धृत किया गया है?
A. भगवद्गीता से B. मुण्डक उपनिषद से
C. ऋग्वेद से D. स्कन्द पुराण से

341. भारत का राष्ट्रीय पंचांग–
A. शक् संवत् पर आधारित है
B. हिजरी संवत् पर आधारित है
C. विक्रमी संवत् पर आधारित है
D. विक्रमांक–चालुक्य संवत् पर आधारित है

342. भारत का राष्ट्रीय पशु है–
A. गाय B. हाथी
C. अश्व D. टाइगर

343. भारत की सशस्त्र रक्षा सेनाएं कितने भागों (वर्गों) में गठित है?
A. चार B. पांच
C. तीन D. छः

344. भारत की सशस्त्र रक्षा सेनाओं का सर्वोच्च सेनापति कौन है?
A. रक्षा मंत्री B. स्थल सेनाध्यक्ष
C. प्रधानमंत्री D. राष्ट्रपति

345. भारत के पहले चीफ ऑफ डिफेंस स्टाफ (CDS) कौन थे?
A. जनरल मोहन सिंह
B. जनरल राकेश आहूजा
C. जनरल अनिल अस्थाना
D. जनरल बिपिन रावत

346. कोस्ट गार्ड की स्थापना कब की गई थी?
A. 1980 B. 1978
C. 1985 D. 1963

347. असम राइफल्स का मुख्यालय कहाँ है?
A. इम्फाल B. कोहिमा
C. नई दिल्ली D. शिलांग

348. होमगार्ड का गठन कब हुआ था?
A. 1972 B. 1962
C. 1968 D. 1965

349. स्थल सेना के निम्नलिखित पदों में सबसे छोटा कौन–सा है?
A. लेफ्टीनेंट B. ब्रिगेडियर
C. कर्नल D. कैप्टन

350. प्रादेशिक सेना का गठन कब हुआ था?
A. 1949 B. 1957
C. 1962 D. 1972

उत्तरमाला

1	2	3	4	5	6	7	8	9	10
C	B	D	A	A	B	C	D	D	D
11	12	13	14	15	16	17	18	19	20
C	C	B	D	D	D	B	A	B	B
21	22	23	24	25	26	27	28	29	30
D	C	A	A	C	B	B	A	C	B
31	32	33	34	35	36	37	38	39	40
A	A	D	D	B	A	B	B	C	C
41	42	43	44	45	46	47	48	49	50
D	A	B	C	D	C	C	A	B	C
51	52	53	54	55	56	57	58	59	60
A	D	B	A	D	B	C	A	B	C
61	62	63	64	65	66	67	68	69	70
B	C	D	B	A	C	C	D	B	C
71	72	73	74	75	76	77	78	79	80
B	B	D	C	A	D	C	A	B	C
81	82	83	84	85	86	87	88	89	90
A	C	B	D	B	D	A	A	B	A
91	92	93	94	95	96	97	98	99	100
D	C	B	D	D	C	D	A	C	B
101	102	103	104	105	106	107	108	109	110
C	D	C	C	D	A	B	C	C	B
111	112	113	114	115	116	117	118	119	120
C	D	A	B	C	A	C	C	A	C
121	122	123	124	125	126	127	128	129	130
D	C	B	D	A	C	D	A	D	B
131	132	133	134	135	136	137	138	139	140
D	B	B	D	B	A	B	D	A	A
141	142	143	144	145	146	147	148	149	150
B	A	C	A	A	B	C	B	D	D
151	152	153	154	155	156	157	158	159	160
C	C	A	B	A	B	B	A	A	C
161	162	163	164	165	166	167	168	169	170
D	A	D	A	B	B	B	C	D	B
171	172	173	174	175	176	177	178	179	180
D	B	C	B	D	D	A	B	B	C
181	182	183	184	185	186	187	188	189	190
D	B	B	A	B	B	C	B	A	A
191	192	193	194	195	196	197	198	199	200
D	C	D	D	B	B	C	B	A	B
201	202	203	204	205	206	207	208	209	210
B	A	A	A	C	B	A	A	A	B
211	212	213	214	215	216	217	218	219	220
A	B	C	D	B	A	A	D	D	C

221	222	223	224	225	226	227	228	229	230
B	A	C	B	A	D	D	A	D	D
231	232	233	234	235	236	237	238	239	240
B	B	C	C	C	B	B	B	D	A
241	242	243	244	245	246	247	248	249	250
B	B	B	A	C	D	D	B	A	A
251	252	253	254	255	256	257	258	259	260
D	B	A	D	C	D	A	D	A	C
261	262	263	264	265	266	267	268	269	270
C	D	C	A	D	A	D	A	B	A
271	272	273	274	275	276	277	278	279	280
D	B	C	C	D	B	B	A	A	C
281	282	283	284	285	286	287	288	289	290
D	B	C	B	B	C	B	B	D	C
291	292	293	294	295	296	297	298	299	300
A	D	B	D	A	C	A	B	B	B
301	302	303	304	305	306	307	308	309	310
D	A	D	A	B	A	B	A	B	A
311	312	313	314	315	316	317	318	319	320
D	A	C	A	C	C	D	B	B	A
321	322	323	324	325	326	327	328	329	330
C	D	A	D	A	A	A	C	D	A
331	332	333	334	335	336	337	338	339	340
B	D	A	D	C	C	C	B	A	B
341	342	343	344	345	346	347	348	349	350
A	D	C	D	D	B	D	B	A	A

❑❑❑

दिल्ली सामान्य ज्ञान

इतिहास

दिल्ली प्रागैतिहासिक काल से ही अपना महत्वपूर्ण स्थान रखती है। इसका इतिहास बहुत ही गौरवशाली और समृद्ध है। इसका इतिहास कई हजार वर्षों पुराना है। दिल्ली का सबसे प्राचीन उल्लेख प्रसिद्ध ग्रंथ महाभारत में मिलता है। उस समय इसको 'योगिनीपुर' एवं 'खण्डप्रस्थ' नाम से भी जाना जाता था। यहां पर पांडवों का शासन था। कौरवों एवं पांडवों में राज्य के बंटवारे के बाद यह क्षेत्र पांडवों को प्राप्त हुआ था। भगवान श्रीकृष्ण के नेतृत्व में पांडवों ने जंगल के मूल निवासी नागों और तक्षकों को यहां से भगा दिया और जंगल को साफ करके इन्द्रप्रस्थ का निर्माण किया। उस समय यह क्षेत्र अपनी समृद्धि के शिखर पर था। महाभारत महाकाव्य में इसे 'पृथ्वी का द्वितीय स्वर्ग' की संज्ञा दी गई है।

इन्द्रप्रस्थ तत्कालीन पांच प्रस्थों में से एक था। अन्य चार प्रस्थों के नाम—सोनीपत, पानीपत, बागपत और तिलपत थे। इन्द्रप्रस्थ का अस्तित्व कितने दिनों तक कायम रहा इस बारे में कोई प्रत्यक्ष साक्ष्य उपलब्ध नहीं हैं। एक कथा के अनुसार यहां पांडवों की लगभग तीस पीढ़ियों ने शासन किया। एक दूसरी प्रचलित कथा के अनुसार पांडवों ने यहां केवल 36 साल तक शासन किया। एक दिन महाराज युधिष्ठिर भोजन कर रहे थे, ठीक उसी समय एक मक्खी आकर उनके भोजन में गिर पड़ी। युधिष्ठिर ने इसे अपने परिवार की समृद्धता और कुशलता के लिए अशुभ समझा। उसके बाद युधिष्ठिर ने इन्द्रप्रस्थ को छोड़कर हस्तिनापुर से अपना शासन चलाना प्रारम्भ कर दिया। यह हस्तिनापुर वर्तमान दिल्ली से 60 मील दूर उत्तर-पूर्व में स्थित है। युधिष्ठिर के हस्तिनापुर से शासन संचालन शुरू करने के बाद, इन्द्रप्रस्थ का महत्त्व कम हो गया।

दिल्ली का नामकरण

इन्द्रप्रस्थ के गौतमवंशीय राजाओं के परवर्ती मयूरवंश में अन्तिम शासक दिल्लू हुआ। वह एक शक्तिशाली शासक था। वह कन्नौज का शासक था। दिल्लू ने दिल्ली पर आक्रमण करके इसे अपने अधिकार में कर लिया। दिल्ली पर अधिकार करने के बाद यहां का शासन प्रबन्ध चलाने के लिए दिल्लू ने स्वरूपदत्त नामक राज्यपाल को नियुक्त किया। दिल्लू के राज्यपाल स्वरूपदत्त ने इन्द्रप्रस्थ के खण्डहरों पर एक नया नगर बसाया और अपने शासक के नाम पर इसका नाम दिल्लू रखा।

दिल्ली को विधिवत बसाने का श्रेय तोमर राजपूतों को जाता है। तोमर राजपूतों ने दिल्ली को 736 ई. में बसाया और इसका नाम 'ढिल्ली' या 'ढिल्लिका' रखा। तोमर राजपूतों ने सन् 1000 में दिल्ली के दक्षिण में, अरावली पहाड़ी में अपने मुख्यालय की स्थापना की। तोमर शासकों में से एक अनंगपाल II ने सन् 1052 में दिल्ली को फिर से बसाया। 'लालकोट' किले का निर्माण अनंगपाल ने ही कराया था।

चौहान वंश के अधीन दिल्ली

बारहवीं शताब्दी में अनंगपाल III के शासनकाल में दिल्ली पर चौहान राजा विग्रहराज ने दिल्ली पर कब्जा कर लिया। चौहान वंश की नींव विग्रहराज ने ही डाली। इस वंश में पृथ्वीराज चौहान नाम का एक महान शासक हुआ। उसे 'राय पिथौरा' भी कहा जाता था। पृथ्वीराज चौहान ने 'लालकोट' को बढ़ाकर एक किले का निर्माण कराया। इसे 'किला राय पिथौरा' कहा गया। पृथ्वीराज के शासन काल में 1191 में मुहम्मदगोरी ने दिल्ली पर आक्रमण किया। थानेश्वर से चौदह मील दूर तराइन के मैदान में मुहम्मद गोरी और दिल्ली के शासक पृथ्वीराज चौहान की सेनाओं के बीच युद्ध हुआ। इस युद्ध में मोहम्मद गोरी को पराजय का मुंह देखना पड़ा। गजनी जाकर गोरी ने नई सेना तैयार की और 1192 ई. में दुबारा पृथ्वीराज पर आक्रमण किया। इस बार भी युद्ध तराइन के मैदान में ही हुआ, पर इस बार पृथ्वीराज पराजित हुआ और पकड़ा गया। गोरी ने दिल्ली पर कब्जा कर लिया।

दिल्ली सल्तनत

पृथ्वीराज चौहान को पराजित करने के बाद मुहम्मद गोरी ने अपने गुलाम कुतुबुद्दीन ऐबक को दिल्ली का गवर्नर नियुक्त कर दिया। सन् 1206 में मुहम्मद गोरी की मृत्यु हो गई। गोरी द्वारा स्थापित शासन को दिल्ली सल्तनत कहा जाता है। दिल्ली पर 1206 से अंग्रेजों के आने तक यानी 1858 तक कई राजवंशों ने शासन किया।

1.	गुलाम वंश	(1206-1290)
2.	खिलजी वंश	(1290-1320)
3.	तुगलक वंश	(1320-1412)
4.	सैयद वंश	(1414-1451)
5.	लोदी वंश	(1451-1526)
6.	सूरी वंश	(1540-1555)
7.	मुगल वंश	(1526-1858)

तुगलक वंश का शासन काल 1320 से 1412 ई. तक रहा। तुगलक वंश के आखिरी शासक नासिरुद्दीन महमूद शाह ने 1412 में दिल्ली की सत्ता एक अफगान सरदार दौलत खां लोदी को सौंप दी। 1413 में दिल्ली सिंहासन के लिए हुए युद्ध में खिज्रखां ने दौलत खां को पराजित कर एक

नए राजवंश 'सैयद वंश' की स्थापना की। यद्यपि मुगल शासक बाबर ने 1526 में ही दिल्ली की सत्ता पर अधिकार कर लिया था लेकिन 1539 में शेरखां (शेरशाह) से हुमायूं के हार जाने के कारण यह शासन काल लगातार नहीं चल सका। 1540 से 1555 ई. तक दिल्ली पर सूरी वंश के शासकों ने शासन किया। जुलाई 1555 में एक बार पुन: हुमायूं को दिल्ली के तख्त पर बैठने का सौभाग्य प्राप्त हुआ। मुगल शासन काल लगातार 1556 से 1858 ई. तक रहा।

गुलाम वंश (1206-1290)

इस वंश के सभी शासक अपने जीवन में गुलाम रह चुके थे। अत: इन शासकों के काल को गुलाम वंश का काल कहा जाता है। 1206 में मुहम्मद गोरी की मृत्यु हो जाने के पश्चात कुतुबुद्दीन ऐबक ने अपने को दिल्ली का पहला सुल्तान घोषित किया। कुतुबुद्दीन ऐबक इस वंश का पहला शासक था। उसने 1206 से 1210 तक दिल्ली पर शासन किया। कुतुबुद्दीन ऐबक के शासन काल में दिल्ली की बहुत उन्नति हुई। उसने अपने सिक्के चलाए। कुतुबुद्दीन ऐबक ने दिल्ली में कुतुबमीनार का निर्माण आरम्भ कराया। वह बहुत बड़ा दानी था, इसीलिए उसे 'लाख बख्श' कहा जाता है। सन् 1210 में पोलो खेलते समय घोड़े से गिर कर उसकी मृत्यु हो गई।

1210 में कुतुबुद्दीन की मृत्यु के बाद आरामशाह गद्दी पर बैठा। एक साल बाद ही एक षडयंत्र द्वारा आरामशाह को हटाकर अल्तमश को गद्दी पर बैठाया गया।

अल्तमश (1211 ई.-1235 ई.) : अल्तमश (इल्तुतमिश) योग्य, वीर और शक्तिशाली शासक था। उसने अपनी स्थिति मजबूत बनाने के लिए चालीस अमीरों और सरदारों का एक दल बनाया था, जिसे 'चालीसा' कहते थे। वह दल बड़ा शक्तिशाली था। अल्तमश ने कुतुबमीनार का निर्माण पूरा कराया।

1235 ई. में अल्तमश की मृत्यु होने पर रुकनुद्दीन दिल्ली का शासक बना। वह विलासी और अयोग्य था। अत: सरदारों ने उसके स्थान पर अल्तमश की पुत्री रजिया को गद्दी पर बैठा दिया।

रजिया सुल्ताना (1236 ई.-1240 ई.) : रजिया अल्तमश की योग्य पुत्री थी। वह दिल्ली की गद्दी पर बैठने वाली पहली और एकमात्र महिला थी। रजिया ने याकूत नामक एक सरदार से शादी करके उसे ऊंचा ओहदा दिया। रजिया के विरुद्ध विद्रोह हो गया और उसकी हत्या कर दी गई।

रजिया के बाद बहराम (1240-42), अलाउद्दीन मसूद (1242-46) और नासिरुद्दीन (1246-1266) ने शासन किया।

बलबन (1266 ई.-1286 ई.) : 20 साल तक नासिरुद्दीन का प्रधान मंत्री रहने के बाद 1266 ई. में गद्दी पर बैठने वाला बलबन अल्तमश का गुलाम और अल्तमश द्वारा गठित 'चालीसा' का एक प्रमुख सदस्य था। बलबन के समय में दिल्ली तथा इसके आसपास की हालत बहुत खराब थी। लेकिन बलबन ने उन पर पूरा काबू पा लिया। उसने दिल्ली सल्तनत को मजबूत बनाने में अपना पूरा योगदान दिया। उसकी कठोर नीति को 'रक्त और तलवार' की नीति कहा जाता है। बलबन की मृत्यु 1286 ई. में हो गई।

बलबन की मृत्यु के बाद उसका नाती दिल्ली का सुल्तान बना। लेकिन वह उम्र में बहुत छोटा था तथा उसमें अनुभव की कमी थी। इस मौके का लाभ जलालुद्दीन खिलजी ने उठाया और उसने अपने कुछ सरदारों की मदद से 1290 में बलबन के उत्तराधिकारी को गद्दी से उतार दिया। इसी के साथ गुलाम वंश का अन्त हो गया और खिलजी वंश का प्रारम्भ हुआ।

खिलजी वंश (1290 ई.-1320 ई.)

जलालुद्दीन खिलजी (1290 ई.-1296 ई.) : गुलाम वंश के अन्तिम शासक कैकुवाद की हत्या करके जलालुद्दीन खिलजी 1290 में गद्दी पर बैठा। वह खिलजी राजवंश का संस्थापक था। वह स्वभाव से डरपोक और उदार था। उसके शासनकाल में उसके भतीजे और दामाद (कड़ा के सूबेदार) अलाउद्दीन खिलजी ने देवगिरि पर आक्रमण किया और अकूत सम्पत्ति लूट कर लाया। जब सुलतान अलाउद्दीन को जीत की बधाई देने कड़ा गया, तो अलाउद्दीन ने उसका वध कर दिया।

अलाउद्दीन खिलजी (1296 ई.-1316 ई.) : अलाउद्दीन योग्य शासक था। वह 1296 में गद्दी पर बैठा। उसने बाजार और कीमतों को नियन्त्रण में रखने के उपाय किए। उसने कुतुबमीनार के पास एक इमारत बनवाई और दिल्ली का दूसरा शहर 'सीरी' बसाया। अलाउद्दीन खिलजी की 1316 ई. में मृत्यु हो गई।

अलाउद्दीन की मृत्यु के बाद कुछ वर्षों तक खुसरव खां ने राज संभाला। खुसरव खां पहले हिन्दू था बाद में वह मुसलमान हो गया था। खुसरव खां नासिरुद्दीन के नाम से दिल्ली के सिंहासन पर बैठा था। सन् 1320 में गयासुद्दीन तुगलक ने अपने कुछ सरदारों के साथ उस पर धावा बोल दिया। नासिरुद्दीन लड़ते हुए मारा गया।

तुगलक वंश (1320 ई.-1412 ई.)

गयासुद्दीन तुगलक (1320 ई.-1325 ई.) : खिलजी वंश के अन्त होने के साथ ही तुगलक वंश का आरम्भ हुआ। इसका संस्थापक गयासुद्दीन तुगलक था। उसने दिल्ली का तीसरा शहर 'तुगलकाबाद' बसाया। उसने अलाउद्दीन खिलजी के अच्छे कामों को आगे बढ़ाया। कई नहरें खुदवाईं, जमीन पर लगने वाले टैक्स को कम किया और डाक सेवा की शुरूआत की, जिसमें घोड़े पर पत्र लाए जाते थे।

मुहम्मद तुगलक (1325 ई.-1351 ई.) : मुहम्मद तुगलक विद्वान और विनम्र था। धर्म का पाबन्द था किन्तु बिल्कुल अव्यावहारिक था। उसमें दो परस्पर विरोधी तत्वों का मिश्रण था। उसने दिल्ली का चौथा शहर 'जहांपनाह' बसाया। यह शहर 'लाल कोट' और 'सीरी' को मिला कर बसाया गया। उसी ने सोने-चांदी के बदले तांबे के सिक्के चलाए थे।

फिरोज तुगलक (1351 ई.-1388 ई.) : फिरोज तुगलक इस वंश का तीसरा सुल्तान था। वह गयासुद्दीन तुगलक का भतीजा था। उसने दिल्ली का पांचवां शहर 'फिरोजाबाद' बसाया। यह उत्तर में रिज के पीरगैब से दक्षिण में हौजखास तक फैला हुआ था। फिरोज तुगलक ने लगभग 37 वर्षों तक शासन किया। अपने शासन के दौरान उसने कई इमारतें, मस्जिदें, मदरसे तथा सरायें बनवाईं।

1388 में फिरोज तुगलक की मृत्यु के बाद उसका बेटा सुलतान महमूद गद्दी पर बैठा। सुल्तान महमूद का उत्तराधिकारी नासिरुद्दीन महमूद था। सन् 1392 से 1412 तक तुगलक वंश के शासकों ने शासन किया, लेकिन वे बहुत कमजोर साबित हुए।

तैमूर का आक्रमण : सन् 1398 में तैमूर लंग ने दिल्ली पर आक्रमण किया। सुल्तान महमूद दिल्ली छोड़कर भाग गया। तैमूर लंग काफी मात्रा में धन, सोना, चांदी, जवाहरात आदि लूटकर अपने साथ ले गया।

सैयद वंश (1414 ई.-1450 ई.)

इस वंश का शासन 1414 ई. से 1450 ई. तक रहा। महमूद तुगलक के बाद तैमूर लंग के प्रतिनिधि खिज्र खां सैयद ने दिल्ली पर अपना अधिकार जमा लिया। इसके क्रमशः तीन उत्तराधिकारी हुए जो शक्तिहीन तथा कायर थे। अन्तिम सुल्तान अलाउद्दीन आलमशाह बहलोल लोदी के लिए दिल्ली की गद्दी छोड़कर स्वयं बदायूं चला गया और वहीं रहने लगा।

लोदी वंश (1451 ई.-1526 ई.)

बहलोल लोदी इस वंश का संस्थापक था। वह योग्य शासक था और उसने दिल्ली की प्रतिष्ठा पुनः स्थापित की। 1488 में उसकी मृत्यु के बाद सिकंदर लोदी गद्दी पर बैठा। वह लोदी वंश का सबसे महत्त्वपूर्ण सुलतान था। उसका कानून और व्यवस्था पर अच्छा नियन्त्रण था। उसने गज को नापने के लिए 'गज-ई-सिकंदरी' बनाई, जो मुगल शासन काल तक प्रचलित रही।

सिकंदर लोदी की मृत्यु के बाद उसका उत्तराधिकारी इब्राहीम लोदी दिल्ली का सुल्तान बना, लेकिन वह एक कमजोर प्रशासक साबित हुआ। शासन पर उसकी पकड़ ढीली पड़ गई, फलस्वरूप तैमूर के वंशज बाबर ने इस मौके का फायदा उठाया और 1526 में उसने इब्राहीम लोदी को हराकर दिल्ली और आगरा पर अपना अधिकार कर लिया। इस प्रकार मुगल शासन का प्रारम्भ हुआ।

मुगल वंश (1526 ई.-1858 ई.)

दिल्ली के इतिहास में मुगल शासन का बहुत ही महत्त्वपूर्ण स्थान है। इस काल में मुगलों ने दिल्ली और आगरा को बेहतर बनाने में अपना पूरा योगदान दिया। मुगलवंश का संस्थापक बाबर था। उसे फूल-पौधों से बहुत लगाव था। वह कविताएं लिखने का भी बहुत शौकीन था। उसकी लिखी किताब 'बाबरनामा' है, जिसमें उसने बड़ी खूबसूरती से अपने संस्मरण लिखे हैं। 1530 में बाबर की मृत्यु हो गई।

हुमायूं : बाबर के बाद उसका बेटा हुमायूं दिल्ली की गद्दी पर बैठा। हुमायूं ने 1533 में यमुना के किनारे एक नए नगर की नींव डाली। उसने इसका नाम 'दीन पनाह' रखा। यह दिल्ली का छठा शहर था। यह नगर इंद्रप्रस्थ के खंडहरों पर बसाया गया था। उसने पुराने किले को अपना मुख्यालय बनाया।

हुमायूं को उत्तराधिकार में जो राज्य मिला, उसे वह सुरक्षित नहीं रख पाया। वह केवल दस वर्ष तक राज कर सका। दिल्ली पर शेरखां ने आक्रमण कर दिया। हुमायूं की हार हुई और वह फारस भाग गया।

शेरशाह सूरी (1540 ई. से 1545 ई.) : शेरशाह सूरी, चुस्त, चालाक और बहादुर था। उसने हुमायूं को 1539 में चौसा की लड़ाई में और उसके बाद 1540 में कन्नौज की लड़ाई में हराया। उसने अपने शासन काल में कई सड़कों का निर्माण कराया। कोलकाता से पेशावर तक जिसे हम जी.टी. रोड कहते हैं, वह शेरशाह सूरी की ही बनाई हुई है। उसने पदाधिकारियों की स्थानान्तरण की नीति अपनाई। केवल पांच वर्ष तक राज करने के बाद उसकी मृत्यु हो गई।

शेरशाह सूरी की मृत्यु के बाद उसका बेटा इस्लामशाह दिल्ली की गद्दी पर बैठा। उसकी मृत्यु के बाद उसके बेटे फिरोज ने जो केवल 12 वर्ष का था, गद्दी संभाली। सिर्फ तीन वर्ष बाद उसके चाचा मोहम्मद आदिल शाह ने उसकी हत्या कर स्वयं शासन की बागडोर संभाल ली। इससे राज्य में अव्यवस्था व्याप्त हो गई। सन् 1555 में हुमायूं ने इस कमजोरी का फायदा उठाया और मई 1555 में सरहिन्द की लड़ाई में आदिलशाह को हराकर अपने सिंहासन पर पुनः कब्जा कर लिया। उसके कुछ महीने बाद 24 जनवरी, 1556 में पुराने किले के शेर मंडल से गिरकर उसकी मृत्यु हो गई। इस मौके का लाभ उठाकर आदिलशाह के एक प्रमुख दरबारी हेमू ने दिल्ली व आगरा पर कब्जा करके विक्रमादित्य की उपाधि धारण कर ली।

अकबर (1556 ई.-1605 ई.) : अकबर इस समय अपने संरक्षक बैरम खां नाम के सेनापति के साथ आदिलशाह का पीछा करता हुआ पंजाब चला गया था। जब अकबर को अपने पिता हुमायूं की मृत्यु का समाचार मिला तो उसने तत्काल वापस लौटकर दिल्ली पर चढ़ाई कर दी, और 5 नवम्बर 1556 को पानीपत की दूसरी लड़ाई में हेमू को हराकर केवल 14 वर्ष की उम्र में दिल्ली की गद्दी संभाली।

अकबर साम्राज्यवादी था। उसने राजपूतों के प्रति मैत्रीपूर्ण व्यवहार की नीति अपनाई। 1562 ई. में उसने आमेर के राजपूत शासक भारमल की पुत्री के साथ विवाह किया। 1584 ई. में अकबर ने अपने पुत्र सलीम का विवाह राजा भगवान दास की पुत्री के साथ कर दिया। अकबर न्यायप्रिय था। वह रात में वेश बदलकर प्रजा का हाल मालूम करता था। उसके दरबार में कई बुद्धिमान लोग थे। उनमें से खास 'नौ वजीर' थे, जो 'नौ रत्न' कहलाते थे। उनके नाम थे—तानसेन, राजा बीरबल, मुल्हा दो प्याजा, राजा टोडरमल, अबुल फजल, राजा मानसिंह, हकीम हुमाम, फैजी और अब्दुल रहीम खानखाना।

अकबर का वजीर अबुलफजल विद्वान और अकबर का विश्वासपात्र था। अकबर सभी कार्यों में उसकी सलाह से कार्य करता था। अबुल फजल ने ही 'आइने-अकबरी' तथा 'अकबरनामा' नामक पुस्तकें लिखीं। उसने रामायण का अनुवाद फारसी में किया। अकबर ने आगरे से कुछ दूर फतेहपुर सीकरी में अपनी राजधानी बनाई और वहां एक बहुत बड़ा किला बनवाया।

जहांगीर (1605-1627 ई.) : अकबर की मृत्यु के बाद उसका पुत्र जहांगीर गद्दी पर बैठा। वह एक न्यायप्रिय राजा था, लेकिन उसका ज्यादा समय भोग-विलास में ही बीतता था। 1611 में जहांगीर ने मेहरूनिसा के पति शेरखां को मारकर उसके साथ विवाह किया। मेहरूनिसा को 'नूरमहल' और 'नूरजहां' भी कहा गया। जहांगीर ने सिखों के पांचवें गुरु अर्जुनदेव की हत्या करवा दी। उसी के शासनकाल में सन् 1615 में सर टामस रो (एक अंग्रेज) भारत यात्रा पर आया, वह इंगलैंड के शासक जेम्स प्रथम का राजदूत था। जहांगीर ने स्वयं अपनी जीवनी 'तुजुक-ए-जहांगीरी' लिखी है।

शाहजहां (1628 ई.-1658 ई.) : जहांगीर की मृत्यु के बाद उसके बेटे शाहजहां ने गद्दी सम्भाली। उसने 1638 में अपनी राजधानी आगरा से दिल्ली हस्तांतरित कर दी। दिल्ली आकर शाहजहां ने 'शाहजहांबाद' की नींव डाली। यह दिल्ली का सातवां शहर था। शाहजहां का शासन काल समृद्धि और कलाओं की उन्नति के लिए प्रसिद्ध है। शाहजहां ने दिल्ली में लाल किला, जामा मस्जिद और मयूर सिंहासन बनवाया। अपनी पत्नी मुमताज

महल की कब्र के ऊपर आगरा में ताजमहल बनवाया। आगरा में ही उसने मोती मस्जिद का निर्माण भी कराया।

1657 में शाहजहां बीमार पड़ गया। तभी उत्तराधिकार का युद्ध आरम्भ हो गया। 1658 में औरंगजेब ने उसे जेल में डाल दिया और स्वयं गद्दी पर बैठा। जेल में 1666 में शाहजहां की मृत्यु हो गई।

औरंगजेब (1658 ई.-1707 ई.) : औरंगजेब कट्टर सुन्नी मुसलमान था। उसमें धार्मिक सहिष्णुता नाम मात्र की भी नहीं थी। उसने हिन्दुओं पर बहुत अत्याचार किए और स्थान-स्थान पर हिन्दुओं के मंदिरों को तोड़ा। उसने हिन्दुओं पर जजिया कर भी लगाया। गद्दी पर बैठते समय औरंगजेब ने 'आलमगीर' की उपाधि धारण की। औरंगजेब ने सिखों के नवें गुरु तेगबहादुर की हत्या करवा दी, इसी की प्रतिक्रिया के रूप में गुरु गोविन्दसिंह ने खालसा पंथ की स्थापना की।

औरंगजेब की मृत्यु सन् 1707 में हुई। उसकी मृत्यु के साथ ही मुगल साम्राज्य का पतन शुरू हो गया।

मुहम्मदशाह/नादिरशाह : औरंगजेब की मृत्यु के बाद कई शासकों ने दिल्ली की गद्दी संभाली, लेकिन वह कमजोर और बूढ़े थे। वह अधिक दिनों तक शासन नहीं कर सके। आखिरी मुगलों में मुहम्मदशाह (रंगीला) ने 30 वर्षों तक शासन किया। वह कला तथा संगीत का प्रेमी था। उसका अधिक समय भोगविलास में गुजरता था। मुहम्मदशाह के शासनकाल एवं मुगलकाल के इतिहास की एक बड़ी दुखद घटना है—दिल्ली पर नादिरशाह का आक्रमण। करनाल की लड़ाई में मुगल सेनाओं को पराजित कर नादिरशाह दिल्ली पहुंच गया। यहां वह दो महीने तक रहा। इसने दिल्ली की जनता पर भयंकर तबाही मचाई। हजारों लोगों को कत्लेआम कर दिया। सभी मस्जिदों में सुन्नी तरीके से उसके नाम का 'खुतबा' पढ़ा गया। दिल्ली से वापस जाते समय इसने मुगल खजाना खाली कर दिया। नादिरशाह जिन अमूल्य वस्तुओं को यहां से लूटकर ले गया उसमें बादशाह का मयूर सिंहासन व कोहिनूर हीरा भी था।

मुहम्मदशाह अपनी पगड़ी के भीतर 'कोहिनूर' को रखता था। दरबार के एक जासूस ने इसके बारे में नादिरशाह को बता दिया था। नादिरशाह ने 'कोहिनूर' को पाने के लिए बहुत चालाकी से काम लिया। दिल्ली से विदा लेते समय पगड़ियों का आदान-प्रदान किया। उन दिनों दोस्ती कायम रखने का यह एक रिवाज था। उसने अपनी पगड़ी बादशाह को दे दी और बादशाह की पगड़ी स्वयं ले ली। बादशाह कुछ नहीं कर सके। वे उसे नाराज नहीं करना चाहते थे। इस तरह चालाकी से नादिरशाह ने कोहिनूर हथिया लिया।

पर्शिया वापस जाने से पहले नादिरशाह ने बादशाह तथा दरबारियों को कुछ बहुमूल्य सलाह दी। उसने कहा, 'ये सारे राज्य, सारी सम्पत्ति उनकी अपनी बहुमूल्य सम्पत्ति थी। इसे वे कायम रख सकते थे, लेकिन उपेक्षा और गद्दारी की वजह से उन्हें इनसे हाथ धोना पड़ा। एक लुटेरे के मुंह से ऐसी बातें सुनकर बादशाह और उनके दरबारियों के सिर लज्जा से झुक गए। लेकिन उसकी बात में सच्चाई थी।

अहमदशाह : मुहम्मदशाह के बाद उसका बेटा अहमदशाह गद्दी पर बैठा। अहमदशाह का वजीर था ईमाद। उसने अहमदशाह को कैद कर लिया और जहांदारशाह के बेटे आलमगीर-II को गद्दी पर बैठाया। वह अपने वजीर के हाथ की कठपुतली था। ईमाद ने उसका कत्ल करवा दिया। आलमगीर-II के बाद शाहआलम अकबरशाह-II और बहादुरशाह जफर दिल्ली के बादशाह बने।

शाहआलम : 1803 में जनरल लेक ने मराठों को पटपरगंज की लड़ाई में हराकर दिल्ली पर कब्जा कर लिया। मुगल बादशाह शाहआलम अंग्रेजों के नियन्त्रण में आ गया। उन्हें 90,000 रुपए प्रतिमाह पेंशन दी जाने लगी और उनका शासन केवल अपने किले तक था।

बहादुरशाह जफर : सन् 1837 में बासठ वर्ष की उम्र में अबुजफर बादशाह बने। बादशाह बनने के बाद इनका नाम हुआ, शिराजुद्दीन बहादुरशाह जफर। बहादुरशाह जफर आखिरी मुगल बादशाह थे। बहादुरशाह की पत्नी का नाम था जीनत महल। उन्हें 'डंका बेगम' की उपाधि मिली थी।

बहादुरशाह जफर ने 1857 में अंग्रेजों के खिलाफ आवाज उठाने में अगुवाई की। हिन्दू-मुस्लिम दोनों ने मिलकर अंग्रेजों की खिलाफत की। बहादुरशाह जफर को अंग्रेजों ने कैद कर लिया। उन पर मुकदमा चला और उन्हें रंगून भेज दिया गया। 7 नवम्बर, 1862 को बहादुरशाह जफर ने अपने वतन से दूर रंगून में अंतिम सांस ली। बहादुर शाह जफर की कविता 'दो गज जमीं भी न मिली कूचे-ए-यार में' सच हुई। दिल्ली वासियों ने कहा 'बुझा है चिराग-ए-दिल्ली'।

दिल्ली में हिसार, रोहतक, गुड़गांव, करनाल भी शामिल था। इसका क्षेत्र लगभग 244 मील लम्बा और 180 मील चौड़ा था। यहां एक रेजिडेंट और चीफ कमिश्नर का पद बना और प्रथम रेजीडेंट हुए—सर डेविड अचटर्नेली।

दिल्ली के सात ऐतिहासिक शहर

दिल्ली कई बार बसी और कई बार उजड़ी। इसमें राजसी ठाठ-बाट से लेकर भयंकर खून खराबा तक देखा। न जाने कितनी जातियों व धर्मों ने यहां राज किया। सबने अपने-अपने अनुसार दिल्ली को बसाया। 'राय पिथौरा' किला पहली दिल्ली थी। फिर क्रमश: सीरी, तुगलकाबाद, जहांपनाह, फिरोजाबाद, दीनपनाह एवं शाहजहांबाद दिल्ली के सात शहर बसे।

ल्यूटियन की दिल्ली

सन् 1911 के एक निर्णय से दिल्ली का भाग्य बदल गया, क्योंकि भारत की राजधानी कलकत्ता (अब कोलकाता) से दिल्ली स्थानान्तरित करने की अंग्रेजी शासन ने घोषणा की। 1912 में इडविन ल्युटियन को मुख्य वास्तुकार नियुक्त किया गया और उसे भारत की नई राजधानी को सुसज्जित करने का दायित्व दिया गया। इस कार्य में उसका सहयोगी हरबर्ट बेकर था।

नई राजधानी का नाम नई दिल्ली था और इस हेतु विलिंगटन क्रीसेंट से नेशनल स्टेडियम और कनाट प्लेस से लोदी गार्डन तक का क्षेत्र चुना गया। यहां पहले गांव था। जबकि जंतर-मंतर से राष्ट्रपति भवन तक का क्षेत्र जयपुर राजा के पास था जो 'जयपुरिया' कहलाता था। इसे 1912 में अंग्रेज सरकार ने बलात खरीद लिया। वर्ष 1931 में संपूर्ण 'नई दिल्ली' का निर्माण कार्य पूरा हुआ। इस प्रकार नई दिल्ली को ही ल्यूटियन की दिल्ली कहा जाता है।

जनसंख्या

दिल्ली में जनसंख्या का इतिहास

औरंगजेब के शासनकाल के अन्तिम वर्ष 1707 में दिल्ली की जनसंख्या लगभग 20 लाख थी। मुगलकाल में दिल्ली की जनसंख्या का विकास तेजी से हुआ, क्योंकि उस समय सुनहरे भविष्य की तलाश में बहुत से लोग जिसमें विद्वान, कलाकार, व्यापारी आदि शामिल थे, स्थायी रूप से आकर दिल्ली में बस गए। 18वीं शताब्दी में दिल्ली हमलों और आक्रमणों से बरबाद हो गई। इस समय जनसंख्या का कम होना स्वाभाविक ही था। 1739 में नादिरशाह के आक्रमण के समय दिल्ली में जमकर नरसंहार हुआ। उस समय लगभग 5 लाख लोगों को मौत के घाट उतार दिए जाने का अनुमान है। अंग्रेजों के शासन काल में दिल्ली की जनसंख्या में कुछ स्थायित्व आया। अंग्रेजों के शासन काल में दिल्ली व्यापार का एक प्रमुख केन्द्र बन गई। यहां पर नागरिकों को दी जाने वाली अच्छी सुविधाओं के कारण जनसंख्या में एक बार फिर विकास शुरू हुआ। एक अनुमान के अनुसार 1803 में 1 लाख 50 हजार लोग स्थायी रूप से दिल्ली में निवास करते थे। 1847 में यह बढ़कर 1,60,229 हो गई। 1868 में दिल्ली की जनसंख्या 1,54,417 हो गई। यह पहले की जनसंख्या से 3.7 प्रतिशत कम थी। जनसंख्या में यह कमी शायद इसलिए हुई क्योंकि 1857 की क्रांति में बहुत से लोग मारे गए और बहुत से लोग यहां से पलायन कर गए।

दिल्ली में जनसंख्या की स्थाई रूप से वृद्धि 1912 में इसके भारत की राजधानी बनने के बाद से शुरू हुई। राजधानी बनने के बाद यहां व्यापार और उद्योग की तेजी से उन्नति हुई। यहां मजदूर, व्यापारी, कलाकार, सरकारी अधिकारी और उनके परिवार सबका तेजी से आगमन हुआ। 1931 की जनगणना के अनुसार इस दशक में यहां 30 प्रतिशत जनसंख्या की वृद्धि हुई। 1944 के दशक में यह वृद्धि बढ़कर 44 प्रतिशत हो गई। 1947 में भारत के विभाजन के बाद यहां ढेर सारे विस्थापित आकर बस गए। 1951 की जनगणना के अनुसार इस दशक में 90 प्रतिशत जनसंख्या वृद्धि हुई। 1961, 1971 और 1981 में यहां जनसंख्या में क्रमशः 52.44, 52.92 और 53 प्रतिशत की वृद्धि हुई।

1951-2011 तक दिल्ली की जनसंख्या एवं इसकी वृद्धि

क्रं. नं.	वर्ष जनसंख्या (लाख में)	दिल्ली वृद्धि (%)	पूरे भारत में दिल्ली का प्रतिशत	
1.	1951	17.44	—	0.48
2.	1961	26.59	52.44	0.61
3.	1971	40.66	52.93	0.74
4.	1981	62.20	53.00	0.91
5.	1991	94.21	51.45	1.11
6.	2011	138.51	47.02	1.35
7.	2011	167.87	21.2	1.39

2011 की जनगणना के अनुसार दिल्ली की जनसंख्या

2011 की जनगणना के अनुसार दिल्ली की जनसंख्या 1,67,87,941 है। इसमें पुरुषों की जनसंख्या, 89,87,326 और महिलाओं की जनसंख्या 78,00,615 है। 1901 से 2011 तक दिल्ली में जनसंख्या की स्थिति निम्न प्रकार से रही:

वर्ष	*जनसंख्या*	*पुरुष*	*महिला*
1901	405819	217921	187898
1911	413851	230865	182986
1921	488452	281777	206675
1931	636246	369479	266749
1941	917939	535236	382703
1951	1744072	986538	757534
1961	2658612	1489378	1169234
1971	4065698	2257515	1808183
1981	6221406	3440081	2780325
1991	9420644	5155512	4265132
2001	13782976	7570890	6212086
2011	16,787,941	89,87,326	78,00,615

जनसंख्या वृद्धि

1901 में दिल्ली की कुल जनसंख्या 405,819 थी। 1951 तक इसमें चार गुना की वृद्धि हो गई। 1981 तक आते-आते इसमें लगभग 15 गुना की वृद्धि हो गई। 1901 से 1981 के मध्य दिल्ली की जनसंख्या में 58,15,587 व्यक्तियों की वृद्धि हो गई। 2011 तक यह बढ़कर 16,787,941 हो गई है। दिल्ली में जनसंख्या की दशकीय वृद्धि को निम्न तालिका से अच्छे ढंग से समझा जा सकता है :

वर्ष	*जनसंख्या*	*दशकीय वृद्धि*	*प्रतिशत वृद्धि*
1901	405819	—	—
1911	413851	+8032	+1.98
1921	488452	+74601	+18.03
1931	636246	+147794	+30.26
1941	917939	+281693	+44.30
1951	1744072	+826133	+90.00
1961	2658612	+914540	-52.44
1971	4065698	+1407086	+52.92
1981	6221406	+2155708	+53.00
1991	9420644	+3199238	+51.45
2001	13782976	+4362332	+46.31
2011	16,787,941	+3004965	+21.2

जनसंख्या घनत्व

दिल्ली विश्व का सबसे ज्यादा जनसंख्या घनत्व का शहर है। जनसंख्या घनत्व से तात्पर्य एक वर्ग किमी. में निवास करने वाले मनुष्यों की संख्या से है। दिल्ली में जनसंख्या घनत्व निरन्तर बढ़ता जा रहा है। 1951 में दिल्ली का जनसंख्या घनत्व जहां 1174 व्यक्ति प्रति वर्ग किमी. था वहीं 2011 में बढ़कर 11,320 व्यक्ति प्रति वर्ग किमी. हो गया।

दिल्ली में जनसंख्या का घनत्व

वर्ष	*घनत्व (प्रति वर्ग किमी.)*
1881	192
1891	191
1901	271
1911	245
1921	326
1931	429
1941	613
1951	1174
1961	1791
1971	2738
1981	4159
1991	6459
2001	9294
2011	11320

दिल्ली में लिंग अनुपात

वर्ष 2011 की जनगणना के अनुसार भारत का स्त्री-पुरुष अनुपात 943 है। यह वर्ष 1991 की तुलना में कुछ संतुलित हुआ है। परन्तु दिल्ली का स्त्री-पुरुष अनुपात देश की तुलना में कम है।

दिल्ली में 1991 में प्रति हजार पुरुषों पर स्त्रियों की संख्या जहां 827 थी वहीं 2001 में घटकर 821 हो गई। 2011 में यह बढ़कर 868 हो गई।

भारत में लिंग अनुपात में कमी के लिए अनेक कारण उत्तरदायी माने जाते हैं जैसे—बाल विवाह, लड़कियों की अपेक्षाकृत उपेक्षा, पौष्टिक भोजन तथा प्रसव सम्बन्धी सुविधाओं का अभाव, प्रसव पूर्व एवं प्रसव पश्चात स्त्रियों की देखभाल की सुविधा की कमी, कन्याओं की भ्रूण हत्या तथा स्त्रियों का घरेलू काम-काज से दबे रहना आदि। यही कारण दिल्ली में भी लिंग अनुपात में कमी के लिए उत्तरदायी हैं।

भूगोल

दिल्ली भारतीय उपमहाद्वीप के दिल पर हिमालय और अरावली पर्वतमाला के मध्य में स्थित है। यह पूरब में उत्तर प्रदेश तथा पश्चिम, उत्तर और दक्षिण में हरियाणा राज्य द्वारा घिरी हुई है। राष्ट्रीय राजधानी राज्य क्षेत्र दिल्ली तीन निकायों—दिल्ली नगर निगम, नई दिल्ली नगर परिषद एवं दिल्ली छावनी बोर्ड से प्रबन्धित है। इन निकायों में दिल्ली नगर निगम का क्षेत्र ग्रामीण और शहरी दो भागों में विभाजित हैं जबकि अन्य दो निकायों का क्षेत्र पूरी तरह शहरी है।

दिल्ली का सम्पूर्ण क्षेत्रफल 1,483 वर्ग किमी. है। जो देश के कुल क्षेत्र फल का .05% है। शहरी क्षेत्रों का क्षेत्रफल 1113.65 वर्ग किमी. तथा ग्रामीण क्षेत्रों का क्षेत्रफल 369.65 वर्ग किमी. है। दिल्ली की भौगोलिक स्थिति उत्तर में 28°- 22' से 28°-54' तक एवं पूर्व में 76°-48' से 77°-23' तक है। दिल्ली की लम्बाई 51.90 किमी. तथा चौड़ाई 48.48 किमी. है। सम्पूर्ण दिल्ली के अन्तर्गत 112 गांव, 110 नगर, 11 जिले एवं 33 सब डिवीजन हैं। भूआकृतिक दृष्टि से दिल्ली को निम्नलिखित तीन भागों में बाँटा जा सकता है। 1. यमुना बाढ़ एवं गिरिपादीय मैदान (The Yamuna Flood and Piedment Plain) 2. पहाड़ी प्रदेश (The Ridge) 3. मैदानी प्रदेश (The Plain)

अरावली पर्वत के मेवात ब्रांच का कटक इस प्रदेश की महत्त्वपूर्ण भू-आकृतिक विशेषता है। यह कटक इस प्रदेश में दक्षिण से प्रवेश करता है और उत्तर-पूर्व दिशा की ओर विस्तृत होता जाता है। इस कटक के अलावा इस प्रदेश में अनेक पार्श्विक पर्वत स्कन्ध हैं जो यहां की स्थलाकृति में जटिलता उत्पन्न करते हैं। इस कटक का सबसे ऊंचा भाग भाटी के पास है जो 1045 फीट ऊंचा है। यह प्वांइट यमुना रेलवे पुल से अपेक्षाकृत 360 फीट ऊंचा है।

यमुना दिल्ली की मुख्य नदी है जो कि उत्तर से दक्षिण की ओर प्रवाहित होती है। यह नदी इस प्रदेश में सदियों से बह रही है। इस नदी ने अपने प्रवाह के दौरान अपने दोनों किनारों पर उपजाऊ जलोढ़ मिट्टी का निक्षेपण किया है। यह नदी इस प्रदेश में उत्तर में पाला गांव से प्रवेश करती है तथा इसे पूर्व में जैतपुर के पास छोड़ती है। वजीराबाद तक यह दक्षिण की ओर प्रवाहित होती है और वहां से पूर्व की ओर मुड़ जाती है। लाल किला के पास से बहती हुई यह ओखला की ओर दक्षिण-पूर्व दिशा में प्रवाहित होती है।

जलवायु

दिल्ली में गर्मियां शुष्क और गर्म तथा शीत ऋतु काफी ठंडी होती है जो कि यहां के जलवायु की मुख्य विशेषता है। दिल्ली की जलवायु इसके अंत: स्थलीय स्थिति से प्रभावित है। वर्ष के अधिकांश समय में यहां महाद्वीपीय वायु की प्रमुखता रहती है। वर्ष में केवल तीन महीनें जुलाई, अगस्त और सितम्बर में यहां समुद्री हवा का प्रभाव रहता है जिससे यहां आर्द्रता हो जाती है और वर्षा होती है। वर्ष को चार ऋतुओं में विभाजित किया जा सकता है। जाड़े का मौसम नवंबर के अन्त से शुरू होता है और मार्च के प्रारंभ तक चलता है। गर्मी का मौसम मार्च से शुरू होकर जून तक चलता है। जुलाई से सितम्बर तक वर्षा का मौसम रहता है। अक्टूबर और नवम्बर दो महीने गर्मी के अन्त और जाड़े के प्रारम्भ के होते हैं। यह मौसम बहुत ही सुहावना होता है।

वर्षा

दिल्ली में औसत वर्षा 467.1 मिमी. होती है। इस प्रदेश में वर्षा में वृद्धि दक्षिण-पश्चिम से उत्तर-पूर्व की ओर होती है। कुल वार्षिक वर्षा का 74 प्रतिशत केवल तीन महीनों (जुलाई, अगस्त, सितम्बर) में होता है। शेष वर्षा जाड़े में, मानसून से पूर्व और मानसून के लौटने के बाद होती है।

तापमान

दिल्ली में तापमान मौसम के अनुसार बदलता रहता है। शीत ऋतु में दिन और रात का तापमान काफी कम हो जाता है। जनवरी वर्ष का सबसे अधिक ठंडा महीना होता है और इस समय अधिकतम दैनिक औसत तापमान 21.3 डिग्री. सेल्सियस तथा न्यूनतम दैनिक औसत तापमान 7.3 डिग्री. सेल्सियस रहता है।

मध्य मार्च से तापमान में वृद्धि होने लगती है। यहां मई और जून में सबसे अधिक गर्मी पड़ती है। अप्रैल से इस प्रदेश में स्थानीय हवा लू चलने लगती है। मई और जून में अधिकतम तापमान 46 या 47 डिग्री. सेल्सियस तक पहुंच जाता है। जून के अन्त में मानसून के आगमन पर दिन का तापमान धीरे-धीरे कम होने लगता है जबकि रात का तापमान ऊंचा ही बना रहता है। अक्टूबर में दिन का तापमान मानसूनी महीनों के समान ही रहता है जबकि रातें ठंडी हो जाती हैं।

मिट्टी

समुद्र तल से लगभग औसतन 700 फीट ऊंचा इस प्रदेश का उत्तरी मैदान चौड़ा अधिक उपजाऊ तथा घनी आबादी वाला है। दक्षिण में मैदानी भाग अधिक समतल और बहुत अधिक खुला है। इस मैदानी भाग की मिट्टी हल्की, बलुई, दोमट है जो कि कृषि के योग्य है।

यमुना मैदान में काफी गहराई तक जलोढ़ मिट्टी पाई जाती है। यमुना मैदान में हाल में निक्षेप की गई मिट्टी खादर के नाम से जानी जाती है। खादर एक हल्की बलुई मिट्टी है।

दिल्ली की मिट्टियों को निम्नलिखित पांच भागों में बांटा जा सकता है-

1. बालू, रेत और चूना प्रधान मिट्टी (मोटी दोमट) [Sand, Silt and Calcareous (coarse Loamy)]
2. शैलीय अरावली पहाड़ी और विच्छेदित भूमि (Rocky Aravalli Ridge and Dissected Land)
3. बालूमय दोमट (Sandy Loam)
4. चूना प्रधान, रेत और चीका दोमट [Calcareous, Silty and Clay Loam (Fine Loamy)]
5. मिश्रित चूना प्रधान, रेत, चीका और बालूमय दोमट (मोटी से महीन दोमट) [Mixed Calcareous, Silty, Clay and Sandy Loam (Coarse to Fine Loamy)]

वन

भारत राज्य वन रिपोर्ट-2023 के अनुसार दिल्ली में 195.28 वर्ग किमी क्षेत्र में वनों का विस्तार है जो राज्य का 13.17 प्रतिशत भू भाग आच्छादित करता है। पारिस्थितिक संतुलन बनाए रखने और पर्यावरण प्रदूषण रोकने के लिए दिल्ली की विकास योजनाओं में वृक्षारोपण कार्यक्रम को उच्च प्राथमिकता प्रदान की गई है।

प्रशासनिक व्यवस्था

दिल्ली में प्रशासन की वर्तमान व्यवस्था 1803 ई. से चली आ रही है जब दिल्ली नगर अंग्रेजों के संरक्षण में था और यह ब्रिटिश पंजाब का एक हिस्सा था। उस समय दिल्ली जिले में एक उप आयुक्त होता था जो मुख्य जिला पदाधिकारी था तथा जिसके पास राजस्व एवं निबंधन संबंधी अधिकार थे। वह नगर प्रशासन का भी प्रमुख होता था क्योंकि वह जिला बोर्ड और नगरपालिका का अध्यक्ष भी था।

स्वतंत्रता प्राप्ति तक दिल्ली में प्रशासनिक और कार्यपालक प्रमुख, मुख्य आयुक्त हुआ करता था। साथ ही उप आयुक्त भी होता था जो मुख्य आयुक्त को अपना प्रतिवेदन देता था। जिम्मेवारियों के वितरण के लिए तीन सहायक आयुक्त होते थे जो राजस्व कार्य और आपराधिक मामलों की सुनवाई, नगरीय तथा छोटे-मोटे आपराधिक मुकदमे, एवं नगरपालिका प्रशासन से संबंधित कार्यों का संपादन करते थे।

दिल्ली के लिए विशेष दर्जा

स्वतंत्रता प्राप्ति के बाद भारत सरकार को दिल्ली के लिए विशेष दर्जा की आवश्यकता और उससे जुड़ी समस्याओं का भान भी था इसलिए डॉ. पट्टाभि सीतारमैय्या की अध्यक्षता में इन विषयों पर विचार करने के लिए एक समिति का गठन हुआ। समिति ने यह अनुशंसा की कि दिल्ली प्रांत को राष्ट्रपति द्वारा नियुक्त एक लेफ्टिनेंट गवर्नर होना चाहिए और साथ ही इन्हें (लेफ्टिनेंट गवर्नर को) सलाह देने और कार्यों में सहयोग देने के लिए मुख्यमंत्री सहित मंत्रिपरिषद् भी होनी चाहिए जो चयनित प्रांतीय विधायिका के प्रति जिम्मेवार हों। लेफ्टिनेंट गवर्नर और मंत्रिमंडल के बीच विवाद उत्पन्न होने की स्थिति में मामला अंतिम निर्णय के लिए राष्ट्रपति के पास भेजे जाने का भी प्रस्ताव था। संविधान की प्रारूप समिति ने इन अनुशंसाओं को स्वीकार नहीं किया। संविधान सभा ने दिल्ली सहित पार्ट-सी राज्यों से संबंधित प्रशासनिक गठन के मामले को संसद के ऊपर छोड़ दिया।

दिल्ली की पहली एसेम्बली

राज्यों के कानून (पार्ट-सी) के अधीन दिल्ली को सन् 1952 से मुख्य आयुक्त की सहायता और सलाह के लिए एक विधान सभा और मंत्रिपरिषद् प्रदान किया गया। यह व्यवस्था सन् 1956 तक जारी रही। यद्यपि दिल्ली के पास जन आदेश, पुलिस (रेलवे पुलिस सहित), संविधान, नगर निगम और अन्य प्राधिकारों की शक्तियाँ, विकास निकाय, जल वितरण, बिजली, यातायात आदि से संबंधित कानूनों को बनाने का अधिकार नहीं था। इन सीमाओं के बावजूद दिल्ली विधान सभा के प्राधिकार न्याय प्रशासन, जेल,

जन-स्वास्थ्य, कृषि, उद्योगों इत्यादि से संबंधित मामले देखती थी। संघ/केन्द्र सरकार को भी यह अधिकार था कि वह पार्ट-ए राज्यों में अपने अधिकार का प्रयोग बिना रूपांतरण या रूपांतरण सहित करे। यद्यपि द्वैध नियंत्रण पद्धति या द्वैधशासन दोनों में से किसी को भी संतुष्ट नहीं कर सका।

केन्द्र शासित राष्ट्रीय राजधानी

दिसम्बर 1953 में राज्यों के पुनर्गठन आयोग की स्थापना हुई। आयोग का यह मत था कि द्वैध शासन के कारण केन्द्र सरकार और राज्य सरकार के बीच उत्तरदायित्वों के बँटवारा से नगर में प्रशासन का स्तर गिरा। अतः आयोग के मत में केंद्र सरकार का पूर्ण नियंत्रण होना चाहिए। भारत सरकार ने आयोग की अनुशंसाओं को स्वीकार किया और दिल्ली एक स्थानीय विधायिका बन कर रह गई। नवम्बर 1956 में यह केन्द्र प्रशासित क्षेत्र बन गई। गृह मंत्रालय के पास नगर की लगभग सभी जिम्मेवारियां आ गईं और वह एक सहयोगी संस्था के रूप में कार्य करने लगी। जबकि कुछ विशिष्ट कार्य शीघ्र निष्पादन हेतु अन्य मंत्रालयों को सौंपी गईं। दिल्ली का बजट, केन्द्रीय बजट का हिस्सा बनं गया और संसद द्वारा विधायिका संबंधी आवश्यकताएं पूरी की जाने लगीं।

दिल्ली प्रशासन अधिनियम

उपरोक्त व्यवस्था 1966 तक जारी रही लेकिन दिल्ली नगरवासियों की एक लोकप्रिय सरकार की स्थापना की निरंतर मांग के फलस्वरूप दिल्ली प्रशासन अधिनियम, 1966 अस्तित्व में आया जिसके परिणामस्वरूप महानगरीय परिषद् का गठन हुआ। इस नयी व्यवस्था के अधीन केन्द्र शासित क्षेत्र दिल्ली की जिम्मेवारियां केन्द्र के पास ही रही, जहाँ तक कानून-व्यवस्था और अन्य का प्रश्न है, राष्ट्रपति अपने अभिकर्त्ता लेफ्टिनेंट गवर्नर के माध्यम से कार्यपालक प्रमुख के रूप में कार्य करते रहे। दिल्ली के मामले से संबंधित कानून बनाने का एकमात्र अधिकार संसद को था। केन्द्र सरकार के गृह मंत्रालय के ऊपर सारी जिम्मेवारियां थी और वह एक सहयोगी निकाय के रूप में कार्य करती थी। अन्य मंत्रालयों को उनसे संबंधित क्रिया-कलापों के संपादन का भार सौंपा गया। केन्द्रीय मंत्रालय का कृषि विभाग सीधे तौर पर दिल्ली दुग्ध परियोजना, भूतल परिवहन विभाग; दिल्ली परिवहन निगम और शहरी बिकास मंत्रालय; दिल्ली विकास प्राधिकार और इसी तरह अन्य भी संबंधित मामलों को देखने लगे।

महानगरीय परिषद्

दिल्ली प्रशासन अधिनियम (1966), के अनुसार दिल्ली की एक प्रति. निधि सभा थी जिसे महानगरीय परिषद् कहा जाता था, की भूमिका परामर्श देने में और एक छोटी कार्यपालक परिषद् के रूप में राष्ट्रपति के अधीन लेफ्टिनेंट गवर्नर द्वारा कार्य करने हेतु थी। महानगरीय परिषद् में 56 सदस्य थे जो सीधे तौर पर पाँच वर्षों के लिए निर्वाचित होते थे। इनमें केन्द्र सरकार द्वारा पांच सदस्यों से अधिक मनोनीत नहीं किए जा सकते थे। महानगरीय परिषद् दिल्ली से संबंधित विधायकों के प्रस्ताव, बजट प्रस्ताव, विकास योजनाओं और प्रशासनिक मामलों से संबंधित सामान्य नीति तथा अन्य कोई भी मामला जो लेफ्टीनेंट गवर्नर द्वारा सौंपे गए हों पर अपना विचार रख सकती थी अथवा उसे पूर्वसहमति लेकर क्रियान्वित कर सकती थी। महानगरीय परिषद् के प्रस्तावों को मानना बाध्यकारी नहीं था। अतः यह कमोवेश एक वाद-विवाद वाली परिषद् थी।

कार्यपालक परिषद्

कार्यपालक परिषद् में चार सदस्य होते थे जिनमें से एक मुख्यकार्यपालक पार्षद् होता था। भारत के राष्ट्रपति द्वारा महानगरीय परिषद् के सदस्यों में से कुछ कार्यपालक पार्षद नियुक्त किए जाते थे। इनका कार्यकाल राष्ट्रपति की इच्छानुसार होता था। कार्यपालक परिषद् और उनके सदस्य दिल्ली की जनता के प्रति जिम्मेवार नहीं थे। प्रत्येक कार्यपालक पार्षद को कुछ विभागों का समूह आवंटित कर दिया जाता था और उन्हें उन विभागों के कार्यों के निष्पादन के प्रति जिम्मेवार माना जाता था। लेफ्टिनेंट गवर्नर के कार्यों, जैसे राज्यं सूची या समवर्ती सूची के निष्पादन में सहायता और सलाह देना कार्यपालक परिषद् की जिम्मेवारी थी। कार्यपालक परिषद् की सलाह लेफ्टिनेंट गवर्नर को मानना बाध्यकारी नहीं होता था।

दिल्ली एसेम्बली का वर्तमान स्वरूप

दिल्ली महानगरीय परिषद् की संरचना अंतरनिहित कमियों के कारण उपेक्षित रही। यह एक प्रदत्त संस्था थी जिसे कोई विधायन शक्ति नहीं थी। इसकी एकमात्र भूमिका दिल्ली प्रशासन में परामर्श प्रदान करना था। इस कारण लेफ्टिनेंट गवर्नर को सहायता एवम् सलाह देने के लिए एक पूर्ण राज्य विधायिका मंत्रिमंडल सहित की निरंतर मांग उठती रही। इसी परिप्रेक्ष्य में 24 दिसम्बर, 1987 को भारत सरकार ने 'सरकारिया आयोग' का गठन किया जिसे बाद में बालाकृष्णन समिति कहा गया। इसका उद्देश्य केन्द्रशासित दिल्ली के प्रशासन से संबंधित विभिन्न मुद्दों का अध्ययन करना और संघ प्रशासन के गठन की संभावनाओं पर अपनी अनुशंसा करना था। समिति ने अपना प्रतिवेदन 14 दिसम्बर 1989 को सौंपा।

बालाकृष्णन समिति की अनुशंसाओं के आधार पर संसद ने 69वां संविधान संशोधन 1991 में पारित किया जिसके फलस्वरूप नए अनुच्छेद 239AA और 239AB अस्तित्व में आए। इसके अलावा संसद द्वारा राष्ट्रीय राजधानी क्षेत्र कानून, दिल्ली 1991 पारित हुआ। इस कानून की धारा 33 विधान सभा के गठन और प्रक्रिया के नियमों से संबंधित है।

विधान सभा में सदस्यों की संख्या 70 है जो सीधी निर्वाचन पद्धति से चुने जाते हैं। वर्तमान में 12 सीट अनुसूचित जाति के लिए आरक्षित हैं। संविधान के अनुसार, मंत्रिमंडल में मंत्रियों की संख्या विधान सभा के कुल सदस्यों की संख्या का 1/10 प्रतिशत से अधिक नहीं हो सकती है। इस प्रकार, दिल्ली मंत्रिमंडल में सात मंत्री हैं।

विधान सभा को राज्य सूची या समवर्ती सूची से संबंधित कुछ विषयों को छोड़कर शेष [प्रविष्टि 1 (जन आदेश), 2 (पुलिस) और 18 (भूमि) तथा प्रविष्टि 64, 65 और 66 जो राज्य सूची की प्रविष्टियों से संबंधित हैं।] सभी पर कानून बनाने का अधिकार है।

राष्ट्रपति मुख्यमंत्री की नियुक्ति करता है और मुख्यमंत्री के परामर्श पर अन्य मंत्रियों की नियुक्ति करता है तथा मंत्रियों का कार्य-भार राष्ट्रपति की इच्छा पर निर्भर है। मुख्यमंत्री और उसकी परिषद् लेफ्टिनेंट गवर्नर के कार्यों जिसमें विधान सभा में कानून बनाने का अधिकार है, में सहायता और सलाह प्रदान करता है।

लेफ्टिनेंट गवर्नर को सम्मन जारी करने, विधानसभा के सत्र शुरू करने तथा भंग करने का भी अधिकार है। वह विधानसभा के सत्र को संबोधित कर सकता है या फिर अपना संदेश भेज सकता है। प्रत्येक आम चुनाव के बाद विधान सभा के प्रथम सत्र और प्रत्येक वर्ष के प्रथम सत्र को वह संबोधित कर सकता है। विधान सभा एक विशेषाधिकार निकाय है और इसके सदस्य सत्र के दौरान भाषण की स्वतंत्रता का लाभ उठाते हैं। साथ ही उन्हें स्वतंत्र रूप से मतदान का भी अवसर मिलता है। संसद के सदस्यों के समकक्ष दिल्ली विधान सभा के सदस्यों को शक्तियाँ और विशेषाधिकार दिए गए हैं। विधानसभा की कार्यवाहियों को अदालत में नहीं ले जाया जा सकता है। साथ ही सदस्यों अथवा अध्यक्ष को सत्र के दौरान न्यायालय में नहीं ले जाया जा सकता है, न ही उन पर मुकदमा चलाया जा सकता है।

अन्य राज्यों की विधायिकाओं और संसद के अनुरूप दिल्ली विधान सभा के सदस्यों को भी भारत के राष्ट्रपति के निर्वाचन में मतदान का अधिकार है। वे लोग भी संविधान के दसवें अनुच्छेद से संबंधित हैं जिसमें दल-बदल के आधार पर अयोग्य करार देने का प्रावधान निहित है। वर्तमान एसेम्बली के पास महानगरीय परिषद् की तुलना में निश्चित रूप से कुछ अधिक शक्तियां हैं। यही नहीं 1952 में दिल्ली के पास पार्ट-सी राज्य अधिनियम 1951 के अधीन जितनी शक्तियां थीं उनसे भी ज्यादा आज हैं। अब सिर्फ 3 विषय विधान सभा के क्षेत्राधिकार से बाहर हैं जबकि 1952 की विधानसभा के क्षेत्राधिकार से बाहर 9 विषय थे।

लेफ्टिनेंट गवर्नर

लेफ्टिनेंट गवर्नर सरकार का प्रमुख होता है। उनके कार्यों में मदद और सलाह देने के लिए एक मंत्रिपरिषद् होती है। सलाह और मदद उनके स्वनिर्णय में शामिल नहीं हैं। लेफ्टिनेंट गवर्नर अपने स्वनिर्णय का प्रयोग इन विषयों में करता है– *(i)* वह अधिकार जो प्रदत्त अधिकारों की परिसीमा से बाहर है लेकिन राष्ट्रपति द्वारा प्रदान किया गया है। *(ii)* न्यायिक अथवा अर्ध-न्यायिक कार्यों के संपादन में। यदि ऐसा कोई प्रश्न उठ खड़ा होता है कि प्रस्तुत विषय कथित विषय से संबंधित है अथवा नहीं तो लेफ्टिनेंट गवर्नर किसी भी कानून के तहत अपने विवेक से निर्णय लेकर समस्या का समाधान करता है। इस स्थिति में लेफ्टिनेंट गवर्नर का निर्णय अंतिम माना जाता है। यह मुख्यमंत्री का कर्त्तव्य है कि वह लेफ्टिनेंट गवर्नर को मंत्रिपरिषद् द्वारा लिए गए निर्णयों की जानकारी दे। ये निर्णय प्रशासन संबंधित क्रियाकलापों, विधायन के लिए प्रस्ताव आदि से संबंधित हो सकते हैं। लेफ्टिनेंट गवर्नर उन विषयों पर जानकारी मांग सकता है जिन पर एक मंत्री द्वारा तो निर्णय ले लिया गया है लेकिन परिषद् द्वारा पारित नहीं हुआ है।

लेफ्टिनेंट गवर्नर विधान सभा का अनिवार्य अंग है क्योंकि कोई भी विधेयक जो विधानसभा से पारित हो चुका है बिना लेफ्टिनेंट गवर्नर की स्वीकृति के कानून का रूप नहीं ले सकता है। लेफ्टिनेंट गवर्नर कोई भी विधेयक राष्ट्रपति के विचारार्थ सुरक्षित रख सकता है। इस परिस्थिति में राष्ट्रपति यह आदेश दे सकता है कि–

(i) विधेयक को विचारार्थ सुरक्षित रखा जाए

(ii) विधेयक को विधान सभा को पुनः विचारने हेतु भेज दिया जाए

(iii) विधेयक को अपनी स्वीकृति दे दी जाए।

दिल्ली नगर निगम (एम.सी.डी.)

एमसीडी का इतिहास

दिल्ली में नगर प्रशासन की शुरूआत 1862 में हुई जब दिल्ली नगर निगम अस्तित्व में आया। उस समय शहर दो वर्ग मील में सीमित था जिसमें 1.21 लाख निवासी रहते थे। नगर सेवाओं की आधारभूत संरचना की स्थापना शाहजहाँ द्वारा 200 वर्ष पूर्व बनाई गई थी जो जर्जर हो गई थी। सन् 1863 में सफाई और मल व्यवस्था की शुरूआत हुई और लोगों के लिए शौचालय बनाए गए। सदर बाजार में एक यूनानी डिस्पेंसरी खोला गया और पहली बार जन्म एवं मृत्यु पंजीकरण लागू किया गया। इस नगर निगम ने सरकार से वित्तीय सहायता ली जिसका 50% पुलिस व्यवस्था पर खर्च किया गया। आय का मुख्य स्रोत चुंगी राजस्व था।

सन् 1866 में घंटाघर और टाउनहॉल बनाए गए। वर्तमान भवन 1947 में पुनःनिर्मित हुआ। कोतवाली में एक अग्निशामक की मदद से 1867 में अग्निशमन व्यवस्था लागू की गई। चूंकि उपयोग में लाने के लिए उचित जल का अभाव था इसलिए सन् 1871-72 में वाहनों पर जल रखकर वितरित किया जाने लगा। सन् 1869 में जल संयंत्र की स्थापना के लिए काम शुरू हुआ। सड़क में प्रकाश व्यवस्था पहली बार 1870 में लालटेन और लैम्प पोस्ट के जरिए शुरू हुई। बिजली का आगमन बहुत बाद लेकिन 1911 के दिल्ली दरबार के पहले हुआ। सन् 1857 में प्राथमिक शिक्षा तत्कालीन स्कूलों में शुरू हुई और कुछ नए स्कूल भी खोले गए। यद्यपि बगीचे और उद्यानों ने प्रशासन का ध्यान बहुत पहले ही खींचा था लेकिन बड़ी तादाद में वृक्षारोपण 1875 में शुरू हुआ। बाद में दिल्ली नगर समिति ने दिल्ली नगर आयोग का स्थान लिया जिसने दिल्ली नगर निकाय के रूप में 50 वर्षों के अंदर पूरे शहरी क्षेत्र में अपनी उपलब्धि दर्ज की। यह समिति जो 21 मनोनीत सदस्यों की थी सन् 1881 में वर्ग-I के रूप में चिह्नित हुई।

दिल्ली नगर निगम

1957 का दिल्ली नगर निगम अधिनियम LXVI संसद द्वारा 28 दिसम्बर, 1957 को लागू हुआ। भारत सरकार के गृह मंत्रालय द्वारा 15 फरवरी 1958 को अधिसूचना जारी कर निगम की स्थापना की गई। निगम का पहला आम चुनाव 1958 में हुआ जिसमें ग्यारह स्थानीय निकायों में से 9 निकायों का एकीकरण हुआ। साथ ही दिल्ली जिला बोर्ड का भी गठन हुआ जो उस समय के ग्रामीण क्षेत्रों की नागरिक आवश्यकताओं को देखता था। सिर्फ दिल्ली छावनी (कैन्टोनमेंट) बोर्ड और नई दिल्ली नगर समिति का स्वतंत्र अस्तित्व था। 1958 में निगम की स्थापना के समय कुल 80 पार्षद थे, 12 सीटें अनुसूचित जाति के सदस्यों के लिए आरक्षित थीं। आरंभ के तीनों वैधानिक निकाय जो जल, बिजली और परिवहन मुहैया कराते थे नगर उपक्रम के अधीन हो गए और निगम के नियंत्रण में आ गए। दिल्ली नगर निगम के अधीन आने पर इन्हें क्रमशः दिल्ली जल आपूर्ति एवं जल निकास उपक्रम (DWS SDU) दिल्ली विद्युत आपूर्ति उपक्रम (DESU) और दिल्ली परिवहन उपक्रम (DTU) कहा जाने लगा। बाद में, 1972 में केन्द्र सरकार द्वारा एक अलग निगम स्थापित किया गया जिसका उद्देश्य परिवहन संचालन में सुगमता लाना था। इसके उपरांत दिल्ली नगर निगम

संशोधन कानून, 1993 लागू किया गया। दिल्ली सरकार के स्वतंत्र बोर्ड 1996 और 1997 में स्थापित किए गए और उनका नाम क्रमशः दिल्ली विद्युत बोर्ड और दिल्ली जल बोर्ड रखा गया।

सन् 1963 गवाह है निगम के विकेन्द्रीकरण का, जिसके तहत् कई अधिकार जो नगर निगम और आयुक्त के पास थे, को क्रमशः क्षेत्रीय समिति और उनके अधिकारियों को प्रदान किये गये। 1967 में पार्षदों की संख्या 80 से बढ़ाकर 100 कर दी गई। यद्यपि पौरमुख्य की संख्या जो 6 थी, में कोई बदलाव नहीं किया गया।

नगर सेवाओं के विकेन्द्रीकरण को ध्यान में रखते हुए दिल्ली नगर निगम कानून, 1957 को सन् 1993 में काफी बदला गया। यह परिवर्तन संसदीय कानून जिसका नाम दिल्ली नगर निगम (संशोधन) कानून, 1993 (कानून संख्या 1993 का 67) द्वारा संपादित हुआ। इस कानून के माध्यम से निगम के गठन, कार्य, शासन और प्रशासन जैसे मूलभूत विषयों में परिवर्तन लाए गए। निगम का मौलिक परिवर्तन सांगठनिक ढांचे के रूप में हुआ। जिसके तहत् सिर्फ पार्षदों द्वारा ही निगम का गठन होता है। इनका चुनाव प्रत्यक्ष निर्वाचन द्वारा किया जाता है। पार्षदों के सीटों की अधिकतम संख्या 134 तक बढ़ा दी गई। निगम में निम्नलिखित व्यक्तियों को भी शामिल किया गयाः (क) वैसे व्यक्ति जो 25 वर्ष से कम न हों और जिन्हें निगम प्रशासन का विशेष ज्ञान या अनुभव हो, ऐसे 10 लोग प्रशासक द्वारा मनोनीत किए जाते हैं लेकिन उन लोगों को इस उपबंध के तहत् निगम की बैठक में मतदान का अधिकार नहीं है। (ख) लोकसभा के सदस्य जो निर्वाचन क्षेत्र का प्रतिनिधित्व कर रहे हों तथा जो पूर्णतः अथवा अंशतः निगम के क्षेत्र में निवास करते हों एवं राज्य सभा के सदस्य जो उस निगम के क्षेत्र से आते हों। (ग) दिल्ली विधान सभा के निर्वाचन क्षेत्र के 1/5 सदस्य जो पूर्णतः अथवा अंशतः निगम के क्षेत्र में निवास करते हैं, उन्हें विधान सभा का अध्यक्ष मनोनीत करता है। यह मनोनयन बारी-बारी से प्रत्येक वर्ष के लिए होता है। जहाँ तक संभव हो सके विधान सभा अध्यक्ष यह प्रयास करता है कि प्रत्येक सदस्य को कम से कम एक बार निगम के प्रतिनिधित्व का अवसर मिल सके। (घ) समिति का अध्यक्ष, कोई भी, यदि वह पार्षद नहीं है।

इस प्रकार निगम का आकार बढ़ गया और सदस्यों की संख्या 272 तक पहुँच गई। अनुसूचित जाति के लिए आरक्षित सीटों की संख्या में भी वृद्धि हुई। एक नयी अवधारणा सीटों का चक्रानुक्रम जोड़ी गई।

इस नयी अवधारणा के अनुसार, "केन्द्र सरकार के निर्देशानुसार अनुसूचित जाति के आरक्षित सीट चक्रानुसार भिन्न-भिन्न वार्डों को प्रदान किए जाएंगे।" पहली बार महिलाओं की सीटों के आरक्षण को लागू किया गया। इसमें कुल सीटों के 1/2 सीट से कम नहीं होनी चाहिए। इस तरह की सीटें भी जो महिलाओं के लिए आरक्षित हैं चक्रानुसार विभिन्न वार्डों को प्रदान की जाती है। अनुसूचित जाति की महिला को विशेष दर्जा दिया गया है। पहली बैठक शुरू होने की तिथि से निगम का कार्यकाल पाँच वर्षों के लिए होता है यदि इसके पूर्व ही इसे भंग न कर दिया गया हो। पहले यह कार्यकाल चार वर्षों के लिए होता था। कानून संशोधन द्वारा यह प्रावधान दिया गया है कि नये निगम का चुनाव *(i)* वर्तमान निगम का कार्यकाल पूर्ण होने से पूर्व *(ii)* निगम भंग होने की तिथि से 6 माह के अंदर, हो जाना चाहिए। पार्षद् और उनकी विभिन्न समितियां मिलकर एक संकल्पित इकाई का गठन करती है जो नीति-निर्धारण, मार्ग-निर्देशन और नियंत्रण का कार्य करती है। नीतियों को लागू करने के भार दक्ष प्रशासकों और तकनीकी कार्मिकों पर छोड़ा जाता है जो कर्मचारी इकाई का गठन करते हैं। संस्था का प्रमुख मेयर होता है।

तीनों नगर निगमों का एकीकरण

दिल्ली नगर निगम को तीन नगर निगमों—(उत्तरी, पूर्वी व दक्षिणी) में दिल्ली विधान सभा ने वर्ष 2011 में विभाजित कर दिया था। संसाधनों की कमी के चलते इन नगर निगमों को आर्थिक मुश्किलों का सामना करना पड़ रहा था। क्योंकि तीन नगर निगम होने से हर विभाग में एक के स्थान पर तीन-तीन अधिकारियों की नियुक्ति करनी पड़ती थी।

इसी तरह की अनेक अन्य समस्याओं के कारण तथा नीतियों में एकरूपता लाने के उद्देश्य से केन्द्र सरकार ने दिल्ली के तीनों निगमों के एकीकरण का निर्णय किया तथा इसके लिए दिल्ली नगर निगम संशोधन विधेयक-2022 को संसद में पारित कराया गया।

दोनों सदनों में पारित इस संशोधन विधेयक को राष्ट्रपति का अनुमोदन 19 अप्रैल, 2022 को प्राप्त हो गया, जिससे यह विधेयक अधिनियमित हो गया तथा इससे राजधानी में तीन नगर निगमों—(उत्तरी, पूर्वी व दक्षिणी) के स्थान पर अकेले दिल्ली नगर निगम स्थापित हो गया है। इस एकीकृत निगम का चुनाव दिसम्बर 2022 में सम्पन्न हुआ।

नई दिल्ली नगर परिषद्

भारत की नई राजधानी के निर्माण में संलग्न श्रमिकों की नागरिक सुविधाओं के लिए सन् 1916 में रायसीना नगर समिति का गठन हुआ।

पंजाब नगर कानून, 1911 के अधीन इसे द्वितीय श्रेणी की नगरपालिका के रूप में विकसित किया गया। इस दौरान इसे इम्पीरियल दिल्ली नगर समिति के रूप में मान्यता मिली। बाद में इसका नाम नई दिल्ली नगर समिति रखा गया और सन् 1932 में यह प्रथम दर्जे की नगरपालिका बनी।

मई 1994 में नई दिल्ली नगर समिति, 1994 ने पंजाब नगर कानून, 1911 का स्थान लिया और इस समिति का दोबारा नाम नई दिल्ली नगर परिषद् पड़ा। कानून संसद द्वारा पारित किया गया। नई दिल्ली नगर परिषद् का क्षेत्र 43 वर्ग किलोमीटर तय किया गया। इस क्षेत्र में विदेशी दूतावास, केन्द्र सरकार का सचिवालय और कर्मचारियों के लिए आवास की व्यवस्था है। यह महसूस किया गया कि स्वास्थ्य का स्तर, सफाई, शिक्षा और लगभग सभी चीजों पर विशेष ध्यान देने की आवश्यकता है इसलिए इसे बड़ी इकाई दिल्ली नगर निगम से जोड़ दिया गया। नई दिल्ली नगर परिषद् का क्षेत्र पूर्व में पूसा रोड और अपर रिड्ज रोड के मिलन बिन्दु से लेकर न्यू लिंक रोड तक जोड़ा गया। यह पंचकुईयां रोड से लेकर पुराना गुरुग्राम रोड तक जोड़ा गया। उत्तर-पूर्व में पुराना गुड़गांव रोड और चेम्सफोर्ड रोड से लेकर नई दिल्ली रेलवे स्टेशन तक जोड़ा गया। दक्षिण-पूर्व में रेलवे लाइन से लेकर हार्डिंग ब्रिज तक जोड़ा गया। दक्षिण में इसे मथुरा रोड से लोधी रोड तक जोड़ा गया। यह रोड लोधी कॉलोनी की ओर जाती है। लोधी कॉलोनी से यह रिंग रेलवे से जुड़ती है। दक्षिण में रेलवे लाइन से कुतब रोड में मिलती है। कुतब रोड से कुशाक नाला में मिलती है। पूर्व में यह कुशाक नाला से पुनः निगम की सीमा से जा मिलती है। साथ ही

दक्षिण सीमा में मेडिकल इनक्लेव से ग्वालियर पोर्टरिज़ के निकट रिंग रोड से मिलती है। दक्षिण पश्चिम में रिंग रोड के द्वारा किंचर रोड से मिलती है। उत्तर में यह अपर रिज़ से मिलती है।

दिल्ली छावनी (कैन्टोनमेंट) बोर्ड

सुरक्षा और लोकहित के आधार पर दिल्ली छावनी (कैन्टोनमेंट) बोर्ड की स्थापना सही प्रतीत होती है। दिल्ली कैन्टोनमेंट बोर्ड को दिल्ली नगर निगम के प्रादेशिक क्षेत्राधिकार से बाहर रखा गया है। इसका क्षेत्राधिकार 42.89 वर्ग किलोमीटर है जो दिल्ली के दक्षिण और दक्षिण-पश्चिम में अवस्थित है। इसके सात अधिकारी और सात चयनित सदस्य हैं। उन कार्यों को छोड़कर जो सीधे तौर पर सेना प्राधिकार की जिम्मेवारियां हैं, दिल्ली कैन्टोनमेंट बोर्ड सामान्य नगरीय क्रियाएं करती हैं। अधिकांश जनसंख्या सैनिक बलों, यथा नागरिकों की है और उनके आवासों की संख्या बहुत कम है।

अन्य महत्त्वपूर्ण संगठन

दिल्ली विकास प्राधिकरण
(Delhi Development Authority)

यद्यपि नगर विकास की जिम्मेवारी दिल्ली नगर निगम की है फिर भी भारत सरकार ने यह महसूस किया कि नगर के विकास के लिए मास्टर प्लान तैयार किया जाना आवश्यक है। वृहद् क्षेत्रों के विकास के साथ-साथ भीड़-भाड़ वाले नगर को वर्तमान समस्या से छुटकारा दिलाना, एक मुख्य चुनौती है। अतः इस विषय पर ध्यान देने के लिए एक विशेष संस्था की आवश्यकता महसूस की गई। फलतः दिल्ली का विकास योजनाबद्ध तरीके से करने के लिए दिल्ली विकास प्राधिकरण का गठन किया गया। दिल्ली का लेफ्टीनेंट गवर्नर इसका पदेन अध्यक्ष होता है जबकि इसके सदस्य जो केन्द्र सरकार द्वारा नियुक्त किए जाते हैं, को छोड़कर, हैं– दिल्ली नगर निगम का आयुक्त (पदेन), राज्य विधान सभा के तीन प्रतिनिधि और केन्द्र सरकार द्वारा नामित व्यक्ति। इसके उपाध्यक्ष, वित्तीय सदस्य और इंजीनियर सदस्य केन्द्र सरकार द्वारा नियुक्त किए जाते हैं। सलाहकार परिषद् प्राधिकार से जुड़े होते हैं जिनकी संख्या 20 होती है। इसमें डीडीए का पदेन अध्यक्ष भी शामिल है। इसके दस सदस्यों का मनोनयन केन्द्र सरकार द्वारा होता है जिनमें से चार तकनीकी विभाग से, तीन सदस्य संसद से होते हैं और अन्य दिल्ली परिवहन निगम, दिल्ली नगर निगम और इसके विद्युत और जल आपूर्त्ति विभाग से, उद्योग से और श्रम प्रतिनिधियों से होते हैं। दिल्ली विकास प्राधिकरण के मुख्य कार्य हैं: (क) भूमि का अधिग्रहण और विकास (ख) भवनों और गंदी बस्तियों के विकास से संबंधित कार्य।

नगर एवं राष्ट्रीय योजना संगठन
(Town and Country Planning Organisation)

इस संस्था ने सन् 1957 में दिल्ली विकास प्राधिकार के परामर्श से दिल्ली के लिए एक मास्टर प्लान तैयार किया और केन्द्र सरकार से इसकी स्वीकृति पाई। दिल्ली भारत का पहला नगर है जिसके पास बोधगम्य मास्टर प्लान है जिससे क्षेत्रीय और महानगरीय विकास के प्रस्तावों को अपनाया जा सकता है। योजना को पूर्ण रूप से लागू करने के लिए बहुत सारी संस्थाएं संबद्ध हैं–दिल्ली सरकार, दिल्ली नगर निगम और इसके वैधानिक उपक्रम, नई दिल्ली नगर परिषद्, लोक निर्माण विभाग (केन्द्र सरकार) और केन्द्र सरकार के गृह एवं शहरी विकास मंत्रालय। यद्यपि मुख्य रूप से इसकी सफलता के लिए दिल्ली विकास प्राधिकार जिम्मेवार है।

दिल्ली शहरी कला आयोग
(Delhi Urban Arts Commission)

दिल्ली की शहरी संरचना, सौन्दर्यविषयक स्तर और पर्यावरण से संबंधित रख-रखाव की जिम्मेवारी दिल्ली शहरी कला आयोग को दी गई जिसकी स्थापना संसदीय कानून 1973 के तहत की गई। अन्य अभिकरण जैसे–डीडीए, एमसीडी, एनडीएमसी और कैन्टोनमेंट बोर्ड से भी अपेक्षा की जाती है कि वे शहरी संरचना के स्तर को भवन, कार्यालय, उद्यान, मनोरंजन गृह आदि के निर्माण कार्य के दौरान जिसकी योजना की स्वीकृति उन्होंने दी है, सुनिश्चित करें। यद्यपि यह देखा गया है कि दिल्ली शहरी कला आयोग अपने कार्यों में प्रभावकारी नहीं रही है क्योंकि उसे अपने निर्णयों को लागू करने का और दोषी को दंडित करने का अधिकार नहीं है। वास्तव में अनुमोदन करने का अधिकार अन्य निकायों व अभिकरणों को है तथा दिल्ली शहरी कला आयोग का नियंत्रण भी अपर्याप्त है।

राष्ट्रीय राजधानी क्षेत्र योजना बोर्ड
(National Capital Region Planning Board)

दिल्ली का विकास केन्द्रशासित क्षेत्रों तक ही सीमित नहीं है, इसका शहरी विकास आस-पास के क्षेत्रों तक फैल चुका है। ये आस-पास के क्षेत्र यू.पी. और हरियाणा हैं। जैसे–हरियाणा में फरीदाबाद, बल्लभगढ़, गुरुग्राम और गाजियाबाद तथा नोएडा उत्तर प्रदेश में हैं। एक सुनियोजित विकसित दिल्ली के उद्देश्य को प्राप्त करने के लिए 1957 में ही एक क्षेत्रीय दृष्टिकोण से युक्त योजना अपनाई गई। यह योजना राष्ट्रीय राजधानी क्षेत्र को ध्यान में रख कर अपनाई गई। दिल्ली के लिए मास्टर प्लान की तैयारी शुरू की गई। इसके लिए एक योजना बोर्ड का गठन किया गया जो राष्ट्रीय राजधानी क्षेत्र के विकास पर केन्द्रित था। राष्ट्रीय राजधानी क्षेत्र का गठन हरियाणा, राजस्थान और यूपी तथा केन्द्रशासित प्रदेश दिल्ली को लक्ष्य करके किया गया जो 1985 में अस्तित्व में आया। केन्द्रीय मंत्री, शहरी विकास इस बोर्ड के पदेन अध्यक्ष हैं। इस बोर्ड में 21 सदस्य हैं। इसके अलावा भारत सरकार के विभिन्न मंत्रालयों से पांच सदस्य लिए जाते हैं। संबंधित राज्यों के मुख्यमंत्री, दिल्ली के लेफ्टिनेंट गवर्नर और मुख्यमंत्री तथा संबंधित राज्यों के शहरी विकास के मंत्रिगण इस बोर्ड में शामिल हैं। राष्ट्रीय राजधानी क्षेत्र योजना बोर्ड ने एक वैधानिक क्षेत्रीय योजना (2001) तैयार किया। इसका उद्देश्य संतुलित और सतत् विकास करना है। राष्ट्रीय राजधानी क्षेत्र के मुख्य उद्देश्य हैं–

(क) राष्ट्रीय राजधानी क्षेत्र में सुनियोजित शहरी स्थलों का सामाजिक आवश्यकता के अनुरूप वातावरण के आधार पर निर्माण जिसमें स्थानीय इकाईयों की प्रभावशाली भूमिका हो।

(ख) सुंदर राजधानी के रूप में तेजी से क्रमिक रूप से दिल्ली का विकास हो जो राष्ट्र के लिए एक प्रेरणा का स्रोत हो।

(ग) अखंडित और संयोजित परिवहन तंत्र का विकास, निकासी और विद्युत आपूर्त्ति एक विस्तृत क्षेत्रीय फैलाव के रूप में।

(घ) स्वस्थ ग्रामीण और शहरी परिवेश जिसमें स्वच्छ हवा और जल का इस क्षेत्र में व्यापक प्रबंध हो।

राष्ट्रीय राजधानी क्षेत्र का बढ़ा दायरा

राष्ट्रीय राजधानी क्षेत्र का विस्तार करते हुए एनसीआर प्लानिंग बोर्ड ने 1 जुलाई, 2013 को राजस्थान के भरतपुर तथा हरियाणा के भिवानी और महेन्द्रगढ़ को एनसीआर में शामिल करने के प्रस्ताव को मंजूरी दे दी है। एनसीआर प्लानिंग बोर्ड की बैठक के बाद शहरी विकास मंत्री ने कहा कि एनसीआर में तीन जिले–भरतपुर, भिवानी और महेन्द्रगढ़ को शामिल किया गया है जबकि जींद और करनाल को एनसीआर में शामिल करने के संबंध में हरियाणा सरकार अलग से एक प्रस्ताव भेजेगी। इन तीन जिलों के शामिल होने के बाद एनसीआर का क्षेत्रफल 34,144 वर्ग किलोमीटर से बढ़कर 46,249 वर्ग किलोमीटर हो जाएगा। अब तक एनसीआर में सिर्फ वे जिले शामिल थे जो दिल्ली से 100 किलोमीटर के दायरे में थे। अब यह दायरा बढ़ाकर 150 किलोमीटर कर दिया है।

पुलिस

कोतवाल की नामी गिरामी संस्था के रूप में दिल्ली का पुलिस के मामले में एक लम्बा इतिहास रहा है। मलिकुल उमर फकरूद्दीन (सन् 1237) को दिल्ली का पहला कोतवाल माना जाता है। यह अनुमान लगाया जाता है कि उस समय पुलिस या कोतवाल का मुख्यालय किला राय पिथौरा जो आज महरौली है, था। सन् 1648 में जब बादशाह शाहजहां ने अपनी राजधानी को आगरा से दिल्ली स्थानांतरित किया तो उन्होंने नये नगर का पहला कोतवाल गजनफर खान को नियुक्त किया। गजनफर खान को एक और महत्वपूर्ण विभाग 'मीर-ए-आतिश' भी सौंपा गया।

कोतवाल परंपरा का अंत 1857 के विद्रोह के बाद ब्रिटिश सरकार द्वारा किया गया। सबसे मजेदार बात यह है कि विद्रोह शुरू होने के पहले अंतिम कोतवाल गंगाधर नेहरू को बनाया गया था जो पंडित मोतीलाल नेहरू के पिता और पंडित जवाहर लाल नेहरू के दादा थे। बाद में विद्रोह कुचलने के बाद कोतवाल प्रथा समाप्त कर दी गई। भारतीय पुलिस कानून 1861 के तहत् 1857 के ब्रिद्रोह के बाद एक सुसंगठित पुलिस व्यवस्था ब्रिटिश द्वारा स्थापित हुई। दिल्ली के पंजाब का हिस्सा होने के कारण दिल्ली, पंजाब पुलिस की इकाई थी जो भारत की राजधानी 1912 में बनने के बाद तक रही। उसी वर्ष, दिल्ली का पहला मुख्य आयुक्त नियुक्त हुआ जिसे पुलिस महानिरीक्षक के अधिकार व शक्तियां प्रदान की गईं। दिल्ली जिला उस समय पुलिस उपमहानिरीक्षक के नियंत्रण में था जिसका मुख्यालय अम्बाला में था। दिल्ली जिला में पुलिस बल एक आरक्षी अधीक्षक और एक आरक्षी उप अधीक्षक के अधीन था। उस समय पुलिस बल की संरचना इस प्रकार थी– 2 निरीक्षक, 27 उपनिरीक्षक, 110 हेड कांस्टेबल (मुख्य आरक्षी), 985 फुट कांस्टेबल (पैदल आरक्षी) और 28 सवार। नगर में ग्रामीण आरक्षी दो निरीक्षकों के अधीन थे जिनका मुख्यालय क्रमशः सोनीपत और बल्लभगढ़ था। कुल 10 पुलिस स्टेशन उनके नियंत्रण में थे। इसके अलावा सात सीमा चौकी और 4 सड़क चौकी थी। नगर के तीन बड़े-बड़े पुलिस स्टेशन–कोतवाली, सब्जीमंडी और पहाड़गंज में थे। सिविल लाइन्स में बहुत बड़ी पुलिस छावनी थी जहां अतिरिक्त पुलिस कर्मी और हथियार रखे जाते थे और पुलिस की नियुक्तियां भी वहीं की जाती थीं।

पुलिस व्यवस्था स्वतंत्रता पश्चात्

दिल्ली पुलिस का पुनर्गठन 1946 ई॰ में हुआ और इसकी संख्या दोगुनी कर दी गई। देश बंटवारा के क्रम में बड़ी संख्या में शरणार्थियों ने नगर में प्रवेश किया और 1948 में अपराधों की संख्या तेजी से बढ़ने लगी। 1951 तक दिल्ली पुलिस की संख्या बढ़कर 8,000 हो गई जिसमें एक आरक्षी महानिरीक्षक और आठ आरक्षी अधीक्षक शामिल थे। दिल्ली में आबादी की वृद्धि के फलस्वरूप पुलिस की संख्या में भी वृद्धि की गई और 1961 में 12,000 से अधिक पुलिसकर्मी हो गए। 1966 में भारत सरकार ने दिल्ली पुलिस आयोग का गठन किया जिसकी अध्यक्षता न्यायमूर्ति जी.डी. खोसला ने की। यह आयोग दिल्ली पुलिस द्वारा सामना किए जाने वाली कठिनाइयाँ संबंधी मामलों की जानकारी लेने के लिए था। आयोग के प्रतिवेदन के आधार पर दिल्ली पुलिस का एक बार फिर पुनर्गठन किया गया। चार पुलिस जिले–उत्तर, केन्द्रीय, दक्षिण और नई दिल्ली बनाए गए। आयोग ने एक पुलिस आयुक्त प्रणाली लागू करने की अनुशंसा की जिसे 1 जुलाई, 1978 से अपनाया गया। इस पद्धति के तहत् पुलिस से संबंधित सारी जिम्मेवारियां आयुक्त को दी गईं। इन जिम्मेवारियों को पूरा करने के लिए आयुक्त ने अपनी शक्ति का लाइसेंसिंग इत्यादि पर नियंत्रण करने के लिए उपयोग किया। इसके अलावा पुलिस के सामान्य अधिकार का भी वह उपभोग करने लगे। पुलिस अधिकारी कुछ निश्चित अधिकारों जो सामान्यतः कार्यपालक दंडाधिकारियों में निहित थे, जैसे-धारा 107 और नागरिक दंड संहिता की धारा 144 जो कानून व्यवस्था लागू करने में अत्यंत महत्वपूर्ण होते हैं, को हासिल किया। इसके अलावा लाइसेंस प्रदान करने का अधिकार और मनोरंजन संबंधी क्रियाओं के निष्पादन का अधिकार जो उपायुक्त के पास था, पुलिस को प्रदान कर दिया गया।

पुलिस बल का गठन कमोबेश ऐसा ही है जैसा कि अन्य महानगरों जैसे–मुम्बई, कोलकाता और चेन्नई में है लेकिन अन्य राज्यों के विपरीत दिल्ली के निर्वाचित प्रतिनिधियों को जन व्यवस्था और पुलिस के मामले में निर्णय लेने का अधिकार नहीं है। एक आरक्षित विषय के रूप में लेफ्टिनेंट गवर्नर केन्द्र सरकार के अधीन रह कर अपने विवेक से इन विषयों पर निर्णय ले सकता है।

संगठनात्मक संरचना

दिल्ली की जनसंख्या और पुलिस की समस्याएं गुणात्मक रूप से बढ़ीं और श्रीवास्तव समिति की अनुशंसाओं पर पुलिस कार्मिकों की संख्या बढ़ाकर 83,762 कर दी गई। वर्तमान में, दिल्ली में मंजूर पुलिस कार्मिकों की संख्या 94,255 है। दिल्ली में 6 रेंज, 15 पुलिस जिले और 225 पुलिस स्टेशन हैं। आज की तिथि में शायद दिल्ली पुलिस महानगर पुलिस के रूप में विश्व की सबसे बड़ी पुलिस है। यहाँ तक कि लंदन, पेरिस, न्यूयॉर्क और टोक्यो की पुलिसों से भी बड़ी पुलिस है, जहाँ तक संख्या का सवाल है।

अपने कर्तव्यों के निर्वहन और शक्तियों का उपयोग करने के क्रम में पुलिस आयुक्त को संयुक्त आयुक्त तथा सहायक आयुक्त सहायता प्रदान

करते हैं। प्रत्येक पुलिस जिला में एक पुलिस उप आयुक्त होता है जिसे एक या एक से अधिक अतिरिक्त पुलिस उप आयुक्त सहायता करते हैं। पुलिस उपायुक्त को धारा 47 और 48 के अधीन पेशेवर अपराधियों को दंड देने का अधिकार है यद्यपि इनके आदेश को ऊपर के न्यायालयों में चुनौती दी जा सकती है। ठीक इसी तरह प्रत्येक पुलिस अनुमंडल एक सहायक पुलिस आयुक्त के अधीन होता है। नागरिक दंड संहिता की धारा 107 के तहत् सहायक पुलिस आयुक्तों को सुरक्षा मामले में कार्यवाही करने का अधिकार है। इस तरह के कार्य सुरक्षात्मक प्रवृत्ति के होते हैं और इन्हें सत्र/उच्च न्यायालयों में चुनौती दी जा सकती है। विशेष कार्यपालक दंडाधिकारी होने के कारण सहायक पुलिस आयुक्त अपने मूल विभाग की तुलना में सत्र न्यायालय के प्रति भी जिम्मेवार होते हैं। उन्हें निरीक्षक का रैंक प्राप्त है और एक अतिरिक्त एसएचओ (जो निरीक्षक होता है) की सहायता प्राप्त होती है। पुलिस स्टेशन में उप निरीक्षक, सहायक उप निरीक्षक, हेड कांस्टेबल और कांस्टेबल होते हैं।

संयुक्त आयुक्त : 20 सहायक आयुक्त : 20

- **दिल्ली पुलिस की विभिन्न इकाइयां:** आर्थिक अपराध, सामान्य अपराध तथा रेलवे, लाइसेंसिंग, संवेदनमंदक और अपराध रोकथाम शाखा, महिलाओं के विरूद्ध अपराध की शाखा, विशेष शाखा, विशेष सेल, विशेष दंगा सेल, सतर्कता इत्यादि।
- **पुलिस रेंज और जिले :** कुल रेंजः 06, कुल जिलेः 15

दिल्ली पर्यटक पुलिस

दिल्ली एक महत्वपूर्ण पर्यटन गन्तव्य है, साथ ही एक पारगमन बिंदु भी, जहाँ से राष्ट्रीय और अंतर्राष्ट्रीय पर्यटक अगले पर्यटन स्थल की भावी यात्रा तय करते हैं। पर्यटकों को कई समस्याओं का सामना करना पड़ता है। ये समस्याएं यातायात, ठहरने संबंधी, पर्यटन संबंधी जानकारियां हैं। कई बार ठग और दलाल उनके कीमती सामानों को लेकर चंपत हो जाते हैं, यह भी एक गंभीर समस्या है। पर्यटकों की मदद के लिए दिल्ली पुलिस की पर्यटक पुलिस निम्नलिखित दस स्थानों पर प्रतिनियुक्त की गई है–

1. इंदिरा गांधी अंतर्राष्ट्रीय हवाई अड्डा
2. नई दिल्ली रेलवे स्टेशन
3. हजरत निजामुद्दीन रेलवे स्टेशन
4. राजघाट
5. लाल किला
6. कुतुबमीनार
7. पालिका बाजार
8. जनपथ
9. इंडिया गेट
10. पहाड़ गंज (रेलवे स्टेशन की ओर)

उद्देश्य:

1. पर्यटकों को दलाल द्वारा परेशान किए जाने से बचाना।
2. उचित दर पर परिवहन और ठहरने में पर्यटकों को मदद करना ताकि हवाई अड्डा, बस टर्मिनल, महत्वपूर्ण पर्यटन स्थलों आदि पर अफरा-तफरी न मचे।
3. इन स्थलों पर धोखेबाजों और चोरों से बचाव।
4. पॉकेटमारी, नशाखोरी इत्यादि अपराधों से बचाव।

कर्त्तव्य

1. पर्यटकों का मार्गदर्शन करना–पर्यटन स्थलों के बारे में, दूरी और उपलब्ध यातायात की जानकारी देना।
2. पर्यटकों को संग्रहालयों, आश्रयस्थलों, परिवहनों, सिनेमा घरों के लिए टिकट प्राप्त करने में तथा दलालों और काला बाजारियों से रक्षा करने में मदद करना।
3. यह सुनिश्चित करना कि उन्हें दुकानदार, दलाल, ठग और भिखमंगे इत्यादि परेशान न करें।
4. नगर में रहने के दौरान पर्यटकों की समस्याओं का समाधान करना।

वस्तुनिष्ठ प्रश्न

1. राजा दिलू, जिसके नाम पर दिल्ली नाम पड़ा, वह किस वंश का था?

A. मयूर वंश B. सूर्य वंश
C. गौतम वंश D. गहलौत वंश

2. इन्द्रप्रस्थ का दूसरा नाम क्या था?

A. कृष्णप्रस्थ B. खण्डप्रस्थ
C. अमारप्रस्थ D. सोनप्रस्थ

3. यूनानी भूगोलवेता प्लुटोमी जो कि दूसरी सदी में भारत आया था ने अपने एटलस में दिल्ली को क्या संबोधित किया है?

A. दलाई B. ढिल्ली
C. दाइदला D. इन्द्रापाट

4. तैमूर लंग के आक्रमण के समय दिल्ली का सुल्तान कौन था?

A. सैयद महमूद B. कैकुबाद
C. फिरोज तुगलक D. महमूद तुगलक

5. राय पिथौरा किसे कहा जाता था?

A. पृथ्वीराज चौहान
B. अनंगपाल
C. विग्रहराज
D. उपर्युक्त कोई नहीं

6. 'दीन पनाह' दिल्ली का कौन सा शहर था?

A. पांचवां B. छठा
C. चौथा D. सातवां

7. शाहजहांबाद दिल्ली का कौन सा शहर था?
A. पांचवां B. छठा
C. सातवां D. आठवां

8. राष्ट्रपति भवन किस पहाड़ी पर स्थित है?
A. दिल्ली रीज B. रायसीना पहाड़ी
C. विलिंगटन रीज D. उपर्युक्त में से कोई नहीं

9. दिल्ली का सम्पूर्ण क्षेत्रफल कितना है?
A. 1120 वर्ग किमी. B. 1280 वर्ग किमी.
C. 1483 वर्ग किमी. D. 2483 वर्ग किमी.

10. दिल्ली में यमुना किस गांव में प्रवेश करती है?
A. पाला गांव B. जैनपुर गांव
C. लिबासपुर गांव D. माधोपुर गांव

11. यमुना नदी की दिशा क्या है?
A. उत्तर-पूर्व B. दक्षिण-पूर्व
C. दक्षिण-उत्तर D. उत्तर-दक्षिण

12. दिल्ली में मानसून काल कितना होता है?
A. 30 दिन लगभग B. 29 दिन लगभग
C. 23 दिन लगभग D. 35 दिन लगभग

13. दिल्ली समुद्र तल से कितने फीट की ऊंचाई पर है?
A. 650 फीट B. 700 फीट
C. 800 फीट D. 720 फीट

14. दिल्ली का राजकीय पशु क्या है?
A. शेर B. जंगली भैंसा
C. हाथी D. इनमें से कोई नहीं

15. दिल्ली को केन्द्रशासित प्रदेश का दर्जा कब दिया गया था?
A. 1956 में B. 1957 में
C. 1958 में D. 1959 में

16. दिल्ली के शहरी क्षेत्रों का क्षेत्रफल कितना है?
A. 450.78 वर्ग किमी. B. 500.24 वर्ग किमी.
C. 600.45 वर्ग किमी. D. 1113.65 वर्ग किमी.

17. दिल्ली के ग्रामीण क्षेत्रों का क्षेत्रफल कितना है?
A. 369.35 वर्ग किमी. B. 680.58 वर्ग किमी.
C. 580.46 वर्ग किमी. D. 740.45 वर्ग किमी.

18. सन् 2011 की जनगणना के आधार पर दिल्ली की कुल जनसंख्या कितनी है?
A. 10,542,678 B. 11,657,548
C. 12,486,397 D. 16,787,941

19. दिल्ली के प्रथम उपराज्यपाल (तत्कालीन मुख्य आयुक्त) कौन थे?
A. एन. एन. झा B. शंकर प्रसाद
C. भगवान सहाय D. जगमोहन

20. दिल्ली की प्रथम महिला मुख्यमंत्री होने का श्रेय किसे प्राप्त है?
A. शीला दीक्षित B. सुषमा स्वराज
C. कृष्णा तीरथ D. आरती मेहरा

21. सन् 2011 की जनगणना के आधार पर जनसंख्या की दृष्टि से राज्यों एवं केन्द्रशासित प्रदेशों में दिल्ली का कौन सा स्थान है?
A. 16वां B. 17वां
C. 19वां D. 21वां

22. दिल्ली में लोक सभा सदस्यों की संख्या कितनी है?
A. 4 B. 5
C. 6 D. 7

23. दिल्ली में राज्य सभा सदस्यों की संख्या कितनी है?
A. 3 B. 2
C. 4 D. 1

24. दिल्ली में विधान सभा सदस्यों की संख्या कितनी है?
A. 50 B. 60
C. 70 D. 75

25. किस संविधान संशोधन के फलस्वरूप दिल्ली में विधान सभा का गठन हुआ?
A. 69वें B. 72वें
C. 75वें D. 78वें

26. कुतुबमीनार किसे समर्पित है?
A. कुतुबुद्दीन ऐबक B. मोइउद्दीन चिश्ती
C. कुतुबुद्दीन बख्तियार काकी D. इल्तुतमिश

27. सबसे पहले जन्तर-मन्तर कहां बनी?
A. उज्जैन B. बनारस
C. मथुरा D. दिल्ली

28. नई दिल्ली का क्षेत्र किस राजा का था?
A. जयपुर राजा B. जोधपुर राजा
C. मेवाड़ राजा D. उदयपुर राजा

29. बाल साहिब गुरुद्वारा किसे समर्पित है?
A. गुरु नानक B. गुरु हरिकिशन
C. गुरु हरिराय D. गुरु रामराय

30. गुलाम वंश का संस्थापक कौन था?
A. अल्तमश B. नासिरुद्दीन
C. कुतुबुद्दीन ऐबक D. बलबन

31. किस शासक को 'लाखबख्श' कहा जाता है?
A. फिरोज तुगलक B. बलबन
C. अल्तमश D. कुतुबुद्दीन ऐबक

32. दिल्ली स्थित विक्रमादित्य द्वितीय का लौह स्तम्भ कितना ऊंचा है?
A. 7.20 मीटर B. 8.60 मीटर
C. 9.20 मीटर D. 9.40 मीटर

33. अष्टकोणीय मस्जिद मोठ का निर्माण किसके काल का है?
A. गुलाम वंश B. तुगलक वंश
C. खिलजी वंश D. लोदी वंश

34. सुल्तान गढ़ी का मकबरा किसका है?

A. अल्तमश B. रजिया

C. नसीरुद्दीन मुहम्मदशाह D. बलबन

35. दिल्ली की गद्दी पर बैठने वाली पहली और एकमात्र महिला रजिया सुल्ताना किसकी पुत्री थी?

A. कुतुबुद्दीन ऐबक B. अल्तमश

C. आरामशाह D. बलबन

36. दिल्ली पर शासन करने वाले किस गुलाम वंश के शासक की नीति को 'रक्त और तलवार' की नीति कहा जाता है?

A. बलबन B. अल्तमश

C. नासिरुद्दीन D. बहराम

37. 'किला राय पिथौरा' का निर्माण किसने करवाया था?

A. अनंगपाल B. पृथ्वीराज चौहान

C. कुतुबुद्दीन ऐबक D. अल्तमश

38. दिल्ली का दूसरा शहर 'सीरी' किसने बसाया?

A. जलालुद्दीन खिलजी B. गयासुद्दीन तुगलक

C. अलाउद्दीन खिलजी D. नासिरुद्दीन

39. दिल्ली का तीसरा शहर 'तुगलकाबाद' किसने बसाया?

A. मुहम्मद तुगलक B. फिरोज तुगलक

C. सुल्तान महमूद D. गयासुद्दीन तुगलक

40. दिल्ली का चौथा शहर 'जहांपनाह' किसने बसाया?

A. मुहम्मद तुगलक B. गयासुद्दीन तुगलक

C. फिरोज तुगलक D. नासिरुद्दीन तुगलक

41. दिल्ली का पाचवां शहर 'फिरोजाबाद' किसने बसाया?

A. गयासुद्दीन तुगलक B. मुहम्मद तुगलक

C. फिरोज तुगलक D. बहलोल लोदी

42. दिल्ली के छठे शहर 'दीन पनाह' को किसने बसाया?

A. बाबर B. हुमायूं

C. शेरशाह सूरी D. अकबर

43. किस शासक ने 'दीन-ए-इलाही' धर्म को चलाया था?

A. बाबर B. हुमायूं

C. शेरशाह सूरी D. अकबर

44. दिल्ली के सातवें शहर 'शाहजहांबाद' को किसने बसाया?

A. शाहजहां B. अकबर

C. जहांगीर D. औरंगजेब

45. दिल्ली में लाल किला, जामा मस्जिद और मयूर सिंहासन का निर्माण किस मुगल शासक ने करवाया?

A. हुमायूं B. अकबर

C. जहांगीर D. शाहजहां

46. सिखों के नवें गुरु तेग बहादुर की हत्या किस मुगल शासक ने करवाई थी?

A. अकबर B. शाहजहां

C. जहांगीर D. औरंगजेब

47. दिल्ली में 'कुवत-उल-इस्लाम' मस्जिद का निर्माण किसने करवाया था?

A. कुतुबुद्दीन ऐबक B. अल्तमश

C. बलबन D. इनमें से किसी ने नहीं

48. दिल्ली में महात्मा गांधी की समाधि स्थल का क्या नाम है?

A. शांतिवन B. राजघाट

C. शक्ति स्थल D. विजय घाट

49. 'शांति वन' किस नेता की 'समाधि स्थल' का नाम है?

A. इन्दिरा गांधी B. राजीव गांधी

C. जवाहर लाल नेहरू D. महात्मा गांधी

50. भारत की राजधानी का कलकत्ता (अब कोलकाता) से दिल्ली हस्तान्तरण किस सन् में हुआ?

A. 1905 B. 1907

C. 1910 D. 1911

51. पूर्व में वायसराय निवास जो वर्तमान में राष्ट्रपति भवन है इसका डिजाइन किसने तैयार किया था?

A. ल्युटियन B. इर्विन

C. मैग्नेम D. इनमें से किसी ने नहीं

52. इंडिया गेट किस सन् में बनकर तैयार हुआ?

A. 1925 B. 1931

C. 1939 D. 1941

53. इंडिया गेट भारतीय सेना के प्रथम विश्व युद्ध में कितने शहीद हुए जवानों की याद में बना है?

A. 30,000 B. 60,000

C. 90,000 D. 1,00,000

54. वर्ष 2019 की पशुधन गणना के अनुसार दिल्ली में पशुधन की कुल संख्या कितनी है?

A. 2.5 लाख B. 6.7 लाख

C. 4.5 लाख D. 3.07 लाख

55. गुरुद्वारा शीशगंज किसे समर्पित है?

A. गुरु तेग बहादुर B. गुरु हरिकिशन

C. गुरु गोविन्दसिंह D. गुरु रामदास

56. दिल्ली किस नदी के किनारे बसी हुई है?

A. गंगा B. यमुना

C. गोदावरी D. सतलज

57. दिल्ली विधान सभा के अध्यक्ष या उपाध्यक्ष को निम्नलिखित में से किन तरीकों से उनके पद से हटाया जा सकता है?

A. वह स्वयं पद का त्याग कर देगा, यदि उसने विधान सभा की सदस्यता छोड़ दी हो।

B. अध्यक्ष अपना त्यागपत्र उपाध्यक्ष को और इसी तरह उपाध्यक्ष अपना त्यागपत्र अध्यक्ष को सौंपकर अपने पद का त्याग कर सकता है।

C. विधान सभा में सदस्यों के बहुमत से उनके विरुद्ध प्रस्ताव (14 दिन पूर्व में सूचित) लाकर उन्हें उनके पद से हटाया जा सकता है।
D. उपर्युक्त सभी

58. विधान सभा में यदि अध्यक्ष या उपाध्यक्ष के विरुद्ध प्रस्ताव विचाराधीन हो तो, वे सदन की अध्यक्षता :
A. कर सकते हैं
B. नहीं कर सकते हैं
C. कर भी सकते हैं और नहीं भी कर सकते हैं
D. ले. गवर्नर की स्वीकृति से कर सकते हैं

59. विधान सभा का कोई सदस्य विधान सभा की अनुमति के बिना लगातार कितने दिनों तक विधान सभा की बैठकों में अनुपस्थित रहता है तो विधान सभा उसकी सदस्यता निरस्त कर सकती है?
A. 55 दिन B. 60 दिन
C. 45 दिन D. 75 दिन

60. विधान सभा में निम्नांकित वित्त विधेयकों—किसी भी कर का आरोपण, समापन, छूट, परिवर्तन या विनियमन या किसी बाध्यता के अन्तर्गत कानूनों में संशोधन या केन्द्र सरकार का उत्तरदायित्व या केन्द्र की समेकित निधि के अतिरिक्त मुद्राओं का विनियोग—के सन्दर्भ में किसकी अनुशंसा के बगैर कोई विधेयक अथवा संशोधन प्रस्ताव नहीं लाया जाएगा?
A. विधान सभा में सदस्यों के बहुमत से
B. विधान सभा अध्यक्ष की अनुशंसा से
C. ले. गवर्नर की अनुशंसा से
D. मुख्यमंत्री की अनुशंसा से

61. यदि कोई विधेयक विधान सभा में विचाराधीन हो और विधान सभा का विघटन हो जाए तो:
A. वह विधेयक अगली विधान सभा में पुन: प्रस्तुत किया जा सकेगा
B. वह विधेयक समाप्त हो जाएगा
C. वह विधेयक स्वत: स्वीकृत हो जाएगा
D. उपर्युक्त में से कोई नहीं

62. चुनाव आयोग किस धारा के अन्तर्गत व्यावहारिक परन्तु नियत एक सदस्यीय राजधानी चुनाव क्षेत्रों का निर्धारण एवं वितरण करेगा?
A. धारा-3 B. धारा-24
C. धारा-324 D. उपर्युक्त में से कोई नहीं

63. विधान सभा के एक सत्र (अन्तिम दिन) से दूसरे सत्र (प्रथम दिन) के बीच की अवधि अधिकतम कितने दिनों की होती है?
A. 3 माह B. 4 माह
C. 5 माह D. 6 माह

64. दिल्ली की लगभग कितनी प्रतिशत आबादी कृषि कार्य में लगी हुई है?
A. 30 प्रतिशत B. 40 प्रतिशत
C. 50 प्रतिशत D. 60 प्रतिशत

65. दिल्ली की भौगोलिक स्थिति है?
A. उत्तर में 25º-24'-18" से 30º-53'-00" तक एवं पूर्व में 76º-50'-30" से 77º-20'-37" तक
B. उत्तर में 28º-22' से 28º-54' तक एवं पूर्व में 76º-48' से 77º-23' तक
C. उत्तर में 35º-27'-20" से 30º-56'-11" तक एवं पूर्व में 76º-50'-30" से 80º-21'-40" तक
D. उत्तर में 42º-26'-31" से 32º-28'-16" तक एवं पूर्व में 80º-56'-27" से 42º-27'-36" तक

66. दिल्ली की भौगोलिक सीमा किससे जुड़ी है?
A. उत्तर तथा पश्चिम में हरियाणा, दक्षिण में पंजाब एवं पूर्व में उत्तर प्रदेश
B. उत्तर, पश्चिम तथा दक्षिण में हरियाणा एवं पूर्व में उत्तर प्रदेश
C. उत्तर, पश्चिम तथा दक्षिण में हरियाणा एवं पूर्व में उत्तराखंड
D. उत्तर, पश्चिम में पंजाब, दक्षिण में हरियाणा तथा पूर्व में उत्तर प्रदेश से

67. दिल्ली की लम्बाई (पूर्व से पश्चिम की ओर) कितनी है?
A. 40.21 किमी. B. 45.00 किमी.
C. 51.90 किमी. D. 60.57 किमी.

68. दिल्ली की चौड़ाई (उत्तर से दक्षिण की ओर) कितनी है?
A. 36.36 किमी. B. 40.40 किमी.
C. 45.45 किमी. D. 48.48 किमी.

69. दिल्ली का राजकीय पक्षी क्या है?
A. मोर B. कोयल
C. तोता D. गौरैया

70. सन् 2011 की जनगणना के अनुसार दिल्ली में 0-6 आयु समूह की जनसंख्या कितनी है?
A. 20,12,454 B. 15,45,680
C. 13,01,218 D. 12,05,780

71. सन् 2011 की जनगणना के अनुसार दिल्ली की नगरीय जनसंख्या कितनी है?
A. 1,07,68,545 B. 16,368,899
C. 87,65,877 D. 1,17,41,565

72. दिल्ली के विकास के लिए सर्वप्रथम 'मास्टर प्लान' किस वर्ष तैयार किया गया था?
A. 1959 में B. 1960 में
C. 1961 में D. 1962 में

73. दिल्ली में रिंग रेल सेवा की शुरूआत कब की गई थी?
A. 1981 में B. 1985 में
C. 1983 में D. 1982 में

74. नई दिल्ली स्थित अम्बेडकर स्टेडियम में कौन-सा खेल खेला जाता है?
A. क्रिकेट B. फुटबाल
C. टेनिस D. हॉकी

75. दिल्ली के किस जिले में अनुसूचित जाति की सर्वाधिक जनसंख्या रहती है?
A. पश्चिम B. दक्षिण
C. उत्तर-पश्चिम D. उत्तर-पूर्व

76. सन् 2011 की जनगणना के अनुसार दिल्ली की ग्रामीण महिला जनसंख्या कितनी है ?

A. 4,01,886 B. 5,42,663
C. 1,92,721 D. 5,29,996

77. सन् 2011 की जनगणना के अनुसार दिल्ली का जनसंख्या घनत्व है :

A. 8,294 B. 7,835
C. 9,742 D. 11,320

78. सन् 2011 की जनगणना के अनुसार दिल्ली की दशकीय जनसंख्या वृद्धि (2001-2011) कितनी है ?

A. 21.2 प्रतिशत B. 48.27 प्रतिशत
C. 50.38 प्रतिशत D. 52.64 प्रतिशत

79. दिल्ली की राज्य भाषा क्या है ?

A. अंग्रेजी B. उर्दू
C. पंजाबी D. हिन्दी

80. सन् 2011 की जनगणना के अनुसार दिल्ली की साक्षरता क्या है ?

A. 78.45 प्रतिशत B. 86.2 प्रतिशत
C. 76.46 प्रतिशत D. 75.38 प्रतिशत

81. सन् 2011 की जनगणना के अनुसार दिल्ली की पुरुष साक्षरता क्या है ?

A. 83.45 प्रतिशत B. 85.68 प्रतिशत
C. 90.9 प्रतिशत D. 94.45 प्रतिशत

82. सन् 2011 की जनगणना के अनुसार दिल्ली की महिला साक्षरता क्या है ?

A. 84.28 प्रतिशत B. 79.39 प्रतिशत
C. 77.34 प्रतिशत D. 80.8 प्रतिशत

83. चुनाव आयोग किस धारा के अन्तर्गत विधान सभा चुनाव क्षेत्रों के निर्धारण के पश्चात जितना जल्दी हो सके, विधान सभा के गठन हेतु आम चुनाव कराएगा।

A. धारा-38 B. धारा-37
C. धारा-36 D. धारा-34

84. वह निश्चित अवधि, जिसके अन्तर्गत यदि कोई मंत्री विधान सभा का सदस्य नहीं बनता है तो उस अवधि की समाप्ति पर उसका मंत्री पद निरस्त हो जाएगा ?

A. 4 माह B. 6 माह
C. 8 माह D. 12 माह

85. वह संवैधानिक अनुच्छेद जिसके आधार पर राष्ट्रपति द्वारा राज्य में आपातकाल की घोषणा कर विधान सभा को भंग किया जा सकता है तथा उसकी अवधि एक बार में 6 माह से कम तथा 1 वर्ष से अधिक नहीं होगी—

A. अनुच्छेद 324 की धारा (2)
B. अनुच्छेद 345 की धारा (1)
C. अनुच्छेद 352 की धारा (1)
D. अनुच्छेद 368 की धारा (4)

86. सन् 2011 की जनगणना के अनुसार दिल्ली में लिंग अनुपात कितना है ?

A. 800 B. 811
C. 815 D. 868

87. दिल्ली में कितने जिले हैं ?

A. 4 B. 5
C. 7 D. 11

88. दिल्ली का पहला अखबार 'दिल्ली अखबार' जो कि 1836 में प्रकाशित हुआ था, किस भाषा का अखबार था ?

A. उर्दू B. हिन्दी
C. पंजाबी D. अंग्रेजी

89. दिल्ली का पहला अंग्रेजी अखबार कौन सा था ?

A. द स्टेट्समैन B. डेलही मेल
C. टाइम्स ऑफ इण्डिया D. द हिन्दुस्तान टाइम्स

90. दिल्ली से रेडियो प्रसारण किस सन् में प्रारम्भ हुआ ?

A. 1925 B. 1930
C. 1932 D. 1936

91. दिल्ली में दूरदर्शन का पहला प्रसारण किस सन् में प्रारभ हुआ ?

A. 1950 B. 1955
C. 1959 D. 1962

92. किस वर्ष से दिल्ली का एक पृथक उच्च न्यायालय अस्तित्व में आया ?

A. 1955 से B. 1959 से
C. 1966 से D. 1975 से

93. रिजर्व बैंक ऑफ इंडिया की स्थापना कब हुई ?

A. 1 अप्रैल, 1920 B. 1 अप्रैल, 1925
C. 1 अप्रैल, 1930 D. 1 अप्रैल, 1935

94. दिल्ली में गांवों की संख्या कितनी है ?

A. 112 B. 180
C. 170 D. 150

95. मदरसा हौजखास का निर्माण किसने करवाया था ?

A. जलालुद्दीन खिलजी B. अलाउद्दीन खिलजी
C. सिकंदर लोदी D. फिरोज तुगलक

96. चोर मीनार का निर्माण किसने करवाया था ?

A. गयासुद्दीन तुगलक B. फिरोज तुगलक
C. जलालुद्दीन खिलजी D. अलाउद्दीन खिलजी

97. खैरूल मंजिल मस्जिद का निर्माण किसके शासन काल में हुआ था ?

A. अकबर B. जहांगीर
C. शाहजहां D. औरंगजेब

98. सीरी स्थित अलाउद्दीन के खूबसूरत महल का नाम है :

A. कसरे-हजर-सतन B. लाल महल
C. महल-ए-सौगात D. दरवाजे-हिन्द

99. दिल्ली स्थित लाल किले में मोती मस्जिद का निर्माता है :

A. शाहजहां B. जहांआरा
C. औरंगजेब D. जीनत महल

100. दाराशिकोह ने हिन्दू एवं मुस्लिम धर्म की तुलना करते हुए किस पुस्तक की रचना की?

A. मजमा-ए-बहराइन B. सिर-ए-अकबर
C. फरिश्ता-ए-बहराइन D. उपर्युक्त में से कोई नहीं

101. दिल्ली में विधानसभा चुनाव-2025 में किस पार्टी को जीत हासिल हुई?

A. भाजपा B. सपा
C. आप D. कांग्रेस

102. दिल्ली की साक्षरता दर कितने प्रतिशत है?

A. 96.34 B. 86.2
C. 59.24 D. 68.69

103. महाभारत महाकाव्य में पृथ्वी का स्वर्ग किसे कहा गया है?

A. दिल्ली B. हस्तिनापुर
C. अंगदेश D. कुरुक्षेत्र

104. चौहान वंश की नींव किसने डाली?

A. पृथ्वीराज B. विग्रहराज
C. दिल्लू D. अनंगपाल

105. लालकोट किले का निर्माण किसने किया?

A. पृथ्वीराज B. अनंगपाल
C. दिल्लू D. इनमें से कोई नहीं

106. चौहान वंश के किस शासक को राय पिथौरा कहा गया है?

A. पृथ्वीराज चौहान B. विग्रहराज
C. दिल्लू D. इनमें से कोई नहीं

107. स्वतन्त्रता-प्राप्ति के बाद भारत सरकार ने दिल्ली के लिए विशेष दर्जा की आवश्यकता तथा उससे जुड़ी समस्याओं पर विचार के लिए किसकी अध्यक्षता में समिति का गठन किया?

A. डॉ. राजेन्द्र प्रसाद B. डॉ. पट्टाभि सीतारमैय्या
C. डॉ. राधाकृष्णन D. इनमें से कोई नहीं

108. राज्यों के पुनर्गठन आयोग की स्थापना कब हुई?

A. दिसम्बर, 1953 B. जनवरी, 1950
C. दिसम्बर, 1948 D. अगस्त, 1952

109. दिल्ली को केन्द्र प्रशासित क्षेत्र कब बनाया गया?

A. नवम्बर, 1950 B. अक्टूबर, 1969
C. नवम्बर, 1956 D. नवम्बर, 1952

110. भारत सरकार ने सरकारिया आयोग कब गठित किया?

A. 24 दिसम्बर, 1957 B. 26 जनवरी, 1950
C. 28 दिसम्बर, 1995 D. 9 जुलाई, 1969

111. दिल्ली सरकार का प्रमुख होता है :

A. ले. गवर्नर B. राष्ट्रपति
C. मुख्यमंत्री D. इनमें से कोई नहीं

112. किस शासक द्वारा स्थापित शासन को दिल्ली सल्तनत कहा जाता है?

A. मुहम्मद बिन तुगलक B. मुहम्मद गोरी
C. महमूद गजनी D. शेरशाह सूरी

113. किस अनुच्छेद का उपयोग कर आपातकाल की घोषणा कर देने पर विधानसभा भंग हो जाती है?

A. अनुच्छेद 370 B. अनुच्छेद 335
C. अनुच्छेद 352 D. इनमें से कोई नहीं

114. दिल्ली नगर निगम में महिलाओं के लिए कितने प्रतिशत सीटें आरक्षित कर दी गई हैं?

A. 50 प्रतिशत B. 33 प्रतिशत
C. 10 प्रतिशत D. 15 प्रतिशत

115. प्रशासनिक सुविधा के लिए दिल्ली नगर निगम को कितने जोन में बाँटा गया है?

A. 12 B. 15
C. 3 D. 7

116. दिल्ली नगर निगम के प्रादेशिक क्षेत्राधिकार से बाहर किसे रखा गया है?

A. दिल्ली कैन्टोनमेंट बोर्ड B. दिल्ली परिवहन निगम
C. दिल्ली जल बोर्ड D. उपरोक्त में से कोई नहीं

117. दिल्ली विकास प्राधिकरण का पदेन अध्यक्ष कौन होता है?

A. मुख्यमंत्री B. गृहमंत्री भारत सरकार
C. ले. गवर्नर D. राष्ट्रपति

118. राष्ट्रीय राजधानी क्षेत्र योजना बोर्ड का पदेन अध्यक्ष कौन होता है?

A. मुख्यमंत्री B. ले. गवर्नर
C. गृहमंत्री D. शहरी विकास मंत्री

119. पुलिस एक्ट कब लागू किया गया?

A. 1978 B. 1989
C. 1991 D. 2001

120. दिल्ली का पहला कोतवाल (सन् 1237) किसे माना जाता है?

A. अबुल फजल B. मलिकुल उमर फकरुद्दीन
C. बलबन D. इनमें से कोई नहीं

121. शाहजहाँ के शासनकाल में दिल्ली का राज्यपाल कौन था?

A. गजनफर खान B. अफजल खान
C. जयसिंह D. मान सिंह

122. दिल्ली में कोतवाल परम्परा का अंत कब हुआ?

A. 1860 B. 1857
C. 1890 D. 1905

123. दिल्ली में किस समिति की अनुशंसाओं पर पुलिस कर्मियों की संख्या बढ़ाकर 76,000 कर दी गई थी?

A. श्रीवास्तव समिति B. सच्चर समिति
C. केलकर समिति D. रंगराजन समिति

124. शाहजहाँ ने अपनी राजधानी को आगरा से दिल्ली ले जाने का निर्णय कब किया?

A. सन् 1618 B. सन् 1639
C. सन् 1630 D. सन् 1625

125. लाल किले को यूनेस्को द्वारा विश्व धरोहर कब घोषित किया गया?
A. 28 जून, 2007 B. 15 जुलाई, 2004
C. 19 अगस्त, 2001 D. 28 जून, 2009

126. लाल पत्थरों से बने लाल किले के निर्माण के लिए किन दो नामी कारीगरों की सहायता ली गई?
A. भवानी सिंह एवं सैयद खाँ
B. उस्ताद हमीद एवं उस्ताद अहमद
C. उमर अहमद एवं इज्जत खाँ
D. इनमें से कोई नहीं

127. शाहजहाँ के शासन काल में लाल किले को किस नाम से जाना जाता था?
A. उर्दू-इ-मुअल्ला B. किला-इ-मुअल्ला
C. किला-ए-मुबारक D. इनमें से कोई नहीं

128. हुमायूँ के मकबरे का निर्माण किसने करवाया था?
A. हाजी बेगम B. हमीदा बानो
C. जीनत महल D. मुमताज महल

129. एक मान्यता के अनुसार, खांडव प्रदेश को किस राजा ने बसाया था?
A. चंद्रवंशी राजा सुदर्शन ने B. पांडवों ने
C. कौरवों ने D. उपरोक्त में कोई नहीं

130. दिल्ली में सीरी शहर की स्थापना किसने की?
A. शेरशाह सूरी B. मुहम्मद तुगलक
C. अलाउद्दीन खिलजी D. इनमें से कोई नहीं

131. किस मकबरा के गुम्बद के ऊपर हिन्दू मंदिर के समान कलश बना हुआ है?
A. हुमायूँ का मकबरा
B. अकबर का मकबरा
C. गियासुद्दीन तुगलक का मकबरा
D. अल्तमश का मकबरा

132. दाराशिकोह द्वारा लिखी गई महत्वपूर्ण पुस्तक का क्या नाम था?
A. महाभारत B. मजमा-उल-बहराइन
C. मजमा-उल-उपनिषद D. उपरोक्त में से कोई नहीं

133. दिल्ली में जंतर-मंतर का निर्माण किस राजा ने करवाया था?
A. सवाई मान सिंह B. सवाई जयसिंह
C. राणा प्रताप सिंह D. बीरबल

134. महात्मा गाँधी का अंतिम संस्कार कहाँ हुआ था?
A. राजघाट B. निगम बोध घाट
C. विजय घाट D. समता स्थल

135. शांति वन किसका समाधि स्थल है?
A. बाबू जगजीवन राम B. राजीव गाँधी
C. पं. जवाहरलाल नेहरू D. श्रीमती इंदिरा गाँधी

136. लोट्स टेम्पल (कमल मंदिर) किस धर्मावलम्बियों का पूजा स्थल है?
A. पारसी B. बहाई
C. यहूदी D. बौद्ध

137. पुराने संसद भवन का डिजाइन किसने तैयार किया था?
A. लुटियन एवं बैकर ने
B. लॉर्ड रिपन एवं वेलेजली ने
C. लॉर्ड विलियम बैंटिक एवं राजा राममोहन राय ने
D. उपरोक्त में से कोई नहीं

138. राष्ट्रपति भवन में सबसे पहले किस वायसराय का निवास स्थान था?
A. लॉर्ड डलहौजी B. लॉर्ड वेलेजली
C. लॉर्ड इरविन D. लॉर्ड चेम्सफोर्ड

139. इंडिया गेट की डिजाइन किसने तैयार की थी?
A. ल्यूटियन B. लॉर्ड डलहौजी
C. लॉर्ड रिपन D. लॉर्ड वेलेजली

140. इंडिया गेट का नाम सबसे पहले क्या था?
A. ऑल इंडिया वार मेमोरियल
B. शहीद स्मृति स्थल
C. क्रांतिकारी स्थल
D. उपरोक्त में से कोई नहीं

141. तीन मूर्तियों का निर्माण ब्रिटेन के प्रसिद्ध मूर्तिकार लियोनार्ड जेनिंग ने कब किया?
A. 1930 B. 1926
C. 1922 D. 1931

142. इंग्लैंड की रानी विक्टोरिया को 'भारत की महारानी' की उपाधि कब दी गई थी?
A. 1857 B. 1600
C. 1930 D. 1911

143. पूर्व प्रधानमंत्री लाल बहादुर शास्त्री के स्मारक का नाम है–
A. शक्ति स्थल B. शांति वन
C. विजय घाट D. किसान घाट

144. दिल्ली स्थित कालका मंदिर किस देवी को समर्पित है?
A. दुर्गा माता B. काली देवी
C. संतोषी माता D. सरस्वती माता

145. दिल्ली के दिगम्बर जैन मंदिर का निर्माण कब हुआ?
A. 1012 B. 1501
C. 1526 D. 1761

146. किस मंदिर को गिनीज बुक ऑफ वर्ल्ड रिकॉर्ड में दुनिया के सबसे बड़े मंदिर के रूप में दर्ज किया गया है?
A. स्वामी नारायण अक्षरधाम मंदिर
B. कालका मंदिर
C. श्री राधा पारसार्थी मंदिर
D. बिरला मंदिर

147. जामा मस्जिद का दूसरा नाम क्या है?
A. मस्जिद-ए-जहाँनुमा B. सुनहरी मस्जिद
C. जामी मस्जिद D. मस्जिद मोठ

148. बाबा बघेल सिंह म्यूजियम किस गुरुद्वारे में है?
A. गुरुद्वारा शीशगंज B. बंगला साहिब
C. गुरुद्वारा रकाबगंज D. माता सुंदरी गुरुद्वारा

149. सेंट स्टीफेंस चर्च का निर्माण कब हुआ?
A. 1857 B. 1942
C. 1600 D. 1761

150. 'वीर भूमि' किसका समाधि स्थल है?
A. इंदिरा गांधी B. महात्मा गांधी
C. राजीव गांधी D. उपरोक्त में से कोई नहीं

151. दिल्ली में संक्रमित एवं रोगी वृक्षों का इलाज किसके द्वारा किया जाता है?
A. ट्री एंबुलेंस B. वृक्षारोपण विधि द्वारा
C. साधारण एंबुलेंस D. उपरोक्त में से कोई नहीं

152. भारतीय डेरी निगम द्वारा स्थापित किया गया एक प्रतिष्ठान है:
A. दिल्ली दुग्ध योजना B. मदर डेयरी
C. पराग दूध D. उपरोक्त में से कोई नहीं

153. नादिरशाह का आक्रमण कब हुआ?
A. 1761 B. 1739
C. 1707 D. 1720

154. वंदेमातरम नाम से समाचार पत्र किसने निकाला था?
A. लाला लाजपत राय B. स्वामी दयानन्द
C. बाल गंगाधर तिलक D. पं. मोतीलाल नेहरू

155. 'द हिन्दुस्तान टाइम्स' का प्रकाशन कब शुरू हुआ?
A. 1924 B. 1930
C. 1942 D. 1950

156. सबसे बड़ी समाचार एजेन्सी है :
A. इंडिया प्रेस एजेन्सी B. यू.एन.आई.
C. प्रेस ट्रस्ट ऑफ इंडिया D. उपरोक्त में से कोई नहीं

157. दिल्ली स्टेशन ऑल इंडिया रेडियो की प्रसारण सेवा का विस्तार तेजी से कब शुरू हुआ?
A. द्वितीय विश्वयुद्ध के समय
B. स्वतन्त्रता संग्राम आंदोलन के समय
C. प्रथम विश्व युद्ध के समय
D. स्वतन्त्रता प्राप्ति के समय

158. दिल्ली में प्रधानमंत्री संग्रहालय कहाँ स्थित है?
A. लाल किला परिसर में B. तीन मूर्ति भवन परिसर में
C. संसद भवन परिसर में D. इनमें से कोई नहीं

159. दिल्ली परिवहन निगम (DTC) का गठन कब किया गया?
A. 1971 B. 1981
C. 1961 D. 1950

160. जी.टी.रोड को पहले क्या कहा जाता था?
A. शेरशाह सूरी रोड B. रिंग रोड
C. बाबा खड़क सिंह मार्ग D. वंदेमातरम मार्ग

161. दिल्ली वर्तमान में भारतीय रेल के किस जोन में स्थित है?
A. पूर्वी B. पश्चिमी
C. दक्षिणी D. उत्तरी

162. दिल्ली मेट्रो रेल कॉरपोरेशन (DMRC) का गठन किसके तहत किया गया?
A. भारतीय कम्पनी एक्ट, 1956
B. भारतीय कम्पनी एक्ट, 1950
C. भारतीय कम्पनी एक्ट, 1970
D. भारतीय कम्पनी एक्ट, 1932

163. सफदरजंग हवाई अड्डे का नाम पहले क्या था?
A. डलहौजी हवाई अड्डा B. विलिंगटन हवाई अड्डा
C. नेहरू हवाई अड्डा D. महात्मा गाँधी हवाई अड्डा

164. अल्तमश ने सबसे पहले एक मदरसा स्थापित किया, उसका नाम था :
A. मदरसा-ए-पैगाम B. मदरसा-ई-मुज्जी
C. मदरसा-ए-हिन्द D. उपरोक्त में से कोई नहीं

165. दिल्ली की जलवायु किस प्रकार की है?
A. शीतोष्ण प्रकार की B. ग्रीष्मोष्ण प्रकार की
C. आर्द्रता भरी D. इनमें से कोई नहीं

166. दिल्ली की दशकीय जनसंख्या वृद्धि दर है:
A. 10.56% B. 15.25%
C. 21.2% D. 31.56%

167. संविधान संशोधन अधिनियम (74वाँ संशोधन) के अंतर्गत दिल्ली को राष्ट्रीय राजधानी का दर्जा कब दिया गया?
A. 1980 B. 1991
C. 1999 D. 2004

168. दिल्ली महाविद्यालय की स्थापना कब हुई थी?
A. 1792 B. 1876
C. 1921 D. 1929

169. 'एकता स्थल' किस नेता के समाधि स्थल का नाम है?
A. इंदिरा गांधी B. राजीव गांधी
C. महात्मा गांधी D. ज्ञानी जैल सिंह

170. दिल्ली में हवाई यात्रा की शुरूआत कब हुई थी?
A. 8 जनवरी, 1927 B. 2 अक्टूबर, 1869
C. 30 जनवरी, 1931 D. 15 अगस्त, 1947

171. दक्षिणी दिल्ली की वर्तमान साक्षरता दर कितनी है?
A. 87.03% B. 69.75%
C. 96.81% D. 81.35%

172. धार्मिक आधार पर दिल्ली में हिन्दुओं की जनसंख्या कितनी है?
A. 91% B. 98%
C. 81.7% D. 90%

173. दिल्ली में सबसे कम जनसंख्या किस धर्मावलम्बियों की है?
A. बौद्ध B. जैन
C. सिख D. ईसाई

174. भारतीय उद्योग विकास बैंक की स्थापना कब की गई थी?
A. 1975 B. 1964
C. 1947 D. 1950

175. रिजर्व बैंक ऑफ इंडिया की स्थापना कब की गई थी?
A. 1935 B. 1911
C. 1942 D. 1950

176. दिल्ली में राज्यसभा सदस्यों की संख्या है:
A. 2 B. 3
C. 4 D. 5

177. दिल्ली में मेट्रो रेल का परिचालन कब शुरू हुआ?
A. 2002 B. 2003
C. 2004 D. 2005

178. दिल्ली महाविद्यालय की स्थापना सर्वप्रथम किस रूप में हुई?
A. मदरसा गाजीउद्दीन B. मदरसा रसीयुद्दीन
C. गोपीनाथ स्कूल D. इनमें से कोई नहीं

179. दिल्ली में महिलाओं की साक्षरता दर कितनी है?
A. 60.93% B. 78.12%
C. 90.39% D. 80.8%

180. थॉमस मेटकॉफ नामक अंग्रेज ने एक महल बनवाया था, उसका नाम था :
A. दिलखुशा B. दिलरुबा
C. दिलनुमा D. कुछ नहीं

181. हकीका नामक धार्मिक संस्कार किस धर्म में होता है?
A. पारसी B. बहाई
C. मुस्लिम D. क्रिश्चियन

182. तेरहवीं का आयोजन किस धर्म में होता है?
A. हिन्दू B. मुसलमान
C. ईसाई D. पारसी

183. किसके बिना दिल्ली के त्योहारों का वर्णन अधूरा है?
A. फूलवालों की सैर B. बैशाखी
C. होली D. दीपावली

184. फूलवालों की सैर की शुरूआत कब की गई थी?
A. 12वीं शताब्दी में B. 18वीं शताब्दी में
C. 19वीं शताब्दी में D. 17वीं शताब्दी में

185. फूलवालों की सैर के अवसर पर हिन्दुओं ने किस मंदिर में फूल चढ़ाए थे?
A. योगमाया मंदिर B. बिरला मंदिर
C. योद्धाबाई मंदिर D. जैन मंदिर

186. नाच एवं गाने के मध्य स्टेज पर खेला जाने वाला कौन-सा नाटक है?
A. स्वांग B. नौटंकी
C. गरबा D. भांगड़ा

187. दिल्ली उच्च न्यायालय की स्थापना कब की गई?
A. 1966 B. 1972
C. 1950 D. 1954

188. निम्न में से कौन दिल्ली का मुख्यमंत्री नहीं रहा है?
A. सुषमा स्वराज B. शीला दीक्षित
C. साहिब सिंह वर्मा D. राम बाबू शर्मा

189. बैंकों का बैंक किसे कहा जाता है?
A. रिजर्व बैंक ऑफ इंडिया B. भारतीय स्टेट बैंक
C. इंडियन बैंक D. इंडियन ओवरसीज बैंक

190. रिजर्व बैंक ऑफ इंडिया का राष्ट्रीयकरण कब हुआ?
A. 5 जून, 1950 B. 26 जनवरी, 1950
C. 1 जनवरी, 1949 D. 5 नवम्बर, 1947

191. नया संसद भवन किस वर्ष राष्ट्र को समर्पित किया गया?
A. 2021 B. 2022
C. 2023 D. 2024

192. दिल्ली में राष्ट्रपति भवन में स्थित मुगल गार्डन का नाम बदलकर क्या रख दिया गया है?
A. अमृत उद्यान B. स्वर्ण उद्यान
C. वसंत उद्यान D. गुलाब उद्यान

193. कनॉट प्लेस की नींव किसने रखी?
A. लुटियन B. रॉबर्ट टोर रसेल
C. रॉबर्ट क्लाइव D. लॉर्ड डलहौजी

194. कनॉट प्लेस में कुल ब्लॉकों में लगे खंभों की संख्या कितनी है?
A. 1815 B. 1706
C. 1743 D. 1000

195. कनॉट प्लेस के प्रतिदिन शॉपिंग एवं घूमने के लिए आने वाले लोगों की संख्या है :
A. 3 लाख से ज्यादा B. डेढ़ लाख से ज्यादा
C. 50 हजार से ज्यादा D. 10 हजार से ज्यादा

196. संतुष्टि शॉपिंग आर्केड कहाँ स्थित है?
A. चाणक्यपुरी B. कनॉट प्लेस
C. नेहरू प्लेस D. नेताजी सुभाष प्लेस

197. संतुष्टि शॉपिंग आर्केड क्यों प्रसिद्ध है?
A. अत्याधुनिक पोशाकों के लिए
B. सोने-चाँदी आभूषणों के लिए
C. कारों के लिए
D. काष्ठ कला कारीगरी के लिए

198. अशोक होटल कहाँ है?
A. नेहरू प्लेस B. चाणक्यपुरी
C. कनॉट प्लेस D. विकास पुरी

199. दिल्ली के किस मुख्यमंत्री ने यहाँ 'ट्री एंबुलेंस' की शुरुआत की?
A. अरविंद केजरीवाल B. शीला दीक्षित
C. सुषमा स्वराज D. मदन लाल खुराना

200. दिल्ली का वित्त वर्ष 2025-26 का कुल बजट कितना है?
A. ₹ 1,00,000 करोड़ B. ₹ 90,250 करोड़
C. ₹ 40,150 करोड़ D. ₹ 55,225 करोड़

201. निम्न में से कौन दिल्ली का मुख्यमंत्री नहीं रहा?
A. डॉ. हर्षवर्धन B. सुषमा स्वराज
C. शीला दीक्षित D. मदन लाल खुराना

202. दिल्ली सभी जिला अदालतों में ई-कोर्ट व्यवस्था लागू कर देश का कौन-सा राज्य बन गया है?
A. पहला B. दूसरा
C. तीसरा D. चौथा

203. दिल्ली में दिसम्बर 2022 में हुए नगर निगम चुनावों में किस पार्टी ने भारी सफलता हासिल की है?
A. भाजपा B. आप
C. कांग्रेस D. सपा

204. भू-आकृति की दृष्टि से दिल्ली को कितने भागों में बाँटा जा सकता है?
A. 3 B. 4
C. 2 D. 5

205. इंदिरा गाँधी यूनिवर्सिटी ऑफ हेल्थ साइंसेस की स्थापना कहाँ करने का प्रस्ताव है?
A. नेहरू प्लेस B. शकरपुर
C. द्वारका D. नेताजी सुभाष प्लेस

206. इंदिरा गाँधी यूनिवर्सिटी ऑफ हेल्थ साइंसेज में दिल्ली के विद्यार्थियों के लिए कितनी प्रतिशत सीटें आरक्षित की गई हैं?
A. 20% B. 27%
C. 50% D. 85%

207. दिल्ली में किस जिले में हरित क्षेत्रफल सबसे कम है?
A. पूर्व दिल्ली B. मध्य दिल्ली
C. उत्तर दिल्ली D. पश्चिम दिल्ली

208. दिल्ली में विधानसभा सीटों की संख्या कितनी है?
A. 70 B. 65
C. 75 D. 80

209. दिल्ली के किस जिले में हरित क्षेत्रफल सर्वाधिक है?
A. पूर्व दिल्ली B. नई दिल्ली
C. उत्तर दिल्ली D. दक्षिण दिल्ली

210. कॉमन मोबिलिटी कार्ड का क्या नाम है?
A. मोर B. रिलाएंस
C. ATM D. क्रेडिट

211. गौरैया को किस सोसाइटी ने दिल्ली सरकार से औपचारिक रूप से राज्य पक्षी घोषित करने की सिफारिश की थी?
A. नेचर फॉरएवर सोसाइटी B. पीस सोसाइटी
C. नेचर ग्रामीण सोसाइटी D. इनमें से कोई नहीं

212. दिल्ली के किस जिले का क्षेत्रफल सर्वाधिक है?
A. उत्तर B. उत्तर-पश्चिम
C. पूर्व D. मध्य

213. प्रस्तावित मोनो रेल का पहला रूट कहाँ बनाने का फैसला लिया गया है?
A. शाहदरा से रिठाला के बीच
B. शास्त्री पार्क से त्रिलोकपुरी के बीच
C. राजीव चौक से यमुना बैंक के बीच
D. प्रगति मैदान से दरियागंज

214. लाल किले में 'घूंघट की दीवार' का निर्माण किसने करवाया था?
A. औरंगजेब B. शाहजंहा
C. मुहम्मदशाह D. अहमदशाह

215. दिल्ली में नए संसद भवन का उद्घाटन किस वर्ष किया गया?
A. 2023 में B. 2022 में
C. 2021 में D. 2020 में

216. दिल्ली में कुल सब डिवीजनों की संख्या है?
A. 25 B. 29
C. 33 D. 47

217. दिल्ली में हवाई अड्डों की कुल संख्या है :
A. 5 B. 3
C. 2 D. 1

218. लाख बख्श किसे कहा जाता है?
A. बलबन B. अकबर
C. कुतुबुद्दीन ऐबक D. शाहजहाँ

219. तराइन का दूसरा युद्ध कब हुआ?
A. 1191 B. 1192
C. 1526 D. 1456

220. दिल्ली की गद्दी पर बैठने वाली एकमात्र महिला शासक थी:
A. रजिया सुल्तान B. जहाँआरा
C. रानी दुर्गावती D. रानी पद्मिनी

221. रक्त और तलवार की नीति किस शासक की थी?
A. बलबन B. शेरशाह सूरी
C. पृथ्वीराज चौहान D. अकबर

222. गुलाम वंश का अंतिम शासक कौन था?
A. कैकुवाद B. खुसरब खाँ
C. नसीरुद्दीन D. बलबन

223. दिल्ली का जहाँपनाह शहर किसने बसाया?
A. बलबन B. शेरशाह सूरी
C. मुहम्मद तुगलक D. अलाउद्दीन खिलजी

224. तैमूर लंग का आक्रमण दिल्ली पर कब हुआ?
A. 1398 B. 1526
C. 1456 D. 1206

225. दीन-पनाह नगर की नींव किसने डाली?

A. अकबर B. बाबर

C. हुमायूँ D. इनमें से कोई नहीं

226. लोदी वंश का संस्थापक कौन था?

A. बहलोल लोदी B. सिकंदर लोदी

C. इब्राहिम लोदी D. तैमूर लंग

227. विक्रमादित्य की उपाधि किस शासक ने धारण की?

A. हेमू B. हरिहर

C. शाहजी D. राणा संग्राम सिंह

228. अकबरनामा नामक पुस्तक किसने लिखी?

A. तानसेन B. अबुल फजल

C. हकीम हुमाम D. फैजी

229. दीन-ए-इलाही धर्म की घोषणा किसने की?

A. अकबर B. बाबर

C. हुमायूँ D. जहाँगीर

230. किस मुगल शासक ने यंगून (रंगून) में अंतिम साँस ली?

A. बहादुर शाह जफर B. दारा शिकोह

C. अकबर द्वितीय D. औरंगजेब

231. नई दिल्ली का निर्माण कार्य कब पूरा हुआ?

A. 1912 B. 1906

C. 1931 D. 1942

232. नई दिल्ली को किसकी दिल्ली कहा जाता है?

A. रिपन B. डलहौजी

C. ल्यूटियन D. वेलेजली

233. दो गज जमीं किसकी कविता है?

A. दारा शिकोह B. बहादुर शाह जफर

C. शाह आलम D. अकबर द्वितीय

234. भू-आकृतिक दृष्टि से दिल्ली को कितने भागों में बाँटा गया है?

A. 3 B. 4

C. 2 D. 5

235. दिल्ली के पूर्व में कौन-सा राज्य है?

A. उत्तर प्रदेश B. हरियाणा

C. राजस्थान D. उत्तराखण्ड

236. दिल्ली में औसत वर्षा कितनी होती है?

A. 467.1 मिमी. B. 275 मिमी.

C. 405.01 मिमी. D. 315.1 मिमी.

237. जब दिल्ली नगर अंग्रेजों के संरक्षण में था तो यह किसका हिस्सा था?

A. ब्रिटिश पंजाब B. ईस्ट इंडिया कम्पनी

C. मुगलों का D. मराठों का

238. सफदरजंग हवाई अड्डे का वास्तुकार कौन था?

A. लुटियन B. राबर्ट-टोर रसेल

C. हरबर्ट बेकर D. इंशा अल्ला खाँ

239. वर्तमान में विधान सभा की कितनी सीटें अनुसूचित जाति के लिए आरक्षित हैं?

A. 17 B. 25

C. 10 D. 12

240. किस समिति की अनुशंसाओं के आधार पर संसद ने 69वाँ संविधान संशोधन 1991 में पारित किया?

A. बालकृष्णन समिति B. सीतारमैय्या समिति

C. केलकर समिति D. उपरोक्त में से कोई नहीं

241. विधान सभा का अनिवार्य अंग है :

A. मुख्य न्यायाधीश B. ले. गवर्नर

C. गृहमंत्री भारत सरकार D. इनमें से कोई नहीं

242. दिल्ली नगर निगम का कितना प्रतिशत क्षेत्र कार्यरत है?

A. 80.24% B. 94.22%

C. 47.52% D. 78.62%

243. घंटाघर एवं टाउन हॉल किस वर्ष बनाए गए?

A. 1866 B. 1950

C. 1948 D. 1961

244. 1957 का दिल्ली नगर निगम अधिनियम LXVI संसद द्वारा कब लागू हुआ?

A. 28 दिसम्बर, 1957 B. 10 जनवरी, 1957

C. 28 सितंम्बर, 1957 D. 26 जनवरी, 1957

245. सन् 1958 में दिल्ली नगर निगम की स्थापना के समय कुल पार्षदों की संख्या थी:

A. 80 B. 90

C. 70 D. 50

246. किस जिले की जनसंख्या सर्वाधिक है?

A. उत्तर B. उत्तर-पूर्व

C. उत्तर-पश्चिम D. मध्य

247. किस कोतवाल को मीर-ए-आतिश भी सौंपा गया?

A. गजनफर खान को B. मालिकुल फकरुद्दीन को

C. फारुक शइयर को D. उपरोक्त में से कोई नहीं

248. पुलिस उपायुक्त को किस धारा के अधीन पेशेवर अपराधियों को दंड देने का अधिकार है?

A. धारा 25 एवं 26 B. धारा 47 एवं 48

C. धारा 51 एवं 52 D. धारा 79 एवं 80

249. मुगल बादशाह बहादुरशाह जफर को किसके साथ बंदी बनाकर रखा गया?

A. जीनतमहल के साथ B. रोशन आरा के साथ

C. जहाँआरा के साथ D. हुस्न बानो के साथ

250. दिल्ली में बने देश के पहले राष्ट्रीय युद्ध स्मारक को किस वर्ष राष्ट्र को समर्पित किया गया?

A. 2016 B. 2019

C. 2017 D. 2018

उत्तरमाला

1	2	3	4	5	6	7	8	9	10
A	B	C	D	A	B	C	B	C	A
11	12	13	14	15	16	17	18	19	20
D	C	B	D	A	D	A	D	B	B
21	22	23	24	25	26	27	28	29	30
C	D	A	C	A	C	D	A	B	C
31	32	33	34	35	36	37	38	39	40
D	A	D	C	B	A	B	C	D	A
41	42	43	44	45	46	47	48	49	50
C	B	D	A	D	D	A	B	C	D
51	52	53	54	55	56	57	58	59	60
A	B	C	D	A	B	D	B	B	C
61	62	63	64	65	66	67	68	69	70
B	A	D	A	B	B	C	D	D	A
71	72	73	74	75	76	77	78	79	80
B	C	D	B	C	C	D	A	D	B
81	82	83	84	85	86	87	88	89	90
C	D	A	B	C	D	D	A	B	D
91	92	93	94	95	96	97	98	99	100
C	C	D	A	B	D	A	A	C	A
101	102	103	104	105	106	107	108	109	110
A	B	A	A	B	A	B	A	C	A
111	112	113	114	115	116	117	118	119	120
A	B	C	A	A	A	C	D	A	B
121	122	123	124	125	126	127	128	129	130
A	B	A	B	A	B	A	B	A	C
131	132	133	134	135	136	137	138	139	140
C	B	B	A	C	B	A	C	A	A
141	142	143	144	145	146	147	148	149	150
C	A	C	B	C	A	A	B	A	C
151	152	153	154	155	156	157	158	159	160
A	B	B	A	A	C	A	B	A	A
161	162	163	164	165	166	167	168	169	170
D	A	B	B	A	C	B	A	D	A
171	172	173	174	175	176	177	178	179	180
A	C	A	B	A	B	A	A	D	A
181	182	183	184	185	186	187	188	189	190
C	A	A	C	A	A	A	D	A	C
191	192	193	194	195	196	197	198	199	200
C	A	B	C	B	A	A	B	B	A
201	202	203	204	205	206	207	208	209	210
A	A	B	A	C	D	A	A	D	A
211	212	213	214	215	216	217	218	219	220
A	B	B	A	A	C	B	C	B	A
221	222	223	224	225	226	227	228	229	230
A	A	C	A	C	A	A	B	A	A
231	232	233	234	235	236	237	238	239	240
C	C	B	A	A	A	A	B	D	A
241	242	243	244	245	246	247	248	249	250
B	B	A	A	A	C	A	B	A	B

★★★